2

国家出版基金项目
“十三五”国家重点出版物出版规划项目
安徽省文化强省建设专项资金项目

生活与命运

上

Жизнь и судьба

Первый том

［苏联］瓦西里·格罗斯曼◎著
力　冈◎译

安徽师范大学出版社
·芜湖·

图书在版编目(CIP)数据

生活与命运：全二册 / (苏) 瓦西里·格罗斯曼著；力冈译. — 芜湖：安徽师范大学出版社，2018.1

(力冈译文全集；11)

ISBN 978-7-5676-3289-9

Ⅰ. ①生… Ⅱ. ①瓦… ②力… Ⅲ. ①长篇小说－苏联 Ⅳ. ①I512.45

中国版本图书馆CIP数据核字(2017)第266847号

生活与命运（全二册） [苏联]瓦西里·格罗斯曼◎著 力 冈◎译

SHENGHUO YU MINGYUN

责任编辑：胡志立 薄 雪 辛新新

装帧设计：刘 畅 桑国磊

出版发行：安徽师范大学出版社

芜湖市九华南路189号安徽师范大学花津校区

网 址：http://www.ahnupress.com/

发 行 部：0553-3883578 5910327 5910310(传真)

印 刷：浙江新华数码印务有限公司

版 次：2018年1月第1版

印 次：2018年1月第1次印刷

规 格：880 mm × 1230 mm 1/32

印 张：35.625

字 数：833千字

书 号：ISBN 978-7-5676-3289-9

定 价：238.00元

力冈先生文学翻译的历史意义

——序《力冈译文全集》

刘文飞
中国俄罗斯文学研究会会长

在力冈先生诞辰91周年的今天，在力冈先生去世20年后的当下，在洋洋19卷23册的《力冈译文全集》面世的此刻，我们终于可以试着归纳一下他的文学翻译所具有的历史意义了。

一

力冈先生的文学翻译苦行僧形象是具有典型意义和感召力量的，这是中国老一辈俄苏文学翻译家留下的一个苍凉背影，也是他们为自己建起的一座“非人工的纪念碑”。翻译是一项苦差事，是需要坐冷板凳的，是一项付出和回报往往不成正比的工作，是一种注定要与孤独和寂寞为伴的工作。文学翻译至少需要出色地掌握两种语言，而好的外语或许能让人找到另外一种更为轻松、更有利可图的工作，好的翻译家若用其母语来进行创作，大约自己也能写出像样的文学作品来。可是，文学翻译似乎像电子游戏、像吸食鸦片一样是一种能让人上瘾的事情，一旦上手，一旦品味到其中的甘苦，往往便欲罢不能。始自玄奘的翻译姿态和翻译精神，似乎成了中国一代又一代译者的宿命，即专注和吃苦，苦修和执着。

力冈先生1926年生于山东乡间，自幼失去母亲，生活贫苦，到他上中学时，家乡被日寇占领，他流亡河南、甘肃、陕西等地。1950年，他考入哈尔滨外国语专门学校俄语专业，毕业后志愿来到安徽师范大学任教，不久就开始了文学翻译工作，陆续在报刊上发表一些短篇译作，至1956年，他的单行本译作《里雅希柯小说集》已由上海新文艺出版社推出。然而次年，他便在反右运动中蒙冤，被开除公职，押往新生耐火材料厂劳教。1960年7月，他因“劳动表现突出”被摘掉右派帽子，重返学校，他在教学之余立即重拾译笔，在短短数月间便译出苏联作家艾特马托夫的中篇小说《查密莉雅》，这篇译作在《世界文学》杂志1961年第10期刊出，引起轰动，“力冈”这一译家大名从此进入人们的视野。就在力冈先生准备大展宏图、施展拳脚的时候，“文化大革命”却突如其来，1968年，他再度被逐出校园，下放至宣城地区新田公社劳动改造，直到“文革”结束后的1978年方得以重返讲台，此时他已过天命之年，用他自己的话说就是：“噩梦醒来，已是人生的黄昏。”文学翻译需要天赋，但也是一种力气活，在对于一位翻译家而言的黄金时期，即30—50岁，力冈先生却两度蒙冤，两度再拾译笔，重新开始，这需要何等的勇气和坚韧！他两落三起的翻译经历，几乎就是20世纪五六十年代中国的俄苏文学翻译家们跌宕起伏的人生经历的缩影，就是那一时代中国知识分子命运的象征。令人惊讶的是，重返译坛的力冈先生以超乎常人的工作激情和翻译速度，在1978年后的20年间陆续出版20余部译著，平均每年一部，总字数达700余万。在20世纪80年代，最初几部译著的出版使力冈先生挣到了以当时标准看相当不菲的稿酬，甚至成为所谓“万元户”，但他似乎无暇也无意去享受自己的劳动成果，依然粗茶淡饭，素衣裹身，与此同时却以更大的热情继续译事，终日伏案，不懈地爬格子。1997年2月，力冈先生因肝癌病在芜湖弋矶山医院逝世，据家人说，他在生命的最后时刻仍在念叨着未译完的最后一部译作《罪与罚》。我们或许可以说，他是被文学翻译累死的；我们肯定可以说，文学翻译是他最为看重的毕生事业。

力冈先生少年时四处漂泊，中年时命运多舛，老年时病魔缠身，他的一生似乎都不是给最需要安宁和平静的翻译家所准备的；力冈先生的职业是教师，他偏居小城，又不善交际，这些似乎都不构成他迅速成长为一位全国著名翻译家的前提条件。但是，正如吴笛教授在他纪念力冈先生的文章中所言：“他的一生就是用出人意料的成就表现了悲怆的境界。面对种种意想不到的遭遇和不公，他并没有沉沦，也没有片面地记恨，而是在艰难的岁月中怀着对人性的憧憬，将厄运升华为创作的动力，在逆境中不忘呼唤人性和仁爱，将种种遭遇视为生命中的财富，在悲怆的境界中抒写诗意人生，毫不气馁地追求生命的意义，在自己所献身的俄罗斯文学翻译事业中，做出了杰出的贡献。”

普希金说过：“译者是文明的驿马。”笔者曾对此说法加以引申：“如果说广义的译者是文明的驿马，那么专事文学翻译的人士便是‘文学的驿马’了。凑巧的是，在汉语中，译者的‘译’和驿马的‘驿’不仅同音，而且在词源、词形和词义上也很相近，区别似乎仅在于后者为‘马儿’而前者是‘文人’（言者）。……用在驿站间往复奔波的马儿来形容译者，每个有过译事经验的人大约都能在这个比喻中品味出某种艰苦和辛酸，甚至是束缚和无奈。……既要有出众的能力还要有忍辱负重的秉性，日复一日的奔波只能换得微薄的粮草，还得时刻提防路途中遍布的坑洼和沼泽，能善此业者非驿马莫属也。”力冈先生就是这样一匹忍辱负重、砥砺前行的“文学的驿马”。力冈先生以他的作为告诉我们，文学翻译是一项可以托付终生的事业，是一种富有意义的存在方式；力冈先生及其文学翻译活动是一种燃烧生命的举动，一个与命运抗争的典范，同时是他的翻译意志奏出的一曲凯歌。

二

力冈先生是在中国改革开放的热潮中展开他最积极的翻译活动的，他的大部分译作出版于20世纪80年代。浏览一下力冈先生的译作书目，可以发现出版于80年代的译著有十余部之多，计有格鲁兹杰夫的《高尔基传》（与济凯合译，江西人民出版社1980年版）、冈察尔的《爱的归宿》（安徽人民出版社1983年版）、巴巴耶夫斯基的《野茫茫》（浙江文艺出版社1983年版）、艾特马托夫的《白轮船》（外国文学出版社1984年版）、阿列克谢耶夫的《儿时伙伴》（山东文艺出版社1984年版）、波利亚科夫的《别林斯基传》（黑龙江人民出版社1985年版）、普希金的《暴风雪》（春风文艺出版社1985年版）、肖洛霍夫的《静静的顿河》（漓江出版社1986年版）、帕斯捷尔纳克的《日瓦戈医生》（与冀刚合译，漓江出版社1986年版）、帕斯捷尔纳克的《含泪的圆舞曲——帕斯捷尔纳克诗选》(与吴笛合译,浙江文艺出版社1988年版)、卡里姆的《悠悠儿时情》(安徽文艺出版社1989年版)和格罗斯曼的《风雨人生》(漓江出版社1991年版)等。从这个目录还可以看出,力冈这一时期的译作总体上以苏联当代文学作品为主要翻译对象。

20世纪80年代是中国当代史上的一个特殊时期,那是一个文化转型期,甚至可以说是中国现当代的一场文艺复兴,是一个文化觉醒的黄金时期。在那场汹涌壮阔的思想解放运动中,在整个改革开放后中国当代文化的建构过程中,对外国文学和外国文化的翻译和介绍起到了无可替代的重要作用,中国当今的现代化,从某种意义上说就是一种"被翻译过来的现代化"。那是一个文学的时代,也是一个翻译文学的时代;那是一个开放的时代,更是一个对外国优秀文学和文化开放的时代,在精神上饥寒交迫的国人首度面对外国文学的盛宴,饕餮之余,最应该感谢的就是那一时代的翻译家。在中国改革开放后出现的外国文学翻译热潮中,俄苏文学也是重要的译介对象之一,力冈先生的译著也和其他众多翻译作品一样,是对改革事业的添砖加瓦,是为思想解放运动注入的燃料,对当时中国社会的文化重建、国民文化性格的重塑起到了重要作用。

中国的俄国文学翻译始自19世纪末,在五四时期出现第一个高潮,如今人们在探讨五四运动的起因时,常将俄国的文学与德国的马克思主义和法国的启蒙思想并列为三大思想资源,由此不难看出俄国文学在当时中国社会所发挥的强大思想作用。后来,在抗日战争时期,在新中国成立之后的50—60年代,俄苏文学再度发挥“军火”和“样板”功能，而在改革开放时期，包括俄苏文学在内的外国文学，又一次成为国人解放思想、放眼世界的意识形态工具和思想武器。如果说，鲁迅那一代翻译家是“给起义的奴隶偷运军火”的人，那么，改革开放时期的这一代中国翻译家同样是为国人“盗火”的普罗米修斯，功莫大焉，没有包括力冈先生在内的这一代翻译家的辛勤工作，国人的思想解放就是难以想象的。如果我们把出生在19、20世纪之交的翻译家如鲁迅、瞿秋白、蒋光慈、茅盾、巴金、耿济之等视为中国第一代俄国文学翻译家，那么20世纪第一个十年前后出生的姜椿芳、曹靖华、戈宝权、查良铮、汝龙、满涛、叶水夫等就是第二代，而力冈以及去年去世的草婴和刚刚去世的高莽等人则构成中国的俄国文学翻译家的第三代方阵，这一代翻译家同样以自己的辛勤努力为中国的思想启蒙和文化构建做出了历史性的贡献。

中国第三代俄国文学翻译家的工作也对当代中国文学的发展进程产生了深远影响。在20世纪80年代初起，俄苏文学在中国的译介出现一个“井喷”现象，十余年间，全国近百家出版社先后出版的俄苏文学作品多达近万种，在译作的种类和印数上，可能要高出此前所有同类出版物的总和。在这样一种铺天盖地的外国文学译介热潮中，受益的不仅仅是中国的读者，自然也包括中国的作家。王蒙在他的《青春祭》（作家出版社2006年版）一书中写道：“我们这一代中国作家中的许多人，特别是我自己，从不讳言苏联文学的影响。是爱伦堡的《谈谈作家的工作》在50年代初期诱引我走上写作之途。是安东诺夫的《第一个职务》与纳吉宾的《冬天的橡树》照耀着我的短篇小说创作。是法捷耶夫的《青年近卫军》帮助我去挖掘新生活带来的新的精神世界之美。在张洁、蒋子龙、李国文、从维熙、茹志鹃、张贤亮、杜鹏程、王汶石直到铁凝和张承志的作品中，都不难看到苏联文学的影响。张贤亮的《肖尔布拉克》、张承志的《黑骏马》以及蒋子龙的某些小说都曾被人具体地指认出苏联的某部对应的文学作品；这里，与其说是作者一定受到了某部作品的直接启发，不如说是整个苏联文学的思路与情调、氛围的强大影响力在我们的身上屡屡开花结果。”这里提到的张承志，就对力冈先生的译作赞不绝口，曾感慨：“我恨不得倒背如流！”由此不难窥见力冈先生的译作对改革开放时期中国作家产生的影响。

三

1984年，漓江出版社推出力冈先生重译的《静静的顿河》，这是新时期名著重译的第一部，而自90年代起，力冈先生更将名著重译当成首要任务，相继重译了多部俄国文学经典，如托尔斯泰的《复活》（译林出版社1992年版）和《安娜·卡列尼娜》（浙江文艺出版社1992年版）、屠格涅夫的《猎人笔记》（河北教育出版社1994年版）、莱蒙托夫的《当代英雄》（河北教育出版社1994年版）等，他作为翻译家的最后一项工作，就是重译陀思妥耶夫斯基的《罪与罚》。力冈先生是俄国文学经典著作重译的倡导者和先行者之一，他几乎将他翻译艺术炉火纯青的最后十年都用在了名著重译上。

文学名著重译始终是译界的一个有趣话题。中外文学史上的名作原著，无论出现在什么时代，一代又一代读者捧读的均为同一个文本，而文学名著的译本，即便是著名的译本，却常常会随着时间的推移而“衰老”，会被所谓“新译”所取代。日本著名斯拉夫学者、契诃夫的日译者沼野充义有一次曾对笔者说，被译成日语的契诃夫作品每20—25年便要新译一次，以适应新一代的读者。他的话让笔者大吃一惊，可转而一想，外国文学作品的汉译其实也有着大致相同的命运，尽管其存活期未必一定就是20—25年。汉语文学中的原创名著，如唐诗宋词元曲，如《三国演义》《水浒》《西游记》《红楼梦》，自然在任何时代都不需要也不允许做任何文字加工，可汉语文学中的翻译名著，即便是近现代翻译大家们的著名译作，如严复译的《天演论》、林纾和魏易译的《黑奴吁天录》、鲁迅译的《死魂灵》等，如今也会让人觉得不无“过时”之感，至少会让当下的读者阅读不畅。也就是说，文学名著是永恒的，不朽的，它们的译作却是相对短命的。笔者曾在一篇文章中对名著重译现象作过一番思考：首先，从读者方面看，读者为什么会在面对原作和译著时持有不同的阅读态度呢？他们对于原作和译作这种不同的阅读取舍究竟源自何种阅读心理呢？这种厚此薄彼的取向究竟是先天的还是后天的，是产生在翻译活动出现之后还是之前，这种倾向与文学名著重译这两者之间究竟存在着什么样的互动关系呢？其次，从译者的角度看，在进行重译和新译时究竟该如何面对已有的译作，尤其是已有的优秀译作，是刻意回避，还是尽量汲取原有译作的经验和精髓呢？如果对原有译作尤其是名译作的经验和精髓有所汲取，又该如何避免抄袭的嫌疑和版权的纠纷呢？如果对前辈翻译家宝贵的翻译经验视而不见，每位新译者均另起炉灶，真的能做到青出于蓝吗？如果新译在翻译质量上无法与旧译比肩，甚至不如旧译，那么重译的意义和价值又何在呢？最后，从翻译实践活动自身来看，用16、17世纪的汉语去翻译莎士比亚当然是可笑的，但是，用21世纪的汉语网络语言去翻译莎士比亚就一定具有历史的必然性和合理性吗？不断地重译、新译，会在多大程度上减少或抹去原作的时代感和历史感，把每一部新译作都作为当下的作品来读，是不是一种最大程度的误读呢？

力冈先生在进行文学名著的重译时，不知是否也曾遭遇此类问题，但他在晚年义无反顾地执着于重译，一定是一种有意识的抉择。我们猜度，他在他翻译事业的黄金时段做出这一重大转向，可能有如下几种原因：首先，他觉得在他之前的译本还有继续加工的余地，还有再度提升的空间。力冈先生重译的这几部俄国文学名著在他之前早已有过出自名家的名译，它们是不止一代中国读者捧读的对象，但力冈先生却不畏权威，另辟蹊径，公开与多位前辈翻译大家打擂台，这或许是力冈先生个人性格的一种显现，但他敢于“叫板”，无疑因为他自信他可以比之前的译著译得更好，或至少能译出他自己与众不同的特色。其次，在译出十多本书后，作为一名富有经验的翻译家，力冈先生大约也会产生出如何超越自己的问题，重译名著，既可以与前辈译家一较高低，同时也能时刻与俄国文学史上的名著及其作者进行跨越时空的深度交流，这无疑是一种更富有挑战也更富有趣味的工作。最后，名著之所以成为名著，就因为它们往往具有更为完满的艺术价值和更为恒久的艺术生命，翻译这样的作品，无疑更能呼应社会的阅读需求，赢得更大的社会意义。

力冈先生晚年重译的多部名著如今仍在一次又一次地再版，这说明力冈重译的俄国文学经典具有长久的生命力，也说明他当年重译名著的抉择是正确的。一位翻译家，只要他的译作还能出版，还能被人阅读，这位翻译家就还活着，好的译作就是译者的生命之延续。从更为广泛的意义上说，力冈先生是我国改革开放之后名著重译之风的倡导者之一，而名著重译，对于深化我们对外国文学经典的理解和认识、对于发展我们的翻译实践和理论而言，都是极具历史意义的。

四

力冈先生是一位翻译家，也是一位大学老师，教书育人是他的本业。作为恢复高考后步入安徽师大外语系俄语专业的20名学生之一，笔者有幸受教于王老师（力冈本名王桂荣，我们当时都称他“王老师”）。记得先生1978年从插队的宣城乡村回到安徽师大后，不久就开始给我们授课，他教的是“文学选读课”。先生是一个颇为“另类”的老师：他上课不用现成的教材，没有固定的教案，就以他当时正在进行的翻译工作为授课内容；他在教室里不来回走动，几乎不做板书，仅端坐讲台，摊开那本他正在翻译的原著，一旁摆着一摞他最新出炉的译稿，按部就班、一句一句对照着讲下去。对文学没有兴趣、对文学翻译没有兴趣的学生，听这样的课或许会感到无味，当时王老师课的课堂气氛也的确有些沉闷单调，但王老师并不在意，只管自顾自地讲下去，他会讲他为什么要这样译，讲到兴奋处，他会突然提高嗓门，用带有山东腔的口音高声朗读他最得意的译文段落，读完后，他会抬起眼睛，久久地盯着天花板，似在掩饰眼里涌出的泪水。记得是在讲解《当代英雄》时，他时时指出其他译者，甚至是非常著名的翻译家的错误，并向我们分析这些错误之所以出现的可能的原因，他也时常让我们在他的译文中“挑错”或为他的译文“润色”，如果我们偶有所得，他往往显得比我们还要高兴。与王老师的文学选读课构成呼应的，是我们在大三时学的翻译课，翻译课教师张本桂先生常常给我们一些原文片段，让我们动手翻译，并在下一次翻译课上让译文出色的同学朗诵其译文，并对他认为好的译文再逐字推敲。正是在力冈先生以及张本桂先生和其他老师的精心培养下，安徽师大俄语专业涌现出一大批俄罗斯语言文学专业的人才，其中多位如今已成为国内知名的翻译家，有译著面世的人更多达十余位，如吴笛、张杰、周启超、吴嘉佑、冯华英、朱少华、陈建硕和刘文飞等。名不见经传的安徽师大俄语专业，在短短二三十年间居然成为中国的俄语文学翻译家的摇篮，王老师在天之灵也会因此而深感欣慰！

我们这个俄国文学译者群体的崛起，在很大程度上要归功于力冈先生及其同事们的言传身教。首先，他在课堂上逐字逐句的中俄文对照讲解，他关于译者甘苦的诉说，对于有志于文学翻译的学生而言弥足珍贵，这其实就是一个文学翻译的工作坊和实验室，让我们当年在初步掌握俄语后不久便接触到了俄语翻译的真谛，亲眼目睹了一位翻译家的工作过程和工作方式。其次，他既与我们分享他的翻译过程，也与我们分享他的翻译收获，记得我们在校时，他和济凯先生合译的《高尔基传》已经出版（江西人民出版社1980年版），他送给全班同学每人一本译著，并用规整的笔迹在扉页上题字签名，不难想象，我们接到这样的馈赠时会多么激动，同时也会觉得译书和出书不再是一件遥不可及的事情。最后，他以他的翻译行为和翻译意志告诉我们大家，庙小并不妨碍念经，更不妨碍修身。他在翻译课上不畏权威，真诚地点出翻译名家们的长处和短处，让我们较早地感受到某种翻译民主精神，并从而确立自己的翻译人格。在他之前的大翻译家往往都生活和工作在大城市，而他在成名后却安居小城，潜心译事，他的存在方式构成一种垂范和激励，使我们很早就意识到，一位翻译家原本可以在任何环境里成长和工作。力冈先生作为一位翻译家的作为和风骨，为他的学生们树立起一个光辉的榜样。

五

力冈的文学翻译有着其鲜明独特的文字风格。译者作为一部作品中的“被动创作者”，究竟应不应该体现其风格，这也是翻译学中一个争论已久的问题，一个见仁见智的问题，有人认为，译者的责任就在于原封不动地传导原作的风格，而不能擅自发挥，喧宾夺主。但是，译作毕竟是由译者用另一种语言进行的文学再创作，译者个人的修辞习惯和语言风格不可避免地会在其译作中得到体现，也就是说，所谓“译者风格”实际上是难以避免的。在这种情况下，如何让译者的风格与作者的风格相互接近、相互吻合，往往就成了决定译作成败的关键因素之一。译者无法在作品的风格范畴里肆意妄为，但译者毕竟有权利选择与自己相近的原著，或者说，选择自己较容易处理的翻译对象，或者说，在一部作品的翻译过程中更注重在自己的风格较易发挥的地方施展拳脚。原作风格和译者风格的吻合虽是一个可遇不可求的事情，但一旦相遇，便是译者的幸事，也是原作者的幸事，更是读者的幸事。

在力冈先生的译著中，较之于人物对话和心理描写，大段落的抒情和大场面的写景似乎得到了译者更为精心的处置，他往往能借助这些段落营造出一种悲凉壮阔、哀婉抒情的氛围，更确切地说，他往往能细腻精准地传导出原作中的此种氛围。力冈先生钟情于这样的段落，钟情于这种文学氛围的营造和传导，无疑与他饱经沧桑的生活经历相关，也是他既刚正不阿又侠骨柔情的性格使然，更是他的审美趣味和文字风格的要求。他的几部译著在书名翻译上的处理，就在一定程度上体现了他的这一追求。巴巴耶夫斯基的小说原名 ***Приволье***，这是一个很“地道”的俄语单词，意为“广阔的地方”“无拘无束”等，力冈成功地将其译成《野茫茫》，这个译名既契合小说描写苏联斯塔夫罗波尔草原地区生活的主题，也暗含着我国著名的北朝民歌《敕勒歌》所具有的苍茫壮阔的抒情力量。卡里姆的小说原题 ***Долгое–долгое детство***，力冈先生最初发表在《世界文学》上的译文题为《漫长漫长的童年》，后来出版单行本时，他将书名改为《悠悠儿时情》，

“漫长漫长的”和“悠悠”这两种均使用了叠词的译法都是对原文题目中的修辞手法和诗意情绪的准确再现，但“悠悠”较之“漫长漫长的”似乎更符合中文习惯，再加上之后的“儿时情”，无疑更有抒情味。冈察尔的小说 ***Берег любви*** 通常被译为《爱的彼岸》或《爱之岸》，力冈先生却译为《爱的归宿》，译者似乎也是在有意地“拓展”作为小说描写对象的爱情的辐射范围。力冈最重要的译作之一《生活与命运》最初的译名是《风雨人生》，力冈是在20世纪80年代末结束此书的翻译的，想必他在译完这部作品时，回顾自己和社会遭遇的种种磨难，不禁百感交集，故将格罗斯曼的原书名 *Жизни и судьба* 译成《风雨人生》。需要说明的是，在广西师范大学出版社不久前再版力冈先生的这部译著时，笔者建议将译著的书名改为《生活与命运》，因为这部小说如今已与托尔斯泰的《战争与和平》并列，而作者格罗斯曼在为这部小说取名时也的确是对托尔斯泰那部史诗的有意模仿，“生活与命运”和“战争与和平”，都是对人类生活最高程度的归纳和概括。

我们或许可以将力冈先生的文学翻译风格概括为“大气的诗意”或“壮阔的悲凉”，即一种融悲剧与抒情于一炉、广阔的画面感与内在的节奏感相互呼应、一气呵成的连贯调性和力透纸背的史诗感相映成趣的译文风格。在他精心翻译的《静静的顿河》和《日瓦戈医生》等巨著中，他的译笔很好地传达出了原著中原本就饱含的由抒情性、悲剧性和史诗性抱合而成的小说整体氛围，而在《生活与命运》的翻译中，他的这一风格又得到了更为充分的彰显。请读一读这部史诗长篇的结尾：“在这种宁静中，会想起去年的树叶，想起过去的一场又一场风雨，筑起又抛弃的窠巢，想起童年，想起蚂蚁辛辛苦苦的劳动，想起狐狸的狡诈和鹰的强横，想起世间万物的互相残杀，想起产生于同一心中又跟着这颗心死去的善与恶，想起曾经使兔子的心和树干都发抖的暴风雨和雷电。在幽暗的凉荫里，在雪下，沉睡着逝去的生命——因为爱情而聚会时的欢乐，四月里鸟儿的悄声低语，初见觉得奇怪、后来逐渐习惯了的邻居，都已成为过去。强者和弱者、勇敢的和怯弱的、幸福的和不幸的都已沉睡。就好比在一座不再有人住的空了的房子里，在和死去的、永远离开这座房子的人诀别。但是在寒冷的树林中比阳光明丽的平原上春意更浓。在这宁静的树林里的悲伤，也比宁静的秋日里的悲伤更沉重。在这无言的静默中，可以听到哀悼死者的号哭和迎接新生的狂欢……”这一史诗性的小说结尾写得好，译得也好，善于再现悲剧抒情风格的翻译家力冈先生的功力和风格在这里体现得淋漓尽致，炉火纯青！

俄国诗人叶夫图申科在1986年访问中国之后，深为中国俄苏文学翻译家们忍辱负重、坚持不懈的精神所感动，写下一首题为《中国翻译家》的诗作，在由笔者译成中文的这首诗的最后，诗人写道：“知识分子的良心，/就是一家出版社，/它仍能工作，/即便没有印刷机，/无论监狱、瘢迹还是侮辱，/它仍能用诗句的春燕/把各个民族连系。/翻译家们在做什么？/他们让各国人民相互走近，/越过国境，/越过谎言的沼泽地。/总有一天，要用他们的姓氏/为巨轮命名，/稻穗和麦穗，/会向他们鞠躬致敬。/伟大的译文，/就像神的预言。/翻译过来的细语，/会成为震耳的呼喊。/但愿能有一座纪念碑，/献给无名的翻译家，/那最为可敬的基座，/就由无数的译著垒成！”我们相信，力冈先生的译著，应该也被垒入这座纪念碑的基座;力冈先生的名字,应该也被刻上这座纪念碑的碑身!

二〇一七年初秋于京西

译本序

这是苏联赫鲁晓夫时期的一部禁书。斯大林时期禁书很多很多，勃列日涅夫时期也不少，比较开明的赫鲁晓夫时斯禁书不多，主要的就是两部，一部是《日瓦戈医生》，另一部便是这部作品。《日瓦戈医生》有幸在国外很快出版，并因而使作者获得诺贝尔奖金。这部作品在作者生前一直未能出版。其遭遇比《日瓦戈医生》更苦、更悲惨。

格罗斯曼是一位铁骨铮铮的伟大作家，正因为如此，他一生坎坷，他的作品的遭遇也是这样；正因为如此，在熟悉苏联文学的我国读者中，还很少有人知道这位伟大作家的名字。

瓦西里·格罗斯曼是苏联的犹太裔作家。1905年出生于乌克兰。1929年毕业于莫斯科大学数学物理系。卫国战争之前，著有革命历史题材的长篇小说《斯捷潘·柯尔丘根》。卫国战争开始后，以《红星报》军事记者身份上了前线。在前线深入实际采访的同时，还勇敢地参加作战。1942年写出反映苏联人民英勇奋战的中篇《人民是不朽的》,因而蜚声文坛。1943年开始创作反映斯大林格勒保卫战的两部曲。1952年两部曲的第一部《为了正义的事业》问世。受到广大读者的热烈赞誉。诗人巴让说,这是一部富有人性的、思想深刻的、不说恭维话的作品。其中心思想是:建立伟大功绩的主要是人民群众,不是像另外一些作品那样,把一切功绩归于斯大林。正因为如此,这部作品一方面受到广大人民的欢迎和赞誉,另一方面,很快就受到官方评论界的严厉批判。1956年起,格罗斯曼的作品不准再版,格罗斯曼的名字从此在文坛消失。

格岁斯曼以顽强的毅力在极其困难的条件下继续创作斯大林格勒保卫战两部曲的第二部,并于1960年完成。这便是本书《风雨人生》①。

这已经是在苏共二十大之后,文学解冻已经开始。然而第二部的遭遇却更为悲惨。

他把第二部手稿交给《旗帜报》编辑部。有几家报纸已经刊出小说的片断,本书出版的消息和广告都已发出,作家和读者都在欢欣鼓舞地等待着这部作品出版。但是因为《旗帜报》编辑部怕负责任,把这部作品上报。结果,保安机关抄了格罗斯曼的家,把所有的底稿抄走,全部焚毁,彻底消灭。苏斯洛夫说:这样的作品也许过二三百年才能出版!

作者也在1964年患癌症不幸病逝,未能看到这部凝聚了全部心血的作品问世。

但是,这部作品的一份复写稿侥幸保存了下来。后来被拍成

①本书1991年版译名为《风雨人生》,译者序中保留。——编者注

微缩胶卷偷运出国，于1980年在瑞士出版。嗣后又被译成多种文字，在西方引起很大的轰动。评论家称之为："这是本世纪真正的《战争与和平》。"

《风雨人生》于1988年在苏联出版后，引起热烈的反响。苏联评论家写道："我们的评论家们常常叹息：为什么见不到描写1941—1945年战争的《战争与和平》呀？瞧，这就是！"

有的作品，曾经红极一时的，随着时代的变迁，渐渐失去色彩；有的作品，曾经被压制、被扼杀的，随着时代的变迁，越来越显示出其生命力。

书之所以遭禁，往往是由于书中触及了一些不能触及的问题，或者其中某些观点与当局的观点相抵触。历史上，当统治者走向历史的反面，不能代表人民利益的时候，便划定界限，设置幕障，不准透过幕障观察问题，不准说界外的话。格罗斯曼却透过帷幕、透过迷雾观察事物，说话只顾事实和真理，不顾界限，因而触怒了当时的领导层，因而这部作品成为禁书！

格罗斯曼通过作品中人物的言语和思想发表了极其深刻、极其朴素的见解。是的，极其深刻，又极其朴素、极其简单。译者原来以为，深刻总是高深、深奥、复杂的同义语，是朴素、简单的反义词。译过这部作品之后，才懂得了，原来最深刻的道理也就是最朴素、最简单的道理。比如，一个国家与政党是不是进步的，要看是否提高人民的生活，是否能最大限度地保障人民的自由。

这个道理多么朴素，多么简单呀！

格罗斯曼本来就是一位有胆有识的作家。斯大林去世，苏共二十大以后，苏联知识界思想渐渐得到解放，格罗斯曼则是走在思想解放运动的最前列。因此写作第二部时的思想深度又和写作第一部时大不相同。第二部中虽然有些人物仍是第一部中的人物,但事实上已经是另一部作品了。

作品以斯大林格勒保卫战为中轴,以沙波什尼科夫一家的活动为主线,描绘出从前线到后方、从战前到战后、从城市到乡村、从高层到基层、从莫斯科到柏林、从希特勒的集中营到斯大林的劳改营……的广阔社会生活画面。正因为作家有敏锐的目光、无所畏惧的胆量和深厚的功力,他所描绘的画卷是真实的。评论者称《风雨人生》是当代的《战争与和平》,就是说,和托尔斯泰的《战争与和平》一样,为我们提供了一幅真实的当代社会生活画卷。

作者运用的是传统的手法。用真正的现实主义精神和现实主义手法写出的作品具有震撼人心的力量。真正的现实主义是有强大的生命力的。那些粉饰苦难的现实的作品不是现实主义的作品。

当人民处在苦难中的时候,特别需要作家的真诚和勇气!

格罗斯曼和广大人民一起经历了集体化时期,经历了1937年的所谓肃反运动,经历了伟大的卫国战争,眼见广大人民用鲜血换得胜利之后,依然受到不公平的待遇,作家洒着眼泪书写历史事实,探索苦难根源。

我和老友冀刚合作翻译了《日瓦戈医生》,现在我又翻译了《风雨人生》。这是两部最著名的反思作品。但我觉得,这两部作品有很大的不同。帕斯捷尔纳克是真诚的,是有良心的作家,但他写作《日瓦戈医生》,只是一种叹息和悲伤,谈不到反思。格罗斯曼则不仅是真诚和有良心,而且更有勇气,更有认识的勇气、面对现实的勇气。他写作《风雨人生》,不仅旨在创作真实的社会生活画卷,而且旨在进行深沉的反思。在所有的反思作品中,《风雨人生》是最应该称作反思作品的。

格罗斯曼的观点并非今日苏共领导的观点。而《风雨人生》今天能够在苏联出版,任凭评论界和广大读者评说、赞誉,这说明今天苏共领导的变化。如果一个政党是真心实意为人民服务的,而不是实际的法西斯独裁者的话,是不应该压制不同意见的。人民的天下,人民可以对任何问题进行随意的探讨,这是理所当然的事。这也许是鉴别人民政府与独裁政府的主要标志之一。

我一生译过不少苏联作品,其中我最喜欢的是两部,一部是《静静的顿河》,另一部便是这部作品了。这部作品并无曲折离奇的故事情节,但处处扣人心弦。

亲爱的读者,读读这部作品吧!它使人清醒,使人觉悟,使人知道自己是一个人,使人知道怎样做一个人!

力　冈

1989年6月10日于安徽师大

目　录

主要人物表

亚力山大拉·符拉季米罗芙娜·沙波什尼科娃(简称:符拉季米罗芙娜)

——老革命家沙波什尼科夫的妻子。有一个儿子,三个女儿。

米佳

——符拉季米罗芙娜儿子,1937年被捕,死于集中营。

谢廖沙

——米佳的儿子。

柳德米拉

——符拉季米罗芙娜的大女儿。

阿巴尔丘克

——柳德米拉的前夫,被关在集中营。

托里亚

——柳德米拉和阿巴尔丘克的儿子。

维克托·什特鲁姆(简称:维克托)

——柳德米拉现在的丈夫。

娜佳

——柳德米拉和维克托的女儿。

玛露霞

——符拉季米罗芙娜的二女儿。

斯皮里多诺夫

——玛露霞的丈夫。

维拉

——玛露霞和斯皮里多诺夫的女儿。

维克托罗夫

——维拉的情人。

任尼娅

——符拉季米罗芙娜的小女儿。

克雷莫夫

——任尼娅的前夫。

诺维科夫

——任尼娅的情人。

第一部

一

田野上雾气沉沉。顺着公路伸展开去的高压线上,闪烁着汽车车灯的反光。

没有下过雨,但黎明时的大地是潮湿的,而且,在禁止通行的信号灯亮起的时候,湿漉漉的柏油路面上就会出现红红的、晃晃不定的光斑。很多公里之外就感觉到集中营的气氛:电线、公路和铁路纷纷朝集中营伸去,越来越密集。这是线路纵横交错的地区,一条条线路把大地,把秋日的天空和夜雾划成许许多多矩形和平行四边形。

远方的警报器送来长长的、低沉的呜声。

公路紧靠着铁路,装载着一袋袋水泥的汽车队,有一阵子几乎和一列长得不见头尾的军用货车同速前进。穿军大衣的司机们不看那在一旁行进的列车,也不看那一个个灰点儿似的人脸。

雾中出现了集中营的铁篱:一道道铁丝网架在一根根钢筋混凝土桩上。棚屋一座连一座伸展开去,排成一条条又宽又直的街道。从这些棚屋的单调一律,就可看出这座大集中营的不人道。

在千百万俄罗斯农村房屋中,没有也不可能有两座完全一模一样的。凡是有生命的东西,都各有各的特性。两个人不可能一模一样,两丛蔷薇也不可能一模一样。如果强行消除生命的独立性和各自的特点,生命就会消失。

白头发的火车司机装作漫不经心的样子,仔细注视着从一旁闪过的一根根混凝土桩柱、一个个架着旋转的探照灯的高架、一座座钢筋混凝土塔楼，从反光镜里可以看见塔楼上都有士兵守在旋转式机枪旁。司机朝副司机挤了挤眼睛，机车发出警告信号。亮着电灯的扳道旁、放倒的彩条拦路竿后面的一长串汽车、红红的牛眼似的信号灯飞快地闪过。

从远处传来迎面开来的列车的汽笛声。司机对副司机说：

“祖凯尔来啦。听这大大咧咧的嗓门儿，能听得出来。他这是卸了载，开着空车上慕尼黑去。”

空载的列车轧轧地开过来，与开往集中营的军车交会。被撕裂的空气发出震耳欲聋的声音，车厢与车厢之间灰蒙蒙的空隙眨起眼睛。转眼间被撕成碎片的空间和秋日的曙光又连成一片，有节奏地奔驰着。

副司机掏出口袋里的小镜子，看了看弄脏了的脸。司机招招手，借过他的小镜子。

副司机用激动的声音说：

“唉，阿普菲尔师傅，我敢说，如果不是这车厢消毒，咱们回来能赶上吃午饭，不会弄到早晨四点钟才筋疲力尽地赶回来。好像在咱们车站上就不能消毒啦。”

老司机很讨厌没完没了地搞消毒。

“发长信号，”他说，“叫咱们不要上备用线，要直接开到大装卸场上去呢。”

二

自从参加过共产国际第二次会议之后，米海尔·西道罗维奇·

莫斯托夫斯科伊第一次认真运用自己的外语本领就是在德国人的集中营里了。战前他住在列宁格勒,和外国人交谈的机会不多。现在他不由得想起当年侨居伦敦和瑞士的情景,那时候,因为天天和各国革命家在一起,说话、争论、唱歌用的都是多种欧洲语言。

邻铺的意大利神甫加尔季告诉他,集中营里居住着五十六个民族的人。

命运,脸色,脚步声,用甘蓝和假西谷米,即俄罗斯囚犯所说的"鱼眼"做的大众化菜汤,——这一切在数万集中营棚屋的居住者都是一样的。

对于管辖者来说,集中营里的人的区别仅在于号码和缝在上衣上的布条子的颜色:红颜色的是政治犯,黑颜色的是怠工者,绿颜色的是小偷和杀人犯。

集中营里的人因为语言不通,彼此不了解,但共同的命运渐渐使他们亲近起来。分子物理学家、古文献学家和连自己的名字也不会写的意大利农民、南斯拉夫牧民睡在一起。当年有厨子精心调制菜肴、吃不好还要使女管家惴惴不安的人和天天吃腌鳕鱼的人一起穿着木底鞋去干活儿,还要忧心忡忡地张望着:留络腮胡子的德国佬是不是来了?

集中营里的人各不相同的遭际中有相同之处。追寻往事的梦不论萦系着意大利土路边的小园,萦系着北海边悲怆的涛声,还是博布鲁斯克郊外领导干部住房里橙黄色的灯罩,所有囚犯过去的岁月都是美好的。

一个人在进集中营之前的生活越是艰难,现在越是起劲地说谎。

这种说谎不是为了欺骗，而是为了赞美自由：不在集中营里的人不可能是不幸福的……

这座集中营在战前叫作政治犯集中营。

出现了新型的政治犯——没有犯罪的罪犯，这是国家社会主义党创造的。

许多人被关进集中营，只是因为在同朋友交谈中说了一些不满意法西斯制度的话，或者说了一些涉及政治的笑话。他们既没有散发传单，也没有参加地下政党。他们的罪名是，他们有可能参加这些活动。

在战争时期将俘虏关进政治犯的集中营，也是法西斯的新创造。这里有在德国境内被击落的英国和美国飞行员，还有投靠了德国秘密警察的红军指挥员和政委。他们的任务是提供情报，配合行动，出点子，在各种各样的声明上签名。

集中营里还有怠工者，也就是有意不干兵工厂和军事工程中的活儿的故意旷工者。因为不好好干活儿而把工人关进集中营，也是国家社会主义党的一项发明。

集中营里有些人衣服上缝的是紫布条，那是从法西斯德国出去的德国侨民。这也是法西斯的新发明：只要离开德国，不管在国外如何循规蹈矩，都要成为政治敌人。

衣服上带绿布条的人，也就是小偷与盗贼，在政治犯的集中营里是享有特权的一部分人，警方依靠他们监视政治犯。

利用刑事犯控制政治犯，也是国家社会主义党的新发明。

在集中营里有一些人的遭际是另一样的，还没有发明适合他们的遭际的布条子颜色。但是就连玩蛇的印度人,从德黑兰来德国学绘画的波斯人,学物理的中国留学生,国家社会主义党都为他们准备好了铺位、一小锅菜汤和十二小时挖地的活儿。

军用列车日日夜夜朝死亡的营地,朝一座座集中营开来。空中回响着车轮轧轧声、机车吼叫声、成千上万衣服上缝着五位数的蓝色号码的囚犯出工时杂沓的脚步声。一座座集中营成为新欧洲的一座座城市。这些城市一天天扩大起来,有自己的规划,有自己的街道和广场,有医院、市场、火葬场、运动场。

那坐落在城郊的一座座老式监狱,跟这些集中营城市相比,跟火化炉上空一道道可怖的黑红色火光相比,显得多么单纯,多么古朴呀!

看样子,为了控制大量的囚犯,似乎也需要有大量的、上百万的军队来监督和管理。但事实却不是这样。常常一连几个星期在集中营里见不到穿党卫军制服的人!囚犯们自己担任起集中营城市里的警察队。囚犯们自己维持营里的秩序,自己监督着,只准许烂土豆、冻土豆进他们自己的锅,把大土豆、好土豆挑出来送往军需品供应站。

囚犯们在集中营的医院和化验室里当医生和化验员;当清洁工,打扫集中营的街道;当工程师,为集中营里提供照明用电和暖气,为集中营里的机器制造零件。

又凶狠又卖力的集中营警察,即维持队,在左臂上戴着宽宽的黄臂章。有营警、区警、段警。他们从上到下监管着营里的一切活动,从全营的事情,到每个人夜间在床铺上的言行。这一部分囚犯可以参与营当局的机密大事,甚至可以参与编制分类名单、在特种囚室里收拾囚犯等事。看样子，即使营当局完全撤离，这些囚犯仍然会让铁丝网上保持着高压电流，叫人跑不掉，还继续干活儿。

这些维持队卖力地为营当局效劳，但也常常唉声叹气，有时甚至哭起那些被送往火化炉的人……不过这种二重性并不彻底，他们不会把自己的名字列入分类名单。莫斯托夫斯科伊感到特别可怕的是，国家社会主义党并不是戴着单眼镜、傲然不可一世、与一般人不同的外来者。国家社会主义党像自己人一样住在营里，和普通人没有什么区别，也像普通人一样开玩笑，他们的玩笑也会逗人笑，他们是平常人，一言一行都和平常人一样，他们通晓囚犯们的语言，十分了解囚犯们的思想和心情。

三

莫斯托夫斯科伊、阿格丽宾娜·彼特罗芙娜、军医列文顿和司机谢苗诺夫在那个八月之夜里在斯大林格勒郊外被德军俘虏之后，被带到了一个步兵师师部。

经过审讯之后，德国人把阿格丽宾娜·彼特罗芙娜放了，翻译官并且根据战地宪兵队人员的指示，给她带上一大块豌豆面包和两张三十卢布的红钞票；谢苗诺夫被编入俘虏大队，被送往维尔佳契村地区的集中营营部。莫斯托夫斯科伊和索菲亚·奥西波芙娜·列文顿被带到军团司令部。

莫斯托夫斯科伊在那儿最后一次看到索菲亚·奥西波芙娜：她站在到处是灰土的院心里，帽子没有了，肩章、领章被撕得耷拉下来，那悲怆和愤恨的眼神和脸色，使莫斯托夫斯科伊感到欣慰。

在第三次审讯之后，莫斯托夫斯科伊被徒步押往火车站，车站上有一列运粮的军车正在装车。有十个车厢装运许多姑娘和小伙子去德国做工。在军车开动的时候，莫斯托夫斯科伊听到一片妇女的哭声。他被锁在硬座车厢的小小乘务室里。押解他的士兵并不粗暴，但是在莫斯托夫斯科伊问他什么话的时候，他的脸上却流露出聋哑的神气。从中可以感觉出，他一心一意地注视着莫斯托夫斯科伊。动物园工作人员用火车运送动物，动物在笼子里沙沙蠕动，有经验的工作人员就是这样一声不响、一心一意地注视着笼子的。等到火车来到波兰总督管辖区的土地上，乘务室里又进来一名乘客——一位波兰主教，是一个白头发、高个子的漂亮老头儿，眼睛里露出悲戚的神气，嘴唇像年轻人那样饱鼓鼓的。他马上就对莫斯托夫斯科伊说起希特勒对波兰宗教界的残酷迫害。他说俄语带有很重的波兰口音。莫斯托夫斯科伊不客气地对天主教和教皇骂了一顿之后，他不作声了，而且，莫斯托夫斯科伊再问他什么话，他也只是用波兰话简短地回答一下。过了几个钟头之后，就让他在波兹南下车了。

过了柏林，莫斯托夫斯科伊被带进集中营，这一营区关押的是秘密警察特别感兴趣的囚犯，他来到这里，似乎已经过了很多年。在这种特别营区里，生活条件比劳动营里要好些，但这是试验室被试验动物的富足生活。有时值班的把一个人叫到门口，——原来是一个朋友要以优惠条件进行平等交换，用烟草换食品，这个人便得意洋洋地回到铺位上。有时同样叫另一个人到门口去，这人便中断了谈话，朝门口走去，交谈者就再也等不到他把话说完了。过一两天,就会有维持队来吩咐值班的把破衣烂布打扫出去,有人就会用讨好的口气问维持队员凯泽:能不能睡到空出来的床铺上?已经习惯了七扯八拉的闲谈,从囚犯分类,到火化尸体,到集中营里的足球队——最好的队是挖地的“沼地兵”,前锋很棒,攻势很猛,波兰队后卫不行。听惯了各种各样有关新式武器的传闻、国家社会主义党头头儿钩心斗角的传闻。传闻总是又好又不真实,是集中营里的人的麻醉剂。

四

天快亮时下了一场雪,直到中午也没有化。俄罗斯人感到又欢喜又悲伤。这是俄罗斯在思念他们,将母亲的头巾扔在他们苍白而痛楚的脚下,染白了棚屋顶,远远看去,一座座棚屋很像家乡的房屋,呈现出一派乡村气象。

但是只闪现了一会儿的欢喜一和悲伤相遇,立刻就沉没在悲伤中。

值班的原西班牙士兵安得列阿走到莫斯托夫斯科伊跟前,用似通不通的法语说,一个担任文书的朋友看到有关一个俄国老头子的文件,但是那个文书没来得及细看,办公室主任就把文件带走了。

“这文件就是决定我的生命的。”莫斯托夫斯科伊心里想。并且对自己的镇静感到高兴。

“不过没关系,”安得列阿小声说,“还是可以了解到的。”

“向营警备司令了解吗?”加尔季神甫问道。他的大眼睛在昏暗中闪着黑黑的亮光。“还是向治安总部代表利斯本人了解?”

白天的加尔季和夜晚的加尔季差别之大,使莫斯托夫斯科伊感到吃惊。白天谈的是菜汤,谈新来的人,跟同房间的人商量交换食品,回味加了大蒜的辛辣的意大利吃食儿。

被俘的红军知道他爱说的口头语“杜济,卡普济”,每次在集中营的广场上碰见他,老远就朝他喊:“帕德列老爹,杜济,卡普济!”并且笑着,就好像给这话打气。他们以为“帕德列”是他的名字,所以喊他帕德列老爹。

有一天晚上,关押在特别营区的一些苏联指挥员和政委跟他开玩笑,问他是不是真的守戒不接近女色。

加尔季听着法语、德语和俄语大杂烩,一笑也不笑。

然后他说起来,莫斯托夫斯科伊就把他的话翻译出来。他说的是,俄国革命者为了自己的信仰可以去服苦役,可以上断头台。为什么诸位就怀疑,一个人为了宗教信仰可以不接近女人呢?这跟牺牲生命无法相比呀。

“算啦,话不能这样说。”旅政委奥西波夫说。

夜里,等营里的人都睡了,加尔季就变成另外一个人。他跪在床铺上,做起祷告。集中营城市的所有苦难就好像沉没在他那炽热的眼睛里,沉没在那眼睛的柔和而分明的黑光中。他那褐色脖子上的筋绷得紧紧的,就像他在干活儿,那长长的、神情恬淡的脸呈现出忧郁而幸福的执着表情。他祷告很长时间,莫斯托夫斯科伊便在这个意大利人又低又快的祷告声中沉沉入睡。莫斯托夫斯科伊常常在睡一两个钟头后醒来,这时候加尔季已经睡了。加尔季睡觉很不安生,就好像要在睡梦里把自己的两种特性,把白天的特性和夜晚的特性合到一起，又打鼾，又咬牙，还有滋有味地咂吧嘴，像打雷一样把胃里的气直往外倒，忽然又拉长声音唱起赞美诗，赞颂上帝和圣母的大慈大悲。

他从来没有责备过这位老苏共党员不信教，倒是常常向他询问苏俄的情况。

加尔季一面听莫斯托夫斯科伊叙说，一面不住地点头，好像对于所说的关闭教堂和寺院，对于苏维埃国家没收东正教的大量土地，表示赞成。

他的一双黑眼睛带着悲伤的神气望着这位老共产党员，于是莫斯托夫斯科伊很生气地用法语问他：

“您听懂了吗？”

加尔季笑起来，平时他谈起辣汁肉丁和番茄沙司，常常这样笑。

“您说的我全懂。我只是不懂，您为什么要说这种事。”

关押在特别营区里的苏联战俘们也是要做工的，所以莫斯托夫斯科伊只有在很晚的晚上和夜里才能见到他们，跟他们谈一谈。古泽将军和旅政委奥西波夫不做工。

经常跟莫斯托夫斯科伊聊天的是一个很古怪、令人很难断定其年龄的人——“海象”伊康尼科夫。他睡在全屋最差的地方，也就是睡在门口，门口又有冷飕飕的过堂风，又有带鼻儿的大马桶，马桶盖不住地砰砰响。

苏联囚犯管伊康尼科夫叫“老伞兵”，把他看作疯子，对他又怜悯又厌恶。他具有不寻常的耐性，那样的耐性只有疯子和白痴才有。他从来不害伤风感冒，虽然在睡觉的时候连秋雨打湿的衣服也不脱。真正能够用这样响亮、这样清楚的嗓音说话的似乎也只有疯子。

他跟莫斯托夫斯科伊是这样认识的。他走到莫斯托夫斯科伊跟前,一声不响地对着他的脸打量了老半天。

“您这位同志有什么好事儿要说?”莫斯托夫斯科伊问道。

伊康尼科夫拉长声音说:

“说好事儿? 什么是好,什么是坏?”

莫斯托夫斯科伊听到这话,笑了。这话忽然把他带到童年时代,那时候大哥从神学校回来,常常和父亲争论神学上的事。

“这是老掉牙的问题了,”莫斯托夫斯科伊说,“佛教徒和古时的耶稣教徒早就想过这个问题。马克思主义者为解决这个问题,也花了不少脑筋。”

“解决了吗?”伊康尼科夫问道。那声调使莫斯托夫斯科伊觉得十分好笑。

“现在红军正在解决这个问题。”莫斯托夫斯科伊说。“请恕我直言,您的语调中有一种橄榄油味道,不是牧师的橄榄油,便是托尔斯泰主义者的橄榄油。”

“不可能不是这样,”伊康尼科夫说,“因为我是托尔斯泰主义者。”

“真没想到!”莫斯托夫斯科伊说。他对这个古怪人产生了兴趣。

“您要知道,”伊康尼科夫说,“我相信,布尔什维克在革命以后对教会的打击,对于耶稣教思想是有益的,因为教会在革命前已经进入很可怜的状态。”

莫斯托夫斯科伊很和善地说：

“您可真是一位雄辩家。我终于在老年看到了福音的奇迹。”

“不，”伊康尼科夫愁眉苦脸地说，“在我们看来，你们为了目的不择手段，而你们的手段是残酷的。您不要把我看成什么奇迹，我不是什么雄辩家。”

“那么，”莫斯托夫斯科伊忽然十分恼火地说，“要我怎样为您效劳呢？”

伊康尼科夫像个军人一样，以“立正”姿势站着，说：“请不要笑话我！”他的痛苦的声音显得十分悲戚。“我到您这儿，不是来开玩笑的。去年9月15日，我看到两万犹太人被杀害，有妇女，有儿童，有老头子。那一天我明白了，如果有上帝的话，是不容许这种事的，这一下我看清楚了，上帝是没有的。在今天的一片黑暗中，我看见你们的力量，是这种力量在同可怕的恶势力斗……”

“那好吧，”莫斯托夫斯科伊说，“咱们来谈谈。”

伊康尼科夫在干挖土的活儿，在营属土地的沼泽地带，那里正在铺设一系列粗大的水泥管道，以便把使洼地沼泽化的河水和脏水排出去。在这一地带干活儿的人就叫“沼地兵”。分到这儿来的一般都是营方不喜欢的人。

伊康尼科夫的手小小的，手指头细细的，指甲像小孩子的指甲一样。他从工地上回来，常常是满身泥浆，浑身湿漉漉的，走到莫斯托夫斯科伊床铺前，问道：

“可以在您身边坐一坐吗？”

他也不看对方，就坐下来，微微笑着，用手抹抹额头。他的额头有点儿奇异——不怎么大，却饱鼓鼓的，发亮，而且亮得出奇，就好像跟那肮脏的耳朵、暗褐色的脖子和手以及磕断的指甲不是一个人身上的。

经历简单的苏联战俘都觉得他是一个难以理解的神秘人物。

伊康尼科夫家的祖先从彼得大帝时代起一代接一代都是神甫。只是最后一代人走了另外的道路——伊康尼科夫和所有的兄弟都遵奉父命进了世俗学校。

伊康尼科夫进了彼得堡工学院，但因为迷上了托尔斯泰主义，到最后一学年便离开学校，去彼尔姆省北方做起人民教师。他在农村待了八年左右，后来移居南方，来到敖德萨，在一艘货轮的机器房里当钳工，到过印度、日本，在悉尼住过。革命以后他回到俄罗斯，参加了农业公社。这是他多年的理想，他相信，农业公社的共产主义劳动，能够创造人间的天国。

在全面实行集体化的时候，他看到一列列军车满载着被没收了土地家产的富农家庭的男女老少。他看到许许多多瘦弱不堪的人倒在雪地里，再也没有起来。他看到一座座“被封闭的”、人口死绝的村庄，村庄里的门和窗都被钉死。他看到一个被捕的农妇，衣服褴褛，脖子上露出筋骨，一双干活儿的手黑乎乎的，押解的人带着恐怖的表情望着她：她因为饿疯了，吃掉了自己的两个孩子。

这时候，他虽然没有离开公社，却宣讲起福音书，祈求上帝拯救死者。结果他被关进监狱，不过很快就弄清，是三十年代的灾难使他的神志错乱了。经过在监狱的精神病院里强制治疗一年之后，他出了监狱，前往白俄罗斯，住到大哥家里去。大哥是一位生物学教授。他在大哥帮助下，在科技图书馆找到工作。但是一件件可悲的事对他产生了难以磨灭的影响。

等到战争开始，德国人占领了白俄罗斯，伊康尼科夫看到了战俘的苦难，看到白俄罗斯城乡成千上万犹太人被杀害。他又陷入发狂状态，恳求相识的人和不相识的人掩藏犹太人，他自己也想方设法拯救犹太妇女和儿童。不久他就被告发，侥幸躲过了绞索，进了集中营。

这位破衣烂衫的肮脏"伞兵"的头脑里非常混乱，他主张对超阶级的道德进行荒唐可笑的分类。

"哪儿有强权，"他对莫斯托夫斯科伊说，"哪儿就有灾难，就流血。我见过农民遭受的大灾大难，还说实行集体化是做好事。我不相信好事，我相信慈善。"

"根据你的说法，要是做好事把希特勒和希姆莱绞死，咱们也要害怕啦。那您就尽管害怕吧。"莫斯托夫斯科伊回答说。

"您要是去问希特勒，"伊康尼科夫说，"他也会说，设立集中营是做好事。"

莫斯托夫斯科伊觉得，在跟伊康尼科夫争论的时候，不论说什么道理，都好比用刀子切海蜇，怎么切也切不开。

"那位先生在六世纪的叙利亚基督教徒说的道理，在今天还是适用的，"伊康尼科夫又说，"'要清算罪过，要饶恕犯罪的人。'"

在这个屋里还有一个俄罗斯老头子，姓契尔涅曹夫。他只有一只眼睛。看守把他那只人造的玻璃眼球打碎了，那个空空的红眼窝在他那苍白的脸上显得非常不协调。他在和人谈话的时候，用一只手捂着空洞洞的眼窝。

他原来是孟什维克，1921年从苏联逃出。在巴黎住了二十年，在银行里当会计。他因为号召银行职工反抗德国新经理的措施，被抓进集中营。莫斯托夫斯科伊尽量不跟他接触。

看样子，莫斯托夫斯科伊博得的声望使独眼的孟什维克感到不安。不论是西班牙士兵，还是挪威人，文具店老板，比利时律师，都喜欢接近这位老布尔什维克，常常向他求教。

有一天，苏联战俘中的头头儿叶尔绍夫少校坐到莫斯托夫斯科伊的铺上。他微微靠在莫斯托夫斯科伊身上，把一只手搭在他肩上，又快又急切地说起话来。

莫斯托夫斯科伊忽然回头看了看，契尔涅曹夫正在远处的床铺上望着他们呢。莫斯托夫斯科伊觉得，他那只好眼睛里的苦闷神情，比起打掉的眼睛留下的红红的空窟窿还要可怕。

“是啊，伙计，你是不大快活的。”莫斯托夫斯科伊心里想。但并没有幸灾乐祸的心情。

大家时时刻刻需要叶尔绍夫，不是偶然的，而是有道理的。“叶尔绍夫在哪儿？没看见叶尔绍夫吗？叶尔绍夫同志！叶尔绍夫少校！叶尔绍夫说的……去问叶尔绍夫吧……”别的棚屋里的人也常常来找他，他的床铺周围总有人来来往往。

莫斯托夫斯科伊管叶尔绍夫叫“思想领袖”。十九世纪六十年代和八十年代的一些社会活动家都是思想领袖。还有民粹派，还有风云一时的米海洛夫斯基。在希特勒的集中营里居然也有自己的思想领袖！独眼者的孤独在这营里似乎成了悲哀的象征。

自从莫斯托夫斯科伊蹲沙皇的牢房，已经几十年过去了，而且那时候是另一个时代，是十九世纪。

现在他常常想起当年的情形，那时候因为有些党的领导人不相信他主持实际工作的能力，他非常生气。现在他感到自己是强有力的，每天他都看到，他的话不论古泽将军，不论旅政委奥西波夫，不论天天愁眉苦脸、忧心忡忡的基里洛夫少校，都是多么看重。

在战前，使他可以自慰的是，他一直不在实际工作岗位上，不接触那些使他反感、使他愤慨的事。斯大林在党内的独断独行，对反对派的血腥镇压，对党内老干部的不尊重——这些事他都没有接触到。他非常了解、非常敬重的布哈林的被害，使他感到非常沉痛。但是他知道，在任何问题上与党对抗，就会不自觉地站到反对自己所献身的列宁的事业的立场上。有时他觉得苦恼，他怀疑：他不发一言，不站出来反对自己不赞成的事情，也许是他软弱，是他胆小怕事？战前许多事使人不寒而栗！他常常想起已故的卢那察尔斯基，多么想再看到他，多么容易跟他交谈，不等一句话说完，他们彼此很快就了解了。

现在，在可怖的德国集中营里，他感到自己有信心，有力量。只有一种不舒服的感觉时刻不离开他。他即使在集中营里，也无法恢复年轻时那种鲜明、完整的感情：在自己人当中是自己人，在外人当中是外人。

有一天，一位英国军官问他，在苏联不能发表反马克思主义的观点，这是不是影响他研究哲学。

“这对别人也许有影响。对我这个马克思主义者没什么影响。”莫斯托夫斯科伊回答说。

“我问这个问题，正因为您是一位老马克思主义者。”英国军官说。虽然莫斯托夫斯科伊听到这种话心中不快，皱了皱眉头，他还是很好地回答了英国人。这也不是使他产生长期不舒服感觉的原因。

也并不是因为，像奥西波夫、古泽、叶尔绍夫这样一些人，虽然跟他十分亲近，但有时候也使他感到很不痛快。问题在于，他感到自己心中有许多东西变得陌生了。过去在和平时期，他兴高采烈地跟老朋友相会，在聚会结束时却看到老朋友身上有陌生的东西。

但是，和今天的他相异的东西就生长在他身上，已成为他自己的一部分，又该怎么办呢？……又不能跟自己分开，不能不见面。

他在和伊康尼科夫谈话的时候，有时会发火，很粗暴，还常常嘲笑他，管他叫脓包、孱头、蠢货、窝囊废。尽管常常嘲弄他，有时候很长时间看不到他，却又想他。

这就是在莫斯托夫斯科伊年轻时坐牢的年代和今天之间的主要变化。

在年轻时候，朋友和同志身上的一切都是可亲的，容易理解的。敌人的每一种思想、每一种观点都是格格不入的，都是毫无道理的。

可是现在他常常在异己者思想中发现他在几十年前珍视的东西，而在朋友的思想和言谈中有时会不可理解地出现异己的东西。

“这大概是因为我在世上活得太久了。”莫斯托夫斯科伊心里想。

五

一位美国上校住在特别营区的一个小小的单间里。准许他在傍晚时候自由走出营区，给他吃的是特别伙食。据说，从瑞典方面有人来要求关照他，是罗斯福总统通过瑞典国王提出这一要求的。

有一天，上校把一大块巧克力糖送给生病的苏联少校尼科诺夫。在特别营区里，最使他感兴趣的是苏联战俘。他想和苏联人谈谈德国人的战略，谈谈战争头一年失败的原因。

他常常跟叶尔绍夫交谈，看着这位苏联少校既严肃又愉快的聪明的眼睛，忘记苏联少校不懂英文。

他觉得奇怪的是，长相这样聪明的人怎么会不懂他的话，怎么会听不懂有关他们共同关心的问题的谈话。

"难道您一丁点儿也听不懂吗？"他懊恼地问道。

叶尔绍夫用俄语回答说：

"我们可敬的军士什么语言都懂，只是不懂外语。"

不过，借助微笑、眼神、拍肩膀构成的语言，再加上一二十个发音不准的俄语、德语、法语和英语单词，集中营里的苏联人还是常常跟几十种不同语言的民族的人谈谈友谊、合作、互相支持和对家庭、妻子、儿女的思念。

一些变了音的俄语、法语、英语单词，加上十来个在集中营里新出现的德语单词，足以表达简单而复杂的集中营生活中特别重要的东西。

也有一些俄语单词,如伙计、香烟、同志,是很多民族的囚犯共同使用的。有一句俄语“不行啦”是说明快要死的囚犯的状况的,已经成为大家的共同语言,所有五十六个民族的人都在使用。

大日耳曼民族带着学来的一二十个单词闯入居住着伟大俄罗斯人民的城市和乡村,于是成千上万俄罗斯农村妇女、老人和儿童跟成千上万的德国士兵用这些单词打起交道:“羊羔,老总,举起手来,母鸡,鸡蛋,完蛋。”这种交道绝不是什么好交道……

苏联战俘之间也谈不出什么好结果,有些人宁死不愿卖国,另一些人却千方百计要参加苏奸弗拉索夫的伪军。他们谈得越多,争论得越多,彼此的隔阂越大。到后来他们就不说话了,彼此越来越仇恨,越来越鄙视。

这种不言不语,被恐怖、希望和苦难联结在一起的这些人之间的严重混乱,说同一种语言的人们的互不理解和仇恨,正反映出二十世纪可悲的灾难之一种。

六

在下雪的日子,苏联战俘到晚上一谈起来特别悲伤。就连性格刚强、常来聚会的兹拉托克雷列茨上校和旅政委奥西波夫也愁眉苦脸,很少言语了。大家都苦闷不堪。

炮兵少校基里洛夫坐在莫斯托夫斯科伊的铺上,耷拉着肩膀,轻轻地摇着头。似乎不光是那黑沉的眼睛,是他那整个巨大的身躯充满了苦闷。

那些生存无望的癌症患者往往有这样的眼神。就连最亲近的人，看到这样的眼睛，在怜惜的同时，也会想：“你顶好快点儿死吧。”

喜欢到处转悠的、黄脸的柯佳科夫指着基里洛夫，小声对奥西波夫说：

“他不是想上吊，就是想去投伪军。”

莫斯托夫斯科伊搓着长满白白的胡茬子的两腮，随口说：

“哥儿们，听我说说。真的，这样很好。难道不明白吗？列宁缔造的国家的局面一天天叫法西斯受不了。法西斯没有多少选择的余地：要么把我们吃掉，把我们消灭，要么自己完蛋。从法西斯对我们的仇恨，正可以看出列宁事业的正义性。还有一点，也是很重要的。你们要明白：法西斯越是恨我们，我们越是应该相信我们是正义的。我们就一定能胜利。”

他猛然转过身去对着基里洛夫，说：

“您这是怎么回事儿呀，嗯？您该记得高尔基的事。有一次他在监狱的院子里走来走去，有一个格鲁吉亚人对他喝道：‘你干吗要像挨了打的母鸡？把头抬高点儿！’”

大家笑起来。

“是的，是的，把头抬起来。”莫斯托夫斯科伊说。“你们想想看，这是伟大的苏维埃大国在捍卫共产主义思想！希特勒要较量，就让他试试吧！斯大林格勒坚持着，没有失守。战前有时候觉得：螺丝帽是不是拧得太紧、太狠啦？可是现在真的连瞎子都看清楚了：只要目的正确，一切手段都不为错。”

“是的，我们的螺丝帽拧得太紧了。这话您说得很对。”叶尔绍夫说。

“拧得还不够呀，”古泽将军说，“假如拧得再紧些，希特勒就到不了伏尔加河边啦。”

“用不着我们教导斯大林。”奥西波夫说。

“好啦，”莫斯托夫斯科伊说，“要是死在监牢里或者水漉漉的矿坑里，就什么也谈不到了。咱们应该想的不是这个。”

“那又该想什么呢？”叶尔绍夫高声问道。

坐在一起的人互相看了看，又朝四下里看了看，没有作声。

“唉，基里洛夫呀，基里洛夫，”叶尔绍夫忽然说，“咱们这位老人家说得很对：法西斯痛恨我们，我们应该高兴。不是我们消灭他们，就是他们消灭我们。明白吗？你想想看，进集中营找到自己人，总归是自己人跟自己人。不过就是这么回事儿。没什么大不了的！我们是刚强的人，还要给德国人一点颜色看看呢。”

七

62军团司令部有一整天跟各部失去联系。许多部队的无线电接收机被炸毁；到处有电话线被炸断。

在伏尔加岸边轻轻颤动的土地猛烈震动起来的时候，人们望着流动的、碎波粼粼的河水，有时会觉得伏尔加河是不动的。这时候几百门苏联重炮在伏尔加右岸轰击。马马耶夫冈南坡的德军驻地四周飞起一团团泥土。

一团团旋转飞舞的灰土，经过重力编织的奇妙、无形的筛子，进行了筛选，沉重的土块和泥团落到地上，轻的灰尘飞向天空。

被震得耳聋和眼睛发红的红军士兵每天都有好几次跟德军

坦克和步兵相遇。

司令部和军队失去了联系，就觉得这一天长得叫人受不了。

为了打发这一天，崔可夫、克雷洛夫和古洛夫什么办法都想过：摆出要做事的样子，写信，争论敌军可能推进到什么地方，开玩笑，喝酒，有小菜也喝，没有小菜也喝，沉默，倾听炸弹爆炸声。铁旋风在掩蔽所周围呼啸，把一切敢于在地面上露头的活物扫倒。司令部瘫痪了。

“咱们来捉傻瓜吧。”崔可夫说着，把装满香烟头的老大的烟灰缸推到桌子角上。

就连参谋长克雷洛夫也沉不住气了。他用手指头敲着桌面，说：

“情况没有更糟的啦，像这样待下去，可别叫人家吃掉。”

崔可夫分好了牌，宣布：“红桃主牌。”可是接着就把牌掺和到一起，说：

“咱们像兔子一样坐在这儿，玩起牌来啦。不行，不能这样！”

他心事重重地坐着。他的脸显得很可怕，脸上呈现出剧烈的仇恨与痛苦表情。

古洛夫就像在预测自己的命运似的，也若有所思地说：

“是啊，这样过上一天，准会害心力衰竭死去。”

过了一阵子，他大笑起来，说：

“在师里上厕所是一件极其困难的、可怕的事。有人告诉我，柳德尼科夫的参谋长一下子跑进掩蔽厕所，喊：‘乌拉，同志们，我……’他一看，他爱上的那位女医生正蹲在里面呢。”

天黑下来，德寇的空袭也停止了。一个被大炮轰鸣声和机枪嗒嗒声吓坏了的人，如果在夜间来到斯大林格勒河岸上，也许会以为，这是不怀好意的命运之神在决战时刻把他带到斯大林格勒来了，然而对于久经战阵的人来说，这时候正好刮刮胡子，洗洗衣服，写写信，参战的钳工、旋工、电焊工、钟表匠则修修打火机，修修闹钟，还用炮弹壳做油灯，从军大衣上撕下布条子做灯芯。

一闪一闪的爆炸的火光照耀着河岸的斜坡、城里的断垣残壁、一个个油桶、一座座工厂的烟囱，在这种短暂的闪光里，河岸与城市显得又阴郁又悲切。

在黑暗中，司令部的电话总机活跃起来了，打字机嗒嗒地响起来，打印出一沓沓战斗情报，小小发动机发出嗡嗡声，电报机轧轧响起来，电话员在话机里互相呼唤着，以把通往各师、各团、各炮兵连、步兵连指挥所的线路接通。来到司令部的通信兵老气横秋地轻轻咳嗽着，联络官在向值班作战参谋汇报。

军团炮兵司令波扎尔斯基老汉、渡河敢死队队长特卡琴柯工程兵将军、刚刚穿上草绿色士兵军大衣的西伯利亚师师长古尔捷夫、带领一师人驻扎在马马耶夫冈下的斯大林格勒本地人巴秋克中校都急着要向崔可夫和克雷洛夫汇报。在向军团军委委员古洛夫作的汇报中，可以听到一些传遍斯大林格勒的名字，如迫击炮手别斯季尔柯、神枪手瓦西里·扎伊采夫和安纳托里·契诃夫、巴甫洛夫中士，还有第一次在斯大林格勒响起来的名字，如绍宁、弗拉索夫、布雷辛，他们在斯大林格勒的第一天就获得英雄的称誉。而在前沿阵地上，纷纷把折成等腰三角形的书信交给邮递员：“飞吧，书信，从西向东……带去我的问候，再把回信带回来……日安，噢，也许该说：晚安……”前沿阵地上在掩埋死者，死者就在掩蔽所和掩体旁边度自己长眠的第一个夜晚，同志们就在旁边写信，刮脸，吃面包，喝茶，在自制的浴槽里洗澡。

八

斯大林格勒守卫者最困难的日子来到了。

在城市混战中，在进攻与反攻中，在争夺科技宫、磨坊、银行大楼，在争夺一个个地下室、一座座院子和广场的战斗中，毫无疑问德军都占优势。

德军插进斯大林格勒南部拉普申花园、库波罗斯沟和叶尔山卡一带的楔子在逐渐扩大，德军的机枪手躲在河边，向伏尔加左岸的红镇南部进行扫射。作战参谋每天在地图上改动战线的位置，看着蓝色标志不断地往前爬，苏方红线与蓝色伏尔加河之间的地带一天天在收缩，越来越狭小。

主动权，战争的灵魂，这些天一直在德国人手里。他们一个劲地在前进，不论苏军怎样发狠反击，都阻挡不住他们缓慢然而不停地前进。

德寇的飞机一天到晚在天空吼叫，用重磅炸弹在苦难的大地上打出一个个窟窿。许多人的脑子里都有一个摆脱不掉的、可怕的想法：已经被德军进攻的铁齿咬得七扭八曲的苏军防地，明天或者一个星期之后会变成一条线，这条线会断，那又该怎么办啊？

九

深夜，克雷洛夫将军在自己的掩蔽所的床铺上躺了下来。鬓角隐隐作痛，因为接连抽了几十支烟，喉咙里火辣辣的。他用舌头舔了舔发燥的上腭，转过身朝着内壁。睡意蒙眬中，往日的情景纷纷来到脑海里：塞瓦斯托波尔和敖德萨的战场，罗马尼亚步兵冲锋时的呐喊声，铺了石板、长满常春藤的敖德萨的院落和塞瓦斯托波尔的英俊的水兵。

他仿佛觉得自己又在指挥所里，彼特罗夫将军的夹鼻眼镜模模糊糊地闪着光；闪光的镜片又变成千万闪光的碎片，又是波涛翻滚的大海，又是德军炮弹炸碎的岩石扬起的灰色尘雾，灰色尘雾在水兵和步兵头顶上飘飘荡荡，飘到萨普山顶上。

他听到海浪无精打采地拍打着潜水艇，听到潜水艇的水兵粗声粗气地叫喊："跳！"仿佛他跳入浪涛中，但他的脚马上碰到潜水艇的艇身……于是最后看了一眼塞瓦斯托波尔，看了看天上的星星，看了看岸上的大火……

克雷洛夫沉沉入睡。梦里依然是战争的情景。潜水艇从塞瓦斯托波尔开往诺沃罗西斯克……他蜷着麻木了的腿，胸前背后出汗都湿透了，发动机的声音震得两鬓昏昏的。忽然发动机不响了，潜水艇轻轻地沉到海底。气闷得不得了，被一行行虚线似的铆钉划成许多方块的金属顶压在头上……

他听到许多声音在吼叫，听到水的拍溅声，一颗深水炸弹爆炸了，海水冲击过来，把他从床铺上冲下来。克雷洛夫睁开眼睛：

四周都是火，一股股大火经过敞开的掩蔽所门口朝伏尔加河奔去。可以听到人的叫喊声、自动步枪的嗒嗒声。

“拿军大衣，拿军大衣把头蒙起来！”有一个不相识的红军士兵对克雷洛夫喊道，并且把军大衣递过来。但是克雷洛夫推开红军士兵，高声问：

“司令员在哪儿？”

他忽然明白了：这是德国人烧着了油桶，着了火的石油正朝伏尔加河涌去。

看样子，要从这奔流的火海中逃生，已经不可能了。大火轰轰直响，在流动的石油上噼噼啪啪乱飞，那石油填满坑坑洼洼，在可以流动的地方汹涌奔流。泥土和石头一沾到石油，就冒起烟来。一道道黑黑的、闪闪有光的石油从被燃烧子弹打穿的油库里往外直涌，那样子，就像是塞进大油罐的大卷大卷的烟与火现在伸展开来了。

就像是几亿年前活跃在地球上的生物，那些野蛮而可怕的原始怪物，从厚厚的地层中钻了出来，又在狂吼哀号，用巨大的脚掌到处奔窜，贪婪地吞食着周围的一切。烈火窜起几百公尺高，放出一团团可燃的气体，那一团团气体像爆炸一样在高空里一闪一闪地喷射着火焰。大片大片的烈火是那样大，气流简直来不及向燃烧的碳氢分子供给氧气，因而漆黑一片，微微颤动的苍穹把秋日的星空和燃烧的大地隔离开来。从下面望着这油烟滚滚的、黑黑的苍穹，实在可怕。

一道道火柱和烟柱拼命向上窜，有时采取发怒发威的猛兽的姿态，有时像晃动的白杨或轻轻颤抖的山杨。黑与红两色在一团团烈火中不停地旋转，就像跳舞时混在一起的、松开辫子的黑发和红发姑娘。

燃烧的石油在水面上平平地流了开去，经河水冲动，嗞嗞地响着，冒着烟，弯弯曲曲地流动着。

奇怪的是，这时候已经有很多战士知道怎样可以到达岸边。他们叫喊着："这儿来，这儿来，顺这条小路！"有些人已经有两三次来到被大火包围的掩蔽所前，帮助司令部的人员逃到岸边土台上，有一小堆脱险的人就站在这里，这是涌入伏尔加河的燃烧的石油分岔的地方。

一些穿棉衣的人帮助司令员和司令部的军官们逃到岸边。这些人把他们认为已经死去的克雷洛夫将军从火里抬出来，他们眨巴了几下烧焦的睫毛之后，又穿过密密的红色蔷薇丛朝各指挥部的掩蔽所奔去。

62军团司令部人员在伏尔加河边小小的土台上一直站到早晨。大家用手护着脸，遮挡着灼热的空气，不时弹着衣服上的火星，望着司令员。司令员披着军大衣，头发从帽子底下露出来，耷拉在额头上。他皱着眉头，阴沉着脸，然而显得很镇定，好像在深思。

古洛夫环顾着站在一起的人，说：

"这么着，咱们没烧死……"他又摸了摸滚烫的军大衣纽扣。

"喂，你这位带锹的弟兄，"工程兵司令特卡琴柯喊道，"赶快在那儿挖一道小沟，要不然那个小土包上的火就要流过来啦！"

他对克雷洛夫说：

"将军同志，全都乱套啦，火像水一样流起来，伏尔加河着了火烧起来。好在没有大风，要不然咱们全烧死啦。”

当微风从河面上吹来，高大的火幕轻轻晃动、倾斜过来的时候，人们纷纷躲避燎人的火舌。

有的人走到水边，用水把靴子打湿，水一到滚烫的靴筒上很快就蒸发了。有的人一声不响，拿眼睛盯着地面，有的人一个劲儿地四下里打量着，有的人为了缓和紧张情绪，开起玩笑：“在这儿不用火柴也行了，要抽烟可以向伏尔加借火，也可以向风借火。”也有人不住地抚摩自己身上，摇着头，不时试试皮带金属环的热度。

传来几响爆炸声，这是司令部警卫营掩蔽所的手榴弹爆炸了。然后机枪子弹带里的子弹嗒嗒响了起来。一发德军的迫击炮弹在烟火中呼啸而过，在远处的伏尔加河上爆炸。河岸上有几个远远的人影在黑烟中闪过，看样子，是有人想把指挥所的火引开，转眼间一切又消失在烟与火之中。

克雷洛夫凝神望着四周围流动的大火，已经不回想，不比较了……德国人会不会趁大火时候发起进攻呢？德国人不会知道我军司令部现在处在什么状态，昨天的俘虏还不相信我们的司令部在右岸哩……很明显，这是个别行动，就是说，有可能待到早晨没有事儿。只是千万不要起风。

他回头看了看站在一块儿的崔可夫，崔可夫正凝视着呼呼直叫的大火；他那沾了许多黑烟子的脸好像火烧的，又像红铜铸成的。他摘下帽子，拿手捋了捋头发，这一下子就像汗淋淋的乡村铁匠了；火星在他那卷曲的头发上直蹦。他仰头看看呼呼响的烟火翻腾的天空，又回头看看伏尔加河，河上缭绕盘旋的烈火中隐隐出现了黑黑的缺口。克雷洛夫不由地想，自己担心的问题，司令员也在紧张地考虑着哩：德国人会不会在夜间发动大规模进攻？……如果能活到早晨，司令部往哪儿安？……

崔可夫感觉到参谋长的目光，便对他笑了笑，用手在头顶上画了一个大圈子，说：

“太漂亮啦，他妈的，不是吗？”

这场熊熊大火，在伏尔加河彼岸，在斯大林格勒方面军司令部所在的红色花园看得十分清楚，参谋长萨哈罗夫中将一收到有关大火的情报，就报告了司令员叶廖缅柯，总指挥请萨哈罗夫亲自前往电话总机和崔可夫通话。萨哈罗夫呼哧呼哧地喘着，急急忙忙顺着小路走去。副官打着手电筒，不时地提醒说：“将军同志，小心点儿！”并且不时地用手推推耷拉在小路上的苹果树枝。远方的火光照耀着一棵棵树干，并且变成红红的斑点落在地上。这些晃晃不定的光斑使人心中惶惶不安。周围一片寂静，只能听到哨兵低沉的喝问声，这种情形使模糊而无声的火光显得特别可怕。

来到总机所在地，女值班员望着呼哧呼哧直喘的萨哈罗夫说，无法和崔可夫联系，电话、电报、无线电话都打不通……

“跟师里联系呢？”萨哈罗夫急急忙忙地问道。

“中将同志，刚才跟巴秋克通过电话。”

“要巴秋克，快点儿！”

女值班员战战兢兢地望着萨哈罗夫，已经认定这位将军那又厉害又暴躁的脾气马上就要发作了，忽然高高兴兴地说：

“通了，将军，请吧。”她把话筒递给萨哈罗夫。

跟萨哈罗夫说话的是师参谋长。他像个电话员姑娘一样，听到方面军司令部参谋长呼哧呼哧喘粗气，听到他的严厉的声音，胆怯起来。

“你们那儿情况怎么样，请汇报一下。能跟崔可夫通话吗？”

师参谋长汇报了有关油库起火的情况，汇报了大火扑向军团司令部的情形，又说，师里无法跟司令员取得联系，还说，看样子，那儿的人没有全部牺牲，因为透过烟与火可以看到有一些人站在岸边，不过，不论从岸上，不论在河上驾船，都无法接近他们，——伏尔加河烧起来了。巴秋克已经带着师部警卫连顺着河岸朝大火奔去，试图把火流引开，帮助站在岸上的人从大火包围中冲出来。

萨哈罗夫听完师参谋长的汇报后，说道：

“请转告崔可夫，要是他还活着的话，请转告崔可夫……”他没有说下去。

电话员姑娘对这样长时间的停顿感到惊异，她等待着将军的嘎哑的声音再响起来，用胆怯的目光朝萨哈罗夫看了看：将军依然站着，将手帕捂在眼睛上。

这一夜，有四十名司令部的指挥员在大火中牺牲在倒塌的掩蔽所里。

十

在油库的大火之后，克雷莫夫很快就来到斯大林格勒。

崔可夫把新的指挥所安在伏尔加堤岸脚下，在巴秋克师所属一个步兵团的防地上。丘科夫来到团长米海洛夫大尉的掩蔽所，看了看这宽敞的、用许多木头撑着的土室，很满意地点了点头。这位司令员看着满脸雀斑的红头发大尉的悲伤的脸，很快活地对他说：

“大尉同志，你造掩蔽所没有按规格办事，造得有点像元帅府。”

团部便带上那简单的几件家具，迁到下游几十米的地方；红头发的米海洛夫也依样行事，毫不客气地把自己手下的一位营长挤走了。

那位营长没有了住处，却没有再去挤自己连长，因为他们住得已经够拥挤了，便叫人在高地上新挖了一个土室。

克雷莫夫来到62军团指挥所的时候，这儿的工兵作业正在紧张地进行，挖掘司令部各部门之间的通道，挖掘街道、小巷，把政工人员、业务人员和炮兵连接起来。

克雷莫夫两次看到自己的司令员——他出来察看工程情况。

世界上也许没有任何地方像在斯大林格勒这样认真对待建造住所的事。在斯大林格勒造掩蔽所，不是为了暖和，也不像后来人那样。能不能见到天亮，能不能活到吃午饭时候，主要看掩蔽所盖板的厚度、通道的深度、厕所的远近以及在空中是否能看到掩蔽所。

在谈到一个人的时候。都要谈他的掩蔽所。

“今天巴秋克的迫击炮在马马耶夫冈上干得漂亮……而且，他的掩蔽所也真不错，门是橡树的，老厚老厚的，跟国会大厦的门一样，真是个聪明人……”

有时候，会这样说一个人：

"没说的，昨天夜里他转移了，丢了主要阵地，跟下属各部失掉了联系。他的指挥所在空中能看得见，用防雨布当门，可以说是防苍蝇的。是个没有用的人，我听说，他老婆在战前就不跟他了。"

斯大林格勒出过许许多多各种各样跟掩蔽所和土室有关的故事。有一个故事说，罗季姆采夫的指挥部住在管道里，忽然涌进了水，所有办公人员一齐涌到河岸上，有人就开玩笑，在地图上标出罗季姆采夫指挥部流入伏尔加河的地方。有一个故事说的是巴秋克那出了名的门如何被打掉的事。还有一个故事，说的是饶鲁杰夫连同他在掩蔽所里的指挥部在拖拉机厂里如何被埋住的事。

斯大林格勒的堤岸上密密麻麻排满了掩蔽所，克雷莫夫觉得这就像是一艘巨大的战舰：舰舷的一侧是伏尔加河，另一侧面对着连成一片的敌方火力网。

克雷莫夫接受政治部的委托，来解决罗季姆采夫师步兵团团长与政委之间的纠纷。

他在动身来罗季姆采夫师部的时候，准备先向师部的军官们作一个报告，然后就来解决这件纠缠不清的事。

军团政治部一名勤务员把他带到宽阔的管道的石砌的出口前，罗季姆采夫的师部就住在里面。岗哨通报了方面军司令部派出的这位营政委的到来，就有一个低沉的嗓门儿说：

"叫他上这儿来吧，要不然还尝不到这儿的滋味呢。"

克雷莫夫来到低低的穹顶下，感到指挥所里的人都拿眼睛看着自己，就向胖胖的团政委作了自我介绍。团政委穿着士兵棉军装，坐在罐头箱子上。

“啊，能听听报告太高兴啦，这可是好事儿，”团政委说，“要不然，我们听说，马内尔斯基，还有什么人，来到左岸，可是不打算上斯大林格勒我们这儿来呢。”

“另外，我还接受政治部主任的委托，”克雷莫夫说，“来解决步兵团团长和政委之间的事。”

“我们有过这样的事儿，”师政委回答说，“不过昨天已经解决了：有一颗一吨的炸弹落在步兵团的指挥所上，炸死十八个人，其中有团长，也有政委。”

他用坦然而随便的口气说：

“不知为什么他们一切都相反，就连外貌都截然不同：团长穿着朴素，他是农民的儿子；政委天天戴着手套，手上还戴着戒指。现在两个人躺在一块儿了。”

他是一个善于控制自己与别人的情绪而不受情绪影响的人，这时急忙换了口气，用快活的声音说：

“我们师驻守在科特鲁班山下的时候，有一次我开着自己的汽车送莫斯科来的巴维尔·菲多罗维奇·尤金上前线去做报告。这位军委委员对我说：‘要是出什么差错，我砍你的脑袋！’我跟他受够了罪。一有飞机，我们马上就扎到排水沟里。我很小心，不想掉脑袋。不过尤金同志也很小心自己的性命，表现得很主动。”

听他们谈话的一些人微微笑着，克雷莫夫又感觉他的话里有令人不快的怜悯与嘲笑的意味。

克雷莫夫平时跟队列指挥员的关系很好，跟参谋人员的关系也完全过得去，而跟自己的同行政工人员相处，往往感到很不痛快，常常不能以诚相见。现在这位师政委就使他很不痛快：才上前方没有几天，就自以为是老战士了，恐怕只是在战争前夕才入党的，也许还不知道恩格斯是什么人呢。

但是，看样子，克雷莫夫也有什么地方使师政委很不痛快。

克雷莫夫一直有这种感觉。在副官给他安排住处的时候，请他喝茶的时候，都是这样。

几乎每一个军事部门都有自己特殊的、与众不同的对人对事作风。罗季姆采夫师部里的人总是以自己的年轻将军为荣。

克雷莫夫做完报告以后，大家就开始向他提问题。坐在罗季姆采夫旁边的师参谋长别尔斯基问道：

“请问，作报告的同志，同盟国究竟什么时候开辟第二战场？”

半躺在紧靠管道石壁的窄窄的床铺上的师政委坐了起来，用手扒了扒干草，说道：

“别着急。我更感兴趣的倒是我们的指挥部准备怎样行动。”

克雷莫夫很不高兴地瞟了师政委一眼，说：

“既然你们的政委提出这样的问题，那就不应由我来回答，应该由将军来回答了。”

大家一齐看了看罗季姆采夫。罗季姆采夫便说：

“高个子在这儿连腰都伸不直。一句话，这儿是管道。防守是可以的，再没有更大的优越之处了。从这种管道里发动进攻是不可能的。倒是希望发动进攻，可是在管道里无法调集后备兵力。”

这时候电话铃响了，罗季姆采夫抓起话筒。

所有的人都朝他看了看。

罗季姆采夫放下话筒，朝别尔斯基弯下身去，小声说了几句话。别尔斯基探身去拨电话，但是罗季姆采夫用手按住电话机，说：

“干吗，难道您没听见？”

在炮弹壳制的油灯那晃晃不定、烟气腾腾的灯光照耀着的管道里，在石头拱顶下，能听见很多声音。一阵一阵的机枪声在头顶上咔啦啦响，就像大车过桥。不时有手榴弹爆炸声。任何声音在管道里引起的共鸣声都非常响亮。

罗季姆采夫时而把这个参谋人员叫来，时而把那个参谋人员叫来，又把沉不住气的话筒拿到耳朵上。

有一小会儿他注意到坐在不远处的克雷莫夫的目光，便亲切地、像对自家人一样笑了笑，对他说：

“报告员同志，伏尔加的天气放晴啦。”

电话已经不断地响起来。克雷莫夫听着罗季姆采夫在讲话，大致了解了发生的情况。年轻的副师长鲍里索夫上校走到将军跟前，俯下身对着放在箱子上的斯大林格勒地图，清清楚楚地画了一条垂直的粗粗的蓝线，穿过苏方防区的红色虚线，直到伏尔加河边。鲍里索夫用阴郁的眼睛意味深长地看了看罗季姆采夫。罗季姆采夫看见一个穿斗篷的人从幽暗中朝他走来，猛地站了起来。

看到来人的步子和脸上的表情，马上就明白了他是从哪儿来的。他浑身笼罩着一团肉眼看不见的火气，就好像在他那急急匆匆的动作中，不是斗篷在沙沙地响，而是这人浑身的电在哧啦哧啦地爆炸。

“将军同志，”他用埋怨的口气叫道，“狗日的把我逼到冲沟里，逼到河边来啦。要给我增援！”

“你们自己要不惜任何代价把敌人阻挡住。我没有后备兵力啦。”罗季姆采夫说。

“是，不惜任何代价。”穿斗篷的人回答说。当他转身朝出口走去的时候，大家都看清楚了，他知道他将要付出什么样的代价。

“就在这一带吗？”克雷莫夫指了指地图上弯弯曲曲的河岸，问道。

但是罗季姆采夫没来得及回答他。管道出口处响起手枪射击声，还有手榴弹爆炸的红色火光闪了几下。

响起尖利的指挥官的哨声。参谋长跑到罗季姆采夫跟前，叫道：

“将军同志，敌人朝咱们的指挥所冲来啦！……”

多少有点儿卖弄自己的镇静语调、用有色铅笔在地图上镇定地描画战局变化的师长忽然不见了。瓦砾场和荒草沟里的战争跟铬钢、跟阴极灯、跟无线电设备息息相关的感觉消失了。这个薄嘴唇的人很带劲儿地高声喊道：

“喂，全师部注意！检查一下自己的武器，带上手榴弹，跟我来，把敌人打回去！”

从他的声音中，从他又快又狠地在克雷莫夫身上扫过的目光中，流露出又冷酷又厉害的要打仗的狠劲儿。一时间使人觉得，这个人的主要力量不在于他的老练，不在于他的军事知识，而在于他的残酷、剽悍的气质！

几分钟之后，师部的军官、文书、通信员、电话员又慌乱又不灵活地拥挤着，从师部的管道里涌了出来，跨着轻快的步子跑在前面的是罗季姆采夫，他被一闪一闪的战火照耀着，朝冲沟奔去，爆炸声、枪声、呐喊声、骂声就是从那儿传来的。

等到克雷莫夫气喘吁吁地同前面几个人一起跑到冲沟边，朝下面一看，他那颤动的心里顿时出现一种又憎恶、又恐怖、又痛恨的感觉。沟底晃动着模糊的人影，射击的火花忽明忽灭，时而亮起绿眼睛，时而亮起红眼睛，钢铁的啸声在空中一个劲儿地响着。克雷莫夫看到的仿佛是一个巨大的蛇洞，千百条被惊动的毒蛇在里面嗞嗞乱叫，闪动着眼睛，在荒草丛里沙沙地、飞快地乱爬。

他带着愤怒、憎恶和害怕的心情朝着在黑暗中闪动的射击火光、对着在沟坡上爬得很快的人影打起枪来。

在离他几十米的地方，德国人出现在沟沿上。接二连三的手榴弹爆炸声震荡着空气与大地。这是德军突击队要冲向管道出口。

人影、射击的火光在黑暗中闪动着，呐喊声、呻吟声时起时落。就好像一口巨大的黑锅在翻滚着，克雷莫夫的整个身子和心灵都掉进这咕嘟嘟直翻、直冒泡的滚水中，已经不能像原来那样思索和感触了。有时他觉得他操纵着把他卷进去的旋涡的转动，有时他充满死的预感，就好像这树胶似的浓浓的黑暗在往他的眼睛和鼻孔里流，已经没有空气可以呼吸，头顶上也没有星空，只有黑暗、冲沟和在荒草中沙沙乱爬的怪物。

似乎已无法对情况作出判断,同时清清楚楚、明明白白地意识到非同那些在沟坡上爬的人接触不可了,感到有人跟自己并肩作战是不怕的,并且感到高兴的是,有罗季姆采夫在一起。

在三步之外分不清是战友还是杀来的敌人的夜战中产生的这种奇怪的感觉,往往跟另一种也很奇怪、很难理解的感觉联系着,这就是对整个战斗进程的感觉,有了这种感觉,战士就能判断战斗中双方的实力,预测战斗的进程。

十一

一个人即使处于烟火包围中,跟别人没有任何联系,处于茫然状态中,他对整个战斗结局的感觉,往往也比对着军事地图而作出的对战斗结局的判断要正确些。

在战斗的转折时刻,有时会发生惊人的变化,这时候一直在进攻而且似乎已到达目标的士兵张皇四顾,再也看不见跟自己一起开始向目标推动的那些人,而他一直认为孤单、愚蠢、经不住打的敌人成了人数众多的大军,因而是不可战胜的了。这种战斗的转折时刻,参战者能清楚地感觉到,而对于那些企图从表面去预测和理解的人来说,这种转折时刻是神秘的和难以理解的,在这样的时刻,会发生心理变化:勇猛而聪明的“我们”会变成胆小而脆弱的“我”,老是失败的敌人、被看作可怜的猎物的敌人会变成可怕而威风和强大的“他们”。

先前战斗中的一切情形,顺利克服着单独反抗的进攻者是可以理解的：手榴弹爆炸……机枪扫射……那个躲在掩体里打枪的人就要逃跑了，他不可能不跑，因为他是一个人，是单个儿的，跟那单个儿的大炮，跟那单个儿的机枪，跟他旁边也在单独作战的士兵不是一起的；可是我——就是我们，我—就是这整个的、大量的、进攻的步兵，我——就是这支援我的整个炮队，我——就是这支援我的所有坦克，我——就是这照耀着整个战场的信号弹。可是我现在忽然成了一个人；原来是单个儿、因而经不住打的，如今合成一个可怕的整体，步枪火力、机枪火力、炮兵火力都成了整体，再也没有什么力量帮助我战胜这个整体。唯一的办法就是逃跑，就是把头藏起来，把肩膀、额头、下巴遮盖起来。

而在黑夜里遭到突然攻击、起初感到自己弱不禁打、感到自己孤立的人们，开始瓦解朝他们扑来的敌人的整体，就开始感到自己成为整体，胜利的力量就在这种整体中。

在对这种转变的理解中，往往就包含着使军事有资格可以称为艺术的东西。

在这种孤单感与众多感中，在认为孤单到认为众多的意识转变中，不仅包含着连队、营队夜战中各种事件的联系，而且表现出军队和民族军事实力的变化。

有一种感觉，是参加战斗者几乎全部失掉的，那就是时间的感觉。一位姑娘，在新年舞会上狂舞了一夜，说不出她在舞会上感觉时间是长还是短。

一个囚犯在牢狱里蹲了二十五年，会说："我在牢里好像过了一万年，同时又觉得好像只过了短短的几个星期。"

姑娘这一夜遇到许许多多转瞬即逝的事情——投来的目光，

音乐的片段，微笑，摩肩擦背，在感觉中留不下时间的长度。但这些短促的事合在一起，便形成长时间的感觉，给她带来终生的欢乐。

囚犯的情形则相反，他在监狱的二十五年由许许多多长的使人难受的单位时间组成，如早点名到晚点名之间的时间，早饭到中饭之间的时间。但是这些痛苦的时间合在一起，却似乎产生了另一种感觉：因为一个月又一个月，一年又一年过得十分单调无味，时间因而简化了，缩短了……因此可以同时出现短暂的感觉和漫长的感觉，欢度新年之夜的人和在牢狱里过了几十年的人可以有相似的感觉。在两种情况下，许多事情合在一起的总和，都会同时产生短暂的感觉与漫长的感觉。

一个人在战斗中经历的时间漫长感与短暂感的变化过程则要复杂些。在战斗中感觉的变异更甚，个人的原始感觉常常扭曲、颠倒。在战场上有时几秒钟变得很长，几个小时变得很短。漫长的感觉常常来自瞬间的事，如炮弹与炸弹的呼啸，射击与爆炸的火光。

短暂的感觉有时来自长时间的事情，如在炮火下在耕地上运动，从这个掩体向另一个掩体爬。肉搏战则超出了时间范畴。在肉搏战中就连清醒也是模模糊糊，结果在这里总和以及每一个被加数都是颠颠倒倒的了。

在这里被加数是无穷多的。

对于战斗时间的感觉一般是变异极大的，以至于这种感觉是完全模糊的，感觉漫长的不一定漫长，感觉短暂的不一定短暂。

克雷莫夫正是处在一片混乱中，又是使眼睛什么也看不见的强光，又是使眼睛什么也看不见的黑暗，又是呐喊，又是爆炸声，又是自动步枪嗒嗒声，而且时间的感觉被打成碎片，正是在这一片混乱中，他极其清楚地意识到：德国人被打败了，被打退了。他和并肩作战的那些文书、通讯员一样，是靠内心感觉意识到这一点的。

十二

黑夜过去了。在烧焦的荒草丛中躺着一具具死者的尸体。沉痛的河水在岸边悲戚而哀怨地叹息。看到被炸得到处是坑的土地，看到烧毁的房屋的四壁，心中无限凄怆。

新的一天开始了，战争很大方地准备着——而且大方到极点，——为新的一天准备着足够的硝烟、瓦砾、钢铁、肮脏而血腥的绷带。过去的一天天也是这样。除了这钢铁炸翻的大地和烈焰腾腾的天空，世界上再也没有什么了。

克雷莫夫坐在箱子上，头靠在管道的石壁上，打起盹儿。

他听着参谋人员含糊不清的声音，听见茶碗在响——师政委和参谋长在喝茶，在用带睡意的声音说话。他们说，被俘的德国兵是一名工兵，他们的工兵营是几天之前从马格德堡空运来的。克雷莫夫脑子里闪过小时候在课本里看到的一幅图画：戴尖顶帽的赶驮人赶着两匹大屁股的肥马，两匹马拼命要把粘在一起的两个屁股蛋儿挣开。小时候这幅画在他心里引起的乏味感又浮上他的心头。

“这太好啦，”别尔斯基说，“就是说，后备队到啦。”

“是啊，当然很好，”瓦维洛夫附和说，“师部要反攻了。”

这时候克雷莫夫听到罗季姆采夫的低沉的声音：

“花儿，花儿，果儿结在工厂里。”

克雷莫夫似乎把所有的精力在夜战中耗尽了。要想看到罗季姆采夫，必须转过头去，但是克雷莫夫没有转头。他想：“汲干了水的井会感到自己是空的，大概就是这样。”他又打起盹儿，低沉的说话声、枪声、爆炸声汇合成一种单调的嗡嗡声。

但又有一种新的感觉进入克雷莫夫的脑际，于是他又觉得自己仿佛躺在一个房间里，百叶窗开着，他凝视着射在壁纸上的晨光的一个斑点。那斑点爬到挂镜的边棱上，像彩虹一样扩散开来。一个小男孩的心颤抖起来，一个两鬓斑白、腰间挂着沉甸甸的手枪的人睁开眼睛，四下里看了看。

一个人身穿旧军装，头戴绿星的军帽，站在管道当中，在拉小提琴。

瓦维洛夫看到克雷莫夫醒来，俯下身子，对他说：

“这是我们的理发员鲁宾契克，拉得好极啦！”

有时候有人说两句开玩笑的粗话，毫不客气地把手风琴打断；有时候有人用压倒小提琴声的高嗓门儿问：“让我说说话好吗？”便向参谋长汇报起来，小调羹在铁茶缸里叮当响着；有人打起长长的呵欠：“啊哈哈哈哈……”就扒拉起干草。

理发员细心地注意着：自己拉小提琴是不是妨碍军官们做事，准备随时停住不拉。

此刻克雷莫夫想起了白发苍苍、身穿黑色燕尾服的捷克著名小提琴家扬·库贝利克，为什么库贝利克拜倒在师部的理发员面前，自叹不如了？为什么演奏着像小河流水一样简单的曲子的细细的、颤抖的小提琴声此时此刻似乎比巴赫和莫扎特更能表现出人的心灵的广度和深度？

克雷莫夫又一次感到孤独的痛苦。任尼娅离开他了……他又一次痛苦地想，任尼娅的出走是他一生的关键：他还在，但等于死了。她真的走了。

他又一次想，有许多可怕的、残酷无情的事应当对自己说说……不应该再羞怯，不应该再用手套捂着脸……

小提琴声似乎唤醒了他对时间的感觉。

时间好比是一方透明的境地，人在其中出现，活动，又消失得无影无踪……大批的城市在时间中出现又消失。时间把它们带来，又把它们带走。

但是他头脑中出现的完全是另外一种特殊的时间概念。这种概念是说："我的时间……不是我们的时间。"

时间进入人生，进入国土，生长在人生与国家生活中，可是等到时间离开，消失了，人还会在，国家还会在……国家还在，可是国家的时间逝去了……人还在，可是人的时间消失了。时间哪儿去了？这不是，人还在，还在呼吸，在思索，在哭泣，而时间，那唯有的、特有的、只跟他有关系的时间走了，逝去了，消失了，他还在。

最艰难的，是做时间的弃儿。不能生活在自己的时间中的弃儿的命运是最痛苦的。谁是时间的弃儿，一下子就能辨认出来，不论是在干部处，在区党委会，在军队里的政治处，在报社，在大街上……时间喜爱的只是时间产生的那些人——自己的孩子、自己的英雄、自己的劳动者。时间永远、永远不会喜爱已逝的时间的孩子，就好比女人不爱过时的英雄，后娘不爱前娘的孩子。

时间就是这样：不断地流逝，可依然生存着。一切都在，只有时间在不断地流逝。时间离去时多么轻盈，多么静悄。昨天你还是那样有信心，那样愉快，那样坚强，你还是时间的儿子。可是今天来了另一个时间，你还不了解它呢。

在战斗中被撕碎的时间，又从理发员鲁宾契克的小提琴里冒出来。小提琴告诉一些人，他们的时间来了，告诉另一些人，他们的时间要逝去了。

"逝去了，逝去了。"克雷莫夫想道。

他看着政委瓦维洛夫那平静而和善的大脸，瓦维洛夫不时地喝两口茶缸里的茶，用劲儿慢慢在就着香肠吃面包，他那一双令人看不透的眼睛转向管道口那个明亮的光斑。

罗季姆采夫瑟瑟缩缩地挺起披着军大衣的肩膀，带着宁静而开朗的面部表情对直地凝望着拉小提琴的人。担任师炮兵总指挥的白发苍苍的麻子上校皱着眉头，看着摆在面前的地图，因为皱眉头脸相显得似乎很凶，只有从他那忧伤而亲切的眼神可以看出来，他没有看地图，他是在听。别尔斯基飞快地写着给军团司令部的报告；他似乎一心一意地在工作，但是他虽然在写，却歪着头，侧耳朝着小提琴。稍远处坐着不少红军战士，有通信员、电话员、文书，他们那疲惫的脸上和眼睛里露出严肃的表情，那种表情常常可以在嚼面包的农民脸上看到。

克雷莫夫忽然想起一个夏夜……年轻的哥萨克姑娘那一双大大的黑眼睛，她那火辣辣的情话……人生还是美好的！

等到小提琴一曲奏过，听到潺潺的流水声，是水在木板下流过，于是克雷莫夫觉得，他的心就像一口看不见的井，本来干了、空了的，这会儿轻悄悄地流进水来。

半个钟头之后，小提琴手已经在为克雷莫夫理发了，并且用那种常常使人发笑的理发师的故意夸张的严重口气问，刮脸是不是把克雷莫夫刮疼了，又用手摸摸：两边腮是不是刮好了？在到处是灰土与钢铁的一片愁惨惨气氛中，香水与香粉香味显得分外不协调，分外别扭，分外凄凉。

罗季姆采夫眯起眼睛，把洒了香水和扑了香粉的克雷莫夫打量了一遍，满意地点点头，说：

“不坏，给客人理得很像样子。现在来把我修理修理。”小提琴手那一双大大的黑眼睛充满幸福的神气。他打量着罗季姆采夫的头，抖了抖白布护巾，说：

“少将同志，两边鬓角是不是多少剪短一点儿？”

十三

油库大火之后，叶廖缅柯大将就准备动身上斯大林格勒来看崔可夫。

这一危险的行动没有任何实际意义。

不过，从人心和人道的角度来说，非常需要这样做。于是叶廖缅柯用了三天时间等待渡河。

红色花园里的掩蔽所的明亮的四壁显得十分宁静，苹果树枝的阴影在司令员清晨散步的时刻显得异常亲切可爱。

远处的隆隆声、斯大林格勒的火光与树叶的沙沙声、芦苇的诉怨声汇合到一起。这些声音合在一起，使人说不出的难过，因此司令员在清晨散步的时候常常唉声叹气，常常骂娘。

早晨，叶廖缅柯把自己要去斯大林格勒的决定告诉了萨哈罗夫，并且要他代理司令事务。

他同送早餐的女服务员开了开玩笑，批准副参谋长飞往萨拉托夫去待两天，接受了一位野战军司令员特鲁法诺夫将军的请求，答应要轰炸罗马尼亚人的强大的炮兵中心。他说："好啦，好啦，我给你远程轰炸机。"

副官们都在猜，为什么司令员心情这样好。是崔可夫那边有好消息？是在高频电话中谈得非常满意？还是收到了家书？

但是这类的信息通常是不会不经过副官们的，莫斯科没有和司令员通电话，崔可夫那边来的消息不是令人愉快的。

吃过早饭，这位上将穿起棉军装，便去散步。副官帕尔霍敏柯走在离他十来步远的地方。司令员像往常一样不慌不忙地走着，挠了几下大腿，又朝伏尔加河看了看。

叶廖缅柯走到正在挖地槽的一些劳动营士兵跟前。这是一些上了年纪的人，后脑勺都晒成了深褐色。他们的脸上流露出忧愁和不愉快的神情。他们一声不响地干着活儿，并且很生气地望着这个胖胖的、头戴绿色军帽、站在地槽边不干事的人。

叶廖缅柯问道：

"同志们，请你们说说，在你们当中谁干活儿最差？"

劳动营的士兵们觉得这个问题来得正好，他们挖土已经挖厌了。大家一齐瞟了瞟其中一个汉子，那汉子把口袋翻过来，把烟末子和面包渣子倒在手心里。

“可以说,是他。”有两个人说,并且望了望其他的人。

“是这样,”叶廖缅柯严肃地说,“就是说,是这个人。他是顶不行的啦。”

那名士兵老气横秋地叹了一口气,用郑重而和善的目光从下面朝叶廖缅柯望了两眼,看样子,他以为发问的人问这样的话不是为了正经事儿,而是随便问问,为了说说玩儿,为了解闷,所以就没有插嘴。

叶廖缅柯又问道:

“在你们当中谁干活儿最好?”

大家指了指一个白了头发的人。那稀稀的头发护不住头,头晒成了深褐色,就好像枯草遮不住阳光,土地被晒焦了。

“就是他,特罗什尼科夫,”有一个人说,“他真卖力。”

“他干活儿干惯啦,不干活儿简直不行。”另外有人说,就好像在替特罗什尼科夫表示谦虚。

叶廖缅柯把手伸进裤子口袋里,掏出明晃晃、光闪闪的金表,很吃力地弯下身去,把表递给特罗什尼科夫。

特罗什尼科夫莫名其妙地望着叶廖缅柯。

“拿着,这是给你的奖励。”叶廖缅柯说。

他依然望着特罗什尼科夫,说:

“帕尔霍敏柯,你发一份奖励通报。”

他继续往前走去,听到背后乱哄哄地响起许多兴奋的声音,挖土的士兵又赞叹又欢笑,祝贺干惯了活儿的特罗什尼科夫的意外收获。

方面军司令等待渡河已经等了两天。这几天跟右岸的联系几乎断了。能够开到崔可夫那边的快艇,在一路上有限的几分钟内就被打穿六七十个洞,开到岸边时已是洒满了鲜血。

叶廖缅柯很生气,很恼火。

六十二号渡口的指挥官们听到德军的炮声,害怕的不是炸弹和炮弹,而是怕司令员发火。叶廖缅柯觉得,德军迫击炮、大炮、飞机的狂轰滥炸,全怪那些少校们玩忽职守,全怪那些大尉们不灵活。

夜里,叶廖缅柯从掩蔽所里走出来,站在离河很近的一个沙包上。

放在红色花园的掩蔽所里方面军司令面前的作战地图,在这里轰隆轰隆地响着,弥漫着硝烟,散发着生与死的气息。

仿佛他看到了他亲手画的前沿阵地的火力线,看到了保卢斯的军队冲向伏尔加河的一个个粗大的楔子,看到了他用有色铅笔画的防御中心和火器集中地点。但是,当他看着摊在桌上的地图的时候,他觉得自己有力量改变和推动战线,他能使左岸的重炮吼叫起来。在那里他感到自己是主人,是机械师。

在这里他的感觉完全不同了……斯大林格勒的火光,天空慢慢滚动的隆隆声——这一切惊心动魄,表现出不以司令员的意志为转移的巨大力量和势头。

在隆隆的炮声和爆炸声中,从工厂区传来隐隐约约的长长的呐喊声:啦啦啦啦啦……

在斯大林格勒的步兵奋起反击的这种长长的呐喊声中,不光有示威的意味,也有悲伤与忧闷的意味。

“啦啦啦啦啦……”的声音在伏尔加河上扩散开去。这种战斗的“乌拉”声在夜晚寒冷的河面上、在寒冷的秋日星空下回荡着，好像渐渐失去激昂的劲头儿，渐渐变化着，忽然在其中出现了另外的东西——不是激情，不是豪气，而是心灵的悲伤，那心灵好像在同可爱的一切告别，好像在呼唤自己的亲人醒来，从枕头上抬起头来，最后一次听听父亲、丈夫、儿子、兄弟的声音……

士兵的忧伤紧紧压住上将的心。

习惯于督促作战的司令员，忽然被战斗吸引住了。他站在松散的沙上，像一个孤零零的士兵，大片的战火与轰隆声使他惊心动魄，他站着，就像成千上万的士兵站在那边的岸上那样。他觉得，领导人民战争他的本事是不够的，他驾驭不了这场战争，指挥不了这场战争。也许，正因为有这种感觉，叶廖缅柯将军在对战争的理解方面达到了最高的高度。

天快亮的时候，叶廖缅柯乘快艇到达右岸。事先得到电话通知的崔可夫来到河边，注视着飞速前进的装甲快艇。

叶廖缅柯缓步走下快艇，他那沉甸甸的身子压得搭在岸上的跳板一弯一弯的。他很不灵活地踩着岸边的石子，走到崔可夫跟前。

“崔可夫同志，你好。”叶廖缅柯说。

“您好，上将同志。”崔可夫回答说。

“我来看看你们在这儿过得怎样。你似乎在油库大火中没有烧坏嘛。连胡子眉毛都还好好的哩。甚至还没有瘦呢。可见我们给你吃的还是不坏。”

“白天黑夜都坐在掩蔽所里，怎么能瘦呢？”崔可夫回答说。

因为司令员说给他吃的不坏，他听到这话觉得不痛快，就回敬说："这算怎么回事儿，我在河岸上接待起客人来啦！"

果然，叶廖缅柯听到崔可夫管他叫斯大林格勒的客人，真的生气了。等到崔可夫说："请赏光到寒舍一叙。"叶廖缅柯回答说："我就在这新鲜空气里待一待挺好。"

这时候，对岸的大炮隆隆地响了起来。

河岸被大火、照明弹和爆炸的火光照耀着，而且显得非常空旷。亮光时弱时强，有时雪亮雪亮的，亮得刺眼。叶廖缅柯注视着到处是掩蔽所和通道的堤岸，注视着堆在水边的一堆堆石头，一堆堆石头从黑暗中露出来，又轻悄而敏捷地钻进黑暗中。

有一个粗大的嗓门儿缓慢而有力地在唱：

让满腔的义愤如波涛翻腾，
这是人民的战争，神圣的战争……

因为在岸边和堤坡上都看不到人，因为周围的一切，不论大地、天空，不论伏尔加河，都被火光映照着，就觉得这节拍缓慢的歌儿是战争自己唱的，不是人唱的，是那沉甸甸的歌词从人们身边滚过。

叶廖缅柯因为自己被面前的情景吸引住，感到不好意思起来：真的他像到斯大林格勒的主人这儿做客来了。他很生气，因为看样子崔可夫知道他心里惶惶不安，所以才过河来，知道这位方面军司令在红色花园的干芦苇沙沙声中散步的时候心里有多少烦恼。

叶廖缅柯向遭受火难的这一方战场的主人问起后备兵力的

调度、步兵与炮兵的配合和德军在工厂区的集结情况。他提问题，崔可夫回答，因为应该回答上级首长的问题。

他们沉默了一会儿。崔可夫很想问："历来防御都是很了不起的，但是进攻究竟怎样呢？"

可是他没敢问：叶廖缅柯会以为斯大林格勒的防守者没有足够的耐心，要求卸肩上的担子。

忽然叶廖缅柯问道：

"你的父亲和母亲好像是在图拉州，住在农村里吧？"

"是住在图拉州，司令员同志。"

"老人家有信给你吗？"

"有信，司令员同志。父亲还在干活儿呢。"

他们对看了一眼，叶廖缅柯的眼镜片被火光映红了。

看样子，他们就要谈谈有关斯大林格勒的真正实质性问题了，这是他们两个独独需要谈的。可是叶廖缅柯说：

"你大概想问我这个方面军司令经常被问到的问题——关于补充生力军和弹药的问题，是不是？"

此时此刻唯一有意义的谈话就这样一直没有开始。

站在堤岸上的哨兵不时地朝下面望望。崔可夫听着炮弹的啸声，抬起眼睛，说：

"大概那个战士在想：哪儿来的这两个怪人站在河沿上？"

叶廖缅柯嗯了一声，没有多理会。

到了该告别的时候。按照不成文的规矩，一个站在炮火下的首长要走，通常只是在下级一再要求他离开的时候。但是他对危险那样不在乎，就像根本没这回事儿似的，所以这些规矩也跟他无关。

他毫不在乎、同时又很敏锐地随着飞过的一颗迫击炮弹的呼啸声转过头来。

“好啦，崔可夫，我该走啦。”

崔可夫注视着开走的快艇，在岸上站了一会儿：他觉得快艇后面拖着的一道白浪像一条白手绢，好像一个女子摇着白手绢向他告别。

叶廖缅柯站在甲板上，望着对岸。他像波浪似的在从斯大林格勒那边来的模糊的火光中悠荡着，而快艇驶过的河面似乎动也不动，像一片石板。

叶廖缅柯烦恼地在甲板上踱来踱去。几十种习惯的念头出现在他的头脑里。许多新的任务摆在方面军司令部的面前。现在主要的是调集装甲部队，准备在左翼进行突击，这是最高统帅部交给他的任务。这事儿他对崔可夫一点也没有提。

崔可夫回到自己的掩蔽所，站在门口的哨兵、外室里的办事人员、应召前来的古尔约夫师的参谋长——所有听到崔可夫沉重的脚步声立即站起来的人都看出来，司令员的心情很坏。原因是不难猜想的。

因为各师兵力的消耗越来越大。因为在不断地进攻与反攻中，德军的楔子不住地在吞食斯大林格勒的土地。因为两个满员的步兵师最近刚从德国后方开到，集结在拖拉机工厂地区，正虎视眈眈地等待行动。

是的，崔可夫没有对方面军司令说出自己所有的烦恼、忧虑和担心的事。

但是不论崔可夫，不论叶廖缅柯，当时都不知道这次会面不能令人满意的原因在哪里。在他们会面中主要是有公事以外的东西，这东西当时他们两个人都不能说出口来。

十四

一个十月的早晨，别廖兹金少校醒来，想了想妻子和女儿，想了想大口径的机枪，听了听他到斯大林格勒一个月来已经习惯了的隆隆声，便把士兵格鲁什科夫唤来，叫他打洗脸水。

“这水是凉的，按照您以往的要求。”格鲁什科夫笑着说。他想起别廖兹金每天早晨洗脸时的快活表情。

“老婆和女儿在乌拉尔，那儿恐怕已经下雪了，”别廖兹金说，“她们也不给我来信，唉……”

“少校同志，会来信的。”格鲁什科夫说。

趁别廖兹金洗脸、穿衣服的时候，格鲁什科夫向他汇报了这天早晨发生的一些事。

“一挺大口径机枪朝食堂扫射，把管理员打死了；二营副参谋长一出门，肩膀就被弹片打伤；工兵营弟兄们捞了不少被炸弹震昏的鲈鱼，有五公斤，我去看过；他们把鱼送给了营政委莫夫绍维奇大尉。政委同志来过，对我说，等您醒了，打个电话给他。”

“明白了。”别廖兹金说。他喝了一杯茶，吃了一点小牛腿肉冻，打了个电话给政委和参谋长，说要到各营里去看看，穿起军装，便朝门外走去。

格鲁什科夫把毛巾抖了抖，挂到钉子上，摸了摸腰上的手榴弹,拍了拍自己的口袋,看看烟荷包是不是在口袋里,摘下挂在角落里的自动步枪,便跟着团长往外走。

别廖兹金从昏暗的掩蔽所里走出来,一遇到明亮的光线不由地眯起眼睛。一个月来已经很熟悉的情景又呈现在他的面前:一摊摊翻起的黄土,褐色的斜坡上到处是油污的帆布,帆布遮盖着一个个士兵的土室,土灶的烟囱里冒着一缕缕炊烟。上方是一座座掀去了房顶的黑黑的工厂厂房。

左边,离伏尔加河比较近的地方,是"红十月工厂"的高高的烟囱,还有一些货车车厢拥挤在歪倒的机车旁边,就像一群发了呆的羊围着被打死的头羊。再远处是像宽宽的花边似的已无人烟的城市废墟,秋日的天空变成千百个蔚蓝色的斑点,从一个个残缺的窗口透过来。

工厂厂房丛中烟气腾腾,火光闪闪,明亮的空中一会儿响起长长的嗖嗖声,一会儿响起干巴巴的嗒嗒声。就好像工厂照常开工生产。

别廖兹金细心地看了看本团三百米长的防地。防地从工人村的房屋中间穿过。心里有一种感觉使他能够在乱糟糟的废墟和街道中分辨出来,红军战士在哪座房子里烧饭,德军士兵在哪座房子里吃腌肉,喝烧酒。

别廖兹金弯下头,骂了一句娘,一颗迫击炮弹在空中呼啸而过。

在对面的冲沟斜坡上,一股硝烟遮住一个掩蔽所的门口,霎时间响起剧烈的爆炸声。邻师的联络部部长从掩蔽所里出来看了看。他没穿制服上衣,只穿有背带的裤子。他刚刚走了一步,又响起啸声,便赶紧退回去,把门关上。一颗迫击炮弹在十来米远处炸了开来。巴秋克站在冲沟拐角处堤坡上一个掩蔽所的门口,看着眼前的情景。

等到联络部部长又想往前走,巴秋克啊呀了一声,喊道:"炮弹!"德国人就像按订单发货一样,又发来一颗炮弹。巴秋克发现了别廖兹金,高声招呼道:

"你好,邻居!"

这样在空荡荡的小路上走过,实际上是可怕的、送命的事。德国人睡足了觉,吃饱了早饭,特别有兴趣监视小路,见到什么人都打,决不心疼子弹。别廖兹金来到一个转弯处,在一堆废铁旁边站了一会儿,他看出前面一截路有危险,便说:

"格鲁什科夫,来,你第一个跑过去。"

"您怎么啦,怎么行啊,他们的狙击手在那儿。"格鲁什科夫说。

第一个跑过危险地带,一向被认为是首长应有的特权。因为德国人一般都来不及打第一个跑过的人。

别廖兹金看了看德国人占着的房屋,对格鲁什科夫挤了挤眼睛,便朝前跑去。

等他跑到可以遮挡德军视线的土包跟前,背后"啾""啪"清清楚楚地响了两声,这是德国人放了一颗爆炸子弹。

别廖兹金站在土包脚下,抽起烟来。格鲁什科夫大步快跑起来。一梭子子弹扫在他的脚下,好像一群麻雀从地上飞了起来。格鲁什科夫朝旁边一跳,踉跄一下,跌倒在地上,又跳起来,跑到别廖兹金跟前。

“差点儿叫他们扫倒。”他说。喘了几口气之后，又说：“我想瞅准这个时候：德国佬没打到您，一定会懊恼得抽起烟来。可是，看样子，这是一个不抽烟的家伙。”

格鲁什科夫摸了摸缝得马马虎虎的棉制服前襟，又骂了几声德国佬。

等他们来到营指挥部，别廖兹金问道：

“格鲁什科夫同志，有什么地方受伤吗？”

“打到我的鞋后跟，把后跟打掉啦，该杀的德国佬。”格鲁什科夫说。

营指挥部就在工厂食品店的地下室里，在潮湿的空气中还有酸白菜气味和苹果气味。

桌子上点着两盏用炮弹壳做的高高的油灯。门口还贴着一张标语：“售货员与顾客都要以礼貌相待。”

地下室里驻着两个营指挥部，即步兵营营部和工兵营营部。两位营长，鲍丘法罗夫和莫夫绍维奇，都坐在桌旁吃早饭。别廖兹金在推开门的时候，听见鲍丘法罗夫很带劲儿的声音：

“我不喜欢加水的酒精，依我的口味，根本不用加水。”

两位营长站起来，站得笔直。参谋长把一小瓶酒藏到一堆手榴弹里，一名炊事员用身子把刚才莫夫绍维奇跟他谈过的鲈鱼遮住。鲍丘法罗夫的传令兵蹲在那儿，遵照自己的首长的吩咐正准备把唱片《中国情歌》放到留声机转盘上，也飞快地站了起来，只来得及拿下唱片，转盘依然在嗡嗡地空转着；在该死的留声机嗥叫得特别起劲儿的时候，传令兵一面按照战士守则两眼向前直视着，一面用眼角捕捉鲍丘法罗夫那生气的目光。

两位营长和一起吃早饭的其他人都非常清楚首长们的偏见：首长们认为，营里的人要么作战，要么用望远镜观察敌人，要么对着地图考虑问题。可是人总不能24小时都打枪，不能24小时都跟上级和下级打电话，也要吃饭呀。

别廖兹金朝旁边瞟了瞟嗡嗡响的留声机，笑了笑。

“好啦。”他说。又补充说：“请坐，同志们，吃你们的饭吧。”

这话可能是反话，不是正话，于是在鲍丘法罗夫的脸上出现了羞愧和认错的表情，因为莫夫绍维奇率领的是独立工兵营，不属团长直接领导，所以他的脸上只有羞愧的表情，没有认错的表情。他们各自的下属脸上的表情大致也可以这样分类。

别廖兹金又用特别不高兴的语气说：

“莫夫绍维奇同志，你们的五公斤鲈鱼在哪儿？这事儿全师的人都知道啦。”

莫夫绍维奇依然带着那种羞愧的表情说：

“炊事员，请把鱼拿出来看看。”

炊事员在这儿是唯一在履行自己分内职责的，他直率地说：

“大尉同志吩咐照欧洲人的做法给鱼填馅；辣椒、桂树叶是有的，可是没有白面包，也没有洋姜。”

“好，明白啦，”别廖兹金说，“填馅的鱼我在一位萨拉·阿罗诺芙娜家里吃过，说实话，我不怎么喜欢。”

在地下室里的人一下子全明白了，团长压根儿就没有生气。

似乎别廖兹金知道，鲍丘法罗夫夜里打退了德国人，天快亮的时候他被埋在土里，放《中国情歌》唱片的那名传令兵一面翻土，一面喊：“大尉同志，别泄气，一定能把您救出来……”

他似乎也知道,莫夫绍维奇带着工兵在受坦克威胁的街道上爬,用黄土和碎砖把成棋盘状排列的反坦克地雷伪装起来……

他们的青春又高高兴兴地迎来一个早晨,又可以举起铜缸子,说:“来,祝你健康,干一杯!”又可以吃腌白菜,抽烟了……

本来嘛,什么事儿也没有。地下室的主人们只是在上级首长面前站了一小会儿,随后就请他一块儿吃起来,他们就快快活活地看着团长吃腌白菜。

别廖兹金常常拿斯大林格勒的战役跟往年的战争相比。他过去打过不少仗。他明白,他能经受得住这样的紧张状态,只是因为他心中平静和镇定。战士们也正是因为这样,才能在这种似乎只能使人疯狂、使人恐怖或者使人疲惫的日子里喝菜汤,修鞋子,谈老婆,议论好的和不好的首长,做调羹……他看到,心情不镇定的人,不论在作战中多么剽悍,多么勇猛,都不能长期经受这种紧张状态。别廖兹金觉得胆怯和怕死倒是一时的毛病,有点儿像伤风感冒,是可以治好的。

什么是勇敢,什么是胆小,他实在不知道。在战争开始的时候,有一次上级就批评别廖兹金胆小,因为他自作主张带着一团人从德军火力包围中撤了出来。来斯大林格勒之前不久,他命令一位营长把人带到高地的另一面斜坡上,为的是不白白地挨德军迫击炮的打。师长却用责备的口气说:

“您这是怎么啦,别廖兹金同志,原来我听说您是个勇敢而镇定的人呀。”

别廖兹金没有作声,叹了一口气,也许,别人把他看错了。

鲍丘法罗夫鲜红的头发,碧蓝碧蓝的眼睛。他好不容易克制着他那忽而笑忽而生气的习惯。莫夫绍维奇瘦瘦的,长长的雀斑脸,黑黑的头发里有几缕白发,他用嗄哑的嗓门儿回答别廖兹金的问题。他掏出笔记本,画起他提出的受坦克威胁地段新的布雷方案示意图。

“把这图撕下来给我,让我好记住。”别廖兹金说。他俯到桌子上,小声说:“师长给我打过电话。军团侦察队得到情报:德国人正在把兵力调出城区,集中兵力对付我们。坦克很多。明白吗?”

别廖兹金留心听了听震得地下室墙壁直打颤的附近的爆炸声,笑着说:

“你们这儿挺平静的。在我那条冲沟里这段时间一定有三四个人从司令部里来过啦,各种各样的工作组不断地来。”这时候又一声爆炸,震得大楼直摇晃,好几片石灰从天花板上落了下来。

“不错,是很平静,谁也没怎样干扰我们。”鲍丘法罗夫说。

“好就好在没人干扰。”别廖兹金说。

他很坦率地小声说了起来,真正忘记了他也是首长。他所以忘记,因为他做惯了下属,不习惯做首长。

“你们可知道首长是怎么干的?为什么你不进攻?为什么没有占领高地?为什么有损失?为什么没有损失?为什么不汇报?为什么你睡觉?为什么……”

别廖兹金站起身来。

“咱们走,鲍丘法罗夫同志,我想看看你们的防地。”

在工人村的这条街上,一片凄凉景象。那露出来的、糊了各色花纸的内墙,那被坦克碾翻的花坛和菜园,那冷冷清清、有的地方还未受损伤、天知道为什么还在开花的秋季大丽花，都显得无限凄凉。

别廖兹金忽然对鲍丘法罗夫说：

“唉，鲍丘法罗夫同志，我老婆没有信来。我在路上碰到过她，可是现在又没有信了，我只知道她带着女儿上乌拉尔去了。”

“少校同志，会来信的。”鲍丘法罗夫说。

在一座二层楼的半地下室里，在用砖头堵起来的窗户脚下，躺着一些伤员，等着到夜里往后方送。地上放着一桶水、一个茶缸，迎着门在两个窗户之间的墙上贴着一张小画《少校求婚》。

“这是后勤部队，”鲍丘法罗夫说，“前沿还在前面。”

“咱们也要上前沿去。”别廖兹金说。

他们穿过前室进入一个塌了天花板的房间，立刻有一种感觉，就好像从工厂办公室进入了车间。空气中充满了火药气体的使人担心的辛辣气味，子弹壳在脚下哗啦啦直响。奶油色的摇篮里还堆着反坦克地雷。

“那座破屋昨天夜里被德国佬夺去了，”鲍丘法罗夫走到窗户跟前说，“真可惜，那屋可是一座挺好的屋，窗户朝西南，可以把我的整个左翼控制在火力底下。”

在用砖堵起、只留了窄窄的小孔的窗户旁边有一挺重机枪，机枪手没戴帽子，头上缠着肮脏的绷带，正在上弹带，一号射手露着白牙，正在吃香肠，准备过半分钟再扫射。

走来一位中尉连长。他的军服小口袋里插着一枝白色的翠菊花。

“好样儿的。”别廖兹金笑着说。

“少校同志，能见到您，太好啦，”中尉说，“我昨天夜里对您说的，果然不错，他们又朝‘6-1’号房子进攻啦。是九点整开始的。”他看了看表。

“团长在这儿，向他汇报吧。”

“对不起，我没认出来。”中尉连忙行了一个军礼。

六天以前，敌人在该团的防区中切去几座房屋，并且开始按照德国人的作风认真地把这几座房子吃下去。苏军枪炮的火光在一片瓦砾中熄灭，跟防守士兵的生命一起熄灭。但是在一座工厂楼房的很深的地下室里苏联守军依然在抵抗。

结实的墙壁没有被炮火摧毁，虽然有许多地方被炮弹打穿，被迫击炮打得坑坑点点。德国人想从空中把这座楼房摧毁，鱼雷飞机三次向这座楼投放破坏力很大的鱼雷。大楼所有拐角部分都炸毁了。但是地下室在一片瓦砾中安然无恙，防守者扫开各种各样的碎片，安好机枪、小炮，又开始反击德国人。而且这座房子占的位置很好，德国人找不到隐蔽的进攻通道。向别廖兹金汇报的连长说：

“夜里我们曾经试着朝他们那儿去，没有成功，死了一个，两个负伤回来了。”

“卧倒！”这时观察哨的士兵厉声喊道。于是几个人平平地躺倒在地上。连长没有说完，就把两条胳膊一挓挲，就像要跳水一样，扑通一声倒在地上。

啸声越来越尖利，突然变成震天动地、惊心动魄的轰隆声，爆炸发出又臭又令人窒息的气味。一根黑黑的粗木头咚的一声倒在地上，又蹦了两下，滚到别廖兹金的脚下。别廖兹金觉得，爆炸炸下来的一小段木头差点儿砸在他的腿上。

他忽然看到，那是一颗没爆炸的炮弹。这一刹那间紧张到极点。

但是炮弹没有爆炸，而且它那吞没天和地、遮断过去、斩断未来的黑黑的阴影消失了。

连长站了起来。

“原来是一条蛇。”不知是谁松了一口气，说。另外一个人笑起来，说：

“我以为这一下全完啦，把头都蒙上啦。”

别廖兹金擦了擦额头上忽然冒出来的汗，捡起地上的白翠菊花儿，抖了抖上面的砖瓦灰，别到中尉的上衣口袋上，说：

“算我送给你的……”他又对鲍丘法罗夫说：“为什么你们这儿还算平静，因为没有首长来。首长总是想向你要点儿什么：你有好炊事员，我就要你的炊事员。你有好手艺的理发员或者裁缝，我也要。什么便宜都要捞！你挖了好的掩蔽所，要让给我。你的酸白菜好吃，也要送给我。”他忽然向中尉问道：“为什么那两个人没到被围的弟兄们那里就回来了？”

“团长同志，他们负伤啦。”

“明白了。”

“您是幸运的。”等他们从房子里走出来，穿过菜园的时候，鲍丘法罗夫说。菜园里，黄黄的土豆茎叶丛中，是第二连的战壕和一个个土室。

“谁知道我幸运还是不幸运。”别廖兹金说着，跳进战壕。“在战场上嘛……”不过他说这话的口气就像在说：“在疗养院里嘛。”

“土地最能适应战争，”鲍丘法罗夫说，“土地已经习惯啦。”他又接起团长刚才的话头，说：“别说炊事员，有时候首长连女人都要要去呢。”

整个战壕里闹腾起来，响起惊惶的呼唤声、噼噼啪啪的步枪声、短短的自动步枪扫射声和机枪扫射声。

“连长牺牲了，指导员索什金在指挥。”鲍丘法罗夫说。

“这是他的掩蔽所。”

“明白了，明白了。”别廖兹金说着，朝掩蔽所半开着的门里面望了望。

在机枪旁边，红脸、黑眉毛的指导员索什金赶上他们，用特别高大的嗓门儿一个字一个字地报告说，连队现在向德国人开火，是想使他们不能集中力量向“6-1”号楼房进攻。

别廖兹金拿过他的望远镜，观察着一道道短短的射击火线和迫击炮喷出的火舌。

“瞧，三楼第二个窗户，好像有一个狙击手躲在那儿。”

他刚刚说过这话，他所指的那个窗户里闪起一阵火光，一颗子弹啁的一声，打在战壕壁上，不偏不倚正在别廖兹金的头和索什金的头中间。

“您很幸运。”鲍丘法罗夫说。

“谁知道我幸运还是不幸运。”别廖兹金回答说。

他们顺着战壕来看这个连发明的土法装置：反坦克枪用机枪脚爪固定在大车轮子上。

“这是我们连的高射炮。”一个满脸灰尘和胡茬子、眼神惶惶不安的中士说。

“坦克在一百米处，在那座绿顶小屋旁边！”别廖兹金用训练时的声调喊道。

中士很快地转了转车轮，反坦克枪长长的枪筒转向地面。

“德尔金那儿有一名战士，”别廖兹金说，“反坦克枪上装了狙击枪瞄准器，一天打坏三挺机枪。”

中士耸了耸肩膀。

“德尔金挺舒服，在车间里待着呢。”

他们又顺着战壕往前走，别廖兹金接着在巡视一开始就谈起的话头，说：

“我给她们寄了东西，挺好的东西。可是，您瞧，老婆没有信来。老是不见回信。我甚至不知道，东西是不是寄到啦。也许，是不是病了？在疏散的时候少不了生灾害病。”

鲍丘法罗夫忽然想起，很久以前，常常有去莫斯科干活儿的木匠回到村子里，给父母、妻子和儿女带回不少礼物。他们觉得农村家庭生活的和睦和温暖比莫斯科的繁华、热闹和夜晚的华灯更有吸引力。

过了半个钟头，他们回到营指挥所，但是别廖兹金没有进地下室，就在院子里同鲍丘法罗夫告别。

“你们要尽一切可能支援‘6-1’号楼，”他说，“你们不要再派人上他们那儿去了，到夜里我们团里派人去。”稍停，他又说：“还有……我不喜欢你们那样对待伤员。你们指挥所有沙发床，可是伤员却睡在地上。还有，你们也不去弄新鲜面包，大家都在吃干面包。这是第二。还有，你们的连指导员索什金醉得那样厉害。这是第三。还有……”

鲍丘法罗夫听着，感到吃惊：团长在防地上走了一下，怎么就全发现啦……还发现一名副排长穿着德国人的裤子……第一连连长手上戴着四只手表。

别廖兹金提醒说：

“德军会进攻的，明白吗？”

他朝工厂走去，已经钉上鞋后跟、缝好棉衣上绽线处的格鲁什科夫问道：

“咱们回去吗？”

别廖兹金没有回答他，只对鲍丘法罗夫说：

“打个电话给团政委，就说我上工厂第三车间，到德尔金那儿去了。”挤了挤眼睛，又说：“给我送点儿腌白菜来，要好的。好歹我也是首长嘛。”

十五

托里亚没有信来……早晨，柳德米拉送妈妈和丈夫去上班，又送娜佳去上学。妈妈第一个出门；她是有名的喀山肥皂厂化验室的化验员。符拉季米罗芙娜在从女婿的房间门口经过的时候，往往要说说她从厂里工人嘴里听来的那句笑话：“六点上班的是主人，九点上班的是职工。”

她走过之后，是娜佳走，说准确一点儿，她不是走，而是飞跑，因为没法子叫她按时起床，她都是在最后一分钟跳起来，抓起袜子、裙子、书、练习本，一面吃早点，一面咕嘟嘟地灌茶，然后一面下楼梯，一面围围巾，穿大衣。

等到维克托坐下来吃早饭，茶壶里的茶在娜佳走过以后已经凉了，只有重新把茶烧一烧。

娜佳一说："顶好快点离开这个偏僻的鬼地方。"亚力山大拉·符拉季米罗芙娜就要生气。娜佳不知道，杰尔查文当年在喀山住过，阿克萨柯夫、托尔斯泰、列宁、济宁、罗巴切夫斯基都在这里住过，高尔基当年还在喀山的面包店干过活儿。

"心怎么这样老化，这样麻木。"符拉季米罗芙娜说。一个老奶奶这样责备一个十几岁的小姑娘，听起来简直觉得奇怪。

柳德米拉看出来，妈妈依然对人、对新的工作很感兴趣。她在对妈妈这种精神力量赞赏的同时，也有另外一种感觉：在这种苦难时候，怎么会对脂肪的氢化、对喀山的街道和博物馆感兴趣呀？

有一天，维克托对妻子说起符拉季米罗芙娜的心是年轻的，柳德米拉憋不住，回答说：

"妈妈这不是年轻，是老年人的自私。"

"姥姥不是自私，她是民粹派。"娜佳说。接着又补充说："民粹派都是好人，但不是非常聪明的人。"

娜佳发表意见都用绝对的口气，而且，大概因为总感到时间不够，常用简短的形式。如说"胡扯"只说"扯"。她经常注意苏联情报局的战报，很了解军事动态，常常参与有关政治问题的谈话。娜佳夏天到集体农庄里去过一趟之后，便对妈妈解释集体农庄劳动生产率不高的原因。

她在学校的分数一向不给妈妈看，只有一次很慌乱地说：

"妈妈，我的操行得了四分。可能因为，有一次数学老师叫我离开教室。我一面往外走,一面扯着嗓门儿喊‘古德——呗!’大家一齐哈哈大笑起来。”

娜佳像许多富裕家庭的孩子一样,战前根本不知道操心柴米油盐的事,在疏散期间却经常谈起口粮,谈凭票供应商店的好和坏,知道素油比牛油好,知道碎米有好的一面,也有不好的一面,知道吃块糖比吃砂糖划得来。

“你听我说,”她对妈妈说,“我想好啦:从今天起,你给我喝茶加蜂蜜,不要再往茶里加炼乳。我看,这样对我更好,对你还是一样。”

有时娜佳愁眉苦脸,甩瞧不起的嘲笑口气对大人说粗话。有一天她当着妈妈的面对爸爸说:

“你是个糊涂虫!”而且口气那样凶狠,弄得爸爸不知如何是好。

有时妈妈看到她一面看书一面哭。她认为自己是个落后的、不走运的人,命定要过艰难、不幸的日子。

“谁也不愿意和我交朋友,我太蠢,没有人喜欢我,”有一天她在饭桌上说,“没有人会娶我。等我上完了医药专科班,就上农村去。”

“在偏僻的农村里可没有药房。”符拉季米罗芙娜说。

“关于嫁人的问题,你的估计过分悲观啦,”爸爸说,“近来你出挑得越来越好看啦。”

“算啦。”娜佳说着,狠狠地看了爸爸一眼。

夜里,妈妈常常看到,娜佳那细细的、光光的手臂从被窝里伸出来,手里拿着书,在念诗。

有一天，娜佳用提包从科学院供应商店提回两公斤奶油和一大包大米，说：

“很多人，包括我在内，都是下贱，没出息，才用这种办法弄吃的。我爸爸拿学问换黄油，也是没出息。就好像病人、没文化的人和没力气的孩子都应该过吃不饱的日子，因为他们不懂物理，或者不能超额百分之二百完成计划……只有上层人才能吃奶油。”

在吃晚饭的时候，她用挑衅的口气说：

“妈妈，要给我两份蜜和奶油，因为我早晨睡觉没吃到。”

娜佳有很多地方像爸爸。柳德米拉发现，最容易使丈夫生气的正是女儿跟爸爸相像的一些地方。

有一天，娜佳简直像是模仿爸爸的口气，说起波斯托耶夫：

“骗子，饭桶，滑头！”

爸爸生气地说：

“你这个没出校门的中学生，怎么敢这样说一个院士？”

但是柳德米拉还记得，维克托还在上大学的时候，说到很多有名的院士，就说：“小人，饭桶，官迷，软骨头！”

柳德米拉明白，娜佳不会过得多么痛快，她的性格太古怪、太孤僻，太不合群了。

娜佳走过之后，便是维克托喝茶，吃早点。他侧着眼睛看着书，连嚼也不嚼就往下吞，一脸傻乎乎的、惊愕的神情，一面用手指头去摸茶杯，眼睛也不离开书本，一面说：“要是行的话，给我倒一杯热一点儿的。”她熟悉他的一切动作：有时他挠起头来，有时他撅起嘴巴，有时他做一个鬼脸，剔起牙齿，这时她便说：

“天啊，维克托，你什么时候把牙齿治一治呀？”

她知道，他挠头和噘嘴巴，是在考虑自己的论文，完全不是因为头痒或者鼻子眼儿里发痒。她知道，如果她说：“维克托，你根本听不见我对你说的是什么。”他仍然会侧眼看着书，说：“我全能听见，还可以重复一遍：维克托，你什么时候把牙齿治一治？”然后又露出惊愕的神情，吞东西，像神经病人一样愁眉苦脸，这一切将意味着，他在评审一位熟悉的物理学家的论文的时候，有些地方他赞成，有些地方他不赞成。然后他会一动不动地坐上很久，然后开始频频地点头，不知为什么带着一副温顺的神情、像老年人那样的苦闷神情——害脑肿瘤的病人的脸上和眼睛里常常有这样的表情。柳德米拉又猜道：维克托在想妈妈呢。

当维克托在喝茶，在想自己的论文，不住地哼哧，流露出苦闷神情的时候，柳德米拉常常看着她吻过的那双眼睛、她梳理过的那一头鬈发、那吻过她的嘴唇、那眉毛、睫毛、那一双手、她修剪过指甲的细细的手指头，嘴里说着：“唉，你这个邋遢鬼！”

她知道他的一切，知道他在睡觉前爱在被窝里读儿童书刊，熟悉他在去刷牙时脸上的表情，熟悉他在穿着礼服做有关中子辐射的报告时那响亮的、微微颤抖的声音。她知道，他喜欢乌克兰甜菜芸豆汤。她知道，他爱在梦中轻轻地哼哼，不住地翻身。她知道，他的皮鞋后跟坏得多么快，衬衫袖子脏得多么快。知道他爱睡两个枕头；知道他在穿过城市广场时提心吊胆，知道他的皮肤气味，知道他的袜子上的窟窿是什么样子。她知道，他在饿了等着吃饭的时候爱哼哼着唱歌儿，知道他脚拇指上的指甲是什么样子，知道他两岁时妈妈叫他的小名；熟悉他的沙沙的脚步声，知道他在上高年级预备班时跟他打过架的孩子们的名字。她知道他爱嘲笑人，爱逗弄托里亚、娜佳，爱逗弄同志们。就连现在，心情几乎总是十分沉重的时候，他逗她说，她的好朋友玛丽亚·伊凡诺芙娜·索科洛娃读书太少，有一次在谈话时把巴尔扎克说成福楼拜。

他很会逗柳德米拉，她一听就生气。现在她果然非常生气、非常顶真地反驳他，维护自己的朋友：

“你总是笑话跟我要好的人。玛丽亚有自己的爱好，她不需要读很多书，她常常能感觉出书上说的事。”

“那当然，当然。”他说，“她相信，《马克斯与莫里兹》是法朗士写的。”

她知道他爱好音乐，知道他的政治观点。她有一次看到他哭，看到他像发了疯似的撕自己身上的衬衣，一条腿被长衬裤绊住，只用一条腿蹦到她面前，举起拳头，拿出要打人的样子。她看惯了他那耿直而无所畏惧的性格，看见过他在灵感上来时的样子、他朗诵诗时的样子和喝泻药时的样子。

她感觉到，现在丈夫在生她的气，虽然他们的关系似乎没有任何变化。不过变化还是有的，变化只有一点：他不再同她谈自己的论文了。他跟她谈朋友们的来信，谈食品与日用工业品定量供应。他有时也谈研究所和试验室的事，谈工作计划的讨论情况，说说同事们的情形：萨沃斯季扬诺夫喝了一夜酒，一到研究所就呼呼大睡起来；试验员在墙根下煮土豆；马尔科夫准备进行一系列新的试验。

但是，他的论文，他的心事，以往只跟柳德米拉一个人谈的心事，现在他不再谈了。

他有一次对柳德米拉说，他把自己未考虑成熟的一些设想的笔记念给几个最要好的朋友听，第二天他就有一种不愉快的感觉，他觉得写论文没有意思了，很怕再去碰了。

他只有对一个人可以倾吐自己的疑虑，念片段的笔记、大胆而过于自信的设想，事后不会感到任何不快。这个人就是柳德米拉。

现在他跟她也不再谈了。

现在他在苦闷的时候，就指责柳德米拉，从中寻求安慰。他经常一个劲儿地想着妈妈。他想以前从来不曾想过、如今法西斯使他不能不想的问题：想到自己的犹太血统，想到妈妈是犹太人。

他在心里责怪柳德米拉，怪她对待他的妈妈太冷淡。有一天他对她说：

“假使你跟妈妈的关系能处得好，她会跟咱们一起住在莫斯科的。”

她在心中数了数维克托对待托里亚粗暴的、不对头的地方，不用说，这类的事是不少的。

她一想起来心里就恼火，他对待她前夫的儿子那样不公道，把托里亚看得那样坏，那样不肯原谅他的缺点。可是娜佳又暴躁、又懒、又邋遢、又不愿意帮妈妈做家务事，他都可以原谅。

她想起维克托的妈妈：维克托妈妈的遭遇是很糟的。但是，维克托怎么能要求柳德米拉对安娜·谢苗诺芙娜好呢？因为安娜·谢苗诺芙娜对待托里亚不好。她每次来信，每次到莫斯科，都对托里亚不好，因此柳德米拉觉得受不了。总是娜佳，娜佳，娜佳……娜佳的眼睛像维克托的眼睛……娜佳兴趣广泛，娜佳机灵，娜佳喜欢动脑筋。安娜·谢苗诺芙娜疼爱儿子联系着疼爱孙女。因为托里亚就连拿叉子的姿势也跟维克托不一样。

而且，很奇怪，近来她比过去更多地想起自己的第一个丈夫，也就是托里亚的父亲。她很想找到他的亲人，找到他的大姐，他们见到托里亚的眼睛，一定会十分高兴，阿巴尔丘克的姐姐一定会认出托里亚的眼睛、那弯弯的大指头、那宽宽的鼻子是弟弟的眼睛、手和鼻子。

正如她不愿提到维克托对待托里亚一切好的方面一样，她原谅阿巴尔丘克一切坏的方面，就连他把她和吃奶的孩子扔掉，不准让托里亚姓他的姓阿巴尔丘克，她也原谅。

上午柳德米拉一个人在家里。她盼望有这样的时刻，因为家里人常常打搅她的思绪。世界上的一切事情，战争，姐妹们的命运，丈夫的论文，娜佳的性格，妈妈的健康，她对伤兵的怜惜，对在德国俘虏营中牺牲者的悼念，——一切都产生于她对儿子的思念，归根结底都是由于她为儿子担心。

她觉得，妈妈、丈夫、女儿的感情是用另一种矿石熔炼成的。她觉得他们对托里亚的怀念和爱都不深。对她来说，托里亚是整个世界；对他们来说，托里亚只是世界的一部分。

一天天过去，一个星期又一个星期过去，托里亚没有信来。

每天电台都要广播苏联情报局的战报，每天报纸都满载战争消息。苏联军队不断撤退。在战报和报纸消息中经常提到炮兵。托里亚就在炮兵部队。托里亚没有信来。

她觉得，只有一个人真正了解她的苦恼，那就是索科洛夫的妻子玛丽亚。

柳德米拉不喜欢同教授夫人们交往，她一听到她们谈丈夫的学术成就、谈服装、谈家里的保姆，心里就有气。但是，因为腼腆的玛丽亚那温和的性格跟她的性格相反，因为玛丽亚对待托里亚的态度使她很感动，所以她很喜欢玛丽亚。

她跟玛丽亚谈起托里亚比跟丈夫和妈妈谈起来更随便，而且每次谈过之后心里都会轻松些、安宁些。尽管玛丽亚几乎每天都要上她家来，然而她总是感到奇怪，为什么她的好朋友这么久没来，不时地朝窗外望着，盼望着玛丽亚那瘦瘦的身影和好看的脸蛋快点儿出现。

托里亚还是没有信来。

十六

符拉季米罗芙娜、柳德米拉和娜佳都坐在厨房里。娜佳不时地把练习本上的纸撕下来，揉一揉，丢进炉子里，奄奄一息的红红的火苗就会旺一会儿，炉子里满满一大堆维持不久的火苗。符拉季米罗芙娜侧眼看着女儿，说：

“我昨天上一个化验员家里去，天啊，她家又穷，住得又挤，又没有东西吃，咱们家就像皇上过的日子了；她家来了一些街坊，闲谈起来，谈起在战前顶喜欢什么：有的说，喜欢小牛肉；有的说，喜欢腌黄瓜肉汤。那个化验员姑娘却说，她顶喜欢解除警报的信号。”

柳德米拉没有作声，娜佳却说：

“姥姥，咱们家在这儿已经有好多好多朋友啦。”

“可是你一个也没有。”

“没有倒也好，”柳德米拉说，“维克托现在常常上索科洛夫家去。那儿常常聚集各种各样乱七八糟的人。我真不明白，维克托和索科洛夫跟这些人会一连扯上几个钟头……拿黄烟熏喉咙怎么也熏不厌。怎么毫不心疼玛丽亚·伊凡诺芙娜，她还需要休息呢，可是有他们在那儿，她既不能躺一躺，又不能坐一坐，而且挨够了烟熏。”

“我很喜欢那个鞑靼人卡里莫夫。”符拉季米罗芙娜说。

“那是一个讨厌的家伙。”

“妈妈跟我一样，她谁也不喜欢，”娜佳说，“就喜欢玛丽亚阿姨。”

“你们都是怪人，”符拉季米罗芙娜说，“你们有你们的莫斯科生活环境，这种环境你们带到这儿来啦。在火车上，在俱乐部里、戏院里，都是你们圈子里的人，不是一个圈子，而是圈子套圈子，这都是和你们在一个地方住过别墅的一些人，这是我在任尼娅那儿看到的……你们可以根据非常微小的特点判断是不是自己圈子里的人：‘哼，她真渺小，连布洛克的诗都不懂；他真落后，连毕加索的画都不喜欢……哼，她送给他玻璃花瓶哩。这太不雅致了……’维克托是民主派，他瞧不起一切陈腐的玩意儿。”

“瞎扯，”柳德米拉说，“这跟别墅有什么相干！庸人有有别墅的，也有没别墅的，跟他们没什么可交往的，讨厌。”

符拉季米罗芙娜发现，女儿越来越容易向她发火了。

柳德米拉对丈夫提意见，对娜佳有这样看法那样看法，批评她的过错,原谅她的过错,溺爱她而又不承认溺爱她,柳德米拉觉得妈妈对她这些做法持保留态度。妈妈没说过自己这种态度,但这种态度是存在的。有时维克托跟岳母交换一下眼色,他的眼睛里便流露出好笑和会意的神情,就好像他事先就跟岳母谈过柳德米拉性格的古怪了。他们谈过没谈过,都没什么意义,问题在于家庭中出现了一种新的东西,这种东西本身的存在,改变了以往的家庭关系。

维克托有一天对柳德米拉说,如果他处在她的位子上,就让妈妈当家做主,让她觉得自己是主人,不是客人。

柳德米拉觉得丈夫的话不是真心实意的,她甚至以为,他是想特别显示他对岳母的真心实意和与众不同的态度,好让柳德米拉很自然地想到她对婆婆的冷淡。

她有时因为丈夫爱孩子,特别因为他爱娜佳,产生嫉妒心。如果坦白地对他说出这一点,那是好笑的,也是不好意思的。但现在这不是嫉妒。怎么能承认,哪怕自己对自己承认,妈妈无家可归,来到她家里栖身,使她生气,使她感到是负担呢?而且这种气愤是很奇怪的,这种气愤和爱、和孝心一同存在,如有必要,她可以把最后一件衣服脱给妈妈,跟妈妈分食最后一块面包。

符拉季米罗芙娜忽然感觉到,有时她很想无缘无故地哭上一场,有时想死,有时想晚上不回家,在同事家的地板上过夜,有时忽然想收拾收拾,上斯大林格勒去,去找谢廖沙、维拉、斯捷潘·菲道罗维奇。

符拉季米罗芙娜在大多数情况下都赞成女婿的意见和做法,柳德米拉却几乎总是不赞成。娜佳发现这一点,就对爸爸说:

“妈妈欺负你,你找姥姥说说去。”

这会儿符拉季米罗芙娜就说:

“你们过的是夜猫子生活。维克托是个正常的人。”

“这都是空话,”柳德米拉皱着眉头说,“等到了回莫斯科的日子,您和维克托就快活了。”

符拉季米罗芙娜忽然说:

“你可知道,我的好女儿,等到能够回莫斯科的那一天,我就不跟你们走了,我要留在这儿,我到莫斯科你们家里住着不舒服。你明白吗?我要劝任尼娅搬到这儿来,或者我上古比雪夫,住到她那儿去。”

这在母女关系中是非常难堪的时刻。积压在妈妈心中的不痛快,在她拒绝去莫斯科的话中一下子全表露出来了。积在柳德米拉心中的不痛快,这一下子也清楚了,就像说出来的一样。但是柳德米拉委屈起来,就好像她一点也没有对不起妈妈的地方。

符拉季米罗芙娜望着柳德米拉那表情很难过的脸,觉得自己错了。夜里她想谢廖沙想得最多,有时想起他怎样发火,怎样争吵,有时想象着他穿起军装的样子、他的眼睛,大概眼睛更大了,因为他更瘦了,两个腮瘪了下去。她对谢廖沙有一种特别的感情,因为他是她不幸的儿子的儿子,不幸的儿子也许在世界上是她最最钟爱的人……她有时对柳德米拉说:

“你别为托里亚那么难过吧,你要知道,我为托里亚担心也不次于你。”

在这番话里面有虚假的、与她对女儿的爱不相称的成分——她并不怎样为托里亚担心。就是这会儿,两个人都坦率到极点,却又害怕自己的直率,不承认自己的直率。

"《真诚可贵,互爱更重要》——这是奥斯特洛夫斯基又一部剧作。"娜佳说。符拉季米罗芙娜很不痛快,甚至带着一种恐惧的心情看了看这个十年级中学生:她自己还没有理解到的,这个中学生却理解到了。

没多久,维克托回来了。他用自己的钥匙开了门,一下子就来到厨房里。

"可喜的意外,"娜佳说,"我们还以为你要在索科洛夫家里待到很晚才回来呢。"

"啊,都在家里,都在炉子跟前,我很高兴,太妙啦,太妙啦。"他说着,把手伸向炉火。

"把鼻子揩一揩,"柳德米拉说,"有什么妙的,我真不懂!"

娜佳扑哧一笑,学着妈妈的语调说:

"喂,把鼻子揩一揩,你没听见吗?"

"娜佳,娜佳。"柳德米拉用警告的口气说。她不跟任何人分享教训丈夫的权利。

维克托说:

"是的,是的,风太冷啦。"

他朝房间里走去,从开着的门里可以看到,他在书桌旁坐了下来。

"爸爸又在书的封面上写字了。"娜佳说。

"这不是你管的事。"柳德米拉说。又向妈妈解释起来:"他为什么这样高兴?是因为我们都在家吗?他的心理是:如果有谁不在家,他会担心的。现在他有问题还没考虑好,没有担心事来分他的心了，所以他高兴。”

“轻点儿，要不然咱们当真要妨碍他了。”符拉季米罗芙娜说。

“恰恰相反，”娜佳说，“要是大声说话，他根本就不注意，要是轻声细语，他就会走过来问：‘你们这是说什么悄悄话儿？’”

“娜佳，你说你爸爸，就像一位导游解说动物的习性。”

她们同时大笑起来，并且互相看了一眼。

“妈妈，您怎么能这样冤枉我？”柳德米拉说。

妈妈一声不响地抚摩了几下她的头。

然后他们就在厨房里吃饭。维克托觉得，这天晚上厨房里的温暖具有一种特别美妙的气氛。

作为他的生活基础的事依然继续进行着。近来他一直想把试验室试验中的一些矛盾现象一下子弄明白。

他坐在饭桌旁，有一种奇怪而幸福的急切感，他的手指头因为想去拿铅笔而急得哆嗦起来。

“今天的荞麦饭真好。”他用调羹敲着空碟子说。

“这是有所指吧？”柳德米拉问道。

他把碟子推到妻子跟前，问道：

“柳德米拉，想必你记得普罗乌特的假说吧？”

柳德米拉大惑不解地拿起调羹。

“那是关于元素起源的。”亚力山大拉·符拉季米罗芙娜说。

“噢，我记得，”柳德米拉说，“一切元素来源于氢气。不过，这跟荞麦饭有什么关系？”

“荞麦饭？”维克托反问道，“普罗乌特的情形是这样的：他说出相当准确的假说,是因为当时在测定原子量方面存在着很大的错误。如果当时能够像杜马和斯塔斯那样准确地测定了原子量,他就不会假设许多元素的原子量是氢的若干倍了。他说对了,就因为他原来错过。”

“可是,这究竟跟荞麦饭有什么关系呀?”娜佳问道。

“荞麦饭?”维克托惊异地问道。等他想起来,便说:“跟荞麦饭没什么关系……要弄清荞麦饭很难,要研究清楚,需要一百年。”

“这是你今天的报告的题目吗?”符拉季米罗芙娜问道。

“不是,是随便说说,不是做什么报告,没什么用意。”

他捕捉到妻子的目光,感觉出来:她是明白的,明白他又一心一意想他的论文了。

“怎么样?”维克托问道,“玛丽亚·伊凡诺芙娜来过吗?也许对你讲过巴尔扎克的作品《包法利夫人》吧?”

“去你的吧!”柳德米拉说。

夜里,柳德米拉等着丈夫跟她谈他的学术论文。但是他没有谈,她也什么都没有问。

十七

维克托觉得十九世纪中期物理学家的想法太天真,亥姆霍兹的观点太天真,他把物理学的任务归结为研究仅仅由于距离不同而产生的吸力和推力。

力场是物质的灵魂!能源波与物质微粒的联系与统一……

光粒度……是光滴簇射还是闪电式波？

量子理论提出以新的定律，即概率定律代替有关物理个体的一些定律；这是一些特殊统计学的定律，这种统计学抛弃个体概念，只承认总体。维克托觉得十九世纪的物理学家很像是一些染了胡子、身穿硬领、硬袖口服装、聚集在台球台周围的人。这些好深思的男子手拿尺子和怀表，皱着浓浓的眉毛，在计算速度与加速度，测量活跃在绿绒世界空间中的有弹性的小球的质量。

但是，用金属棒测量好的空间、用精密的怀表测定的时间忽然开始变异、拉长和收缩。空间与时间的稳定，不是科学的可靠基础，而是禁锢科学的牢狱。严厉审判的时刻来临了，几千年来的真理被宣判为迷误。真理就像在蚕茧里一样，在由来已久的偏见、谬误和失误中沉睡了许多世纪。

世界已是非欧几里得时代，世界的几何特点已经是用质量及其速度来表示了。

世界一旦被爱因斯坦从绝对时间与空间的桎梏中解放出来，科学就以空前的高速度发展起来。

两股潮流：一股潮流是探索宇宙，另一股潮流是深入探索原子核的奥秘，这两股潮流各自朝前奔驰，而彼此又不失去联系，虽然一股潮流在秒差距世界中奔跑，另一股则以毫微米为计算单位。物理学家对原子核的研究越深入，越能明白星体发光的规律。在遥远星系的光谱中视觉在光线中的红的移动产生了宇宙在无垠的空间渐渐扩散的概念。但是，只要认定有限的荚状空间被速度和质量变异了，就可以想象，银河系之外的空间本身被扩大了。

维克托毫不怀疑：世界上没有人比科学家幸福……有时候，如早晨在上班的路上，在晚上散步时，就像今天夜里这样思考自己的论文的时候，他充满了幸福、宁静、喜洋洋的感觉。

使银河系充满微弱的星光的力量，是在氢变为氦的过程中释放出来的。

战前两年，两个年轻的德国人将重原子核分裂为中子，苏联物理学家也在自己的研究中用另外的办法得到相似的结果之后，忽然体会到十万年前穴居的人类第一次生起火堆时的心情……

不用说，在二十世纪，物理学决定着主要方向……就如在1942年，斯大林格勒已成为世界大战各条战线中的主攻方向。

但是，紧紧跟随着维克托·什特鲁姆的是怀疑、折磨、不信任。

十八

“维克托，我相信，我的信能到你手里，虽然我在战线这边，在围了铁蒺藜的犹太人隔离区里。你的回信我是永远收不到的，我要死了。我希望你能知道我最后一些日子的情形，带着这种希望我会更轻松地离开人世。

维克托呀，真正了解人是很难的……7月7日，德国人进了城。在市公园里，无线电在广播最新的消息，我给病人看完病以后，从门诊部出来，站下来听一听，女播音员在用乌克兰语播送一篇评论战事的文章。我听到远处的枪声，接着就有一些人从公园里跑过去，我便朝家里走去，并且感到惊讶不解，为什么我没有听

到空袭警报笛声。我忽然看到一辆坦克,并且有人喊:‘德国佬打进来啦!’

我说:‘别制造慌乱!’前一天我还去找过市苏维埃秘书,问他什么时候撤离,他生气地说:‘这事儿还早得很,我们连名册还没造呢。’总而言之,是德国人来了。整个夜里,邻居们互相串来串去,最安静的是我和小孩子们。我打定主意:大家怎样,我就怎样。起初我很害怕,知道我再也见不到你了,多么想再看你一眼,吻吻你那额头和眼睛,可是后来我想,你在安全的地方,这是幸运。

天快亮的时候,我睡着了。等我醒来,感到非常苦恼。我在自己的屋里,在自己的被窝里,可是感到自己是在国外,孤孤单单,举目无亲。

在苏维埃政权年代里我忘记了自己是犹太人,这天早晨,又使我想了起来。德国人站在汽车上到处大喊大叫:‘打倒犹太佬!’

接着,有些邻居也叫我想起这一点。门房的老婆站在我窗前对一位女邻居说:‘谢天谢地,这一下犹太佬完啦。’这是怎么回事儿呀?她的儿子娶的还是犹太女子,这个老奶奶常常去看儿子,还对我夸过她的孙子呢。

还有一个女邻居,是个寡妇,有一个六岁的女儿阿列娜,一双很美的蓝眼睛,过去我在给你的信里提到过的;她来到我这里,对我说:‘安娜·谢苗诺芙娜,请您把东西搬出去,今天晚上我搬到你屋里来。’‘好,我搬到你屋里去。’‘不,您搬到厨房后面那个小贮藏室里去。’

我没有同意。那个小贮藏室既没有窗户，又没有炉子。

我上门诊所去了。等我回来，一看：我的房门被砸开了，东西被扔到小贮藏室里。女邻居对我说：'我把沙发床留在我这儿了，反正您的新房间放不下。'

很奇怪，她还是职业学校毕业的，她去世的丈夫是一位会计，是一个很好、很老实的人。她说：'您是黑人口了。'那口气好像是在说：这对她是有利的。可是她的阿列娜整个晚上都坐在我这儿，我给她讲故事。这是我的新居，她不肯回去睡觉，是妈妈把她抱走的。后来，我们的诊所又开了，我和另一位犹太医生被解职了。我要求付给我本月的工资，可是新的所长对我说：'您在苏维埃政权下干的，让斯大林付给您工资吧，您可以写信到莫斯科向他要去。'护士玛露霞搂住我，小声哭起来：'天啊，您怎么办呀，你们怎么办呀。'特卡乔夫大夫也握了握我的手。我不知道，是幸灾乐祸，还是怜悯一个要死的癞猫的怜悯的目光，更使人受不了。没想到我会有这一天。

有很多人使我吃惊。不光是没有知识、没有文化、得罪过的人。就如一位退休的七十五岁的老教师，过去常常问起你，要我转达他的问候，说你是'我们的光荣'。可是在这些可恨的日子里，他一见到我，就转过脸去，连招呼也不打了。后来有人告诉我，他在警备司令部召开的大会上说：'空气清洁了，没有大蒜气味了。'他干吗要这样，这些话有损他的声誉呀。在那次大会上，有多少人在诽谤犹太人呀……不过，维克托，你自然会想到，不是所有的人都去参加那次大会。很多人没有去。你要知道，在我的印象中，从沙皇时代起，反犹太主义是跟'米海尔天使长同盟'的人的克瓦斯爱国主义联系着的。在这儿我看到，那些叫喊把犹太人赶出俄罗斯的人，在德国人面前低声下气，奴颜婢膝，随时准备以30个德国银币的代价把俄罗斯卖掉。郊区有些坏人来抢房子，抢衣服、被褥；当年霍乱暴动时有些人杀死医生，大概就是这样的。有一些没骨气的人，对一切坏事都唯唯称是，生怕怀疑他们反对当局。

朋友们不断地跑来报告消息，他们的眼睛像疯子的眼睛，人好像在迷迷糊糊地说胡话状态中。出现了一句很奇怪的常用语：‘转藏东西。’似乎藏在邻居家要保险些。我觉得转藏东西就像做游戏。

很快就贴出勒令犹太人搬迁的通告。只准许带十五公斤的东西。墙上到处张贴着黄黄的通告：‘1941年7月15日下午6时以前，所有居民必须迁往老城区。’不搬迁者，格杀勿论。

于是，维克托，我也准备搬迁了。我带了一个枕头、几件衣服、你送给我的一个碗、一把调羹、一把小刀、两个碟子。一个人不也够了吗？我又带了几样医疗器械。带了你的信和一些照片，有去世的妈妈和达维德舅舅的照片，还有你和爸爸睡在一起的那张照片，带了普希金选集、都德的《磨坊书简》、莫泊桑的《一生》、一本小字典，还带了包括《没意思的故事》和《黑衣教士》在内的一本契诃夫的小说，这样，我的篮子就装满了。我在这座房子里给你写过多少信，夜晚在这里哭过多少回呀，现在我该对你说说我的孤单了。

我向房子告别，向小园告别，在树下坐了几分钟，又向邻居告别。有些人实在奇怪。两个女邻居就当着我的面争论起谁要我的椅子，谁要我的书桌，等我跟她们告别，两个人都哭了起来。我恳求巴桑柯家的人，如果战后你来打听我的情况，请他们对你说详细一点儿，他们也答应了。最使我感动的是看家狗托比克，最后一个晚上它跟我特别亲热。

以后你要是来了，好好喂喂它，感谢它对我这样一个老婆子的亲热情谊。

等我收拾好了，就想：我怎么能把网篮提到老城呢？这时候，我的病人舒金来了。他平时愁眉苦脸，使我觉得是一个硬心肠的人。他帮我提东西，给了我三百卢布，并说每星期要给我送一次面包。他在印刷厂工作，因为眼病没有让他上前线。战前他在我那里看过病。以前如果有人要我说说哪些人心肠好，富有同情心，我会说出几十个名字，可是说不到他。你要知道，维克托，他来过以后，我才又感到自己是一个人，就是说，拿我当人待的不光是看院子的狗哩。

他对我说，市印刷厂里正在印通令：禁止犹太人在人行道上走；犹太人必须在胸前佩戴六角星黄色标记；犹太人不得乘车乘船，不能到澡堂洗澡，不能上医院、电影院，不准买黄油、鸡蛋、牛奶、水果、白面包、肉、除土豆以外的所有蔬菜；在市场上买东西只准许在傍晚六点以后，即在农民渐渐离开市场的时候。老城区围上铁蒺藜，不准外出，只能在监押下进行强制性劳动。如发现犹太人藏在俄罗斯人家里，罪同窝藏游击队，对窝藏者处以死刑。

舒金的丈人是农村的一位老汉，他从附近一个丘得诺夫镇上来。他亲眼看见，当地所有的犹太人都带着包袱和提包被赶进了树林，枪声和凄惨的叫喊声在树林里响了一整天。一个犹太人也没有回来。住在舒金丈人家里的德国人晚上很晚才回来,都喝得醉醺醺的,而且又喝了一夜。又喝又唱,还当着老头子的面分胸针、戒指、手镯。我不知道,这是偶然的一次暴行,还是也在等待着我们的厄运的前兆。

孩子呀,我前往中世纪隔离区的一路上,多么伤心啊。我在城市里走着,这是我工作了二十年的地方。我们先是走在空荡荡的蜡烛街上。但是等我们来到尼科尔街上,就看到几百个前往可诅咒的隔离区的人。因为许许多多白包袱、白枕头,一条街都变白了。生病的便由人搀着。马尔古里斯大夫的瘫痪的老父亲由两个人抬着。一个年轻人抱着老母亲、妻子和几个孩子背着包袱跟在后面。食品杂货店经理戈尔顿是个胖子,走得气喘吁吁,穿着皮领大衣,脸上的汗直往下流,有一个年轻人使我吃惊:他没有带东西,头抬得高高的,面前拿着打开的一本书,脸上是一副傲视一切和镇定的神气。但是跟他一起有多少吓疯了的人啊。

我们在马路上走着,许多人站在人行道上看。

有一阵子我跟马尔古里斯一家人走在一起,听到一些妇女同情的叹息声。有些人在笑穿皮大衣的戈尔顿,虽然,他的样子实在可怕,而不是可笑。我看到许多熟悉的脸。有些人轻轻向我点头,跟我告别,有些人转过脸去。我觉得,在人群中没有完全平静的眼睛,有好奇的,有幸灾乐祸的,但是有几次我也看到哭红的眼睛。

我定神一看,看出人分成了两群。一群是穿皮衣戴皮帽的犹太男人和裹了毛头巾的女人。另一群是站在人行道上穿夏装的人。女人穿着淡颜色女衫,男人不穿外衣,有些人穿着绣花的乌克兰衬衫。我觉得,似乎太阳也不再为走在马路上的犹太人放光了,似乎他们走在寒冷的十二月之夜里。

在隔离区入口处我同送我的舒金告别,他给我指了指铁丝网边一块地方,说以后给我送东西就在那儿会面。

你可知道,维克托,我进了铁丝网,有什么样的感觉?原以为,我会十分害怕的。其实不然,在这种牲口圈里我心里倒是轻快些。绝不是因为我有什么奴性。不是。绝不是。周围都是跟我同命运的人,在隔离区里我不需要像马一样在马路上走,没有恶意的目光,熟识的人用正眼看我,而不是躲避我。在这牲口圈里,大家都带着法西斯强加给我们的标记,因此在这里这种标记并不多么刺我的心。在这儿我感到自己不是任人宰割的牲口,而是落难的人。因此我轻快些。

我跟我的同事什别尔林克内科大夫一同住在一套两居室的土坯房里。什别尔林克有两个成年的女儿和一个十二三岁的儿子。我有时看着这孩子的瘦瘦的小脸和忧伤的大眼睛,看上很久;他叫尤拉,可是有两次我喊他维克托,他给我纠正:'我是尤拉,不是维克托。'

人的性格多么不同啊!什别尔林克在五十八岁的年纪依然充满了精力。他弄到褥垫、煤油、一大车劈柴。夜里又弄来一袋面粉、半袋四季豆。他不论弄到什么,都十分高兴,就像一个新婚的男子。昨天他又挂起壁毯。他一再地说:'没什么,没什么,咱们能挨过去。要紧的是准备些吃的和烧的。'

他对我说,应当在隔离区办学校。他甚至提出要我教尤拉法语,每节课报酬一碟子菜汤。我答应了。

什别尔林克的胖老婆凡妮·鲍莉索芙娜常常叹气：'全完啦，咱们完啦。'可是一面这样，一面监视着大女儿柳芭，防备她抓一把四季豆或者掰一块面包送给别人。柳芭是一个善良而可爱的姑娘。妈妈喜欢的小女儿阿莉娅却坏到了顶点：又厉害，又多疑，又小气；常常骂父亲，骂姐姐。战争前夕她从莫斯科到这儿来探亲，就待在这儿没有走。

我的天，四周围多么穷啊！要是有人说犹太人有钱，说犹太人总是攒着钱准备过灾难的日子，那就请他上我们旧城区来看看吧！这不是，灾难日子来了，再没有更大的灾难了。要知道，在老城里不光是带着十五公斤东西搬来的人，这儿还有长久的住户，有老匠人，有工人，有护士。他们住得多少拥挤呀！吃得多么坏呀！更叫人难以想象的是一座座矮矮的、破破烂烂的土坯房！

维克托，我在这儿看到很多坏人——这些人又贪婪，又狡猾，甚至时时刻刻准备卖身投靠敌人。这儿有一个很可怕的人，名叫艾普什津，是从波兰一个小城来到我们这里的。他戴着袖章，常常跟德国人一起进行搜查，参加审讯，和乌克兰警察一起喝酒，他们派他到各家要酒，要钱，要东西。我见过他两次。这人高高的个儿，非常漂亮，穿着讲究的奶油色西装，就连缝在胸前的黄色六角星，也显得像黄黄的菊花。

不过，我还想对你说说别的事。我以往从来没感到自己是犹太人，我从小就生活在俄罗斯朋友的圈子里，我最喜欢的诗人是普希金和涅克拉索夫，在地方自治局派任医生全俄代表大会上，我同观剧的全体代表一起为斯坦尼斯拉夫斯基主演的《万尼亚舅舅》哭过。当年，维克托，当我还是一个十四岁女孩子的时候，我们家动身迁往南美洲。我对爸爸说：‘我决不离开俄罗斯，要不然我就投河。’所以我就没有走。

在这灾难的日子里，我心中充满了对犹太民族的母爱。以前我从不曾有过这种爱。好孩子，我觉得这种爱就像我对你的爱。

我常常上病人家里去。小小的屋子里往往挤着几十个人：有半瞎的老人，有吃奶的孩子，有孕妇。我习惯在人的眼睛里寻找症候，青光眼症候，白内障症候。现在我不能那样看人的眼睛了——在眼睛里我看到的只是心灵的反映。维克托呀，都是好的心灵的反映！这是悲哀而善良的心灵，苦难而乐观的心灵，受强权压制而又不畏强权的心灵。总之，是刚强的心灵！

你要知道，有些老头子、老奶奶多么关心地向我问到你呀。有些人多么热心地安慰我呀，虽然我从来没有对他们诉过苦，虽然他们的境遇比我更惨。

有时我觉得，不是我去给人治病，而是好心的人民医生在医治我的心灵。他们为酬谢我的治疗，送给我一块面包，几棵大葱或者一把四季豆时，多么令人感动啊。

维克托，你要知道，这绝不是出诊费！有一次，一个老工人攥住我的手，一面往我的小包里塞几个土豆，一面说：‘唉，唉，大夫，请您原谅，’我的眼里涌出了泪水。这里面有一种纯洁、善良、可亲的东西，我还不能用言语表达出来。

我不想安慰你，说我现在过得很好；你可以因为我的心没有痛碎感到吃惊。但是你不要太难受，不要以为我挨饿，这段时间我还从来没有挨过饿。还有，我也不感觉自己是孤独的。

这儿的人究竟怎样呢？好也好得使我吃惊，坏也坏得使我吃惊。人与人大不相同，虽然都经历着同样的命运。如果在大雷雨的时候大多数人都尽量想方设法躲避大雨，但是，你要知道，这并不意味着所有的人都一样。而且躲雨的方法也各有不同。

什别尔林克大夫相信，对犹太人的迫害是暂时的，是战争时期的事。像他这样的人是不少的。我看到，一些人越是乐观，器量越小，越是自私。如果在吃饭时候有人来了，阿莉娅和她妈妈都要赶紧把吃的东西藏起来。

什别尔林克对我态度很好，尤其因为我吃得很少，我带回来的东西总是吃不了。但是我决定离开他们，跟他们在一起很不舒服。另找安身的地方。一个人越是悲伤，越不指望活下去，就越是大方、善良，心肠越好。

那些命定要死的穷人、白铁匠、裁缝们，比起那些千方百计积攒吃食儿的人，要高尚得多，慷慨得多，也聪明得多。年纪轻轻的女教师、古怪而爱下棋的老教师什比尔别尔克、老实的图书馆女管理员，比小孩子还无用然而一直幻想制造土手榴弹把隔离区武装起来的工程师莱维奇——都是一些多么古怪、多么不实际、多么可爱、多么悲伤、多么善良的人啊。

在这儿我看出来，希望几乎永远跟理智没有什么联系，希望不是出自理智，我觉得，希望出自本能。

维克托，人总是满怀希望地活着，就好像今后还要活很多很多年。无法知道这是愚蠢还是聪明，不过情形就是这样。我也服从这一规律。这里也有两个妇女从镇上来，也对我说了我的朋友舒金对我说的事。附近的德国人见到犹太人就杀，也不怜惜老人和儿童。德国人和警察常常乘汽车来，抓几十名男子去挖土，叫他们挖土沟,过两三天,德国人把犹太人赶到土沟边,开枪屠杀,一个不留。城市四周围的村镇里到处出现这种犹太人大墓。

旁边一个屋里住着一个从波兰来的姑娘。她说,在波兰经常杀人,犹太人被杀得一个不留,只是在华沙、在罗兹、在拉多姆的几个隔离区里还有一些犹太人。我把这一切好好想了想,完全明白了:把我们集中在这里,不是为了像保护比亚沃维扎密林里的欧洲野牛一样把我们保护起来,而是为了便于宰杀。根据计划,再过一两个星期就轮到我们了。可是,你要知道,我虽然知道是这样,还是继续为病人看眼睛,并且说:'如果按时用药水洗眼睛,过两三个星期就会好的。'我还在观察着一个老头子的眼睛,过半年到一年就可以为他摘除白内障了。

我还在教尤拉法语,为他的发音不准伤脑筋。

在这里,德国兵常常撞进来抢东西,哨兵为了寻开心,常常在铁丝网外面开枪向孩子们射击,越来越多的人断言,我们的厄运随时会来到。

谁知,至今人们还活着。甚至不久前我们这儿还举行过婚礼。听到几十种传闻。有时,来一位邻居,高兴得喘着粗气说,我军转入反攻啦,德国佬跑啦。有时会飞来消息,说苏联政府和丘吉尔向希特勒提出了最后通牒,希特勒下令不要杀犹太人。有时又有消息说,要用犹太人交换德国战俘。

实在说,哪儿也没有像隔离区里这样多的期望。世界上有各种各样的事情,所有的事情,事情的主旨、起因总是一样的:都是为了解救犹太人。多么富有想象力的期望呀!

这些期望的来源都是一个,即求生的本能,这种本能不顾一切地否认那些一定要我们死绝的可怕的兆头。就像我，望着眼前的一切，就不相信：难道我们都是判了死刑在等死的人吗？理发匠、鞋匠、裁缝、医生、修炉匠，都在干活儿嘛。甚至还开设了小小的产科医院，说确切一点儿，是接生小屋。人们还在洗衣服，晒衣服，做饭，孩子们从九月六日起又上学了，做妈妈的又向老师打听孩子的分数了。

什比尔别尔克老汉把几本书送去装订。什别尔林克家的阿莉娅每天早晨做早操，临睡前都要卷头发，跟爸爸争吵，向爸爸要两块夏装衣料。

我从早到晚都很忙，又看病，又教课，缝补衣服，洗衣服，准备过冬，往夹大衣里填棉花絮。我听着一件件犹太人遭殃的事：我熟识的一位法律顾问的妻子，因为为孩子买了一个鸭蛋，被打得失去知觉；药剂师西罗达的小孩子想从铁丝网下面钻出去，去捡滚出去的皮球，哨兵开枪打穿了他的肩膀。然后是一个又一个的传闻。

终于传闻不再是传闻了。今天德国人赶着八十名年轻男子去干活儿，据说是挖土豆。于是有些人非常高兴，以为可以带几个土豆给家里人吃了。但我知道，挖的是什么样的土豆。

维克托，隔离区的夜晚是很特别的时间。孩子，你该记得，我常常教你对我说实话，儿子总是应该对妈妈说实话的。但是，妈妈也应该对儿子说实话。维克托，别以为你妈妈是刚强的人。我是很脆弱的。我怕疼，一坐到牙科的椅子上就打哆嗦。小时候怕打雷，怕黑暗。老来我怕生病，怕孤独，怕我病了不能工作，成为你的负担，是你让我有这种感觉。我怕打仗。维克托，现在每天夜里我都很害怕，怕得心里直发冷。死神在等待着我。我很想向你呼救。

过去你是孩子的时候，常常跑到我跟前要我保护。现在，在我脆弱无力的时刻，多么想把头藏到你的膝盖上，让你这个又聪明又有力的儿子掩护我，保护我。维克托，我不光是精神刚强，我也很脆弱。常常想到自杀。但我不知道，是软弱，还是刚强，还是渺茫的期望，使我没有死。

不过，不说了。我一睡着了就做梦。常常梦见去世的妈妈，跟妈妈说话。昨夜我梦见萨沙·沙波什尼科夫，梦见当年跟他一起住在巴黎的情景。但是我一次也没有梦见你，虽然我时时想着你，即使是在恐怖不安的时候。这会儿我醒来，忽然看到这顶棚，想起德国人在我们的国土上，我变成了麻风病人，就觉得我并没有醒，而是睡着了，在做梦。

可是过了几分钟，就听见阿莉娅和柳芭争论该谁去挑水，听见有人在说，昨天夜里德国人在附近一条街上把一个老汉的头打穿了。

一个熟识的师范学校女学生来找我，要我去给病人看病。原来，她掩护着一位肩膀受伤、又烧伤了一只眼睛的中尉。这个可爱的、痛苦不堪的小伙子说的是很重的伏尔加土话。昨天夜里他钻进铁丝网，在隔离区里找到了藏身之地。他的眼睛伤得不重，经过我治疗，就可以不化脓了。他讲打仗，讲我军逃跑，使我难过起来。他想休息几天之后，就穿过前线到那边去。有好几个小伙子要跟他一块儿去，其中一个就是我的学生尤拉。啊，维克托，我要是能跟他们一块儿走该多好呀！我能为这个小伙子出一点力，实在高兴，觉得就好像我自己也参加了反法西斯战争。

一些人给他送来土豆、面包、四季豆，有一个老奶奶还给他打了一双毛线袜。

今天一整天都处于十分紧张的状态中。昨天晚上阿莉娅通过她的俄罗斯女友弄到一个在医院死去的俄罗斯年轻姑娘的身份证。到夜里阿莉娅就要走了。今天，一个熟识的农民从铁丝网外面路过，我们听他说，被派去挖土豆的犹太人挖的却是一些很深的坑，在离城四俄里的地方，靠近飞机场，就在去罗曼诺夫镇的路上。维克托，你记住这个地方，将来你可以在那儿找到合葬的坟墓，你妈妈就在那里面。

就连什别尔林克也全明白了。他一整天脸色煞白煞白的，嘴唇不住地哆嗦着，慌乱地问我：'有技术的人是不是有希望活下来？'确实有人说，在有些镇上，一些好的裁缝、鞋匠、医生没有被杀害。

到晚上，什别尔林克还是找来一个砌炉子的老头子，在墙上打了一个隐蔽的洞，收藏粮食和盐。晚上我和尤拉一起读《磨坊书简》。你该记得咱们一起读我很喜欢的小说《老人们》时的情景，那时候咱们互相看一看，就大笑起来，两个人都笑出了眼泪。然后我给尤拉指定后天要上的功课。需要这样。但是，我看着他那悲戚的脸，看着他那记录我指定的语法章节的手指头，我的心情多么沉重啊。

这样的孩子有多少呀。那聪明的眼睛，那黑黑的鬈发，在他们当中，应该有未来的学者、物理学家、医学教授、音乐家，也许还有诗人。

我看着他们每天早晨去上学，那种严肃的样子，完全不像孩子，那瞪得大大的眼睛里，流露着悲哀的神气。有时候他们也玩起来，打打架，哈哈大笑一阵子，然而并不因此就感到快活些，倒是更觉得可怕。

大家都说，孩子们是我们的未来，但是这些孩子又怎样呢？他们再也不能成为音乐家、鞋匠和裁缝了。昨天夜里我清楚地想象到，这长髯飘飘、心事重重的老大爷和唠唠叨叨、做得一手好甜饼的老大娘构成的熙熙攘攘的世界，一切婚嫁习俗、民谚俚语、节日欢笑，很快就会消失得无影无踪，战争过后生活又会沸腾起来，可是我们不会再出现，我们消失了，就像当年的阿兹特克人一样。

向我们报告挖坟消息的那个农民还告诉我们，昨天夜里他老婆哭着说：'他们又做裁缝又掌鞋，又制皮子又修钟表，又开药铺卖药……把他们全杀了，以后怎么办呀？'

我还清楚地想象到，将来有人从废墟旁路过，会说：'你该记得，这儿住过犹太人，住过修炉匠鲍鲁赫；礼拜六晚上他的老婆子常常坐在长凳子上，孩子们就在她的身边玩儿。'另一个人会说：'在那棵老梨树下面常常有一位女医生，我忘记她姓什么了，她给我治过眼睛，她干完活儿以后，总是搬一张藤椅，坐在那儿看书。'会是这样的，维克托。

就好像一阵可怕的气息从脸上吹过，大家都感到死期近了。

维克托，我想告诉你……不，不是这个，不是这个。

维克托，我这封信就要写完了，就要拿到铁丝网跟前，交给我的朋友。要收住这封信可是不容易的，因为这是我和你最后一次谈话，等我送出这封信以后，就要准备永远离开你，你再也无法知道我死前的情形了。这是我最后的告别。在永远分离之前，在告别的时候，我该对你说点什么呢？在这些日子里，正如在一生中一样，你是我的慰藉。每天夜里我都想起你，想起你小时候的衣服、你最初读的一些小书，想起你的第一封信、你上学的第一天，我一个劲儿地在回想，从你生下地的日子到你最后一次信息，6月30日的电报。我一合上眼睛，就觉得似乎你在保护着我，拦挡着即将来临的灾难。等我一想起周围发生的情况，又觉得高兴，因为你不在我这儿，免得遭难。

维克托，我总是很孤单。在失眠的夜晚我常常难过得哭起来。可是这一点谁也不知道。一想到我还能对你说说我的一生，就感到快慰。我要说说，为什么我和你爸爸离婚，为什么很多年来我一个人生活。我还常常想，等维克托知道了他的妈妈犯过错误，做过不理智的事，曾经争风吃醋，曾经跟所有的年轻人一样，会感到吃惊的。但是等不到跟你好好说一说，就要孤单单地了结此生了，这是我的命运。有时我觉得，我不应该离你这样远，我太爱你了，我以为，我这样爱你，就应该在老年跟你在一起。有时我又觉得，我不应该跟你生活在一起，我太爱你了。

好啦，最后……祝你永远幸福，跟你所爱的人、你周围的人、比妈妈更亲近的人在一起，永远幸福！永别了！

街上传来妇女们的哭声、警察的喝骂声，可是我看着这一页页的书信，就觉得我被保护住了，这苦难深重的可怕世界不能奈何我了。

我怎么能结束这封信呀？孩子，哪能甘心到此结束呀？哪儿有人类语言，能够表达我对你的爱？吻你，吻你的眼睛、你的额头、头发。

你要记住，在幸福的日子里，在痛苦的时候，都有母爱伴随着你，任何人不能把母爱杀死。

我的好维克托……这就是妈妈给你最后一封信的最后一句话。活下去，活下去，永远活下去……

妈妈”

十九

战前维克托从来没有想到他和妈妈都是犹太人。不论在小时候，不论在上大学时期，妈妈都没有跟他说起这一点。他在莫斯科大学上大学的几年里，没有一位同学、一位教授、一位班级领导跟他提过这种事儿。

战前不论在研究所里，在科学院里，从来没听到有人谈这种事儿。

他从来也没有想到要跟娜佳谈谈这种事儿——对她说一说，她的母亲是俄罗斯人，父亲是犹太人。

爱因斯坦和普朗克时代竟成了希特勒时代。秘密警察和科学昌盛同时出现。十九世纪，质朴物理学的世纪，与二十世纪相比，多么人道呀！二十世纪杀死了它的母亲。法西斯主义的原理和现代物理学的原理有可怕的相似之处。

法西斯主义根本没有个性的概念，没有“人”的概念，把一切看作大规模的总体。现代物理学谈的是物理个体的这种或那种总和中出现一些现象的最大与最小可能性。难道法西斯在其可怖的秘密机构中奉行的不也是量子政治，即政治可能性定律？

法西斯所以要消灭居民中整个一些阶层，消灭一些民族和种族，其根据是，在这些阶层和民族中，明的和暗的反抗的可能性大于其他阶层和民族。只讲可能性和人的整体。

不过，毫无疑问，法西斯一定要完蛋的，正因为法西斯将原子和砂石的规律应用于人类。

法西斯和人类不能并存。法西斯要是胜利了，人类将不再存在，只剩下一些实质已经改变的人形的动物。等到富于理性和良心的人类胜利了，法西斯就会灭亡，被压迫者又会重新成为人。

这不等于承认契贝任关于发面桶的说法吗？今年夏天他还和契贝任争论，反对这种说法的。他觉得，那一次同契贝任谈话，已经过了很长很长时间，从那个莫斯科夏日黄昏到今天，似乎已经有几十年过去了。

似乎这不是维克托·什特鲁姆，而是另外一个人在喇叭广场上走，很激动地听着，热烈地、信心十足地争论着。

妈妈……玛露霞……托里亚……

有时候，他觉得科学是欺骗，使他看不见现实生活的疯狂与残酷。

也许，科学成为可怕的时代的同伴，成为其盟友，不是偶然的。他感到自己多么孤独呀。没有人跟他谈谈自己这些想法。契贝任离得很远。波斯托耶夫会感到这一切很奇怪，没有意思。

索科洛夫倾向于神秘主义，对于暴虐者的残酷与凌辱表现出一种奇怪的宗教式的顺从情绪。

在他的试验室工作的是两位卓越的科学家，一位是从事试验的物理学家马尔科夫，一位是又放荡又聪明的萨沃斯季扬诺夫。但是如果维克托跟他们谈这些事，他们会认为他是疯子。

他从抽屉里拿出妈妈的信，又读起来。

“维克托，我相信，我的信能到你手里，虽然我在战线这边，在围了铁蒺藜的犹太人隔离区里……孩子，哪能甘心到此结束呀？……”

好比一把冰冷的尖刀戳进他的咽喉……

二十

柳德米拉从信箱里抽出一封军邮信。

她大步走进房间，把信封对着亮光，从老大的信封上撕去一条边儿。

有一刹那她觉得，从信封里抖搂出来的将是托里亚的相片：小小的，脖子还擎不住头，光着屁股躺着，两条小腿像狗熊一样盘着，撅着小嘴。

不知怎的，她似乎不是在看信，而是在吞吸那文化不高的写信人用清清楚楚的字体写成的一行行文字，吞着吞着，她明白了：他活着哩，活着哩！

她弄清楚了，托里亚的胸部和腰侧受了重伤，流了很多血，身体十分虚弱，自己不能写信，四个星期以来一直在发烧……可是，幸福的泪水遮住了她的眼睛，一会儿之前她是多么绝望啊！

她走到楼梯上，看过了信的前面几行，便放心地朝柴棚子里走去。她在寒冷而幽暗的柴棚里看完了信的中间和结尾部分，心想，这信是临死前跟她告别。

柳德米拉把劈柴往麻袋里塞。虽然她过去常常就诊的莫斯科加加林胡同门诊所的医生嘱咐她不能举3公斤以上的东西，而且只能做缓慢而从容的动作，这一次她却像个农妇一样，哼哧一声，把满满一麻袋湿劈柴扛到肩上，一口气上了二楼。她把麻袋往地上一放，桌上的碗盏叮叮当当乱晃起来。

柳德米拉穿起大衣，裹上头巾，来到街上。

行人从她身边走过，又回过头来看她。

她穿过大街，一辆电车发出尖利的铃声，电车司机朝她扬了扬拳头。

如果向右一拐，就可以顺着一条胡同到妈妈工作的工厂去。

如果托里亚死了，他的父亲也不会知道，到哪一个集中营里找他去呀，也许，他早就死了……

柳德米拉朝维克托的研究所走去。走到索科洛夫家门前，顺步走进院子，敲了敲窗子，窗帘依然没有拉开——玛丽亚不在家。

“维克托·巴甫洛维奇刚刚回自己室里去啦。”有一个人对她说。她也道了谢。虽然她没弄明白是谁跟她说话，是熟识的人还是不熟识的人，是男人还是女人。于是她顺着试验大厅朝前走去，大厅里像往常一样，似乎很少有人在干事情。总觉得这儿的男子或者在聊天，或者抽着烟在看书，女子总是忙活着：用烧瓶在烧茶，用溶剂洗指甲，打毛线。

她看到一些小东西，几十样小东西，还看到试验员卷烟用的纸。

来到维克托的工作室里，几个人大声跟她打招呼，索科洛夫快步朝她走来，几乎是跑到她跟前，摇晃着一个老大的白信封，说：

“咱们有希望啦，有一种计划，有一种设想，要咱们带着所有的东西、仪器设备和家小迁回莫斯科去。不坏吧，嗯？虽然迁回的日期还没有定下来。不过总是有这回事儿！”

她觉得他那喜洋洋的脸和眼睛是可憎的。难道玛丽亚会这样欢欢喜喜跑到她跟前吗？不会，不会。玛丽亚一下子就会明白的，看到她的脸就完全能看出来。

她要是知道她在这里看到这么多喜洋洋的脸，她肯定不会来找维克托的。维克托也是高兴的，到晚上他会把高兴带回家里去，娜佳会感到幸福的，他们就要离开可憎的喀山了。

这种欢喜是青春的鲜血换来的。所有的人，不论多少人，能抵得上这青春的鲜血吗？

她带着责难的神情抬眼望着丈夫。

他那一双会意的、充满不安神气的眼睛也望着她的一双阴沉的眼睛。

等到剩下他们两个人，他告诉她，刚才她一进来，他就知道出事了。

他看完了信，一遍又一遍地说：“没法子呀，天啊，没法子呀。”

维克托穿起大衣，他们便朝门口走去。

“我今天不来啦。”他对索科洛夫说。索科洛夫正跟新派来的人事处长杜宾科夫站在一起。杜宾科夫高高的个子，圆圆的脑袋，那肥大而讲究的上衣裹在宽阔的肩膀上依然显得紧巴巴的。

维克托把柳德米拉的手放开一小会儿,小声对杜宾科夫说:

"我们想开始编造迁回莫斯科的表册,但是今天我不能了,以后我再告诉您。"

"维克托·巴甫洛维奇,不用操心,"杜宾科夫低声说,"目前还不必着急。这是将来的计划,一切粗活儿由我来干。"

索科洛夫招了招手,点了点头,维克托便知道索科洛夫已经猜到他又遇到难过的事儿了。

冷风在大街上飞驰着,卷起一股股灰尘,忽而像绳子一样滴溜溜绕圈儿,忽而一下子撒开去,就好像扔掉不能吃的发黑的粮食。冷风飕飕,树枝像敲骨头一样嘎嘎直响,电车轨泛着寒冷的青光,一派凛冽肃杀景象。

柳德米拉转过因为痛苦显得年轻了的、冻木了的消瘦的脸,朝着丈夫,用祈求的目光望着他。

每当他们之间开始出现龃龉,她总在出现之初不让发展下去,忍气吞声地慢慢走到他跟前,高声喊叫着,瞪大发亮的眼睛望着他。可是,在这无边无涯、空荡荡的天空下,在这无情的、灰尘滚滚的大地上,又能向谁恳求、向谁祈祷呢?

"那是我工作的军医院。"她随口说。

"柳德米拉,"他忽然说,"你上军医院去一下,可以弄清楚这封军邮信是从哪儿来的。以前怎么没有想到呀!"

他看着柳德米拉上了台阶,跟值班人员交谈起来。

维克托走到角落里,后来又回到军医院门口。行人匆匆走过,大都带着网兜和玻璃罐,玻璃罐里盛着灰色的菜汤,菜汤里游荡着灰色的通心粉和土豆。

“维克托。”妻子喊他。

他从她的声音听出来,她已经镇定下来了。

“是这样的,”她说,“这是从萨拉托夫来的。不久前一位副主任医生上那儿去过。他把那儿的街道和门牌号数写给我了。”

马上出现了许多事情和问题:什么时候轮船开到,怎样能买到船票,要带一些东西,带一些吃的,要借钱,要弄一张证明信。

柳德米拉走的时候既没带东西,又没带吃的,几乎没带什么钱,也没有票,是趁上船时又挤又乱,挤上去的。

她带走的只是在黑暗的秋日黄昏同母亲、丈夫、娜佳分别时的印象。黑黑的波浪在舷边喧闹着,下游来的风吹打着,呼啸着,掀起一阵阵水珠儿和飞沫。

二十一

乌克兰敌占区一个州的州党委书记杰敏季·特里奉诺维奇·盖特曼诺夫被任命为坦克军的政委,这个坦克军是在乌拉尔组建的。

盖特曼诺夫在赴任之前,乘飞机飞往乌法,他的家小疏散在那里。

同志们和乌法的工作人员都十分关怀他的家小:生活和居住条件都不坏。盖特曼诺夫的妻子加林娜·捷莲季耶芙娜在战前因为新陈代谢不好,特别肥胖,在疏散期间还是没有瘦下来,甚至又多少胖了一些。两个女儿和一个还没有上学的儿子显得非常健康。

盖特曼诺夫在乌法过了五天。在他离开之前，亲友们前来送别：有他的小舅子；有他的老同事、乌克兰人民委员会办公室副主任、保安机关干部、基辅人马舒克；有他的连襟、乌克兰中央宣传部负责干部萨盖塔克。

萨盖塔克来时已经是十点多钟了，这时候孩子们已经睡了，大家说话的声音很小。盖特曼诺夫说：

"同志们，咱们要不要喝点儿莫斯科酒？"

盖特曼诺夫身上的部件都是很大的：那毛蓬蓬的白头老大老大的，额头十分宽阔，鼻子又肥又厚，手大，指头粗，肩膀宽厚，脖子粗壮。但是他作为各个粗大部件的组合体，个头儿却不大。而且奇怪的是，在他那张大脸上，特别吸引人和令人难忘的是那一双小小的眼睛：眼睛窄窄的，勉勉强强从肥厚的眼皮底下露出来。眼睛的颜色不是很分明的，很难断定，主要是灰色还是蓝色。但是那眼睛极其敏锐、灵活，有很强的洞察力。

加林娜·捷莲季耶芙娜轻快地站起她那沉重的身子，从房间里走了出来，于是男子们静了下来；不论在农舍中，在城里人交往中，在即将上酒的时候，常常是这样的。一会儿加林娜就端着托盘回来了。她那一双肥胖的手居然能在短短的几分钟里打开那么多的罐头，弄来那么多餐具，使人感到奇怪。

马舒克打量了一下挂着乌克兰花布壁毯的墙壁，看了看宽大的沙发床、一瓶瓶好酒和罐头，说：

"加林娜·捷莲季耶芙娜，我还记得你们家这张沙发床，你们能把这床运出来，真有两下子，可见你们有一定的组织才能。"

"你别忘了，"盖特曼诺夫说，"疏散的时候，我不在家。全是她一个人！”

“诸位，总不能把这沙发床留给德国人呀，”加林娜·捷莲季耶芙娜说，“杰敏季已经完全习惯了这张沙发，从州委会一回到家，就在这上面看材料。”

“哪儿是看材料？是睡觉！”萨盖塔克说。

她又到厨房里去了，马舒克故弄玄虚地小声对盖特曼诺夫说：

“噢嘿，我可以想象，咱们的杰敏季·特里奉诺维奇将认识一位女医生，一位军医。”

“是的，会把你照顾得好好的。”萨盖塔克说。

盖特曼诺夫把手一摆，说：

“算啦，你们怎么搞的，我难道是残废人吗？”

“当然不是，”马舒克说，“不过，是谁在基斯洛沃斯克夜里三点钟才回病房？”

几位客人哈哈大笑起来，盖特曼诺夫随便然而使劲地盯了内弟一眼。

加林娜走进来，环视了一下正在笑的男子们，说：

“我刚一出门，你们就不知想什么鬼花样欺负起我的可怜的杰敏季来啦。”

盖特曼诺夫就往酒杯里斟酒，大家都聚精会神地吃起小菜。

盖特曼诺夫望了望挂在墙上的斯大林像，举起酒杯说：

“来吧，同志们，为咱们的父亲干第一杯，咱们祝他永远健康！”

他说这话是用同志式的、有点儿随便的语调。语调所以这样随便，是因为斯大林的伟大是众所周知的，但是围坐在桌旁的几个人为他饮酒，首先是因为爱戴他这样一个朴实、谦逊和关心人的人。画像上的斯大林眯缝着眼睛，打量着满桌的酒菜和加林娜那丰满的胸脯，似乎在说："好，同志们，我把烟斗点着，坐到你们跟前来。"

"一点不错，愿我们的父亲永远健康！"女主人的弟弟尼古拉·捷连季耶维奇说。"我们没有斯大林怎么行？"

他把酒杯端到嘴边，转头看了看萨盖塔克，看他是不是说点儿什么。但是萨盖塔克看了看画像（好像在说："父亲呀，还有什么好说的？你什么都知道嘛。"），就把酒喝干了。大家都把杯干了。

杰敏季·特里奉诺维奇·盖特曼诺夫是沃罗涅日州里夫内人，但是他多年在乌克兰做党的工作，长期跟乌克兰同志共事。他和加林娜结婚之后，他在基辅的关系更巩固了，因为她有许多亲戚在乌克兰的党政机关中担任要职。

盖特曼诺夫一生的经历说起来相当简单。他没有参加过国内战争。宪兵没有追捕过他，沙皇的法庭从不曾把他发配西伯利亚。他在会议和党代会上作报告通常都是念发言稿。他念得很好，不打奔儿，而且带有表情，虽然稿子不是他自己写的。当然，念发言稿很容易，因为都是用大号铅字印的，间距很大，而且斯大林的名字都是用特制的红色铅字印出的。他当初是一个精明能干、循规蹈矩的小伙子，本想进工学院，但是却被调到保安机关工作，并且很快就成为区委书记的贴身警卫员。后来他受到赏识，被送到党校学习，然后分配他做党的机关工作，先是在区委组织部,后来又到中央委员会的人事局。过了一年,他就成为领导干部处的指导员。1937年以后,他很快就做了州党委书记,就是说:成了一州之主。

他说一句话,可以决定大学教研室主任、工程师、银行经理、工会主席、农民集体经济、剧院演出的命运。

党的信任!盖特曼诺夫很懂得这几个字的伟大意义。党是信任他的!他一生的劳动,尽管其中没有一部伟大的书、一项有名的发明、一次胜仗,但依然是巨大的、顽强不息的、有明确目的的、特殊的,而且总是很紧张、常常不能安眠的劳动。这种劳动的最重要和最高意义就在于,劳动是根据党的需要,是为了党的利益。对于这种劳动的最重要和最高的奖赏只有一种,那就是党的信任。

在任何情况下,不论是处理幼儿园孩子们的问题,改组大学里生物学教研室的问题,处理生产塑料品的车间占用图书馆地盘的问题,他的决定都必须符合党性精神和党的利益。领导者对一件事、一本书、一部电影的态度都必须符合党性精神,因此,不论多么困难,在党的利益与他的个人喜爱相矛盾的时候,他都要毫不动摇地抛弃他做惯了的事情,抛弃他十分喜欢的书。但是盖特曼诺夫知道:还有更高水平的党性;其实质就是:这样的人根本就没有与党性精神相矛盾的爱好与志趣;对于一个党的领导者来说,一切可爱的东西与可贵的东西之所以可爱,所以可贵,就因为它代表党性精神。

有时盖特曼诺夫为了符合党性精神而做出的牺牲,是很残忍、很严酷的。在这种情况下,既不顾邻里乡亲,又不顾恩重如山的师长，也不必考虑喜爱与同情。在这种情况下，不必因为一些词儿，如“背信弃义”“不够朋友”“害人”“出卖”等等，而感到不安。但是，党性精神一旦到了炉火纯青的程度，就不需要牺牲了，所以不需要牺牲，是因为，一切个人感情，如爱情、友谊、同乡情谊，只要与党性精神相背，就很自然地不再存在。

受到党的信任的人的劳动是默默无闻的。但这种劳动是巨大的，需要毫无保留、毫不吝啬地花费心思和精力。党的领导者的权力，不需要有科学家的才能，也不需要有作家的天赋。领导者的权力高于科学家的才能和作家的天赋。成百上千的具有研究才能、歌唱才能、著作才能的人都要如饥似渴地听取盖特曼诺夫的指导性和决定性的话，虽然盖特曼诺夫不仅不会唱歌，不会弹琴，不会演戏，而且也不能鉴赏和深刻理解学术著作和诗歌、音乐、绘画作品。他的话所以具有决定性的力量，就在于党委托他代表党在文化艺术方面的利益。

一个人民代言人、思想家，未必拥有一个州党委书记拥有的这样多的权力。

盖特曼诺夫认为，“党的信任”这一概念的最深刻的实质就表现在斯大林的意见、感情和态度中。党的路线的实质，也在于斯大林对于自己的战友，对于人民委员和元帅们是否信任。

几位来客谈的主要是盖特曼诺夫即将担任的新的军事职务。他们知道，盖特曼诺夫有希望得到更重要的任命。在党内有他这样地位的人，一旦转到军事岗位，大都会成为军团军委委员，有的甚至会成为方面军军委委员。

盖特曼诺夫被任命为军政委后，曾经感到不安和不愉快，曾经通过担任中央组织部委员的一个朋友打听,上面是不是有对他不满意的地方。结果,没有任何值得担心的事。

于是盖特曼诺夫为了安慰自己,开始寻找这一任命的好的方面:是坦克部队决定战争的命运,坦克部队都是在主攻方向进攻。派往坦克军的不是随便什么人;宁可把有的人派往不太重要的地段到无足轻重的军团里去任军委委员,也不能派到坦克军里去。这说明了党对他的信任。不过他还是有些不愉快:他很喜欢穿上军装,对着镜子说:

“军团军委委员、旅级政工干部盖特曼诺夫。”

不知为什么,坦克军那位上校军长最使他恼火。他还从来没见过这位诺维科夫上校,但是,他所知道的和打听到的有关诺维科夫的一切,他都不喜欢。

同桌共饮的几位亲戚很理解他的心情,谈他的新任命,谈的都是使他高兴的方面。

萨盖塔克说,坦克军极有可能被派往斯大林格勒,斯大林格勒的方面军司令叶廖缅柯将军,在内战时期,还在第一骑兵军团的时候,斯大林同志就认识他了,斯大林同志常常通过高频电话同他谈话,每次他去莫斯科,斯大林同志都要接见他。不久前这位司令员到过莫斯科郊外斯大林同志的别墅,斯大林同志跟他谈了有两个钟头。在斯大林同志这样信任的人麾下作战,真是好极了。

后来又说,尼基塔·谢尔盖耶维奇·赫鲁晓夫同志常常提到盖特曼诺夫在乌克兰的工作,如果盖特曼诺夫到赫鲁晓夫同志担任军委委员的方面军上去,那就更好啦。

“斯大林同志派赫鲁晓夫同志上斯大林格勒前线来，不是随便派的，这是举足轻重的战线，不派他又派谁呀？”马舒克说。

加林娜慷慨激昂地说：

“怎么，斯大林同志派我家杰敏季到坦克军里去，就是随便派的吗？”

“算了吧，”盖特曼诺夫很直率地说，“我到军里去，就好比把州委第一书记调为区委书记。没什么可高兴的。”

“不是的，不是的，”萨盖塔克很严肃地说，“这任命表现了党的信任。这区委，不是一般的、农村的区委，而是马格尼托戈尔斯克区委，第聂伯罗捷尔任斯基区委。军不是一般的军，是坦克军！”

马舒克说，盖特曼诺夫将去担任政委的那个坦克军的军长，是不久前才任命的，以前没指挥过大部队。这是不久前到乌法来的一位前线特工处的工作人员告诉他的。

“他还对我说了一些话呢。”马舒克说。他却不接着说下去，只是说：“不过，还用得着对您说吗，杰敏季·特里奉诺维奇，您是非常了解他的，也许比他自己更了解自己呢。”

盖特曼诺夫把本来就细小的敏锐而聪明的眼睛眯得细细的，翕动了两下肉嘟嘟的鼻孔，说：

“就算更了解吧。”

马舒克微微冷笑了一下，桌上的人都发觉了他的冷笑。说来奇怪，他虽然是盖特曼诺夫家的亲戚和自家人，虽然马舒克在亲戚圈子里是个谦逊、可爱、喜欢说笑话的人，可是盖特曼诺夫夫妇听着那柔和而委婉的声音，望着他那黑黑的、神情悠闲的眼睛和苍白的长脸，总感到有点儿紧张。盖特曼诺夫自己也感觉到这一点，却不觉得奇怪，他明白，马舒克是有来头的，有时连盖特曼诺夫都不知道的事情，马舒克却知道。

“这人怎么样？”萨盖塔克问道。

盖特曼诺夫用居高临下的语气回答说：

“噢，是这样的，是战争时期露头角的人，战前没什么突出的表现。”

“担任过重要职务吗？”马舒克笑着问道。

“算啦，什么重要职务。”盖特曼诺夫把手一挥，“不过这人是有本事的，据说是一名很好的坦克手。军参谋长是涅乌道布诺夫将军。我跟他在十八次党代表大会上见过面，是一个精明强干的人。”

马舒克说：

“是伊拉里昂·英诺肯季耶维奇·涅乌道布诺夫吗？那不用说，先前我在他那儿工作过，后来命运把我们分开了。战前我还跟他在贝利亚同志的会客室里见过一面。”

“分开是分开了，”萨盖塔克笑着说，“你要辩证地对待，要看到同一性和统一性，而不是对立性。”

马舒克说：

“战争时期一切事情都很奇怪：一名上校干起军长，涅乌道布诺夫将军却成了他的下属！”

“没有作战经验，只好屈就了。”盖特曼诺夫说。

马舒克还是感到奇怪，说：

“笑话，涅乌道布诺夫吗，单是他的威望就够啦！他是革命前的老党员，有丰富的军事工作和国务工作的经验！有一个时期大家都推测他将担任部委委员呢。”

其余的客人也都支持他的意见。

他们对盖特曼诺夫的同情，这会儿用为涅乌道布诺夫抱不平的方式来表示，是非常合适的。

“是啊，战争把一切都搞乱了套啦，还是快点儿结束吧。”女主人的弟弟说。

盖特曼诺夫把挓挲开手指头的手掌朝萨盖塔克伸了伸，说：

“您认识莫斯科那个克雷莫夫吧？他在基辅，在中央演讲团做过国际形势报告。”

“是在战争开始前不久来的吗？那个过激分子吗？当年在共产国际做过的那个人吗？”

“是的，就是他。我那位军长就准备跟克雷莫夫原来的妻子结婚。”

大家听到这个消息，不知为什么都感到非常好笑，虽然谁也不认识克雷莫夫原来的妻子，也不认识准备跟她结婚的军长。

马舒克说：

“噢，怪不得都说老兄神通广大。连结婚的事都知道啦。”

“可以说，精细人有精细人的本事。”尼古拉·捷连季耶维奇随口说。

“那当然……最高统帅部是不会赏识马大哈的。”

“是啊，咱们的盖特曼诺夫可不是马大哈。”萨盖塔克随口说。

马舒克就好像一下子来到自己的办公室里，用谈日常事务的严肃语气说：

“这个克雷莫夫过去也到过基辅，我还记得他，是个面貌不清的人。很久以前就跟右翼分子和托洛茨基分子有关系。恐怕还没有完全搞清楚……”

他说得干脆利索，说得很直率，就好像针织厂厂长谈自己的工作或者技术学校教师讲课时那样干脆利索。不过，大家都知道，他这种干脆利索和直率只是表象，其实他比谁都知道什么事情能说，什么事情不能说。盖特曼诺夫是一个常常以自己的大胆、干脆和直率的言谈惊倒四座的人，他就很清楚活泼而直率的谈话表层下面隐藏着的、没有说出的深层的东西。

通常比别的客人更忙碌、更操心、更严肃的萨盖塔克，不希望轻松气氛遭到破坏，就用快活的语调对盖特曼诺夫说：

“因为他不怎么可靠，就连老婆都不跟他了。”

“如果因为那样，倒是好呢，”盖特曼诺夫说，“我听说，我们那位军长要娶的完全是一个乖僻的女人。”

“算啦，你真是瞎操心，”加林娜说，“最要紧的是，夫妻要有爱情。”

“爱情当然是重要的，这是大家都知道，都不会忘记的，”盖特曼诺夫说，“不过，此外，还有些东西，可惜有些苏联人忘记了。”

“这话对，”马舒克说，“不论什么，咱们都不应该忘记。”

“正因为忘记了，于是感到惊讶不解，为什么党中央不批准，为什么这样，为什么不这样。自己不珍视党的信任。”

忽然加林娜惊讶不解地拉长声音说：

“听你们谈话都感到奇怪，就好像根本没有战争，你们关心的只是，那位军长要娶的是什么人，他的未来妻子原来的丈夫是谁。杰敏季，你这是准备去跟谁打仗？”

她用嘲笑的目光朝男子们看了看，她那美丽的棕色眼睛都有点儿像丈夫的小眼睛了，——大概是那股锐利的神气有点儿像。

萨盖塔克用忧伤的口吻说：

“怎么会忘记战争啊……从每一座农舍到克里姆林宫，到处都有我们的兄弟和孩子奔赴战场。战争是伟大的战争，是保家卫国的战争。”

“斯大林同志的儿子瓦西里是战斗机飞行员，还有米高扬同志的儿子也在空军里作战；我听说，贝利亚同志的儿子也在前线，只是不知道在哪一兵种。伏龙芝的儿子是一名中尉，好像是在步兵里……还有，伊巴露丽的儿子牺牲在斯大林格勒城下。”

“斯大林同志有两个儿子在前方，”女主人的弟弟说，“另一个儿子叫雅可夫，是炮兵指挥员。确切地说，他是第一个儿子，瓦西里是小儿子，雅可夫是大儿子。小伙子很不幸，被俘了。”

他觉得他接触到了许多年长的同志认为不应该说的东西，就不再说了。

尼古拉·捷连季耶维奇想打破沉默局面，用直率和无所顾忌的口吻说：

“随便说说，德国人还散发彻头彻尾伪造事实的传单呢，说斯大林的儿子雅可夫主动向他们提交了口供。”

但是他周围的气氛更沉闷了。他谈的事情，不论开玩笑，不论当真，都不应该提及，是应该回避的。谁要是听到有关斯大林跟妻子的关系的传闻表示气愤，那么，这位好心好意的谣言驳斥者所犯的罪过，绝不比谣言传播者小，因为谈这类事情就是不容许的。

盖特曼诺夫忽然转过脸朝着妻子说：

“这种事儿我是不操心的，因为情况由斯大林同志掌握着，而且掌握得牢牢的，就让德国人瞎折腾好啦。”

尼古拉·捷连季耶维奇用有罪的目光接住盖特曼诺夫的目光。

不过，自然，这不是好斗的人坐到桌上来了；他们聚会，不是为了使偶然出现的尴尬局面发展为重大案件。

萨盖塔克用和善而友好的语调说了两句，在盖特曼诺夫面前表示对尼古拉·捷连季耶维奇的支持：

“这话是对的，不过我们总是担心，不希望在自己的地段上出什么纰漏。”

“还有，不希望胡说八道。”盖特曼诺夫补充说。

他几乎直截了当地责备起来，而不是缄默不语，这说明他原谅了尼古拉·捷连季耶维奇，于是萨盖塔克和马舒克都点了点头，表示赞同。

尼古拉·捷连季耶维奇知道，这件微不足道的错事会被忘记的，但他也知道，不会忘得十分彻底。将来一旦谈起干部情况，谈起提拔，谈起特别重要的任命，在提到尼古拉·捷连季耶维奇的名字时，盖特曼诺夫、马舒克、萨盖塔克都会点头的，点头是点头，但在审干人一再查问时，会微微笑一笑，说：“也许，多少有点儿轻率。”并且用小指头尖儿表示这一点点儿。

大家心里都明白，有关雅可夫的事不会都是德国人胡编乱造的。但正因为如此，决不能涉及这个话题。

萨盖塔克特别清楚这方面的情形。他在报社工作多年，先是掌管新闻报道科，随后掌管农业科，后来又干了两年加盟共和国报纸的总编。他认为，他的报纸的主要任务是教育读者，而不是不加分析地发布关于各种各样，常常带有偶然性的事件的乱七八糟的消息。如果总编萨盖塔克认为应当避开某一事件，认为不应当报道严重的歉收、思想不纯的作品、内容不健康的影片、牲畜瘟疫、地震、战列舰沉没，认为不应当看到一下子夺走成千上万人生命的海洋巨浪的力量，不应当看到煤矿的大火，那么，这些事件对于他来说就没有任何意义了，他觉得，这些事件就不应耗费读者、记者和作家的精力。有时他需要用特别的方式解释现实中的这样或那样的事件，这种解释往往异常大胆、异常奇特，和平常的观念大相径庭。他觉得，他这位总编的力量、经验、本事就在于他能够使读者接受必要的、可以达到教育目的的观点。

在普遍推行集体化时期，出现了极端的冒进现象。在斯大林的文章《胜利冲昏头脑》发表之前，萨盖塔克曾写文章说，在普遍集体化时期发生饥饿现象，是由于富农蓄意埋藏粮食，蓄意不吃粮食，因而出现浮肿，整村整村的富农连同小孩子、老头子、老奶奶蓄意死亡，而为国家抹黑。

并且接着刊登一批材料，报道集体农庄托儿所里的孩子天天喝鸡汤，吃甜饼和大米粉肉饼。可是孩子们还是瘦了，浮肿了。

战争开始了，这是俄罗斯立国千余年来最残酷、最可怕的一次战争。在战争的头几个星期和头几个月里，在经受特别残酷考验的时期中，战争的毁灭性的火焰照明了种种事件的真实的、可悲的进程，战争决定着一切的命运，甚至党的命运。这一灾难性的时期过去了。于是剧作家考涅楚克立即就在自己的剧本《前线》中解释说，战争的失败是由于愚蠢的将军们不能执行最高统帅部的指示，最高统帅部是永远不会错的。

这天晚上，注定了不是尼古拉·捷连季耶维奇一个人经历不愉快的时刻。马舒克在翻看一本皮封面的大纪念册，在一页页硬纸上贴着不少照片，他忽然带着紧张的表情扬起眉毛，大家不由地探过身来看纪念册。这是盖特曼诺夫战前在自己的州委办公室里拍的照片：他坐在像草原一般宽阔的办公桌边，穿着半军服式的制服上衣，他的上方悬挂着斯大林肖像，肖像非常大，只有州委书记办公室里才能有这样大的领袖像。肖像上的斯大林的脸被红蓝铅笔涂得乱七八糟，下巴上添了深蓝色的小胡子，两个耳朵上还挂着淡蓝色的耳环。

“这孩子真胡闹！”盖特曼诺夫惊叫起来，甚至像女人一样把两手一挓挲。

加林娜十分慌乱，环视着客人们，一再地说：

“要知道，你们要知道，昨天这孩子在临睡前还说：‘我爱斯大林伯伯，跟爱我爸爸一样。’”

“这是小孩子淘气。”萨盖塔克说。

“不，这不是淘气，这是故意捣蛋。”盖特曼诺夫叹口气，说。

他用询问的目光看了看马舒克。于是他们两个人此刻都想起同一件事：他们的一位同乡的在工学院上学的侄子用气枪射击斯大林肖像。

他们知道,那个愣头愣脑的学生是瞎胡闹,没有什么政治和暗杀的用心。那位同乡是农机站站长,是个好人,他请求盖特曼诺夫挽救他的侄子。

盖特曼诺夫在开过州党委常委会议以后,跟马舒克谈起此事。

马舒克说:

“杰敏季·特里奉诺维奇,我们又不是小孩子,他是有心还是无心,这没有什么意义……可是如果我把这件事情了结了,也许明天就有人上报到莫斯科,告到贝利亚同志那儿去,说马舒克纵容姑息枪击伟大领袖斯大林肖像的分子。今天我在这办公室里,明天我就成了集中营里的灰土。您愿意承担责任吗?也会有人说您:今天射击肖像,明年射击的就不是肖像了,可是为什么盖特曼诺夫要同请这个小伙子,他为什么赞成这样的行动呀?怎么样?您敢承担吗?”

过了一两个月,盖特曼诺夫问马舒克:

“那个射击肖像的学生怎么样啦?”

马舒克用平静的目光望着他,回答说:

“不值得问啦,原来是个坏蛋,富农的孽子,他在法庭上承认啦。”

于是现在盖特曼诺夫用询问的目光望着马舒克,又说了一遍:

“不,这不是淘气。”

“算啦,”马舒克说,“这孩子才五岁,还是应该考虑年龄的。”

萨盖塔克说话的口气十分恳切,大家都感觉出他的话的热诚：

“说实在的，我没办法对孩子们讲原则性……应该是应该，可是于心不忍。我望着孩子们，就希望他们都好好的……”

大家都用赞同的目光看了看萨盖塔克。他是一个很不幸的父亲。他的大儿子维塔利在上九年级的时候，就过起花天酒地的日子，有一次因为在饭店里参加流氓活动被警察拘留，父亲只好打电话给内务部副人民委员，了结这件丑事。参加那次流氓活动的有将军和院士等名人的儿子，还有一位作家的女儿和农业部人民委员的女儿。战争时期，萨盖塔克的儿子想以志愿兵身份参军，于是父亲安排他进了两年制的炮兵学校。维塔利因为不守纪律被学校开除，并且有可能随着增补连队被送往前方。

现在维塔利在迫击炮学校学习已经有一个月了，什么事也没有发生，父亲和母亲都很高兴，并且觉得有希望了，但他们总还是有些担心。

萨盖塔克的二儿子叫伊戈尔，两岁的时候害了小儿麻痹症，害过麻痹症，就变成了残废人。一双又干又细的腿不能走路，只有靠拐杖活动。伊戈尔不能到学校去上学，老师们就到家里来教他，他学习很用心，很勤奋。

萨盖塔克夫妇为了伊戈尔的残废，不仅在乌克兰，而且在莫斯科，在列宁格勒，在托木斯克求遍了神经科名医。凡是国外有关的新药，萨盖塔克都通过商务代办或驻外使馆弄了来。他知道：他可能因为过分溺爱孩子受到责备。但他同时也知道，他的罪过并不是死罪。因为他看到一些州的领导干部都有很强的父子感情，也就认为新型的人都是特别钟爱自己孩子的了。他知道,他为伊戈尔用飞机从敖德萨请来巫婆,通过快传邮路把远东一个老神汉的草药弄到基辅来,也都不算什么。

“我们的领袖们都是一些特殊的人,”萨盖塔克说,“我就不说斯大林同志了,他没有什么可说的,就连他的亲密战友们也都是这样……他们在这个问题上也总是把党摆在父子感情之上。”

“是的,他们都明白:这种事不是每个人都会受到追究的。”盖特曼诺夫说。并且不指名地说了说一位党中央书记严肃对待自己的犯错误的儿子的事。

谈话气氛忽然一变,大家亲切而随便地谈起儿女们。

似乎他们的精神力量的强弱,他们能不能幸福欢乐,都取决于儿女们的脸蛋儿红与不红,儿女们是否从学校里带回好分数,是否能顺利地升级。

加林娜谈起自己的女儿:

“斯维特兰娜在4岁以前身体很不好,老是肠炎,肠炎,折腾得很瘦弱。只有一种偏方能治:吃研碎的生苹果。”

盖特曼诺夫说:

“今天她在去上学之前对我说:‘班上同学管我和卓娅叫将军女儿哩。’卓娅却不在乎,笑着说:‘有什么了不起的,将军女儿是很大的光荣!我们班上的元帅女儿才真神气哩!’”

“你们瞧,”萨盖塔克快活地说,“他们还不满足哩。伊戈尔前几天对我说:‘第三书记,没什么了不起。有什么好神气的?’”

米柯拉本来也可以谈谈自己的孩子的许多好笑的和愉快的事,但是他知道,在萨盖塔克谈儿子的机灵和盖特曼诺夫谈女儿的机灵的时候,他就不应该谈自己的孩子的机灵了。马舒克若有所思地说：

“过去在农村里我们的爹跟孩子们是很随便的。”

“他们总归也是喜欢孩子们的。”女主人的弟弟说。

“喜欢当然喜欢，不过也常常打孩子，我挨打挨得厉害。”

盖特曼诺夫说：

“我还记得1915年我去世的父亲出发去打仗时的情形。他很不简单，干到士官，得过两颗乔治勋章。妈妈为他收拾行装，把包脚布和绒衣装到背包里，又装上煮熟的鸡蛋、面包，我和妹妹躺在床上，看着父亲在黎明时候最后一次在饭桌边坐了一阵子。过道里的水缸里挑满了水，劈了不少木柴。妈妈后来常常提起这些事。”

他看了看手表，说：

“噢呀……”

“就是说，明天要走啦？”萨盖塔克说着，站起身来。

“七点钟的飞机。”

“从民航机场走吗？”马舒克问道。

盖特曼诺夫点了点头。

“这样好些，”尼古拉·捷连季耶维奇说着，也站起身来，“要不然到军用机场有十五公里呢。”

“既然去当兵，这都算不了什么。”盖特曼诺夫说。

他们开始告别，又嚷嚷起来，笑起来，还互相拥抱了一阵子，等到客人们穿起大衣，戴上皮帽，来到走廊里，盖特曼诺夫说：

“当兵的人什么都能习惯，当兵的人可以用烟暖和身子，用锥子刮脸。可是跟孩子们分离，当兵的人就是不能习惯。”

从他的声音，从他脸上的表情，从要走的客人们望着他的那种神情可以看出来，这已经不是说笑话了。

二十二

夜里，盖特曼诺夫穿了军装，坐在写字台边写信。妻子穿着睡衣坐在他旁边，看着他的手在写。他把信折叠起来，说：

“这是给区卫生局局长的，如果你需要专门治疗，需要出外就诊，可以找他。具体手续由弟弟给你办，局长只是开介绍信。”

“领取限额物品委托书你写了吗？”妻子问道。

“这用不着，”他说，“你可以打电话找州委办公室主任，最好找普济琴柯本人，他会给办的。”

他把写好的一沓信、委托书、便条检查了一遍，说：

“好，该写的好像都写了。”

他们沉默了一会儿。

“亲爱的，我真为你担心呀，”妻子说，“因为你这是去打仗。”

他站起来，随口说：

“你自己多保重，把孩子们照应好。白兰地放到提箱里了吗？”

她说：

“放进去啦，放进去啦。你可记得，两年前也像这样，你在黎明时给我写了不少委托信就飞到基斯洛沃斯克去了？”

“现在基斯洛沃斯克被德国人占了。”他说。

盖特曼诺夫在房里踱了一会儿，听了听，说：

“孩子们都睡了吗?”

“当然,都睡了。”加林娜说。

他们朝孩子们的房间走去。奇怪的是,这两具又胖又重的身躯在幽暗中挪动起来一点声息也没有。沉睡的孩子们的头在雪白的枕头上显得格外黑。盖特曼诺夫细心地倾听孩子们的呼吸声。

他用手按住胸口,免得剧烈的心跳声惊醒孩子们。在这幽暗处,他感到有一股强大而剧烈的热爱孩子、心疼孩子、怜惜孩子的感情。他非常想抱起儿子,抱起两个女儿,吻吻他们那睡眼惺忪的脸蛋儿。这时候他感到怜惜心是不能自制的,儿女情是压抑不住的,这时候他心慌意乱,站在那里,又尴尬,又没有力气。

想到他即将担任的新职务,他并不害怕,也不担心。他常常改变工作,很容易找到正确的路线,正确路线也就是总路线。他知道,他在坦克军里也可以奉行这条路线。

可是,在这里,怎么能把铁的严厉性、坚定性跟不理睬法律与路线的怜惜心、儿女情统一起来呢?

他回头看了看妻子。她站在那儿,像乡下人那样用手托着腮。她的脸在幽暗中好像瘦了,变年轻了,他们婚后第一次到海滨去,住在海边的“乌克兰疗养院”,那时候她就是这个样子。

小轿车喇叭在窗外轻轻地响了一声,这是州党委的汽车来了。盖特曼诺夫又转身朝着孩子们,并且把两条手臂挓挲了一下,这一动作表示:虽然感情炽烈,但也无可奈何了。

在走廊里,他说过告别的话,吻过妻子之后,穿起短皮袄,戴好皮帽,站在那里,等着司机把提箱提出来。

“好啦，”他说着，忽然从头上摘下皮帽，走到妻子跟前，把她抱住。在这又一次、最后一次吻别中，就在外面的潮湿的冷空气从半开着的大门冲进来，同家里的热气混合的时候，就在毛烘烘的熟皮袄毛皮挨到香喷喷的绸睡衣的时候，他们都感觉到，他们那似乎成为一体的生活忽然分开了，他们的心碎了。

二十三

任尼娅·沙波什尼科娃来到古比雪夫，住在一个德国老太婆家里。德国老太婆任尼·亨利霍芙娜·亨利逊很久以前在沙波什尼科夫家做过保姆。

任尼娅从斯大林格勒来到安静的小屋里，跟一个老太婆住在一起，觉得很稀奇；老太婆也一直流露着惊讶不解的表情，没想到一个扎两条小辫儿的小姑娘会变成一个成年的女子。

亨利逊老太婆住的是一间昏暗的小屋，这是过去一个大商人家里的女仆住的房间。现在每个房间里都住着一家人，每个房间都用屏风、布幔、毡毯、沙发靠背分成几个小小的房间，在里面睡觉、吃饭、会客，护士在里面为瘫痪的老头子打针。

一到傍晚时候，厨房里就嗡嗡地响起许多人的声音。

任尼娅很喜欢这熏黑了屋顶的厨房，很喜欢煤油炉那黑红色的火焰。

一件件衣服晾在绳子上，身穿长衫、棉袄、制服的邻居们在绳子中间穿来穿去，菜刀、柴刀闪闪放光。妇女们弯身在木盆或脸盆里洗衣服，呼出一团团热气。巨大的炉灶从来没有生过，那瓷砖砌的炉壁又冷又白，就像在过去地质时代就熄灭了的火山那覆盖着积雪的山坡。

这座住宅里住着一位上了前线的格鲁吉亚工人的家小，住着一位妇科医生、一位保密工厂的工程师、一位担任配给商店出纳员的单身老妈妈，还有一位在前方牺牲的理发员的遗孀，还有邮政总局的警卫长，在最大的房间里，也就是过去的会客室里，住的是一家门诊所的主任。

这座住宅十分宽大，就像一座城市一样，这里面甚至有自己的管宅子的老头子，是一个很老实的疯老头子，眼睛很像一只可爱的善良小狗的眼睛。

大家住得很拥挤，但是互不往来，不十分和睦，有时吵几句，有时相安无事，有时互相隐瞒自己的家事，有时又很大方地用大嗓门儿把自家生活中所有的事说给邻居听。

任尼娅不想画景物，不想画一户户邻居，倒是想画画邻居们在她心中挑起的感情。

这种感情是复杂的，极难表现，就连伟大的艺术家也无能为力。想到人民和国家的强大的军事威力，再联想到这黑黑的厨房、这穷困、这飞短流长、琐琐碎碎，想到威力无比的钢铁武器，再联想到这厨房里一只只小锅、一堆堆土豆皮，便产生了这种感情。

表现这种感情，常常弄得线条不成线条，轮廓不成轮廓，结果变成支离破碎的形象和光点的拼凑，从这种拼凑中看不出任何意义。

亨利逊老奶奶是一个腼腆、温和、热心的人。她穿着白领的黑长袍;虽然她总是不能吃饱,但她的两腮总是红红的。

她在脑海里还清清楚楚地记得一年级学生柳德米拉淘气的事情,记得小玛露霞说的一些可笑的话,还记得两岁的米佳常常带着围兜跑到餐室里,挓挲着小手,喊:“吃唤,吃唤!”

现在亨利逊老奶奶在一位牙科女医生家里做不住宿的佣工,照料女医生的有病的妈妈。女医生被市卫生局派到区里去了,要五六天才能回来,于是亨利逊晚上在她家里睡,好照应她那行动不便的老妈妈,她的老妈妈在不久前中风之后几乎不能走动了。

亨利逊老奶奶完全没有财产感情。她常常对任尼娅说对不起,请她允许打开通风小窗,好让她的三色老花猫进出活动。她的主要兴趣和操心事都和老猫有关系,就怕邻居欺负她的老猫。

担任车间主任和工程师的邻居德拉金,常常带着不友好的嘲笑神气望着她那皱皱巴巴的脸,望着她那像姑娘一样又细又直的身躯,望着她那系在黑带子上的夹鼻眼镜。这个平民出身的人感到气愤的是,亨利逊老奶奶依然那样留恋过去,并且常常带着傻笑讲她在革命前怎样带着孩子们乘轿式马车在外面玩儿,怎样陪着太太上威尼斯、上巴黎、上维也纳去。她带大的许多“小家伙”成了邓尼金部下、弗兰格尔部下,都被红军打死了,但是老太婆念念不忘的只是当年小家伙们害猩红热、白喉、结肠炎的情形。

任尼娅对德拉金说:

“比她更厚道、更老实的人我还没有遇到过呢。您要相信,在这座宅子里,没有比她心眼更好的人了。”

德拉金带着男子汉那种放肆的、毫无顾忌的神气直愣愣地盯着任尼娅的眼睛,回答说:

“唱赞美歌吧，燕子，唱吧。沙波什尼科娃同志，为了一块居住的地方，您就卖身投靠德国人啦。”

看样子，亨利逊老奶奶不喜欢健康的孩子。她照应过一个身体十分虚弱的孩子，是一位犹太裔厂长的孩子，她对任尼娅说得最多的就是这个孩子，还保存着他的练习本、他画的画，每次说到这个很老实的孩子的死，她都要哭一场。

她在沙波什尼科夫家做保姆，是多年以前的事了，但是她还记得所有的小孩子的名字和外号，而且一听说玛露霞已经死了，就哭了起来；她一直在用歪歪扭扭的字体在给亚力山大拉·符拉季米罗芙娜往喀山写信，但是这封信怎么也写不完。

她对任尼娅说，革命前她教养的孩子吃早饭常常是一碗很稠的肉汤和一片鹿肉。

她常常拿自己的口粮喂猫，管猫叫“我的可爱的银孩子”。老猫也非常依恋她，尽管是一个阴森而粗暴的畜生，可是一看到老奶奶，心情就要起变化，变得又快活又和善。

德拉金常常问她，对希特勒是什么态度：“怎么样，您大概很欢迎他吧？”但是很有心眼儿的老奶奶说自己是反法西斯的，并且管希特勒叫吃人魔王。

她是一个很无用的人，不会洗衣服，不会煮饭，要是到商店里去买火柴，售货员必然会在匆忙中把她一个月的糖票或肉票从供应卡上剪去。

现在的孩子完全不像她称作“和平时期”的那时候她教养过的孩子。一切都变了，就连玩儿也不一样了。“和平时期”的女孩子们玩的是抛圈儿游戏，用一根根系了带儿的漆棍儿抛掷橡皮扯铃，玩没什么弹性的彩色皮球，皮球装在白色网兜里。今天的女孩子们打排球，游泳，冬天穿着滑雪裤打冰球，又叫又吹口哨。

现在的孩子比亨利逊老奶奶更懂得赡养费、流产，更知道用欺骗的方法得来而永远使用的工作证，知道那些为别人的妻子从前方带回奶油和罐头的上尉和中校。

任尼娅很喜欢这位德国老奶奶回忆她的童年时代，回忆她的父亲和哥哥米佳。老奶奶对米佳记得特别清楚，他害过百日咳和白喉，她照料过他。

有一天亨利逊老奶奶说：

“我还记得我在1917年的最后一家东家。老爷是财政部次长，他在餐室里走来走去，说：‘全完啦，庄园烧掉啦，工厂停工，通货膨胀，金库被抢光。’他们家就像现在你们家一样，一家人都跑散了。老爷、太太、小姐上了瑞士，我带大的孩子去投科尔尼洛夫将军当了志愿军。太太哭着说：‘我们天天在告别，完啦。’”

任尼娅凄然笑了笑，没有作声。

有一天傍晚，来了一名地段警察，交给亨利逊一张传票。这位德国老奶奶戴上绣了小白花的女帽，嘱托过任尼娅代她喂猫，就上警察局去了，说是还要从警察局去照料牙科医生的妈妈，过一天才能回来。等到任尼娅下班回来，看到屋子里空空荡荡的，邻居们告诉她，亨利逊老奶奶被警察局抓起来了。

任尼娅去打听她的情况。警察局里的人告诉她，老奶奶将跟随运送德国人的军用列车上北方去。

过了一天，来了一名地段警察和房屋管理员，拿走了被查封的一只篓子，里面装满了破布、发了黄的相片和发了黄的信件。

任尼娅找有关部门打听，怎样可以把毛围巾送给老奶奶。有一个人在小窗户里向任尼娅问道：

“您是什么人，是德国人吗？”

“不是，我是俄斯人。”

“那您回家吧。不要乱问。”

“我问的是怎样送毛围巾。”

“您明白不明白？”那人在小窗户里用那样一种低声问道，任尼娅一听那声音就怕了。

这一天晚上，她听到一些邻居在厨房里说话。他们说的是她。

有一个声音说：

“她的做法总归是不大漂亮。”

另一个声音说：

“可是依我看，她很聪明。先是一只脚插进来，然后向有关部门汇报老奶奶的事，把老奶奶扫地出门，现在她是房间的主人了。”

有一个男人声音说：

“算什么房间，一点点儿小屋。”

还有一个声音说：

“是呀，这种女人是不会吃亏的，跟这样的女人在一起，是不会不吃亏的。”

猫的命运是很凄惨的。猫无精打采、死气沉沉地坐在厨房里，这时候一些人在争论，把猫弄到哪里去。

“让这只德国猫见鬼去吧。”女人们说。

德拉金忽然声明,他要参与喂猫。但是猫离了亨利逊老奶奶之后,没有活多久。有一个女邻居,不知是有意还是无意,用开水把猫烫伤,猫不久就死了。

二十四

任尼娅很喜欢她在古比雪夫的单独生活。

也许,她从来没有像现在这样自由过。尽管生活艰苦,可是她产生了轻松、自在的感觉。有很长时间,她没有报上户口,没领到供应卡,她每天凭饭票在食堂吃一顿饭。从早晨她就想着什么时候到食堂里去领一碟子菜汤。

在这个时期她很少想到诺维科夫。她想克雷莫夫想得多些,几乎老是在想,但是这种想念的内部光强度不大。

想念诺维科夫的心情常常出现又消失,并不使她感到苦恼。

但是有一次在大街上,她老远看到一个穿军大衣的高个子军人,有一瞬间,她以为那是诺维科夫。她顿时激动得喘不上气来,两腿也软了,浑身出现了一种幸福的感觉,高兴得不知如何是好。过了一分钟,她明白自己看错了,马上也就忘记了自己的激动。

到夜里她忽然醒来,心想:

“为什么他不写信呀?他知道我的地址嘛。”

她一个人生活着,身旁既没有克雷莫夫,又没有诺维科夫,又没有亲人。她觉得,这种自由的单独生活就是幸福。不过,这只是她觉得罢了。

这时候在古比雪夫有许多莫斯科的人民委员部、机关、莫斯科报纸的编辑部。这是从莫斯科迁来的临时首都，有外交使团，有大剧院的芭蕾舞，有著名的作家，有莫斯科的报幕员，有外国记者。

这成千上万的莫斯科人拥挤在一个个狭小房间里、旅馆的客房里、公共宿舍里，各自干着原来的事情：各部门的负责人、各个局和各个总局的首长、人民委员领导着所属的人员，掌管着国民经济，特任大使和全权大使们乘坐豪华的汽车拜会苏联对外政策的领导人；乌兰诺娃、列梅舍夫、米哈伊洛夫演出的芭蕾舞和歌剧使观众心醉；合众国际社代表沙皮罗先生在记者招待会上向苏联情报局局长洛佐夫斯基提出难以回答的问题；作家们在为本国和外国的报纸与电台写文章；记者们在军医院里搜集材料，写战地通讯。

但是，莫斯科人的生活在这里变得完全不同了。大不列颠王国特任全权大使的夫人克利浦斯女士，凭饭票在旅馆食堂里吃饭，吃过饭之后，把没有吃完的面包和糖块用报纸包起来，带回自己的房间；世界各国报纸和通讯社的记者们常常上市场去，在伤兵们中间挤来挤去，转悠着试卷的纸烟，津津有味地评论烟草的质量，或者倒换着两只脚，站在澡堂前排队；以慷慨闻名的作家们，在讨论世界大事和文学问题的时候，喝着土制烧酒，拿定额的面包当下酒菜。

一个个大机关挤在古比雪夫的一层层狭小的楼上；苏联各家大报的领导人在家用的桌子上接见来访者，下班后孩子们就在这桌子上做功课，妇女们就在上面做针线活儿。

庞大的国家机构过起流浪生活，就出现了有趣的事情。

任尼娅因为报户口，遇到很多麻烦。

她开始在里面工作的设计院院长里津中校，是一个高高的男子，说话声音低低的、轻轻的，从接收这个没办好户口手续的工作人员的第一天起，就因为怕负责任而发愁。里津叫她上公安局去，同时给她开发了录用证书。

公安局派出所的工作人员收下任尼娅的身份证和录用证书，叫她过3天以后来听回话。

任尼娅在约定的那一天来到昏暗的走廊里，坐在走廊里等候接待的人脸上都带着一种特别的表情，这种表情只有来公安局办理身份证和户口手续的人才会有。她走到小窗口跟前。一只指甲上涂了黑红颜色的女人的手把身份证递给她，一个平静的声音对她说：

"您不能办。"

她站进长队，等待跟户籍股股长谈一谈。站队的人在小声说着话儿，打量着在走廊里走过的一个个抹了口红、穿着棉制服和皮靴的公安局的姑娘们。有一个身穿夹大衣、头戴军帽、军装领子从围巾里面露出来的人，踏着咯吱咯吱直响的皮靴，不慌不忙地走过去，用小小的钥匙开了门上的锁，不知是英国锁还是法国锁，——这人便是户籍股长格里申。接待开始了。任尼娅发现，轮到被接待的人并不高兴，本来等了很久终于轮到是应该高兴的，然而却一面朝门里走，一面四处打量着，就好像准备在最后一分钟跑掉似的。

任尼娅在等候接待的时间里，听了不少报不上户口的事，有些女儿在母亲家里，瘫痪姑娘在哥哥家里，都报不上户口，有的妇女来照应残废军人，也报不上户口。

任尼娅走进格里申的办公室。他一声不响地向她指了指椅子，看了看她的材料，说：

“您不能办嘛，还有什么要说的？”

“格里申同志，”她一开口，声音就哆嗦起来，“您要知道，我一直领不到供应卡呀。”

他用一眨不眨的眼睛看着她，他那年轻的大脸流露出一种若有所思的淡漠神情。

“格里申同志。”她说。她的声音又哆嗦起来。“您自己想想看，怎么能这样呀。古比雪夫就有一条以沙波什尼科夫命名的街。那是我的父亲。他是萨马拉的革命运动发起人之一，可是你们却不准他的女儿报户口。”

他用平静的眼睛望着她，他听着她说的话。

“需要有军调令，”他说，“没有军调令我不能办。”

“我就是在军事机关工作呀。”任尼娅说。

“从您的证件看不出是在军事机关。”

“在军事机关就行吗？”

他不情愿地回答说：

“行。”

第二天早晨，任尼娅来到办公室，对里津说，公安局不给办户口手续。他把两手一摊，用低低的细嗓门儿说：

“哎呀，真胡闹，难道他们不懂，您一开始工作，就成了我们不能缺少的工作人员，您担负的是国防性质的工作？”

“就是，就是，”任尼娅说，“他说，需要有一张证明，证明咱们的机关隶属于国防人民委员会。请您开一张证明，今天晚上我再带着证明上公安局去。”

过了一阵子，里津走到任尼娅跟前，用抱歉的口吻说：

“需要由公安机关发来查询公函。没有查询公函我无法开发这一类的证明。”

傍晚她又来到公安局，等轮到被接待，她一面痛恨自己那种讨好的微笑，一面要求格里申发函向里津查询。

“任何查询公函我都不会发。”格里申说。

里津听说格里申不肯发函，叹了一口气，沉思一会儿，说：

“就这样吧，您去要求他，哪怕打个电话向我查询也行。”

第二天傍晚任尼娅要会见过去跟她父亲熟识的一位莫斯科的文学家里蒙诺夫。于是她一下班就赶到公安局去，向排队的人要求允许她进去见户籍股长，“仅仅一小会儿”，只提一个问题。人们耸耸肩膀，把脸转了过去。她懊恼地说：

“好吧，等就等吧，谁是最后一个？”

这一天，公安局留给任尼娅的印象特别沉重。有一个两腿浮肿的女人在户籍股长的办公室里发起火来，高声喊：“我求求你们！我求求你们！”一个断胳膊的人在格里申的办公室里骂起娘来。接着有一个人也大吵起来，喊：“我就是不走！”不过他很快就走了。在吵闹的时候却听不到格里申的声音，他一直没有提高嗓门儿，就好像他不在，人们自己在吵，在自己吓唬自己。

她排队等了有一个半钟头。她又一面痛恨自己的讨好的笑脸，痛恨自己为答谢轻轻点头让座而忙不迭地说“多谢”，一面要求格里申给她的领导人打电话。并说，里津起初是犹豫的，没有写明日期和盖有公章的书面查询，不知道能不能开发证明信，可是后来他同意了，他可以写证明信，标明是“回答某月某日您的口头查询”。

任尼娅把事先写好的一张纸条放到格里申面前，她在纸条上用又大又清楚的字体写明电话号码、里津的名字和父称、军衔、职务，又用小字在括号里写明，午休时间从什么时候开始，到什么时候为止。但是格里申对放在他面前的纸条连看也不看，就说：

“我不进行任何形式的查询。”

“那为什么？”她问。

“不必要。”

“里津中校说，如果连口头查询也没有，他无权开发证明。”

“他既然无权，就不开好啦。”

“可是我怎么办呀？”

“我怎么知道？”

任尼娅见他那样平心静气，真没了主意，假如他发脾气，说她无理纠缠，她倒是轻松些。可是他半侧着身子坐在那儿，连眼皮也不动一动，一点也不着急。

许多男子在跟她交谈的时候，都会发现她很美，她也总会感觉到这一点。但是格里申看着她的那种神情，就好像看着眼睛里流泪水的老奶奶或者残废人。她一进他的办公室，就不再是人，不再是年轻女子，只是一名求告者了。

她感到自己的弱小，感到他那钢筋混凝土一般的力量的强大，茫然失措了。她在大街上走着，匆匆忙忙，因为已经比约定会见里蒙诺夫的时间晚了一个多钟头，不过，她匆忙是匆忙，已经不因为这次会见感到高兴了。她似乎还闻到公安局走廊里的气味，似乎还看到一张张等候接待的人的脸，看到暗淡的灯光照耀着的斯大林肖像，还有旁边的格里申。格里申又镇静，又坦然，掌握着钢铁般的国家大权。

里蒙诺夫胖胖的，高高的，老大的头，老大的秃顶周围有一圈像年轻人一样的鬈发，他高高兴兴地迎住她。

“我正怕您不来呢，”他说着，就帮任尼娅脱大衣。

他开始向她询问亚力山大拉·符拉季米罗芙娜的情况：

“从大学时代起，我就认为您的妈妈是英勇刚强的俄罗斯妇女的典型。我在作品中经常写到她，就是说，不是写她个人，而是写她这样一种类型。”

他放低了声音，又回头朝门外看了看，问道：

“听到米佳的什么消息吗？”

然后他谈起绘画，两个人开始一起骂列宾。里蒙诺夫在电炉上煎起鸡蛋，并且说，他是国内做鸡蛋饼的能手，就连“民族饭店”的厨师都向他学习过呢。

“怎么样？”他一面请任尼娅吃鸡蛋饼，一面很不放心地问道。又叹了一口气，说：“对不起，我就喜欢吃。”

公安局所见所闻给她的压力多么大啊！她来到里蒙诺夫这温暖和摆满了书籍、杂志的房间里，不久又来了两个上了年纪的、热爱艺术的、幽默的人，可是她的一颗打寒颤的心还一直感觉到格里申的存在。

但是自由和机智的话的力量也是很大的，于是任尼娅一时间也就忘记了格里申,忘记了排队的人的一张张苦恼的脸。似乎除了谈鲁布廖夫,谈毕加索,谈阿赫玛托娃和帕斯捷尔纳克的诗和布尔加科夫的戏剧,人生再没有什么事了。

她来到大街上,马上就忘记了高雅的谈话。

格里申,格里申……在这座宅子里,谁也没有同她谈过是否办好户口手续的事,谁也没有要她出示盖了印记的户口登记卡。但是她已经有好几次觉得居民小组长格拉菲拉在注视她。格拉菲拉是一个很灵敏的长鼻子女人,总是亲亲热热的,说话总是用甜甜的、非常虚假的语调。任尼娅每次碰到格拉菲拉,看到她那又亲热又忧郁的黑眼睛,总是感到害怕。她似乎觉得,在她不在家的时候,格拉菲拉就用配好的钥匙打开她的房间的门,搜查她的证件,抄录她申报户口的申请书,看她的信件。

任尼娅尽可能悄没声地推开大门,踮着脚在走廊里走,很怕碰见居民小组长。似乎居民小组长就要对她说:"您干吗破坏法律,要我替您担责任?"

早晨,任尼娅来到办公室找里津,对他说了说在户籍股又碰钉子的事。

"请您帮我买一张去喀山的船票吧,要不然,也许会因为破坏户籍制度送我去开采泥炭呢。"

她再也没有要求他开什么证明,而且说话用的是嘲笑和恼怒的口气。

这个低声细语的高大的漂亮男子望着她,因为自己的胆小怕事感到羞惭。她经常感觉到他那恋恋不舍的、含情的目光停留在她身上。他望着她的肩膀、大腿、脖子、后脑勺,而她的肩膀和后脑勺也感觉出这种火辣辣的、爱恋的目光。但是，看样子，决定收文和发文运动规律的力量是一种非同小可的力量。

下午，里津来到任尼娅面前，一声不响地把开好的证明信放在图纸上。

任尼娅也一声不响地看了看他，眼泪不禁夺眶而出。

“我通过机密科征求意见，”里津说，“但不抱什么希望，谁知，领导一下子就批准了。”

同事们都向她祝贺，说：“您的苦难终于结束了。”

她来到公安局。排队等候的人都向她点头打招呼，有些人已经跟她熟识了，他们问她：“怎么样？……”

有几个声音说：“您进去吧，不用排队了……您这事一会儿就能办好，干吗还要等两个钟头？”

她觉得，那办公桌，那漆了仿木褐色粗花纹的保险柜也不再那样阴森、不再带有官气了。

格里申看着任尼娅那匆忙的手指头把所需要的证明信放到他面前，微微地、满意地点了点头，说：

“好吧，您把身份证、证明信留下，三天后在接待时间在收发室等候结果。”

他的声音还是和平常一样，但是任尼娅觉得格里申那明亮的眼睛很亲切地笑了笑。

她一面往家走，一面想，原来格里申也和所有的人一样，也会做好事，也会笑。原来他不是毫无心肝的人。她原来把这位户籍股长想得那样不好，现在她觉得不好意思起来。

过了3天，一只染了黑红色指甲的女人的手从小窗口里把身份证连同整整齐齐地夹在里面的证明信递给她。任尼娅看了看清清楚楚写在上面的批示："因此人与该住处无固定关系，不予办理户口登记手续。"

"狗崽子！"任尼娅大声叫起来，她再也忍不住，又大声叫道："这家伙简直是捉弄人，存心折腾人！"

她大声叫着，摇晃着不管用的证件，对着排队的人们，希望得到他们的支持，但是她看到，他们都转过脸去，躲开她。一时间她心里泛起一股要拼命的情绪，绝望的情绪和发疯的情绪。1937年，在索科尔尼基的布特尔监狱里，许多妇女站在昏暗的监狱大厅里排队等候探望失去通信自由的罪犯时，有些悲痛绝望得发了疯的妇女就是这样喊叫的。

站在走廊里的一名民警抓住任尼娅的胳膊把她往门外推。

"放开我，别动我！"她抽出胳膊，把他推开。

"女公民，"他用嗄哑的声音说，"别叫啦，要不然会判十年徒刑！"

她觉得，民警的眼睛里闪过一丝同情和怜悯的神情。

她快步朝大门口走去。大街上摩肩擦背地走着许多人，他们都办过了户口登记手续，都有定量供应卡……

夜里她梦见大火，她朝一个趴在地上的受伤的人俯下身去，她想把受伤的人背起，并且知道这是克雷莫夫，虽然没看到他的脸。

她醒来后，又惊愕，又沮丧。

"他能快点儿来就好啦，"她一面穿衣服，一面想道。并且嘟哝说："帮助我吧，帮助我吧。"

她非常非常想看到的不是夜里她要救护的克雷莫夫，而是诺维科夫，非常想看到他还是今年夏天她在斯大林格勒看到的那种样子。

像这样没有户口，没有供应卡，见了管院子的、房管员、居民小组长总感到提心吊胆，像这种无户籍的日子，实在叫人受不了。任尼娅总是趁大家都睡了时才上厨房去，早晨去洗脸尽量赶在大家都醒来之前。每次邻居们跟她说话，她的声音变得温和得有些过分，极不自然，很像浸礼派修女的声音。

这天下午，任尼娅写好了离职申请书。

她听说，在户籍股拒绝办理户口登记手续之后，来过一名民警，送来一张限三天内离开古比雪夫的批示。批示的正文中说："破坏户籍制度者，理应……"任尼娅不希望"理应……"要她离开古比雪夫，她就离开好啦。她一想到可以不看到格里申，不看到格拉菲拉和她那柔和得像烂橄榄一样的眼睛，不再苦恼，不再担惊害怕，心里马上就觉得轻松了。她不想违抗法律，她要服从法律。

等她写好了离职申请书，正要去交给里津的时候，有人叫她去接电话，是里蒙诺夫打来的电话。

他问她，明天晚上她是不是空闲，从塔什干来了一个人，说了一些那里的情形，挺有意思，阿列克塞·托尔斯泰还嘱托他问候里蒙诺夫。于是她又感受到另一种生活气氛。

任尼娅尽管不准备说，可还是对里蒙诺夫说了说有关户口的事。

他听她说，也不插话，后来他说：

“竟有这种事，真有意思：古比雪夫有爸爸的街道，可是不准女儿落户口，要把女儿撵出去。有趣。有趣。”

他多少想了想，又说：

“这样吧，任尼娅，您的离职申请书今天不要交，晚上我要参加州委书记召开的会议，我把您的事情说一说。”

任尼娅道了谢，但是她以为里蒙诺夫把话筒一放，马上就会把她的事情忘了。不过她还是没有把离职申请书交给里津，只是问他，能不能通过军区司令部给她弄一张去喀山的船票。

“这倒好办。”里津说，并且把两手一摊。“就是公安机关难说话。有什么办法呢，古比雪夫实行一套特殊的制度，他们有专门指示。”

他问她：

“今天晚上您有时间吗？”

“没有，没有时间。”任尼娅生气地说。

她一面往家里走，一面想，她很快就要看到妈妈、姐姐、姐夫、娜佳了，她在喀山一定会比在古比雪夫好些。她很奇怪，为什么她这样伤心，为什么一进公安局就吓得发呆。不给办户口手续，就去它的吧……如果诺维科夫有信来，就请邻居们转往喀山去好啦。

早晨，她刚来上班，就叫她去接电话。有一个很有礼貌的声音请她上市公安局户籍股办理户口手续。

二十五

任尼娅结识了住在这座宅子里的一位邻居——沙尔戈罗茨基。每次沙尔戈罗茨基突然转头的时候，似乎他那老大的、像雪花石膏一般的白头就要从细细的脖子上掉下来，咚的一声落到地上。任尼娅发现，老头子脸上那苍白的皮肤泛着柔和的蓝色光泽。任尼娅很喜欢这种皮肤的蓝与眼睛的冷蓝色相搭配；老头子是高等贵族出身，她一想到恰好可以用表示高贵的蓝色来画老头子，就觉得十分好笑。

符拉季米尔·安德列耶维奇·沙尔戈罗茨基在战前的生活不如战争时期。现在他有一些活儿干了。苏联情报局约他写一些短文，写德米特里·顿斯科伊、苏沃洛夫、乌沙科夫，写俄罗斯军人的光辉传统，写十九世纪的诗人，如丘特切夫、巴拉丁斯基……

沙尔戈罗茨基告诉任尼娅，从母系来说，他是罗曼诺夫王朝之前一支古老的公爵世家的后裔。

他年轻时在省地方自治局任职，在地主子弟、乡村教师和年轻神甫们中间鼓吹彻底的伏尔泰主义和恰达耶夫思想。

他对任尼娅说过他同省首席贵族的谈话。那是44年以前的事了。“您是俄罗斯一支古老世家的代表，可是居然向庄稼汉鼓吹，说人类起源于猴子。庄稼汉会问您：大公们是不是？皇太子是不是？皇后是不是？皇上本人是不是？……”

沙尔戈罗茨基继续进行思想宣传，结果他被流放塔什干。一年后他得到赦免，于是他出国到了瑞士。在瑞士他遇到很多革命活动家。布尔什维克、孟什维克、社会革命党人、无政府主义者都知道这位古怪的公爵世家后裔。他参加辩论会、晚会，和一些人谈得很愉快，但是他不赞成任何人的主张。就在这时候，他和一个犹太大学生李别茨成了好朋友，李别茨是一个留着黑色下巴胡的崩得分子。

第一次世界大战之前不久，他回到俄国，住在他自己的庄园里，有时在《下诺甫哥罗德报》发表历史题材和文学题材的文章。

他从事生产，庄园由妈妈管理。

沙尔戈罗茨基是唯一的庄园没有受到农民触动的地主。贫农委员会甚至分给他一大车木柴和四十棵大白菜。他坐在家里唯一的生了炉子、装了玻璃的房间里，读书和写诗。有一首诗他还念给任尼娅听过。这首诗题为《俄罗斯》：

放眼四望，
心中无限舒畅。
大平原无边无沿。
老鸦悲怆地叫喊。

玩乐。大火。隐私。
麻木不仁。
又处处有特色。
又惊人地雄伟。

他用心地念着一个一个的字，停顿、转折处都念得很清楚，长长的眉毛扬得高高的，然而他那宽大的额头并不因为扬起眉毛而显得小些。

1926年，沙尔戈罗茨基讲授起俄罗斯文学史。他抨击杰米扬·别德内，赞扬费特，参加当时非常风行的关于生活的真和美的辩论会。他声称自己反对任何国家形式，声称马克思主义是有局限性的学说，谈俄罗斯精神的可悲命运，一直谈论和辩论到又一次免费去塔什干。他住在那里，一直不理解地理位置的转换在理论辩论中的作用。直到1933年底，他才得到允许迁到萨马拉他的姐姐那里去。他姐姐叶莲娜·安德列耶芙娜是战前不久才死的。

沙尔戈罗茨基从来不请别人到自己屋里去。但是有一次任尼娅到这位公爵后裔的住处看了看：一堆堆的书和旧报纸堆在角落里像山一样，一张张旧椅子摞在一起，几乎抵到天花板，一幅幅镶了镀金框的画像摆在地板上。在蒙了红丝绒的沙发上放着一床皱皱巴巴、露出一团团棉絮的棉被。

这是一个和善的人，在现实生活中没办法的人。通常大家都说这样的人有“孩子般的心灵、天使般的善良”。但是他可以默诵着他心爱的诗句、毫不动心地从伸手向他乞讨的饥饿的孩子或衣衫褴褛的老奶奶身边走过去。

任尼娅听沙尔戈罗茨基说话，常常想起自己的第一个丈夫，可是这位费特和符拉季米尔·索洛维约夫的一贯崇拜者与共产国际参加者克雷莫夫太不相像了。

任尼娅感到奇怪的是，对俄罗斯美丽的风光、对俄罗斯民间故事和费特、丘特切夫的诗毫无兴趣的克雷莫夫，竟跟沙尔戈罗茨基老头子一样是俄罗斯人。克雷莫夫从小就看重的俄罗斯生活中的一切，他认为在俄罗斯头等重要的一些人物，沙尔戈罗茨基却毫不感兴趣，有时甚至有些敌视。

对于沙尔戈罗茨基来说，费特是上帝，首先是俄罗斯的上帝。对于他来说，关于好汉菲尼斯特的故事、格林卡的《彷徨》都是神奇的。而且，不管他多么赞赏但丁，他却认为但丁作品中没有俄罗斯音乐和俄罗斯诗歌那种神奇的魅力。

克雷莫夫却认为杜布罗留波夫和拉萨尔、车尔尼雪夫斯基和恩格斯没什么区别。他认为，马克思高于一切俄罗斯天才人物，贝多芬的英雄交响曲毫无疑问胜过俄罗斯的音乐。也许，只有涅克拉索夫是例外，他认为涅克拉索夫是全世界第一位诗人。有时任尼娅觉得，沙尔戈罗茨基不仅可以帮助她认识克雷莫夫，而且可以帮助她认识她与诺维科夫将来的关系。

任尼娅很喜欢跟沙尔戈罗茨基谈话。往往开始是谈令人不安的战争消息，然后沙尔戈罗茨基就议论起俄罗斯的命运。

"俄罗斯的贵族对俄罗斯是有罪的，"他说，"不过，俄罗斯贵族是善于爱护俄罗斯的。在那一次，第一次大战中，丝毫不把我们放过，一概不饶，不论是傻瓜、蠢货、饭桶，不论是拉斯普京、米亚索耶多夫上校，不论是菩提树林荫道、自由自在、黑暗的农舍、树皮鞋……一律完蛋。我姐姐有六个儿子死在加里西亚和东普鲁士，我大哥是一个有病的人，也在战斗中牺牲了，但是历史不给他们算这一点……应该算呀。"

任尼娅常常听他评论文学，他的观点与现在的观点完全不同。他认为费特在普希金与丘特切夫之上。他对费特熟悉的程度，自然没有一个俄罗斯人能比得上，也许费特自己生前能记得的自己的事，还没有沙尔戈罗茨基知道得多。

他认为列夫·托尔斯泰太实际了，虽然承认他有诗意境界，却不看重他。他是看重屠格涅夫的，却认为屠格涅夫是一位不够深刻的天才作家。在俄罗斯小说家中，他最喜欢果戈理和列斯科夫。

他认为，摧残俄罗斯诗歌的祸首是别林斯基和车尔尼雪夫斯基。

他对任尼娅说，除了俄罗斯诗歌，他还爱三样东西，就是：糖、太阳和睡觉。

他问道：

“我还没看到我的任何一首诗得到发表，难道我能死吗？”

有一天，任尼娅在下班后回家的路上遇到里蒙诺夫。他拄着疙疙瘩瘩的拐杖在街上走，敞着皮大衣，一条鲜艳的方格围巾从脖子上耷拉下来。这个头戴名贵的海狸皮帽的高大的人在古比雪夫的人群中显得非常奇怪。

里蒙诺夫陪任尼娅走到门口。她请他进去喝杯茶。他凝神看了看她，说：“好吧，谢谢，不管怎么说，为了户口的事，您应该请我喝两杯。”于是一面喘着粗气，一面上楼。

里蒙诺夫走进任尼娅的小小的房间，说：“唔，唔，这儿对于我这样胖大的身体来说，是很窄小的，不过，对于思想，也许是很宽敞的。”

他忽然用一种极不自然的语调和她谈起来，谈起自己的爱情理论和爱情关系理论。

“维生素缺乏症，精神上的维生素缺乏症！”他喘着粗气说。

“您要知道,这是一种很强的饥饿,就像非常需要盐的公牛、母牛和麋鹿那样。我自己身上没有的,我的家里人、我的妻子身上没有的,我就在我所爱的人身上找。妻子是维生素缺乏症的根源!于是男人就渴望在自己所爱的女人身上找到几年、几十年在自己妻子身上找不到的东西。您明白吗?”

他抓住她的胳膊,抚摩起她的手掌,然后又抚摩她的肩膀,摸她的脖子、脑后。

“您明白我的意思吗?”他用甜蜜的口吻问道,“非常简单嘛。精神上的维生素缺乏症!”

任尼娅用冷笑和发窘的眼睛看着他那长着光滑的指甲的白白的大手从她的肩膀上溜到胸脯上,就说:

“看起来,维生素缺乏症不只是精神上的,也是肉体上的哩。”又用老师教训一年级小学生的口吻说:“不准摸我,真的,不准。”

他惊慌地看了看她,不过并不羞惭,倒是笑了起来。她也和他一起笑起来。

他们一面喝茶,一面谈艺术家萨里扬。沙尔戈罗茨基老头子来敲门了。

原来,里蒙诺夫早就从有些人的手稿中和保存在档案馆里的一些人的信件中知道沙尔戈罗茨基的名字。沙尔戈罗茨基没读过里蒙诺夫的作品,但也知道他的名字。这个名字一般是在报纸列举专写历史军事题材的作家时出现。

他们谈了起来,一感觉到有共同语言,便兴奋起来,高兴起来,在他们的谈话中不时出现一些名字,如索洛维约夫、梅列日科夫斯基、罗扎诺夫、吉皮乌斯、别雷、别尔嘉耶夫、乌斯特里亚洛夫、巴尔蒙特、米留柯夫、叶甫列伊诺夫、列米佐夫、维亚切斯拉夫·伊万诺夫。

任尼娅心想，这两个人好像把早已沉没的一个书、画、哲学体系、戏剧等等的世界从海底捞了出来。

里蒙诺夫忽然把她的这一想法说出口来：

“咱们好像把早已沉没的大西洲从海底捞出来啦。”

沙尔戈罗茨基伤感地点点头，说：

“是啊，是啊，不过您是俄罗斯的大西洲的考察者，我却是大西洲的居民，跟大西洲一起沉到了大洋底层。”

“这没什么，”里蒙诺夫说，“战争已经把一些人从大西洲捞到水面上来啦。”

“是啊，”沙尔戈罗茨基随口说，“结果共产国际的创造者再也想不出别的好法子，只会重复说：俄罗斯土地是神圣的。”

他笑了笑。

“别着急，等战争胜利了，那时候国际主义者就要说：‘我们的俄罗斯祖国是全世界的首领。’”

奇怪的是，任尼娅感觉到，他们谈得这样热烈，这样没完没了，这样俏皮，不仅是因为高兴他们的相遇，不仅是因为找到了共同感兴趣的话题。她明白，他们（一个已经完全老了，一个也早已上了年纪）一直都能感觉到她在听他们说话，他们都很喜欢她。这有多么奇怪呀。还有，奇怪的是，他们谈话她一点也不感兴趣，甚至觉得可笑，可同时又完全不是不感兴趣，而是很愉快。

任尼娅望着他们，心想：“了解自己是不可能的……为什么我为过去的生活这样难过？为什么我这样怜悯克雷莫夫？为什么我一个劲儿地想着他？”

就像过去克雷莫夫那些共产国际的德国人和英国人使她非常反感一样，现在沙尔戈罗茨基用嘲笑的口气说起国际主义者，她听着也很厌烦、很反感。就连里蒙诺夫的维生素缺乏论也不能帮她理清头绪。再说，这类事也跟理论无关。

她忽然觉得，她一直想着克雷莫夫，一直为他担心，只是因为她想念另一个人，那个人她似乎几乎没有想到。

“难道我真的在爱他？”她惊讶地想。

二十六

夜里，伏尔加河上空的黑云散尽。被山谷里浓浓的夜色劈碎的一座座山岗在星空下缓缓游动着。

有时流星在天空划过，于是柳德米拉不出声地说：“让托里亚活着吧。”

这是她唯一的祝愿。她对苍天再也没有别的要求了。

有一段时间，她还在数学物理系上学的时候，就在天文研究所计算机上工作。那时候她听说，流星在各个月份成群地迎着地球流动，有英仙流星群、猎户流星群，好像还有双子流星群、狮子流星群。她已经忘记，在十月、十二月跟地球相会的是什么样的流星群了。但是让托里亚活着吧！

维克托责怪她，说她不爱帮助人，说她对他家的人不好。他认为，如果柳德米拉愿意的话，他妈妈就会跟他们住在一起，不会留在乌克兰了。

当维克托的堂兄被从集中营里放出来，即将被送往流放地的时候，柳德米拉不愿意让他留宿，怕房管所知道这事。她知道：妈妈还记得，父亲病危时，柳德米拉正住在加斯普拉，等她一口气赶回莫斯科，已经是下葬后第二天了。

妈妈有时和她谈起米佳，为他的事情担心害怕。

“他是一个老实孩子，一辈子都是这样。居然说他从事间谍活动，说他谋杀卡冈诺维奇和伏罗希洛夫……简直是荒唐，胡说八道！什么人要这样造谣？是什么人要陷害忠实、正直的好人？”

有一天她对妈妈说：“你不能完全为他担保。没罪的人是不会抓起来的。”现在她想起了当时妈妈看她的那种目光。

有一次她对妈妈说到米佳的妻子：

“我一辈子都讨厌她，说实在的，现在我还是非常讨厌她。”

现在她也想起了妈妈的回答：

“可是你要知道，做妻子的因为不检举丈夫被判十年徒刑，这说明了什么！”

后来她又想起，有一次她在街上捡到一条小狗，带回家中，可是维克托不愿意收养这条小狗，她便大声对他说：

“你这人真冷酷！”

他回答她说：

“唉，我的柳德米拉呀，我不希望你年轻漂亮，只希望你的善良心肠不只是对猫和狗。”

现在她坐在甲板上，第一次不袒护自己，不责怪别人，回想着一生中听到的一次次责难的话……有一次丈夫打电话时笑着对人说:“自从我们家养了一只小猫,我能听到妻子亲热的声音了。”

有一次,妈妈对她说:

“柳德米拉,你怎么能不理睬穷人呀,你想想看这是吃不饱的人向你吃饱的人乞讨呀……”

但是她并不小气。她是好客的,她做的一手好菜,在朋友们中间是出了名的。

谁也看不见这天夜里她坐在甲板上哭。就算她心肠硬好啦,她把所学的东西全忘啦,她一点用处也没有啦,谁也不会喜欢她啦,她已经发胖啦,头发也灰白啦,又有高血压,丈夫不爱她啦,所以才觉得她冷酷无情。但是只要托里亚活着就行!她准备什么都承认,家里人认为她不对的地方,她都认错、改正,只要托里亚活着就行!

为什么她一直记着自己的第一个丈夫呢?他在哪儿?怎么能找到他呢?为什么她没有给他在罗斯托夫的姐姐写信?现在想写也不行了,那里有德国人。他姐姐如果知道托里亚的情况,会告诉他的。

轮船机器轰鸣声、甲板的颤动、拍溅的水声、天空的星光全混合到一起,融汇到一起,于是柳德米拉睡着了。

黎明时候渐渐近了。夜雾在伏尔加河上飘荡,似乎一切有生命的东西都沉没在雾中。忽然跃出一轮红日,就好像迸发出希望。蓝天倒映在水中,阴郁的秋水呼吸起来,太阳也好像在浪花上嚷嚷起来。岸坡上夜里落了厚厚的一层白霜,那红红的枫树在白霜中显得特别快活。晨风吹来,雾气消散,世界变得像玻璃一般,透明透明的,不论是明亮的太阳,不论是蓝蓝的水、青青的天，都没有一丝温暖。

大地是辽阔的，大地上的森林看去也是无边无际的，其实既能看到森林的头，又能看到森林的尾，可大地是无穷无尽的。

像大地一样大、一样长久的，是痛苦。

她看到坐在一等舱里的人民委员会领导人，穿着草绿色大衣，戴着灰色羊羔皮军帽。在二等舱里坐的是显要的妻子们和丈母娘们，所穿的服装都与身份相称，似乎妻子们有妻子们的特别服饰，丈母娘和妈妈们也有自己的特别服饰。妻子们穿皮袄，戴白色长绒毛头巾；丈母娘和妈妈们穿蓝呢子皮袄，带有黑色羊羔皮翻领，头巾是咖啡色的。跟她们在一起的孩子们都流露着苦闷和不高兴的眼神。从舱房窗户里可以看到这些乘客所带的很多吃的东西。柳德米拉的有经验的眼睛很容易看清装在各种容器里的东西。有蜂蜜，有炼过的油，装在一个个新的和旧的罐子里、坛子里，用火漆封了口的黑黑的大瓶里，顺着伏尔加河，朝下游而去。有些高等乘客在甲板上散步，从他们谈话的片段中可以听出来，他们都非常关心的是从古比雪夫开往莫斯科的火车。

柳德米拉觉得，那些高等女乘客看到坐在过道里的红军士兵和尉官们，表情都很冷漠，好像她们都没有儿子和兄弟在前方。

在播送苏联情报局的晨间新闻的时候，她们不跟战士们和船上水手们一起站在喇叭下面，眯缝着惺忪的睡眼看着喇叭，而是走来走去干自己的事情。

柳德米拉从水手们嘴里打听到，这艘船是包给一些负责干部及其家属的，他们要经过古比雪夫回莫斯科，军事机关命令这艘船在喀山停靠，上一部分军队和普通乘客。原定的合法乘客们大闹了一场，反对让军人上船，还打电话给国防委员会特派员。

这些奔赴斯大林格勒的红军战士，竟然觉得自己挤了合法的乘客，脸上露出歉疚的神气，令人感到说不出的奇怪。

柳德米拉觉得，高等女乘客们那种心安理得的眼神特别使人难以忍受。老奶奶们把孙子们唤到跟前，一面继续说话，一面很熟练地把糖果往孙子们的嘴里塞。等到从船头的一个舱里走出一个穿黄鼬皮皮袄的矮小老奶奶，带着两个孩子在甲板上玩儿，女乘客们都慌不及待地向她鞠躬、微笑，而在那些政治活动家们的脸上则出现了亲切和诚惶诚恐的表情。

如果现在广播电台宣布开辟了第二战场，宣布已经打破列宁格勒包围圈，他们谁也不会动一下；但如果有人告诉他们，莫斯科列车的国际车厢已经取消，一切战争大事就会被争购软卧票和硬卧票的劲头儿淹没。

真奇怪呀！柳德米拉也穿着灰羊羔皮袄，戴着长绒毛头巾，论服装也跟一等舱、二等舱的乘客差不多呀。不久前她也曾争着购卧铺车票；维克托到莫斯科出差，没购到软席票，她还生气呢。

她对一位炮兵中尉说，她的儿子也是炮兵中尉，受了重伤，现在躺在萨拉托夫军医院里。她跟一个有病的老奶奶谈到玛露霞和维拉，谈到身在沦陷区的婆婆。她的痛苦，跟这甲板上的痛苦气氛，跟那种总是牵连着军医院、前线坟地与乡村农舍、与无名空地上没有门牌的棚屋的痛苦，是一样的。

她离家时没有带茶杯，没有带面包；似乎她一路上不需要吃，也不需要喝。

但是，从早晨起，她在船上就非常想喝水，她知道，她要受罪了。第二天，红军战士们和船上司炉商量好，在机器舱里煮了一锅麦粒儿汤，把柳德米拉叫去，给她盛了一饭盒汤。

柳德米拉坐在空箱子上，用别人的饭盒和调羹喝起热汤。

“这汤好极啦！”一名炊事兵对柳德米拉说。因为她没有作声，炊事兵又问她：“怎么，不好吗？不是浮着一层油吗？”

红军战士请她喝汤，又希望她夸汤好喝，正可以感觉到战士的大方和朴实。

一名战士的自动步枪出了毛病，弹簧塞不进去，就连一名带红星勋章的准尉也没办法，她却帮着把弹簧塞了进去。

她听着几名炮兵尉官在争论，她拿起铅笔，帮他们解三角公式。

解出公式以后，一名原来喊她“女公民”的中尉忽然问她贵姓大名。到夜里，柳德米拉在甲板上散步。

河上弥漫着冰一般的寒气，下游来的狂风从黑暗中冲来。头顶上星光闪烁；高悬在她的不幸的头上的、由火与冰构成的无情的天空，既不能给人安慰，又不能使人安宁。

二十七

轮船抵达战时临时首都之前，船长接到命令，要继续往前开，开往萨拉托夫，接运萨拉托夫军医院的伤员。

坐在舱里的乘客们，开始准备下船了。他们把提箱、公文包拿出来，放到甲板上。

开始看到工厂的轮廓、一座座铁皮顶的楼房、棚屋，似乎船尾的水声也变了，轮船机器声也变了，变得更惶惶不安了。

然后，宽阔的萨马拉河开始慢慢出现。河水有灰色的、红色的、黑色的，有时像光闪闪的碎玻璃，有时裹在一股股工厂与火车头喷出的灰烟之中。

在古比雪夫下船的乘客站到了船舷边。

下船的人不告别，不向留下的人点头，他们在路上没有交朋友。

一辆“齐斯101”小汽车等候着穿黄鼬皮皮袄的老奶奶和她的两个孙子。一个穿将军呢大衣的黄脸男子向老奶奶行了一个军礼，又跟两个孩子握了握手。

过了几分钟，带着孩子、提箱和公文包的乘客们消失了，就好像本来就没有他们似的。

轮船上只剩下许多军大衣和棉军装。

柳德米拉觉得，这些人都是由共同的命运、劳动和痛苦联结在一起的，现在她在这些人当中，呼吸起来就轻松些、痛快些了。

可是，她错了。

二十八

萨拉托夫很不客气、很冷酷地迎接柳德米拉。

她一踏上码头，就和一个身穿军大衣的醉汉相撞，醉汉打了一个趔趄之后，一把把她推开，又骂了一句脏话。

柳德米拉顺着石子铺砌的很陡的岸坡往上爬，爬了一会儿，站了下来，喘着粗气，回头看了看。那轮船在下面，在一个个灰色的码头货栈中间显得很白。那轮船好像知道她在向它告别，便用低低的、断断续续的汽笛声回答她："你走吧，走吧！"于是她走了。

在上电车的时候，一些年轻女子一声不响地拼命推挤老年人和病弱的人。有一个头戴红军帽的盲人，看样子，是从军医院出来不久的，还不能单独从事瞎眼人的活动，两只脚急急慌慌地倒换着，拿小棍儿在面前直捣。他像个孩子一样急切地抓住一个不怎么年轻的妇女的衣袖。那妇女把胳膊一抽，朝旁边跨了一步，她那钉了铁掌的靴底在石子路面上叮当响了两声。他还要去抓她的袖子，并且连忙解释说：

"请帮我上车，我是刚从军医院出来的。"

那妇女骂了一声，把瞎了眼的伤兵一推，那伤兵失去平衡，一屁股坐到马路上。

柳德米拉看了看那妇女的脸。

这种无人性的表情是从哪来的？来自什么？是来自她在童年经历过的1921年的饥饿？来自1930年的大批大批的死亡？还是来自穷困艰难的生活？

那盲人愣了一会儿，然后一下子站起来，用鸟叫一般的声音叫起来。他那一双瞎眼睛大概也清清楚楚地看见了他那帽子歪到了一边、无可奈何地摇晃着棍子的模样儿。

盲人拿棍子敲打着空中，在这种乱摇乱打中，表现出他对冷酷的有眼人的痛恨。人们拥拥挤挤地往车上爬，他站在那里又哭又叫。被柳德米拉怀着希望和热爱连结为一个劳动、贫穷、善良和痛苦的大家庭的人们，就好像商量好了似的，坚决不做人道的事情。他们就好像商量好要推翻一种说法似的，这种说法是：穿油污衣裳、在劳动中弄黑了手的人，心肠必定是善良的。

柳德米拉的心感触到一种令人难受的、黑沉沉的东西，就好像来到俄罗斯那数千里贫瘠土地上，感到寒冷与黑暗，这是置身现实生活的冻土带时的无可奈何感。

柳德米拉问女售票员，应该在哪儿下车，女售票员冷冷地说：

"我已经说过啦，你聋了吗？"

有些乘客站在电车通道上。问他们是不是要下车，他们也不回答，像石头一样，动也不动。

过去柳德米拉曾经上过萨拉托夫女子中学初级预备班。冬天的早晨，她坐在饭桌旁，悠荡着两条腿，喝着茶，她热爱的父亲给她往热乎乎的白面包上抹奶油……灯光映照在茶炊的粗粗的桶上。她不愿意离开父亲的温暖的手，不愿丢下热乎乎的面包，不愿离开热气腾腾的茶炊。

似乎那时在这座城市里没有寒风，没有饥饿，没有自杀的人，医院里没有奄奄一息的孩子，只有温暖，温暖，温暖。

她的大姐索菲娅死于喉炎，就葬在这里的坟地里。妈妈给大姐取名索菲娅，为的是纪念因为谋刺沙皇而被处死的女革命家索菲娅·里沃菲娜·佩罗夫斯卡娅。爷爷好像也葬在这里的坟地里。

她来到一座三层的学校大楼跟前，这就是托里亚所在的军医院。

门口没有岗哨。她觉得这是好兆头。她感到医院里的空气是那样稠、那样粘，就连冻得要死的人也不会喜欢这热乎乎的空气，宁愿离开这里再上寒冷的地方去。她从厕所旁边走过，厕所门口还挂着过去的牌子:“男生厕所”“女生厕所”。他经过走廊,厨房里的气味朝她扑来。她又往前走,透过蒙了一层水汽的玻璃看到里面院子里堆着不少长方形的棺材。她又像在家里拿着未打开的信那时候一样,心想:“天啊,万一已经死了呢。”可是她放大了步子又朝前走去,走上灰灰的地毯,从一个个床头小柜和她所熟悉的天门冬、蓬莱蕉中间穿过,来到一个门口,门口挂着“四年级”的牌子,并排挂着手写的牌子:“病历室”。

柳德米拉抓住门把手。阳光穿过乌云,射在窗户上,四周围一下子都亮了。

过了几分钟,爱说话的管理员一面在被阳光照得亮闪闪的长长的匣子里翻着病历卡,一面对她说:

“噢,噢,就是说,沙波什尼科夫·阿……哦……阿纳托里·维……噢……您很幸运,没有碰到我们的警卫长,没脱大衣,他要是看见了,够您受的……噢,噢……就是说,沙波什尼科夫……就是,就是,就是他,中尉,不错。”

柳德米拉看着他的手从长长的胶合板匣子里抽出卡片,她似乎站到了上帝面前,等候上帝告诉她是死是活,可是他一时之间呆住了,弄不清她的儿子是死了还是活着。

二十九

柳德米拉来到萨拉托夫的时候,给托里亚做过又一次手术,即第三次手术之后,已经过了一个星期。做这次手术的是二级军医麦捷尔。手术又复杂,时间又长。托里亚有五个多钟头处在全身麻醉状态中,两次静脉注射安眠朋钠。军医院的军医和医科大学的临床医生中都没有人在萨拉托夫做过类似的手术。只见过文字材料,美国一家军事医学杂志在1941年发表过类似的记载。

因为这项手术特别复杂,在做过例行的X光检查之后,麦捷尔医生曾经和托里亚进行过长时间的、坦率的交谈。他向托里亚解释了重伤之后在他机体内发生的病理变化的性质。同时医生也坦率地说了说手术中可能出现的危险。他说,共同会诊的一些医生的意见并不一致,老医师罗季奥诺夫就反对这次手术。托里亚向麦捷尔医生提了两三个问题,略加思索之后,就在X光室里表示同意做手术。为这次手术做准备,用了五天时间。

手术从上午十一点开始,到下午四点多钟才结束。在做手术的时候,军医院院长、军医季米特鲁克也在场。在场观察手术的医生们都认为,手术进行得非常漂亮。

麦捷尔医生当机立断地在手术台边正确地解决了一些意外的、在文字记载中不曾见到的难题。

病人在手术时的状况是令人满意的,脉搏正常,没有减弱。

下午两点钟左右,已经不年轻的、胖大的麦捷尔医生自我感觉很不好,只好停止工作几分钟。内科医生给他注射了一针伐力多,之后麦捷尔医生再也没休息,一直把手术做完。可是,手术结束后不久,托里亚刚刚被送进隔离病房,麦捷尔医生就发生了很严重的心绞痛。只有一再地注射樟脑剂和使用硝化甘油,到夜里才把心绞痛压下去。显然,心绞痛是精神紧张和不健康的心脏负担过重引起的。

值班护士捷连季耶娃遵照指示在观察托里亚的情况。克列斯托娃医生走进病房，摸了摸尚处在昏迷状态中的托里亚的脉搏。病人的情况很好，克列斯托娃对护士说：

“麦捷尔把沙波什尼科夫中尉救活了，可是麦捷尔自己差点儿死去。”

护士捷连季耶娃说：

“噢嘿，万一光是中尉托里亚活下来，那才够受哩！”

托里亚呼吸几乎没有声音。他的脸一动也不动，那细细的手臂和脖子就像是小孩子的手臂和脖子，在苍白的皮肤上还保留着战地作业和草原行军中晒黑的痕迹，就像隐隐约约的影子。托里亚的状况介乎昏迷和睡梦之间：一方面是麻醉药的力量尚未完全消退，一方面是体力和精力受到巨大消耗。

托里亚迷迷糊糊地说一些不相连贯的词儿，有时说出连贯的句子。捷连季耶娃觉得他好像很快地说了一句：“你没看到我这个样子，太好了。”说过这一句以后，他不作声了，两个嘴角耷拉下来，就好像他在昏迷中不出声地哭了。

晚上8点左右，他睁开眼睛，并且很清楚地说要喝水，护士一见这情形，非常高兴，非常惊讶。她告诉他，他现在不能喝水，又告诉他，手术十分成功，完全可以复原。她问他感觉如何，他回答说，背部和腰侧都不怎么疼痛。

她又试了试他的脉搏，往他的嘴上和额头上敷了湿毛巾。

这时候卫生员麦德维杰夫走进病房，说外科主任普拉托诺夫医生打电话找护士捷连季耶娃。捷连季耶娃来到值班室里，拿起话筒，向普拉托诺夫汇报说，病人已经醒了，就一个经过大手术的病人来说，情况完全正常。

护士捷连季耶娃要求派人接替她，她要上市军委会去，因为给她丈夫的领款证地址写错了。普拉托诺夫答应让她去，但叫她继续观察一会儿，等会儿普拉托诺夫亲自来接替她。

护士捷连季耶娃回到病房。病人依然躺着未动，还是她离开时那个样子，但脸上的痛苦表情不那么强烈了：嘴角抬上去了，脸色平静了，似乎在笑哩。看样子，一直很痛苦的表情，使托里亚的脸显得很苍老，现在这一副笑脸使护士捷连季耶娃感到吃惊：那瘦小的脸，那苍白而饱满、微微噘起的嘴唇，没有一丝皱纹的高高的额头，似乎不是属于一个成年人，甚至也不属于一个大孩子，而是属于一个小孩子的。她问他感觉如何，他没有回答，看样子，是睡着了。

捷连季耶娃又看了看他脸上的气色，有点儿不放心。她抓起他的手，没有摸到脉搏，手只是多少有一点儿热乎，这是勉强能感觉到的余热，就好比前一天生的炉子，早已熄灭，但到早晨还保留着一点儿微热。

尽管护士捷连季耶娃一直生活在城市里，可是她跪了下来，为了不惊动活着的人，轻轻地、像农村妇女那样号哭起来：

“我们的亲人呀，我们最最心爱的人呀，你怎么就走了呀？”

三十

军医院里已经知道沙波什尼柯夫中尉的母亲来了。接待死者母亲的是军医院政委、营级政委希曼斯基。他是一个漂亮男子，听口音就可以知道他是波兰出生的。他皱着眉头等待柳德米拉到来，他以为她必然要流泪，也许还会昏过去。他用舌头舔着刚长出来的胡子，为死去的中尉、为死者的母亲难过，并且因此也生起中尉和他妈妈的气：如果每一个死去的尉官的妈妈都需要接待，神经怎么能受得了呀？

希曼斯基请柳德米拉坐下，在开始谈话之前，先递给她一杯水。于是她说：

“谢谢您，我不渴。”

她听他谈了手术前会诊的情形（这位政委认为不必要说，有一人曾经反对做手术），谈了这次手术的困难，谈了这次手术进行得很好；又说，医生们认为，对于沙波什尼科夫中尉这样的重伤，应该做这种手术。他说，沙波什尼科夫死于心脏麻痹，经过三级军医鲍尔德廖夫病理解剖，得出结论：这次突然变化，医生是无法预测，也无法排除的。

接着政委又说到，军医院来的病人成百上千，可是很少有人像沙波什尼科夫中尉这样受到医护人员喜爱。他又自觉，又文雅，又有礼貌，总是不好意思提什么要求，怕麻烦医护人员。

希曼斯基说，一个做妈妈的，养育出这样一个忠诚无私地把生命献给祖国的儿子，应当感到自豪。

然后希曼斯基问她对医院领导有没有什么要求。

柳德米拉说，占用政委不少时间，请多原谅，接着她从小包里抽出一张纸，念起自己的要求。

她要求把儿子的埋葬地点告诉她。

政委一声不响地点了点头，并在小本子上记下来。

她希望和麦捷尔医生谈一谈。

政委说，麦捷尔医生听说她来了，也很想和她见见面。

她要求见见护士捷连季耶娃。

政委点点头，又在小本子上记了一下。

她要求把儿子的遗物给她，作为纪念。

政委又记了记。

然后她要求把她给儿子带来的礼物转送给别的伤员，接着就把两听鲱鱼罐头和一包糖果放到桌子上。

她的眼睛和政委的眼睛相遇。政委的眼睛遇到她那蓝蓝的大眼睛的光芒，不由地眯缝起来。

希曼斯基请柳德米拉第二天上午九点半到医院来，她所有的要求都不成问题。

政委看了看已经关上的门，看了看柳德米拉要求转送其他伤员的礼物，他摸了摸自己手上的脉搏，没有找到脉搏，就把手一挥，喝起水来，这水便是开始谈话前请柳德米拉喝的那一杯。

三十一

似乎柳德米拉没什么空闲时间。夜里她在大街上走来走去，在公园里的长椅子上坐了坐，到车站里面暖和了一阵子，就又迈着郑重其事的快步子在空荡荡的大街上来来回回地走。

她所要求的事，希曼斯基全给办了。

上午九点半，护士捷连季耶娃来见柳德米拉。

柳德米拉请她说说她所知道的有关托里亚的一切。

柳德米拉穿上罩衫,和捷连季耶娃一同登上二楼,从她儿子当时进手术室经过的走廊走过,在一个单间病房的门口站了一会儿,看了看这天上午空出来的病床。护士捷连季耶娃一直走在她旁边,用手帕擦着鼻子。柳德米拉又下到一楼,捷连季耶娃便和她分开了。不久,接待室里进来一个人,白头发,胖大的身子,黑黑的眼睛下面有两个黑黑的圈儿。麦捷尔医生那浆过的白罩衫跟他那黑黑的脸和睁得老大的黑眼睛相比,显得很白很白。

麦捷尔对柳德米拉说了说,为什么罗季奥诺夫教授反对做这次手术。柳德米拉想问的事,他似乎全猜到了。他对她说了说手术前他和托里亚谈的话。他很理解柳德米拉的心情,一丝不苟、毫不隐瞒地说了说手术过程。

然后他说,他对中尉托里亚有一种特殊感情,几乎是一种父爱,在这位医生那低沉的声音中,有一种像玻璃一样的声音又尖细又悲戚地响起来。她第一次看了看他的手,那双手是一双很特别的手,似乎不是长在这个眼神悲戚的人的身上的,那手粗大而沉重,手指头黑黑的,又长又强劲有力。

麦捷尔把一双手从桌上抽回去。他似乎在念她心中的想法,说:

"能做的事,我全做了;但结果是,我的手加快了他的死亡,而没有战胜死亡。"他又把一双手放到桌子上。

她明白,麦捷尔说的一切都是事实。

他说的有关托里亚的每一句话,她都非常希望听,她听着却又痛苦,又难受。可是,他这些话里还有一种很难受的沉重感。她觉得,麦捷尔医生希望和她见面不是为了她,而是为了他自己。这使她心中对麦捷尔产生了不好的感觉。

在麦捷尔医生要走的时候，她说，她相信他为了挽救她的儿子，能做的事全做了。他沉重地喘了一口气。她感觉到，她的话使他轻松了。这样她又明白了，他因为感到自己有权从她嘴里听到这样的话，所以希望和她见面，于是和她见面了。

她带着责备的意味在心里想道："难道还要从我这里得到安慰吗？"

麦捷尔走后，柳德米拉便朝戴皮帽的警卫长走去。他向她行了一个军礼，用嗄哑的声音报告说，政委指示用小汽车把她送到安葬的地方去，小汽车还要等十分钟才来，因为到票证发放处送非军职人员名单去了。中尉托里亚的东西已经收拾好了，最好是从坟地回来后再带走。

她所有的要求全做到了，而且一丝不苟，不打折扣，就像执行军令一样。不过，从政委、护士、警卫长对她的态度中可以感觉出来，这些人也想从她这里得到宽恕和安慰。

政委因为医院里常常死人，感到自己有责任。在柳德米拉来医院之前，他并没有为此感到不安。医院嘛，总是要死人的，尤其是在战争时期。医疗服务工作的组织安排，并未引起上级领导的责难。经常使他受批评的是政治工作做得不够，没有很好地报道伤员的顽强精神。

他跟部分伤员的不相信战争能胜利的倾向斗争不够，跟一部分落后的、对集体农庄制度抱有敌对情绪的伤员的恶意攻击斗争不够。在医院里还有一些伤员传播军事机密的事。

军区卫生部政治处曾经把希曼斯基叫了去，告诉他，如果特别处再汇报说医院思想混乱,就要把他调到前方去。

现在政委见到死去的中尉的妈妈,感到非常羞愧,因为昨天死了三名伤员,可是昨天他还洗了淋浴,让炊事员用炖好的酸白菜给他做了可口的下酒菜,喝了从市商业局弄来的一小桶啤酒。护士捷连季耶娃见到死去的中尉的妈妈感到羞愧的是,她的丈夫是军事工程师,在军团参谋部工作,没有上过前方,她的儿子比托里亚还大一岁,却在飞机工厂设计处工作。警卫长羞愧的是,他是一名基干军人,却在后方医院工作,他还把一段上等的华达呢衣料和一双精制的毡靴寄回家,可是死去的中尉留给妈妈的只有棉军装。

经管死去的伤员埋葬事务的厚嘴唇、厚耳朵的司务长,在陪柳德米拉前往坟地的时候,也感到羞愧。棺材都是用薄薄的废木板钉成的。死者都是穿着内衣进棺材,普通士兵的棺材放得十分拥挤,都成为合葬的坟墓,坟上的墓碑都是未刨光的木牌,文字写得歪歪扭扭,而且是用容易褪色的颜料写的。当然,师卫生营里的死者都是直接埋进坑里,连棺材都没有呢,木牌上的文字是用变色铅笔写的,一下雨就冲掉。还有那些死在战斗中,死在森林里、沼地上、山沟里、旷野上的人,还常常得不到埋葬呢,埋葬他们的往往是沙土、枯叶、风雪。

但是,当这位妇女跟他一起坐在汽车里,问他怎样安葬死者,问他是不是合葬,给死者穿什么服装,在坟地上是否致悼词的时候,他还是因为棺材木料太差而感到羞愧。

他感到不好意思还因为,他在出来之前曾经跑到军需仓库一个朋友那里去,喝了一小罐加水的药用酒精,还就着大葱吃了一块面包。使他感到难为情的是,汽车里充满了他呼出来的酒气和大葱气味,可是,不论他多么难为情,不呼吸是不行的。

他愁眉苦脸地望着挂在司机前面的反光镜。在这四四方方的小镜子里映照出司机那一双带笑的、使司务长感到惭愧的眼睛。

“司务长,你喝醉啦!”司机那一双年轻而快活的眼睛不客气地说。

所有的人在牺牲了儿子的母亲面前都感到羞愧,而且,不论人类历史多么长久,想对她说明自己无愧,都是徒然的。

三十二

劳动营的士兵们正在从汽车上往下卸棺材。从他们不声不响、不慌不忙中可以看出他们干这种活儿的熟练和习惯。一个人站在车厢里,把棺材推到边沿上,另一个人用肩膀接住,往外一拖,于是又一个人不声不响地走过来,用肩膀接住棺材的另一边。他们咯吱咯吱地踩着上了冻的土地,把棺材抬到宽大的合葬坟里,贴着坟坑的边放好,又回到汽车跟前。等到空了的汽车回城里去了,士兵们便蹲在敞着的坟墓的棺材上,用大量的废纸和少量的烟丝卷烟卷儿。

“今天好像空闲些。”一个士兵说着,便用装配得很好的打火家什打起火来,——带状的火绒是塞在子弹壳里的,火石是嵌在框子里的。这个士兵把火绒摇了两下,就冒出烟来。

“司务长说,今天就一汽车,再没有了。”另一名士兵说着,喷了一大口烟，抽起烟卷儿。

“那咱们可以封坟啦。”

“过一会儿当然好些，他还要拿名单来，要检查。”另一名没抽烟的士兵说着，从口袋里掏出一块面包，打了打灰，又轻轻吹了吹，便吃起来。

“你对司务长说说，让他发给咱们铁钎，这地冻了好几尺厚，明天咱们还要挖新坟，像这样的地用锹能挖得动吗？”

刚才在打火的那一名士兵，用手啪啪拍了两下，把木头烟嘴里的烟头儿拍出来，又轻轻地拿烟嘴在棺材盖上敲了敲。

三个人都没有说话，好像在听什么。什么声音也没有。

“听说，要给劳动营发干粮吃啦，是真的吗？”吃面包的士兵说。他把声音放得很低，为的是不打搅棺材里的死者，知道他们对这些话不感兴趣。

第二个抽烟的士兵把烟头儿从长长的芦苇烟嘴里吹出来，又对着亮光朝烟嘴里看了看，摇了摇头。

还是没有什么声音。

“今天天气不坏，就是有风。”

“听，汽车来了，这一下子咱们要干到中午了。”

“不对，这不是咱们的大汽车，是小汽车。”

从小汽车里走出他们熟悉的司务长，接着出来的是一位戴头巾的妇女。他们朝铁栏杆那边走去，在上个星期之前都是在那里埋死人，后来因为已经没有地方，就不在那里挖坟了。“埋葬军人，没有一个人送葬，”一名士兵说。在和平时期他们又抽起烟来，这一次三个人都抽了。司务长走到他们跟前，很和善地说：

“同志们，咱们都抽烟，谁又替咱们干活儿呢？”他们一声不响地吐出三个烟团儿，接着，刚才打火的那个士兵说：“你也抽一口吧，听，咱们的汽车又来了。我从马达声能听出来。”

三十三

柳德米拉走到一个坟包前面，念了念写在胶合板上的儿子的姓名和军衔。

她清楚地感觉到，在头巾下面的她的头发动了起来，不知是谁的冰冷的手指头在拨弄她的头发。

左边，右边，直到栏杆边，全是灰灰的坟包，没有青草，没有鲜花，只有插在坟土里的一根根木杆。木杆顶上钉着胶合板，上面写着一个人的姓名。胶合板有许多，密密麻麻，全都是一个样子，很像田野里长得很茂盛的庄稼。

她现在终于找到了托里亚。有多少次，她拼命猜想，他在哪儿，他在干什么，想什么，他是倚着战壕的土壁打瞌睡，还是在路上走，是不是一只手端着茶缸、另一只手拿着糖块喝茶，是不是冒着枪林弹雨在田野上奔跑……她很希望跟他在一起，他需要有妈妈，——她可以给他斟茶，对他说：“再吃块面包吧！”她给他脱鞋，给他洗磨出泡的脚，给他脖子上围围巾……每次他走了，她都无法找到他。现在她终于找到了托里亚，可是他已经不需要她了。

稍远处可以看到革命前的一些坟墓，坟前还有大理石十字架。那些十字架就像是一群谁也不要、跟谁也没有关系的老头子，——有些歪倒在一旁，有些软弱无力地靠在树上。

天空好像没有了空气，好像有人把空气抽光了，头顶之上，空空荡荡，只有干燥的灰尘。可是无声无息然而马力强大的抽气机还在抽天空的空气，不停地抽，抽，柳德米拉觉得不仅已经没有天空，而且也已经没有信心，没有希望，在巨大的没有空气的天地间只剩了灰灰的冻土块垒成的一个小小的土丘。

一切活着的，妈妈，娜佳，维克托的眼睛，战报，一切都不再存在了。

活着的成了不活的了。世界上只有托里亚活着。可是，四周围多么静呀。他是不是知道她来了呀……

柳德米拉跪下来，为了不惊扰儿子，轻轻地把写着儿子姓名的胶合板扶正。她记得，过去她送他上学的时候，给他理衣领，他总要生气。

“这不是，我来了，可是你也许在想，怎么妈妈不来呀……”

她说起话来，声音小小的，怕栏杆外面有人听见。

公路上奔驰着汽车，黑乎乎的、花岗岩般的卷地风雪在旋转，茫茫一片，在柏油路面上又绕圈儿，又打旋儿……背着口袋的人、提着牛奶桶的女人都穿着军靴，橐橐地走着，身穿棉袄、头戴棉军帽的孩子们跑着去上学。

但是她觉得这到处在活动的世界只是一种模模糊糊的幻景。

多么静呀。

她和儿子在说话，回忆着他过去生活中的详情细节，于是这些仅仅存在于她的记忆中的往事充满了天地间，天地间到处是孩子的声音、眼泪、翻看小人书的沙沙声、小调羹敲打白碟子边儿的声音、自己装配的收音机的嗞嗞声、滑雪板的哧哧声、别墅区塘里的划船声、糖果纸的沙沙声、闪来闪去的孩子脸、肩膀、胸膛。

他的眼泪、苦恼，他的好的、不好的行为，都因为她的绝望而复活了，一切如在眼前，好像可以触摸到。

她不是回忆死去的儿子，而是为他的实际生活操起心来。

干吗要在这么弱的灯光下通宵看书呀。这么年轻就开始戴眼镜，以后怎么办啊……

瞧，他就穿着薄薄的布衬衣躺在这儿，光着脚，怎么不给他盖被子，这地冰凉冰凉的，到夜里还有老厚的霜呢。

柳德米拉鼻子里忽然涌出鲜血。头巾都湿透了，沉甸甸的。她头晕，眼睛发黑，有一会儿她觉得就要昏过去。她闭上眼睛。等她把眼睛睁开，在她的悲痛中复活的世界已经消失，只有被风卷起的灰色尘土在坟墓上面盘旋着；好像是一会儿这座坟、一会儿那座坟冒起灰烟。

奔流在坚冰之上、把托里亚从黑渊中漂出来的那股仙水流走了，消失了；在母亲的绝望中出现的那个世界，一时间冲破现实的桎梏、要取代现实的那个世界，又不见了。她的绝望好像变成了上帝，让儿子从坟墓里站起来，让空中布满新的星星。

在过去的这几分钟里，世界上只有托里亚活着，其余的一切都有赖于他。

但是，母亲的强大力量不能长久地使大量的人群、大海、道路、土地、城市服从死去的托里亚。

她把头巾按到眼睛上，眼睛是干的，头巾却被血湿透了。她觉得她的脸上沾满黏糊糊的血。她弯着腰坐着，渐渐平静下来，不由得在思想上迈着小小的起步，开始承认托里亚不在人世。

医院里的人见她这样平静，听到她提的问题，都感到吃惊。他们不知道，她还没有意识到他们已经很清楚的事实，没有意识到托里亚已经不在人世。她对儿子的感情太强烈了，以至于既成事实的威力丝毫不能动摇这种感情，所以他还继续活着。

她已经失去理智，谁也没看出这一点。她终于找到了托里亚。就好像老猫找到已死的小猫，又高兴，又拿舌头舔。

她的心还要经历长时间的痛苦，直到几年、也许几十年之后，慢慢地、一块石头一块石头地堆起自己的坟包，在心里清醒地感觉到永远失去了儿子，才会在既成事实的威力面前屈服。

劳动营的士兵干完活儿，已经走了，太阳就要落山了，坟地上的胶合板投出了长长的影子。只剩柳德米拉一个人了。

她想，应该把托里亚的死讯通知他的亲属，通知在集中营里的他的父亲。一定要通知父亲。要通知亲生父亲。托里亚在手术之前想些什么呢？他吃得怎样呢？还用调羹吃饭吗？他是不是有时也侧着睡呢？还是仰着睡？他喝水喜欢加柠檬和糖呀。现在他是怎样躺着的？头发理过没有？

大概由于心里的痛苦过于沉重，四周围的一切变得越来越黑沉了。

她一想到，将来维克托死，将来她的女儿的儿女们死，她都会很痛苦的，自己的痛苦怎么老是没完没了，她感到很奇怪。

在悲痛感过分沉重，她的心支持不住的时候，现实与她心中浮现的世界的界限就消失了，她的爱打退了永恒。

她想，干吗要把托里亚的死讯通知他的生父、通知维克托和所有亲属，要知道，情况还完全不能肯定呀。最好是等一等，也许，还能好转呢。

她小声说：

“你也不必告诉任何人，情况还一点不清楚呢，还会好起来呢。”

柳德米拉拿大衣襟盖住托里亚的腿。她又从头上摘下头巾，盖住儿子的肩膀。

“哎呀，可不能这样，怎么能不盖被子。哪怕把腿盖一盖也好。”

她想得出神了。在迷迷糊糊的状态中继续同儿子说话，责备他写信写得那样短。她渐渐清醒，给儿子拉了拉被风吹到一边去的头巾。

她跟儿子两个人在一起，谁也不打搅他们，多么好呀。谁也不喜欢他。都说，他不漂亮：嘴唇又厚，又往上翻。都说他行动古怪，动不动就生气，发火。同样，谁也不喜欢她，家里人光看她的缺点……我的可怜的孩子，我的腼腆的、不漂亮的好儿子呀……只有他喜欢我，现在，在这黑夜里，在坟地上，只有他和她在一起，他再也不离开她，等她成了一个没人要的老婆子，他还会爱她……他是一个多么不圆滑的人呀。从来不要求什么，又羞怯，又可笑；一位女老师说，他在学校里成了取笑的对象；大家逗他，捉弄他，他就像小孩子一样哭起来。托里亚呀，托里亚，可别丢下我一个人呀。

后来天亮了。伏尔加彼岸的草原上升起冷冷的红光。汽车吼叫着从大路上驶过。

精神狂乱状态过去了。她坐在儿子坟前。儿子的身体被黄土埋了。儿子没有了。

她看到自己的肮脏手指,看到铺在地上的头巾,她的两腿麻木了,她觉得她的脸也弄脏了。她的喉咙里发痒。

她对一切都冷漠了。如果有人告诉她,说战争结束了,说她的女儿死了,如果旁边有一杯热牛奶,有一块热面包,她连动都不会动,手也不会伸一下。她坐在地上,既不操心,又无思虑。一切都无所谓,什么都不需要。只有不肯休歇的痛苦紧压着她的心,冲打着她的两边鬓角。医院里的人、穿白衣的医生说过托里亚的事,她看到他们那张开又合上的嘴,却没有听见他们说的是什么。地上有一封信,是从大衣口袋里掉出来的,是军医院给她的那一封,她也不想捡起来,抖一抖上面的灰土。她无意识地想起,托里亚两岁的时候,蹒跚地追赶在地上跳来跳去的蟋蟀,耐心地、毫不泄气地跟在蟋蟀后面走来走去;又想起,她没有问护士,托里亚在生命的最后一天,在手术前的那个早晨是怎样躺着的,是侧着身,还是仰着。她看到了晨光,她不可能看不到啊。

忽然她想起:托里亚满三岁了,昨天家里人还吃甜点心呢,托里亚还问:"妈妈,为什么天黑了?今天是生日呀。"

她看到树枝,看到在阳光下闪闪放光的光溜溜的坟地石头,看到写着儿子姓名的胶合板,字有大有小,稀密不匀。她没有想,她没有心思了。她什么也没有了。

她站起身来,把信捡起来,用麻木的手抖了抖大衣上的小土块,又拍了拍,把鞋擦了擦,拿起头巾,抖了老半天,一直抖到头巾又成了白的。她把头巾披到头上,用头巾边儿擦了擦眉毛上的灰土，擦去嘴上和下巴上的血。她朝坟地大门口走去，不回头，不慢也不快。

三十四

回到喀山以后，柳德米拉就渐渐消瘦，越来越像学生时代照的相片。她上供应商店买东西，烧饭，生炉子，擦地板，洗衣服。她觉得秋天的日子太长，怎么也没办法打发过去。

从萨拉托夫回来的那一天，她就向家里人说了说这次外出的情形，说了说她想过自己有一些对不起家里人的地方，说了说她去军医院的情形，又把包着儿子被炮弹皮炸碎的血衣的小包打了开来。在她说这些事的时候，符拉季米罗芙娜在重重地叹气，娜佳在哭，维克托的手发抖，他都无法去端桌上的茶杯。这时来看她的玛丽亚的脸也变得煞白煞白的，嘴巴半张着，眼睛里也出现了痛苦的神情。只有柳德米拉平静地说着，两只发亮的蓝眼睛睁得大大的。

她一向是个十分喜欢争论的人，现在她跟谁也不争论了。以前如果有人说怎样可以到车站去，柳德米拉就会又生气又着急地抬起杠来，说根本不是走那几条街，也不是坐那几路电车。

有一次维克托问她：

“柳德米拉，每天夜里你是在和谁说话？”

她说：

“我不知道，也许是做梦。”

他再也没有问她，但是他对岳母说，柳德米拉几乎每夜都要打开箱子，把被子铺在角落里一张沙发上，心事重重地在小声说话。

“我有这样一种感觉，白天她跟我、跟娜佳、跟您在一起，似乎是在梦里；到夜里她说起话来就有了精神，就像战前一样，”他说，“我觉得她好像病了，渐渐变成另外一个人了。”

“我不知道，”亚力山大拉·符拉季米罗芙娜说，“我们都在受苦。又一样，又各有不同。”

他们的谈话被敲门声打断。维克托站起身来。但柳德米拉在厨房里高声说：

“我去开。”

家里人不明白是怎么回事儿，但却发现，柳德米拉从萨拉托夫回来以后，每天都有好几次到信箱里去看有没有信来。

每当有人来敲门，她都要急急忙忙去开门。

现在，又听到她的急急匆匆、几乎是在跑的脚步声，维克托和岳母交换了一下眼色。

他们听到柳德米拉很生气的声音：

“没有，今天什么也没有，你们不要来得这样勤，两天前我已经给你们半公斤面包了。”

三十五

维克托罗夫中尉被召到团部，去见担任后备的歼击机飞行团团长萨卡布卢卡少校。值日参谋维里卡诺夫告诉他，团长乘飞机上卡里宁区，到空军军团司令部去了，到傍晚才能回来。维克托罗夫问,叫他来干什么,维里卡诺夫睐睐眼睛,说,可能跟在食堂里酗酒、打架有关。

维克托罗夫朝防雨布加棉被做成的帷幔里面望了望,里面有打字机在响。办公室主任沃尔康斯基看到维克托罗夫,就猜到他要问什么,便说:

“没有,中尉同志,没有信。”

非军职的女打字员莲娜回头看了看中尉,朝着已经牺牲的飞行员杰米道夫送给她的那一面从击落的德国飞机上缴获的小镜子看了看,扶了扶军便帽,推了推放在她正在打的一张表上的小尺子,就又打起字来。

这位长脸的中尉竟也向办公室主任问同样苦恼的问题,惹起她的苦恼。

维克托罗夫在回飞机场的路上,拐弯朝树林边走去。

这个团为补充设备和飞行人员,退出战斗之后,已经有一个月了。

一个月之前,维克托罗夫觉得这人迹罕至的北方是奇特的。那森林,那曲曲弯弯奔流的陡峭的山冈间的小河,那霉烂气息、蘑菇气味、枝叶的飒飒声,日日夜夜使他不安。

在飞行的时候,他常常觉得地上的气味进入了机舱。这森林、湖泊散发着战前他在书上读到的古代罗斯生活的气息。在这儿,在森林、湖泊之间有古老的道路,过去曾经用这些笔直的树木造房屋、教堂,制作桅杆。还有大灰狼在这儿跑来跑去,阿列娜在维克托罗夫现在去军人服务社食堂经过的河岸上哭的时候,古老生活就开始变化,就沉寂了。他觉得,这逝去的古代是天真、单纯和年幼的，不仅是深闺的小姐，就连白胡子商人、助祭、长老们，都比这些有丰富生活经验的小伙子们，比萨卡布卢卡少校的空军团的飞行员们年幼一千岁，因为他们是从快速汽车、自动炮、柴油机、电影和无线电世界来到这森林里的。逝去的幼年时代的标志，就是奔流在花花绿绿的陡岸之间，在绿树与红的、蓝的花团中的湍急而细小的伏尔加河……

有许多尉官、军士和没有军衔的小伙子走在战争的道路上。他们抽他们分到的烟，用白调羹和铝盆子吃饭，在车厢里玩“捉傻瓜”，到城市里就吃冰棒，一面咳嗽，一面喝他们分到的少量的酒，写他们该写的信，对着战地电话喊叫，射击，有的打炮，有的放枪，有的开坦克，还要呐喊……

土地在脚下又有弹性，又咯吱咯吱直响，就像旧弹簧垫子，——这是枯叶，上面的又轻又脆枯叶，尽管已枯死，但依然各自存在，下面则是多年前的枯叶，如今已合成松软的褐色的整体，——这是生命的灰烬，生命已经爆发出幼芽，在雷雨中飒飒响，雨后闪着笑眼迎接阳光。几乎没有重量的腐烂树枝在脚下碎裂着。静静的阳光射在林中地上，被树叶划成斑斑点点。林中的空气稠稠的，动也不动；习惯了空中旋风的歼击机飞行员特别会感觉到这一点。晒热的潮湿树木散发着清新的木头气息。但是枯树朽枝的气息比活着的树木的气息更强烈。在有枞树的地方，浓烈的松节油气息胜过一切气息。山杨气味甜得腻人，赤杨气味又苦又涩。森林过的是独立生活，跟其他世界不相干，维克托罗夫觉得自己好像进了一座房子，里面的一切和外面都不一样：气味不一样，射进来的光线不一样，声音在里面响起来也跟外面不一样，一个人在森林里，总觉得自己不大习惯，就像在生人面前。就好像在底下透过高高的、厚厚的林中空气层朝上面张望，树叶飒飒响；觉得那咔啦咔啦、往军便帽的绿星上乱缠的蜘蛛网，就好像挂在水面与塘底之间的水藻。似乎那飞得很快的大头苍蝇、呆板的蚊子、像鸡一样在树枝中间穿来穿去的松鸡，尽管都长着翅膀，可是永远也飞不到森林上面去，就像鱼不会游到水面之上一样。喜鹊有时一下子飞到山杨树头顶上，可是马上就又钻进枝丛里，就像鱼有时猛地一跃，白肚皮在阳光里亮一下子，可是马上又钻进水里。在幽暗的林底，那挂满尚未消散的蓝色、绿色露珠儿的青苔多么奇怪呀。

从这种安静而幽暗的林底忽然来到明亮的林中空地上，是很好的，马上一切都不同了：又是热乎乎的土地，又是晒热的刺柏气息，又是流动的空气，又是耷拉下头的风铃草，那老大的风铃花就像用紫金铸成的，还有长在黏黏的茎上的野石竹花。心里就轻松起来；林中空地——就好像不幸的生活中出现了幸福的一天。似乎那蝴蝶，那蓝黑色的光溜溜的甲虫，在草丛里沙沙爬的蚂蚁，已经不是各顾自己，而是大家一起干共同的活儿。缀满小小叶子的桦树枝轻轻拂面。螽斯蹦来蹦去，把人当成树干，往人身上直撞，趴到人的腰带上，不慌不忙地蹲在上面为绿色大腿鼓劲儿，眼睛瞪得圆圆的，那饱满的头像羊头。还有因温暖而迟开的草莓花儿，晒热的纽扣和皮带扣环……大概，这林中空地上空从来不曾有“u-88”，不曾有“亨克尔”夜袭机飞过。

三十六

夜里他常常想起他在斯大林格勒医院里过的那几个月。他不记得那汗湿的衣裳、那咸得使人恶心的水，不记得那使人受不了的恶浊气味。他觉得在军医院的那些日子是他的幸福日子。现在，在这森林里，他听着树木的沙沙声，心想："难道我听到了她的脚步声？"

难道有过这事儿？她抱着他，抚摩他的头发，她哭着，他吻她那湿湿的、咸咸的眼睛。

有时维克托罗夫想，他可以驾着"雅克"上斯大林格勒去，不过几个小时，可以在梁赞加加油，然后上恩格斯城去，他有一个熟识的小伙子在那儿做值班主任。以后要枪毙就枪毙好啦。

他常常想起他在一本旧书上读到的一段故事：富贵人家舍列梅捷夫元帅的儿子们把十六岁的妹妹嫁给多尔戈卢基公爵。姑娘在婚前好像只见过他一回。姑娘的哥哥们给妹妹送了大量的陪嫁，送的银子装满三间屋子。结婚后第二天，彼得二世被杀。多尔戈卢基公爵是他的亲信，也被抓起来押往北方，关在一座木塔里。有人告诉新娘，说她可以不受这一婚姻约束，因为她跟丈夫总共生活了两天。但是她不听劝说，跟丈夫前去，住到偏僻的林区一座木屋里。一连十年，每天她都要到多尔戈卢基所在的木塔跟前去。有一天早晨，她看到木塔的小窗户开着，门也没有上锁。年轻的公爵夫人朝街上跑去，见到每一个人，不论是庄稼汉，还是士兵，她都跪下来哀求，问她的丈夫在哪儿。有人告诉她，她的丈夫被押到下诺甫戈罗得去了。她于是步行前往，一路上吃了很多苦。到了下诺甫戈罗得，她听说多尔戈卢基被分尸了。于是她决定进修道院，便前往基辅洞窟修道院。在剃度的那一天，她在第聂伯河岸边走来走去走了很久。但她不是俗念未灭，而是在接受剃度的时候，要把指头上的订婚戒指取下来，她却舍不得……她在河岸上徘徊了好几个钟头，后来，等到太阳就要落山了，她才把戒指从指头上摘下来，扔到河里，便朝修道院大门口走去。

这位空军中尉，这位保育院出身的斯大林格勒发电站机械车间钳工，老是想着多尔戈卢基公爵夫人的一生。他走在森林里，常常活灵活现地想象着：他已经死了，已被埋葬，被德国人击落的飞机扎到地里之后，也已经锈烂了，散架了，而且长满了青草，维拉·斯皮里多诺娃常常在这儿走来走去，有时停下来，朝岸坡下走，走到伏尔加河边，望着河水……在两百年前，年轻的多尔戈卢基公爵夫人就是在这儿走来走去，有时走到林中空地上，用手拨着缀满红色野果的树棵子，从野麻丛里穿过。他顿时觉得又难过，又痛苦，又失望，又甜蜜。

穿破军装的窄肩膀中尉在森林里走着。在难忘的时代里，有多少这样的人被遗忘了啊。

三十七

维克托罗夫还没有走到机场，就看出一定是发生了什么重要情况。许多加油车在夏天的田野上东奔西跑，机场服务营的机械师和发动机修理工围着停在掩护玻璃罩下的飞机忙活着。平时一声不响的电台发动机又清楚又起劲地嗒嗒响着。

“知道啦!”维克托罗夫心里说着,加快了脚步。

马上就证实了他的猜测。腮上带着红红的烫伤斑的上尉索洛马津一见到他,就说:

“有命令,咱们要出发了。”

“上前方吗?”维克托罗夫问。

“不上前方,上哪儿去?”索洛马津说过这话,便朝村子走去。

看样子,他的情绪很坏,他和女房东的关系不同一般,现在他大概是急急忙忙找她去了。

“索洛马津要分家啦:把房子给老娘们儿,老牛自己带着。”维克托罗夫旁边有一个熟悉的声音说。这是叶列玛中尉从小路上走来,他常常跟维克托罗夫配对儿飞行。“叶列玛,调咱们上哪儿?”维克托罗夫问。

“可能是西北战线要反攻了。师长乘‘艾尔-5’来了。我有一个驾驶‘道格拉斯’的朋友在空军军部里,可以问他。他什么都知道。”

“有什么好问的,不问也会知道。”

不仅机场上的团部和飞行员们紧张起来,村子里也紧张起来。团里最年轻的飞行员、黑眼睛、厚嘴唇的科罗尔少尉捧着洗好、熨好的衣服从街上走来,衣服上面还放着小甜饼和一包果干。

科罗尔的女房东是两个独身的老奶奶,常常给他做甜饼吃,大家都拿他开玩笑。每次他出来执行任务,两位老奶奶都要来飞机场,在半路上迎接他。一个高高的,身子笔直,另一个是驼背。

他走在她们中间，又生气，又难为情，像一个娇惯的孩子。飞行员们说，科罗尔跟一个惊叹号、一个问号走在一起。

飞行大队长瓦尼亚·马尔丁诺夫穿了军大衣从屋里走出来，一只手提着提箱，另一只手拿着崭新的制帽，他怕弄皱了，没有放到提箱里。房东的红头发女儿没戴头巾，披着一头自制的卷发，在后面用那样的目光看着他，见到这种目光，再猜测她和他的关系，就是多余的了。

一个多少有点儿瘸的男孩子向维克托罗夫报告说，跟他住在一起的指导员戈卢普和中尉沃夫卡·斯科特诺伊已经带着东西走了。

维克托罗夫在几天以前才搬到这一家来。在这之前，他和戈卢普住在一个很坏的女人家里。那女人高高的、凸起的额头，黄黄的、凸起的眼睛。谁看到这双眼睛，都觉得不舒服。

为了不让他们住下去，她往屋子里放浓烟，有一天还偷偷地往他们的茶里撒灰。戈卢普劝维克托罗夫把这个女人的事写成报告，报告团政委，但是维克托罗夫不愿写报告。

“让她害霍乱死掉。”戈卢普骂了一句，也就算了。

他们搬到另一家，他们觉得这一家简直是天堂。可是这天堂他们却不能久住了。

维克托罗夫很快也背着背包，提着塞得满满的手提箱从一座座足有二层楼高的灰色房屋旁边走过，瘸腿的男孩子在旁边蹦跳着，拿维克托罗夫送给他的战利品手枪皮套朝母鸡瞄准，朝盘旋在森林上空的飞机瞄准。他从先前住的房子前面走过，透过模模糊糊的窗玻璃看到那个坏女人的一动不动的脸。每次她挑着两桶水从井上回来，停下来休息的时候，谁也不搭理她。她没有牛，也没有羊，屋顶下也没有燕子。戈卢普打听过她的情况，想弄清她的富农阶级根源，谁知她却出身贫穷家庭。妇女们说，她在丈夫死后好像是疯了。有一次在深秋天凉时候她跑到湖里去，在水里待了一昼夜。几个男子汉把她硬拖了上来。可是妇女们说，她在丈夫死之前以及在出嫁之前，都不爱说话。

这会儿维克托罗夫走在这个林区村庄的街道上，再过几个钟头，他就要飞走，永远离开这儿了，这飒飒响的森林，这村庄，这麋鹿常常光临的菜园，这蕨草，这黄黄的松脂，这杜鹃，他都看不到了。这些老头儿、小姑娘他再也见不到了。再也没有人给他讲当年怎样实行集体化的事，没有人给他讲狗熊抢夺娘儿们马林果篮子的故事和小孩子用光脚板踩蛇头的故事……再也见不到这个又奇特、又平常的村庄，这村庄一切都跟森林有关，正如他出生和成长的工人村，一切都跟工厂有关。

然后飞机又要着陆，转眼间又要出现新的机场，出现农村或者工人村，出现另一些老年人、小姑娘，他们有他们的伤心事和开心事，有受伤而秃了鼻子的猫，又可以听到另外一些人叙述往事，叙述全面实行集体化的事，又会有另外一些好的或不好的房东。

美男子索洛马津到了新的环境里，又会在闲暇时间里戴起漂亮的军帽，在大街上溜达，弹着吉他唱歌儿，叫姑娘们心醉。

团长萨卡布卢卡少校，一张古铜色的脸，刚剃过的白头顶，胸前晃着五颗红旗勋章，倒动着两条弯弯的腿，在向飞行员们宣读准备战斗的命令。他说，今晚在掩蔽所里过夜，出发次序在起飞前在机场上宣布。

然后他又说，指挥部命令不准离开机场的掩蔽所，对不遵守命令者，严惩不贷。

“不能在空中睡觉，所以要在起飞前好好睡一睡。”他解释说。

团政委别尔曼也说起来。因为他很高傲，大家都不喜欢他，虽然他对飞行上的事能说得头头是道。在处理飞行员穆欣那件事情之后，大家就特别讨厌他了。穆欣和漂亮的女电报员丽达·沃伊诺娃谈起恋爱。大家都很喜欢他们这关系：一有空他们就相会，上河边散步，总是手挽着手走在一块儿。大家甚至都不取笑他们了，他们的关系已经非常明朗了。

忽然有一种说法传了开来，这一说法出自丽达之口，是她对一位女友说的，又由女友传遍了全团：在一次外出散步的时候，穆欣强奸了她，还曾经拿手枪威胁她。

别尔曼听到这桩事以后，暴跳如雷，而且表现出极大的积极性，使穆欣被法庭审问了十天，并且被判了死刑。

在执行枪决之前，空军集团军委委员阿列克谢耶夫空军少将来到团里，开始调查穆欣的案情。丽达弄得将军非常难为情；她跪在他面前，恳求他相信，有关穆欣一案全是胡编乱造。

她对他说了事情的全部经过：她和穆欣躺在林中空地上，接了一会儿吻，后来她睡着了，穆欣要跟她开开玩笑，悄悄把手枪伸到她的两个膝盖中间，朝土里开了一枪。她惊醒了，叫了起来，于是穆欣又跟她接起吻来。她把这事儿对女友说了，可是从女友嘴里往外一传，事情就十分可怕了。在这件事情中，只有一点是真实的，那就是，她跟穆欣的爱情是极其纯真的。事情很顺利地解决了，判决取消了，穆欣调到了另一个团里。

从那时起，大家就更不喜欢别尔曼了。

有一次索洛马津在食堂里说，俄罗斯人是不会干这种事儿的。

有一个飞行员，好像是莫尔恰诺夫，说，所有的民族中都会有坏人。

“就比如科罗尔，是犹太人，跟他配合飞行就很好。在执行任务时知道有这样一个朋友在后面，心里就觉得踏实。”瓦尼亚·斯科特诺伊说。

“科罗尔算什么犹太人？”索洛马津说，“科罗尔是咱们的小伙子，我在飞行中对他比对自己都信得过。他在勒热夫把紧跟在我后面的一架德国飞机扫掉了。多亏波里亚·科罗尔，我有两次甩脱盯住我的该死的敌机。你知道，我打起仗来，也是不要命的。”

“这是怎么一回事儿，”维克托罗夫说，“如果一个犹太人很好，你就说，他不是犹太人。”

大家都笑起来。索洛马津说：

“好啦，穆欣被别尔曼安上枪毙罪名的时候，他才不觉得好笑呢。”

这时候科罗尔走进食堂，有一个飞行员很同情地问他说：

“我问你，波里亚，你是犹太人吗？”

科罗尔有点儿难为情，回答说：

“是的，是犹太人。”

“是真的吗？”

“完全是真的。”

“割过鸡巴皮吗?”

“滚你的蛋。”科罗尔回答说。大家又笑起来。

等飞行员们从机场回村子去,索洛马津和维克托罗夫走在一起。

“你要知道,”索洛马津说,“你不该说那话。我在肥皂厂工作的时候,找碴儿整人的人不少,一个个都是领导。我看够了那些家伙。”

“你啰唆什么,”维克托罗夫耸耸肩膀,“你以为我是他们那种人吗?”

别尔曼说,飞行员生活中的新时期开始了,后备队的生活结束了。这些话不用他说大家也明白,但大家还是注意听着,听听他的话里有没有什么暗示,本团是不是还留在西北战线,是调到勒热夫一带,还是调到西线或南线?

别尔曼说:

“所以,战斗飞行员必须具备的第一点素质是:熟悉装备,熟悉得能够操纵自如;第二点,热爱自己的飞机,要像爱妈妈、爱姐妹一样;第三,要勇敢,勇敢就是火热的心加冷静的头脑;第四,要有同志感情,同志感情是我们整个苏维埃生活培养出来的;第五,在战斗中要有献身精神!成功就在于编队飞行技能!要紧跟长机!一个好的飞行员,就是在地面上也要常常思考,分析、研究上一次战斗:‘嗯,这样会好些;嗯,不该那样!’”

飞行员们装作很感兴趣地看着政委,一面小声说着话儿。

“也许,是不是叫咱们护送运输机往列宁格勒送吃的东西?”

索洛马津说。他有女朋友在列宁格勒。

“是不是去莫斯科方向?”莫尔恰诺夫说,他家里的人都在昆采沃。

“也许,要上斯大林格勒呢?”维克托罗夫说。

“算啦,恐怕不一定。”斯科特诺伊说。

他们团上哪儿,他都无所谓,因为他家的人都在敌占区乌克兰。

“波里亚,你想上哪儿去?”索洛马津问道,“是不是上你们犹太人的首都别尔季切夫去?”

科罗尔那黑黑的眼睛气得一下子完全黑沉下来,他很清楚地骂了一句娘。

“科罗尔少尉!”政委喝道。

“是,政委同志……”

“不要作声……”

其实科罗尔已经不作声了。

如果是萨卡布卢卡少校,他本来就是一个骂娘的行家,遇到飞行员当着领导的面骂娘,他不会管的。他每天早晨都对自己的通信员叫喊:“马秋金……我日你妈……”然后和和气气地说:“把手巾给我拿来。”

可是,团长知道政委那善于罗织罪名的作风,所以不敢马上把科罗尔放过。如果放过了,别尔曼会报告,说萨卡布卢卡在全体飞行员面前不维护政治领导人的威信。别尔曼已经向政治部写过报告,说萨卡布卢卡在做后备期间干私活儿,和团部里的人一起喝酒,和当地的女畜牧师任尼娅·邦达列娃有不正当关系。

所以团长绕着弯子开始了。他很威严地嗄声喝道：

“科罗尔少尉，怎么站的？上前两步走！干吗那么吊儿郎当？”

接着他把事情继续进行下去。

“戈卢普指导员，您向政委汇报一下，为什么科罗尔破坏纪律。”

“少校同志，请允许我报告，他是和索洛马津争吵，至于为什么，我没听见。”

“索洛马津上尉！”

“有。少校同志。”

“您来汇报。不是向我！向政委汇报！”

“政委同志，让我汇报吗？”

“汇报吧。”别尔曼点了点头，对索洛马津连看也没看。他感觉出来，团长还是在坚持自己那一套。他知道，萨卡布卢卡不论在地上，不论在空中，都特别狡猾。在空中，他能比谁都快地判断出敌人的目的和战术，以诡诈战胜敌人的诡诈。在地上，他懂得，领导强中有弱，下属弱中有强。如有必要，他可以装装样子，装成一个憨大，听到蠢人说的很蠢的俏皮话可以凑趣，可以哈哈大笑。他能把天不怕地不怕的飞行员们掌握在手心里。

在担任后备队期间，萨卡布卢卡对农业，主要是对饲养家畜、家禽表现出很大的兴趣。他也搞起果品加工：用马林果制果子露酒，腌蘑菇，晒蘑菇。他做的饭菜出了名，有许多团长喜欢在空闲时间驾飞机上他这儿来，又吃又喝。但这位少校不认为这是白慷慨。

别尔曼知道这位少校还有一个特别难对付的特点，那就是：尽管他又精明、又谨慎、又狡猾，然而同时又几乎是个疯子，一旦硬干起来，连命都不顾。

“跟领导争论，简直就像……跟风作战，”他对别尔曼说。并且会忽然不顾一切地干起有损切身利益的事。政委只有叹气。

有时两个人情绪都很好，他们就聊天，就你朝我、我朝你挤眼睛，互相拍肩膀或者拍肚子。

“嘿，我们的政委真是个精明汉子。”萨卡布卢卡说。

“嘿，我们的英雄少校真棒。”别尔曼说。

萨卡布卢卡不喜欢政委那种假殷勤，不喜欢他把每一句不小心的话都要写进报告的那股积极劲儿；他嘲笑别尔曼见了漂亮姑娘就眼馋，嘲笑他喜欢吃炖鸡而不喜欢喝酒，他不满意他对别人的生活条件漠不关心，却善于为自己创造基本的生活条件。他佩服别尔曼的聪明，佩服他为了事业敢于同领导冲突，佩服他的勇气，——有时候似乎别尔曼自己也不知道，他会很轻易地丢掉性命。

这会儿，这两个人在准备率领空军团奔赴前线的时候，彼此侧眼看着，听索洛马津上尉在说话：

“政委同志，我应该直说，科罗尔破坏纪律，这是我的过错。我嘲笑他，他忍着忍着，后来就忍不住了。”

“您对他说什么来着，您向政委说说。”萨卡布卢卡打断他的话。

“刚才同志们都在猜，咱们团上哪儿去，上哪条战线去，我就对科罗尔说：你想不想上你们的首都别尔季切夫去？”

飞行员们都看着别尔曼。

“我不懂，上什么首都？”别尔曼说过这话，忽然明白了。他有点儿难为情，大家都感觉到了这一点，而团长特别吃惊的是，这事儿竟出在一个像剃刀刃一样锐利的人身上。可是，使人惊讶的事儿还有呢。“这是怎么搞的？”别尔曼说。“科罗尔，大家都知道，索洛马津是新鲁扎区多罗霍沃村人，如果您对索洛马津说，他想上多罗霍沃村作战，他就该因为这样打您的嘴巴吗？这真是很奇怪的乡土道德标准，跟共青团员称号很不相称。”

他总是说一些耸人听闻的话。大家都明白，索洛马津是想逗科罗尔生气，科罗尔果然生气了，可是别尔曼却蛮有把握地向飞行员们解释，是科罗尔没有摆脱民族主义偏见，他的行为是藐视各民族友谊。科罗尔不应当忘记，法西斯正是利用民族主义偏见，利用民族主义偏见为所欲为。

别尔曼说的话本身是正确的，是对的。他这会儿用激动的语调说的思想，来自革命，来自民主。但这会儿别尔曼的着力点是，不是他为思想，而是让思想为他，为他今天的不好的用心服务。

“同志们，你们看，”政委说，“哪儿思想不正确，哪儿就没有纪律。今天科罗尔的行动就说明了这个问题。”

现在政委把科罗尔的行动同政治问题联系起来，萨卡布卢卡自然是不能干预的。萨卡布卢卡知道，任何一个战斗指挥员任何时候都不敢干预政工机关的行动。

“同志们，就是这么回事儿，”别尔曼说。为了加重自己的话的分量，他停顿了一会儿，才又说下去：“出现这种不成体统的事，责任在犯错误的本人，但我这个团政委也有责任，因为我没能帮助飞行员科罗尔清除思想上的落后的、丑恶的、民族主义的东西。问题比我一开始设想的要严重些，所以我现在还不能处罚科罗尔的违纪行为。但是我要把教育科罗尔少尉的任务承担下来。”

大家动了动，坐舒服些，都觉得事情过去了。

科罗尔看了看别尔曼，在他的目光中有一种异样的神情，别尔曼一看到这种神情，皱了皱眉头，抖了抖肩膀，并且转过脸去。

晚上，索洛马津对维克托罗夫说，

“你瞧，廖尼亚，他们总是这样，一个个多么深奥呀。这事儿要是出在你或者瓦尼亚·斯科特诺伊身上，肯定被别尔曼送到惩戒分队去啦。”

三十八

晚上，飞行员们在掩蔽所里都没有睡，躺在铺上，抽烟，谈话。斯科特诺伊吃晚饭时喝了不少告别酒，这会儿不住地在哼歌儿：

> 飞机作螺旋式飞翔，
> 吼叫着飞向大地胸膛，
> 不要哭，好姑娘，不要悲伤，
> 从此永远、永远把我遗忘。

维里堪诺夫还是憋不住，说漏了嘴，于是大家都知道了，本团基地要转移到斯大林格勒附近。

一轮明月升到森林上空，树木中间出现了晃晃不定的光斑。离机场两公里的那个村子，好像是躲在灰堆里，黑乎乎的，一点声息也没有。坐在掩蔽所门口的一些飞行员观赏着这美妙的、布满地标的世界。维克托罗夫望着“雅克”机翼和机尾投出的淡淡的月光阴影，也跟着斯科特诺伊哼唱起来：

用手把骨架抬起，
从飞机底下掏出我们，
一架架飞机盘旋上升，
送我们最后一程。

躺在铺上的飞行员们在聊天。在黑暗中看不清说话的人，但是听声音就知道是谁，所以不用呼唤名字，就回答或提出问题。

“杰米多夫自己请求任务，他不飞行就受不了。”

“你该记住，在勒热夫的时候，我们掩护轰炸机，八架飞机一齐朝他扑来，他应战，坚持了十七分钟。”

“是呀，拿一架歼击机换一架‘容克’，是划算事儿。”

“他一面飞，一面唱。我每天都能记住他唱的一两支歌儿。他也唱过维尔津斯基的歌。”

“这个莫斯科人有两下子！”

“是啊，他在飞行中肯照顾别人，总是照顾落后的同志。”

“你还没有真正了解他呢。”

“我了解他，在飞行中最能看清同飞的搭档，他的一切都向我表露出来了。”

斯科特诺伊唱完一支歌，大家都静下来，等着他再唱另一支。可是他没有再唱。

他说了一句流行于各个机场的谚语，说的是飞行员的生命好比短小的小孩子衣裳。

大家谈起德国人。

“判断德国佬也不难，一下子就可以判断出来，哪一架厉害，哪一架顽强，哪一架想捉呆瓜，从后面咬尾巴，哪一架专找落在后面的。”

“总的说，他们配合不怎么紧密。”

“可不能这样说。”

“德国佬见到受伤的就拿牙紧紧咬住，见到厉害的就逃跑。”

“要是一架对一架，就算是双头的，我肯定能把它打掉！”

“你别生气，要是依着我，因为你打掉一架‘容克’，不会授给你什么称号。”

“撞击——是俄罗斯人的天性。”

“我有什么好生气的，你又不能把我的称号取消。”

“是啊，关于撞击我早就有一种想法……我还可以拿螺旋桨来撞。”

“追赶中的撞击，才真够劲儿！把它赶着朝地上冲击，叫它撞个粉碎！”

“听说，团长要用‘道格拉斯’把母牛和母鸡都带上，是吗？”

“反正这些东西全解决啦：腌起来！”

有一个人拉长声音用若有所思的语调说：

“现在我要是带着姑娘上豪华的俱乐部去，还难为情呢。已经不习惯啦。”

“不过，索洛马津不会难为情。”

“你是不是羡慕呀，廖尼亚？”

“羡慕事实，不是对象。”

“我明白。绝对相信。”

然后大家回忆起勒热夫的战斗，那是转为后备队之前的最后一次战斗，那一次七架歼击机跟敌人大群“容克”轰炸机和护航战斗机相遇。似乎都是各说各的，但这又像是大家都在说同一件事。

“起初有森林做背景，看不见它们；等它们飞高了，马上就看见了。三层飞行。我立刻认出是‘容克-87’：腿儿跷着，鼻子是黄的。于是我坐舒服些：好，来吧！”

“我起初还以为那是高射炮炮弹爆炸呢。”

“毫无疑问，阳光对这种事儿是有利的。我从阳光方向朝德国佬冲去。我是左侧僚机。一下子被甩开三十公尺。跟上去不难，飞机很听话。我朝一架‘容克’开了火，把它打得冒了烟，可是这时候有一架敌人的歼击机，长长的，像一条黄鼻子狗鱼，转弯来盯我，可是晚了。我看到，朝我开火了，一道青青的印子。”

“我看到，我射出的青印子一直抵到它那黑黑的机翼上。”

“你好得意呀！”

“我小时候放风筝，我爹打我。我进工厂以后，工余时间常常跑七公里上航空俱乐部去，累得要命，可是一次表演都不放过。”

“喂，你听我说说。德国佬一下子把我打着了火：油箱、输油管都烧着了。里面着了起来。到处是浓烟！另外又打中了我的护罩，把眼镜打碎，护罩上的玻璃乱飞，流起了眼泪。你猜我怎样——我一下子钻到它底下,又一把把眼镜扯下来！索洛马津掩护了我。我着了火,可是不害怕,没工夫害怕！我仍旧坐着,身上没着火,靴子烧坏了,飞机烧坏了。"

"我看到:我们的小伙子要被打掉了。我又转了两个圈儿,有一架敌机要同我较量。我没理会,却赶去打另外的敌机,解救被追击的同志。"

"嗬,当时我已经带了不少窟窿,被打得像一只老山鹑一样啦。"

"我朝那个德国佬冲了十二次,把他打得冒烟了！我看到他的头乱摇,可见已经不行啦！在二十五公尺的距离我开了炮,把他打了下去。"

"是的,总的应该说,德国佬不喜欢在同一水平线上作战,总是尽可能飞到垂直线上。"

"怎么能这样说?"

"怎么样?"

"这事儿谁不知道?就连农村姑娘都知道:德国佬这是躲避急转弯攻击。"

"唉,真该把勒热夫掩护好一点儿,那儿的人真好呀。"后来安静下来,有一个人说:

"明天天一亮咱们就要走啦,只有杰米多夫一个人留在这儿啦。"

"好啦,同志们,不管怎样,我要上储蓄所去,要到村子里去一趟。"

"去告别吗?"

夜晚四周围的河流、田野、森林，一切是那样宁静，那样美好，似乎世界上不可能有仇敌、叛卖、衰老，只有幸福的爱情。云彩涌向明月，明月在灰色云雾中飘动，云雾遮住大地。在这样的夜里，有多少人在掩蔽所里过夜。在森林边上，在木栅栏旁，闪动着一方方白色的头巾，不时响起清脆的笑声。树木在寂静中轻轻抖着，想必是在梦中受了惊吓。河水有时轻轻低语一会儿，接着又无声无息地流起来。

恋人们的最痛苦时刻来到了。这是离别的时刻，是决定命运的时刻：有的今天在哭，明天就会被忘记；有的被死神永远分开；有的会得到命运的青睐，还会相见。

但是，早晨到了。马达隆隆响起来，飞机扇起的平刮的风把惊慌的青草压倒在地上，成千上万的露珠儿在阳光下纷纷颤动……一架架战斗机飞向蓝天，把小炮和机枪带上天空，在天空盘旋，等待伙伴们进行编组……

昨天夜里似乎还是无边无垠的林区，如今渐渐离开，在蓝天里渐渐沉没……

看得见一个个小盒子似的房屋、小方块似的菜园，房屋和菜园向后滑去，在机翼下渐渐消失……那青草萋萋的小路看不见了，杰米多夫的坟也看不见了……走吧！森林也哆嗦了几下，在机翼下滑走了。

“你好，维拉！”维克托罗夫说。

三十九

早上五点钟，值日囚犯把一个个囚犯唤醒。外面夜色依然很黑。棚屋里有通宵不熄的电灯照耀着。这样的灯在监狱、铁路枢纽站、城里医院急诊室都有。

成千上万的人一面咳嗽、吐痰，一面穿棉裤，缠裹脚布，搔腰侧，搔脊梁、脖子。

睡在上铺的人穿好衣服下来，有时脚会碰到坐在下铺的人的头，下铺的人也不骂娘，而是一声不响地把头朝旁边一歪，用手把上面的脚推开。

夜里唤醒这么多人，裹脚布闪来闪去，人头、脊背不住地晃动，烟气腾腾，电灯光明晃晃的，这一切显得极不正常。几百平方公里的原始森林在寒夜里静静地沉睡，可是集中营里已经到处是人，到处在活动，到处是烟雾、灯光了。

上半夜一直在下雪，雪堆把棚屋的门堵住，把通往矿井的大路埋住……

矿井的汽笛慢慢叫起来，也许，森林里的狼也跟着那粗壮而凄厉的汽笛声叫起来了。警犬在集中营的田野上嘶哑地吠着，拖拉机隆隆响着在清扫通往矿区大楼的道路，押队兵彼此呼唤着……

雪花飘到探照灯光中，晶亮晶亮的，十分柔和悦目。在广阔的集中营田野上，在不停地狗吠声伴奏下，开始点名了。押队兵那伤了风的嗓门儿又嘶哑又激昂……巨大的人流朝矿井涌去，一片咯吱咯吱的皮鞋声和毡靴声。守望塔瞪着巨大的独眼,盯着周围的一切。

笛声依然在呼啸着,有远的,也有近的,这是北方的混合乐队。这声音回荡在寒冷的克拉斯诺亚尔斯克土地上,在科米自治共和国,在马加尔,在苏维埃港,在科雷马边区的雪野上,在楚科奇冻土地带,在摩尔曼斯克北部和北哈萨克的集中营里……

伴随着汽笛声,伴随着铁棍敲击挂在树上的铁轨的声音,人们前去采掘索里卡姆斯克的钾、里杰罗夫和巴尔喀什的铜、科雷马的镍和铅、库兹涅茨和萨哈林的煤炭,人们前去铺设通过北冰洋岸永久冻土带的铁路、科雷马无接缝线路,前去砍伐西伯利亚、北乌拉尔、摩尔曼斯克和阿尔罕格尔边区的森林。

原始林区各个集中营和边远建设集中营大队劳动的一天,就在这风雪交加的夜晚时刻开始了。

四十

夜里,囚犯阿巴尔丘克觉得一阵烦恼。不是那种习惯了的、愁思绵绵的集中营里常有的烦恼,而是火烧火燎的烦恼,就像疟疾发作那样,使人要叫起来,要从床铺上跳下来,用拳头打自己的两鬓,打自己的脑壳儿。

早晨,当囚犯们急急忙忙、同时又很不情愿地准备去上工的时候,在阿巴尔丘克邻铺的原国内战争时期旅长、现任煤气工长的长腿涅乌莫里莫夫问道:

“夜里你翻来翻去干吗?梦见老娘儿们啦?还嗷嗷地叫哩。”

“你就知道老娘儿们。”阿巴尔丘克回答说。

“我以为你在梦里哭呢。”另一个邻铺的莫尼泽说。他有点儿傻头傻脑，原是青年共产国际的委员。“我本来想把你唤醒哩。”

阿巴尔丘克在营里的另一个好友、原医士阿布拉姆·鲁宾什么也没有发现，在他们朝又冷又黑的门外走的时候，他说：

“你可知道，夜里我梦见了尼古拉·伊凡诺维奇·布哈林，好像他来到我们红色教授学院，他很快活，精神抖擞，就尹启民理论进行着激烈的争论。”

阿巴尔丘克来到工具库干活儿。他的助手巴尔哈多夫是为了抢劫杀死一家六口人的罪犯，现正在用做框子剩下来的雪松木片生炉子，阿巴尔丘克在整理许多木箱里的工具。他觉得，那寒光闪闪的锋利的锉刀与旋刀表现出他在夜里产生的感觉。

这一天和以往的日子没有什么不同。会计一大早就送来技术科批准的各边远集中营分部的申请报告。应该把材料和工具拣出来，装进箱子，编制相应的清单。有些东西是不成套的，需要编制特别交接单。

巴尔哈多夫像往常一样，什么活儿也不干，没办法叫他干。他来到工具库里，只是解决吃的问题。今天一大早他就在锅子里煮土豆白菜汤。担任第一大队通信员的原哈尔科夫药学院拉丁语教授跑到巴尔哈多夫跟前，哆哆嗦嗦地伸出红红的手指头，往桌子上撒了一把肮脏的小米。不知为什么事，他给巴尔哈多夫这样的报酬。

下午，阿巴尔丘克被叫到财务处，因为在统计表上有些数字不对头。财务处副处长训斥他，还说要报告上级。他听到这些吓唬，心里觉得憋得慌。助手不帮忙，他一个人干不了那么多事情，可是他又不敢告巴尔哈多夫的状。他很劳累，很怕丢掉管理仓库的活儿，又要到矿上去或者去砍伐森林。他已经白了头，已经没有多大力气了……大概，他就是因为这样才烦恼——他的一生已经消失在西伯利亚的冰层下。

等他从财务处回来，巴尔哈多夫在睡觉，头底下枕着毡靴，看样子，是有的犯人给他送来的；他的头旁边放着已经空了的锅子，腮上粘着他捞来的小米。

阿巴尔丘克知道，巴尔哈多夫有时把仓库里的工具弄出去，很可能，这毡靴就是仓库里的东西换来的。有一天，阿巴尔丘克发现少了三把锉刀，就说：

"在卫国战争时期偷窃紧缺的钢材，怎么不知道羞耻……"

巴尔哈多夫回答说：

"你这狗虱子，闭嘴！要不然你等着瞧！"

阿巴尔丘克不敢直接唤醒他，就叮叮当当地整理锯条，又咳嗽，又把小锤掉在地上。巴尔哈多夫醒了，带着心安理得和不满意的神气注视着他。

后来，巴尔哈多夫低声说：

"昨天一列军车里下来的一个小伙子说，有些集中营比湖泊地区的集中营还不如呢。犯人都带着镣铐，半个脑袋剃得光光的。没有姓名，只有编号缝在胸前，缝在膝盖上，背后还缝着犯人标记。"

"胡扯！"阿巴尔丘克说。

巴尔哈多夫带着幻想的神气说：

“应当把所有的政治坏分子弄到那儿去，首先应当把你这个家伙弄去，免得把我弄醒。”

“对不起，巴尔哈多夫先生，我打搅您了。”阿巴尔丘克他非常怕巴尔哈多夫，但有时候也压抑不住心头的怒火。

在换班时间，满身黑炭粉的涅乌莫里莫夫来到仓库里。

“竞赛怎么样？”阿巴尔丘克问道，“大家都参加了吗？”

“竞赛是展开啦。军事上需要煤炭嘛，这大家都知道。今天把标语贴到了各个掌子面上：突击劳动，支援祖国。”

阿巴尔丘克叹了一口气，说：

“你要知道，应该写一部论述集中营里的烦恼的著作。有时烦恼使人感到沉重，有时烦恼来势凶猛，有时烦恼使人气闷，叫人喘不上气来。可是还有一种烦恼很特别，既不沉重，也不凶猛，也不使人气闷，而是撕心裂腑，就像深水怪物要把海洋搅翻。”

涅乌莫里莫夫苦笑了一下，不过他露出来的不是雪亮的白牙，他的牙齿已经坏了，已经和煤炭一样颜色了。

巴尔哈多夫走到他们跟前。阿巴尔丘克回头看了看，说：

“你老是这样悄没声地走路，冷不丁来到我跟前，我都哆嗦起来啦。”

巴尔哈多夫是个不爱笑的人，带着很操心的神气说：

“我要上粮食仓库去一下，你没意见吧？”

他走后，阿巴尔丘克对自己的朋友说：

“夜里我想起前妻生的儿子。他大概已经上前方去啦。”

他凑到涅乌莫里莫夫耳朵跟前，说：

“我希望我的儿子成为一个很好的共产党员。我在想，我会见到他的，我要对他说：记住，你爸爸的遭遇是很偶然的，算不了什么，党的事业是神圣的事业！是合乎时代最高要求的！”

“他姓你的姓吗？”

“不，”阿巴尔丘克回答说，“我原来认为，他可能会成为一个市侩。”

昨天傍晚和夜里，他想过柳德米拉，很希望见到她。他翻阅残破的莫斯科的报纸，说不定能看到“中尉托里亚·阿巴尔丘克”呢。他就会清楚，儿子想姓他的姓了。

他生平第一次希望有人怜惜他。他想象着，他怎样走到儿子跟前，激动得连气都喘不上来，拿手指着自己的喉咙，表示说不出话来。托里亚会把他抱住，他会把头放到儿子胸前，哭起来，毫不难为情，尽情地哭，哭。他们会站上很久，儿子比他高一个头……

儿子一直想着父亲。他找到父亲的同志们，向他们打听当年父亲参加革命斗争的情形。托里亚会说：“爸爸，爸爸，你的头发完全白啦，你的脖子多么细，皱纹好多啊……你一直斗争了这么多年，你进行的是伟大而孤单的斗争呀。”

在审讯的时候，给他吃了三天咸菜，却不给他水喝，还要打他。

他明白，主要的不是要他招供破坏行为和间谍行为，也不是要他诬陷别人。主要是要他怀疑他终生为之奋斗的事业的正确性。在审讯的时候，他觉得自己好像落到了匪徒手里，只要能见到审讯科长，审讯他的匪徒就会被抓起来。

但是，过了一些时间，他看出来，问题不仅仅在于几个暴徒。

他了解了军用列车的规矩和运送犯人的轮船统舱里的规

矩。他看到过，一些刑事犯不仅输掉别人的东西，而且输掉别人的生命。他见过下流无耻，见过卑鄙的出卖。他见过刑事犯的野蛮行为，那是疯狂的、血腥的、极其残酷的。他见过得势的正统派与不得势的正统派之间的可怕的派系斗争。

他说过："抓人是不会冤枉的。"他认为，只有极小的一部分人，包括他在内，是抓错了的，其余的都是罪有应得，是正义的利剑惩罚革命的敌人。

他见过阿谀奉承、背信弃义、唯唯诺诺、残酷无情……他把这些东西叫作资本主义遗毒，他认为这些东西只有那些遗老遗少、白军军官、富农分子、资产阶级民族主义者身上才有。

他的信仰是不可动摇的，他对党是无限忠诚的。

涅乌莫里莫夫就要离开仓库的时候，忽然说：

"哦，我忘啦，刚才有一个人问你来着。"

"哪儿来的人？"

"昨天军车上下来的。正在分配他们工作。有一个人问起你。我说：'凑巧我知道，凑巧我跟他铺挨铺已经睡了有三年多。'他对我说了他的姓名，可是我一下子就忘啦。"

"他是什么样子？"阿巴尔丘克问。

"噢，模样儿够寒碜的，鬓角上还有一道伤疤。"

"啊哈！"阿巴尔丘克叫起来，"莫不是马加尔呀？"

"就是，就是。"

"这是我的老同志，我的老师，是他发展我入党的，他问什么来着？他说了一些什么？"

"问的是一般的话，问你判了几年。我说：报了五年，批下来是十年。现在咳嗽起来,有可能提前获释。”

阿巴尔丘克没有听涅乌莫里莫夫说话,而是一遍又一遍地叫着老同志的名字:

“马加尔,马加尔……他有一段时期在全俄肃反委员会工作。这是一个很特别的人,真的,很特别。他对同志什么都舍得,冬天可以脱下自己的大衣,可以把最后一块面包送给同志。又聪明,又有学问。是地道的无产阶级出身,是刻赤渔民的儿子。”

他回头看了看,俯身对涅乌莫里莫夫说:

“你记得,咱们说过,集中营里的共产党员应该建立起组织,帮助党,阿布拉姆·鲁宾曾经问:‘让谁当书记呢?现在有了,就是他。”

“可我还是推选你,”涅乌莫里莫夫说,“我不了解他。你要是想找他,刚才有十辆汽车装着人到各分部去了,大概他也去了。”

“没什么,能找到他的,啊,马加尔,马加尔。就是说,他问我了吗?”

涅乌莫里莫夫说:

“我差点儿忘了我是来干什么的,给我一张白纸,瞧我的记性真差。”

“要写信吗?”

“不是,要向谢苗·布琼尼写申请书,要求上前线去。”

“不会让你去的。”

“布琼尼还记得我呢。”

“不会让政治犯上军队里去。咱们的煤矿可以多出一些煤炭，战士们也会因此感谢咱们，也可以说尽到自己的力量啦。”

“我还是希望上军队里去。”

“这种事儿布琼尼也没办法，我还给斯大林写过信呢。”

“布琼尼也没办法？你真是开玩笑！还是你舍不得一张纸？我的限额用纸已经用完了，文教处又不给我，要不然我不会向你要。”

“好吧，我给你一张。”阿巴尔丘克说。

他还有几张纸，是不需要报销的。文教处发纸是有数的，而且以后还必须说明纸是怎么用了的。

晚上，棚屋里的情形一如往常。

原近卫重骑兵团军官东古索夫老头子眨巴着眼睛，没完没了地说着浪漫故事。犯人们仔细听着，搔着痒痒，带着赞赏的神气晃着脑袋。

东古索夫随心所欲地编造着荒诞离奇的故事，把一些熟悉的女舞蹈家、著名的劳伦斯，把三个火枪手的一些事，把纳乌齐鲁斯漂流的事都编了进去。

“等一等，等一等，”有一个听众说，“她究竟怎样跨过波斯国境的？你昨天说，她被奸细毒死啦。”

东古索夫停了一会儿，和善地看了看挑毛病的人，就又很起劲地说起来：

“娜金其实并没有死。一位西藏医生往她那半张开的嘴里滴了几滴高山仙草熬出来的药水，又把她救活了。到第二天早晨，她就能起来，不用别人搀扶，可以在屋里走动了。她的体力渐渐恢复了。”

大家听了他的解释，都很满意。

“明白啦……再说下去吧。”大家说。

在角落里，一些人在哈哈大笑，在听蠢头蠢脑的老工长、德国人加秀琴柯拉长了声音说下流的顺口溜。

有的顺口溜十分好笑，听众一直笑得没了劲儿。有一个害痖气的莫斯科记者和作家，是一个善良、聪明而腼腆的人，正慢慢地嚼着烤干的白面包，这是妻子寄来的，他昨天才收到。看样子，他吃着又香又脆的干面包，想起了过去的日子——他的眼里含着泪水。

涅乌莫里莫夫正在跟一个坦克手争论。坦克手进集中营，是因为出于卑劣的动机打死了人。他为了给大家解闷，嘲笑骑兵，涅乌莫里莫夫气得脸发了白，大声对他说：

“你可知道，在1920年，我们凭马刀干过一些什么样的事！”

“我知道，你们拿马刀杀过偷来的母鸡。一辆坦克就可以把你们整个骑兵第一军团打退。你们的国内战争无法跟卫国战争相比。”

年轻的小贼科尔卡·乌加罗夫缠着阿布拉姆·鲁宾，要拿一双脱了掌的破运动鞋换他的皮鞋。

鲁宾觉得要倒霉，神经紧张地打着哈欠，环视着周围的人，寻求支持。

“你这小气鬼，小心点儿，”像一只灵活的黄眼野猫似的科尔卡说，“该死的东西，你小心点儿，别惹我发火。”

后来科尔卡说：

“你为什么不准我病假？”

“你很健康嘛，我不能同意。”

“你同意不同意？”

“科尔卡，我向你保证，我很希望准你请假，但是我不能。”

“你同意不同意？”

“你要知道我的难处。难道你以为，我能批……”

“好啦。算啦。”

“别急，别急嘛，你要了解我的难处。”

“我了解。现在该你了解我了。”

什捷金格是完全俄罗斯化了的瑞典人，大家都说他是真正的间谍，他正在文教处发给他的一块硬纸板上作画，他的眼睛离开画一小会儿，看了看科尔卡，看了看鲁宾，摇了摇头，又转过头去作画，画名叫《原始森林妈妈》。什捷金格不怕刑事犯人，不知为什么刑事犯们都不敢碰他。

等科尔卡走开以后，什捷金格对鲁宾说：

“阿布拉姆，你的做法很不聪明。”

白俄罗斯人科纳舍维奇也不怕刑事犯。他在进集中营之前，在远东做航空技师，在太平洋舰队里获得重量级拳击冠军称号。刑事犯们都很敬重他，但是他从来不曾为受刑事犯欺负的人打抱不平。

阿巴尔丘克慢慢地在两层架铺中间的狭窄通道上走着，又烦恼起来。百米长的棚屋的那一头沉没在马合烟的烟气中，每次他都觉得，等走到棚屋的尽头，会看到一点新的东西，可是走到尽头，一切都还是老样子，还是那装着洗脸木槽的过道，还有刑事犯在木槽下面洗裹脚布，还是挂在石灰墙上的拖把，还是那油漆木桶,铺上还是露着刨花的褥垫,还是不高不低的嗡嗡说话声,还是一张张枯瘦的、一样颜色的囚犯的脸。

大多数囚犯坐在铺上等待就寝信号,谈女人,谈菜汤,谈切面包的人弄鬼,谈自己给斯大林的信和给苏联最高检察院的申诉书的遭遇,谈新的采煤和运煤定额,谈今天的寒冷和明天的寒冷。

阿巴尔丘克慢慢走着,听着谈话的片段。他觉得,这种一模一样、没完没了的谈话要在押送站、军车上、集中营的棚屋里,在成千上万的人中间持续很多年,年轻的都要谈女人,年老的都要谈吃的。等到老头子如饥似渴地谈起女人,年轻小伙子谈起不受限制的好吃的东西,那就特别糟了。

阿巴尔丘克从加秀琴柯坐的铺旁边经过时,加快了脚步。一个老人,他的妻子已经有儿孙们唤"妈妈""奶奶"了,受到这样的待遇,这待遇太可怕了。

就寝号快点儿响起来吧,快点儿躺到铺上,拿棉袄蒙住头,什么也看不见,什么也听不见。

阿巴尔丘克朝门口看了看——也许马加尔来了呢。阿巴尔丘克要求求大组长,让他们睡在一起,他们每夜都可以长谈,推心置腹地谈,因为他们是两个共产党员,是老师和学生。

棚屋的头面人物采煤队队长佩列克列斯特、巴尔哈多夫、棚屋大组长萨罗科夫在一个铺上举行小小的宴会。佩列克列斯特的狗腿子、原计划工作者日里亚波夫担任跑堂,将一块手巾铺在凳子上,摆放奶油、鲱鱼、点心——这都是佩列克列斯特收的他队里的人的贡品。

阿巴尔丘克从头面人物的铺边走过,觉得自己的心都紧张得停止了跳动：说不定他们会喊他，叫他吃一点儿呢。他真想吃点儿好吃的呀。巴尔哈多夫真没有良心！他在仓库里想干什么就干什么，阿巴尔丘克也知道他偷钉子，偷了三把锉刀，但是在值班时什么也没说……现在他完全可以招呼一声："喂，主管，来跟我们坐一会儿吧。"阿巴尔丘克很瞧不起自己，觉得自己不仅想吃，而且还有一种感情在作祟，这是一种很卑微、很下贱的囚犯感情：很想在厉害角色的圈子里坐一会儿，随便跟佩列克列斯特谈一谈，佩列克列斯特可是偌大的集中营听到名字都发抖的人物。

阿巴尔丘克想起了自己——下贱。马上又想到巴尔哈多夫——下贱。

没有喊他，却喊了涅乌莫里莫夫。于是这位骑兵旅长、获得两颗红旗勋章的英雄龇着褐色的牙齿，笑嘻嘻地朝他们的床铺走去。这个笑嘻嘻地去参加几个贼的宴会的人，二十年前曾经率领几个骑兵团为实现世界共产主义战斗过……

他干吗今天对涅乌莫里莫夫谈起托里亚，谈自己的心事？

不过他也为共产主义战斗过，他也在库兹巴斯工地上在自己的办公室里向斯大林做过汇报，当他低着头，装作若无其事的样子从蒙了肮脏的绣花手巾的凳子旁边走过时，也曾经希望他们喊他。

阿巴尔丘克走到莫尼泽的床铺跟前，莫尼泽一面补袜子，一面说：

"今天佩列克列斯特对我说：'你要小心，我要拿拳头敲你的脑袋，我要汇报你，还算便宜你，你是最坏的叛徒。'"

坐在邻铺上的鲁宾说：

“这还不是最糟的呢。”

“是的,是的,”阿巴尔丘克说,“你看到他们把旅长喊过去,旅长那股高兴劲儿吗?”

“他们没喊你,你不痛快了吧?”鲁宾说。

阿巴尔丘克恼羞成怒,说:

“你看看自己的灵魂吧,别忙着说我。”

鲁宾像鸡那样半闭起眼睛,说:

“我吗?我连不痛快也不敢。我是最低下的一类,没人理睬。我和科尔卡的谈话,你没听见吗?”

“不是那么回事儿,不是。”阿巴尔丘克把手一挥,站了起来,又顺着床铺之间的通道朝那张凳子走去,又听到那没完没了的谈话。

“甜菜猪肉汤天天有,不光是过节。”

“她的乳房才滑溜哩,你恐怕都不信。”

“哥儿们,我不讲究,有羊肉泡饭就行啦,干吗要你们的沙拉子油凉拌菜……”

阿巴尔丘克又回到莫尼泽的铺前,坐下来,听别人谈话。

鲁宾说:

“我不明白他的意思,为什么他说:‘你可以做眼线。’他说的是告密者,比如说,向侦缉人员暗地汇报。”

莫尼泽一面继续补袜子,一面说:

“去他娘的吧,告密——是顶下贱的事。”

“怎么会告密呢?”阿巴尔丘克说:“你是共产党员嘛。”

“他这共产党员跟你一样,”莫尼泽说,“是过去的话了。”

“我不是过去的，”阿巴尔丘克说，“你也不是过去的。”

鲁宾又使他恼了，因为说出了应有的怀疑，应有的怀疑往往比不应有的怀疑更刺激人、更叫人受不了：

“这不是党员不党员的问题。一天喝三次玉米泔水汤，大家都喝够了。我也恨死了这种汤。你这一点我赞成。不赞成的是你夜里和白天两副面孔。我和科尔卡的谈话，你听见了吗？”

“头朝下，腿朝上啦！”莫尼泽说过这话，就笑了起来。可能因为再没什么好笑的了。

“你怎么，以为我只有动物本能啦？”阿巴尔丘克问道。他觉得自己简直憋不住要把鲁宾揍一顿。

他又霍地站起来，在屋里走起来。

当然，他吃够了玉米糊。多少天以来，他都在猜想着十月革命节的伙食：会不会有肉丁炒白菜、通心粉汤、杂烩？

当然，很多事情要取决于侦缉人员，要过好一点儿的生活，如管澡堂，干切面包的差事，是不容易弄到手的。他可以在试验室工作，穿白大褂子，干自在活儿，跟刑事犯们不发生关系，他也可以在计划处工作，可以领导煤矿……可是鲁宾不对。鲁宾想侮辱他，鲁宾泄他的气，在他身上寻找下意识地悄悄出现的东西。鲁宾就喜欢钻空子。

阿巴尔丘克一辈子痛恨圆滑，痛恨两面派和社会异己分子。

他过去的精神力量、他的信心，在于他能使用法庭的权力。他怀疑妻子，就和她离了婚。他不相信她能够把儿子教育成一个坚定的战士，就不让儿子用他的名字做父称。他常常痛斥摇摆不定的人，瞧不起爱发牢骚的人和意志薄弱、信念不坚定的人。他曾经把库兹巴斯工地上一些想家不安心的莫斯科工程技术人员交付法庭。他把四十名离开工地跑回农村的调皮工人判了刑。他还和庸俗的父亲断绝了关系。

做一个坚定不移的人，是幸福的。每一次把人送交法庭，他都可以证实自己的精神强大，证实自己是典范，证实自己的纯洁。他从中得到乐趣、增强信心。他从不躲避党的动员号召。他自愿不领取党员最高月工资。他天天穿着很平常的制服和靴子去上班，参加人民委员部委员会议，上戏院，有时党派他去休养，他就穿这套服装在雅尔塔的海边散步。他希望一切都像斯大林。

他失去使用法庭的权力，就失去自己的本色。鲁宾感觉到这一点。几乎每天他都要在话里指出他的软弱、他的怯懦，指出悄悄进入被囚禁者心中的一些可怜的愿望。

前天他就说：

“巴尔哈多夫拿仓库里的钢材把有的坏家伙喂饱啦，可是我们的大英雄连一声也不哼。就连小鸡也想活呢。”

在阿巴尔丘克准备责备别人的时候，感到自己也会被责备，就会动摇起来，觉得灰心丧气，便失去自己的本色。

阿巴尔丘克在一个床铺旁边站下来。老公爵多尔戈卢基正在这里和经济学院的年轻教授斯捷潘诺夫说话。斯捷潘诺夫在集中营里一向表现很高傲，营方领导人走进棚屋，他都不肯站起来。常常公开发表反政府观点。他感到自豪的是，他和许多政治犯不同，他被关押是因为这样的事情：他写了一篇题为《列宁——斯大林的国家》的文章，让学生传阅。不知是读到这篇文章的第三个还是第四个学生把他告发了。

多尔戈卢基是从瑞典回到苏联的。在去瑞典之前，在巴黎住了很久。他想念祖国，就回来了回国一个星期之后，就被捕了。他在集中营里常常祷告，结识了一些教徒，并且写一些内容神秘难懂的诗。

这会儿他就在给斯捷潘诺夫念诗。

阿巴尔丘克将肩膀靠在上铺与下铺之间钉的十字形木板上，听他念诗。多尔戈卢基半闭着眼睛在念，干裂的嘴唇哆嗦着。他那不高的声音也哆嗦着，并带有干裂声。

——是我自己选定了降生年月、
时间、国家、民族和地点，
为的是经受所有的苦难，
经受良心、水和火的洗礼。
我向下落去，掉进了
启示的野兽的大嘴里，
落到比什么都低的地方，
在臭脓、粪堆里——我信心不改！
我相信上苍的公正，
是上苍解放了古老的自然力量，
我在烧焦的俄罗斯腹地，
我要说：你这样决断，是对的！
要想变得钻石般坚硬，
必须炼透整个的人生。
如果熔铁炉里的柴炭不够，

上帝呀，请用我的血肉！

他念完之后，依然半闭着眼睛坐在那里，嘴唇依然无声地咕哝着。

“胡诌，”斯捷潘诺夫说，“颓废派。”

多尔戈卢基用没有血色的苍白的手朝周围指了指。

“你们瞧，车尔尼雪夫斯基和赫尔岑把俄罗斯人引导到哪儿来了。你们可记得，恰达耶夫在第三封哲学通信里写的是什么？”

斯捷潘诺夫用教师教导学生的口吻说：

“您的神秘的愚昧，就跟有些人要建立这种集中营一样，我都十分讨厌。不论是您，不论是他们，都忘记了俄罗斯还有一条路，一条最自然的道路：民主和自由的道路。”

阿巴尔丘克和斯捷潘诺夫争论过不止一次了，可是现在他不想插嘴，不想把斯捷潘诺夫说成敌人，说成持不同政见者。他走到角落里，有些洗礼派教徒正在这儿祷告，他听了听他们的嘟哝。

这时候响起大组长萨罗科夫的响亮的声音：

“起立！”

大家一起站起来，上司走进了棚屋。阿巴尔丘克侧眼看着虚弱不堪的多尔戈卢基那苍白的长脸，看着他两手紧贴裤缝站在那里，嘴唇还在嘟哝着。大概还在念他的诗。斯捷潘诺夫坐在旁边。他像往常一样，目无领导，不服从本棚屋明明白白的内部规章。

“搜查啦，搜查啦。”囚犯们小声说。

但是没有搜查。两名头戴红蓝制帽的年轻看押兵从床铺中间走过，一面打量着囚犯们。

其中一名士兵走到斯捷潘诺夫跟前，说：

“教授，你坐着呀，你是怕把什么东西冻坏呀。”

斯捷潘诺夫转过他那翘鼻子的宽宽的脸，用鹦鹉似的响亮的声音很不自然地回答说：

“长官先生，请您对我称‘您’，我是政治犯。”

夜里，棚屋里发生了严重事件：鲁宾被害死了。

凶手趁睡觉的时候，拿一个大钉子插到他的耳朵里，然后用力一砸，把钉子楔进脑子里。有五个人，包括阿巴尔丘克在内，被侦缉人员传去。看样子，侦缉人员感兴趣的是钉子的来历。这种钉子才进库不久，生产部门还不曾领用。

在洗脸的时候，巴尔哈多夫在木槽边和阿巴尔丘克站在一起。巴尔哈多夫朝他转过湿漉漉的脸，一面舔着嘴上往下流的水滴，一面小声说：

“该死的东西，你记住，你要是去告发，我一点也没有事儿。可是今天夜里我就收拾你，狠狠收拾你，叫全营都知道厉害。”

他用毛巾把脸擦干以后，拿擦干了的平静的眼睛看着阿巴尔丘克的眼睛，看到眼睛里的神气正是他希望看到的，便握了握阿巴尔丘克的手。

在食堂里，阿巴尔丘克把自己的一钵子玉米糊送给了涅乌莫里莫夫。

涅乌莫里莫夫哆嗦着嘴唇说：

“真是野兽，把我们的阿布拉姆害死啦！多么好的一个人呀！”他说着，把阿巴尔丘克的玉米糊端到自己面前。

阿巴尔丘克一声不响地站起来,离开饭桌。

在走出食堂的时候,大家纷纷让路,佩列克列斯特往食堂里来了。他在跨门槛的时候,把身子弯了弯,因为集中营的门都没有他的个头儿高。

“今天是我的生日,来我这儿玩吧,咱们喝两杯。”

多么可怕呀!有几十个人听到了夜里的凶杀,看见一个人走到鲁宾的床铺边。

如果有人一下子爬起来,把全屋的人喊起来,会怎么样呢?几百个强壮的男子汉团结起来,两分钟就会把凶手制服,会救活一个同伴。但是谁也不抬头,谁也不叫喊。杀一个人,就像杀一头羊一样。大家都躺着,装作睡着了,拿棉袄蒙住头,尽可能不咳嗽,尽可能不去听受害者在昏迷中挣扎。

多么低三下四,多么驯顺啊!

可是他当时也没有睡着,也没有作声,拿棉袄把头蒙住。他很明白,驯顺不是微不足道的小事,驯顺来自经验,来自对集中营规律的了解。

如果大家都起来,把凶手制住,带刀的人还是比不带刀的人厉害。全屋的力量是一时的力量,而刀永远是刀。

阿巴尔丘克想着面临的审讯:侦缉人员一定会要他的口供的,他在棚屋里一夜没有睡,早晨也没有洗脸,准备着挨折腾,他不朝矿井方向去,不去上棚屋的厕所,怕有人突然扑过来拿麻袋蒙住他的头。

是的,不错,夜里他是看见一个人朝鲁宾走去。他听见鲁宾在哼哧,听见鲁宾死前手和脚在床铺上乱扑乱蹬。

侦缉人员米沙宁大尉把阿巴尔丘克叫到办公室里，把门关上，说道：

“您坐吧，犯人。”

他先提了几个简单的问题，对这样的问题政治犯一般都能很快、很准确地回答。

然后，他抬起疲惫的眼睛，看着阿巴尔丘克，早就知道这个有经验的囚犯很怕同棚屋的人报复，永远不会说出钉子是怎样落到凶手的手里的，所以对阿巴尔丘克打量了一阵子。

阿巴尔丘克也看着他，打量着大尉那年轻的脸、他的头发和眉毛、鼻子上的雀斑，心想，这位大尉比他的儿子至多大两三岁。

大尉提了一个问题，正是为这个问题把阿巴尔丘克传来的，在这之前已经有三名被审讯者不肯回答这个问题了。

阿巴尔丘克好一阵子没有作声。

“你怎么，聋了吗？”

阿巴尔丘克还是没有作声。

他多么希望这位侦缉人员说：“你听着，阿巴尔丘克同志，你是共产党员。今天你在集中营里，明天咱们就要在一个组织里共同缴纳党费。你帮帮我的忙吧，同志要帮助同志，党员要帮助党员。”即使这不是真心实意的，只是采取一种例行的侦讯手段。

可是米沙宁大尉却说：

“您睡着了还是怎的？那我马上来把您唤醒。”

但是阿巴尔丘克却不用唤就醒了。

他用嗄哑的声音说：

“钉子是巴尔哈多夫从库里偷出来的。不光是钉子，他还从仓库里偷了三把锉刀。依我看，杀人的是科尔卡·乌加罗夫。我知道，巴尔哈多夫把钉子给了他，他有好几次说要杀死鲁宾。昨天他还说的，因为鲁宾没有准许他请病假。"然后他接过递给他的一支纸烟，说：

"侦缉员同志，我认为，向您说出这件事，是我这个党员的责任。鲁宾同志是一位老党员。"

米沙宁借火给他把烟点着了，就一声不响地很快地记起来。然后他用温和的口吻说：

"犯人，您要知道，任何关于党员的话您都不应该说，您不能称呼同志。对于您来说，我是首长。"

"对不起，首长。"阿巴尔丘克说。

米沙宁对他说：

"几天之内，我还在进行调查，您不会出什么事。过几天以后再说。可以把您调到别的集中营里去。"

"不必，首长，我不怕。"阿巴尔丘克说。

他朝仓库里走去，知道巴尔哈多夫什么也不会问他。巴尔哈多夫会一个劲儿地盯着他，时刻注意他的动作、眼神、咳嗽，从中弄清情况。

他终于恢复了自己的本色，他十分高兴。

他又能行使法庭的权力了。他一想到鲁宾，就觉得遗憾，昨天他竟没有对他说出自己的不祥的预感。

三天过去，马加尔还是没有来。阿巴尔丘克上矿务局去打听他，阿巴尔丘克熟悉的几个文书在任何一本册子里都找不到马加尔的姓名。

晚上，在阿巴尔丘克知道命运已经把他们分开的时候，满身白雪的卫生员特留菲列夫来到棚屋里，一面捋眉毛上的冰凌，一面对阿巴尔丘克说：

“告诉您，我们卫生所来了一名犯人，他请您上他那里去。”

特留菲列夫又说：

“最好现在我带您去，您向大组长请个假，要不然我们这些犯人可不讲什么情理，马上就会找你的麻烦，等到把你收拾了，你再讲理由就晚啦。”

四十一

卫生员领着阿巴尔丘克来到卫生所的走廊里，这里有一种特别的、和棚屋里不同的坏气味。他们在昏暗中朝前走着，看到堆在一起的许多担架，还有捆成许多捆的旧棉衣，看样子，是等待消毒的。

马加尔躺在隔离室里。这是一间木板墙小屋，里面有两张铁床几乎挨在一起。进隔离室的一般都是害了传染病的病人或者快要死的病人。那细细的床腿好像是铁丝做的，但压不弯，从来没有肥胖的人睡这样的床。

“别坐这儿，别坐这儿，右边坐。”响起一个声音，那声音极其熟悉，阿巴尔丘克觉得，似乎没有白发，没有被关押，又是自己终生依靠、终生为之奋斗的一切。

他打量着马加尔的脸，非常激动地、慢慢地说：

“你好，你好，你好……”

马加尔怕控制不住自己的激动心情，特意很平淡地说：

“坐吧，就坐在我对面的床上。”

他看到阿巴尔丘克打量旁边的床铺的目光，又说：

“你不会打扰他的，他已经不怕打扰了。”

阿巴尔丘克俯下身去，为的是看清老同志的脸，接着又回头看了看盖着的死者，问：

“他死了很久了吗？”

“两个多钟头以前死的，卫生员暂时还没有动他，等医生来。这样好些，要不然换一个活的来，咱们说话就不方便了。”

“这话对。”阿巴尔丘克只是说。没有问他非常想问的一些问题：怎么样，你是受普布诺夫牵连，还是因为索科尔尼科夫案件？判了你几年？你在弗拉基米尔或者苏兹达利的政治犯隔离室待过吗？主持审讯的是特别机构还是军事委员会？你自己签字了吗？

他回头看了看盖着的尸体，问：

“他是什么人？怎样死的？”

“死于集中营，是一个过去的富农分子。他老是在唤一个娜斯佳的名字，一直想离开这儿上什么地方去……”

阿巴尔丘克在昏暗中渐渐看清了马加尔的脸。他几乎认不出他了，变化太厉害了，竟成了一个垂死的老头子！

他感到自己的背碰到了死者那弯着的僵硬的胳膊，觉得马加尔在看着自己，心里就想：“恐怕他也认为：简直认不出我了。”

可是马加尔却说：

“先前他一个劲儿嘟哝，好像是‘霍……霍……霉……’现在我才明白,他这是要喝水。茶杯就在旁边,真应该满足他最后的要求。”

“瞧,死人还是妨碍咱们了。”

“那当然啦,”马加尔说。阿巴尔丘克听到了十分熟悉的、那总是非常激动的语调:马加尔开始谈严肃的事时往往是这样。“因为我们谈他,实际上是谈自己。”

“不,不是!”阿巴尔丘克抓住马加尔的滚烫的手,紧紧握着,又抱住他的肩膀,不出声地哭起来,哭得浑身打哆嗦,憋得喘不过气来。

“谢谢你,”他嘟哝说,“谢谢你,谢谢,好同志,好朋友。”

他们两个人都哼哧哼哧喘着气,有一阵子没有说话。他们呼的气汇合到一起,阿巴尔丘克觉得,汇合到一起的不仅是他们呼出的气。

马加尔首先开口说:

“听我说,听我说,朋友,我这是最后一次这样称呼你了。”

“别这样说,你会活下去的!”阿巴尔丘克说。

马加尔在床上坐起来。

“我非常不希望这样说,但是应该说。你也听着,”他对死者说,“这和你、和你的娜斯佳有关系。这是我最后一项革命任务,我一定要完成!阿巴尔丘克同志,你是特殊气质的人。而且我们当年相遇也是在特殊的时候,我觉得,那是我们的最好的时候。现在我要告诉你……我们错了。我们的错误造成了这样的结果,瞧……我们应该请求他原谅。让我抽一支烟。后悔已经晚啦。任何后悔都不能补偿过失。这是我要对你说的。这是第一点,再说第二点。我们不懂得自由,我们压制了自由。自由是根本,是目的,是基础的基础。没有自由就没有无产阶级革命。以上我说了两点,再说第三点。我们在集中营和原始林里经受苦难,可是我们的信仰比什么都坚强。这不是坚强,是懦弱,是保全自身。在铁丝网外面,要保全自身,就得多变,要不然就要死亡,就要进集中营。共产党人制造偶像,戴肩章,穿制服,信奉民族主义,压制工人阶级,将来必然还要像黑色百人团那样……在这里,在集中营里,要保全自身,就不能改变:如果不想死的话,在集中营里几十年都别改变……这是一个铜板的两面……"

"别说啦!"阿巴尔丘克叫起来,并且把握紧的拳头凑到马加尔的面前。"你受不住啦!你垮啦!你说的话全是胡说八道。"

"如果那样,倒是好;但我不是胡说。我是又一次召唤你!就像二十年前那样!如果我们不能作为革命者活下去,那我们就死,像这样活着比什么都不如。"

"够啦,别说了!"

"请原谅我。我懂。我像一个老妓女,为失去的贞节痛哭。不过我要告诉你:记住吧!好朋友,请原谅我……"

"原谅?你我真应该像这个死人一样,早几个钟头死去,活不到这次见面……"

阿巴尔丘克已经站在门口,又说:

"我还要上你这儿来……我要给你修复头脑,现在我要做你的老师了。"

第二天早晨,卫生员特留菲列夫在集中营的大院子里碰到阿巴尔丘克。特留菲列夫用爬犁拉着一桶牛奶,牛奶桶用绳子捆在上面。奇怪的是，在这北极圈里，他的脸上竟出了汗。

“你的朋友不能喝牛奶了，”他说，“昨天夜里他上吊了。”

报告消息叫人吃一惊，是挺快活的事，所以这位卫生员带着友好而得意的神气望着阿巴尔丘克。

“有遗书吗？”阿巴尔丘克问，并且倒吸了一口凉气。他觉得，马加尔一定会有遗书的——昨天的事，是他一时心血来潮。

“干吗要写遗书？不论写什么，都要落到侦缉人员手里。”

这一夜，是阿巴尔丘克一生中最难熬的一夜。他一动不动地躺着，咬紧牙齿，睁大了眼睛，望着被捻死的臭虫留在墙上的一个个黑黑的印子。

他想起他不准姓他的姓的儿子，呼唤起儿子：“现在我就剩下你了，只有你是我的希望。瞧，我的朋友和老师马加尔想杀死我的理智、我的志向，结果他自杀了。托里亚呀，托里亚，我在人世上就只有你一个了。你能看到我吗，能听到我的话吗？将来你能不能知道，你的父亲在这天夜里没有屈从，没有动摇？”

周围的人都在睡觉，睡得很熟，声音很大，很不好听，空气很浑浊、很窒闷，有的打鼾，有的嘟哝，有的在梦里叫，有的咬牙，有的拉长声音呻吟和呼喊。

阿巴尔丘克忽然在铺上欠起身来，他觉得好像旁边有个阴影闪了一下。

四十二

1942年夏末，克莱斯特的高加索集团军群占领了迈科普附近的第一个苏联油田。德国军队进入挪威的北角和希腊的克里特、芬兰北部和拉芒什海峡沿岸。热带作战的大元帅艾尔文·隆美尔驻扎在离亚历山大八十公里的地方。在厄尔布鲁士山顶上,山军竖起了带有纳粹党徽的旗帜。曼施泰因得到命令,要把巨炮和新式火箭炮推向布尔什维克的堡垒列宁格勒。本来持观望态度的墨索里尼已经在制订进攻开罗的计划,练习骑阿拉伯马。寒带作战的季特尔驻扎在任何一个欧洲侵略者都没有到过的北纬地带。巴黎、维也纳、布拉格、布鲁塞尔都成了德国的省城。

实现国家社会主义党的最残酷的计划的时刻来到了,这一计划的目的在于消灭人、消灭人的生命和自由。法西斯党的头目们胡说什么,斗争的紧张性迫使他们不能不残酷。相反,危险会使他们清醒,如果不相信自己强大,会使他们停步不前。

等到法西斯完全相信已经取得最后胜利那一天,全世界就会淹没在血泊里。如果世界上不再有反法西斯的武装,刽子手们是不知道停步的。因为法西斯的主要敌人是人。

1942年秋天,帝国政府通过了一系列特别残酷的、毫无人性的法律。特别是1942年9月12日,在国家社会主义党的军事胜利到达顶峰之时,居住在欧洲的犹太人被取消法律保护权,由秘密警察管制。

法西斯党的领导和希特勒本人决意完全消灭犹太民族。

四十三

索菲娅·奥西波芙娜·列文顿有时想想过去的事:苏黎世大学

五年的生活，巴黎和意大利的夏季旅游，音乐学院的音乐会，中亚山区的考察，三十二年的医务工作，她喜欢吃的东西，跟自己的生活密切相关的朋友们的生活，有艰难的日子，也有愉快的日子，习惯了的电话铃声，习惯了的话语，打纸牌，留在她的莫斯科住处的东西。

她也常常想起在斯大林格勒的那几个月，想起亚力山大拉·符拉季米罗芙娜、任尼娅、谢廖沙、维拉、玛露霞。越是和她亲近的人，如今离她越远。

有一天快到黄昏的时候，军用货车停在离基辅不远的一个枢纽站的备用线上，她在锁上的车厢里捉自己领口上的虱子，旁边有两个上了年纪的妇女很流利地小声说着犹太话。这时候她特别清楚地意识到她索菲娅·奥西波芙娜·列文顿——这个少校军医的真实处境。

人们的主要变化是，对自己的特殊气质和个性的感觉减弱了，对命运的感觉增强了。

“我，我，我真的是什么人？实实在在是什么人？”索菲娅·奥西波芙娜想道。“是那个小小的、流鼻涕的、又怕爸爸又怕奶奶的小姑娘，还是那个肥胖、脾气暴躁、带领章的军医，还是这样一个长虱子的肮脏老婆子？”

幸福的希望没有了，但是出现了许许多多想法：把虱子消灭……凑到门缝儿上，呼吸呼吸新鲜空气……解解小便……洗洗脚，哪怕洗一只脚……还有，浑身都想喝水。

刚把她推进车厢里，她觉得昏暗的车厢里漆黑一团，她朝四下里看了看，听见低低的笑声。

“是疯子在这儿笑吗?”她问。

“不是,”一个男子的声音回答说,“在这儿说笑话呢。”

有一个人伤心地说:

“又一个犹太女人到我们这遭殃的车上来啦。”

索菲娅·奥西波芙娜站在车门口,眯着眼睛,为的是适应黑暗,回答别人的问话。

她马上陷入一种不习惯的氛围中:这儿除了哭声、呻吟声和臭气,还有从童年起就忘记了的语言、口音……

她想走到车厢里面去,但是走不过去。她在黑暗中摸到一条穿短裤的细细的腿,就说:

“对不起,好孩子,我把你碰疼了吗?”

但是这孩子没有回答她。她在黑暗中说:

“老大娘,您是不是让您的哑巴孩子挪挪地方?我总不能一直站着呀。”

在角落里有一个歇斯底里的演员般的男子声音说:

“应该早点儿打个电报来,那样就可以给您安排一个带浴室的房间啦。”

索菲娅清清楚楚地说:

“浑蛋!”

有一个女人,她的脸在昏暗中已经露出来了,她说:

“靠着我坐吧,这儿地方有的是。”

索菲娅·奥西波芙娜感觉出她的手指头在很快地、轻轻地抖动。

这是她从小就熟悉的世界,是犹太小镇的世界;她感觉出这个世界的一切变化有多么大。

这节车厢里有劳动组合的工人，有无线电技工，有师范学院的女学生，有工会学校的教师，有罐头工厂的工程师，有畜牧工作者，还有一位担任兽医的姑娘。以前小镇上没有这样一些职业。但是，要知道索菲娅·奥西波芙娜没有变呀，她依然是当年又怕爸爸又怕奶奶的那个样子。也许，这新的世界也依然未变？可是，不管怎么说，还不是一样，犹太人的小镇，不论是新是旧，反正是朝坡下滚去，将坠入无底深渊。

她听到有一个年轻的女子声音说：

“现在的德国人都是野蛮人，他们都不知道海涅是什么人。”

另一个角落里有一个男子声音用嘲笑的口吻说：

“结果这些野蛮人把咱们当牲口装进火车里，咱们知道海涅又有什么用？”

大家向索菲娅·奥西波芙娜打听前线的情况，因为她说的全是不好的消息，有人就对她说，她所知道的消息是不可靠的；于是她明白了，在这牲口车厢里有自己的战略，这战略的根据是强烈的生存愿望。

“难道您不知道，希特勒收到了最后通牒，要他立即释放所有的犹太人？”

是的，是的，当然是这样。等到任人宰割的痛苦感、不祥感变为剧烈的恐怖感的时候，人往往求助于毫无根据的乐观，以麻醉自己。

对索菲娅·奥西波芙娜的兴趣很快就过去了。她也和大家一样，成了一个不知道被弄到哪里去、不知道被弄去干什么的同路人。谁也不问她的名字和父称，谁也记不住她的姓。

索菲娅·奥西波芙娜甚至感到奇怪：走倒退的道路从人回到肮脏、可怜、失去名字和自由的牲口，只需要几天工夫；而从动物到人的路，却走了几百万年。

她很惊讶，人类遭受这样大的灾难，却依然时时刻刻操心生活琐事，依然因为一些小事彼此闹意见。

有一个上了年纪的女人小声对她说：

“医生，你瞧瞧那位阔太太，她坐在门缝儿跟前，就好像只有她的小孩子需要呼吸新鲜空气。太太是上咸湖去的。”

夜里火车停过两次，大家听着警备队咯吱咯吱的脚步声，很留心地听着杂乱不清的俄语和德语。

在夜晚的俄罗斯小站上说起歌德的语言，显得非常可怕，但是参加德国警备队的俄罗斯人说起俄语，更使人感到不祥。

天快亮的时候，索菲娅·奥西波芙娜和大家一样，感到饿得难受，并且幻想能喝到一口水。她的幻想极其微小，极不大胆，她想象着有一个压得凹凸不平的罐头盒子，里面还剩一点儿热乎乎的水汁儿。她用又快又短促的动作搔了搔痒，就像狗抓弄跳蚤那样。

现在索菲娅·奥西波芙娜觉得似乎懂得了生活与生存的区别。生活已经结束了，完了，可是生存依然继续着。虽然这种生存是可怜的、毫无意义的，但是一想到横死，心里就感到十分可怕。

下起雨来，有些雨滴从装了铁栏的小窗户里飞进来。索菲娅·奥西波芙娜从自己的衣襟上撕下一条布边儿，身子朝车厢壁挪动了一下，凑到有一条不大的缝隙的地方，把布条子杵到缝隙外面，等着布条浸透雨水。然后她把布条抽回来，嚼起凉丝丝、湿漉漉的布条。这时在靠近车厢壁的地方以及车厢角落里，有些人也开始撕布条了，索菲娅·奥西波芙娜感到很得意：这取雨水、喝雨水的方法是她发明的哩。

夜里，索菲娅·奥西波芙娜碰着的那个男孩子，坐在离她不远的地方，看着一些人把布条塞到车门底下的缝儿里。她在朦胧的光线中看到了他那瘦小的脸和尖尖的鼻子。看样子，他有六七岁。索菲娅·奥西波芙娜心想，她来到车厢里这么长时间，还没有人跟这孩子说过话呢，他也一动不动地坐着，没有和别人说过一句话。她把湿布条递给他，说：

“好孩子，给你。”

他没有作声。

“接着吧，接着吧。”她说。

他犹犹豫豫地伸出手来。

“你叫什么名字？”她问。

他小声回答说：

“达维德。”

坐在旁边的一个叫穆霞·鲍里索芙娜的女人说，达维德从莫斯科来看他的外婆，打起仗来，他不能回到妈妈身边了。外婆死在隔离区里，达维德的姨娘列维卡·布赫曼就跟有病的丈夫在这个车厢里，甚至都不让这孩子坐在她跟前。

到傍晚时候，索菲娅·奥西波芙娜已经听说不少事情，听到不少故事和争论，她自己也说，也参加争论。她对交谈者说：

“犹太兄弟们,我来对你们说说。”

许多人盼望着快点儿到地方下车,以为这是把他们送到集中营去,到集中营里每个人都可以根据自己的专长干活儿,有病的人可以住伤残病房。大家几乎一时不停地谈着这一点。可是心里依然在暗暗地害怕,在不出声地哭号。

索菲娅·奥西波芙娜从别人说的事情中知道,人身上不光是人性的东西。有人对她说,有一个女人把瘫痪的姐姐放到木盆里,在冬天的夜里拖到外面去,把姐姐冻死了。有人告诉她,有些母亲杀死自己的孩子,在这个车厢里就有这样一个女人。还有人说,有些人就像老鼠,成年累月地住在下水管道里,吃的是脏东西,只要能活着,吃什么苦都行。

犹太人在法西斯统治下生活是可怕的,犹太人既不是圣人,也不是坏蛋,他们是人。

当索菲娅·奥西波芙娜望着小小的达维德的时候,她心中产生的对人的怜悯感特别强烈。

小达维德照常不说话,一动不动地坐着。有时从口袋里掏出一个揉破了的火柴盒,对着火柴盒看一阵子,然后又藏进口袋。

索菲娅·奥西波芙娜有几个昼夜一点没有睡,她不想睡。这一夜她也是坐在又黑又臭的车厢里没有睡。她忽然想道:“这会儿任尼娅·沙波什尼科娃在哪儿呀?”她听着嘟哝声、叫声,心想,在睡着了的、发狂的头脑里这会儿一定是活灵活现地出现了言语难以表达的可怕情景。如果一个人还能活在世上,将来希望知道过去的事的话,怎样才能保留、才能记下这些情景呀? ……

“兹拉塔! 我的兹拉塔!”有一个男子带着哭声喊道。

四十四

……在纳乌姆·罗津别尔克的四十岁的头脑里正在进行着他习惯了的统计工作。他一面在路上走,一面算:前天110,加上昨天61,再加上前五天的612,共计783……可惜他没有计算男人、女人、儿童的分类数字……女人烧起来比较容易。这个有经验的劳工在焚尸的时候,总是把出灰多的干瘦的老头子跟女人尸体摆在一起。现在马上就要命令他们离开大路,拐个弯往前走了——一年前对那些人就是这样命令的。他们现在正要去挖并且用绳子拴着钩子从坑里往外拖的那些人的尸体。有经验的劳工可以从一个一个的坟包判断出坟坑里有多少尸体:五十,一百,二百,六百,一千……监督艾尔弗要他们管尸体叫"具",一百具,二百具,可是罗津别尔克管他们叫人,被杀的人,被杀的小孩子,被杀的老头子。他是在心里这样叫,要不然监督就要送他一粒枪子儿。可是他嘴里老是在嘟哝:"被杀的人呀,你从坑里出来吧……小家伙呀,别扯着妈妈啦,你们就要在一块儿,想分开也分不开啦……"要是问他:"你在那儿嘟哝什么?"他就说:"我什么也没有说,您也许觉得我在说话。"他还是在嘟哝,他在作斗争,这是他小小的斗争……前天有一个坑,里面八个人。监督叫起来:"真不像话,二十人的劳工队焚烧八具!"他说的很对。可是如果一个小村子里只有两户犹太人,又有什么办法呢?命令总归是命令:要把所有的坟都挖开,把所有尸体都烧掉……现在他们离开了大路,在草地上走了,终于,在碧绿的林中草地上第115次出现了灰色的土包——坟墓。八个人挖坟，四个人伐橡树，并且把橡树锯成一人长的木柴，两个人用斧头把木柴劈开，两个人把引火的干木板和汽油桶从大路上往这里抬，四个人清理架火堆的地方，挖出灰的沟——还要估计风从哪边来。

一会儿尸臭气就压倒了林中的腐烂树叶气息。警备队又笑，又骂，捂起鼻子，监督直吐唾沫，躲到林边去。劳工们扔下铁锹，拿起钩子，拿破布把嘴和鼻子蒙住……"您好，老大爷，您又要见见阳光啦；您多么重呀……啊，一个妈妈带三个孩子哩，两个男孩，一个已经上学啦，一个女孩有三岁啦，还害佝偻病呢……没关系，现在不怕了……别拿手扯住妈妈，好孩子，妈妈哪儿也不去啦……"监督在林边大声问："有几具？"罗津别尔克回答："十九……"底下是在心里说的："……个被杀的人。"大家都在骂：花了半天工夫，才这么一点点儿。可是上星期挖开一个坟，一下子就是两百个妇女，而且全是年轻的。当揭去上面一层土的时候，坟里冒出灰色的热气，警备队笑着说："这些娘儿们还热和哩！"他们往一道道通风的土沟上放一层干木柴，然后放橡树柴，橡树柴会变成很耐烧的火炭，然后放被杀的女人，再放一层木柴，然后又放被杀的男人，再放一层木柴，然后又放分不清男女的尸体碎块，然后浇汽油，然后往中间放一枚烧夷弹，然后监督下命令，警备队早早地笑起来，于是劳工们一齐唱。大火堆烧起来。然后把灰送进坑里。又静下来。原来很安静，现在又安静了。然后又把他们带进林中，他们在绿草地上没有看到坟包，监督命令他们挖坑：四米长，两米宽。他们都懂了，他们已经完成了任务：89个村子，加18个小镇，加四个工人村，加两个区中心，加三个国营农场，即两个谷物农场、一个奶牛场，总共116个居民点，这些劳工已经挖完了116个坟……会算账的罗津别尔克在给自己和其他劳工挖坟坑的时候，一面计算着：最后一个星期是783，在这之前的3个10天共计焚尸4826，前后相加，总数是5609。他算来算去，时间在算账中不知不觉地过着，他算起尸体，不，人体的平均数；5609除以坟墓数116，得数是每座合葬坟埋人48.35，去掉尾数，即每座坟埋48人。如果再算一算，20名劳工干了37天，那么，每名劳工平均……这时候警备队长喊道："整队！"监督艾里弗发出响亮的命令，"正前方，齐步走！"但是他不愿进坟墓。他跑了，跌倒了，爬起来又跑，他懒懒地跑，他会算账，却不会跑，但是没能把他打死，他躺在林中草地上，这里很安静，他既没有想头顶上的青天，又没有想他的兹拉塔，兹拉塔在被杀的时候已经有六个月的身孕了。他躺着，计算着挖坑时没有计算好的数字：20名劳工，37天，平均每人每天焚尸……这是第一；第二，应该算算每人用柴多少；第三，应当算算每一个被杀的人平均用多少时间焚烧……

过了一个星期，他被警察抓住，送进隔离区。

现在在这车厢里，他还在一个劲儿地嘟哝，计算，又乘，又除。要做年终决算！他要报给国家银行会计主任布赫曼。夜里，在梦中，痛楚的泪水忽然挣脱蒙在头脑和心上的疮痂，涌了出来。

"兹拉塔！我的兹拉塔！"他呼唤道。

四十五

她的房间的窗户对着隔离区的铁丝网。图书管理员穆霞·鲍里索芙娜夜里醒来，掀开窗帘的边儿，看见两名士兵拖着一挺机枪，擦得发亮的机枪上闪烁着斑斑点点的青色月光，走在前面的一名军官的眼镜也闪着光。她听到低低的马达声。有汽车熄了车灯向隔离区开来，沉重的夜晚的灰土银光闪闪，在车轮周围打着圈圈儿，一辆辆汽车就像神仙的车一样，在云雾中前进。

在这月夜时刻，当党卫军和波兰民主党的分队、波兰警察队、附属部队、帝国保安局后备汽车队开到沉睡的隔离区大门口的时候，一个女子测算了这二十世纪的厄运。

月光，武装的队伍整齐地、雄赳赳地行进，一辆黑黑的、马力强大的汽车；墙上挂钟的嘀嗒声，搭在椅子上的上衣、束胸、袜子，屋里暖烘烘的气息——一切无法结合的事物都合在了一起。

四十六

1937年，被捕后死去的老医生卡拉西克的女儿娜塔莎，在车厢里不时地试着唱歌。有时她在夜里也唱，但是人们并不生她的气。

她一向很腼腆，说话总是低垂着眼睛，声音小小的，平时串门儿也只是上最亲近的人家去，看到一些姑娘有胆量在晚会上跳舞，她总是感到惊讶。

在挑选要消灭的人时，没有把她列入手艺人和医生的一堆，手艺人和医生是保留的，因为活着有益；一个憔悴不堪、白了头发的姑娘活着没什么用处。

一名警察把她推到市场上一个灰土包跟前，土包上站着三个醉醺醺的人，其中一个是现在的警察局局长，战前她认识他，他原是一个铁路仓库的守卫队长。她甚至不明白，正是这三个人在裁决人的生与死；那名警察猛地一推，把她推进被认为活着无益的乱哄哄的女人、孩子、男人的上千的人群里。

然后他们冒着此生最后一次暑热朝飞机场走去，看着大路两旁落了一层灰土的苹果树，最后一次尖声高叫，撕自己身上的衣服，祈祷。娜塔莎一声不响地走着。

她从来没想到，人的血在阳光中那样鲜红。有时叫声、枪声、呼吸声停息一小会儿，这时便可以听见坑里咕咕的流血声，鲜血在白白的人体上奔流着，就像流在白白的石头上。

然后是最不可怕的了：自动步枪声不是太响，刽子手的脸色很平常、不凶狠，而且杀人已经杀累了，正在耐心地等着她怯生生地往他跟前走，等着她站到咕咕流血的大坑边上。

夜里，她拧干浸透了血的小褂，回到城里——死人是不会从坟里走出来的，就是说，她还活着。

当娜塔莎走过一户户人家朝隔离区走的时候，她看到广场上在举行游艺会，管弦乐队在演奏她一向喜欢的一支悲伤和带有幻想意味的华尔兹舞曲，在朦胧的月光和灯光下，在灰尘飞扬的广场上旋转着一对对舞伴，有姑娘，有士兵，脚步摩擦声与音乐声混合到一起。憔悴不堪的姑娘这时候高兴起来，并且有了信心，于是她唱了又唱，轻轻地唱，预感到有幸福在等待着她，而且，有时候，如果没有人看到的话，还要试着跳几步华尔兹呢。

四十七

战争开始后的一切事情，小达维德都记不清楚了。但是有一天夜里，在车厢里在这孩子的脑海里出现了不久前经历的一件事情。

一天晚上，外婆领着他上布赫曼家去。天空繁星点点，天边十分明亮，呈现出黄绿色，牛蒡叶子拂在腮上，就好像是什么人的凉丝丝、潮乎乎的手掌。

人们躲在阁楼上、防空洞里、夹层墙里。黑黑的房顶铁瓦白天晒得烫人。有时阁楼上充满灯油气味。隔离区大火在燃烧。白天大家都躲藏着，一动不动地躺着。布赫曼的女儿斯维特兰娜很单调地哭着。布赫曼有心脏病，白天大家把他当作死人，到夜里他吃饭，跟老婆吵嘴。

忽然，狗叫起来。听到哇啦哇啦的德国人的说话声。头顶上响起轰隆轰隆的声音。德国人从天窗爬上房顶。

后来，德国人钉了铁掌的靴子在铁皮房顶上踩起的轰隆声停息了。在墙脚下可以听到轻轻的、有用意的敲打声——有人敲墙传递信息。

里面的人静了下来，是一种紧张的寂静，肩头和脖子上的肌肉哆嗦着，由于紧张，眼睛瞪得老大，牙齿龇露着。

小小的斯维特兰娜在轻轻地敲墙声中又哼起了没有歌词的

诉怨曲。小姑娘的哭声忽然断了。达维德回头朝她看了看，却看到斯维特兰娜的妈妈列维卡·布赫曼的发狂的眼睛。

在这之后，有一两次他眼前刹那间浮现出这双眼睛和耷拉到后面的像布娃娃一样的小姑娘的头。

可是战前的事他却记得很清楚，常常想起来。在这车厢里，他像个老头子一样，一个劲儿地想着过去，珍惜过去，玩味过去。

四十八

12月12日，达维德过生日的那一天，妈妈给他买了一本带画的书。在林中空地上有一只灰灰的小羊羔，四周围黑压压的森林显得特别凶恶。在黑褐色的树干和毒蘑菇丛中，可以看到一只狼的红红的、龇着牙的大嘴和绿色的眼睛。

只有达维德知道小羊羔一定要遭殃。他拿拳头敲桌子，拿手掌捂着林中空地，不让狼看见，但是他明白，他救不了小羊羔。

夜里他喊：

“妈妈，妈妈，妈妈！”

妈妈醒来，朝他走来，就像漆黑的夜里飞来一片云彩，他幸福地打起呵欠，觉得世界上最强大的力量保护着他，不怕黑压压的夜晚的森林了。

等他长大了一些，他又害怕起《热带丛林之书》里的红狗。有一天夜里，屋里好像到处都有这种红红的猛兽，达维德就光着脚踩着五斗柜拉开的抽屉跨过去，钻到妈妈被窝里。

有一次他发高烧，他反反复复做着同一个梦：他躺在海边沙滩上，像小指头一样大的小小的海浪冲得他的身体痒痒的。忽然在天边冒起一座蓝蓝的、无声无息的水山，水山越来越高大，并且飞快地朝他冲来。达维德躺在热乎乎的沙滩上，蓝黑色的水山朝他压过来。这比狼和红狗更可怕。

早晨，妈妈去上班。他走到黑黑的楼梯上，往一个蟹肉罐头空盒子里倒一碗牛奶，有一只尾巴细长、鼻子灰白、眼睛流泪的讨饭的猫是知道来喝的。有一天，邻居家一位大婶说，天亮时候来了几个人，带着一个小箱子，把讨人嫌的讨饭的猫弄到研究所去了。

"我上哪儿去找那个研究所？这根本做不到嘛，你忘掉那只倒霉的猫吧，"妈妈看着他那恳求的眼神，说，"你以后在人世上怎么过呀？心肠不能这样软。"

妈妈想把他送进儿童夏令营，他哭，央求不去，并且失望得把两手一挓挲，叫道：

"我一定要去找外婆，就是不去那个营！"

他妈妈带着他到乌克兰来找外婆，他在火车里几乎什么也不吃：他觉得吃熟鸡蛋或者撕开包装油纸吃肉饼很不好意思。

妈妈陪他在外婆家里住了五天，就准备回去上班。他跟妈妈分别的时候，没流眼泪，只是使劲儿搂住妈妈的脖子，妈妈说：

"傻孩子，搂得我喘不上气来啦。这儿有这么多便宜的草莓，过两个月我再来带你回去。"

外婆罗莎家门口就有一个公共汽车站，这一条线的公共汽车是从城里开往皮革工厂的。

去世的外公原是一位崩得分子，是一个有名的人物，过去住在巴黎。外婆因此受到尊敬,也常常因此失去工作。

从开着的窗户里可以听到无线电广播:“基辅广播电台开始播音……”

白天大街上空空荡荡,有时制革专科学校的男女学生们从大街上走过,隔着街互相叫喊:“别拉,你考及格了吗?”“雅什卡,你来复习马克思主义!”这时候大街上才热闹起来。

傍晚时候,皮革厂工人们、商店店员们、市广播站修理工索洛卡纷纷回家。外婆在一家门诊所基层工会工作。

外婆不在家,达维德也不觉得寂寞。

外婆家旁边,有一处没有主儿的老果园,苹果树已经老得不结苹果,老山羊在里面吃草,带记号的母鸡在里面打食儿,蚂蚁不声不响地在小草上爬。城里的鸟儿乌鸦和麻雀在果园里闹闹嚷嚷,十分得意,达维德叫不出名字的一些田野的鸟儿飞进果园里,感到十分胆怯,就像羞涩的乡下姑娘。

他听到很多新的词儿。他听出这些词儿和他听惯了的俄语又一样又不一样。他听到了犹太话。他感到惊讶的是,妈妈和外婆当着他的面也说起犹太话。他从来没有听到妈妈说过这种他不懂的话。

外婆带他走亲戚,来到她的胖侄女列维卡·布赫曼家。达维德看到屋里有很多编结的白色窗帘,十分吃惊。身穿制服、脚登皮靴的国家银行会计艾杜尔·伊萨科维奇·布赫曼走了进来。

“哈伊姆,”列维卡说,“这是咱们的莫斯科客人,拉娅的孩子,”又转身对达维德说:“来,见见艾杜尔姨父。”

达维德向这位会计主任问道:

“艾杜尔姨父,为什么列维卡姨妈管您叫哈伊姆?”

“哦,这问题有意思,”艾杜尔说,“难道你不知道,在英国哈伊姆就是艾杜尔?”

过了一会儿,有一只猫在门上乱抓起来,等到猫终于把门抓开,就看到屋里有一个小姑娘无精打采地坐在瓦罐上。

礼拜天达维德跟着外婆到市场上去。他在路上看到的有披黑头巾的老奶奶,有睡眼惺忪、愁眉苦脸的女列车员,有带蓝提包或红提包的神气活现的当地领导人的夫人,有穿高筒靴的农村妇女。

一些乞讨的犹太人用气势汹汹的粗大嗓门儿叫喊着,似乎别人对他们施舍不是出于怜悯,而是由于害怕。在石子铺的马路上奔驰着集体农庄的吨半货车,装着一袋袋的土豆或麦麸,一笼笼的母鸡,母鸡在汽车颠簸的时候咕咕乱叫,就像一群病弱不堪的老奶奶。

最使他注意、使他难受和害怕的是肉货摊。达维德看到,有人从大车上拖下宰好的黄牛,那死牛半张着苍白的嘴唇,脖子上那弯弯的白毛沾满了血。

外婆买了一只很嫩的花母鸡,提着鸡腿,鸡腿用白布条子捆着。达维德在旁边走,老想拿手帮助鸡把没有劲儿的头抬高一点儿。他很吃惊,外婆怎么这样狠心。

达维德想起了妈妈说过,他原来不懂的话。妈妈说,外公祖上的人都是读书人,外婆祖上的人都是市民和买卖人。大概就因为这样,外婆对鸡一点也不心疼。

他们走进一个小院子,一个戴小圆帽的小老头儿迎着他们走出来，外婆跟他说起了犹太话。老头儿把鸡抓在手里，嘟哝起来，花母鸡信任地咕哒咕哒叫了几声，然后老头儿做了一点儿什么，那动作又快又利索，但是似乎又很可怕，紧接着他把鸡隔着肩膀一扔，那鸡便扑打着翅膀跑起来，达维德看到那鸡已经没有头，跑的只是没有头的身子，老头儿已经把鸡宰了。那鸡身子跑了几步，便倒在地上，用有劲的嫩爪子乱抓土地，过一会儿就不动了。

到夜里，这孩子觉得，那些死黄牛和被宰的小牛犊身上的潮湿气味钻进屋里来了。

住在画上的森林里的死神，原来是在画上的狼偷偷走向画上的羊羔的地方的，在这一天从画上下来了。他第一次感觉到，他也死了，不是像画上那样死，而是真的死了，清清楚楚地死了。

他知道，妈妈将来也会死的。来找他和她的死神不是从画上的森林里，不是从黑压压的枞树丛里来，而是从这空中、从生活中、从家里来，想躲也躲不开。

他对死的感触是那样深、那样真切，这样的感触只有小孩子和伟大的哲学家才会有，伟大哲学家的思维力之强和小孩子感情的单纯与强烈是差不多的。

那坐垫已破、上面放着胶合板的椅子，那厚实的衣橱，都散发着一种宁静的、亲切的气味，就像外婆的头发和衣服上的气味。这儿的夜晚是暖和的，表面上很宁静。

四十九

在这个夏季，他的生活离开了拼字方块，离开了画在识字课本上的图画。他看到,公鸭子那黑黑的翅膀泛着多么好看的蓝色光泽,公鸭子笑起来和叫起来多么好玩,多么好笑。枝丛里闪烁着白色的甜樱桃,他顺着疙疙瘩瘩的树干爬上去,爬到樱桃跟前,一伸手就摘下来。牛犊拴在空地上,他走过去,拿糖块喂牛犊。他看到胖乎乎的小牛犊那可爱的眼睛,快活得发了呆。

红头发的佩契克走到达维德跟前,说:

"咱们来干一架!"

外婆院子里住的犹太人和乌克兰人彼此十分相像。帕尔丁斯卡娅老奶奶来到外婆屋里,慢悠悠地说:

"罗莎·努西诺芙娜,您觉得怎么样,索尼娅上基辅去啦,又跟丈夫和好啦。"

外婆把胳膊一挓挲,笑着回答说:

"噢,叫您看笑话了。"

达维德觉得这儿的世界比基洛夫街上更好,更可爱。在基洛夫街上的时候,在小小的沥青院子里经常有一个姓德拉科-德拉康的浓妆艳抹的卷发老奶奶带着卷毛狗在散步,每天早晨大门口都停着一辆"吉斯101"小汽车,一个戴夹鼻眼镜的女邻居,抹口红的嘴上叼着香烟,对着公用煤气炉一个劲地嘟哝:"你这托洛茨基分子,把我炉盘上的咖啡推过来啦。"

妈妈那天夜里领着他出了车站。他们顺着洒遍月光的石子铺的大街往前走,经过一座白色的天主教堂,在神龛里站着瘦瘦的、个头儿像个十二岁男孩的、弯腰戴着荆冠的耶稣基督,又经过妈妈过去上过的专科学校。

过了几天,在星期五的傍晚,达维德看到一些老头子在光脚的足球队员在空地上蹚起的一片金色灰尘中朝犹太教堂走去。

这儿的乌克兰式白房子，咯吱咯吱的井上提水吊杆，黑白两色祈祷服上那使人眼花缭乱的表现可怜的圣经老人的古老花饰，这一切合在一起，就产生了惊人的美。这儿有《民间歌手》，有普希金和托尔斯泰的书，有物理课本，有《共产主义运动中的"左倾"幼稚病》，有国内战争时期跑来的鞋匠和裁缝的儿子，有区委指导员，有区工会理事会的斗士和宣传员，有汽车司机，有侦讯处的侦查员，有马克思主义讲解员。

达维德来到外婆家以后，才知道妈妈是很不幸的。首先告诉他这一点的，是拉赫莉阿姨，是一个胖胖的女人，两腮通红通红的，就好像老是在害臊。她说：

"扔掉像你妈妈这样好的女人，实在是罪过。"

过了一天，达维德已经知道，他的爸爸上一个俄罗斯女人那儿去了，那女人比他大八岁，他在音乐厅每月挣两千五百卢布，妈妈不要赡养费，仅仅靠自己每月挣的三百一十卢布生活。

达维德有一天把装在火柴盒里的一个蚕茧拿给外婆看。

可是外婆说：

"嘿，你留着这脏东西干啥，快点儿扔了。"

达维德有两次跑到货车站，看着往车厢里装牛、羊和猪。他听到老牛哞哞直叫，不知是在诉苦，还是在祈求怜悯。达维德心里很害怕，可是穿着又脏又破的服装的铁路工人在车厢旁边走来走去，也不转过疲惫的瘦脸去看看哞哞叫的老牛。

达维德来了一个星期之后，外婆的邻居、农机厂钳工拉萨尔·杨凯列维奇的妻子杰波拉生下头个儿子。去年杰波拉到科雷马去探望姐姐，在雷雨时候受到电击；她像死人一样躺了两个钟头，后来被救活了，今年夏天就生了孩子。她十五年来一直没有孩子。这是外婆对达维德说的。外婆又说：

“大家都是这么说的，可是，不光是这样，去年医生还给她做过手术。”

有一天，外婆带着达维德来到邻居家。

“嗯，拉萨尔，嗯，杰波拉。”外婆看了看躺在衣服篮子里的两脚动物，说。她说这话带着一种很严厉的口气，好像警告孩子的父亲和母亲对待这出现的奇迹不能马虎。

在铁路旁边的一座小屋里住着索尔金娜老奶奶和两个儿子，两个儿子都是又聋又哑的理发匠。邻居们都很怕他们。帕尔登斯卡娅老奶奶对达维德说：

“他们不喝酒的时候，挺老实。等他们一喝了酒，就要打架，又嚷嚷，又拿刀子，窜来窜去，跟野马一样！”

有一次外婆叫达维德去给图书管理员穆霞·波里索芙娜送一小罐酸奶油……她的屋非常小。桌子上有一个小碗，墙上钉着小小的书架，书架上有一本一本的小书，小床上面挂着一张小小的照片。照片上照的是妈妈和达维德，达维德裹在小被子里。达维德看到照片，穆霞·波里索芙娜脸红了，并且说：

“我跟你妈妈坐过一张书桌呢。”

他给她念了关于蜻蜓和蚂蚁的寓言故事，她也小声给他念了一首诗的开头：“看到砍伐森林，萨沙哭了……”

早晨起来，院子里闹哄起来：索洛蒙·斯列波依家里一件皮袄，已经撒了香料、包起来准备过夏天的，夜里被偷了。

外婆一听说斯列波依家的皮袄被偷，就说：

“谢天谢地，应该让这强盗倒倒霉。”

达维德听说，斯列波依是一个喜欢告密的人，在取消旧币和金卢布的时候，他出卖了很多人。在1937年他又出卖了一些人。在他出卖的人当中，有两个被枪决，一个死在监狱的医院里。

夜晚可怕的沙沙声、无辜的鲜血和鸟儿的歌声——这一切合成惊心动魄的、乱糟糟的一团。达维德要理解这一切，还得过几十年。但是他的小小的心灵却日日夜夜感受到其动人的美和可怕。

五十

为了宰杀害了传染病的牲口，要做准备工作：把牲口运送和集中到屠宰点，培训屠宰工人，开挖壕沟和大坑。

居民们帮助政府把得病的牲口送往屠宰点，或者帮助捕捉跑散的牲口。他们这样做不是因为痛恨牛犊或老牛，而是出于自我保全感。

在大规模屠杀人的时候，一般的人对于要被消灭的老人、妇女和儿童同样没有切齿的痛恨。所以，要进行大规模的消灭人的运动，必须进行特殊的准备。在这方面，光有自我保全感是不够的，还必须唤起一般人的憎恶和仇恨。

正是在这种憎恶和仇恨的气氛中，准备消灭或者正在消灭乌克兰和白俄罗斯的犹太人。当年正是在这块土地上，斯大林挑动和煽起群众的痛恨之后，才进行了消灭富农阶级的运动，进行了残杀托洛茨基和布哈林分子的运动。

经验证明,大多数人在这样的运动中对政府的指示是盲目服从。在广大群众中有少数人是制造运动气氛的:其中有残忍成性的,有正中下怀的,有幸灾乐祸的,有思想上的糊涂虫,还有抱着个人目的和打算的人,比如,可以捞到东西、住房、空出来的职位。大多数人心里害怕大规模的残杀,不仅对最亲近的人,而且自己对自己掩盖着真实的心情。一开起发动残杀运动的大会,这些人就坐满了会场。不论这样的大会开多少次,不论会场上有多少人,几乎没有什么人破坏一致默认的事。要是一个人看到一条被怀疑为疯狗的狗,看到狗的祈求的目光而不转过眼睛,并且让被怀疑为疯狗的狗住到自己和妻子儿女同住的家里去,这样的事就更少了。不过,这样的事总归还是有的。

二十世纪上半叶在历史上将占有特殊地位,因为它是伟大科学发明的时代,革命的时代,巨大的社会变革的时代和两次世界大战的时代。

但是,二十世纪上半叶将以普遍残杀广大阶层的犹太人的时代进入人类历史,而这一残杀运动还有社会学的和种族的理论根据。当代现实抱着不难理解的忍让态度,对此保持沉默。

在这个时期暴露出来的人类天性的最惊人的特点之一就是顺从。有时候,前往行刑的地方要排很长的队,等待被杀的人就自动排队。有时候,等待受刑要从早晨等到深夜,在长长的炎热的一天中,已经知道这件事的母亲提前带着水和面包为儿子准备着。成千上万的无辜者感觉到自己快要被逮捕了,提前把衣服和手巾包好,提前和家里人告别。千百万人住在巨大的集中营里,这些集中营不仅是他们自己建造的，而且自己看守着。

不是一万、两万，甚至也不是几千万人，而是无数的群众都成为消灭无辜的顺从的旁观者。而且不只是顺从的旁观者，等到要他们赞成消灭无辜的时候，他们会众口一声地表示赞成大规模的屠杀。这种大量的人的顺从，是新发现的一种意外。

当然，也有反抗，受害者有些也很英勇、顽强，也有起义，也有自我牺牲，有的人为了挽救不相干也不相识的人献出自己的生命和家里人的生命。可是，群众性的顺从总归是无可争辩的事实！

这种顺从说明什么呢？是不是说明在人的天性中忽然出现了新的特点？不是。这种顺从说明有一种新的可怕的力量影响着人们。极权社会制度的超级强制性最能麻痹所有大陆上的人的精神。

甘心为法西斯效劳的人声称，只能使人遭殃和灭亡的奴性是唯一和真正的善良。出卖国家民族的人一面承认人类感情，一面说法西斯的种种暴行是最高形式的人道主义，赞成把人分为高雅的、体面的人和不高雅、不体面的人。自我保全的欲望就表现在生存本能与良心的协调中。

一些世界性思想的麻醉力量支持着生存本能。这样一些思想号召：为了祖国的伟大前途，为了人类幸福，为了民族、阶级的幸福，为了人类进步事业，为了达到伟大的目的，不惜任何牺牲，不惜采取任何手段。

除了一些伟大思想的麻醉力量，跟生存本能一同起作用的还有第三种力量，那就是对于强大国家的不受限制的强权，对于已成为国家日常生活基础的残杀的恐惧心理。

极权国家的强权是如此巨大,以至于不再是手段,而变成了神秘的、宗教崇拜的对象,狂热歌颂的对象。

要不然怎样解释一些犹太思想家和文化人的说法呢?他们说,为了人类幸福必须杀尽犹太人,他们认识到这一点,愿意把自己的孩子领到屠杀点去,为了祖国的幸福,他们愿意做出牺牲,就像圣经上的亚伯拉罕那样。

要不然怎样解释一位农民出身的才智双全的诗人的作为?他怀着真挚的感情写了一部长诗,歌颂农民受难的血腥时期,正是那个时期吞食了他那忠厚、纯朴、干了一辈子庄稼活儿的父亲。

法西斯制服人的手段之一就是完全迷惑或者几乎完全迷惑。人们不相信会被消灭。说来奇怪,已经站在坟坑边上,竟是那样乐观。在极不明智的、有时是不可告人的、卑鄙的希望的基础上产生的顺从,是与这种希望相符合的——也是见不得人的,有时也是很卑鄙的。

华沙起义、特雷布林卡集中营的起义、索比波尔的起义、劳工们的小型暴动和起义的发生,都是由于实在失去了希望。

但是,彻底的、明显的失望引起的不仅是起义和反抗,也能使一些人产生正常人不能理解的早做刀下鬼的渴望。

有些人就为了走向血淋淋的埋人坑的先后而争吵,还能听到兴奋的、激昂的、几乎是狂喜的叫喊声:

“犹太弟兄们,不要怕,没有什么可怕的,再有五分钟就行了!”

希望能产生顺从,失望也能产生顺从,因为同命运的人们的性格各不相同。

需要想想人们遭受的苦难和折磨，才能理解为什么有些人认为早点儿被杀是幸运的。很多人应该想想这一点，特别是那些喜欢教导人的人，他们常常教导人在艰难境况下应当怎样进行斗争，可惜这些说空话的导师都很幸运，想象不出那样的境况。

明白了人对于强权暴力的顺从，还必须做出最后的结论，这样的结论对于理解人、理解人的未来是有意义的。

人的天性会不会起变化，在极权暴力作用下会不会变异？人会不会失去生来就有的对自由的渴望？人的命运、极权国家的命运就在对这一问题的回答中。人如果改变了天性，国家独裁制必然会取得全世界性的永久的胜利；人追求自由的愿望不改变，就是对极权国家宣判死刑……

人类渴望自由的天性是消灭不了的，可以压抑，但无法消灭。极权政治不能不使用暴力。如果离开暴力，极权政治就会完蛋。经常、不断使用的超级暴力，露骨的或者经过伪装的超级暴力，是极权政治的基础。人不会自愿地放弃自由。我们时代的曙光、未来的曙光就在这一结论中。

五十一

电子计算机能进行数学计算，能记下历史事件，能下棋，能翻译书籍。电子计算机快速计算数学习题的能力超过了人，其记忆力也是无可比拟的。

根据人的样式和行动创造机器的科学进步是不是有限度

的？显然，没有这种限度。

可以想象出未来几个世纪和几十个世纪的机器，未来的机器可以听音乐，欣赏图画，自己能画画，能作曲，能写诗。

其完美性是不是有限度的？能不能和人相比，能不能超过人？

机器模仿人，将要求电子学不断有新的发展，重量和场地不断增加。

回忆意年……高兴时流泪……离别时伤心……热爱自由……心疼生病的小狗……疑神疑鬼……妈妈般地抚爱……考虑死亡……悲伤……交朋友……喜欢弱者……突然萌生希望……准确地猜测……忧愁……无缘无故地快乐……无缘无故地慌乱……一切，一切，机器都能做到！

但是，机器即使渐渐能代替一个最普通、最平常的人的智慧和心灵，其体积和重量必然会不断增加，整个地球的土地都会放不下。

法西斯竟消灭了几千万人。

五十二

在乌拉尔林区一个村子里的一个宽敞、明亮、清洁的房间里，坦克军军长诺维科夫和政委盖特曼诺夫正在看接到出发命令的各旅旅长的报告，快要看完了。

一连几昼夜不眠的工作换来宁静的时刻。

就像在类似的情况下一样，诺维科夫总觉得他们的时间不够，无法完全、充分地掌握教学大纲规定的内容。但是，学习阶段，掌握发动机和传动部分操作规程、炮兵技术、光学和无线电设备的阶段结束了；操纵火力、判断情况、选择和确定目标、选择射击方法、确定开火时刻、观察爆炸、进行校正、变换目标的训练全结束了。

今后的教员将是战争，战争会很快地把人教会，还会督促落后者，给人补课。

盖特曼诺夫朝两个窗户之间的小橱探过身子，拿指头敲着小橱，说：

“喂，伙计，出来吧。”

诺维科夫把橱门打开，拿出一瓶白兰地，把两个蓝蓝的、厚厚的玻璃杯斟满了。

这位军长一面考虑着，一面说：

“咱们为谁干杯呢？”

诺维科夫自然知道应该为谁干杯，所以盖特曼诺夫也问：“你说该为谁？”

诺维科夫犹豫了一下子之后，说：

“来，政委同志，为咱们率领作战的同志们干杯，愿他们少流血。”

“很对，首先要关怀各负责干部，”盖特曼诺夫随口说，“来，为咱们的小伙子们干杯！”

他们碰了杯。

诺维科夫带着掩饰不住的抢先心情又斟了两杯，说：

“为斯大林同志干杯！为了不辜负他的信任。”

他看到隐藏在盖特曼诺夫那亲切而留神的眼睛里的冷笑，便责备起自己，心想：“唉，太着急啦。”

盖特曼诺夫和善地说：

“是的，不错，为他老人家，为咱们的父亲干杯。咱们要在他的率领下打到伏尔加河边。”

诺维科夫看了看政委，可是，从这个四十岁的聪明人的高颧骨的微笑的大脸上，从他那眯着的又快活又厉害的眼睛里又能看出什么呢？

盖特曼诺夫忽然谈起军参谋长涅乌道布诺夫将军：

“是一个好人，一个很好的人。一个布尔什维克，一个真正的斯大林主义者，有丰富的领导工作经验，有坚强的毅力。我记得他在1937年的情形。叶若夫派他主持军区的肃反。我当时也担任很重要的工作。可是谁也没有他那样的魄力。雷厉风行，毫不手软，说枪毙就枪毙，不次于乌尔里赫，没有辜负叶若夫同志的信任。应当现在马上把他请来，要不然他还要生气哩。”

在他的口气中仿佛有不满意肃反斗争的意味，据诺维科夫所知，他也曾参加肃反斗争的。于是诺维科夫又看了看他，还是什么也看不出来。

“是啊，”诺维科夫慢慢地、很不利落地说：“那时候有些人的做法很不对头。”

盖特曼诺夫把手一挥。

“今天收到总参一份战报，情况很严重：德国人已经接近厄尔布鲁士，在斯大林格勒眼看着就要把我军逼到水里。我要坦率地说：我们杀自己人，消灭大量干部，我们的厄运就是这些事造成

的。”

诺维科夫一下子就对盖特曼诺夫产生了信任感，说：

“是啊，这些同志杀害了不少有才能的好人，政委同志，在军队里造成的不幸的事太多了。就比如军长克里沃卢契科在审讯中被打坏一只眼睛，他又用墨水瓶把侦讯员的脑袋打碎。”

盖特曼诺夫点点头，表示有同感，又说：

“贝利亚同志很器重咱们的涅乌道布诺夫。贝利亚同志是不会看错人的，他可是一个聪明人，确实聪明。”

“是的，是的，”诺维科夫在心里慢悠悠地想道，却没有说出口来。

他们沉默了一会儿，倾听着隔壁不太高的说话声：

“胡说，这是我们的袜子。”

“就算你们的吧，少尉同志，不过您怎么，迷糊啦？”接着又把“您”换成“你”，说：“你往哪儿放？别动，这是我们的衬领。”

“副指导员同志，你拿去看看，这哪儿是你们的？”

这是诺维科夫的副官和盖特曼诺夫的办事人员在洗过衣服以后分检首长的衣物。

盖特曼诺夫说：

“我一直在观察他们这两个家伙。那一天咱们到法托夫营里去看射击演习，我和您在前面走，他们跟在后面。过小河沟的时候，我踩着小石头走过去，您跳过去，为了不踩到泥巴，把一条腿一蹬。我看到：我的办事人员也踩着小石头走过去，您的副官也跳过去，而且也把一条腿一蹬。”

“喂，两位勇士，别吵啦！”诺维科夫说。隔壁房间里马上安静下来。

涅乌道布诺夫走了进来。他脸色苍白，大大的额头，密密的、白了不少的头发。他打量了一下酒杯和酒瓶，把一叠文件放到桌上，向诺维科夫问道：

“上校同志，咱们该对第二旅参谋长怎么办？米哈廖夫过一个半月才能回来。我收到军区医院的诊断结论啦。”

“他没有了肠子，胃也去掉了一部分，怎么能做参谋长呀？”盖特曼诺夫说过这话，斟了一杯白兰地，递给涅乌道布诺夫。“将军同志，趁着肠子还在，喝一杯吧。”

涅乌道布诺夫扬起眉毛，带着询问的神气用淡灰色的眼睛看了看诺维科夫。

“请吧，将军同志，请吧。”诺维科夫说，

他很不满意盖特曼诺夫那种自以为处处可以当家做主的作风。盖特曼诺夫好像自信有权在讨论技术问题的会议上发表长篇大论，其实他根本不懂什么技术。盖特曼诺夫还常常拿别人的酒招待客人，让客人在别人的床上休息，看别人桌上的文件，认为自己有权这样做。

“是不是暂时派巴桑果夫少校代理参谋长？”诺维科夫说。“他是一位精明能干的指挥员，在沃伦斯基新城战役中就参加过坦克战斗。政委没有意见吧？”

“意见当然没有，”盖特曼诺夫说，“我怎么会有意见……不过，倒是有一点想法：第二旅上校副旅长是亚美尼亚人，如果他们的参谋长是卡尔梅克人，再说，第三旅参谋长李甫希茨也是卡尔梅克人。我们离了卡尔梅克人就不行吗？”

他看了看诺维科夫，然后又看了看涅乌道布诺夫。

涅乌道布诺夫说：

“说心里话，按家常道理来说，您这话是对的，不过马克思主义要咱们从另外一个角度来看待这个问题。”

“要紧的是，这个同志怎样打德国人，这就是我的马克思主义，”诺维科夫说，“至于他的父亲是在哪儿祷告，是在天主教堂，还是在清真寺……”他想了想，又说：“还是在犹太教堂，我都不管……我认为，在战争中最要紧的是射击。”

“是的，是的，正是这样，”盖特曼诺夫快活地说，“在坦克军里咱们还管什么清真寺和犹太教堂？反正咱们是保卫俄罗斯。”他忽然阴沉下脸，发狠地说：“说实在话，够啦！简直叫人受不了！为了各民族友谊，咱们总是拿俄罗斯人当牺牲品。少数民族的人，只要能认识几个字母，我们就要把他们选为人民委员。咱们俄罗斯人，哪怕浑身是本事，都得让开，让路给少数民族的人！伟大的俄罗斯民族倒变成了小民族。我赞成各民族友好，但是不赞成这样的做法。够啦！”诺维科夫想了想，看了看桌上的文件，拿手指甲敲了一会儿酒杯，说：

“怎么，我是对卡尔梅克族的人抱有特别的好感，压制俄罗斯人吗？”他转过脸朝着涅乌道布诺夫，说：“好吧，请您发命令：任命萨佐诺夫少校为第二旅代理参谋长。”

盖特曼诺夫用不高的声音说：

“萨佐诺夫是一位出色的指挥员。”

诺维科夫本来是学会了做一个粗暴、威风和强硬的人的，这会儿却又感到自己在政委面前缺乏自信……“好啦，好啦，”他在心中安慰自己说,“我不懂政治,我是无产阶级的军事专家。我管不了许多,只管打德国佬。”

但是,尽管他也常常在心里嘲笑盖特曼诺夫不懂军事,承认自己在他面前感到胆怯却是很不愉快的。

盖特曼诺夫老大的脑袋,一头乱发,个头儿不高,肩膀却很宽阔,肚子很大,活泼好动,说话声音不高,很爱笑,精力异常充沛。

尽管他从来没有上过前线,可是在各旅里谈到他时,都说:“噢,我们的政委很有战斗经验!”

他很喜欢召开红军官兵大会;大家很喜欢听他讲话,他讲话很随便,很风趣,有时说一些很粗俗、很不文雅的话。

他走路有些蹒跚,常常拄着手杖,如果有坦克兵忘记向他行礼,他就在坦克兵面前站下来,拄着手杖,摘下帽子,像乡下佬那样鞠一个九十度的大躬。

他爱发火,不喜欢听反对意见。要是有人和他争论,他便阴沉着脸,鼻子里直哼哧,有一次他发了火,抡起拳头,照着重坦克团参谋长古宾科夫轻轻地打了一拳。古宾科夫是个很固执的人,同志们说他“原则性强得可怕”。

盖特曼诺夫手下的办事人员一提到这位固执的大尉,就用责备的口气说:“这家伙把我们的政委气坏啦。”

盖特曼诺夫不敬重那些经历过战争初期艰难日子的人。有一次他谈起诺维科夫很器重的第一旅旅长马卡罗夫,说:

“我要打掉他的1941年那一套!”

诺维科夫没有作声,虽然他很喜欢和马卡罗夫谈谈可怕而有些吸引人的战争开始的日子。

盖特曼诺夫的见解之大胆与尖刻似乎恰恰是涅乌道布诺夫的对立面。

这两个人尽管非常不相像,但因为也有某种永远一致的地方,所以团结得很好。

诺维科夫看到涅乌道布诺夫的不露表情、然而凝神注视的目光,听到他的圆滑的话和总是平心静气的语调,就感到纳闷。

可是盖特曼诺夫却哈哈笑着说:

"我们很幸运,德国佬一年来对庄稼汉造的孽,比共产党二十五年来造的孽还多。"

有时忽然冷笑说:

"没说的,咱们的老爷子就喜欢让人说他英明伟大。"这种大胆并不能感染别人,倒是会引起别人担心。战前,盖特曼诺夫领导一个州,常常就耐火砖的生产问题和煤炭研究院分院如何进行科学研究的问题作报告,常常谈本市面包工厂面包生产的质量,谈刊登在地方丛刊上的不真实的小说《蔚蓝色的火》,谈车辆的修理问题,谈州贸易公司货栈商品保管的极不完善,谈集体农庄养禽场流行的鸡瘟。

现在他又很有把握地在谈燃料的质量、发动机损耗率、坦克战战术、坦克与步兵和炮兵在进攻敌方永备工事时的配合、行军时的坦克、战场救护、密码电报、坦克手的作战心理、每个坦克组内部和组与组之间关系的特点、坦克的抢救与大修、受伤的坦克如何从战场上转移。

有一天,诺维科夫和盖特曼诺夫来到法托夫大尉的营里,在获得全军射击第一名的一辆坦克旁边站了下来。

这辆坦克的坦克手在回答首长的问题的时候，轻轻地用手攀在坦克的装甲钢板上抚摸着。

盖特曼诺夫问坦克手，得到第一名是不是很难。这名坦克手一下子就来了精神，说：

“不，没什么难的。我太喜欢它了。我从乡下一进学校，一看到坦克，就喜欢得不得了啦。”

“一见钟情嘛。”盖特曼诺夫说着，笑了起来。在他的宽厚的笑中，似乎有不赞成小伙子对坦克这种可笑的爱的意味。

诺维科夫此刻觉得自己也不行，因为他爱坦克也爱得不高明。不过他并不想跟盖特曼诺夫谈谈这种不高明的爱的水平，而且，当盖特曼诺夫换成严肃的神气，用教导的口吻对坦克手说“好样儿的，爱坦克是一种了不起的力量。正因为你爱自己的坦克，所以才取得成就”的时候，诺维科夫用嘲笑的口吻说：

“实际上，坦克有什么可爱的？坦克是很大的目标，打坦克比什么都容易，响声比什么都大，自己暴露自己，驾坦克的人能叫坦克响声震昏。开起来颠簸得厉害，既不能好好地观测，又不能好好地瞄准。”

盖特曼诺夫当时微微一笑，看了看诺维科夫。这会儿盖特曼诺夫一面斟酒，一面也微微一笑，看了看诺维科夫，说：

“咱们的路线要经过古比雪夫。咱们的军长可以有机会和什么人见见面啦。咱们来干一杯，祝贺这次相会。”

“拿我开心，岂有此理！”诺维科夫在心里说。他觉得自己的脸像小孩子那样通红通红的了。

战争开始的时候，涅乌道布诺夫正在国外。只是在1942年初回到莫斯科，回到国防人民委员部以后，他才看到莫斯科河南岸的街垒、防坦克菱形拒马，才听到空袭警报的笛声。

涅乌道布诺夫和盖特曼诺夫一样，从来不向诺维科夫询问有关战争的事情，也许是怕暴露自己在军事上的无知。

诺维科夫思索着这位军参谋长的一生，一直想弄清他是凭什么资格成为将军的。涅乌道布诺夫的一生在履历表里反映得清清楚楚，就像映照在塘水里的小白桦树。

涅乌道布诺夫的年纪比诺维科夫和盖特曼诺夫都大。在1916年因为参加布尔什维克小组就进了沙皇的监狱。

国内战争以后，他响应党的号召在保安局工作过一个时期，后来又在边防军工作，又被送到军事学院学习，学习期间担任年级党组织书记……后来又在党中央军事部、国防人民委员部中央机关工作。

战前他两次出国。他是上级任命的工作人员，属于特别登记的人员，以前诺维科夫不十分明白这有什么意义，不明白上级任命的工作人员有什么与众不同，有什么了不起。

从申报军衔到得到军衔，一般都要经过很长时间，涅乌道布诺夫的军衔从申报到批准却快得出奇，好像国防人民委员部就等着批他的申报材料呢。履历表具有很奇怪的特点：它能说明人的一生中所有的秘密，说明成功与失意的原因，可是，过了一阵子，在新的情况下，结果却什么也不能说明了，相反，倒是掩盖了实质。

战争用自己的眼光重新审查了履历表、传记、鉴定、奖状……所以上级任命的涅乌道布诺夫成了上校诺维科夫的下属。

涅乌道布诺夫明白，等战争结束，这种不正常的状况也会结束的……

他带了猎枪来到乌拉尔，军里所有喜欢打猎的人都惊得发了呆，诺维科夫说，大概沙皇尼古拉当年就是用这样的猎枪打猎的。

这支猎枪是涅乌道布诺夫在1938年凭一张领物证领到的，他还凭领物证从特别仓库领到家具、地毯、瓷器和别墅。

不论谈战争，谈德米戈米罗夫将军的著作，谈中华民族，谈罗科索夫斯基将军的人品，谈西伯利亚的气候，谈俄罗斯大衣呢的质量，或者谈金发女子比黑发女子漂亮，他的见解都不超出规格。

很难理解，他这是拘谨，还是真实内心的表露。

有时在吃过晚饭之后，他的话多起来，说起揭露反革命破坏者的事，这些破坏者活动在最使人意想不到的部门：如生产医疗器械的工厂、生产军鞋的车间、食品厂、地方的少年宫、莫斯科赛马场的马棚、特列季亚科夫美术馆。

他的记性特别好。看样子，他读了很多书，列宁和斯大林的著作他读了很多遍。在争论的时候，他常常说："斯大林同志在十七次党代表大会上就说过……"于是他从中引一段。

有一天盖特曼诺夫对他说：

"引文归引文。书上讲的话多着呢。书上说：'我们不要别人的土地，自己的土地我们一寸也不让。'我们的土地不是已经让德国人占了吗？"

可是涅乌道布诺夫耸耸肩膀，就好像跟一寸土地也不让的话相比，侵占着伏尔加河的德国人根本算不上什么。

忽然一切都消失了，坦克、战斗条令、射击、森林、盖特曼诺夫、涅乌道布诺夫……都隐没了。啊，任尼娅！难道他能再看见她吗？

五十三

诺维科夫觉得很奇怪，盖特曼诺夫看完了家信之后竟说："我老婆可怜咱们呢，因为我在信里对她说了说咱们现在的生活条件。"

政委以为很艰苦的生活，诺维科夫却觉得很阔气，觉得过起来有愧。

他首先自己选了一套住房。有一次他在下旅里去的时候说，他不喜欢房东家的大沙发，等他回来，沙发换成了木背的安乐椅，而且他的副官维尔什科夫还不放心，不知道军长是否喜欢这张安乐椅。

炊事员还常常问："上校同志，汤怎么样？"

他从小就喜欢动物。现在他的床底下就住着刺猬，到夜里刺猬就吧嗒吧嗒地拿小爪儿敲着地面大模大样地在屋里到处跑。修理工还做了一个带有坦克标记的笼子，笼子里有一只小小的花老鼠，夜里就在里面嗑花生。小花鼠很快就和诺维科夫混熟了，有时就坐在他的膝盖上，拿孩子般的又信任又好奇的小眼睛看着他。不论副官维尔什科夫，不论炊事员奥尔列涅夫、吉普车司机哈里托诺夫，大家对这些小动物都很关心，很爱护。

诺维科夫觉得这都不是微不足道的小事。战前他把一只小狗带进领导干部住的一座楼房里，小狗咬坏了邻居一位上校夫人的鞋子，半个钟头撒了三泡尿，弄得公共厨房里一些人大叫大嚷起来，诺维科夫只好马上把狗送走。

出发的日子到了，一个坦克团团长和该团参谋长之间的复杂的纠纷还是没有解决。

出发的日子到了，和出发的日子一起来到的是种种操心事：燃料问题，路上的给养问题，上军车的次序问题。

今天就要有一些步兵和炮兵团队同时出发，朝铁路方向开去，诺维科夫一想到就要和步兵、炮兵的领导人配合共事，心里激动起来。他还十分激动地想着一个人，他要在那人面前立正站定，说上将同志，请允许我报告……”

出发的日子到了，他都没有见到哥哥和侄儿。他在来乌拉尔的时候，心里想，哥哥就在跟前了，谁知竟没有时间去看看哥哥。

现在已经向他这位军长报告过各旅的行动，报告过装运重型坦克的车辆问题，还报告过，已经把刺猬和小花鼠放了，放进了森林中。

当家做主，要对每一样小事负责，要检查每一处细小的地方，是很不容易的。现在坦克已经都安排了车辆。可是，是不是忘了上闸？是不是放了一档？炮塔上的炮口是不是朝前？舱口的盖是不是盖紧？是不是准备了木头块垫坦克，防止车厢颠簸？

“喂，咱们临走来打打牌吧。”盖特曼诺夫说。

“我没意见。”涅乌道布诺夫说。

但是诺维科夫想出去走走，一个人待一会儿。

在这静静的傍晚时分，空气格外清爽，就连最微小、最不惹眼的东西都显得极其清楚，极其显眼。从烟囱里冒出来的一股股的烟,不绕圈儿,垂直地向上升去。劈柴在行军灶里噼噼啪啪地响着。街心里站着一个黑眉毛的坦克手,一位姑娘抱住他,把头放在他的胸前,哭了起来。一些人把箱子、提包、套了黑套子的打字机从军部的房子里往外搬。通信兵在拆通向各旅部的电话线,把又黑又粗的电线绕成圈儿。军部的一辆坦克停在棚子外面,喘着粗气,冒着白烟,不时地突突响几声,准备出发。坦克兵在往新的货运"堡垒"里加油,在揭舱口盖上绗得密密麻麻的罩布。周围依然静悄悄的。

诺维科夫站在台阶上,四下里看了看,忙乱和操心离开他,跑到一边去了。

太阳快落山的时候,他乘的吉普车开上去车站的大路。坦克纷纷从森林里开出来。

上了冰的土地被坦克轧得咯吱咯吱直叫。夕阳照耀着远处枞树林的树顶,卡尔波夫中校的那个旅正从那边开过来。马卡罗夫旅正在小白桦林中行进。坦克兵们拿树枝掩护着钢甲,仿佛那枞树枝和白桦枝叶跟坦克的钢甲,跟马达的隆隆声、履带的银光闪闪的轧轧声都是一块儿诞生的。

军人们看到出发上前线的后备队,都会说:"要举行婚礼啦!"

诺维科夫让吉普车开到路边上,看着一辆辆坦克从他身边开过去。

在这儿发生过多少悲惨的事情,多少奇怪的、可笑的事情呀!什么样的重大事故没向他报告过呀……在一次吃早饭的时候,在军部的营里在菜汤里发现了一只青蛙……上过十年级的少尉罗日杰斯文斯基在擦枪的时候走了火，打伤了一个同志的肚子，误伤同志之后，少尉罗日杰斯文斯基竟自杀了。摩托化步兵团的一名战士拒绝宣誓，说："宣誓只能在教堂。"

蓝灰色的轻烟挂在路边的树棵子上。

在这些盔形皮帽底下的一个个头脑里有许许多多各种各样的想法。其中有跟全体人民一致的，如痛恨战争，热爱自己的土地，但也有惊人的不一致，正因为不一致，人类的一致才显得美好。

天啊，我的天啊……穿黑色坦克服装、腰系宽皮带的小伙子有多少啊。领导挑选的都是宽肩膀、小个头儿的小伙子，为的是爬进爬出坦克方便，在坦克里面活动起来也方便。在他们的履历表上所填写的出身、出生年月、毕业的学校、拖拉机手训练班，有多少全都一样啊。一辆辆扁平的三十四吨绿色坦克汇合到一起，舱口的盖子全都开着，绿色的钢甲上全都系着防雨布。

有的坦克手唱着歌儿；有的坦克手半闭起眼睛，怀着恐惧和不祥的预感；有的在想家；有的在吃面包就香肠，一心想着香肠；有的张着嘴，聚精会神地在辨认树上的鸟儿是不是鸡冠鸟；有的还在担心，昨天说了一句很不礼貌的话，是不是得罪了同志；有的有气未消，想着点子，一心想叫跟自己作对的、行进在前面的坦克手吃吃拳头；有的在心里作诗，抒发告别秋日森林时的惆怅；有的想着姑娘的酥胸；有的心疼小狗，知道小狗就要被抛弃在空了的驻地上了，刚才小狗还趴到坦克钢甲上，又快又恋恋不舍地摇着小尾巴在安慰坦克手呢；有的想着，到森林里去，一个人住在小屋里，吃野果，喝泉水，光脚走路，该有多么惬意；有的在考虑，是不是装病，躲到什么地方的医院里去；有的在默念小时候听来的故事；有的想起姑娘的深情话，不再因为永别而伤心，倒是感到幸福；有的想着将来：战后能做一个食堂经理，就太好啦。

“唉，弟兄们……”诺维科夫心里说。

他们都看着他。大概他是在检查他们的军装是否整齐，在听马达的声音，根据马达声判断驾驶和维修的人是否有经验，他在注视，是否保持着坦克与坦克、分队与分队之间应有的距离，莽撞的小伙子们是否会争先恐后。

他看着他们，也像他们看着他一样，他们的心事，他也有：他又想盖特曼诺夫自作主张打开的那瓶白兰地，又想到涅乌道布诺夫这个人多么难以相处，又想，再也不能在乌拉尔打猎了，最后一次打猎毫无收获，胡乱打枪，大口喝酒，闹了不少笑话……他又想到，他就要看到他爱了很多年的女人了……六年前他听说她嫁了人的时候，他写了一个简短的报告：“我要请长假。附件：手枪10322号。”他当时在尼科利斯克-乌苏里斯基的部队里。幸亏他没有扣扳机……

这里面有腼腆的，有郁郁寡欢的，有喜欢笑的，有冷漠的，有喜欢深思熟虑的，有色鬼，有不得罪人的自私自利者，有流浪汉，有吝啬鬼，有喜欢冷眼旁观的人，有老好人……现在他们都为了共同的正义事业奔赴战场。这个道理是如此简单，要谈这个道理似乎是多余的了。不过，有些最应该处处从这一点出发的人，偏偏最容易忘记这个最简单的道理。

历来争论着一个问题：人是不是为星期六活着？答案就在这里面的什么地方。

想着靴子,想着被扔掉的小狗,想着偏僻小村子里的房子,痛恨夺去姑娘的同志……这些思想多么渺小啊。可是,人生的实质就在这里面。

人与人是否联合,这种联合是否有意义,决定于是否能达到唯一的主要目的,这主要目的就是:为人们争取权利,做各自不同的人、各有特性的人,各人有各人独立的感情,各人都能独立地思考,独立地生活在世界上。

为了争取或保卫或扩大这一权利,人与人才联合起来。联合起来以后,却产生了可怕的、很难打破的偏见:这种以民族、上帝、党、国家为名义的联合,是人生的目的,不是手段。不对,不对,不对!为了人,为了人的有限的各自不同的要求,为了使人享有各自不同要求的权利——才是唯一的、真正的和永久的为生活而斗争的目的。

诺维科夫觉得他们能行,凭他们的力量、意志、智慧,能够在战斗中战胜敌人。这里面有大学生、十年级中学生,有旋工、拖拉机手、教师、电工、汽车司机,有性格暴躁的,有和善的,有倔犟的,有喜欢笑的,有喜欢唱歌的,有拉手风琴的,有谨慎的,有慢性子的,有莽撞的,这许许多多来自人民的小伙子的不可估量的智慧、勤劳精神、勇气和心计、本领、狠劲儿,他们的精神力量就要汇合到一起,合成一股力量,就一定能胜利,因为这股力量太大了。

他们或这个,或那个,或在中央,或在侧翼,或今天,或明天,一定会以自己的力量和智慧打败敌人,然后就整个地压倒敌人,打垮敌人……战斗的胜利正是来自他们,他们在灰尘与硝烟中夺得胜利，只有他们能够思考、能够展开活动，冲锋和攻击比敌人早一点点儿、准确一点点儿、更乐观、更刚强的时候，才能取得胜利。

一切都靠他们，这些开坦克操纵大炮和机枪的小伙子是战争的主要力量。

不过问题还在于所有这些人的精神财宝是否联结到一起，是否能汇成一股力量。

诺维科夫一遍又一遍地望着他们，可是心中有一股幸福的感觉，感觉有把握能得到一个女人的爱，这种感觉越来越强："她一定会是我的，一定是我的。"

五十四

这些日子是多么不平常的日子呀。

克雷莫夫觉得，历史书不再是书，而是进入了生活，与生活混合在一起了。

他感到天空和斯大林格勒的云彩的颜色特别鲜明，照射在水上的阳光特别耀眼。这种感觉使他想起童年时候，那时候初雪的景致、夏日的雨点和彩虹都使他充满幸福的感觉。几乎所有的生物，渐渐习惯了生活中的奇怪的事，也就一年一年地渐渐失去这种奇怪的感觉。

克雷莫夫认为错误的和不对头的一些当代生活中的情形，在斯大林格勒这里是感觉不到的。他想："在列宁时期就是这样的。"

他觉得,这儿的人对待他很不一样,比战前一些人对待他好些。他不觉得自己是时代的弃儿,依然像被包围时期那样。不久前他还在伏尔加河对岸很带劲儿地准备作报告,并且认为政治部调他做宣讲员是很自然的。

可是现在他心里有时出现一种难受的、受辱的感觉。为什么撤去他的战斗部队政委的职务?他干得似乎不比别人差,比很多人都强……

在斯大林格勒,人与人的关系都很好。在这块洒满鲜血的黄土坡上,处处可以感觉到平等和人的尊严。

在斯大林格勒,几乎人人都关心战后的集体农庄的体制问题、伟大的人民和政府之间将来的关系问题。红军的战斗生活,他们拿着锹、拿着刮土豆的菜刀或者拿着军营鞋匠使用的修鞋刀干活儿,似乎都和战后人民的生活、其他国家和人民的战后生活有直接关系。

几乎所有的人都相信,善良将在战争中胜利,不吝惜自己的鲜血的正直人一定能建设美好的、公道的社会。表露出这种感人的信心的人,认为自己未必能活到和平时期,每天都因为自己还能从早上活到晚上感到惊讶。

五十五

一天傍晚,克雷莫夫做过又一次报告之后,来到师长巴秋克中校的掩蔽所里。掩蔽所在马马耶夫冈的斜坡上,紧靠着王家山沟。

巴秋克的个头儿不高，一张被战争折磨得痛苦不堪的战士的脸。他见克雷莫夫来了，十分高兴。

吃晚饭的时候，巴秋克的桌上摆了挺好的肉冻和滚热的面饼。巴秋克一面给克雷莫夫斟酒，一面眯起眼睛，说：

"我一听说您来给我们作报告，就想：您先到哪儿呢，先到罗季姆采夫那儿去，还是先到我这儿来？结果，您还是先到罗季姆采夫那儿去了。"

他哼哧两声，笑了笑。

"我们在这儿，就像住在乡下一样。到晚上一安静下来，就跟邻居们打电话聊天：你吃的什么，有谁上你那儿来啦，你要上谁那儿去，首长对你说什么来着，谁那儿澡堂好，报上报道什么人啦？报纸不报道我们，一个劲儿报道罗季姆采夫，从报上看，就好像只有他一个人在斯大林格勒作战。"

巴秋克拿好东西招待客人，自己却只是喝茶吃面包，原来他对好吃的东西不感兴趣。

克雷莫夫看到，那安详的动作和乌克兰式的缓慢语调，与巴秋克流露出来的一些不愉快的想法很不相称。

克雷莫夫觉得难过的是，巴秋克没有向他提出任何一个与报告有关的问题。报告似乎没有接触到巴秋克真正关心的事。

巴秋克说了说战争刚开始时候的事，克雷莫夫听了十分吃惊。在大家都从边境撤退的时候，巴秋克率领自己的一团人向西开去，要堵住德国人的渡口。正在公路上向后撤退的高级首长却以为他是想向德国人投降。立即就在公路上进行审讯，所谓审讯就是骂娘和歇斯底里的喝叫，接着就下令把他枪毙。在最后一分钟，他已经站到一棵树跟前，手下的士兵把他抢了出来。

“是啊，”克雷莫夫说，“中校同志，情形很严重呀。”

“我的心脏没有破裂，”巴秋克说，“不过还是落得一点儿毛病，算我的成绩吧。”

克雷莫夫带着几分演戏般的语气说：

“听见雷恩卡的枪声吗？这会儿戈罗霍夫是在干什么事情吧？”

巴秋克侧眼看了看他。

“他干什么？大概是在玩捉‘傻瓜’。”

克雷莫夫说，他听说在巴秋克这里要开一个狙击手会议，他很有兴趣参加这个会议。

“噢，当然会有兴趣，怎么会没有兴趣。”巴秋克说。

他们谈起前线的情况。巴秋克担心的是，德国人夜里悄悄地在北段集结兵力。

等到狙击手们聚集在师长的掩蔽所里，克雷莫夫才知道这些烙饼是为谁准备的。

这些身穿棉袄、又腼腆、又拘谨、又矜持的人纷纷坐到靠墙和桌子周围的长凳上。新来的人就像工人放下铁锹和斧头那样，轻轻地把步枪和自动枪放在角落里，尽量不弄出响声。

著名的神枪手扎伊采夫的脸很好看，像平常人一样，是一个可爱、温和的农村小伙子。但是等他转过头来，并且皱起了眉头，便露出十分刚强的相貌。

克雷莫夫想起战前一幅偶然的情景：有一次，他在一个会上注视着自己的老朋友，忽然看到他那一向显得十分刚强的脸完全变了样子：眼睛眨巴着，鼻子耷拉下去，嘴巴半张着，再加上那小小的下巴，构成一幅优柔寡断和懦弱的好画。

和扎伊采夫坐在一起的是迫击炮手别兹季科，窄窄的肩膀，一双深棕色眼睛总是带笑，还有一个是乌兹别克小伙子苏列伊曼·哈里莫夫，像小孩子一样撅着厚厚的嘴唇。炮兵狙击手马采古拉一个劲儿地拿手帕揩额头上的汗，他像一个拖家带口的人，他的性格似乎跟可怕的狙击方面的事没有任何共同之处。

来到掩蔽所里的其余的狙击手，有炮兵中尉舒克林，有托卡廖夫、曼茹里亚、索洛德基，全都像腼腆而羞涩的小伙子。

巴秋克向狙击手们询问着，低着头，很像一个好学的学生，不像一个经验丰富的老谋深算的斯大林格勒战场上的指挥员。

当他和别兹季科说话的时候，所有坐在这儿的人的眼睛里都出现了快活的神气，似乎在等待好笑的事。

“喂，别兹季科，咋样？”

“昨个儿我闹得德国佬够呛，中校同志，您已经知道啦，今个儿早晨，我打死五个德国鬼子，用了四发迫击炮弹。”

“是啊，这种事儿舒克林可办不到，一门炮打不了十四辆坦克。”

“他打一门炮，因为他的炮兵连就剩一门炮啦。”

“他打坏了德国佬的碉堡呢！”漂亮的小伙子布拉托夫说了一句，脸就红了。

“我觉得那不过是普通的掩蔽所。”

“是啊，掩蔽所，”巴秋克说，“今天一颗迫击炮弹把门打掉啦。”又转身朝着别兹季科，带着责备的口气用乌克兰语说：“打得这么准,我还以为是狗崽子别兹季科打的哩。”

特别腼腆的炮兵瞄准手曼茹里亚抓起一张饼子,小声说:

“中校同志,这面饼真好。”

巴秋克拿一颗子弹敲着茶杯,说,

“好啦,同志们,咱们言归正传。”

这是一次生产会议,就像工厂里、田野宿营地上常常召开的那种会议。但坐在这儿的不是织布工,不是面包工,不是裁缝,谈的也不是烤面包,不是打场。

布拉托夫说,他看到一个德国人搂着一个女人在路上走着,他迫使他们趴到地上,在打死德国佬之前,让他们爬起来三次,后来又迫使他们趴下,子弹打得离他们的脚两三公分的地方直冒烟。

“等他一站起来,我一枪把他打死,他就十字交叉地倒在那女人身上了。”

布拉托夫懒洋洋地说着,他说得使人震惊,因为士兵们从来没有说过这样使人震惊的事。

“好啦,布拉托夫,不要胡吹。”扎伊采夫插话说。

“我没有胡吹,”布拉托夫不解地说,“今天我一共打死七十八个。政委同志绝不会叫人胡吹,你瞧,这是他签的字。”

克雷莫夫本想加入谈话,很想说,在布拉托夫打死的德国人中可能有工人、革命者、国际主义者……应该记住这一点,要不然就会成为极端民族主义者。但是他没有说出口。因为这种思想对作战没有好处,不能武装军队,倒是会解除武装。

口齿不清、面色灰白的索洛德基说了说他昨天怎样打死八个德国佬。然后他又说：

“我是乌曼的集体农庄农民，法西斯在我们村子里造了许多孽。我自己也流了一些血，受了三次伤。所以我不再做农民，做起了狙击手。”

愁眉苦脸的托卡廖夫说了说怎样选择好地点，监视德国人取水和去厨房必经的道路，然后又顺便说：

“我老婆来信说，很多人在莫扎伊城外被抓去杀了，我儿子也被杀了，因为我给他取了一个和列宁相同的名字——弗拉基米尔·伊里奇。”

哈里莫夫激动地说：

“我从来不着慌，等心定了，我才开枪。我来到前方，有个好朋友古罗夫中士，我教他说乌兹别克语，他教我说俄语。德国佬把他打死了，我打死十二个德国佬。我摘了一个军官的望远镜，挂在自己的脖子上：政治指导员同志，我是照你的吩咐做的。”

狙击手们创造的这些数字还是使人觉得震惊。克雷莫夫经常嘲笑神经衰弱的知识分子，嘲笑任尼娅和维克托·什特鲁姆一听到富农分子在集体化时期遭殃就唉声叹气。他常常对任尼娅说起1937年的事：“消灭敌人，并不可怕；可怕的是自己人杀自己人。”

现在他很想说说，消灭白党分子、孟什维克和社会革命党歹徒，以及消灭富农，他一向不手软，他对革命的敌人从没有任何恻隐之心，不过，在消灭法西斯的同时，把许多德国工人打死，不应该感到高兴。听着狙击手们的话，还是感到可怕，虽然他们都知道他们干这些事为的是什么。

扎伊采夫说起他很多天以来在马马耶夫冈脚下同一名德国狙击手的较量。德国狙击手知道扎伊采夫在注视着他，他也在注视着扎伊采夫。他们的本领大致相当，谁也没有打到谁。

“昨天他打倒了我们三个人，我坐在小棚子里，一枪也没有发，他最后一枪打出来，打中了，一名弟兄把胳膊一挓挲，侧着身子倒下了。他们那边走出来一个兵，手里拿着一摞纸，我坐着，看着……我明白，他知道这儿有狙击手，一定会打死他们那个兵，可是那个兵走过去了。我知道，他看不到他打倒的那个战士，他很想看一看。静了一阵子。又有一个德国佬提着水桶跑过去，我还是没有动。又过了十几分钟，他慢慢欠起身来，站了起来。我一下子站了起来……”扎伊采夫沉浸在当时的情景中，在桌子旁边霍地站了起来，在他脸上闪现过的一种特别的、刚强的表情，现在成了他的唯一的、主要的表情，他已经不是一个和善的大鼻子小伙子，在他那张大的鼻孔、宽宽的额头、充满凌厉逼人的必胜神情的眼睛中有一股狮子般的强硬而凶狠的杀气。

“他认出我来，明白了。我也开枪了。”

有一阵子鸦雀无声。昨天响过那一枪之后大概就是这样寂静，而且似乎听到了那个德国狙击兵倒下去的响声。巴秋克忽然朝克雷莫夫转过脸来，问：

“怎么样，感兴趣吗？”

“好。”克雷莫夫只是回答了一声，再也没有说什么。克雷莫夫留在巴秋克的掩蔽所里过夜。

巴秋克咕哝着嘴巴，数着心脏病药水的滴数往杯子里倒，然后又往杯子里倒水。

他一面打着哈欠，一面对克雷莫夫说师里的事情，不是说战斗的事，说的是各种各样生活中的事。

克雷莫夫觉得，巴秋克说的一切，都和战争一开始巴秋克遭遇的那件事有关系，他的思想一直牵挂着那件事。

自从克雷莫夫来到斯大林格勒，就一直有一种奇怪的感觉。

有时他觉得自己进入一块非党的天地里。有时恰恰相反，他觉得呼吸到了革命初期的空气。

克雷莫夫忽然问道：

“中校同志，您入党很久了吧？”

巴秋克说：

“怎么，政委同志，您觉得我掌握的路线不对头吗？”

克雷莫夫没有立即回答。

他对这位师长说：

“您要知道，我是一个不好的党的报告员，常常在工人大会上作报告。可是在这儿我一直有一种感觉：是别人在开导我，不是我开导别人。事情就是这么奇怪。是的，这就是谁掌握着路线，谁被路线掌握着。我本来想加入你们的狙击手们的谈话，进行一点纠正。可是后来我想，圣人面前夸学问，自讨没趣儿。不过说实在的，我没有插嘴，也不光是因为这一点。政治部就是要报告员使士兵们认识到，红军是复仇的军队。可是我却要从无产阶级立场谈什么国际主义。主要的是鼓起群众的愤怒来反对敌人嘛！要不然就会像童话里说的那个糊涂蛋一样：本来是来参加婚礼的，却念起追荐亡灵的经文……”

他想了想，又说：

“而且也是习惯……党一般都是鼓起群众对敌人的仇恨和愤怒,使他们去打击敌人,消灭敌人。在我们的事业中用不着基督式的人道主义。我们苏维埃的人道主义是严酷无情的……我们不讲客气……”

他想了想,又说:

“当然,我指的不是毫无根据就要把您枪毙那样的事。在1937年也常常有杀自己人的事,这些事是我们的不幸。现在德国人侵入工人和农民的国家,那就来吧!战争毕竟是战争!他们是罪有应得。”

克雷莫夫等待巴秋克说话,可是巴秋克没有作声,不是因为他听了克雷莫夫的话感到无法回答,是他睡着了。

五十六

在“红十月”工厂的炼钢车间里,许多穿棉军服的人在昏暗中穿来穿去,枪声啪啪直响,火光乱闪,空气中硝烟弥漫,像灰尘,又像雾。

师长古尔约夫把几个团的指挥所安排在几座炼钢炉里。克雷莫夫觉得,坐在不久前还炼钢的炉里的一些人都是很特殊的人,他们的心是用钢打成的。

在这里已经能听到德国人皮靴的走动声,并且不仅能听到口令声,而且能听到那不高的咔嗒声和叮当声,那是德国人在给自动步枪上子弹。

当克雷莫夫缩着头爬进步兵团指挥所所在的炼钢炉炉口,他的手感触到几个月来尚未冷却、隐藏在耐火砖里的余热时，他感到有些胆怯——他觉得，伟大的抗战的秘密就要向他打开了。

他在昏暗中看到一个蹲着的人，看到他那宽宽的脸，听到那和悦的声音：

“瞧，客人上我们的皇宫里来啦，欢迎欢迎。快把酒拿来，再煎几个鸡蛋当下酒菜。”

在这又黑又闷、到处是灰尘的地方，克雷莫夫忽然产生一个想法：他永远不对任尼娅说，他钻进斯大林格勒的炼钢炉之后，是怎样想起她的。以前他一直想摆脱她，忘掉她。可是现在如果她寸步不离地照料他，他也由她了。即使这妖魔也爬进炼钢炉里来，也不能躲着她了。

当然，一切都非常简单。谁需要不走时的人？他几乎成了残废人，成了废物，成了退休人员！她的离开，说明和证实了他这一生已经完全没有希望。就是在这里，在斯大林格勒，他也没有真正的、战斗的事情可做……

这天晚上，克雷莫夫就在炼钢车间里做过报告之后，和古尔约夫将军聊了起来。古尔约夫没有穿制服上衣，不时用手帕揩着红红的脸，用嗄哑的大嗓门儿向克雷莫夫敬酒，用同样的嗓门儿在电话里向各团团长发指示，用同样的嗓门儿训斥炊事员烤羊肉烤得不地道，并且给友邻部队师长巴秋克打电话，问他，在马马耶夫冈上是不是打到了山羊。

“咱们的人，总的说，都是快活人，都是好人，”古尔约夫说，“巴秋克是一个聪明男子汉，拖拉机场的饶卢杰夫将军是我的老朋友。在‘街垒’工厂的古尔季耶夫上校也是一个很好的人，不过太像一个和尚,滴酒不沾。当然,我这样说不对。”

后来他就对克雷莫夫说起来,谁也不像他这样,战斗减员这样厉害,每个连队只有六至八人;敌人从他这里过河,比任何地方都难,有时从汽艇上撤下去的只有三分之一是负伤的。打得这样漂亮的,除非还有在雷恩卡的戈罗霍夫。

“昨天崔可夫把我的参谋长舒巴叫了去,因为他报告前沿阵地变动情况不大准确,所以我们这位舒巴上校无精打采地回来了。”

他看了看克雷莫夫,又说:

“您也许在想,骂娘了吧?”他笑起来,“骂娘算什么?我天天骂他的娘。整个前沿阵地我都骂遍了。”

“是啊。”克雷莫夫拉长声音说。这个“是啊”的意思是,显然,人的尊严在斯大林格勒这块土坡上并不是经常被看重。

然后,古尔约夫议论起报纸的作家们为什么写不好战争。

“这些狗崽子躲得远远的,什么也看不到,坐在伏尔加那边的大后方,在那里写。谁招待得好些,他们就写谁。瞧,列夫·托尔斯泰写的《战争与和平》。人们读了一百年,今后还要读一百年。为什么?因为他亲自参加,亲自战斗过,所以他知道应该写什么人。”

“对不起,将军同志。”克雷莫夫说,“托尔斯泰没参加过那一次卫国战争呀。”

“‘没参加过’是什么意思?”将军问。

“意思很简单,就是没参加过,”克雷莫夫说,“和拿破仑打仗的时候,托尔斯泰还没有出生呢。”

“还没有出生吗?”古尔约夫反问了一遍,“怎么会没有出生呢? 嗯? 您是怎么算的?”

于是,他们忽然很激烈地争论起来。这是克雷莫夫到这里作报告以来发生的第一次争论。他感到吃惊的是,他怎么也不能把对方说服。

五十七

第二天,克雷莫夫来到“街垒”工厂,古尔季耶夫上校的西伯利亚步兵师驻守在这里。

他越来越怀疑他的报告是不是有用。有时他觉得,大家听他的报告完全出于礼貌,就好像不信教的人在听老神甫布道。不错,大家都欢迎他来,但他明白,大家欢迎他,是出于人情,而不是欢迎他作报告。他也成了那些舞文弄墨、游手好闲妨碍别人战斗的军队政工人员之一。只有那些不询问、不解释、不做长长的汇报、不进行宣传,而是参加战斗的政工人员,才是真正称职的。

他想起战前在大学里教马列主义的情形。像钻研宗教语录那样钻研《联共党史简明教程》,他和学生们都觉得枯燥得要命。

但是在和平时期这种枯燥乏味的事属于常规,是免不掉的,在这里,在斯大林格勒,干这种事就很荒唐、没有必要了。这有什么意思呢?

克雷莫夫在师部的掩蔽所门口碰到古尔季耶夫,却没有认出这个穿着帆布靴和不合身的士兵短大衣的瘦瘦的人就是师长。

克雷莫夫在宽敞而低矮的掩蔽所里作报告。自从他到斯大林格勒以后，从来没有像这一次一样听到这样猛烈的炮声。他只好一直不停地大声叫喊。

师政委斯维林是一个说话声音又大、又会说话的人，很会说俏皮话和使人开心的话，在报告开始之前，他说：

“为什么要限定听报告必须是高级指挥人员？来，地形测绘员同志们，警卫连没有事的战士们，不值班的电话员和通讯员同志们，都来听听国际形势报告！报告以后放电影。跳舞跳个通宵。”他朝克雷莫夫挤了挤眼睛，好像在说：瞧，还是有办法的，这样对您对我们都很好。

克雷莫夫看到古尔季耶夫望着开玩笑的斯维林笑了笑，又看到斯维林帮着古尔季耶夫提了提披在肩上的大衣，看出这个掩蔽所里有一种很好的友谊气氛。

克雷莫夫又看到斯维林眯起已经够小的眼睛，打量了一下参谋长萨甫拉索夫，萨甫拉索夫却带着很不开心、很不满意的表情气嘟嘟地朝斯维林看了一眼，就看出，在这个掩蔽所里不光是友谊和同志气氛。

师长和政委听过报告以后，因为军团司令员有急事找他们，很快就走了。克雷莫夫和萨甫拉索夫聊起来。看样子，这个人性格又乖僻，又暴躁，虚荣心又重，心胸又狭窄。他有许多地方很不好，如爱虚荣，暴躁，议论人时那种尖酸刻薄的嘲笑态度。

萨甫拉索夫望着克雷莫夫，滔滔不绝地说，

“在斯大林格勒，不论你到哪个团里去，都会看到：在团里，团长是老大，团长说了算数！这是对头的。在这儿不看大叔有几头牛。只看一点——看头儿……有头儿吗？那就好啦。用不着那些不管用的东西。可是在战前怎么样?”他笑嘻嘻地拿黄眼睛直盯着克雷莫夫的脸。“您要知道,我最讨厌政治。什么“左倾”啦,右倾啦,机会主义啦,理论家啦。我看不惯那些唱赞歌的人。可是,虽然我不问政治,还有十来次想把我干掉。好在我不是党员,不过有时说我酗酒,有时说我乱搞女人。怎么,要我装得一本正经?我不会。”

克雷莫夫想对萨甫拉索夫说,他克雷莫夫也在斯大林格勒,命运却没有好转,依然荡来荡去,没有真正的事情可干。为什么罗季姆采夫师的政委是瓦维洛夫,而不是他呢?为什么党对斯维林比对他更信任呢?要知道,实际上他又聪明,目光又远,党的经验更丰富,也有足够的胆量,在必要的情况下,也有足够的狠心,手决不会发抖……而且,说真的,他们和他相比,只是刚开始识字的学生!……你们的时代过去啦,克雷莫夫同志,滚开吧。

这位黄眼睛的上校挑动了他的思绪,挑动了他的怒火,使他的心乱了。

天啊,还有什么疑问,他的一生垮了,日暮途穷了……当然,主要的不是任尼娅看到他在物质方面毫无办法。她不在乎这个。她是一个纯洁的人。她不爱他啦!不走时的人、垮了的人是不会有人爱的。一个不荣耀的人。是的,是的,他已经被打入另册……再说,她纯洁是纯洁,物质条件对她也不是毫无意义的。比如,她就不会嫁给一个穷艺术家,哪怕她把他乱涂的画也看作天才的作品……

克雷莫夫有许多这一类的想法可以对这位黄眼睛上校说说,但他只反驳他一点,这一点自己倒是赞同的。

“您怎么啦，上校同志，您把事情简单化了。战前也不光是要看大叔有几头牛。挑选干部也不是单凭公文上的特点。”

战争不让他们谈战前的事情。轰隆一声爆炸的巨响，从硝烟与灰尘中冒出一名神情焦急的大尉，有的团往师部打来电话。德国坦克朝该团团部开了火，德国步兵紧跟在坦克后面冲进了重炮营指挥人员所在的石头楼房；指挥人员据守二楼，和德国人展开搏斗。坦克烧着了旁边一座木头楼房，伏尔加河上吹来的大风吹得火苗朝团长恰莫夫的指挥所直扑，恰莫夫和团部的人都呛得喘不上气，决定转移指挥所。但是，在炮火下，在对准了恰莫夫团的一挺挺重机枪的火力控制下，在大白天转移指挥所是很难的。

这一切同时发生在该师的防地上。有的请示对策，有的请求炮火支援，有的请求准许转移，有的在报告战况，有的要了解情况。每个人都有自己的事，所有的人只有一点是共同的，那就是都在操心生与死的问题。

等到多少安静下来，萨甫拉索夫向克雷莫夫问道：

“政委同志，趁师长和政委上司令部还没有回来，咱们是不是先吃饭？”

他不遵守师长和政委定的规矩，照样喝酒。所以他要单独吃饭。

“古尔季耶夫是一员很好的战将，”有些醉意的萨甫拉索夫说，“他有文化，忠实可靠。但有一点很糟：他是一个可怕的苦行僧！办起修道院来啦。可是我见了姑娘就馋得要命，像蜘蛛一样，粘住就不放，我就喜欢这种事儿。在古尔季耶夫面前，连个笑话都别想说。不过，跟他在一起配合作战，总的说还是很合拍子的。可是政委就很不喜欢我,虽然论天性他这个修道士跟我差不多。您以为,斯大林格勒使我老了吗?那是我这些朋友们老了。我在这儿却相反,倒是过好了。"

"我也是这种政委类型的呀。"克雷莫夫说。

萨甫拉索夫摇了摇头。

"你又是,又不是。问题不在于这酒,而是在于这个。"他先用手指头敲了敲酒瓶,然后又敲了敲自己的额头。

师长和政委从崔可夫的指挥所回来的时候,他们已经吃完了饭。

"有什么新情况吗?"古尔季耶夫打量了一下桌子,又快又严厉地问道。

"咱们的联络科长受伤啦;德国人冲进来跟饶卢杰夫打起来,恰莫夫和米哈廖夫的楼房被打着了火。恰莫夫被烟呛得够受,不过总的说,没什么了不起的。"萨甫拉索夫回答说。

斯维林望着萨甫拉索夫喝得通红的脸,拉长了声音很亲热地说:

"上校同志,咱们喝吧,喝吧。"

五十八

师长向团长别廖兹金少校询问"6-1"号楼房的情况:是不是最好把人从里面撤出来?

别廖兹金建议师长不要把人撤出,虽然楼房有被包围的危险。楼房里有对岸炮兵部队的观测点,可以提供有关敌人的重要情况。楼房里还有一个工兵排,可以阻止敌人坦克的运动。敌人在消灭这个据点以前,未必会发动总攻,他们的活动规律是大家都清楚的。只要能得到一定的支援,“6–1”号楼房可以支持很久,就可以打乱德国人的部署。因为联络人员只能在夜间难得的时刻到达被困的大楼,电话线又一直无法修复,所以最好派一名无线电报话员过去。

师长同意别廖兹金的意见。夜里政治指导员索什金带领一组士兵进入“6–1”号楼房,给楼房守卫者带去几箱子弹和手榴弹。同时,索什金还将一位报话员姑娘和从联络点弄来的一部报话机带到了“6–1”号楼房。

索什金天快亮时候返回团部,说守卫队队长拒绝写书面汇报,他说:

“我们没工夫搞这些乱七八糟的文字玩意儿,我们要报告就向德国佬报告。”

“反正他们那儿一切都跟别处不一样,”索什金说,“大家都怕这个格列科夫,他跟他们称兄道弟,横七竖八地躺在一起,他也在他们中间,他们称他‘你’,喊他的小名。团长同志,那不是一个排的军人,是一群乌合之众。”

别廖兹金摇着头问道:

“拒绝写汇报啦?这真是个粗野汉子!”

后来团政委皮沃瓦罗夫谈起一些指挥员的游击作风。

别廖兹金心平气和地说:

“游击作风怎么啦?有主动性,有独立性,很好。我有时候就在幻想:顶好我也落进包围圈儿里,暂时摆脱一下这些烦琐的公文游戏。”

“恰好，现在又要玩公文游戏啦，”皮沃瓦罗夫说，“您要写一份详细的报告，我去交给师政委。”

师部里严肃地对待索什金报告的问题。

师长吩咐皮沃瓦罗夫搞一份有关“6-1”号楼情况的详细报告，并且要扭转格列科夫的思想。师政委马上向军团军委委员和政治部主任汇报了这个政治思想上的严重问题。

在军团司令部里对索什金报告的问题，比师里看得更为严重。师政委得到指示，要立即把被困的楼房里的问题抓一抓。担任军团政治部主任的旅级政委向担任前总政治部主任的师级政委写了紧急报告。

报话员姑娘卡佳·文格罗娃夜里进入“6-1”号楼。早晨，她来见这座楼的头头儿格列科夫。格列科夫一面听这个有点儿驼背的姑娘的报告，一面凝视着她那慌乱、胆怯同时又带有嘲笑神气的眼睛。

她的嘴很大，嘴唇的血色很淡。格列科夫等了好几秒钟，没有回答她的问题：“我可以走吗？”

在这几秒钟里，在他的头脑里出现了一些与军事无关的想法：“真的，很漂亮……也很好看……她还怕呢……看样子，是个娇生惯养的姑娘。她有多大，顶多十八岁。我的小伙子们可别跟她乱搞……”

在格列科夫头脑里闪过的这些念头，到末了忽然变成这样的想法：“在这儿谁说了算，谁在这儿闹得德国佬晕头转向？”

然后他回答她的问话：

“姑娘，您上哪儿去？就陪着您的报话机好啦。咱们有办法。”

他用手指头敲着报话机，侧眼看了看天上，德国轰炸机在天上吼叫着。

“您是莫斯科来的吧，姑娘？”他问道。

“是的，”她回答说。

“您请坐，我们这儿很随便，不讲究。”

姑娘朝一旁走去，碎砖块在她的靴子下面咯吱咯吱响着，阳光照在机枪筒上，照在格列科夫缴来的黑黑的手枪上。她蹲下来，看着堆在断墙脚下的军大衣。有一会儿她觉得很奇怪的是，这情景她怎么一点也不感到奇怪啦。她知道，对着墙豁口的机枪是杰格佳廖夫型的；知道缴获的“瓦尔德”式手枪弹夹里装八颗子弹，知道这种手枪发射力强，但准确性差，知道堆在角落里的大衣是死者留下的，知道死者都埋得不深，因为焦土气味中混杂着一种她已经闻惯了的气味。昨天夜里交给她的报话机跟她在科特卢班冈脚下使用的报话机差不多，接收刻度盘一样，开关也一样。她想起她在野外的时候，眼睛盯着电流表上蒙了尘土的玻璃，不住地撩着从军帽里溜出来的头发。

谁也不和她说话，这楼房里的狂暴而可怕的生活似乎跟她无关。

但是在一个白头发的人（她从别人的话里知道他是迫击炮手）骂了几句脏话的时候，格列科夫便对他说：

“老爹，这像话吗？这儿有咱们的姑娘。说话要规矩点儿。”

卡佳打了一个寒噤，不是因为老头子的脏话，而是因为格列科夫的目光。

她感觉出来，虽然大家都不和她说话，可是她的到来，使楼房里气氛紧张了，似乎她的皮肤都感觉出周围的紧张气氛。即使在俯冲轰炸机啸叫，炸弹在很近的地方爆炸，碎砖乱飞的时候，这种气氛依然存在。

她对轰炸，对炮弹片的啸声总算有点儿习惯了，不怎么慌张了。可是她在感到男人们火辣辣地盯着她时产生的感觉，依然常常使她心慌意乱。

昨天傍晚，电话员姑娘们就可怜起她来，说：

“哎呀，你到那里面才可怕哩！”

夜里，一名通信员把她带到团部。在这儿已经特别感到敌人的接近、生命的脆弱。人似乎成了极容易打碎的东西。这会儿还在，过一会儿就没有了。

团长很伤心地摇了摇头，说：

“怎么能把孩子们送到前线来？”

过一会儿，他说：

“别怕，好孩子，如果有什么情况，就通过报话机直接向我报告。”

他说这话的语调那样和善，那样亲热，卡佳听了差点儿掉下泪来。

然后另一名通信员把她带到营部。这儿在放留声机，红头发的营长请卡佳喝酒，并且请她在《中国小夜曲》的乐曲声中和他一起跳舞。

营里有一种恐怖的气氛，卡佳觉得，营长喝酒不是为了快活，而是为了压一压承受不了的恐怖，忘记自己像玻璃一样易碎。

这会儿她坐在“6-1”号楼里一堆碎砖上，不知为什么并不感到恐怖，而是在想着自己的童话般的、美好的战前生活。

在被困的楼房里的人特别刚强，特别有信心，他们这种自信心很能感染人。如著名的医生、轧钢车间的熟练工人、剪裁贵重呢料的剪裁师、救火队员、在黑板前讲课的老教师，都有这种感染人的自信心。

战前，卡佳觉得自己应该过不幸的生活。战前，她认为女伴们坐公共汽车是摆阔气。她觉得就连大众化饭馆里走出来的人都是很不平常的人，有时她跟在从大众化饭馆里涌出来的人群后面，听他们说话。有一次她放学后回到家里，很得意地对妈妈说：

“你可知道今天怎么啦，同学请我喝果汁汽水哩，真正的果汁，味道就像真正的黑醋栗。”

妈妈每月工资四百卢布，扣除所得税和文化税，扣除建设公债，她们靠剩下的几个钱生活是很不容易的。她们不添置新东西，把旧衣服改了穿，邻居们凑钱雇女工玛露霞打扫公用的地方，她家不参加，轮到她家打扫的日子，卡佳就擦地板，倒垃圾桶；她家的牛奶不请人送，而是到国营商店去取，每天要排很长时间的队，但这样每月可以节省六卢布；有时国营商店不供应牛奶，卡佳妈妈傍晚时候就到市场去买，卖牛奶的因为急着要赶火车，卖的价钱比早晨便宜，几乎和国家的价钱一样。她们从来不坐公共汽车，因为票价太贵，有时如果要走很远的路，她们就坐电车。卡佳也不上理发馆，妈妈自己给她理发。衣服当然都是自己洗，用的电灯也很不亮,只比公用场地的电灯多少亮一点点儿。她们做饭要做够三天吃的。她们一般都是用菜汤下饭,有时候素油炒饭,有一次卡佳喝了三碟子菜汤,就说:“嘿,今天我家吃三个菜了。”

妈妈不提她们跟爸爸在一起时是怎样生活的,那时候的事卡佳已经不记得了。只是有时候,妈妈的好友维拉·德米特里耶芙娜看到她们母女做饭,会说一句:“啊,当年可不是这样呀。”

可是妈妈一听就生气,所以她们过去究竟怎么样,维拉·德米特里耶芙娜也不多说。

有一次卡佳在衣柜里发现爸爸的一张照片。她是第一次在照片上看到他的面孔,好像有人悄悄告诉她什么,她马上就明白了,这是她爸爸。照片背面写着:“莉达:我生在穷家,我们相亲相爱,死而无怨。”她什么也没有对妈妈说,但是放学回来,常常拿出照片,对着爸爸那黑黑的、她觉得似乎很忧伤的眼睛看上很久。

有一天她问:

“现在爸爸在哪儿?”

妈妈说:

“不知道。”

等到卡佳要参军了,妈妈才第一次跟她谈起爸爸,卡佳才知道爸爸在1937年被捕,知道他第二次结婚的事。

她们一夜没有睡,谈了一夜。什么都谈。一向善于隐忍的妈妈跟女儿谈了丈夫怎样把她抛弃,谈她怎么嫉妒,怎样受辱、受欺负,谈她的爱、她的怜惜心。卡佳感到十分惊讶:人的心灵世界竟有这样广大,相形之下,轰轰烈烈的战争简直算不上什么了。早晨，她向妈妈告别。妈妈把卡佳的头搂到自己怀里，把背包给她套到两肩上。卡佳说："妈妈，我也是生在穷家，我们相亲相爱，死而无怨……"

后来妈妈轻轻推了推她的肩膀，说：

"该走啦，卡佳，走吧。"

于是卡佳走了，就跟此时此刻成千上万的年轻人和成年人一样，她离开了妈妈，离开了家，也许从此不再回来，也许回来已成了永远告别了自己的不幸而可爱的童年时代的另一个人。

这会儿她在斯大林格勒，跟这座楼里的头头儿格列科夫坐在一起，望着他的大头，望着他的厚嘴唇和阴沉的脸。

五十九

她来的第一天，有线电话接通了。

这位无线电报话员姑娘因为老半天无事可干，再加上还没有和"6-1"号楼里的人打成一片，所以格外苦闷。

但是，来到"6-1"号楼里的这第一天为她接近面临的生活做了很多准备。

她了解到，在打得残破不堪的二楼设有炮兵观测点，可以向对岸发送情报，二楼的头头儿是一名中尉，穿着肮脏的军装，戴的眼镜老是从翘鼻子上往下溜。

她了解到，那个爱发火、爱说脏话的老头子是从民兵里来的，因为自己有了迫击炮长的称号，感到很神气。在高墙与一堆碎砖之间的那些人是工兵，其中的头头儿是一个胖子，走起路来嘴里又咯咯响，又皱眉头，好像脚上有鸡眼。

掌管楼房里唯一的一门大炮的是一个穿水兵服的秃子。他姓科洛密采夫。卡佳曾经听到格列科夫喊他：

“喂，科洛密采夫，你睡过头啦，把天大的好事儿耽误了。”

掌管步兵和机枪的头头儿是一名浅色胡子的少尉。他的脸虽然有一圈胡子，却显得特别年轻，也许他自己以为留胡子可以显得有三十岁，像个上了年纪的人呢。

下午，大家拿东西给她吃。她吃面包，就羊肉灌肠。后来她想起军装口袋里还有水果糖，便悄悄地把一块糖放进嘴里。吃过东西以后，她就想睡觉，虽然周围在打着枪。她睡着了，在睡梦中依然咂摸着糖，依然很烦恼、苦闷，等待着灾难降临。忽然她听到唱歌的声音。她没有睁眼睛，字字都能听得很清楚：

……往日的伤心事在我胸怀，
像酒，越陈越厉害……

在夕阳的余晖照亮的石头井里，站着一个肮脏的、头发蓬乱的小伙子，手里拿着一本小书。红红的碎砖堆上坐着五六个人，格列科夫躺在大衣上，拿拳头支着下巴。有一个像格鲁吉亚人的小伙子在听着，露出不信任的神气，好像在说：“算啦，别想拿这一套收买我。”

附近有一颗炮弹爆炸，冒起一团红红的砖灰，似乎这团团乱转的是童话里的烟雾，坐在红红的砖堆上的人和他们在红雾里的武器似乎是在《伊戈尔远征记》所描写的那个可怕的日子里。姑娘的心忽然颤抖起来，因为她产生了一种荒唐的信心，相信有幸福等待着她。

第二天，这一天发生了一件事，惊动了已经习惯了一切的楼里的人们。

二楼的负责人是巴特拉科夫中尉。他手下有一名计算员和一名观测员。一个是垂头丧气的兰巴索夫，一个是机灵而忠厚的蓬丘克，蓬丘克是一个很古怪的、一天到晚自己对着自己笑的戴眼镜的中尉。卡佳一天能看到他们好几次。

在安静的时候，通过楼板上的豁口，在下面能听见他们的声音。

兰巴索夫在战前养过鸡，常常和蓬丘克谈起鸡的聪明和狡诈的特性。蓬丘克趴在炮队镜上，像唱歌一样拉长声音报告着："注意：从面包厂方向开来一队汽车……中间有一辆坦克……出来的德国佬有一营人……像昨天一样，有三辆灶车，德国佬都带着饭盒……"他观察到的一些情况有时没有什么军事意义，只是一些生活趣事。这时候他就唱："注意……一个德国军官带一条狗出来玩啦，狗闻到什么味道，朝前跑啦，好像那是一条母狗，那公狗站住，在闻哩。那边有两个德国兵，一个掏出烟盒，抽起烟来，另一个直摇头，好像是说：我不抽……"

忽然蓬丘克用同样的唱歌的声音报告说：

"注意……操场上有很多人……有人拿着乐器……很多人围着他们，还堆了很多柴……"他停了很久，后来用十分难受、但是仍然拉得很长的声音说："注意，中尉同志，拉出一个女人来，女人穿着小褂，在叫呢……把女人捆在柱子上啦……注意，中尉同志，又拉出一个小孩子，也捆在柱子上啦……中尉同志，好像两个德国佬在从桶里往外倒汽油哩……”

巴特拉科夫通过电话把这一情况通知了对岸。

他趴在炮队镜上，用自己的卡卢加口音，学着蓬丘克的语调，大声叫道：

“喂，注意，同志们，乐队在烟火里演奏呢……开火！”他厉声喊叫起来，并且转过身朝着对岸。

但是对岸没有动静……

可是过了几分钟，重炮团集中火力猛轰杀人的地方。操场被一团团硝烟和灰尘罩住。

几个小时之后，通过侦察员克里莫夫了解到，那是德国人要烧死一个茨冈女子和一个小孩子，因为怀疑他们从事间谍活动。昨天晚上克里莫夫把两件脏衣服和裹脚布留给一位老大娘，说定第二天去取洗好的衣服。他想向老大娘了解一下茨冈女子和小孩子的情况——是苏军炮弹把他们打死了呢，还是被德国人烧死了。老大娘是跟孙女和一头山羊一起住在地窖里的，克里莫夫穿过瓦砾堆顺着他还记得的小路朝前爬去，可是苏军夜间轰炸机在地窖所在的地方扔下一颗重磅炸弹，老大娘、小孙女、山羊、克里莫夫的衣服和裹脚布全不见了。他只是在炸裂的木头和石灰碎块之间发现一只肮脏的小猫。小猫很老实，既没有什么要求，又不抱怨，认为这轰炸声、饥饿和战火是世间正常的事情。

克里莫夫一直不明白，为什么自己一下子把小猫装进衣服口袋里。

“6-1”号楼里的人与人的关系使卡佳感到吃惊。侦察员克里莫夫在向格列科夫报告的时候，不是按规矩站着，而是跟他坐在一块儿,他们说话就像同志跟同志说话。克里莫夫抽烟就找格列科夫接火。

克里莫夫报告完了之后,走到卡佳跟前,说:

“姑娘,瞧,世界上有些事儿多可怕呀。”

她叹了一口气,感觉到他那火辣辣的眼睛在望着她,顿时脸红了。

他从口袋里拿出小猫,放在卡佳身边的碎砖上。

这一天有十来个人走到卡佳跟前,他们都和她谈小猫,谁也没有提起那个茨冈女子的事,虽然那件事使他们心里很不安宁。有些人想坦率地跟卡佳谈谈感情问题的,谈起来却用的是嘲弄和粗暴的口气。有些人干脆利落想跟她睡睡觉的,谈起来却十分客气,彬彬有礼。

小猫哆嗦起来,浑身都在颤抖,看样子,是受了震伤。

老迫击炮长皱着眉头说:

“干脆把它打死好啦。”

可是他马上又说:“你还是逮逮它身上的虼蚤吧。”

另一名担任迫击炮手的黑红脸膛的民兵琴佐夫就劝卡佳:

“姑娘,把这讨厌东西扔掉吧。要是西伯利亚猫就好啦。”

只有薄嘴唇、阴沉着脸、一脸凶相的狙击兵里亚霍夫真正对猫感兴趣,而对报话员姑娘的美貌无动于衷。

“我们在野外的时候,”他对卡佳说,“有沙沙声冲我来,我想,这是要落地的子弹。谁知是一只兔子,它一直跟我坐到天黑,等到安静了,它才走了。”

他说:

“您虽然是姑娘,可还是知道这是侦察机在伏尔加河上飞,在打一百八十毫米的炮,在打火箭炮。兔子却很傻,什么也不知道,分不清迫击炮和榴弹炮。德国佬放照明弹,兔子就吓得打哆嗦,又没法儿给它解释。所以这些畜生都很可怜。”

她感到对方是严肃的,所以也很严肃地回答说:

“我不完全同意您的说法。比如说,狗就能分得清什么飞机。我们驻扎在一个村子里,那儿有一条狗叫‘凯尔逊’,我们的飞机来了,它躺在那儿,连头也不抬,可是敌机一来,它立刻就找地方躲起来。它分得才清楚哩。”

空气抖动起来,因为空中响起可怕的、刺耳的咯咯声,这是德国的十二筒火箭炮开炮了。像铁鼓在响,黑烟和红红的砖灰混合到一起,轰轰响的石块到处乱飞。过了一分钟,等到灰土渐渐落下来,卡佳和里亚霍夫又继续他们的谈话,就好像他们不曾趴到地上。显然,被困楼房里的人的自信心也传染了卡佳。似乎他们都相信,在被打成了瓦砾场的楼房里,一切一切,包括钢铁和石头,都很脆弱,都很容易打碎,只有他们是例外。

一排机枪子弹呼啸着从他们坐的豁口旁边飞过,紧接着又是一排子弹。

里亚霍夫说:

“春天我们驻扎在圣山城外。头顶上常常有子弹的啸声,却听不见枪声,真叫人莫名其妙。原来,那是椋鸟学会了模仿子弹的声音……我们有一位上尉连长也常常弄得我们惊慌起来,他学子弹声音才像哩。”

卡佳说:

“我在家里的时候就想象战争是什么样子：孩子们在哭叫，大家都在火里，猫在乱跑。我来到斯大林格勒一看，果然就是这个样子。”

一会儿，留大胡子的祖巴廖夫走到卡佳跟前。

“怎么样，”他很关心地问，“长尾巴的年轻人活着吗？”他掀起盖在猫身上的一块裹脚布。“噢，多么可怜呀，多么没精神呀。”他嘴里说着，眼睛里露出垂涎欲滴的神气。

晚上，在短时间的战斗之后，德军向“6-1”号楼的侧翼推进了一小段距离，用机枪火力切断了楼房与苏军防地之间的道路。通往步兵团团部的电话线也被切断了。格列科夫下令打一条通道，从地下室通向离楼房不远的一条地道。

“有炸药。”肥胖的司务长一只手端着一缸子茶，另一只手拿着一小块糖，对格列科夫说。

楼房里的一些人很随便地坐在基墙边的一个大坑里，说着话儿。大家都很愤怒地想着烧死茨冈女子的事，但是依然没有谁说起这事，似乎这些人对周围的事漠不关心。

卡佳觉得这种镇静非常奇怪，但是这镇静却很能征服人，在这些十分自信的人中间，就连最可怕的字眼“被包围”，她觉得也不可怕了。等到机枪就在旁边嗒嗒响起来，格列科夫高喊“打呀，打呀，他们来啦”的时候，她也不怕了。等到格列科夫说“想用什么就用什么：手榴弹、刀、锹。打，打，狠狠地打”的时候，她也不害怕了。

在安静的时候，楼房里的人就详细地、不慌不忙地讨论起姑娘的相貌。巴特拉科夫似乎不是这方面的行家，而且是近视眼，然而在讨论卡佳的美的时候常常提出很精到的见解。

“我认为姑娘的胸脯是最要紧的。”他说。

炮兵科洛密采夫和他争论，他就像祖巴廖夫说的，“发表长篇论文。”

“喂，你们好像谈起猫来啦？”祖巴廖夫问。

“不行吗？”巴特拉科夫说，“就连老头子还拿人当猫谈呢。”

老迫击炮长吐了一口唾沫，拿手掌搓着胸脯，说：

“都说这姑娘很漂亮，她的漂亮究竟在哪儿？你们说说看。”

他听到有人暗示说，格列科夫很喜欢这姑娘，特别生气。

“依我看，这个卡佳实在不咋样，经不住细看。两条腿那样长，跟仙鹤一样，屁股没有屁股。眼睛老大，像牛眼睛，这算什么姑娘？”

琴佐夫反驳说：

“你就喜欢大屁股娘儿们。你这是老眼光，是革命以前的眼光。”

科洛密采夫很爱说脏话、下流话，那老大的秃头上有许多光疤，灰灰的眼睛笑嘻嘻地眯缝着，他说：

“这姑娘还是不错的，不过我有我的特别胃口。我喜欢小小的，像亚美尼亚姑娘、犹太姑娘那样的，大眼睛，短头发，又灵活，又麻利。”

祖巴廖夫若有所思地望了望被探照灯光划破的黑黑的天空，低声说：

“还不知道这事儿究竟怎么样呢。”

“你是说，她究竟喜欢谁吗？”科洛密采夫问，“她喜欢格列科夫，这是肯定的。”

“不，不一定。”祖巴廖夫说过这话，从地上拿起一块断砖，使劲扔到一边。

大家看了看他，看了看他的大胡子，一起哈哈笑了起来。

“你凭什么叫她喜欢，凭大胡子？”巴特拉科夫问道。

“凭唱歌！”科洛密采夫说，“现在广播：有步兵要唱歌啦。他唱，她就把他的歌声广播出去。恰好是一对儿！”

祖巴廖夫打量了一下昨天晚上念诗的小伙子。

“你怎么样？”

老迫击炮长用争吵的口气说：

“他不说话，就是说，他不愿说话。”又用父亲责备儿子不该听大人说话的口气说：“你顶好到地下室里去，趁这会儿安静，好好地睡一会儿。”

“这会儿在地下室里安茨菲罗夫准备用炸药炸通道呢。”巴特拉科夫说。

这时候格列科夫在口述报告，由卡佳向外发送。

他向军团司令部报告说，据各方面观察，德军正准备进行突击，据各方面情况判断，这次突击方向是拖拉机工厂。他只是没有报告，据他判断，他和手下弟兄们所据守的楼房正是德军突击目标的中心。但是看着姑娘的脖子，看着她的嘴唇和耷拉着的睫毛，他想象到，而且是活灵活现地想象到，这细细的脖子断了，像珍珠一样白的颈脊骨从破烂了的皮肤里露了出来，这玻璃球般大眼睛上的睫毛和没了血色的嘴唇都像是用落满尘土的灰色橡胶做成的了。

他真想抱住她，趁他和她都还活着，还没有消灭，趁这个年轻姑娘还是这样美，他要享受一下她的温暖、她的青春活力。他觉得，单是因为他对姑娘的怜悯，也要把她抱住，但是，血液在耳朵里腾腾直跳，朝两边鬓角直冲，难道是因为怜悯吗？

司令部没有马上回答。

格列科夫伸了个懒腰，骨头舒舒服服地响了几声，大声地舒了一口气，心里想："好的，好的，等天黑了再说。"又很亲热地问道：

"克里莫夫带回来的小猫怎么样啦，好些了吗，结实了吗？"

"哪儿会结实。"卡佳回答说。

卡佳一想到茨冈女子和小孩子在火里的情形，她的手指头就发抖，她侧眼朝格列科夫看了看，看他是不是发觉这一点。

昨天她觉得，"6-1"号楼里的人谁也不会跟她说话的，可是今天在她吃饭的时候，有一个手持自动步枪的大胡子从她身边跑过，像对老朋友一样对她喊道：

"卡佳，多吃多长肉！"并且用手比画着，怎样拿调羹在饭盒里吃饭。

她看到昨天念诗的那个小伙子在用防雨布背迫击炮弹。还有一次，她一回头又看到他，他站在开水锅边，她知道他是在看她，所以她打量了他一下，他却赶紧转过脸去。

她已经在猜想，明天谁会拿信和照片给她看，谁会叹着气一声不响地看她，谁会对她说他不相信女人的爱情，今后再也不谈恋爱，谁会给她送礼物，给她半壶水或一把白糖。那个大胡子步兵可能会爬过来摸她。

终于司令部回答了，卡佳把司令部的话转告格列科夫："命令你们每天19点整进行详细汇报……"

忽然格列科夫打了一下她的手，把她的手掌从开关上拨下来，她吓得叫起来。

他笑了笑，说：

"一块炮弹皮落在报话机上啦，什么时候格列科夫需要，再把报话机修好。"

姑娘慌乱地看着他。

"请原谅，亲爱的卡佳。"格列科夫说着，抓住她的手。

六十

凌晨时候，别廖兹金团部向师部报告说，被困在"6-1"号楼里的人打通了与工厂的水泥地道相接的地下通道，进入拖拉机厂的车间里。师部值班参谋将此事报告了司令部，司令部里的人报告了克雷洛夫将军，克雷洛夫吩咐叫一个出来的人到他这儿来，以便查问有关情形。值班参谋便挑了一个小伙子，由联络官领着朝司令部走去。他们顺着山沟朝岸边走，小伙子一路上眼睛转来转去，不住地问这问那，心里很不踏实。

"我要回去，我只是要把地道摸清楚，好把伤员抬出来。"

"没关系，"联络官回答说，"你现在去见的官比你们的官大，他怎样吩咐，你就怎样做好啦。"

在路上，小伙子对联络官说，他们已经在"6-1"号楼里蹲了两个多星期，有些天他们只能吃堆在地下室里的一些土豆，喝水就喝暖气锅炉里的水，把德国人弄得够呛，德国人几次派人来谈判，说要把被围困的人放出来，放到工厂里去，可是，大楼里的指挥员（小伙子管他叫“楼长”）命令所有的火器一齐开火，算是对他们的回答。等他们来到伏尔加河边，小伙子趴下，喝起水来，等喝足了水，又把棉袄上的水滴小心地刮到手心里，拿舌头舔了舔，就像饥饿的人舔面包渣儿一样。他说，暖气锅炉里的水都臭了，头几天大家喝了那水都闹肚子，楼长吩咐把锅里的水烧开了再喝，这样就不闹肚子了。然后他们一声不响地又往前走。小伙子倾听着夜间轰炸机的隆隆声，望着红的、绿的信号弹和一道道子弹与炮弹曳光装饰得色彩缤纷的天空。他看了看尚未熄灭的市区大火那疲惫无力的火苗，看了看大炮发射时的白光、重型炮弹在伏尔加河里爆炸掀起的青色浪花，不禁渐渐放慢了脚步，直到联络官喊他：

“走吧，走吧，快点儿！”

他们在岸边乱石丛里走着，一颗颗迫击炮弹在他们头上呼啸而过，岗哨不时地呼喊他们。后来他们顺着一条小路朝坡上走，经过弯弯曲曲的巷道，经过一座座挖进土山里的掩蔽所，一会儿走在黄土台阶上，一会儿过木板搭的小桥，到末了来到一个拉了铁丝网的通道口——这便是62军团指挥所。联络官紧了紧腰带，便顺着交通壕朝原木顶特别厚实的军委掩蔽所走去。

哨兵去找副官。有一小会儿，从半开着的门里射出柔和的电灯灯光，那是一盏带灯罩的台灯。

副官打了一下手电，问过小伙子的姓名，便吩咐他等一会儿。

“等会儿我怎么回去呀？”小伙子问道。

“没关系，有嘴巴，就不怕迷路。”副官说过这话，又用严肃的口气说：“你们到门道里来，要不然挨了迫击炮弹，将军还要我负责任呢。”

在暖和而昏暗的过道里，小伙子坐在地上，侧着身子往墙上一靠，就睡着了。

有一只手使劲把他摇晃了两下。他正迷迷糊糊地做着梦，在梦里既听到若干天来战场上凄惨的叫声，又听到早已不存在的自己的家里的柔声细语，这时候一个很严厉的声音闯入他的梦境：

“沙波什尼科夫，快去见将军……”

六十一

谢廖沙·沙波什尼科夫在司令部警卫队的掩蔽所里过了两个昼夜。司令部的日子使他感到苦闷，他觉得这儿的人一天到晚没有事干，闲得难受。

他想起战前他怎样和奶奶一起在罗斯托夫等了八个钟头，等待开往索契的火车，他觉得今天的等待很像那一次等待换车。后来他觉得，把去“6-1”号楼比作去索契疗养院，简直好笑。他要求司令部少校警卫队长放他走，但是警卫队长没得到将军的指示，不敢让他走。将军把沙波什尼科夫叫去后，只问了两个问题，就中断了谈话，去接电话了。警卫队长决定暂时不让小伙子走。说不定将军还要再叫他去呢。

警卫队长一走进掩蔽所就看到小伙子看着他，便说：

“好的，我记着。”

有时候小伙子的恳求的目光使他生起气来，他就说：

“你在这儿有什么不好？有什么好吃的，给你吃什么；这儿又暖和。干吗要急着回去叫人家打死？”

当一天从早到晚都是轰隆声，一个人整个沉入战争的大锅里的时候，往往无法理解、无法看到自己的生活，就需要朝旁边哪怕跨上一步。这时就像站到了岸上，能看到整个的大河，就会想：难道我刚才就在这疯狂的水里、浪涛里游泳来吗？

谢廖沙觉得原来在民兵团里的那段生活是很平静的：夜晚在黑沉沉的草原上放哨，远方天空闪着火光，民兵们在闲聊。

总共只有三名民兵进入拖拉机厂的居住区。很不喜欢琴佐夫的波里亚科夫说：“整个民兵团就剩下一老一小，再加一个糊涂虫。”

“6-1”号楼里的生活遮没了过去的一切。尽管这种生活是令人难以想象的，但却是唯一的现实，而过去的一切都成了虚幻。

只是有时候夜里在脑海里出现奶奶那灰白的头，出现姑姑任尼娅那带笑的眼睛，一向被慈爱浸润着的心就紧缩起来。

他进入“6-1”号楼的头几天，心里想：如果格列科夫、科洛密采夫、安茨菲罗夫等人忽然闯入他的日常生活，那会是十分奇怪、十分荒诞的。可是现在他却有时候觉得，如果他的姑姑们、他的表妹和姑父维克托闯入他今天的生活，那就太可笑了。

啊，奶奶听到谢廖沙这样会骂娘，准会吓一大跳……

更不用说格列科夫了！

真不明白，是专门挑选了一些稀奇的、特别的人到“6-1”号楼里来，还是一些普通人一进入这座楼就变得很特别了……

民兵队长克里亚金如果在这儿当领导,一天也干不了。还有琴佐夫,虽然大家都不喜欢他,却依然存在。但是他已经不像在民兵团里那样了,已经改掉了行政机关的习性。

还有格列科夫!多么刚强,多么勇敢,多么威风,却又多么平常。他记得战前小孩子穿的鞋什么价钱,清洁工和钳工拿多少工资,在他叔叔所在的集体农庄里每个劳动日能分到多少粮食和钱。

有时他谈起战前军队里的清洗,谈起授军衔的情形,谈起分配住房时怎样走后门,还谈到在1937年有些人写了几十次秘密报告,揭发臆造的人民敌人,因而得到将军官衔。

有时候,他的力量似乎在于他的狮子般的勇猛,在于他那天不怕地不怕的乐观精神,他就是那样天不怕地不怕地从墙豁口里跳出去,高声喊着"狗杂种们,叫你们尝尝厉害的!"拿手榴弹朝攻上来的德国佬扔去。

有时候,他的力量又似乎在于他那纯朴的友爱情谊,在于他和大楼里的人亲密无间。

他在战前的生活没有什么引人注目的地方。他在矿业中学上过十年级,后来当建筑技术员,后来成为驻扎在明斯克附近的一支部队的步兵大尉,在野外和在军营里指导操练,进过明斯克的训练班,晚上看书,喝酒,看电影,和朋友们打牌,和妻子吵嘴,妻子吃醋完全是有根据的,因为他和当地许多大姑娘、小媳妇有关系。这一切都是他自己说的。于是他一下子在谢廖沙的心目中,而且不只是谢廖沙的心目中,成为英雄,成为敢做敢当的好汉。

许多新人来到谢廖沙周围，挤走了他心中最亲近的人。

炮兵科洛密采夫原是基干水兵，在军舰上服务，三次在波罗的海落水。

谢廖沙很喜欢科洛密采夫常常用鄙夷的口气谈起不兴用鄙夷口气谈的一些人，而对学者和作家却表现出不同一般的尊敬。在他看来，所有当官的，不论是什么职位和头衔，跟最不行的数学家或者最蹩脚的作家相比，都不算什么。

有时科洛密采夫谈起文学。他完全不像琴佐夫那样谈文学的教育意义和爱国主义。他很喜欢一位作家，不知是美国的，还是英国的。尽管谢廖沙从来没有读过这位作家的作品，科洛密采夫也忘记了这位作家的名字，但是谢廖沙相信他的作品很好，因为科洛密采夫常常津津有味、兴高采烈地夸奖他的作品，而且高兴得直骂娘。

"我为什么喜欢他？"科洛密采夫说，"因为他不教训我。男子汉找娘儿们，找娘儿们就是找娘儿们；当兵的喝醉了，喝醉了就是喝醉了；老头子的老伴儿死了，都写得实实在在。又好笑，又可怜，又有趣，反正不知道人为什么活着。"

侦察员瓦夏·克里莫夫和科洛密采夫很要好。

有一次谢廖沙和克里莫夫潜入德军阵地，爬过铁路路基，爬到德国炸弹炸出的一个大坑边，坑里坐着德军一挺重机枪的几个机枪手和一名观测军官。他们贴在坑边上，观看德国兵的生活情形。一个小伙子解开上衣，把一块红方格手帕塞到衬衣领子里，刮起胡子。谢廖沙听到那沾满灰尘的硬扎扎的胡子在剃刀底下哧啦啦直响。另一个德国兵在吃扁平罐头盒子里的食品，谢廖沙在很短然而容量很大的一瞬间望着他的大脸，那张脸流露出十分满意的神情。那名观测军官在上手表。谢廖沙真想用低低的声音，免得把他吓坏，问问他："喂，请问，什么时间啦？"

克里莫夫把手榴弹的导火索一拉，将手榴弹扔进坑里。尘土在空中还没有落下，克里莫夫又扔出第二颗手榴弹，并且在爆炸之后立即跳进坑里。德国人全都死了，就好像在一分钟之前也不曾生活在世界上。克里莫夫被硝烟和灰尘呛得打着喷嚏，一面搜索他用得着的东西。他拿起望远镜，卸下重机枪的枪机，从军官的热乎乎的手上捋下手表，又把机枪手的证件从军装口袋里小心翼翼地掏出来，免得沾上血。

他把得到的战利品缴了公，说了说事情的经过，请谢廖沙给他倒水洗了洗手，便挨着科洛密采夫坐下来，说：

"现在咱们来抽支烟。"

这时候，曾经说自己是"安分守己的梁赞的老百姓，喜欢钓鱼"的别尔菲里耶夫跑来了。

"喂，克里莫夫，你干吗在这儿坐起来啦，"别尔菲里耶夫喊道，"楼长找你哩，还要再上德国人住的楼房里去一趟。"

"马上就去，就去。"克里莫夫用歉疚的语调说着，就开始收拾自己的家当：一支自动步枪和一帆布袋的手榴弹。他收拾这些东西很小心，似乎很怕把它们碰疼了。他对很多人称"您"，从来不骂娘。

"你不是洗礼派教徒吧？"有一次波里亚科夫老头子问他，虽然他已经打死一百一十个人。

克里莫夫不是寡言少语的人，特别喜欢聊自己的童年。他父亲是普济洛夫工厂的工人。克里莫夫自己是万能车工,战前在工厂技术学校当教师。克里莫夫说,技术学校里有一个学生被一颗螺丝钉卡住,喘不上气来,脸发了青,克里莫夫赶去抢救,拿平口钳把螺丝钉从学生喉咙里拔了出来,谢廖沙听了觉得十分好笑。

但是有一次谢廖沙看见克里莫夫喝了不少缴获来的酒,他的样子很可怕,格列科夫见到他似乎都有点儿胆怯了。

“6-1”号楼里最邋遢的人是巴特拉科夫中尉。他从来不刷洗靴子,走起路来就有一个靴后跟吧嗒吧嗒直响,别人不用转头,就知道这位炮兵中尉来了。不过他每天都要用一块麂皮把眼镜擦几十次,眼镜不适合他的视力,所以他老以为灰尘和硝烟把他的镜片弄模糊了。克里莫夫好几次摘下被打死的德国人的眼镜送给他。可是他很不走运:眼镜框很漂亮,镜片却不合适。

战前巴特拉科夫在技术学校教数学,其特点是自信心很强,常常用傲慢的语调说学生水平太低。

他曾经考试谢廖沙的数学,谢廖沙丢了脸。大家都笑起来,说要把谢廖沙留二年级。

有一天,在敌机进行空袭的时候,敌机像发了疯的锤工用沉重的大锤敲击着土地、石头、钢铁,格列科夫看到巴特拉科夫坐在残破的楼梯间上面,在读一本书。

格列科夫说:

“德国佬连鸡巴毛也搞不到。他们拿这样的傻瓜有什么办法?”

德国人所干的一切,没有引起“6-1”号楼里的人的恐怖感,倒是引起他们的嘲笑和轻蔑。“嘿,德国佬上劲儿啦。”“瞧,瞧,这些下流坏想的好主意……”“真是笨蛋，瞧你把炸弹扔到哪儿去啦？”

巴特拉科夫和工兵排长安茨菲罗夫很要好。安茨菲罗夫是一个四十岁的人，喜欢谈自己的慢性病，他的胃溃疡和神经根炎在炮火下能自动痊愈，前线上这种现象是少见的。

不过，安茨菲罗夫在斯大林格勒鏖战中依然经受着很多疾病的折磨，很多疾病已经在他的胖大的身体中扎了根。德国医生没有治好他的病。

这个圆滚滚的脸、圆滚滚的秃头、圆滚滚的眼睛的人，在浑身被可怕的战火照得通亮的时候，依然悠闲自在地跟他手下的工兵们一起喝茶，那样子真显得古怪、离奇。他一般都是光着脚坐着，因为他脚上有鸡眼，一穿鞋就难受；他常常不穿制服，因为他总觉得很热。他爱用一个蓝花碗喝滚热的茶，一面拿大手帕擦秃头上的汗，又叹气，又笑，又朝茶碗吹气，头上缠着绷带的战士里亚霍夫时不时地用一个熏黑的大茶壶往茶碗里倒烧得滚开的陈水。有时安茨菲罗夫不穿靴子，脚被硌得哼哧着，爬到碎砖堆上去，看看周围的情形。他光脚站着，不穿军服，不戴军帽，就像一个农民在狂风暴雨时候走出来站到门槛上，要看一看自己院子里的家当。战前，他担任工程主任。现在他的建筑经验用到了相反的方面。他的脑子时时在考虑如何破坏房屋、墙壁和地下工事。

巴特拉科夫和他谈的主要话题是哲学问题。安茨菲罗夫因为自己从建设转向破坏，所以很需要思考思考这种不平常的转变。

有时候他们的谈话从哲学的高度出发，如，人生的目的是什么，外星世界有没有苏维埃政权，男人的脑力结构在哪些方面胜过女人的脑力结构，然后谈话转向日常生活方面。

在这儿，在斯大林格勒的瓦砾堆里，一切都不同了，就连人们需要的智慧也常常在呆头呆脑的巴特拉科夫方面。

“说真的，老弟，”安茨菲罗夫说，“多亏了你，我开始明白一些事情了。可是以前我还以为我彻底了解全部奥妙：谁需要半斤酒加小菜，谁需要汽车轮胎，谁需要票子。”

巴特拉科夫当真以为正是他和他的一些含混不清的见解，而不是斯大林格勒使安茨菲罗夫对人们有了新的认识，所以用居高临下的口气回答说：

“是啊，老兄，可以说，咱们是相见恨晚呀。”

在地下室里住的是步兵，他们多次打退德军的进攻，并且响应格列科夫响亮的号令进行反击。

指挥步兵的是祖巴廖夫少尉。战前，他在音乐学院学声乐。有时他在夜里悄悄走到德国人占的楼房跟前唱起来，有时唱《春天的气息，不要把我惊醒》，有时唱连斯基咏叹调。

别人问他，为什么要爬到碎砖堆上冒着被打死的危险唱歌儿，他从来不肯回答。也许，他正是要在这日日夜夜充满尸臭气的地方，不仅向自己和自己的同志们，而且也向敌人显示，强大的毁灭性力量永远无法战胜美好的生命力。

如果不知道格列科夫、科洛密采夫、波里亚科夫、克里莫夫、巴特拉科夫、大胡子祖巴廖夫，能算是生活吗？

奶奶过去常说，头脑简单的干活儿的人都是好人。一直生活在知识分子环境中的谢廖沙认为奶奶的说法显然是很对的。

可是聪明的谢廖沙还是发现了奶奶的错误，这错误就是：她总认为干活儿的人头脑都是简单的。

“6–1”号楼里的人的头脑就不简单。有一天，格列科夫说的一番话就使谢廖沙大吃一惊：

“不能把人当绵羊来领导。列宁那样聪明，就连他也不懂得这一点。所以要革命，为的就是不要任何人领导人。可是列宁却说：‘以前是领导你们越来越糊涂，我要领导你们越来越聪明。’”

谢廖沙从来没听到有人敢这样大胆地责骂内务部里的人，责骂他们在1937年杀害了成千上万无辜的人。

谢廖沙从来没听到有人带着这样沉痛的心情谈论普遍实行集体化时期农民所遭受的痛苦与灾难。有关这些问题的主要发言人是楼长格列科夫，不过科洛密采夫和巴特拉科夫也常常谈这些事。

这会儿，谢廖沙在司令部的掩蔽所里，觉得在“6–1”号楼以外度过的每一分钟都长得使人难受。听着谈论值班，谈论各部门领导的召唤，觉得不可思议。

他想象起这会儿波里亚科夫、科洛密采夫、格列科夫这会儿在干什么。

晚上，寂静时刻，大家又在谈报话员姑娘了。

格列科夫要是下了决心，怎么也阻止不住他，就是佛祖或者崔可夫，都对他没有办法。

“6–1”号楼里的人都是极好的人，是刚强、勇敢的人。大概今天夜里祖巴廖夫又唱歌了……她一定是在无精打采地坐着，等待着自己的厄运呢。

“我要杀人!”他在心里喊道。但他没弄清他要杀谁。

他哪儿行啊,他还从来没有吻过姑娘呢,可是那些家伙是老手,当然会欺骗她,玩弄她。

他听到不少艳史,说的是有些护士、女电话员、女测距员、女仪表员、女学生很不情愿地成为一些团长和炮兵营长的“野味”。他对这些艳史不欣赏,不感兴趣。

他看了看掩蔽所的门。他先前为什么没有想起,他可以谁也不问,站起来就走呢?

他站起来,开了门,走了出来。

就在这时候,有人给司令部值班参谋打来电话,说是根据政治部主任瓦西里耶夫指示,要让被困的楼房里出来的战士立即去见政委。

达佛尼斯和克洛厄的故事所以永远能打动人心,并不是因为他们的爱情发生在蓝天下,葡萄藤蔓丛中。

达佛尼斯和克洛厄的故事经常传说着,到处传说着,不论在带有炸鳕鱼气味的窒闷的地下室里,在集中营的棚屋里,在机关会计室的算盘声中,在纺纱车间的灰尘中。

这故事又发生在瓦砾堆里,在德国轰炸机的隆隆声中,在人们不是用蜜糖,而是用烂土豆和旧锅炉里的水滋养自己的肮脏的、汗淋淋的身体的地方,发生在没有了安宁和寂静,只有打碎的石头、轰隆声和臭气的地方。

六十二

原在斯大林格勒发电站担任门卫的安德列耶夫老头子,收到从列宁斯克捎来的一封信,是儿媳妇写来的。儿媳妇在信里说,婆婆害肺炎死了。

得到老伴去世的消息以后,安德列耶夫打不起精神了,很少上斯皮里多诺夫那儿去,每天傍晚都坐在工人宿舍的门口,望着一闪一闪的炮火和愁云密布的天上晃动着的探照灯光。宿舍里的人有时候找他说话,他却一声不响。说话的人以为老头子耳朵背了,便用更高的声音把话重说一遍。安德列耶夫就阴沉地说:

"听见啦,听见啦,我没有聋。"就又不作声了。

老伴的死对他震动很大。他的生活反映在妻子的生活中,他遇到的好事、坏事,他的快活心情、悲伤心情都存在和反映在老伴的心中。在猛烈轰炸的时候,重磅炸弹不住地爆炸,安德列耶夫老汉望着发电站各车间之间冒起的一股股灰尘和硝烟,心里想:"我那老伴儿能看看就好啦……嘿,瞧,好家伙……"

可是这时候她已经不在人世了。

他觉得,被炸弹和炮弹炸坏的房屋残骸、被炸得坑坑洼洼的院子、一堆堆的黄土和歪七扭八的钢铁、着了火的油库那苦涩、潮湿的浓烟和黄黄的、火龙般的、慢慢爬动的火焰——都是他的生命的表现,是他的残生的象征。

难道他当年曾经坐在明亮的房间里,吃早饭准备上班,妻子站在他身旁看着他:该不该为他添饭?

是啊,他只有孤单单地死去了。

他忽然想起年轻时候的她,胳膊晒得黑黑的,眼睛里洋溢着快活的神气。

算啦,他也要死的,而且时间不远了。

有一天晚上,他踩着咯吱咯吱响的木头台阶,慢慢地走进斯皮里多诺夫的掩蔽所。斯皮里多诺夫看了看老头子的脸,说:

“老人家,身体不舒服吗?”

“斯捷潘·菲道罗维奇,您还年轻,”安德列耶夫回答说,“您的力气小些,您要多保重。我的力气有的是,我一个人能走得到。”

这时候正在洗锅的维拉没有立即明白老头子的话的意思,回头看了看他。

安德列耶夫不需要任何人的同情,希望转换话题,就说:

“维拉,您该离开这儿啦,这儿又没有医院,只有坦克和飞机。”

她笑了笑,挓挲了一下湿漉漉的两只手。

斯皮里多诺夫很生气地说:

“就连一些不认识她的人都说这话。不论谁看到她,都说,应该转移到左岸去。昨天军团军委委员来了,来到我们的掩蔽所里,看了看维拉,什么也没说,可是等他坐上汽车,却骂起我来:您怎么,没做过父亲吗,是不是想让我们用装甲快艇把她送过河去?我能说什么呢:她不愿意,就是不愿意。”

他说得很快、很流畅,就好像天天在争论同一个问题的一些人那样。安德列耶夫老头子望着早就绽了线的上衣袖子,没有作声。

“在这儿简直收不到什么信，”斯皮里多诺夫又说，“这算什么军邮。我们在这儿待了这么久，没收到过岳母、任尼娅、柳德米拉一封信。托里亚在哪儿，谢廖沙在哪儿，谁又能知道？”

维拉说：

“他老人家收到信啦。”

“他收到的是死讯。”斯皮里多诺夫对自己的话感到害怕。他十分激动地说起来，一面用手指着掩蔽所矮矮的墙壁，指着遮住维拉的床的布幔：“瞧她在这儿是怎么住的，她总是姑娘，是女的，这儿天天有男子汉挤来挤去，白天是这样，晚上也是这样，时而是工作人员，时而是卫队，人挤得满满的，又嚷嚷，又抽烟。”

安德列耶夫说：

“您就可怜可怜快要生的孩子吧，在这儿孩子就完啦。”

斯皮里多诺夫对维拉说：

“你想想看，万一德国人冲进来呢！那时候怎么办？”

维拉没有作声。

她自己相信，维克托罗夫会走进炸坏的发电站大门的，她会老远看到他穿着飞行服、软底靴，挎着图囊。

她常常走到公路上，看他是不是来了。乘车经过的战士们常常对她喊：

“喂，姑娘，你等谁呀？坐到我们车上来吧。”

她一时间也快活起来，就回答说：

“你们的汽车经不住人坐。”

在苏军飞机飞过的时候，她凝望着低低地飞行在发电站上空的一架架歼击机，似乎她就要认出维克托罗夫来了。

有一天，有一架歼击机在发电站上空飞过时摇了摇翅膀，维拉就叫了起来，并且像一只失望的小鸟一样打着趔趄向前奔去，跌倒在地上。跌过这一跤之后，她的腰疼了好几夜。

10月底，她看到在发电站上空进行的一场空战。这场空战不分胜负。苏军飞机进入云层中，德军飞机转过头朝西飞去。维拉站着，望着没有了飞机的天空，她那瞪得老大的眼睛里还流露着极其紧张的神情，一名装配工从院子里走过，看见她这种神情，说：

“斯皮里多诺娃同志，您怎么啦，是不是受伤啦？”

她相信，她就会在这儿，在发电站和维克托罗夫见面，但是她觉得，如果把这一点告诉爸爸，命运之神就会怪她沉不住气，不让他们见面了。有时候她这种信心十分强烈，以至于匆匆忙忙地烙起面粉加土豆粉饼子，匆匆忙忙地扫地，收拾东西，擦洗脏鞋……有时她和爸爸坐在一起，忽然侧耳倾听一阵子，说：

“等一等，我出去一下子。”便披起大衣，从掩蔽所里走出去，四处张望，看看有没有飞行员站在外面，是不是有人在问，怎样可以找到斯皮里多诺夫父女。

她一次也没有想过、一分钟也没有想过他会忘记她。她相信，维克托罗夫也和她一样，日日夜夜在急切地、深深地想念着她。

德军的重炮几乎每天都在轰击发电站。德国人的技术很好，试射、发炮都很准，炮弹打在车间的墙壁上，一阵一阵的爆炸声震颤着大地。常常飞来一两架零散的轰炸机，投掷炸弹。有的敌机贴着地面飞，在从发电站上空飞过时，拿机枪扫射。有时在远处的山冈上出现德军的坦克，这时能清楚地听到机关炮的嗒嗒声。

斯皮里多诺夫似乎已经习惯了炮击与轰炸，发电站的其他工作人员好像同样也习惯了。不过，不论是他，不论是他们，习惯是习惯，同时却渐渐失去积蓄起来的精神力量，有时斯皮里多诺夫就感到疲惫无力，很想躺到床上，拿棉袄把头蒙上，静静地躺着，一动也不动，也不睁眼睛。有时他拼命地喝酒。有时他想跑到伏尔加河岸上，渡过河去，在对岸的草原上走一走，再不回头看这发电站，宁愿蒙受当逃兵的羞耻，只要不再听到德军炮弹和炸弹的可怕的呼啸声。有一次，他通过附近的64军团司令部的高频电话和莫斯科通话，副人民委员说："斯皮里多诺夫同志，请转达莫斯科方面的敬意，向您领导的英雄集体致敬。"这时他感到很难为情：哪儿谈得上英雄呀？此外，还一直有一种传闻，说是德军正准备对发电站进行密集袭击，要用巨型的炸弹把发电站摧毁。听到这些传闻手和脚都发冷。白天，眼睛一直瞅着灰色的天空，看是不是有敌机飞来。夜里，他有时忽然跳起来，因为仿佛听到越来越近的大批敌机的沉重而密集的隆隆声。胸前和背后常常吓出冷汗。

显然，不是他一个人神经紧张。总工程师有一天对他说："一点力气也没有啦，好像有什么妖魔鬼怪跟着我，我常常看着公路，想：能跑掉就好啦。"党委书记尼古拉耶夫晚上到他这儿来，说，"给我拿酒来，这些天我离了这种防弹剂就睡不着觉。"他一面给尼古拉耶夫斟酒，一面说："真是'活到老，学到老'。应当学会一门技术，能够轻而易举地把设备转移，要不然，你瞧，涡轮机留在这儿，咱们也只好陪着。别的工厂的人早就在斯维尔德洛夫斯克大街上溜达了。”

有一天，他在劝维拉走的时候说：

“我真不理解，我们这儿的人天天上我这儿来，拿出种种理由要求离开这儿，可是我实心实意劝你走，你却不走。要是准许我走的话，我一分钟也不耽搁。”

“我因为你才留在这儿，”她粗声粗气地回答说，“你没有我不行。”

不过，当然，不能说斯皮里多诺夫一味地在德军炮火面前发抖。发电站的人也很勇敢，也担负着艰巨的工作，也笑，也说笑话，对于严峻的命运也有满不在乎的感觉。

维拉一直在为孩子担心。孩子生下来会不会健康？她住在这闷人的、充满烟气的地下室里，每天大地都被炸得不住地颤动，这对孩子有没有影响？近来她常常觉得恶心，头晕。她这个当母亲的天天看到的是瓦砾堆、战火、被炸得坑坑洼洼的大地、盘旋在灰色天空的黑十字飞机，会生出多么悲伤、多么胆小、多么忧愁的孩子？也许，孩子甚至能听见可怕的爆炸声，也许，听到炸弹呼啸声，那蜷缩着的小小身体连动也不敢动，小小的头缩进肩膀里了。

常常有身穿肮脏、油污大衣，腰系士兵帆布带的人从她身边跑过，一面跑一面挥手，微笑，喊叫：

“维拉，日子过得怎样？维拉，想我吗？”

她感觉到大家对她这个未来的母亲的亲热。也许，小东西也能感觉到这种亲热，他的心将是纯洁而善良的。

她有时到机械车间去，现在这里在修理坦克，过去维克托罗夫曾经在这里工作过。她在猜:哪是他的车床呀?她使劲儿想象他穿着工装或者飞行服,但是他却总是穿着军医院的伤员服出现在她的脑海里。

在车间里,不仅是发电站的工人,而且军团基地的坦克手们也都认识她。她却无法辨别他们,因为干活儿的工人和干活儿的军人十分相像,都是穿着油乎乎的棉袄,戴着皱皱巴巴的帽子,手都很脏。

维拉时时刻刻想着维克托罗夫,想着孩子,日日夜夜都感觉到孩子的存在。关怀姥姥、小姨任尼娅、谢廖沙和托里亚的心情退到了次要地位,有时她想起他们,也只是感到怅惘罢了。

夜里她想念妈妈,呼唤妈妈,向她诉苦,向她求助,小声呼唤:“妈妈,好妈妈,帮帮我吧。”

这会儿她觉得自己可怜,软弱无力,完全不像刚才那样了,刚才她还很沉着地对爸爸说:

“别说了,我不走,哪儿也不去。”

六十三

吃午饭的时候,娜佳随口说:

“托里亚喜欢吃煮土豆,不怎么喜欢吃烤土豆。”

柳德米拉说:

“到明天他正好满十九岁零七个月。”

晚上,她说:

“玛露霞要是听说法西斯在亚斯纳亚波利亚纳的暴行,会多么伤心呀。”

过了一会儿，符拉季米罗芙娜在工厂里开完大会回来了，维克托帮她脱大衣，她对维克托说：

“维克托，天气真好，空气又干，又冷。你妈妈会说：像葡萄酒。”

维克托回答说：

“妈妈还说酸白菜像葡萄呢。”

生活在流动着，好像漂游在大海里的大冰块，在寒冷而昏暗的水中游动的水下部分支持着水上部分，水上部分抗击着波涛，听着水的喧嚣与拍溅，呼吸着空气……

每当朋友家的年轻人进入研究生院，论文答辩，恋爱，结婚，除了祝贺和家长里短的议论之外，往往免不了几声慨叹。

每当维克托听到熟识的人在战争中牺牲，就好像他身上有一部分活的物质死了，脸上的血色也暗淡了。不过死者的声音依然在生活的喧嚣中回荡着。

维克托的思绪和心灵所萦系着的时间很可怕，它也触及了妇女和孩子。在这段时间里他家里死了两个妇女、一个小伙子，这小伙子几乎还是孩子。

维克托常常想起有一次他听到索科洛夫的亲戚历史学家马季亚罗夫念的曼德尔施塔姆的两行诗：

> 捕狼犬的时代向我扑来，
> 但我不是狼，生来就不是……

不过这时代就是他的时代，他和这时代生活在一起，死后仍然联系在一起。

维克托的研究工作依然进行得很不顺利。

在战前很久就开始的试验,没有得到理论所预测的结果。

尽管有各种各样的试验数据,尽管有决心打破现有的理论,但依然显得凌乱、不合理,使人丧气。

起初维克托认为,他失败的原因在于试验不完善,缺乏新的仪器设备。他对试验室的工作人员很生气,似乎他们没有把足够的精力放在工作上,只是关心生活琐事。

可是,问题并不在于才华横溢、乐观而可爱的萨沃斯季扬诺夫天天想方设法去弄酒票买酒,不在于无所不知的马尔科夫在工作时间发表长篇议论或者讲解这个或那个院士享受什么样的供应,某某院士的供应要怎样分配给两位过去的夫人和一位现在的夫人,也不在于安娜·纳乌莫芙娜天天唠叨她和女房东的关系。

萨沃斯季扬诺夫的思想很活跃,很清晰。马尔科夫照样很赞赏维克托·什特鲁姆知识渊博,善于进行精密的试验,冷静地进行推理。安娜·纳乌莫芙娜虽然住在寒冷而残破的过道小屋里,工作还是非常勤奋,非常踏实。维克托照样因为有索科洛夫和他在一起工作感到自豪。

不论多么精确地安排试验条件,不论怎样检查测定,不论怎么校正计量器,都不能得出明确的结果。这种混乱性干扰了对于受到超硬性辐射影响的重金属有机盐的研究。有时维克托觉得这种盐粒就像一个毫无礼貌和理性的小矮子,戴着耷拉到耳朵上的小圆帽,脸上搽着红粉,对着理论的严肃的面孔不停地做鬼脸,还做下流动作,做出很轻蔑的姿势。参与创造理论的是世界上知名的物理学家。数据计算是无可指责的,德国与英国一些有名的试验室里几十年来积累的试验资料为理论提供了证据。战前不久在剑桥进行过一次试验,可以证实理论所预言的粒子在特殊环境中的反应。那次试验的成就是理论上的重大成就。可是维克托依然觉得那次试验是不够实际的,就像证实相对论所预言的外星来的进入太阳磁场的光线会出现偏斜的试验。触动这一理论似乎是不可思议的,就好比一名士兵要撕掉元帅的金肩章。

可是小矮子依然在做鬼脸,在做轻蔑的动作,而且没办法叫他老实下来。在柳德米拉去萨拉托夫之前不久,维克托想到,扩大理论探索范围是可能的,当然,这就需要做出两种任意的假设,需要大大加强数学统计。

新的方程式涉及索科洛夫所擅长的数学分支。维克托觉得自己在这一数学领域没有足够的把握,便求助于索科洛夫。索科洛夫很快地为扩展理论算出新的方程式。

似乎问题解决了,试验数据不再与理论相矛盾了。维克托为此感到高兴,向索科洛夫祝贺,索科洛夫也向维克托祝贺,可是担心和不满意依然存在。

不久,维克托又苦闷起来。

他对索科洛夫说:

“我发现,每天晚上柳德米拉一拿起毛线织补袜子,我的情绪就坏了。这使我想起我和你,我和你在织补理论,粗糙的活儿,毛线的颜色也不一样,是瞎折腾。”

他喜欢摆出自己的疑虑,幸而他不会欺骗自己,因为他本能地感觉到,自我安慰只能导致失败。

扩展理论没有任何好处。理论一旦经过织补，就失去内部的协调，任意的假设会使理论丧失其自主的力量和独立的存在，其方程式会十分复杂，运用起来十分不容易。理论就会带有学究式的、空洞的、贫血的意味了。理论似乎就失去活的肌体。

才能出众的马尔科夫安排的一系列新的试验得出的结果又与算出的方程式产生了矛盾。为了解释这一新的矛盾，只好提出另一种任意的假设，又要用火柴和碎木片支持理论。

“瞎折腾。”维克托自己对自己说。他明白了，他的做法很不对头。

他收到克雷莫夫工程师一封信。克雷莫夫告诉他，他所订制的仪器的浇铸和磨光工作要推迟一段时间，工厂正忙着生产军用品，看样子，所需要的仪器要比原定时间晚一个半月到两个月才能生产出来。

不过，维克托收到这封信并没有感到难过。他已经不像过去那样急切地等待着新仪器了，不相信新仪器会改变试验结果。有时他非常烦恼，这时很希望快点儿收到新仪器，以便最后证实，大量的、扩展的试验资料彻头彻尾与理论相矛盾。

研究方面的不顺利在思想上与他的个人伤心事联系起来，形成一种灰色的绝望心理。

这种灰沉情绪持续了好几个星期。他变得很容易生气，对家务琐事似乎有了兴趣，常常过问柴米油盐的事，看到柳德米拉花那么多钱，总觉得惊讶不解。

他关心起柳德米拉和房东家的争执。房东家要求增加房租，因为使用了他们家的柴棚。

“你跟房东太太谈得怎么样啦?”他问道。等他听过柳德米拉的叙述,又说:“唉,他妈的,这娘儿们真坏。”

现在他不考虑科学与人类生活的关系,不考虑科学是福还是祸。要考虑这些问题,必须自觉是主人,是强者。然而这些天来他一直感到自己是一个一事无成的受雇的手艺人。

似乎他再也不能像原来那样从事研究了,他所经受的痛苦使他失去了研究科学的力量。

他在脑子里一一回想了一些有名的物理学家、数学家、作家,他们的主要成就都是在年轻时代取得的,在三十五岁到四十岁以后,他们已经没有什么了不起的成就了。他们有成就足以自豪,他却没有在年轻时做出终生可以回忆的事情,只有坐等老死。为一百年来数学的发展提供了多种途径的伽罗华在二十一岁就死了,爱因斯坦二十六岁就发表了专著《运动物体的电动力学》,赫兹死时不到四十岁。这些人的命运和维克托多么不同呀!

维克托对索科洛夫说,真想暂时停止试验工作。但是索科洛夫认为,应当继续进行试验,等新仪器来了,许多问题可能解决。可是维克托甚至忘记了对他说说刚收到的工厂的来信。

维克托看出来,妻子知道他的研究很不顺利,但是她不跟他谈他的研究。

她很不关心他生活中的主要的东西,而把时间用于做家务,同玛丽亚聊天,同房东太太争吵,为娜佳做连衣裙,同波斯托耶夫的妻子来往。维克托很生她的气,不了解她的心情。

他觉得,妻子已经恢复了习惯的生活,而她所以做习惯的事情,正因为已经习惯了,不需要什么精力,她的精力已经没有了。

她一面做面条汤，一面谈娜佳的鞋子，因为她做了多年的家务事，所以现在像机器一样做着已经习惯了的事情。他却没有看出来，她虽然像以往一样生活，在生活中却没有感觉了。好比一个行路人，想着自己的心思，在走惯了的路上走着，绕过坑洼，跨过水沟，却没有觉察到有坑洼和水沟。

要想跟丈夫谈他的研究，需要新的、今天的精神倾向、新的力量。她没有力量。维克托觉得，她对一切事情的兴趣都还保留着，只是对他的研究没有兴趣了。

柳德米拉在谈到儿子的时候，常常提到一些事，似乎说明丈夫对托里亚不够好，维克托觉得很委屈。她好像是在做托里亚与继父关系的结论，结论说明维克托不好。

柳德米拉对妈妈说：

“托里亚很可怜，有一个时期脸上出了很多粉刺，他很难过，甚至要我找美容师给他弄点儿药膏治一治。可是维克托还一个劲儿地笑话他。”

这确实是事实。

维克托很喜欢逗托里亚。托里亚回到家来，向他问好，他常常把托里亚仔细打量一遍，摇摇头，若有所思地说：

“哎，伙计，你脸上好像出星星啦。”

近来，维克托一到晚上不喜欢坐在家里。有时他上波斯托耶夫家里下棋，听音乐。波斯托耶夫妻子弹钢琴弹得不错。有时去找喀山的新朋友卡里莫夫。但多半还是去索科洛夫家。

他喜欢索科洛夫家那小小的房间，喜欢殷勤好客的玛丽亚那亲切的笑容，尤其喜欢那茶余酒后的聊天。

每当他很晚串门子回来，一走到家门口，那暂时忘却的苦闷又袭上心头。

六十四

维克托没有从研究所回家，而是去找自己的新朋友卡里莫夫，邀他一起上索科洛夫家去。

卡里莫夫是个麻子，相貌很丑。黑皮肤衬得白头发特别白，白头发又使黑皮肤显得特别黑。

卡里莫夫说俄语说得十分地道，只有仔细听，才能听出在发音与用词造句方面的细微差异。

维克托过去没有听到过他的名字，但是实际上他已经很有名气，而且不只是在喀山。卡里莫夫将《神圣喜剧》《古利维游记》译成鞑靼语，最近又在译《伊利亚特》。

当他们还不熟识的时候，他们走出大学的阅览室，常常在吸烟室里见面。衣着很马虎然而爱抹口红、很爱说话的管理图书的老太婆对维克托说了不少有关卡里莫夫的事情：说他是巴黎大学毕业的，在克里木有别墅，战前每年一大半时间在海边度过。战争时期他的妻子和女儿留在克里木，他一直得不到她们的音信。老太婆还向维克托暗示，此人一生中有过长达八年的艰难经历，但是维克托却用大惑不解的目光迎接了这一消息。看样子，老太婆也把维克托的情况对卡里莫夫说了。他们彼此了解之后，感到很不好意思，因为还没有认识，但是每次相遇时不是微笑，倒是皱起眉头。有一次他们在图书馆的前厅里撞了个满怀，两个人同时笑起来，说起话来，才结束了这种尴尬的局面。

维克托不知道卡里莫夫是否对他说的话感兴趣，但在卡里莫夫听他说话的时候，他很有兴趣说话。维克托有过很不愉快的经验，常常遇到一些交谈者，似乎又聪明又机智，其实却呆板得不得了。

有一些人，维克托在他们面前连说话都很吃力，声音也变僵硬了，说的话既无意义，又无趣味，有点儿像聋哑盲人了。

有一些人，在他们面前任何真诚的话都带有做作的腔调。

有一些人，是多年的相识，在他们面前维克托感到自己特别孤独。

为什么会这样？就因为有时也会遇到另外的人，也许是邂逅的旅伴，也许邻铺而眠，也许是偶然争论的参与者，在他面前另一个人的内心世界就失去孤独与寂寞感。

他们在一起走着，说着话儿，维克托心想，现在，特别每天晚上在索科洛夫家聊天的时候，他可以一连几个钟头不回想自己的研究了。以前这种情形他从来不曾有过，以前他时时想着自己的研究，不论在电车上，在吃饭的时候，在听音乐或者早晨洗脸的时候。

也许，他钻进的死胡同太气闷了，所以他下意识地要摆脱有关研究的一些想法……

“阿赫麦特·乌斯曼诺维奇，今天工作效率如何？”维克托问道。

卡里莫夫说：

“脑袋一点儿不听使唤。一个劲儿地在想着老婆和女儿，有时觉得一切都会平安无事,会看到她们的,有时会出现一种预感,觉得她们都完了。"

"我了解您。"维克托说。

"我知道。"卡里莫夫说。

维克托心想:奇怪,他和这个人才认识了几个星期,就想对他说说自己对妻子和女儿都不能说的话了。

几乎每天晚上都有一些人在索科洛夫家小小房间的饭桌上聚会,这些人在莫斯科未必都见过。

索科洛夫是一个才华出众的人,说话文绉绉的,谈起什么都是长篇大论。很难相信,他出身于伏尔加水手之家,说话会这样斯文。他是一个善良而高尚的人,可是脸上的表情却显得又狡猾又狠毒。

索科洛夫还有一些地方很不像伏尔加的水手,比如,他滴酒不沾,怕穿堂风,因为怕传染,一个劲儿地洗手,吃面包还要把手指头接触到的那一部分面包皮剥掉。

维克托在宣读他的论文的时候,常常感到惊讶:一个人能这样细致、这样大胆地思考,这样简洁地表述和证明极其复杂和细微的原理,平常说话竟那样冗长,那样啰唆。

维克托和许多在斯文的知识分子环境中长大的人一样,在说话时倒是喜欢说一些粗俗的话,如"他妈的""胡鸡巴扯",在和老院士谈话时常常把爱争吵的学者夫人叫作"冤鬼"或者"女魔"。

索科洛夫在战前最不喜欢谈政治。维克托一谈到政治,索科洛夫就沉默下来,不再说话,或者故意换个话题。他的性格中出现了一种奇怪的顺从态度,对于集体化时期和1937年的许多残酷的事没有愤恨。他似乎认为国家的灾祸是自然的灾祸,是上天降下的灾祸。维克托觉得,索科洛夫似乎信仰上帝,而且这种信仰表现在他的研究中,表现在他对当今世界的强者的顺从中,表现在他与别人的个人关系中……

六十五

马季亚罗夫很平静、很从容地叙述着,他不为那些后来被当作人民敌人和祖国叛徒枪毙了的师长和军长们辩护,不为托洛茨基辩护,但是从他赞扬克里沃卢奇科、杜波夫的口气和提到1937年被杀害的一些指挥官和政委的名字时那种尊敬而随便的口气,可以感觉出来,他不相信图哈切夫斯基、布柳赫尔、叶戈罗夫元帅、莫斯科军区司令穆拉洛夫、二级军团司令列万多夫斯基、加马尔尼克、特宾科、布勃诺夫以及托洛茨基的第一副手斯克良斯基和温什里希特是人民的敌人和祖国的叛徒。

马季亚罗夫口气之平静与从容似乎是不可思议的。因为强大的国家机器篡改了历史,按自己的要求重新发动骑兵,重新任命历史事件的英雄,把真正的英雄抹去。国家有足够的力量,可以使永远无法改变的既成事实重演一番,可以重刻大理石,重铸铜像,可以改变以往的发言,改变文献纪录片上的人的位置。

这真是全新的历史。就连当年留下来的活着的人,都重新过起已经过过的生活,把自己从勇士变为懦夫,从革命者变为外国间谍。

听到马季亚罗夫的话,会觉得,更为强大的逻辑、真理的逻辑必然会显示出来。在战前从来没有这样的谈话。

有一次他说：

“唉,所有这些人如果活到今天,都会奋不顾身地同法西斯作战,绝不吝惜自己的鲜血。真不该把他们杀掉呀……”

化学工程师弗拉季米尔·罗曼诺维奇·阿尔捷列夫是喀山人,是索科洛夫家的房东。阿尔捷列夫的妻子到傍晚时候才下班回家。两个儿子都在前方。阿尔捷列夫本人在化工厂担任车间主任。他穿着很不讲究,没有皮大衣和皮帽,为了保暖,棉袄外面罩上胶布披风。头上戴一顶油乎乎、皱巴巴的圆帽,去上班的时候把圆帽紧紧扣到耳朵上。

每次他到索科洛夫家来,总是呵着冻得发僵发红的手指头,羞怯地对坐在桌边的人笑着,维克托觉得,好像他不是房东,不是大工厂的大车间的主任,而是一个穷邻居,是寄人篱下的。

就如这天晚上,胡子拉碴、两腮瘪下去的阿尔捷列夫就站在门口,听马季亚罗夫在说话,看样子他是怕踩得地板吱咯响。

玛丽亚在前往厨房的时候,走到他跟前,小声对着他的耳朵说了两句话。他吓得直摇头,看样子,是玛丽亚请他吃饭。

马季亚罗夫说：

“昨天,有一位上校,是在此地养病的,他对我说,在前线党委会有人对他提出控告,他打了那个中尉一顿耳光。在国内战争时期可没有这样的事。”

“您自己说过,邵尔斯把革命军事委员会的人狠狠打了一顿嘛。”维克托说。

“这是下属打领导部门的人呀,”马季亚罗夫说,“这是不同

的。”

“在我们工厂里，”阿尔捷列夫说，“我们的厂长对所有的工程技术人员都称‘你’，可是如果称他‘舒尔约夫同志’，他就生气，必须喊他‘厂长’。前几天在车间里有一位老技术员得罪了他，他又骂娘又嚷嚷，说：‘叫你干什么，你就干什么，要不然我叫你滚，你就得滚你妈的，’那位老人家已经七十二岁了。”

“工会不说话吗？”索科洛夫问道。

“还说什么工会，”马季亚罗夫说，“工会号召做牺牲：战前准备迎接战争，战争时期一切为了前方，等战后工会又要号召消除战争后果。哪儿会关心老头子的事？”

玛丽亚小声问索科洛夫：

“是不是该用茶啦？”

“是的，是的，”索科洛夫说，“给我们弄茶来。”

“她动作多么轻悄呀！”维克托在心里说，一面漫不经心地看着玛丽亚那瘦削的肩膀，看着她溜进半开着的厨房的门。

“唉，亲爱的同志们，”马季亚罗夫忽然说，“你们可知道，什么是言论自由吗？但愿你们在战后和平的早晨，打开报纸，看不到欢呼的社论，看不到劳动者给伟大的斯大林的信，看不到炼钢工人为庆祝最高苏维埃选举加班加点的报道和美国劳动者在悲惨、失业和穷困中迎接新年的报道，你们猜，在报纸上能看到什么？看到各种各样的信息！你们能想象这样的报纸吗？能供提供信息的报纸！

你们可以看到：库尔斯克州歉收，对布特尔监狱的制度进行了检查，对于开凿白海至波罗的海运河正在进行争论；可以看到普通工人发表意见，反对发行新的公债。

总而言之，你们可以知道国内发生的一切：知道丰收，也知道歉收；知道忘我劳动，也知道撬锁盗窃；知道矿井产量，也知道矿井事故；知道莫洛托夫和马林科夫的分歧；还会看到因为厂长侮辱七十岁的老技术员而引起罢工的报道；可以读到丘吉尔和布吕姆的讲演，而不是他们'似乎声称'的那一些；可以读到英国下议院辩论的报道；可以知道，昨天在莫斯科有多少人自杀，有多少被撞伤的人被送进外科医院。可以知道为什么没有荞麦米，而不是仅仅知道用飞机从塔什干往莫斯科运来了最早的麝香草莓。如果要了解集体农庄每个劳动日分多少公斤粮食，可以看报纸，不必问家里的保姆，不必等到她的侄女从乡下来莫斯科买粮食。是的，是的，尽管如此，苏联人还是苏联人。

每个人都可以进书店，买书，依然做自己的苏联人，但是可以阅读美国、英国、法国哲学家、历史学家、经济学家、政治评论家的作品。都可以自己分辨，他们哪些地方不对；每个人都可以不要保姆，随意在街上行走。"

恰好在马季亚罗夫结束自己的长篇大论的时候，玛丽亚端着茶具走了进来。

索科洛夫忽然用拳头在桌上一擂，说：

"算啦！我恳切地、坚决地要求不要再谈这一类的事啦。"

玛丽亚半张着嘴，看着丈夫。茶具在她手里叮当响起来，看样子，她的手发抖了。

"瞧，彼特尔·拉甫连季耶维奇取消了言论自由！言论自由只存在了一小会儿。好在玛丽亚·伊凡诺芙娜没有听到这些造反的话。”维克托说。

“我们的制度显示了自己的优越性，”索科洛夫愤慨地说，“资产阶级民主过时啦。”

“不错，显示倒是显示了，”维克托说，“不过，芬兰的过时的资产阶级民主在1940年与我们的集中制相遇，我们竟陷入十分尴尬的境地。不崇拜资产阶级民主，不过事实毕竟是事实。再说，老技术员的事究竟该怎样解释呢？”

维克托回头看了看，看到正在听他说话的玛丽亚那凝神注视的眼睛。

“问题不在芬兰，而在芬兰的冬天。”索科洛夫说。

“哎，算啦，彼特尔。”马季亚罗夫说。

“可以这样说，”维克托说，“在战争期间，苏维埃国家显示了自己的优越性，也显示了自己的弱点。”

“什么样的弱点？”索科洛夫问。

“比如说，有许多人，本来现在可以参加战斗的，却被关起来了，”马季亚罗夫说，“你们瞧，伏尔加河上打得多激烈呀。”

“不过，这和制度有什么关系？”索科洛夫问道。

“怎么没有关系？”维克托说，“彼特尔，依您看，是士官的遗孀在1937年自己枪毙自己的吗？”

他又看到玛丽亚那凝神注视的眼睛。他心想，他在这场争论中表现实在奇怪：马季亚罗夫一批评国家，他就和他争论；可是索科洛夫一反驳马季亚罗夫，他又批评起索科洛夫。

索科洛夫有时喜欢嘲笑不高明的文章或文理不通的讲话，但是一谈到总的路线，就变得像石头一样坚硬。马季亚罗夫则相反,从不掩饰自己的心情。

“你们认为,我们撤退是由于苏维埃制度不完善,”索科洛夫说,“其实是德国人给予我们国家的打击太强烈,我们国家能经住这样的打击,恰恰清楚不过地显示了我们的强大,而不是软弱。你们看到巨人投下的影子,会说:瞧,好大的影子。但是你们忘记了巨人本身。要知道,我们的集中制是巨大的原动力的社会发动机,能够产生种种奇迹。已经产生了不少奇迹,今后还会产生许多奇迹。”

“如果国家不需要你,就会把你折腾够,把你和你的思想、计划和文章弄得一钱不值,”卡里莫夫说,“如果你的思想与国家利益相符,就会让你坐上飞毯,青云直上!”

“就是,就是,”阿尔捷列夫说,“我曾经被派到一处特别重要的国防工程去工作了一个月。斯大林亲自注视着各车间的开工,不时给主管人打电话。设备是一流的。原料、零件、备件,要什么有什么。生活条件好极了。有浴室,炼乳每天早晨送到家。一辈子我还没过过那样的日子呢。生产上的供应好得不得了! 主要是没有什么官僚主义,干什么事都不靠公文来往。”

“老实说,官僚主义的国家机构,就像童话里的巨人一样,都是人安排的。”卡里莫夫说。

“如果在国家的重要国防工程方面能这样完善,那原则上就很清楚:可以在所有的工业中推行这样的制度。”索科洛夫说。

“禁区!”马季亚罗夫说,“这是完全不同的两种原则,不是一种原则。斯大林兴建的工程是国家需要的而不是人民需要的。需要重工业的是国家,而不是人民。白海至波罗的海运河对人民无益。一头是国家需要，一头是人民需要，二者永远不能调和。”

“就是，就是，从这种禁区再往旁边跨一步，就是胡闹，”阿尔捷列夫说，“有时附近的喀山需要我们的产品，可是我们得按计划把产品运往赤塔，然后再从赤塔运回喀山。我们需要装配工，可是我们修建托儿所的贷款没有花完，我们就要把装配工当作保育员送往托儿所。集中制真害死人！有的发明者向厂长建议，可以生产1500件零件，而不是原计划的二百件，厂长把他撵走，因为厂长正在煞有介事地执行计划，所以别多事。如果生产停顿，所缺的材料可以花三十卢布在市场上买到，那他宁可损失两百万，不肯冒险花三十卢布去买材料。”

阿尔捷列夫很快地拿眼睛扫了扫听他说话的人，又很快地说起来，就好像生怕别人不让他说下去。

“工人收入很少，不过根据不同劳动，有所差别。一个售货员的实际所得就相当于一个工程师的五倍。可是领导人、厂长、委员们就知道一点：完成计划！不管你是否饿肚子，是否浮肿，计划都要完成！我们原来的厂长是什马特科夫，他常常在会议上喊叫：‘工厂比亲娘更重要，你们就是脱三层皮，也要把计划完成。谁要是不自觉，我要亲自揭他三层皮。’后来忽然听说，他要调到沃斯克列先斯克去了。我问他：‘厂长同志，生产计划还没有完成，您怎么丢下工厂要走啦？’他毫不掩饰地、坦率地回答说：‘噢，您要知道，我的孩子在莫斯科上大学，沃斯克列先斯克离莫斯科近些。再说，到那儿要分给我一套好房子，还有花园，我妻子身体不大好，需要新鲜空气。’所以我感到很奇怪，为什么国家要把工厂交给这样的人，却把工人、党外的著名学者看得不值几个钱。”

“原因十分简单,”马季亚罗夫说,“交给这些人的是比工厂和学校更重要的东西,交给他们的是制度的心脏,是最神圣的东西:产生苏维埃官僚主义的权力。”

“我说的就是这话,”阿尔捷列夫不想把谈话变成说笑话,继续说,“我很爱自己的车间,从不爱惜自己。可是我的心不够狠,不能从活人身上剥三层皮。剥自己的皮还可以,剥工人的皮就有些于心不忍。”

维克托继续保持着他自己也不明不白的态度,但觉得有必要反驳一下马季亚罗夫,虽然他觉得马季亚罗夫说的话都很对。

“您的话有很大的毛病,”他说,“难道在今天,人民的利益和兴建国防工业的国家的利益不相符,不是完全一致吗?我认为,飞机、大炮、坦克是我们的子弟兵需要的,也就是我们每个人的需要。”

“这话完全对。”索科洛夫说。

六十六

玛丽亚开始给大家斟茶。大家争论起文学。

“咱们把陀思妥耶夫斯基忘记啦,”马季亚罗夫说,“图书馆不愿出借,出版社不愿重印。”

“因为他是反动作家呀!”维克托说。

“这话很对,他不应该写《群魔》。”索科洛夫附和说。

可是维克托马上问道:

“您真的认为，不应该写《群魔》吗？还不如说，不该写《作家日记》呢。”

“天才作家不需要别人指教，”马季亚罗夫说，“我们的思想体系容不得陀思妥耶夫斯基。马雅可夫斯基就不同。难怪斯大林称他为最优秀的、最有才华的作家。他的情感本身就是国家观念。可是陀思妥耶夫斯基呢，就连他的国家观念本身也是人道主义。”

“如果这样说，”索科洛夫说，“那么，整个十九世纪的文学都不符合我们的思想体系。”

“可不能这样说，”马季亚罗夫说，“比如托尔斯泰，他把人民战争的思想诗化了，现在国家领导的就是人民的正义战争。正如刚才阿赫麦特·乌斯曼诺维奇说的，两种思想相符合，就会乘飞毯直上云端：托尔斯泰的作品又在广播电台广播，又在晚会上朗诵，又出版，领导人又引用。”

“最顺利的是契诃夫，过去的时代和我们的时代都承认他。”索科洛夫说。

“你这话可错了！”马季亚罗夫叫起来，并且拿手掌在桌子上一拍。“我们承认契诃夫，是由于没有真正理解。就像承认在某种程度上师从他的左琴科一样。”

“我真不懂，”索科洛夫说，“契诃夫是现实主义作家，却得到我们的颓废派赏识。”

“你不懂吗？”马季亚罗夫问道，“我可以给你解释。”

“你们别难为契诃夫吧，”玛丽亚说，“他是我最喜欢的作家。”

“玛丽亚，你说的很对，”马季亚罗夫说，“彼特尔·拉甫连季耶维奇，你要在颓废派身上寻找人道主义吗？”

索科洛夫很生气地摆了摆手，表示不再睬他。

但是马季亚罗夫也朝他摆了摆手，他认为最主要的是说出自己的想法，为此就必须让索科洛夫找找颓废派的人道主义。

“个人主义不是人道主义！您混淆啦。完全混淆啦。您以为，颓废派受到打击啦？胡说。颓废派对国家无害，只是没有用处，不相干。我认为，社会主义现实主义与颓废主义没有太大差别。大家都在争论什么是社会主义现实主义。社会主义现实主义是镜子，这镜子对于党和政府提出的问题‘世界上谁最可爱、最好、最伟大？’回答说：‘你，你，党，政府，国家，最好、最可爱。’

颓废派对这个问题回答说：‘我，我，我，颓废派，最美、最可爱。’二者差别不太大。社会主义现实主义强调国家的特别重要性，颓废主义强调个人的特别重要性，方式不同，实质是一样，都是陶醉于各自的特别重要性。完美无缺的国家，瞧不起与国家不一致的一切人。颓废派的镶了花边的人，对一切其他的人都极其冷漠，只除了两种人：一种是和他们高谈阔论的人，一种是跟他们卿卿我我的人。从表面上看，个人主义、颓废主义似乎都在为了人而斗争。从实质上说，根本没有斗争。颓废派不关心人，国家也不关心人。在这方面没什么不同。”

索科洛夫眯着眼睛在听马季亚罗夫说话，他感觉到马季亚罗夫马上就要说到根本不能说的东西，就打断他的话说：“请问，这和契诃夫有什么相干？”

“说的正是契诃夫。契诃夫和现在的一切就有很大的不同。

契诃夫把没有实现的俄国的民主担在自己的肩上。契诃夫的道路就是俄国自由的道路。我们走的却是另一条道路。你们数数看,他写的人物有多少呀。也许只有巴尔扎克使这样众多的人物为社会所认识。而且也未必有这样多!真是可观:有医生、工程师、律师、教员、教授、地主、小铺老板、工厂主、家庭女教师、仆人、大学生、大大小小的官吏、牲口贩子、技工、媒婆、教会执事、僧侣、农民、工人、鞋匠、模特儿、管园子的、动物学家、客店老板、猎人、渔夫、娼妓、尉官、士官、艺术家、厨娘、作家、管院子的、修女、士兵、产婆、萨哈林岛的苦役犯人……”

“够啦,够啦!”索科洛夫叫道。

“够啦?”马季亚罗夫用故作威胁的口吻反问道。“不,不够。契诃夫使我们认识了整个的俄罗斯、俄罗斯的各个阶级、阶层、各种年龄的人……但是不仅如此。他使我们认识了这平平常常的许多人,明白吗,俄国的平常人!在他以前从没有人这样说,就连托尔斯泰也没有说,可是他说:我们所有的人首先是人,明白吗,首先是人,人,人!在俄罗斯在他以前谁也没有这样说过。他说,最主要的是,人就是人,然后才是僧侣、俄罗斯人、小铺老板、鞑靼人、工人。要明白,人的好与坏不是因为他是僧侣还是工人,是鞑靼人还是乌克兰人,人都是平等的,因为都是人。半个世纪之前,持有狭隘的党派观点的人认为契诃夫是停滞时代的代表。然而契诃夫却是最伟大的旗帜的旗手,这面旗帜是在俄罗斯一千年的历史中高高举着的旗帜,是真正的、俄罗斯的、实实在在的民主的旗帜,明白吗,是俄罗斯的人的尊严、俄罗斯的自由的旗帜。因为我们的人道主义总带有宗派色彩,成了不可调和的和残酷的。

就连托尔斯泰宣传不以暴力抗恶也受到批判，而其实，他不是从人出发，而是从上帝出发。他认为最重要的是主张善良的思想得到肯定，因为传教的人总是急不可待地强迫人相信上帝，而在俄国为此不惜采取一切手段，刺伤，杀害，在所不顾。

契诃夫说：让上帝到一边去吧，让所谓伟大的先进思想到一边去吧，首先是人，我们要善良，要关心人，不管是什么人，是僧侣，是庄稼汉，是百万巨富的工厂主，是萨哈林的苦役犯，是饭店的跑堂；首先要尊重人，怜惜人，热爱人，不这样绝对不行。这就叫民主，这就是俄罗斯人民目前还没有得到的民主。

俄罗斯人一千年来什么都看到了，看到了‘伟大’，也看到了‘超级伟大’，但有一样东西没看到，那就是民主。这也正是颓废派与契诃夫的区别。国家愤恨颓废派，会捶他们的后脑勺，会踢他们的屁股。可是国家却不理解契诃夫思想的实质，所以容许他存在。民主在我们的事业中是没有用场的，当然，这是指真正的、人道主义的民主。”

看样子，索科洛夫很不喜欢马季亚罗夫这一番十分尖锐的话。

维克托看出这一点，便带着自己也弄不清来由的满意心情说：

“说得太好了，很对，很有道理。不过请多多原谅斯克里亚宾，他好像也属于颓废派，可是我非常喜欢他的乐曲。”

玛丽亚正要把一碟子蜜饯放到他面前，他用手做了一个推让的姿势，并且说：

“不用，不用，谢谢，我不要。”

“这是黑醋栗。”她说。

他看了看她那棕色的、微微有些黄的眼睛，问道：

“难道我对您说过我特别喜欢黑醋栗吗？”

她一声不响地点了点头，笑了笑。她的牙齿不大整齐，嘴唇薄薄的，血色淡淡的。她那苍白而多少有些灰色的脸因为带笑，显得更可爱、更动人了。

“如果不是鼻子一直发红的话，她倒是很漂亮，很好看。”维克托在心里说。

卡里莫夫对马季亚罗夫说：

“列昂尼德·谢尔盖耶维奇，怎么能把您对契诃夫的人道主义的颂扬和对陀思妥耶夫斯基的赞美结合到一起呢？陀思妥耶夫斯基认为，在俄罗斯并不是所有的人都一样。希特勒骂托尔斯泰是蠢猪，可是，据说，他把陀思妥耶夫斯基的肖像挂在他的办公室里。我是少数民族，是鞑靼人，出生在俄罗斯，这位俄罗斯作家仇恨波兰人和犹太人，我不原谅他。虽然他是天才作家，我也不能原谅他。在沙皇俄罗斯我们流的鲜血、受的欺骗、遭的浩劫太多了。俄罗斯的伟大作家没有权利中伤异族人，没有权利蔑视波兰人、鞑靼人、犹太人、亚美尼亚人、楚瓦人。”

这位白头发、黑眼睛的鞑靼人带着气愤而傲慢的蒙古人冷笑口气对马季亚罗夫说：

“您大概读过托尔斯泰的《哈吉穆拉特》吧？大概读过《哥萨克》吧？大概读过《高加索俘虏》吧？这都是这位俄罗斯伯爵写的，他和陀思妥耶夫斯基不一样。鞑靼人有生之日，都要为托尔斯泰祈祷上天。”

维克托看了看卡里莫夫，在心里说：“原来你这样，原来你这样。”

“阿赫麦特·乌斯曼诺维奇，”索科洛夫说，“我非常尊重您对自己的民族的感情。但是请原谅，我也因为我是俄罗斯人而感到自豪，请原谅，我喜欢托尔斯泰并不仅仅因为他写鞑靼人写得很好。不知为什么，我们俄罗斯人不能因为自己的民族而自豪，差点儿我们要成为黑色百人团了。”

卡里莫夫站起身来，脸上冒出一层汗珠儿，他说：

“我要对您说实话，真的，如果有实话可说，我为什么要说假话。如果没忘记，在二十年代还大批杀害鞑靼族的精英，杀害了我们所有的大文化人的话，就应该想想，为什么《作家日记》会成为禁书。”

“不仅杀你们的人，也杀了我们的。”阿尔捷列夫说。

卡里莫夫说：

“消灭的不光是我们的人，还有我们的民族文化。现在鞑靼的知识分子与那些人相比，等于白丁。”

“是的，是的，”马季亚罗夫用嘲笑的口吻说，“那些人不仅创立了文化，而且创立了鞑靼自己的内外政策。”

“你们现在有自己的国家了，”索科洛夫说，“有大学、中学、歌剧院、书籍、鞑靼报纸，都是革命给予你们的。”

“是的，有国家歌剧院，也有国家。可是抓我们进监狱的也是……”

“不过，要知道，如果抓你们的是鞑靼人，你们也不见得好过些。”马季亚罗夫说。

“可是,如果根本没有人抓,不是更好吗?”玛丽亚问道。

“噢,玛丽亚,你想得太好啦。”马季亚罗夫说。

他看了看表,说:

“哎呀,时间不早啦。”

玛丽亚连忙说:

“列昂尼德,在我家睡吧。我给您支起活动床。”

有一天他对玛丽亚诉苦说,每当晚上回到家里,家里一个人也没有,走进空荡荡的黑屋子,感到自己特别孤单。

“好吧,”马季亚罗夫说,“我没意见。彼特尔·拉甫连季耶维奇,你不反对吧?”

“不反对,瞧你说的。”索科洛夫说。马季亚罗夫又用开玩笑的口气说:

“主人说得一点热乎劲儿也没有。”

大家一齐站起来,开始告别。

索科洛夫出去送客人,玛丽亚压低声音对马季亚罗夫说:

“真不错,这一次彼特尔·拉甫连季耶维奇听到这类的话没有躲避。在莫斯科只要一涉及这方面的事,他就闭上嘴巴,一句话也不说。”

她称呼丈夫的名字和父称“彼特尔·拉甫连季耶维奇”用的是特别亲热、特别尊敬的语调。她晚上常常为他誊写论文,把他的手稿保存起来,把他随便写的一些字用硬纸裱起来。她认为他是伟人,同时又觉得他是无用的孩子。

“我很喜欢那位维克托·什特鲁姆,”马季亚罗夫说,“我真不懂,为什么有人认为他是叫人讨厌的人。”

他又用开玩笑的口吻说：

“玛丽亚，我发现，他所有的话都是当着您的面说的，您在厨房里忙活的时候，他舍不得运用他的口才。”

她脸朝门口站着，没有作声，就好像没听见马季亚罗夫的话，过了一会儿才说：

“列昂尼德，您怎么啦，他是拿我当小家伙。彼特尔认为他不厚道，认为他可笑、高傲，因此同事们很不喜欢他，有些人还怕他。可是我就不这样看，我觉得他憨厚。”

“憨厚最算不上，”马季亚罗夫说，“他对什么人都挖苦，什么人的话他都不赞成。不过他的思想是活泼的，没有僵化。”

“不，他很憨厚，最没有城府。”

“但是，应当承认，”马季亚罗夫说，“彼特尔就是现在也不会说多余的话。”

这时索科洛夫走了进来。他听见了马季亚罗夫的话。

“列昂尼德，我对你有一点要求，”他说，“要求你不要教训我，还有，要求你在我在场的时候不要谈诸如此类的事情。”

马季亚罗夫说：

“你要知道，彼特尔，你也不要教训我。我说的话我自己负责，你只管你自己的话好啦。”

看样子，索科洛夫本想用很尖锐的话回答他，但是他忍住了，又从屋里走了出去。

“好吧，也许我还是回家好些。”马季亚罗夫说。

玛丽亚说：

“您太使我难过了。您该知道他的心是善良的，他会难过得一夜都睡不好。”

她解释说，彼特尔·拉甫连季耶维奇的心灵是受过创伤的，他经历过许多事情，1937年被抓去受到严厉审讯，审讯以后在精神病院住了四个月。

马季亚罗夫一面听着，一面点头，然后说：

“好吧，好吧，玛丽亚，我听您的，不走了。”忽然又生起气来，说：“您这话当然有道理，不过，被抓过的不光是您的彼特尔。还记得，把我关在卢宾卡，关了十一个月吗？在那段时间里，彼特尔只给克拉娃打过一次电话。这是对亲妹妹的态度吗？还有，他还不准您给她打电话。克拉娃因为这事十分伤心……也许，他是很伟大的物理学家，不过他的心灵却带有奴性。”

玛丽亚拿手捂住脸，一声不响地坐着。

“谁也不了解，不了解我因为这事儿有多么难受。”她小声说。

只有她知道，他多么痛恨1937年的事以及普遍推行集体化时的惨无人道，只有她知道，他的心灵有多么纯洁。但也只有她知道，他的思想被束缚得多么厉害，他对政府多么顺从，多么俯首帖耳。

因此，他在家里非常任性，像老爷一样，玛丽亚为他刷鞋子，天热时为他擦汗，在别墅里散步的时候用小树枝儿为他赶蚊子。

维克托还是大学高年级学生的时候，有一次忽然对一位同班同学说：

“真无法看下去，全是甜言蜜语，千篇一律。”他说着，把一张《真理报》扔到地上。

他刚刚说过这话，就害怕起来。他捡起报纸，抖了抖灰尘，非常可怜地笑了笑，很多年之后，他一想起那次低声下气的笑，就觉得脸上火辣辣的。

过了几天，他又把一张《真理报》递给那位同学，很带劲儿地说：

"格里沙，你看看这社论，写得真棒！"

那位同学接过报纸，用怜惜的口吻对他说：

"可怜的维克托胆子太小啦。你以为我会去汇报吗？"于是，维克托就在那时候发下誓言：要么沉默，不说危险的话，要么，说出来就不怕。可是他没有守住自己的誓言。他常常失去谨慎，一冲动，就"乱说一气"，一说出来，往往又失去勇气，就想方设法扑灭自己烧起的火星。

1938年，在布哈林事件之后，他对克雷莫夫说：

"不管怎么说，我是了解布哈林的，我同他交谈过两次：他聪明过人，和蔼可亲，妙语横生，总而言之，是一个非常纯洁、非常有魅力的人。"

可是他看到克雷莫夫那忧郁的目光，就觉得不安起来，马上又说：

"不过，鬼才知道，间谍，暗探，还有什么纯洁和魅力，简直是卑鄙！"

接着他又激动起来，因为克雷莫夫仍然像刚才听他说话时那样，带着忧郁的神气说：

"因为咱们是亲戚，我可以告诉您：说布哈林是暗探，我无法理解，永远无法理解。"

这时,维克托忽然愤恨起自己,愤恨那种使人不能做人的力量,大声叫道:

“天呀,我才不相信这种可怕的事!这些事是我一生中的噩梦。为什么他们要承认,为什么要承认呀?”

但是克雷莫夫不再说了,看样子,他觉得已经说多了……

啊,坦率地说话、说真话的神奇的、光明磊落的力量呀!有些人因为说了几句大胆的、没有多加考虑的话,付出了多么可怕的代价!

有多少次,夜里维克托躺在床上,仔细听着大街上的汽车声。柳德米拉光着脚走到窗前,撩开窗帘。她看一阵子,等一阵子,然后轻悄悄地(她以为维克托睡着了)回到床上躺下。第二天早晨,她问:

“你睡得怎样?”

“谢谢,很好。你呢?”

“有点儿闷热。我到窗口去过。”

“噢,噢。”

真不知如何表达夜晚这种无罪而大祸临头的感觉。

“维克托,记住,你的话万一有一句传到那地方,你就完啦,我和孩子们也完啦。”

还有一天她说:

“我说不出很多道理,不过,看在上帝面上,你听我的,对谁都不要说什么。维克托,咱们生活在可怕的时代,你什么也算不上。记住,维克托,什么都别说,对谁都不要说……”

有时维克托面前会出现一个人的痛楚而困惑的眼睛,这人是他从小就认识的，使人感到可怕的不是老朋友的话，而是那种欲言又止的神情，可怕的是，维克托不敢直截了当地问他："他们传讯你，你是间谍吗？"

他有时想起自己的助手的脸，有一次他当着这位助手的面很轻率地开玩笑说，斯大林在牛顿之前很久就发现了万有引力定律。

"您什么也没有说，我什么也没听见。"年轻的助手爽快地说。

为什么，为什么，为什么要开这种玩笑？不管怎么样，开这种玩笑是愚蠢的，就好比随便乱敲硝化甘油瓶。

啊，敢于自由而爽快地说话的力量呀！这力量就表现在一下子说出来而不害怕。

不论维克托是否了解今日自由交谈的悲惨结果，这些谈话的参与者都是痛恨法西斯、害怕法西斯的……为什么在战争已经打到伏尔加河上，他们都在经受着战争失败的痛苦，战争失败带来可恨的法西斯奴役的时候，仍然没有自由？

维克托一声不响地同卡里莫夫在一起走着。

"很奇怪，"他忽然说，"看外国的描写知识分子的小说，比如海明威的小说，他笔下的知识分子在谈话的时候不停地喝酒。鸡尾酒，威士忌，罗姆酒，白兰地，然后又是鸡尾酒，威士忌，各种牌子的白兰地。俄罗斯知识分子的重要谈话却是在喝茶时进行的。民意派、民粹派和社会民主党人的许多事都是靠一杯上等的清茶谈成的，列宁同战友们商讨伟大的革命也是靠一杯清茶。不错，听说，斯大林倒是喜欢白兰地。"

卡里莫夫说：

“是的，是的，是的。如今的谈话也都是在喝茶的时候，您说得很对。”

“就是，就是。马季亚罗夫真有头脑！真够大胆！他说的那一番叫人十分听不惯的话太有意思了。”

卡里莫夫抓住维克托的胳膊。

“维克托，您是否发现，马季亚罗夫有时把微不足道的事情说得过分严重？使我不放心的就是这一点。要知道，他在1937年被捕过，关了几个月，又放出来了。那时候可是没有放过任何人，无缘无故是不会放的。明白吗？”

“明白，明白，当然明白，”维克托慢悠悠地说，“他是不是拿话来引话？”

他们在拐弯处分了手，维克托朝自己家走去。

“去他妈的，随他的便吧，”他想道，“真希望像人一样说说话儿，不害怕，什么都谈，痛痛快快地谈，不矫饰，不说假话，什么都不在乎……”

幸亏像马季亚罗夫这样能独立思考的人还有，还没有完全灭绝。而且卡里莫夫在分手时对他说的一番话也没有像往常一样使他心里发冷。

他心想，他又忘记对索科洛夫说说他收到的乌拉尔来信了。

他在黑沉沉、空荡荡的大街上走着。

忽然出现了一点想法。他马上毫无疑虑地认识到、感觉到这想法是对的。他发现了对于一些似乎不能解释的核现象的新解释，全新的解释，天堑忽然变成通途。多么简单，多么明了呀！这想法极其可亲，极其可爱，似乎不是他想出的，而是自己随便而轻盈地冒出来的，就像一朵水生的白花儿一下子从静静的湖水中冒了出来，他看到这美丽的花儿，不禁赞赏起来……

他忽然想：偏偏在他根本没有想科学上的事，在他很感兴趣的关于人生的争论成为一个自由的人的争论，只有真正的自由才能鉴别他的话和他的交谈者的话的时候，出现了这一想法，真是奇怪，真是意外。

六十七

当你第一次看到卡尔梅克草原的时候，当你坐在汽车上，焦虑不安，心事重重，眼睛漫不经心地看着一座座不高的山冈出现又消失，看着山冈缓缓地从地平线后面浮出来又缓缓地游到地平线后面的时候，这生长着一片片羽茅草的草原似乎显得异常寒碜，异常苦闷……达林斯基觉得，似乎只是一座光秃秃的山冈在他面前一次又一次浮出来，只是一段道路弯来弯去，一次又一次钻到汽车轮胎底下。草原上的骑马人似乎也都是一个样子，都是孤孤单单的，尽管骑马人有的是没有胡子的年轻人，有的是白胡子老头儿，有的骑的是黄骠马，有的骑的是大青色快马……

汽车经过一个个村落和放牧点，擦过一座座小屋，小屋都有小小的窗户，窗户里都有密密的天竺葵，就像生长在玻璃缸里一样，看样子，如果把窗玻璃打碎，如水一般的空气就会向四周围流淌开去，天竺葵就会干死；汽车擦过一座座圆圆的、抹了黄泥的帐幕，穿过一片片毫无生气的羽茅草、一片片带刺的骆驼草、一片片盐土，擦过一头头用小腿踢得灰尘乱飞的绵羊、一堆堆在风中摇曳的野火……

一个借助于灌满城里带烟的空气的轮胎来到草原上的人，所看到的一切似乎一律是灰色的、寒碜的，一切都是单调的、一模一样的……刺蓬，大蓟，羽茅，菊苣，艾蒿……被漫长的时间巨轮压平展了的一座座山冈散落在大平原上。卡尔梅克东南部的这片草原正在渐渐变成沙漠，沙漠向东扩展，从埃利斯塔向雅什库，直到伏尔加河口和里海岸边……正是这片草原具有惊人的特点。在这片草原上，天与地彼此相望时间太久，以至于变得彼此十分相像，就好比在一起过了一辈子的夫妻，到后来十分相像了。很难分清，那一丛丛铝灰色的羽茅是生长在寂寞的淡淡的草原蓝天里，还是草原泛起蓝光；有时旋起一阵轻轻的灰尘，就连天和地也分不清了。看着巴茨湖和巴尔曼扎湖那浓重的湖水，就觉那是盐碱冒到了地面上；而看着那光秃秃的盐碱地，又觉得那不是土地，是湖水……

在十一月和十二月无雪的日子里，卡尔梅克草原上的道路显得很奇怪：依然是干枯的灰绿色野草，大路上依然飞舞着灰尘，真不知道，这草原是太阳晒干的，还是寒风吹干的。

也许因此这儿常常出现海市蜃楼，这时候空气和大地、水和盐碱地的界限模糊了。这种幻景由于贪心的人的脑子的操纵和思想动向再度幻化，灼热的空气会变成蔚蓝色的、整齐的石头，光秃的大地会像静静的湖水似的晃动起来，一片片的棕榈树一直铺展到天边，火辣辣的阳光和一团团灰尘混到一起，变成庙堂和宫殿的金灿灿的圆顶……人在疲惫的时刻自己也用天和地创造自己的理想世界。

汽车在大路上，在寂寞的草原上不停地奔驰着，奔驰着。

突然，这空荡荡的草原世界以全新的、完全不同的姿态呈现在人的面前……

卡尔梅克草原呀！你是大自然最古老、最高明的创作，其中没有一丝矫饰的美，没有任何生硬、突兀的地貌特点，这儿的朴素而凄怆的蓝灰色调可以和雄伟而悲壮的秋日俄罗斯森林色调媲美，这儿缓缓起伏的山峦比高加索的高山更动人心魄，这儿积满了黑郁郁的、宁静的古老的水的寒碜的小湖似乎比所有的海洋更能表现水的实质。

一切都会过去，可是这暮霭中的巨大的、铁球般的、沉甸甸的太阳，这充满野蒿苦味的风，不会被忘记。还有这草原，将不再寒碜可怜，必将丰富多彩……

到了春天，草原上生机盎然，到处是郁金香，草原成了海洋，不过不是波涛怒吼，而是繁花似锦。凶恶的骆驼刺也披上绿装，那新生的尖刺还是柔软的，还没有变硬……

在夏日的夜晚，在草原上可以看到银河系像摩天大楼一样耸立着：底部是蓝色、白色巨石般的星群，顶部是直插苍茫的宇宙穹顶的一个个球状星团……

草原有一个特别了不起的特点。草原永远保持这一特点，从不改变：不论在黎明时候，在冬天或夏天，在黑沉沉的风雨之夜，或者在月明星稀的夜晚。草原总是首先对人说说自由……草原总是让失去自由的人想起自由。

达林斯基走出汽车，看着走上山冈的一个骑马人。那人身穿长袍,腰上扎着绳子,骑在一匹长毛瘦马上,正回头望着草原。那是一个老人,一张脸已经像石头一样僵硬了。

达林斯基向老人家呼唤了一声,走到他跟前,把烟盒递过去。老人家很快地在马上转过整个身子,那动作中既有年轻人的灵活,又有老年人的沉着,他打量了一下拿着烟盒的手,然后打量达林斯基的脸,然后打量他腰上的手枪、他那中校级的三道杠杠、他的漂亮的皮靴。然后伸出细细的褐色手指头,那指头又细又小,简直可以叫作小孩子手指头,他拿了一支烟,在空中转悠了一下。

这位卡尔梅克老汉那一张颧骨很高的、像石头一样僵硬的脸一下子全变了,纵横交错的皱纹里露出两只善良而精明的眼睛。这一双栗色的老眼流露出来的目光同时带有试探和信任的神气,看样子,这目光中包含着某种很好的东西。达林斯基不由地快活起来,高兴起来。在达林斯基走近时不怀好感地竖起耳朵的老汉的马这时也放下心来,好奇地侧过一只耳朵,后来又侧过另一只,随后那大牙齿的嘴巴和圆圆的大眼睛就笑了起来。

“谢谢!”老人家用细细的嗓门儿说。

他拿手举在达林斯基的肩膀上抚摩了一会儿,说:

“我有两个儿子,都在骑兵师里,一个已经牺牲了,是大儿子,”他用手比了比,表示大儿子比马头还高,“另一个儿子,就是小儿子,”他用手比着比马头低些的地方,“是机枪手,得了三颗勋章啦。”接着他又问:“你还有爹吗?”

“我妈还活着,我父亲已经死了。”

“唉,真可惜呀。”老人家摇了摇头。达林斯基心想,老人家难过不是出于礼貌，而是听到这位请他抽烟的俄罗斯中校死了父亲，实心实意地表示同情。

后来老人家忽然吆喝一声，大大咧咧地扬了扬手，那马就极其敏捷、极其轻盈地冲下山冈。

这骑马的老人家奔驰在草原上，想着什么呢：是想着儿子，还是想着仍然待在破旧汽车旁边的俄罗斯中校死了父亲的事？

达林斯基注视着骑马飞驰的老人家，觉得太阳穴里不是血在冲打，而是有话要向外冲：

“自由……自由……自由……”

他不由地羡慕起那位卡尔梅克老人家。

六十八

达林斯基是奉命长期出差，从方面军司令部上位于极左翼的军团去。方面军司令部的人都认为上这个军团里去是一项特别苦的差事，最可怕的是缺水，驻地条件差，供应差，距离又远，路又难走。这一部分军队孤零零地驻扎在里海与卡尔梅克草原之间的沙漠里，方面军司令部不了解他们的实际情况，所以把达林斯基派往该地区，交给他许多任务。

达林斯基在草原上走了几百公里之后，觉得烦闷起来。这儿谁也不考虑进攻，被德国人赶到了天边的这支部队似乎已到了绝境……

不久前，司令部日日夜夜的紧张情形、对于近期发动进攻的揣测、后备兵力的调动，来来往往的密码电报、司令部通讯中心日日夜夜的工作、北方开来的汽车队和坦克队……是不是梦中的事?

达林斯基听着炮兵指挥员和其他兵种指挥员们灰心丧气的话,看着技术装备情况的资料,视察着各炮兵营和炮兵连,望着士兵和指挥员们无精打采的脸,望着人们慢慢地、懒洋洋地在草原灰尘中移动,渐渐染上此地的寂寞与烦闷。他心想,这一下子俄罗斯来到骆驼生活的草原上,来到荒芜的沙丘上,疲惫无力地躺倒在贫瘠的土地上,再也爬不起来,站不起来了。

达林斯基来到军团司令部,来见高级领导人。

在宽敞而幽暗的房间里,有一个圆脸、秃顶、身穿没有领章的军便服的小伙子正在同两个穿军装的女子打牌。这位中校走进来,小伙子和两个带尉官领章的女子没有放下手里的牌,只是漫不经心地打量了他一眼,依然很带劲儿地喊着:

“要不要王牌? 要不要方块?”

达林斯基等到一局结束,这才问道,

“军团司令员住在这儿吗?”

一个年轻女子回答说:

“他到右翼去了,到傍晚才回来。”她用老练的军事工作人员的目光打量了一下达林斯基,就问道:“中校同志,您大概是方面军司令部来的吧?”

“是的,”达林斯基回答过,又轻轻使了个眼色,问:“那么,请问,我可以见见军委委员吗?”

“他和司令员一块儿出去了,傍晚才回来,”另一个女子回答过,又问:“您是从炮兵司令部来的吧?”

“是的。”达林斯基回答说。

达林斯基觉得回答有关司令员情况的第一个女子特别漂亮，虽然看样子她比回答有关军委委员情况的那个女子大得多。这样的女子有时显得非常漂亮，有时候，比如偶然一转头，却显得憔悴，衰老，不漂亮。这个女子就是这种类型的。她的鼻子很端正，很秀气，眼睛蓝蓝的，很不和善，说明这个女子知道别人以及自己的准确分量。

她的脸显得非常年轻，看起来她顶多二十五岁，可是只要一皱眉头，沉思起来，嘴角上就露出皱纹，下巴底下的皮肤也耷拉下来，看起来就至少有四十五岁了。不过那一双穿着合脚的鞣革皮靴的脚实在好看。

这些情形要说是得说好一阵子的，可是达林斯基那老练的眼睛一眼就看清楚了。

另一个女子是年轻的，但是已经发胖了，身体很肥大。她的一切分别看来都不怎么美：头发稀稀的，颧骨很宽大，眼睛颜色蓝不蓝、黄不黄；但她却显得很年轻、很有风韵，即使瞎子来到她跟前，也会感觉到她那娴雅的风韵。

这一点达林斯基也是在转瞬间看出来的。

不但如此，他还以某种方式在这一瞬间掂量了回答有关司令员情况的第一个女子和回答有关军委委员情况的第二个女子的分量，并且做出那样一种没有实际意义的选择，男子们看到女子们时差不多总要做这种选择的。达林斯基一直在操心怎样才能找到司令员，司令员是不是给他提供应有的条件，在哪儿吃饭，在哪儿睡觉，到极右翼的师里去的路是不是很远，路是不是难走，这时候不由得很随便、同时也不是很随便地想道："就这一个女的！"

这么一来，他就没有马上去找军团参谋长取所需要的材料，而是坐下来玩捉"傻瓜"了。

在玩牌的时候（他是那位蓝眼睛女子的配手）弄清了许多事情：他的配手叫阿拉·谢尔盖耶芙娜，另一位年轻些的女子在司令部医疗站工作，没系领带的圆脸小伙子名叫沃洛佳，看样子，和司令部的什么人有亲戚关系，所以在军委会食堂做炊事员。

达林斯基马上就觉察到阿拉·谢尔盖耶芙娜是有权有势的，这是从进来的一些人对待她的态度上看出来的。看样子，军团司令员是她的合法丈夫，不过，达林斯基开头以为他们是恩爱夫妻，实际上却根本不是这样。

起初他弄不清楚，为什么沃洛佳对她的态度那样随便。但是后来达林斯基恍然大悟，一下子猜出来：大概，沃洛佳是司令员前妻的弟弟。当然，还不完全清楚，司令员的前妻是否还活着，是不是办理过离婚手续。

年轻的女子克拉芙季娅显然同军委委员不是合法夫妻。阿拉·谢尔盖耶芙娜在对她说话的时候微微流露出傲慢和宽容的语气，那意思似乎是："当然啦，咱们在一块儿打牌，彼此以'你'相称，不过，咱们是在参加战争，还得注意一点儿影响。"

但是克拉芙季娅在阿拉·谢尔盖耶芙娜面前也有某种优越感。达林斯基觉得她的优越感大概是这样：虽然我不是合法夫人，而是战时情侣，但我对我的军委委员是忠实的，你虽然是合法夫人，可是你的一些事情我们都知道。你要是敢叫我"破鞋"，那就试试看……

沃洛佳很喜欢克拉芙季娅,他毫不掩饰这一点。他对她的态度大概可以这样来表达:我的爱情是没有希望的,我这个炊事员怎么能跟军委委员比高低……不过,虽然我是炊事员,我是真心诚意爱你的,你自己也能感觉出来;只要能得到你的青睐就行,至于军委委员为什么爱你,我才不管呢。

达林斯基打牌技术很不高明,阿拉·谢尔盖耶芙娜很注意照顾他。她很喜欢这位瘦瘦的中校:他常常说"谢谢您",在分牌的时候他们的手碰到了,他还慢条斯理地说"对不起";如果沃洛佳用手指揩鼻涕,然后又用手帕擦手的话,他总要带着发愁的神气看看沃洛佳;别人说俏皮话,他都很有礼貌地笑一笑,他说起俏皮话都要使人捧腹。

听了达林斯基说的一个笑话之后,她说:

"真的,我一下子没有听懂。在这草原上过了这么久,脑子变钝啦。"

她说这话说得很低,好像是要让他明白,或者让他感觉到,他们可以单独谈谈,谈谈只有他们两人能谈的话,那种使人心跳的话,那种特别的、顶顶重要的男人和女人的话。

达林斯基还是常常出错牌,她就给他纠正,而这时候他们玩起另一种牌戏,在这种牌戏中达林斯基就不出错牌了,因为他精于此道……虽然在他们之间,除了说"把小黑桃打出来嘛""垫上嘛,垫上嘛,别怕,别舍不得王牌"之类的话以外,什么都没有说,但是她已经了解和看中了他的许多动人之处:又温柔,又刚强,又谨慎,又勇猛,又腼腆……阿拉·谢尔盖耶芙娜所以能感觉到这一切，是因为她暗暗在达林斯基身上观察出这些特点，还因为他很成功地向她显示了这些特点。她也很巧妙地向他显示，她懂得了他的目光，懂得他为什么注视她的笑容、她的手的动作、她的肩膀耸动、她那漂亮的华达呢军便服里面的胸脯、她的脚、她那修得很好看的指甲。他觉得，她的声音拖长得有点儿过分，有点儿不自然，她的笑也比一般的笑时间要长些，为的是让他注意她的清脆的声音、她那雪白的牙齿和腮上的两个酒窝儿……

达林斯基因为忽然出现这样的感情，心中很激动，很不平静。他对这种感情从来不觉得习以为常，每一次都像第一次有这种感情一样。他对待女人的丰富经验没有变为习惯，经验是一回事，迷恋是另一回事。正是这一点说明他是真正的好色男子，不是假的。

结果，这一夜他留在军团指挥所里。

第二天早晨，他去找参谋长。参谋长是一位寡言少语的上校，既没有问他斯大林格勒方面的情况，也没有打听前线的消息和斯大林格勒西北方的战况。交谈过之后，达林斯基就知道，这位上校参谋长未必能向他提供足够的有关情况，就请他在自己的委派书上签字，决定下连队去。

他坐上汽车的时候，有一种很奇怪的感觉，觉得两手和两脚空空的、轻飘飘的，什么念头、什么希求都没有，觉得十分满足而又十分空虚……似乎周围的一切，似乎昨天他还很喜欢的天空、野蒿和草原山冈已经变得索然无味，不值得一看了。也不想跟司机说话或开玩笑。就连想亲人，就连想他一向热爱和尊敬的妈妈，也没什么味道，没有什么热乎劲儿了……想到沙漠里的战斗、俄罗斯边远地区的战斗，也不激动了，无精打采地在想着。

达林斯基不时地吐一口唾沫，摇摇头，带着一种困惑而奇怪的口吻说："这娘儿们……"

这时他脑子里出现了后悔的想法，心想，干这种风流事儿不会有好结果的，又想起过去不知是在库普林的小说里还是在一本翻译小说里看到的话，说是爱情像煤炭，烧起来的时候热得灼人，冷下来的时候，可以把人弄脏……甚至很想哭一场，实在说，不是想哭，是想诉诉苦衷，对什么人说说，他干这事儿是身不由己，是命运使他这个可怜的中校这样对待爱情……后来他睡着了；等他醒来，忽然想道："如果我不被打死的话，回来的路上一定还要去找阿拉。"

六十九

叶尔绍夫少校下工回来，在莫斯托夫斯科伊床铺前站下来，说：

"那个美国人听到广播，咱们在斯大林格勒英勇抵抗，粉碎了德国人的算盘。"

他皱了皱眉头，又说：

"还有莫斯科方面来的消息，说是取消了共产国际，不知是不是。"

"您怎么，疯啦？"莫斯托夫斯科伊注视着叶尔绍夫那聪明的、像寒冷而有点儿浑浊的秋水似的眼睛，问道。

"也许，那个美国人听错了。"叶尔绍夫说过这话，就用指甲挠起胸膛。“也许正相反，是共产国际扩大了。”

莫斯托夫斯科伊一生中认识不少这样的人，这些人就像电话机的膜片，能灵敏地反映全社会的理想、感情、见解。似乎俄罗斯从来没有一件大事是这些人不了解的。叶尔绍夫便是集中营公众的想法与见解的这样一个反映者。但是营里这位有影响的人物却对他说的取消共产国际的消息丝毫不感兴趣。

主管过大兵团政治思想教育的旅级政委奥西波夫对这个消息也漠然视之。

奥西波夫说：

“古泽将军对我说：政委同志，由于您的国际主义教育，开始溃逃啦，应该是用爱国主义精神，用俄罗斯精神教育人民。”

“怎么，还要为了上帝、沙皇、祖国吗？”莫斯托夫斯科伊冷笑道。

“这都是小事，”奥西波夫神经质地打着哈欠说，“这会儿问题不在于正统思想，而是德国人要活剥我们的皮，莫斯托夫斯科伊同志，亲爱的老人家。”

被苏联人叫作安得留沙的那个睡在第三层铺上的西班牙士兵，用英文把“斯大林格勒”写在一块小小的木板上，夜里看着这木板上的字，到早晨就把木板翻过来，不让搜查棚屋的人看到这上面的字。

基里洛夫少校对莫斯托夫斯科伊说：

“以前不赶着我去干活儿的时候，我天天躺在床铺上闲待着。现在我又为自己洗衣服，又嚼松木片治坏血病。”

诨称“快乐的小伙子”（他们在上工的时候总是唱着歌儿）的

受惩罚的党卫军分子,找苏联俘虏的茬儿找得更厉害了。

看不见的联系把集中营棚屋里的人和伏尔加河上的城市连接在一起。可是大家都觉得共产国际是不起作用的。

就在这时候,流亡者契尔涅曹夫第一次走到莫斯托夫斯科伊跟前。

他用手捂着空空的眼窝,谈起美国人偷听到的广播。

莫斯托夫斯科伊很需要谈谈这个问题,所以他高兴起来。

“总而言之,这消息很不可靠,”莫斯托夫斯科伊说,“胡说八道,胡说八道。”

契尔涅曹夫扬起眉毛,这空眼窝上扬起的眉毛显得很不好看,露出困惑和神经衰弱的神气。

“为什么?”独眼睛的孟什维克问道,“为什么不可靠?布尔什维克先生们创立了第三国际,也是布尔什维克先生们创立了在一个国家实行所谓社会主义的理论。这种统一实际上是胡闹。好比油炸冰块……盖奥尔基·瓦连季诺维奇在他晚年的一篇文章中写道:‘社会主义只有成为世界体系,成为国际体系,才能存在,否则根本不能存在。’”

“是所谓的社会主义吗?”莫斯托夫斯科伊问道。

“是的,是的,所谓的社会主义。苏联的社会主义。”

契尔涅曹夫笑了笑,并看到莫斯托夫斯科伊也笑了笑。他们相视而笑,是因为他们从不友好的话里,从嘲笑而带有敌意的语调中看到了自己的过去。

好像挖开了几十年的沉积层,他们年轻时互相厮杀的利刃露了出来。这次在法西斯集中营里的相会,不仅使他们想起多年的仇恨,也想起青年时代。

这个在集中营里的人,这个敌对分子和异己分子,也熟悉和热爱莫斯托夫斯科伊年轻时熟悉和热爱的东西。是他,而不是奥西波夫,不是叶尔绍夫,还记得第一次党代会期间的许多故事,记得只有他们两个人依然很感兴趣的一些人的名字。他们都很激动地回忆起马克思和巴枯宁的关系,回忆起列宁说的和普列汉诺夫说的有关温和的火星派和强硬的火星派的话。回忆起已经老眼昏花的恩格斯对待前去见他的俄国社会民主党的年轻人多么亲热,回忆起在苏黎世的柳鲍芙·阿克雪里罗德有多么坏!

独眼的孟什维克觉得自己的所感也正是莫斯托夫斯科伊所感,就苦笑着说:

"很多作家写年轻时代朋友们见面,写得很动人,可是,年轻时代的敌人,像您和我这样经过风风雨雨的白了头发的老家伙,见了面又怎样呢?"

莫斯托夫斯科伊看到契尔涅曹夫的腮上挂着泪水。他们都明白,集中营里的死神能够把多年生活中的一切,把正确、错误、敌视很快地抹平和掩埋。

"是啊,"莫斯托夫斯科伊说,"在漫长的一生中一直跟你作对的人,也不由自主地成为你的生活的参与者了。"

"真奇怪,"契尔涅曹夫说,"在这狼窝里会这样见面。"他忽然又说:"多么奇怪的字眼儿:小麦,大麦,晴天雨……"

"啊,也是这集中营太可怕了,"莫斯托夫斯科伊笑着说,"与集中营相比,一切都好像很好,就连见到孟什维克,也不觉得怎样了。"

契尔涅曹夫伤感地点点头。

“是呀，确实，够您受的。”

“法西斯主义呀，”莫斯托夫斯科伊说，“法西斯主义！这样惨无人道，我真无法想象！”

“您还有什么惊奇的，”契尔涅曹夫说，“您对恐怖手段早应该不觉得稀奇了。”

就像一阵风吹跑了他们之间的伤感气氛和友好气氛。他们毫不客气地、恶言恶语地争论起来。

契尔涅曹夫的攻击之所以可怕，因为他说的不完全是无中生有。契尔涅曹夫把苏联建设过程出现的残酷现象和个别错误看作根本的规律性。他直截了当地对莫斯托夫斯科伊说：

“当然，你们都满足于一种看法，认为1937年的事是过火，集体化期间是胜利冲昏头脑，你们敬爱的伟大领袖有点儿残酷和独断独行。然而实质正相反：正如你们常说的，斯大林是今天的列宁。你们总觉得，农村的贫穷和工人的无权是暂时的现象，是发展中的困难。你们这些真正的富农和垄断者买农民的小麦，五戈比一公斤，再卖给农民，每公斤却卖一卢布，这就是你们的建设的基本原则。”

“就连你们孟什维克，你们这些流亡者都说了：斯大林是今天的列宁，”莫斯托夫斯科伊说，“那我们，也是从普加乔夫到拉辛历代俄罗斯革命者的继承人。拉辛、杜勃罗留波夫、赫尔岑的继承人不是孟什维克，不是逃亡国外的叛徒，而是斯大林。”

“是的，是的，是继承人！”契尔涅曹夫说，“您知道，在俄国立宪会议自由选举意味着什么吗？是在上千年奴化统治的国家里呀！俄罗斯一千年来只自由了半年多点儿。我每次想到1937年的事，就想起另一项遗产，您该记得第三厅长官苏杰伊金上校，他串通杰加耶夫，佯装发动叛乱和平息叛乱，恐吓沙皇，想用这种办法把政权抓到手里。您认为斯大林是赫尔岑的继承者吗？”

“您怎么，真的那么糊涂吗？”莫斯托夫斯科伊问，“您怎么，当真认为不过是苏杰伊金吗？那么，伟大的社会变革，没收剥削者的财产，没收资本家的工厂，没收地主的土地，您没看到吗？这是继承谁的一套，是继承苏杰伊金那一套吗？还有普遍提高文化，还有重工业呢？还有最下等的人，还有工人和农民参与各项社会活动呢？这怎么，都是继承苏杰伊金的一套吗？您真可怜。”

“我知道，知道，”契尔涅曹夫说，“事实不容辩驳，但可以做各种解释。你们的元帅、作家、科学家、艺术家、人民委员都不听命于无产阶级。他们听命于国家。至于那些在车间和田野里干活儿的人，我想，就连您也未必把他们看作当家做主的人。他们又能当什么家，做什么主呀！”

他忽然俯身朝着莫斯托夫斯科伊，说：

“顺便说一句，在所有你们的人当中，我只看得起斯大林。斯大林是你们的泥瓦匠，你们却都怕干脏活儿！斯大林就知道：社会主义要想在单独取得胜利的一个国家里站得住脚，就要靠铁的恐怖手段，靠集中营，靠中世纪对待异端邪说的办法。”

莫斯托夫斯科伊对契尔涅曹夫说：

“先生，这些无耻谰言我们全听说过。不过，我应该坦率地对您说，您说这些话，说得特别无耻罢了。只有一种人，从小就生活在你家里、后来就被赶出去的，才会这样诬蔑、这样诽谤。您可知道，这是什么人？……是奴才！”

他对直地看了看契尔涅曹夫，又说：

“说实在的，开头我真想共同回忆一下我们在1898年的团结，而不是1903年的分裂。”

“想聊聊还没有把奴仆从家里赶出去那时候吗？”

可是莫斯托夫斯科伊当真火了。

“是的，是的，正是这样！被赶出去的、逃走的奴才！戴白手套的奴才！我们不掩饰，我们不戴手套。我们的手沾满鲜血，我们弄脏了手！这有什么！我们参加工人运动就没有戴普列汉诺夫的手套。你们戴着奴才手套又怎样？你们因为在《社会主义导报》上发表的文章得到几个赏钱？这儿集中营的英国人、法国人、波兰人、挪威人、荷兰人都相信我们！拯救世界靠我们的手！靠红军的力量！红军是自由的军队！”

“是这样吗？”契尔涅曹夫插话说，“一直是自由的吗？”

莫斯托夫斯科伊把两手举到契尔涅曹夫面前，说：

“您瞧瞧这手，没有奴才手套！”

契尔涅曹夫朝他点点头，说：

“记得宪兵上校斯特列里尼科夫吗？他干什么也不戴手套：他就干脆代替被他打得半死的革命者写伪造的坦白认罪书。你们1937年的事为了什么？是为了准备同希特勒作战吗？这是斯特列里尼科夫还是马克思教导你们的？”

“您这些臭不可闻的话丝毫不使我觉得奇怪，”莫斯托夫斯科伊说，“您是不会说别的话的。您可知道，我确实感到奇怪的是什么？希特勒为什么把您关在集中营里？关您干什么？希特勒根我们恨得要命。这是可以理解的。可是希特勒干吗要把您和您这类的人关在集中营里呀?!”

契尔涅曹夫笑了笑,他的脸又变得像开始谈话时那样子。

“这不是,关进来啦,”他说,“而且还不放呢。您给我说说情吧,也许会把我放了。”

但是莫斯托夫斯科伊不想开玩笑。

“您对我们这样仇恨,就不应该蹲在希特勒的集中营里。而且不光是您,还有这样的人。”他指了指朝他走来的伊康尼科夫。

伊康尼科夫的脸上和手上沾满了泥浆。

他递给莫斯托夫斯科伊几张写满了字的肮脏的纸,说:

“看看吧,也许,明天就要死了。”

莫斯托夫斯科伊把几张纸塞到垫褥底下,气愤地说:

“我是要看看,为什么您要离开这个世界?”

“您可知道,我听到了什么?咱们挖的基坑,是为了建造毒气工厂。今天已经开始浇灌混凝土地基了。”

“听说有这事儿,”契尔尼曹夫说,“过去就铺过宽轨。”

他回头看了看。莫斯托夫斯科伊心想,契尔涅曹夫关心的是,下工回来的人是否看到,他和一个老布尔什维克谈得多么随便。他大概因为这一点就要在意大利人、挪威人、西班牙人、英国人面前夸耀了。尤其要在苏联战俘面前夸耀。

“这活儿咱们还继续干吗?”伊康尼斜夫问道,“还参与制造恐怖吗?”

契尔涅曹夫耸耸肩膀,说:

“您以为咱们这是在英国吗?这八千人要是罢工,在一个钟头之内就会全部被杀害。”

“不，不能干，”伊康尼科夫说，“我不干，不干。”

“如果能不干，转眼工夫就把您打死。”莫斯托夫斯科伊说。

“是的，”契尔涅曹夫说，“您可以相信这话，这位同志知道，在没有民主的国家里号召罢工，意味着什么。”

他和莫斯托夫斯科伊争论了一阵子，心绪很乱。他在巴黎自己家里说过多少次的一些话，现在在这希特勒的集中营里说出来，自己觉得很不实际，毫无意义。他听集中营囚犯们谈话，常常听到“斯大林格勒”这个词儿，不管是否合他的心意，现在斯大林格勒是和世界的命运联结在一起了。

一个年轻的英国人向他做了一个胜利的手势，说：

“感谢你们，斯大林格勒挡住了狂飙。”契尔涅曹夫听到这话，感到很幸福、很激动。

他对莫斯托夫斯伊科说：

“您该知道，海涅说过，只有傻瓜才把自己的弱点暴露给敌人。不过，好吧，我就做做傻瓜，您说得很对，我很清楚你们的军队所进行的斗争的伟大意义。一个俄国社会党人理解这一点是极难极难的，一旦理解了，又高兴，又自豪，同时又难过，又痛恨你们。”

他看着莫斯托夫斯科伊。莫斯托夫斯科伊觉得他那一只正常的眼睛也充满了血。

“不过，难道您就是在这里也没有亲身体验到，人没有民主和自由不能生活吗？您在家里忘记了这一点吧？”契尔涅曹夫问道。

莫斯托夫斯科伊皱起眉头。

“算啦,别再歇斯底里啦。”

他回头看了看。契尔涅曹夫心想,莫斯托夫斯科伊是在担心,下工回来的人会不会看到流亡的孟什维克和他谈得多么随便。他大概因为这一点在外国人面前觉得不好意思了。尤其在苏联战俘面前觉得不好意思。

他那血红的空眼窝对直地看着莫斯托夫斯科伊。

伊康尼科夫拉了拉坐在二层铺上的神甫的脱了鞋的脚,用蹩脚的法语加德语和意大利语问道:“咱们在建造毒气工厂啦。神甫,我该怎么办呀?”

加尔季神甫用煤球似的眼睛打量着大家的脸。

“大家都在那儿干,我也在那儿干,”他慢慢地说,“我们是奴仆,上帝会饶恕我们的。”

“这是他的职业。”莫斯托夫斯科伊补充说。

“但这不是您的职业。”加尔季用责备的口气说。

伊康尼科夫马上接着说:

“是啊,是啊,米海尔·西道罗维奇,从你们的观点来看,也是这样,不过我不想宽恕自己的罪过。不能说,全怪那些强迫你干的人,你是奴隶,你没有罪,因为你不自由。我是自由的!我建造毒气工厂,我就对不起将来被毒气毒死的人。我可以说‘不干!’。如果我有胆量不怕枪杀的话,有什么力量能强迫我干?我要说‘不干!’。我不干,我就是不干!”

加尔季的手挨到伊康尼科夫的白头。

“把您的手给我。”他说。

“好啦,现在牧师就要开导因为骄傲而迷途的羔羊了。”

契尔涅曹夫说。莫斯托夫斯科伊听到他这话，也不由地怀着同感点了点头。

但是加尔季没有开导伊康尼科夫，他把伊康尼科夫那肮脏的手拉到嘴唇边，吻了吻。

七十

第二天，契尔涅曹夫和红军战士巴甫柳科夫聊天，巴甫柳科夫是他结识的不多的苏联人之一，现在在医务所做卫生员。

巴甫柳科夫对契尔涅曹夫诉说，很快就要把他从医务所赶出去，叫他去挖基坑了。

"这都是党员们搞的，"他说，"他们看不惯我占着一个好位置，认为我是行过贿的。他们当清洁工，厨房里、杂物间里到处都安排他们的自己人。老大爷，您该记得和平时期的情况吧？区委都是自己人，工会也都是自己人。不是吗？在这儿他们也搞自己的一套班子，厨房里都是自己的，好东西给自己人吃。他们供养老布尔什维克，像在疗养院里一样，可是您，就像狗一样，没人理睬，谁也不朝您看一眼。难道这公平吗？您也是给苏维埃政权做牛做马做了一辈子嘛。"

契尔涅曹夫很不好意思地告诉他说，自己离开俄罗斯已经二十年了。他已经发现，"侨民""国外"这样一些词儿一下子就能使苏联人和他疏远。但是巴甫柳科夫听了契尔涅曹夫的话并没有紧张起来。

他们蹲在一堆木板上。巴甫柳科夫宽鼻子，宽额头，契尔涅曹夫心想，这真是人民的儿子。巴甫柳科夫朝在混凝土塔楼上走来走去的哨兵那边望着，说：

“我没有别的办法，只有参加新编的志愿军，或者装作生病。”

“就是说，为了活命吗？”契尔涅曹夫问。

“我根本不是富农，”巴甫柳科夫说，“也没有做过苦役犯人，不过我对共产党还是很不满意。不能自由地干什么事。种田由不得自己，娶老婆由不得自己，干什么工作由不得自己。人变得像鹦鹉一样。我从小就想自己开一家商店，为的是在里面什么都可以买到。商店里有小吃部，货物齐全，请买吧：想喝烧酒，有烧酒；想吃烤鸭，有烤鸭；想喝啤酒，有啤酒。您猜，我卖东西会怎样？很便宜！我还要在小吃部卖乡下吃食儿。请吧！烤土豆！牛油拌大蒜。酸白菜！您猜，我会卖什么样的小菜：骨头汤！骨头汤在锅里翻滚，请吧，来一碗，加一根骨头，还有黑面包，当然，还有盐。到处是皮椅子，免得生虱子。请坐下，歇会儿，有人服侍你。这事儿只要我一说出来，马上就会把我送到西伯利亚。可是这会儿我想，这样做生意对人民有什么特别不好的呢？我定的价钱一定会比国家低一半。”

巴甫柳科夫侧眼看了看契尔涅曹夫，又说：

“在我们的棚屋里，有四十个小伙子报名参加志愿军啦。”

“为什么？”

“为了一碗菜汤，为了一件大衣，为了不至于干活儿累死。”

“还有什么原因吗？”

“有些人是有想法。”

“什么想法？”

“各种各样的想法。有的是看到在集中营里有人被杀害。有的是受够了农村的贫穷。他们忍受不了共产主义。”

契尔涅曹夫说：

“这太卑鄙啦！”

这个苏联人带着好奇的神气看了看这个侨民，这个侨民也看出他这种带有嘲笑与大惑不解意味的好奇神情。

“可耻，下流，恶劣，”契尔涅曹夫说，“不是算陈年老账的时候。算账也不应该这样算。自己对不起自己，对不起自己的土地。”

他从木板上站起身来，用手摸了摸屁股。

“不可能有人说我热爱布尔什维克。真的，不是时候，不是算账的时候。不要去参加叛徒弗拉索夫的军队。”他忽然说不出话来，片刻之后又说：“您听着，同志，别去。”他因为又像过去年轻时代那样说出了“同志”这个词儿，再也掩盖不住自己的激动，而且也不再掩盖自己的激动，喃喃地说：“我的天啊，天啊，我是不是……”

……火车离了站台。周围烟雾腾腾，其中有灰尘，有丁香花气味、春季里城市污水气味，有机车的灰烟，还有车站饭店厨房里冒出来的油烟。

信号灯越来越远，越来越远，可是后来好像在其他绿灯和红灯之间停住不动了。

一个大学生在站台上站了一会儿，便朝侧门走去。一个女子也像他一样，一股感情涌来，失去自制，用胳膊搂住他的脖子，吻他的额头、头发……他跨上车，一阵幸福感在心头涌起，使他的头脑晕乎乎的，他觉得这是开始，将是他内容充实的整个一生的开端……

他在离开俄罗斯前往斯拉武塔的路上，一再回想起这个黄昏。他在巴黎的医院里，做完青光眼手术之后，常常想起这个黄昏，在他走进他供职的银行那阴凉而幽暗的门洞时，也常常想起这个黄昏。

关于这一点，像他一样从俄国逃往巴黎的诗人霍达谢维奇写过一首诗：

> 我拄着拐杖浪游时，
> 不知为何我想起你；
> 红轮马车在奔驰，
> 不知为何我想起你；
> 晚上我把蜡烛点起，
> 不知为何我想起你；
> 不论天上、人间发生什么事，
> 我都会想起你……

他真想再走到莫斯托夫斯科伊跟前，问问他：

“您认识这样一位娜塔莎·萨顿斯卡娅吗？她还活着吗？这几十年来您一直跟她生活在一块土地上吗？”

七十一

在晚上集会点名时，戴黄手套、穿淡黄色贴口袋方格上衣的汉堡窃贼凯泽兴致很好。他用发音不准的俄语小声唱着歌儿……

他那红里透黄的委顿的脸和褐色的无神的眼睛在这天晚上显得十分和善。他那雪白而光滑的厚厚的手掌和能够把一匹马掐死的手指头，不时拍拍犯人们的肩膀和脊梁。他要杀人也很随便，就好像为了开玩笑使个绊脚把人绊倒。杀过人之后，他的兴奋心情也只能持续不大的一阵子，就好像小猫和一只五月金龟子玩了一会儿。

他杀人多数都是根据突击队头头德罗津哈尔的指示。德罗津哈尔是主管东区段的卫生防疫的。

干这方面的事情，最困难的是把死者的尸体拖去火化，不过凯泽从来不干这种事，谁也不敢叫他干这种事。德罗津哈尔是有经验的，决不让病人病得非要用担架把他们抬到杀人的地方。

凯泽并不催促要被杀死的人，不对他们恶言恶语，也从没有推过谁，打过谁。凯泽已经有四百多次登上特种囚室那两级混凝土台阶，总是对接受手术的人特别感兴趣：他很喜欢那种目光，那目光中有恐惧，有焦急，有驯顺，有痛苦，有胆怯，还有注定要死的人看到杀他的人进来时所流露出来的极其好奇的神情。

凯泽干这种事就像吃家常便饭，他自己也不懂，他为什么偏偏喜欢这种家常便饭。特种囚室其实很单调：一个凳子，灰色的石头地，一根水管，一个水龙头，一段橡皮管，一张小桌，上面摆一个记事本。

操作起来极其简单平常，说起来总是用半开玩笑的口吻。如果操作过程中用了手枪，凯泽就说“往脑袋里塞了一粒咖啡豆”；如果注射了石炭酸，凯泽就说“加了一点儿长命水”。

凯泽觉得既奇怪又简单，咖啡豆和长命水能够揭示人的生命的秘密。

他那褐色的、像用塑料做成的眼睛似乎不是活人的眼睛。像是硬化了的黄褐色松脂……每当他那硬僵僵的眼睛里出现快活的神气时，别人都觉得十分可怕，就好像一条鱼一下子游到一颗沉在水里、被沙埋住一半的死树跟前，忽然发现这黑黑的、黏黏的庞然大物还有眼睛、牙齿、触角，觉得十分可怕。

在这集中营里，凯泽有一种优越感，感到自己比住在棚屋里的艺术家、科学家、革命家、将军、传教士都优越。这倒是不在于咖啡豆和活命水。这是一种很自然的优越感，这种优越感使他十分得意。

使他感到得意的不是他那巨大的体力，不是他能不顾一切地去作案，去撬保险柜。他很欣赏自己的精神和聪明，他是令人捉摸不透的，是复杂的。他喜怒无常，似乎不合情理。在春天把秘密警察挑选的一些苏联战俘赶进特种棚屋的时候，凯泽请他们唱他们喜欢的歌儿。

有四个目光悲戚、手臂肿胀的苏联人唱道：

我的苏莉科，你在何方？

凯泽愁眉苦脸地听着,望着站在边上的一个高颧骨的人。凯泽由于敬重歌唱者,没有打断歌唱,但等到歌声一停,他就对高颧骨的人说,他在合唱时没有唱,现在要他独唱。凯泽望着这个人那带有拆掉的领章痕迹的军服的肮脏的领口,问道:

"你的没有唱,要单唱,懂吗?"

那人点了点头,表示懂了。

凯泽抓住那人的领口,轻轻摇晃了几下,就像摇晃出了毛病的闹钟那样。那人朝凯泽的颧骨捣了一拳,并且骂了两声。

看样子,这个苏联人要完了。但是这个特种棚屋里的头头儿并没有把叶尔绍夫少校打死,而是把他带到角落里靠窗的一个铺上。这个铺空着,是专门留给凯泽喜欢的人的。就在这一天,凯泽还给叶尔绍夫送来煮熟的鸭蛋,哈哈笑着递给他,说:"吃吧,能让你唱歌好听!"

从那时候起,凯泽对待叶尔绍夫一直很好。同棚屋的人也都很尊敬叶尔绍夫,他除了刚强不屈之外,性格也非常温和、非常开朗。

在叶尔绍夫那一次拒绝唱歌之后,有一个当时唱歌的人很生叶尔绍夫的气,那就是旅政委奥西波夫。

"不合群的人。"他说。

也是在那件事情之后不久,莫斯托夫斯科伊就管叶尔绍夫叫思想领袖了。

除了奥西波夫之外,对叶尔绍夫不怀好感的还有总是很孤僻、总是不说话、然而无所不知的战俘柯季科夫。柯季科夫是一个没有什么特色的人,声音没什么特色,眼睛、嘴唇也没什么特色。不过,正因为他太没有特色了,这种没有特色似乎倒成了鲜明的特色。

这一天凯泽在晚间点名时的快活表情引起许多人高度的紧张感和恐怖感。棚屋里的人总是觉得事情不妙,恐惧、不安、不祥感总是在心里,有时强些,有时弱些。

在晚间点名快要结束的时候,特别棚屋里进来八名营警——是戴着滑稽可笑的小圆帽、缠着黄色臂章的维持队员。从他们的脸可以看出来,他们吃的不是营里的大锅饭。

他们的头儿是一个浅色头发的高个头儿漂亮男子,身穿拆掉了领章的铁灰色军大衣。大衣下面露出锃亮的漆皮靴子,那靴子泛着宝石一样的亮光,因此很像是白色的。

这是营内警察队长凯尼克,是党卫军分子,因为刑事犯罪丢了职务,被关在集中营里。

“起立!”凯泽喊道。

开始搜查。维持队员们熟练得就像工厂里的工人一样,敲敲桌子,听听是不是挖空了,抖一抖破布,又快又仔细地摸摸衣服上的缝,检查检查饭盒。

有时他们开开玩笑,用膝盖顶一下某人的屁股,说:“你好。”

有时维持队员们把搜到的字纸、笔记本或保险刀片递给凯尼克看,问他怎样处理。凯尼克把手套一扬,表示这搜到的东西没有意思。

在搜查的时候,囚犯们一直排成队站着。

莫斯托夫斯科伊和叶尔绍夫站在一起,望着凯尼克和凯泽。这两个德国人像铁铸的一般。

莫斯托夫斯科伊头脑发晕，身子摇晃了几下。他用手指着凯泽，对叶尔绍夫说：

“有这样的人！”

“高等民族嘛。”叶尔绍夫说。他不希望站在近处的奥西波夫听见，凑到莫斯托夫斯科伊的耳朵上说：“不过我们有些人也够呛！”

契尔涅曹夫虽然没有听清他们的谈话，但也插嘴说：

“任何民族都有神圣的权利，都可以有英雄，有神圣的人和卑鄙的人。”

莫斯托夫斯科伊对着叶尔绍夫，但说的话不光是回答他的：

“当然，我们也有坏蛋，不过德国刽子手有一种很独特的神气，只有德国人才会有。”

搜查结束了。发出休息的口令。囚犯们开始往床上爬。

莫斯托夫斯科伊躺下来，把两腿伸直。他想，他还没有检查一下，搜查之后他的东西是不是全在呢，于是哼哧着欠起身子，开始检查自己的东西。

似乎不是少了围巾，就是少了包脚布。但是他找到了围巾，也找到了包脚布，不过他还是没有放下心来。

一会儿，叶尔绍夫走到他跟前，小声说：

“维持队员涅泽尔斯基说，咱们这个区段的人要拆散，一部分人留在这儿继续受审查，大多数人都到普通集中营里去。”

“那有什么，”莫斯托夫斯科伊说，“管它呢！”

叶尔绍夫在铺上坐下来，声音很轻然而很清楚地说：

“莫斯托夫斯科伊同志！”

莫斯托夫斯科伊用胳膊肘支起身子，看了看他。

“莫斯托夫斯科伊同志，我想干一件大事，要和您谈谈这件事。要是失败了，那就很麻烦！”

他小声说起来，莫斯托夫斯科伊听着听着，激动起来，就好像有一阵清风向他吹来。

“时间很宝贵，”叶尔绍夫说，“如果斯大林格勒被德国人攻下来，很多人又要泄气了。从基里洛夫这样一些人可以看出来。”

叶尔绍夫建议成立一个战俘的战斗团体。他凭记忆说了说纲领要点，就像念文稿一样：

……加强集中营里的苏联人的团结，加强自己的纪律，清除叛徒，破坏敌人部署，在波兰人、法国人、南斯拉夫人、捷克人中间建立斗争委员会……

他望着床铺顶上棚屋的昏暗处，说：

“有几个兵工厂的同志，他们告诉我，可以搞武器。咱们的组织会很快扩大。联络几十个集中营，成立许多战斗小组，团结德国的地下工作者，制裁叛徒。最终的目的是全面起义，统一自由的欧洲……”

莫斯托夫斯科伊重复说：

“统一自由的欧洲……啊，叶尔绍夫呀，叶尔绍夫。”

“我不是瞎说。咱们说了，就干起来。”

“我参加。”莫斯托夫斯科伊说。他又一面摇着头，一面重复说：“自由的欧洲……在咱们的集中营里就有一个共产国际分部，分部有两个人，其中一个不是党员。”

“您又懂英语，又懂德语，又懂法语，联系的方式多得很，”叶尔绍夫说,“何必还要共产国际:各国囚犯,联合起来!”

莫斯托夫斯科伊望着叶尔绍夫,说出了他早就忘记的话:

“人民的意志!”他觉得很奇怪,为什么偏偏会忽然想起这话。

叶尔绍夫说:

“应该跟奥西波夫和兹拉托克雷列茨上校谈谈。奥西波夫是很大的力量!不过他不喜欢我,还是您和他谈谈。我今天就和上校谈谈,咱们组成四人小组。”

七十二

叶尔绍夫少校的脑子日日夜夜紧张不懈地工作着。

叶尔绍夫在考虑囊括德国所有集中营的地下工作计划,考虑地下组织相互联系的技术问题,记熟各劳动营和集中营以及一些火车站的名称。他考虑编制密码,考虑如何利用营里的文书把一些组织者列入调动名单,使他们可以在各营里串通。

他的心中充满了幻想。成千上万的地下工作者大力宣传,成千上万的英雄暗地进行活动,可以创造条件武装起义占领各集中营。起义者可以夺取守卫各营的高射炮,把高射炮变为反坦克炮和反步兵炮。应该事先物色高射炮手,为将来夺取的各门高射炮准备炮手。

叶尔绍夫少校很了解集中营里的情况,知道收买、恐惧所起的作用,知道饥饿的力量,看到过很多人脱下清白的军服,换上叛徒弗拉索夫的带肩章的蓝大衣。

他见过低三下四、背信弃义、巴结、顺从；他见过比恐惧更甚的恐惧，见过一些人在可怕的侦讯官员面前吓得怎样发呆。

这位衣衫破烂的被俘的少校毕竟没有沉醉在幻想中。在德国人在东线急速推进的阴暗时期，他用乐观、大胆的话鼓励自己的同志，劝浮肿的人千方百计保重自己的身体。他对强权的鄙视一直未消失、未减弱，一直很强烈。

很多人接触过叶尔绍夫之后，感觉到有一种很快活的热乎劲儿，——燃烧白桦木柴的俄罗斯壁炉发出来的又平常又宜人的温暖就是这样的。

也许，正是这种感人的温暖，而不光光是聪明和胆量，使叶尔绍夫少校成为苏联战俘的头儿。

叶尔绍夫早就明白，莫斯托夫斯科伊是第一个可以信得过的人，可以对他敞开自己的想法。叶尔绍夫睁着眼睛躺在铺上，看着粗糙的木板顶棚，就像在棺材里望着棺材盖，他的心怦怦直跳。

他这一生三十三年以来，从来没有像在这里，在集中营里这样感到自己刚强。

他在战前过的日子很不好。他的父亲是沃龙涅什省的农民，在1930年被划为富农。这时候他在军队里服务。

他没有和父亲断绝关系。他不能进军事学院，虽然他的入学考试成绩优秀。他好不容易在军事学校毕了业，被分配到区兵役局。他的父亲成了流动人口，这时候带着一家人住在北乌拉尔。叶尔绍夫请了假去看父亲。从斯维尔德洛夫斯克起要乘二百公里的窄轨火车。路两旁是一片片的森林和沼地，一堆堆待运的木材，一道道集中营的铁丝网，一座座棚屋和泥屋，就像一个个高脚毒蘑菇，还有高高的看守塔楼。火车两次被拦住，押送队要搜查一名逃犯。夜里火车停在一个会让站上，等待前方开来的火车，叶尔绍夫没有睡，听着警犬的吠叫声、哨兵的哨子声。原来会让站附近就是一座很大的集中营。

叶尔绍夫第三天才到达窄轨铁路的终点站。虽然他的领子上带着中尉领章，他的证件和乘车证也都是符合规定的，但在检查证件的时候他还是担心会对他说："喂，把东西带着！"把他带到集中营里去。似乎这地方的空气也被铁丝网关住了。

后来他坐上一辆顺路的吨半汽车，走了七十公里。道路从沼地中间穿过。汽车是"奥格普"国营农场的，叶尔绍夫的父亲就在这个农场干活儿。汽车上很拥挤，上面坐的都是干活儿的流动人口，是被调到一处集中营分场去伐木。叶尔绍夫试着向他们询问，但是他们只回答一两个字，看样子，是害怕他的军装。

傍晚，汽车来到紧靠林边与沼地边缘的一个小村子。他永远记住了北方集中营沼地上的宁静而柔和的黄昏。在暮霭中，一座座小屋完全成了黑的，似乎是在焦油里煮过的。

他走进一座土屋，晚霞随他一起进来，可是迎接他的是潮气，闷热，寒碜的食物气味，衣服和被窝气味，热乎乎的烟气……

在黑暗中出现了他的父亲，一张瘦削的脸，一双很好的眼睛，那双眼睛流露出的一种无法描述的神情使叶尔绍夫大吃一惊。

一双又老又瘦的粗糙的手臂搂住儿子的脖子。搂住年轻指挥员脖子的这一双受尽磨难的老人的手不住地抽搐着，从中可以感觉出老人在畏畏怯怯地诉苦，是那样痛苦，那样恳切地求助，所以叶尔绍夫只能用一点来回答这一切：他哭了。

后来他们在三座坟前站了一阵子。母亲是第一个冬天死的，大姐阿纽塔死在第二个冬天，玛露霞死在第三个冬天。

集中营边沿的坟地和村子连在一起了。茅屋墙脚下、土屋斜面上、坟包上、沼地土丘上生长的都是一样的青苔。妈妈和姐姐、妹妹就要一直待在这片天空之下了，不论是冬天，严寒冻实沼地的时候，不论是秋天，坟地上堆满沼泽里冲来的黑乎乎的冲积物的时候。

父亲和不说话的儿子站在一起，也不说话，后来抬起眼睛，看了看儿子，把两手一摊，说："死去的，活着的，你们都原谅我吧，我没有把我所爱的人保护住。"

夜里，父亲说起来。他说得很平静，声音不高。他说的事情只能用平静的口气来说，如果痛哭、流眼泪，是说不下去的。

在铺了报纸的箱子上，放着儿子带来的点心，还有一瓶酒。老人家在说，儿子坐在旁边，听着。

父亲说起饥饿，说起乡亲们的死，说起饿疯了的老奶奶，说起小孩子，说孩子们的身体变得比三弦琴、比小鸡都轻。说，村子里日日夜夜都能听到饥饿的哭叫声，村子里许多人家的门窗都钉死了。

他对儿子说，那年冬天他们在破漏的货车里在路上走了五十天，一些死去的人在车上跟活人一起待了很多天。说了说，流浪者怎样长途跋涉，女人还要抱着孩子。妈妈也这样跋涉过，在酷暑中走路的时候，曾经昏过去。说了说，他们在冬天怎样被带到这里，既没有草棚，又没有土屋，他们又是怎样重新过起日子，怎样生篝火，拿树枝落叶当床铺，在锅里熔化雪水，怎样掩埋死者……

“这都是斯大林的主意呀，”父亲说。他的话里没有愤慨，也没有恼恨的意味。老实人谈到强大的、无法改变的命运时，都是这样。

叶尔绍夫探亲回来之后，写了一份申请书给卡里宁，要求格外开恩饶恕他的无罪的父亲，要求准许老人家上儿子这儿来。可是申请书还没有到莫斯科，叶尔绍夫就被上级叫了去，因为有信来告发他去乌拉尔的事。

叶尔绍夫被军队里开除了。他来到建筑工地，打算挣些钱，再去看父亲。可是不久就从乌拉尔来了一封信，报告父亲的死讯。

战争开始后的第二天，预备役中尉叶尔绍夫便应召进了军队。

在罗斯拉夫利战役中，他接替牺牲的团长，把溃散的人召集起来，抗击敌人，打退渡河的敌人，保证了统帅部后备重炮部队的撤退。

压在他肩上的担子越重，他的肩膀越是强壮有力。他自己原来也没想到自己会这样坚强。原来，驯顺与他的天性格格不入。压迫越强，越凶狠，他的斗志越强烈。

有时他问自己：为什么他这样痛恨弗拉索夫分子？弗拉索夫分子的号召书所写的事，正是他的父亲所说的。他知道这都是真实的。但是他知道，这些真实的东西到了德国人和弗拉索夫分子嘴里就成了诬蔑。

他觉得道理很清楚，他和德国人斗争，就是为苏联的自由生活而斗争，战胜希特勒，也就是战胜导致他的父母、姐妹早死的死亡营垒。

叶尔绍夫有一种又难过又舒畅的感觉——在这儿，履历表失去作用，他成了强者，别人都听他的。在这儿，高级头衔、勋章、特种部队、第一科、人事处、鉴定委员会、区委的电话、政治处副处长的意见全没有意义了。

莫斯托夫斯科伊有一天对他说：

“这是海涅早就说过的：‘脱去自己的衣服，我们都是光光的身子……’但是，一个人脱去礼服，露出虚弱、可怜的身子，另外一些人却被窄小的衣服束缚着，等他们把衣服脱去，才能看到，原来真正的力量在这儿！”

叶尔绍夫所幻想的，已成为今天的事情，于是他进一步考虑这些事情：该告诉谁，让谁参加；他逐一思索、掂量，考虑他所了解的一些人的长处，考虑一些人的短处。

谁可以进入地下工作指挥部？在他的脑子里出现了五个名字。有些生活上的小缺点，古怪脾气，一切都从新的角度出现在他的脑海里，微不足道的事如今重要起来。

古泽将军有将军的威望，但是他优柔寡断，胆小怕事，看样子，文化水平也不高，如果有聪明能干的副手和参谋长，他才行，他指望指挥员们服侍他，供养他，而且认为这种服侍是理所当然，不必感谢。看样子，他想念自己的厨师的时候比想念老婆孩子的时候多。他常常谈起打猎，又是野鸭，又是野鹅，常常想起在高加索军中打猎的情形，又是野猪，又是山羊。看样子，他很爱喝酒，也很爱吹牛。常常谈起1911年的一些战役；周围的人都是不正确的,左邻的将军不正确,右邻的将军也不正确,古泽将军永远正确。从来不责怪最高军事领导失误。处人处事很圆滑,很精细,像一个很世故的小吏。总而言之,如果依照叶尔绍夫的意见,他连一个团也不会交给古泽将军指挥,更别说一个军了。

旅政委奥西波夫很聪明。有时他忽然会用嘲笑的口吻说,我们这是想用很小的代价在异国的领土上作战,流露出很悲观的神气。可是过一个小时之后,他又十分坚决地批评起怀疑的人,教训起人来。然而到第二天,他又会翕动着鼻孔,说:

"真的,同志们,咱们飞得太高,太远,太快啦,这样就想入非非啦。"

他说起战争头几个月的失败,说得很有道理,但并不感到痛心,就像一名棋手说起一局败棋。

他和人说话很随便,毫不拘束,但他的坦率是假装的,不是真正的同志间的坦率。他真正感兴趣的是跟柯季科夫谈话。

这位旅政委为什么对柯季科夫感兴趣呀?

奥西波夫经验丰富,善于了解人。这种经验非常有用,地下工作指挥部少了奥西波夫不行。不过他的经验不光可以成事,也可以碍事。

有时奥西波夫说起一些著名军事人物的可笑的事,直呼他们的名字,如:谢苗·布琼尼、安德柳什卡·叶廖缅柯。

有一天,他对叶尔绍夫说:

"图哈切夫斯基、叶尔罗夫、布柳赫尔犯的错误,跟你我一样。"

可是基里洛夫对叶尔绍夫说,在1937年奥西波夫担任军事学院副院长时，毫不留情地揭发过几十个人，把他们定为人民的敌人。

他很怕生病，常常摸摸自己的头，把舌头伸出来，侧着眼睛看看，有没有舌苔。看样子，死倒是不怕。

兹拉托克雷列茨上校是一个郁郁寡欢的老实人，是战斗部队的团长。他认为，最高领导在1941年的撤退方面犯了错误。大家都能感觉出他在战斗中的指挥能力和作战能力。他的身体十分强壮。他的声音也刚强有力，这样的声音才能喝止逃跑，发动进攻。他很喜欢骂娘。

他不喜欢解释，喜欢干脆利落地下命令。很讲义气，可以把饭盒里的菜汤倒给士兵。不过他太粗暴。

人们常常能感觉出他的厉害。在工作中都要听他的，他大喝一声，谁也不敢不听。

谁也别想糊弄他，他决不马虎。可以和他共事，但是他太粗暴了！

基里洛夫倒是个聪明人，但是思想上有些马马虎虎。什么问题他都能看得出来，可是他对一切懒得去问，睁一只眼，闭一只眼……他对一切很淡漠，对人没什么热心，但是原谅人的缺点和卑劣。他不怕死，有时候还很想死呢。

他说起撤退，说得似乎比谁都有道理。他不是党员，有一次他说：

“我不相信共产党会使人变好。在历史上还没有这样的事。”

他似乎对一切都十分淡漠，但是在夜里有时在床上哭，对叶尔绍夫的问话很久没有回答，后来低声说：“俄罗斯我是很爱的。”他是一个很容易打交道的人，很随和。有一天他说：“啊，我多么想听听音乐呀。”昨天他带着傻笑的神气说：“叶尔绍夫，您听着，我来念一首小诗。”叶尔绍夫不喜欢这首诗，但他却记住了这首诗，这首诗也不管好歹钻进了他的脑子：

好同志，在要死的时候，
你不要向人呼救。
最好趁你的血还冒热气，
让我在你的血上烘烘手。
别像小孩子，别怕，别悲怆，
你只是被打死，不是受伤。
最好把毡靴脱给我，
我还要去打仗。

这诗是不是他自己写的呢？

不行，不行，基里洛夫不能进指挥部。他怎么能带动别人呀，他自己也未必能行。

还是莫斯托夫斯科伊！他学识渊博，意志坚强。据说，在审讯中他始终刚强不屈。不过，说也奇怪，没有人是叶尔绍夫不能挑剔的。前几天他就责备过莫斯托夫斯科伊：

“莫斯托夫斯科伊同志，您干吗要跟那些骗子磨嘴皮，比如，跟那个绿眼睛的伊康尼科夫，跟那个逃亡的独眼睛坏蛋，有什么好说的？”

莫斯托夫斯科伊笑了笑，说：

“您以为，我的立场动摇了吗？以为我会成为教徒或者孟什维克吗？”

“谁知道呢，”叶尔绍夫说，“是臭东西，最好别去碰。这个伊康尼科夫一直待在咱们的集中营里。一旦德国人把他传去审讯，他就会出卖自己，出卖您，出卖跟他接近的人……”

得出的结论是这样：对于做地下工作，没有理想的人。需要衡量一个人的长处和弱点。这不难。但只有根据一个人的素质才能判断这个人是否合适。素质是无法衡量的。素质只能推测和感触。于是他就从莫斯托夫斯科伊开始。

七十三

古泽少将呼哧呼哧喘着粗气走到莫斯托夫斯科伊跟前。他嚓嚓地磕碰着脚后跟，哼哧着，撅着下嘴唇，皮肤的褐色皱褶在腮上和脖子上哆嗦着——这些动作、姿势、声音都是他从往日肥胖时保留下来的，在他今天这样瘦弱的时候，这一切显得十分奇怪。

“您是长辈，”他对莫斯托夫斯科伊说，“我是乳臭未干的孩子，我给您提意见，就好比一名少校教训一位上将。不过我要直说：您不该跟那个叶尔绍夫一起搞什么各民族联合，他是一个底细不明的人，缺乏军事知识，论水平是个尉官，可是一心想当总指挥，想给上校们当当老师。应该离他远点儿。”

“阁下，您这是胡扯。”莫斯托夫斯科伊说。

“当然，是胡扯，”古泽哼哧着说，“当然，是胡扯。有人告诉我，在普通棚屋里昨天有十二个人报名参加那个什么……俄罗斯解放军。可以算算看，其中有几个是富农？我对您说的不光是我个人的意见，还代表一个很有政治经验的人。”

“这个人也许是奥西波夫吧？”莫斯托夫斯科伊问。

“就算是他。您是搞理论的人，您不了解这里面所有的卑鄙龌龊。”

“您的话可是真奇怪，”莫斯托夫斯科伊说，“您似乎是要告诉我，在这儿只能对人保持警惕性，别的什么都不行了。谁又能有这样的先见之明呀！”

古泽听了听支气管的呼哧声和胸中突突的心跳声，非常痛心地说：

“我看不到自由啦，看不到啦。”

莫斯托夫斯科伊望着他的背影，使劲用手掌拍了一下自己的膝盖——他恍然大悟，他在搜查时为什么出现了担心和焦虑的感觉：原来伊康尼科夫给他的几张纸不见了。

他在纸上写的是什么呀？也许叶尔绍夫说得对，卑劣的伊康尼科夫参与了暗害活动，把这几张纸塞给了他。他在纸上胡写了一些什么呢？

他走到伊康尼科夫床铺跟前。但伊康尼科夫不在这儿，旁边的人也不知道他上哪儿去了。这一切——几张纸不见了，伊康尼科夫不在床铺上——一下子使他明白了：他毫无顾忌地跟这个疯疯傻傻的寻神派教徒交谈，太轻率了。

他和契尔涅曹夫争论过，可是，实在说，连争论也不值得，还有什么好争论的呀。要知道，伊康尼科夫是当着契尔涅曹夫的面把几张纸交给他的呀，这样一来，既有告密者，又有见证人了。

他的生命本来是事业和斗争所需要的，但是他也可能毫无意义地把生命丢掉。

“真是老糊涂了，竟跟一些渣滓打起交道，就在需要干一番事业，干一番革命事业的时候，偏偏要把自己葬送掉。”他这样想着，心里越来越痛苦不安了。

他在洗东西的地方碰到奥西波夫：这位旅政委在暗淡的灯光下在铁槽上洗裹脚布。

“碰到您，太好啦，”莫斯托夫斯科伊说，“我要和您谈谈。”

奥西波夫点了点头，回头看了看，在腰侧擦了擦湿漉漉的手。他们在水泥墙根上坐下来。

“我一直是这么想，处处可能会有人使坏点子。”当莫斯托夫斯科伊谈起叶尔绍夫的时候，奥西波夫这样说。

他用自己的湿手掌抚摩了两下莫斯托夫斯科伊的手。

“莫斯托夫斯科伊同志，”他说，“我很佩服您的果敢。您是老布尔什维克，是列宁的战友，对于您不存在年龄问题。您是鼓舞我们所有的人的榜样。”他小声说起来：

“莫斯托夫斯科伊同志，我们的战斗组织已经建立起来啦，我们决定暂时不对您说这件事，我们是想爱护您的生命，不过，看起来，列宁的战友不服老。我要直率地告诉您：我们不能信任叶尔绍夫。正如大家说的，他的根子不正：富农出身，怀有杀亲之仇。不过我们是现实主义者。目前没有他不行。他现在混的人缘很好，不能不考虑这一点。您比我清楚，党在很长的阶段中怎样善于利用这一类人。不过您应当知道我们对他的看法：能暂时利用，就暂时利用。”

“奥西波夫同志，不论叶尔绍夫走到什么地步，我都不怀疑他。”

可以听到水滴落到水泥地上的声音。

“莫斯托夫斯科伊同志，是这样，”莫斯托夫斯科伊说，“我们没有什么事情需要瞒着您。这儿有莫斯科派来的一位同志。我可以说出他的名字：柯季科夫。这也是他对叶尔绍夫的看法，不仅是我的看法。他的意见对于我们所有的共产党员就是法律，在特殊环境中就是党的命令，斯大林的命令。不过，我们要和您喜欢的那个人，和那位有影响的人物一起工作的，决定了，就会那样做。要紧的只是一点：要做现实主义者、辩证唯物论者。不过，用不着我们来教训您。”

莫斯托夫斯科伊没有作声。奥西波夫抱住他，吻了他的嘴唇三下。他的眼睛里涌出泪水。

“我吻您，把您当作我的父亲，”奥西波夫说，“我真想为您祝福，就像小时候妈妈为我祝福那样。”

于是莫斯托夫斯科伊觉得，那种使人难受、使人痛苦的人生复杂的感觉消失了。他又像在年轻时那样，觉得世界是光明的、单纯的，世界上的人分成了自己人和敌人。

夜里，党卫军来到特别棚屋里，带走了六个人，其中有莫斯托夫斯科伊。

第二部

一

当后方的人看到一列列军车开往前方的时候，感到无比喜悦和兴奋，觉得这些大炮、这些新油漆的坦克正是担负朝夕盼望的总攻任务的，战争的胜利结局很快就要来到了。

离了后备队登上军车的人心情特别紧张。年轻的排长们仿佛看到了斯大林的密令……当然，老练一些的人根本不考虑这类的事，而是喝开水，在小桌上或在靴后跟上捶里海鱼干，谈着少校的风流韵事，谈着到下一个枢纽站可以换到什么货物。久经沙场的人仿佛已看到，部队怎样在前线附近、只有德国轰炸机到过的偏僻小站下车，而新兵们一遇到轰炸就会多少失去兴奋的心情……在路上睡肿了眼皮的人再也无法睡觉，日日夜夜行军，没工夫吃，没工夫喝，滚烫的马达不停地轰鸣，震得两鬓隐隐作痛，两手没有力气抓方向盘。指挥员已经是天天要收到看不完的密码电报，时时刻刻在无线电报话机里听到训斥和骂娘，司令部要求快点儿把缺口堵住，在这儿再也没有人过问新部队在练习射击中达到什么指标了。“进攻，进攻，进攻！”部队指挥员耳朵里响着的就是这个词儿。于是他进攻，再不怠慢，全力以赴。有时部队在行军中，还没有弄清地势，就径直投入战斗，这时候会有一个疲惫而紧张的声音说：“快点儿进行反击，就在这片高地上，我们连鸡巴毛都打光啦，可是他们还在拼命往前攻，我们他妈的完蛋啦！”

连日来在路上的轧轧声与轰轰声，在坦克手、报话兵、瞄准手的头脑里和德国飞机的嗡嗡声、地雷爆炸的喀嚓声混到了一起。

在这里特别能看到战争的疯狂，——一个钟头过去，便是一片凄惨景象：一辆辆被烧毁、散了架的坦克冒着烟，炮被打坏，履带被打断。

几个月刻苦的训练哪儿去了？炼钢工、电工们的勤奋和顽强的劳动哪儿去了？

上级首长为了掩盖让刚刚开到的部队仓促投入战斗的过失，掩盖该部队几乎无益的牺牲，向上面作不痛不痒的汇报："刚刚开到的后备部队投入战斗，在一定时间里阻止了敌军的推进，使我有可能重新部署兵力。"

假如不是一个劲儿地喊"进攻，进攻"，假如让部队摸清地势，不闯入布雷区，那样的话，坦克即使不起什么决定作用，也会好好打一阵子，给德国人造成很大的不痛快和不方便。

诺维科夫的坦克军向前方开拔着。

没有打过仗的天真的坦克手小伙子们以为，他们正是要参加决定性战役的。尝过战争滋味的人就笑话他们。第一旅旅长马卡罗夫和全军最出色的坦克营营长法托夫就很清楚这一切是怎么一回事儿，他们见识过不只一次了。

持怀疑和悲观态度的人都是很现实的人，有过痛苦经验的人，因为流过血，遭过难，对战争有更多的理解。就这一点来说，他们比那些大大咧咧的幼稚的人好些。但是有过痛苦经验的人错了。诺维科夫上校率领的坦克手们要参加的确实是决定性的战斗，这场战斗决定了战争的命运，也决定了千千万万人战后的生活。

二

诺维科夫得到命令,到达古比雪夫以后,要和总参谋部的代表留津中将取得联系,汇报最高统帅部要了解的许多问题。

诺维科夫原以为会有人在车站迎接他的,但是担任车站军代表的一名目光有点儿粗野、到处乱看、同时又疲惫无神的少校说,没有任何人问起诺维科夫。想在车站给将军打个电话也打不成,将军的电话号码严格保密,没办法打通。

诺维科夫便步行前往军区司令部。

来到车站广场上,他感到很不自在。战斗部队的指挥官突然来到很不习惯的城市环境中,往往有这样的感觉。自己处于生活中心地位的感觉一下子消失了,在这儿既没有电话员给他递话筒,又没有司机为他开着汽车到处跑。

在圆石铺砌的大街上,人们在匆匆忙忙地跑着,跑到配给商店门口去排队:“谁是队尾?……我在您后面……”

对于这些提着叮当响的大桶小桶的人们,似乎再没有什么事比到食品店门口排队更重要了。特别使诺维科夫生气的是他遇到的一些军人,几乎每个人手里都提着小包、大包。诺维科夫心想:“真该把他们这些狗崽子都抓起来,装上军车,带到前线去。”

难道他今天能看到她吗?他在街上走着,想着她。任尼娅,你好!

他和留津将军在军区司令办公室里见面的时间不长。刚开始谈话,总参就给将军打来电话,要他火速飞往莫斯科。

留津向诺维科夫表示了歉意,便拨通了城里的电话。

“玛莎,情况变啦。天一亮飞机就起飞,你转告安娜·阿里斯塔尔霍芙娜。土豆咱们来不及带啦,麻袋还在农场里呢……”他那苍白的脸不耐烦地、难受地皱了起来,看样子,他打断像流水一样顺着电话线向他涌来的话,说道:“没办法,总不能向最高统帅部报告说,因为一件女大衣没做成,我不能起飞呀。”

将军放下话筒,对诺维科夫说:

“上校同志,您以为坦克的传动部分符合我们对设计人员提出的要求吗?”

这次谈话使诺维科夫感到很不舒服。他在坦克军里待了几个月,学会了准确地看人,就是说,看人的实在分量。他一眼就可以准确无误地掂量出到军里来找他的那些代表、特派员、各种委员会的领导人、检查员、指导员的分量。

他知道轻声慢语说出的话“马林科夫同志要我转告您……”的意义;他知道,有些人戴着勋章和将军肩章,又有口才,嗓门儿又大,却没有本事弄到一吨柴油,无权任命一个仓库管理员或者解除一个文书的职务。

留津所占据的不是庞大的国家机构的主层。他是做配角,做代表,做一般化的解释说明,所以诺维科夫一面和他谈话,一面看起表来。

将军把老大的记事本合上。

“上校同志,很遗憾,时候不早了,明天一早我还要赶往总参去呢。不过没什么,总还可以在莫斯科见到您。”

“是的,中将同志,总有一天我会带着我的坦克上莫斯科去。”诺维科夫冷冷地回答说。

他们握手告别。留津请他代为向涅乌道布诺夫问好，过去他们在一块儿工作过的。诺维科夫还在宽敞的办公室的绿色地毯上走着，就听见留津对着话筒说：

“给我接一号农场场长办公室。”

诺维科夫心想：“他要抓紧时间搞土豆哩。”

他朝任尼娅的住处走去。他在那个闷热的夏夜里曾经走到她在斯大林格勒的家的门口，那是从草原上去的，草原上到处是撤退时的硝烟和灰尘。现在他又去找她了，似乎在那个人与这个人之间有一道深渊，可实际上他依然是那样，他依然是他，是同一个人。

“这一次你是我的了，”他想，“你是我的了。”

三

这是一座两层楼的旧式建筑，是一座气候不随着季节变化的厚墙的结实楼房，夏天依然凉丝丝的，到秋天寒冷时候依然保留着室闷和带灰尘的热气。

他按过门铃，一股热气从打开的门里朝他扑来，他看见任尼娅站在堆满篓子和箱子的过道里。他看见的是她，既没有看见她头上的白头巾，没有看见那黑色连衣裙，也没有看见她的眼睛和脸、她的手臂和双肩……似乎不是他的眼睛看见了她，而是不能看东西的心看见了她。她啊呀了一声，多少向后退了退，就像很多人因为意外感到吃惊时那样。

他向她问好,她也对他说了一句什么话。

他向她走去,闭上眼睛,又感到活着很幸福,又感到宁愿此时此刻马上死去,也感触到她的温暖。

为了享受他从未体验过的爱情,享受幸福,原来既不需要眼睛,也不需要思想,不需要说话。

她问他话,他一面回答,一面跟着她在黑乎乎的走廊里走,拉着她的手,就好像一个小孩子怕在人群里丢失了。

“这走廊好宽呀,”他想道,“简直可以开坦克了。”

他们走进一间屋子,这间屋子有一个窗户对着旁边一个屋子的没开窗户的墙。

靠墙有两张床。一张床上铺着灰色被子,有一个压得平平的、皱皱巴巴的枕头;另一张床上罩着白色花边床罩,还有一个打松的枕头。白色床罩上方贴着几张小画片,上面有穿晚礼服的新年和圣诞节美人,还有刚刚要出鸡蛋壳的小鸡。

桌子上堆满一卷一卷的绘图纸,桌子角上有一块面包,半个干蒜头,还有一瓶素油。

“任尼娅……”他说。

她的目光平常带有嘲笑神气和注视神气的,这会儿却显得很特别,很奇怪。她说:

“您饿了吧,您是刚刚来到吧?”

她显然是想破坏和打碎已经出现并且已经无法打碎的新东西。他变得有些不同了,不是过去那样了,这个人已经有权统率成百上千的人,统率阴森可怕的战争机器,眼睛却又流露着一个不幸的小伙子那种幽怨的神气。由于这种不相称,她心慌意乱,很想对他抱一种宽容感，甚至怜悯感，不理睬他的魅力。自由是她的幸福。但是自由离开她，她也是幸福的。

忽然他说：

“怎么，难道还不明白！”他又一次再也听不见自己的话和她的话了。他心中又出现了幸福感和一种与此有关的感情：哪怕马上去死，也没有什么遗憾了。她搂住他的脖子，她的头发像温暖的水，洒在他的额头上，他的腮上，他在这披散的黑发丛中看到了她的眼睛。

她的柔声细语淹没了战争的声音，淹没了坦克的轧轧声……

晚上，他们喝开水，吃面包，任尼娅说：

“首长已经吃不惯黑面包啦。”

她把放在窗外的一锅荞麦饭端了进来。已经冰凉的老大的荞麦粒已经变成紫色和蓝色。麦粒上还出了一层冷汗。

“真像波斯丁香花。”任尼娅说。

诺维科夫尝了尝这波斯丁香花，心想：“这东西真不好吃！”

“首长已经吃不惯啦。”她又说。他心想：“幸亏没有听盖特曼诺夫的话，没有带吃的东西来。”

他说：

“战争开始的时候，我在布列斯特，在空军团里。飞行员们朝飞机场奔去，我听到一个波兰妇女高声问：‘这是什么人？’一个波兰小孩子回答说：‘这是俄罗斯人，当兵的。’这时候我特别强烈地感觉到：我是俄罗斯人，俄罗斯人……你要知道，我一直没忘记我是俄罗斯人，可是这时候心里怦怦跳起来：我是俄罗斯人，我是俄罗斯人。说实在的，战前可是用另外一种精神教育我们……

今天，也就是这会儿，是我的最好的日子，这会儿我看着你，又像那时候一样，——我痛苦、我幸福都因为我是俄罗斯人……这就是我想对你说的……”他问道：“你因为什么？”

她眼前仿佛闪过克雷莫夫那一头乱发的头。天啊，难道她永远和他分手了吗？正是在这幸福时刻，她觉得永远和他分手是难以忍受的。

有一会儿似乎她就要把今天，把今天吻她的这个人的话同已经逝去的那时候连接起来，一下子弄清楚了自己一生的真正出路，就要看到不能看到的东西——自己的心的深处，正是心的深处在决定着今后的命运。

“这间屋子是一位德国老奶奶的，”任尼娅说：“是她让我住在这儿的。这张很洁净的白白的床就是她的。比她更随和、更老实的人我这一辈子还没有见过……说也奇怪，就在和德国人打仗的时候，我还是相信，她是这个城市里域善良的人。奇怪吗？”

“她很快就要回来了吧？”他问。

“不，跟她打的仗已经打完了，把她送走了。”

“那也没办法。”诺维科夫说。

她很想对他说说她是怎样怜悯被她抛弃的克雷莫夫。他连可以通通信的人都没有了，也没有人需要他去看望了，他只有苦恼，无法排遣的苦恼，孤独。

此外她还想谈谈里蒙诺夫，谈谈沙尔戈罗茨基，谈谈与这两个人有联系的很有意思然而不易理解的一些新的说法。想说说小时候亨利逊怎样把沙波什尼科夫家的小孩子们说的一些好笑的话记下来，记录这些话的笔记本就在桌子上，可以看一看。很想说一说报户口的经过,说一说那个户籍股长。但是她还不够信任他,在他面前怕难为情。他要不要听她说的呢?

很奇怪……她就像重新在经历她和克雷莫夫关系的破裂,她的心灵深处一直还以为可以破镜重圆,恢复过去的一切。这一点使她心里得到安慰。这会儿,当她感到有一股力量将她卷起时,她又痛苦,又惶恐:难道这就永远、永远不再恢复了吗?可怜的克雷莫夫呀,真可怜呀!为什么他这样苦呀?

“这算怎么回事儿呀?”她说。

“你是我诺维科夫家的人啦。”他随口说。

她笑起来,凝视着他的脸。

“你是陌生人,完全是陌生人嘛。说真的,你是什么人?”

“这我不知道。可是我知道,你是我的人了。”

她已经身不由己了。她一面给他往杯子里倒开水,一面问:

“还要面包吗?”

忽然她说:

“如果克雷莫夫出什么事,受重伤或者进监狱,我还要回到他身边去。这一点你要考虑。”

“他因为什么要进监狱?”他正色问道。

“哼,进监狱还不容易吗,他过去搞过共产国际,托洛茨基也认识他,看过他一篇文章之后,还说过:‘真精彩!’”

“你试试看,要是再回去,他还要把你赶走呢。”

“你别操心。那就是我的事了。”

他对她说,战后她将成为一座大房子的女主人,房子将是很漂亮的,房子后面还会有花园。

难道就这样定了，就这样一辈子吗？

不知为什么她很希望让诺维科夫明白：克雷莫夫是一个聪明人，一个有才华的人，她对克雷莫夫是有感情的，应该说，是很爱他的。她不希望诺维科夫因为她爱克雷莫夫而产生醋意，但是她所做的一切都是在不自觉地挑动他的醋意。不过她把托洛茨基的话对他说了，这话克雷莫夫只对她一个人说过，现在她也只是对他一个人说。“如果当时还有人知道这件事，克雷莫夫在1937年未必能逃脱。”她既然爱诺维科夫，就应该高度信任他，于是她把关系到她对不起的人的命运的话告诉了他。

她的脑子里有各种各样的想法，想将来，想今天，想过去，她时而发呆，时而高兴，又羞涩，又忐忑不安，又愁闷，又害怕。不知道妈妈、姐姐、侄儿、维拉、还有不少人会怎样看待她生活中发生的这一变化。如果诺维科夫和里蒙诺夫谈话，听听别人谈诗歌和绘画，又会怎样呢？他虽然不知道夏加尔和马蒂斯，但不会感到羞惭的……他是强者，强者，强者。连她都服从了。战争会结束的。难道，难道她再也见不到克雷莫夫了吗？天啊，天啊，她干的什么事呀。现在就不想这些吧。因为还不知道今后一切会怎么样呢。

“现在我才明白：我还一点不了解你。我不是开玩笑：你是陌生人。房子、花园，干吗要说这些呀？你是当真的吗？”

“你要是愿意，我就复员，到西伯利亚东部什么地方去，到建筑工地上去做一名工长。咱们就住在带家眷的棚屋里。”

这是真心话，他不是开玩笑。

“不一定住带家眷的屋。”

“一定要住。”

“你简直疯啦。为什么要这样?”她心里想:还有克雷莫夫呢。

“怎么为什么?”他惊骇地问。

可是他既不想将来,也不想过去。他觉得很幸福。有时想到,过几分钟他们就要分别了,也不觉得可怕。他和她坐在一起,他看着她……她是他诺维科夫的人了……他觉得很幸福。他要的不是她的聪明、漂亮、年轻。他确实一直在爱她。起初他不敢幻想她会成为他的妻子。后来他却幻想了很多年。但就是今天他依然带着腼腆和胆怯的神气在看她的笑容和听她的一些带有讥笑意味的话。不过,他看出来,新的情况出现了。

她看着他准备动身,便说:

“到时候啦,斯捷潘·拉辛该回到沸沸扬扬的队伍里去,该把我扔进涌来的浪涛里啦。”

等到他开始告别的时候,他明白了,她并不是多么刚强的,女人总归是女人,哪怕她绝顶聪明,而且很会讥笑人。

“有多少话想说呀,可是什么也没有说。”她说。

不过,倒也不是这样。决定人的一生的最重要的事,在他们相会的时候已经定下来了。他的确是爱她的。

四

诺维科夫朝车站走去。

……任尼娅,她那心慌意乱的低语,她那光光的双脚,她那亲热的低语，在分别时的眼泪，她对他的魅力，她的贫困与纯洁，她头发的味道，她的可爱的羞涩，她的身体的温暖，他因为意识到自己的工人、士兵式的单纯而感到腼腆，又因为自己带有工人、士兵式的单纯而自豪。

诺维科夫顺着铁路线朝前走去，他的热辣辣、模模糊糊的思想云团之中扎进来一根尖尖的针——一个当兵的在路途中的恐惧：军车是不是开走了？

他老远看见一台台平车、盖着帆布的一辆辆凸凸棱棱的钢甲坦克、戴着黑色钢盔的岗哨，看见挂着白窗帘的军部车厢。

他从一名打立正的哨兵身旁走进车厢。

副官维尔什科夫因为诺维科夫没有带他上市里去，很不高兴，所以一声不响地把统帅部来的密码电报放到小桌上：开往萨拉托夫，然后开上阿斯特拉罕支线……

涅乌道布诺夫将军走进来，也不看诺维科夫的脸，而是看着他手里的电报，说：

“路线定下来啦。”

“是的，涅乌道布诺夫同志，”诺维科夫说，“不是路线，是命运已经定啦：斯大林格勒！”他又说：“留津中将问候您。”

“啊，啊，啊。”涅乌道布诺夫说。实在弄不清他这冷漠的“啊，啊，啊”是针对什么的：是对将军的问候，还是斯大林格勒的命运？

他是一个奇怪的人，他使诺维科夫觉得有些可怕：不论路上出什么事儿——因为迎面列车开来不能开车，或者有的轴箱出毛病，或者调度员不发出发车信号，——这时候涅乌道布诺夫就来了劲儿，说：

“把名字记下来，记下来，这是有意破坏，应该抓起来，坏蛋。”

诺维科夫在内心深处对于所谓人民的敌人、富农、富农帮凶没有仇恨，没有恶感。他从来不曾想过把什么人关进监狱，把什么人送交法庭，或者在大会上揭发什么人。不过他认为，这种好心肠和恨不起来是由于自己政治觉悟不高。

可是诺维科夫却觉得，涅乌道布诺夫一见到人，首先出现和马上出现的便是警惕性，他会抱着怀疑的态度想：“噢呀，亲爱的同志，你不是敌人吗？”昨天他还对诺维科夫和盖特曼诺夫说过，有一些反革命的建筑师，曾经企图把莫斯科的一些主要街道变为敌人空军的降落场。

“依我看，这是胡说八道，”诺维科夫说，“这是军事上的无知。”

现在涅乌道布诺夫和诺维科夫谈起自己喜欢谈的第二个话题——谈家庭生活。他摸了摸车厢里的暖气管，说起战前不久在他的别墅里安装的暖气设备。

这个话题出乎意外地使诺维科夫很感兴趣，他认为很重要，并且请涅乌道布诺夫画了一张别墅暖气设备的线路图，他把图纸折叠起来，放进军装的内口袋。

“将来会用得着的。”他说。

不久，盖特曼诺夫走了进来，高高兴兴地、大声地向诺维科夫表示欢迎：

“好哇，我们的军长又回来啦，我们本来还想重新选举首领呢，以为斯捷潘·拉辛把自己的队伍扔掉啦。”

他眯缝起眼睛，很和善地看着诺维科夫。诺维科夫听到政委开玩笑，也在笑着，可是他心里出现了已经成为习惯的紧张感。

盖特曼诺夫开的玩笑有一个很奇怪的特点，他似乎知道诺维科夫的很多事情，他开的玩笑正是暗示这方面的事。所以他现在重复了任尼娅在分别时说的话，不过这当然是无意的巧合。

盖特曼诺夫看了看表，说：

“好啦，两位大人，该我上市里去一趟啦，没意见吧？”

“请吧，您走了，我们在这儿也不会感到寂寞。”诺维科夫说。

“这话对，”盖特曼诺夫说，“军长同志，您在古比雪夫总不会感到寂寞的。”

这句玩笑话就不是巧合了。

盖特曼诺夫已经站到单间门口，问道：

“军长同志，沙波什尼科娃同志身体好吗？”

盖特曼诺夫是一本正经的，眼睛也没有笑。

“谢谢，很好，工作干得不错。”诺维科夫说过这话，就想把话引开，于是便问涅乌道布诺夫：“涅乌道布诺夫同志，您怎么不想到市里去走走？”

“市里我什么没有见过呀？”涅乌道布诺夫回答说。

他们坐在一起。诺维科夫一面听涅乌道布诺夫说话，一面翻看文件，看过了就放到一边，并且不时地说：

“噢，噢，噢，您说下去……”

诺维科夫一辈子总是向首长汇报，首长在听汇报的时候总是在看文件，一面漫不经心地说：

“噢，噢，您说下去……”诺维科夫过去总觉得这是一种侮辱，他认为自己永远也不会这样做。

“是这样，”诺维科夫说，“为了维修，咱们应该早点儿要求补充维修技术人员。修车轮的人咱们有的是，可是修履带的人几乎一个没有。”

“我已经写好了申请表。我想，最好直接交给总指挥，反正总要找他批。”

“噢，噢，噢。”诺维科夫说。他在申请表上签了字，又说：“要检查检查各旅的防空装置，过了萨拉托夫可能会有空袭。”

“我已经在军部里发过指示了。”

“这不管用。应该让各辆军列指挥官各自负责，让他们在十六点以前汇报情况。要他们亲自检查，亲自汇报。”

涅乌道布诺夫说：

“萨佐诺夫担任旅参谋长的批文已经下来了。”

“真快，简直像电报。”诺维科夫说。

这一次涅乌道布诺夫没有朝旁边看，他笑了笑，知道诺维科夫很懊恼，很不自在。

诺维科夫一向没有胆量坚决维护他认为特别适宜担任指挥职务的一些人。一涉及指挥人员的政治可靠性问题，他就泄了气，就好像人的真正才干一下子就成了无关紧要的。

但是现在他火了。他不想容忍了。他看着涅乌道布诺夫，说：

“我错了，拿军事才能给履历表上的条件做了牺牲。到前线上咱们要改正。总不能根据履历表上的条件作战。一出什么问题，我他妈的马上把他撤了！”

涅乌道布诺夫耸了耸肩膀，说：

“我个人对那个加尔梅克人巴桑果夫一点意见也没有，不过最好还是要尊重俄罗斯人。各民族友谊是神圣的事，不过，您该了解，在少数民族中，抱敌对态度的人、不可靠的人、面貌不清的人占的比例很大。”

“这一点在1937年就该考虑，”诺维科夫说。“我有一个这样的朋友，叫米佳·叶甫谢耶夫。他天天在叫喊：‘我是俄罗斯人，这是最要紧的。’可是他这个俄罗斯人也倒了霉，被关起来了。”

“各个时期有各个时期的情况，”涅乌道布诺夫说。“关的都是坏蛋、敌人。我们是不会无缘无故关人的。过去我们和德国人缔结布列斯特和约，符合布尔什维主义；现在斯大林同志号召彻底、干净地消灭侵入苏联国土的所有德国人，也符合布尔什维主义。”

又换成教训的口吻说：

“在我们的时代，布尔什维克首先应该是热爱俄罗斯的人。”

诺维科夫非常气愤：他诺维科夫对俄罗斯的感情是在战火中锤炼出来的，涅乌道布诺夫的俄罗斯感情也许是从诺维科夫不曾跨过的什么办公室里借来的。

他和涅乌道布诺夫谈着，非常恼火，想着很多事情，心里很激动。两颊红红的，好像风吹的或太阳晒的，心咚咚跳着，跳得很激烈，怎么也安静不下来。

似乎有一团人在他的心上走，许多靴子齐声咚咚地响：“任尼娅，任尼娅，任尼娅。”

已经不再生诺维科夫的气的维尔什科夫探进头来,用恭顺的语调说:

“上校同志,请允许我报告:炊事员不知怎样才好,等您吃饭已经等了两个多钟头啦。”

“好的,好的,就是要快一点儿。”

一名满头大汗的炊事员马上带着紧张、幸福和委屈的表情跑进单间里来,摆起一碟碟乌拉尔腌制品。

“给我来一瓶啤酒。”涅乌道布诺夫懒洋洋地说。

“有,有,少将同志。”炊事员得意地说。

诺维科夫觉得,因为很久没吃荤,非常想吃,眼泪都急出来了。“首长同志,你已经习惯啦。”他在心里说着,想起刚刚不久吃的冰冷的波斯丁香。

诺维科夫和涅乌道布诺夫同时朝窗外看了看:一名喝醉的坦克手由一名背枪的民警扶着,歪歪倒倒、踉踉跄跄地在铁路线上走,一面尖声叫着。坦克手想挣开,想打民警,但是民警把他抱得紧紧的,看样子,坦克手已经醉糊涂了,一会儿就忘记了要打人,忽然很亲热地在民警的腮上吻了起来。

诺维科夫对副官说:

“这真不成体统,马上去查清楚,向我汇报。”

“要把这个坏蛋、这个破坏军纪的分子枪毙。”涅乌道布诺夫说着,把窗帘拉上。

在维尔什科夫那单纯的脸上出现了复杂的表情。首先他觉得伤脑筋,这一下子军长要倒胃口了。但同时他又同情那名坦克手。这种同情包含各种各样的意味:有苦笑,有鼓励,有同志般的赞赏，有父亲般的疼爱，有难过和担心。他报告说：

“是的，马上调查、汇报。”马上又编造理由代为开脱说：“他妈妈住在这里，他又是俄罗斯人嘛，哪儿知道分寸，心里又难过，很想最后和老妈妈多亲热亲热，所以喝多了一点儿。”

诺维科夫搔了搔后脑勺，把一个碟子拉到自己跟前。“不行，我再也不离开军车上哪儿去了。”他在心里对等待他的那个女子说。

盖特曼诺夫在快要开车的时候才回来。他满脸通红，十分快活，不吃晚饭了，只是吩咐手下人给他打开一瓶他很喜欢喝的桔子水。

他哼哧哼哧地把靴子脱掉，躺到沙发床上，用一只穿袜子的脚把单间的门掩实。

他对诺维科夫说起一位当州委书记的老朋友告诉他的一些消息。那位老朋友昨天刚从莫斯科回来。他在莫斯科曾得到一个人接见，那个人在节庆日子里有资格登上列宁墓，但在陵墓上不是跟斯大林一起站在麦克风旁边。那个透露消息的人当然不是什么都知道，而且当然也不会把他所知道的全都告诉这位州委书记，因为这位州委书记只是在伏尔加河畔一个不大的城市里担任区委指导员时和他熟识的。这位州委书记又在无形的化学天平上称了称谈话的对象，从他听到的消息中拣出不多的一部分对这位坦克军政委说了说。当然，这位坦克军政委对诺维科夫上校说的也只是他从州委书记嘴里听到的不多的一部分……

但是这天晚上他说话用的是特别信任的语气，以前他还没有用这样的语气和诺维科夫说过话。似乎他认为，诺维科夫十分了解马林科夫有很大的实权，知道除了莫洛托夫之外，只有贝利亚能够对斯大林同志称“你”，知道斯大林同志最痛恨擅自行动，知道斯大林同志喜欢苏禄干酪，知道斯大林同志因为牙齿不好常常将面包蘸了酒吃，也知道他脸上的碎麻子是小时候出天花留下的，知道莫洛托夫同志早已不是党内第二号人物，知道斯大林同志近来已经不怎么赏识赫鲁晓夫同志了，不久前甚至在高频电话里把他臭骂了一顿。

在谈到国家最高领导人时那种信任的语调、斯大林在和丘吉尔谈话时一面画十字一面笑着说的风趣的话、斯大林对一位元帅的过失的不满，似乎比那个站在陵墓上的人说的带有一点儿暗示意味的话，也就是诺维科夫心里一直在盼望、在揣测的话——马上就要反攻了！——更为重要。诺维科夫心里想：“哈，我也进入上层的圈子了！”不由得在心里得意地傻笑了一下，笑过了，自己也觉得羞惭。

不久军列就开动了，既没有打铃，又没有吹哨。

诺维科夫走到军车的连廊里，开了门，凝视着城市上面黑沉沉的天空。又好像有步兵在心里咚咚走过：“任尼娅，任尼娅，任尼娅。”悠扬的《叶尔马克之歌》的歌声透过轧轧声与隆隆声从机车方向飘过来。

钢轮轧在钢轨上的隆隆声、驮载着一辆辆钢甲坦克奔赴前方的平车的叮当声、年轻人的歌声、伏尔加河上吹来的冷风、浩瀚的星空似乎都换了一副新的面貌进入他的心田，不再像一秒钟以前那样，也不像战争开始以来这整个一年中那样了，他的心中感到有一种强悍的战斗力量，因而泛起一股豪迈的喜悦感和剧烈而甜蜜的幸福感，似乎战争的面貌变了，完全不同了，不再是只有痛苦和仇恨的丑陋样子了……从黑暗中飘来的惆怅而悲伤的歌声也带有威严和豪迈意味了。

不过很奇怪，他今天的幸福感没有唤起他的慈善心和宽恕心。这种幸福感激发他的仇恨、愤怒，激发他的愿望，希望发挥自己的力量，消灭阻挡这种力量的一切。

他回到单间里。刚才秋夜是那样迷人，这会儿车厢里是这样气闷，烟气，烧焦的牛油气味，鞋油气昧，红光满面的军部人员身上的汗味。盖特曼诺夫穿着睡衣，露着白白的胸膛，靠在沙发床上。

"喂，咱们要打反击战了，怎么样？将军们都同意了。"

"没问题，可以打。"诺维科夫回答说。

盖特曼诺夫轻轻地打了一个饱嗝儿，用忧虑的口气说，

"恐怕我有胃溃疡，一喝酒，肚子就痛得厉害。"

"不应该让医生随着第二列军车先走。"诺维科夫说。

诺维科夫很生自己的气，心想："我曾经想安排达林斯基，费道林科一皱眉头，我就改变了主意。我对盖特曼诺夫和涅乌道布诺夫也说过，他们一皱眉头，说，咱们干吗要用受过处分的人呀，我就害怕了。我推荐巴桑果夫，他们说，干吗要用非俄罗斯人呀，我又改变了主意……要么就赞成，要么就不赞成。"他看着盖特曼诺夫，心里想着，而且偏偏要往荒唐处想："今天他拿我的白兰地招待别人，明天我老婆来了，他还想跟我老婆睡觉呢。"

但是他这个有充分信心可以打碎德国军事结构的脊梁骨的人，为什么在同盖特曼诺夫和涅乌道布诺夫交谈的时候，总感到

自己软弱和胆怯呀？

在这幸福的一天里，他心中涌起一股强烈的愤恨，愤恨过去多年来的生活现实，愤恨这种已成为他的准则的状况：那些军事上无知然而有权有势、吃惯了佳肴美酒、挂惯了勋章的人们听他的汇报，恩赐他一间领导人员住房，为他申报奖赏。一些人虽然不知道大炮口径的大小，念不通别人为他们写的讲话稿，看不懂地图，满口的错字别字，然而总是要领导他。他要向他们汇报。他们没有文化，并不因为是工人出身，要知道，他的父亲、祖父、哥哥也是矿工嘛。有时候他觉得，这些人没有文化，正是他们的优点，有了这一优点，就不要文化了。他的知识，他的口才，他喜欢读书，都是他的缺点。在战前他觉得，这些人都比他更有毅力和信心。可是战争已经证明了，就在这方面也不是这样。

战争把他推上高级指挥岗位。但是实际上仍然不能当家做主。他仍然要服从他一向能感觉到、却不能理解的势力。在他统率下、没有指挥权的两个人便是这种势力的代表。所以，当盖特曼诺夫跟他谈起那些权势炙手可热的人物时，他高兴得发了呆。

战争将证明，俄罗斯依靠谁，——是依靠像他这样的人，还是依靠像盖特曼诺夫这样的人。

他所幻想的，已经实现了：他爱了很多年的女子，就要成为他的妻子了……这一天他的坦克军接到向斯大林格勒进军的命令。

“诺维科夫同志，”盖特曼诺夫忽然说，“您可知道，今天你上市里去的时候，我和涅乌道布诺夫有一场争论？”

他欠起身来，喝了一口啤酒，说：

“我是一个直性子人，我要直截了当地告诉你：我们谈起了沙波什尼科娃同志。她的哥哥在1937年进入……”盖特曼诺夫朝地下指了指。“原来，那时候涅乌道布诺夫认识他，我也认识她的第一个丈夫克雷莫夫，此人得到保全，真可以说是奇迹。他是中央宣讲团里的。所以涅乌道布诺夫说，既然诺维科夫同志得到苏联人民和斯大林同志这样高的信任，就不应该跟社会政治关系不清的人结合。”

“我的个人生活跟他有什么相干？”诺维科夫说。

“就是这话，”盖特曼诺夫说。“这都是1937年遗留的问题，不能把这些问题看得太严重。不，不，您要正确理解我的意思。涅乌道布诺夫是一个很好的人，忠诚无私，是斯大林式的坚定的共产党员。但是他有一个小小的缺点——有时看不见、感觉不到新事物的出现。他认为最主要的是摘引革命导师的著作。至于现实生活所提供的经验教训，他却往往看不见。有时似乎他都不知道、不明白，他是生活在什么样的国家里，他摘引的又是一些什么。战争教给我们许多新东西。罗科索夫斯基中将、戈尔巴托夫将军、普尔杜斯将军、别洛夫将军都坐过牢嘛。可是斯大林同志认为可以让他们指挥军队。今天，我去拜访的米特里奇就对我说了说罗科索夫斯基从集中营里直接调任军团司令的情形：他正在棚屋的洗脸池里洗裹脚布，就有人跑去叫他：‘快点儿！’他以为连脚布都不准他洗了，因为昨天一个头头儿还审讯他，把他打了一顿。谁知，一架飞机把他直接送进了克里姆林宫。我们还是应该从这一点得出一些结论的。可是咱们的涅乌道布诺夫是1937年的积极分子，他头脑僵化，立场是不会改变的。不知道沙波什尼科娃这位哥哥犯的是什么罪，如果还活着的话，也许贝利亚同志现在也会把他放出来，让他指挥一个军团。克雷莫夫还在军队里嘛。人还好好的，还是党员。有什么事呢？”

但是这番话偏偏把诺维科夫惹火了。

“这跟我有屁关系！”他用老大的嗓门儿说。他第一次听到自己的嗓门儿有这样响亮，自己也觉得吃了一惊。“沙波什尼科夫是不是敌人，跟我有什么相干？我连认识都不认识他！托洛茨基是对这个克雷莫夫谈过他的文章，说他的文章写得十分精彩。这跟我又有什么相干？精彩就精彩好啦。就让托洛茨基，就让雷科夫，就让布哈林，就让普希金拼命赞赏他好啦，跟我的生平历史有什么相干？我又没读过他的精彩的文章。这跟沙波什尼科娃又有什么关系？怎么，难道是她在1937年以前在共产国际工作过？让人领导作战，可是等你作了战，做了工作，你就试试看！算了吧！够啦！”

他的两腮火辣辣的，心咚咚跳着，思想是清楚、分明、强烈的，可是脑子里迷迷糊糊的：“任尼娅，任尼娅，任尼娅。”

他听着自己在说话，自己感到吃惊：难道这是他，是他生平第一次这样毫无顾忌、直截了当地在对一位很大的党的干部说话？他压制着后悔和担心的心情，怀着高兴的心情看了看盖特曼诺夫。

盖特曼诺夫忽然从沙发床上跳起来，挓挲起两条老粗的胳膊，说：

“诺维科夫同志，让我来拥抱你，你是真正的男子汉。”诺维科夫愣了一会儿，便和他拥抱，互相吻了吻，盖特曼诺夫朝着过道里喊道：

“维尔什科夫，把白兰地给我们拿来，军长和政委现在要喝交谊酒啦！”

五

任尼娅收拾好了房间，心想：“好啦，行了。”就好像这一下子房间里也洁净了，床也铺平整了，枕头也不打皱了，她的心也不乱了。但是等到床头边再也没有烟灰，最后一个烟头儿也从小架子边上捡走之后，任尼娅明白了，她一直是想欺骗自己，明白了，在这世界上她什么也不需要，就需要诺维科夫。她真想把她生活中发生的这件事对索菲娅·列文顿说说，就要对她说，不是对妈妈，不是对姐姐说。她也模模糊糊地知道，为什么她想把这事对索菲娅说说。

“噢呀，我的好索菲娅呀，索菲娅，我的列文顿呀。”任尼娅把心里想的说出声来。

后来她想到，玛露霞已经不在了。她明白，没有他是不能活下去的，她拿手拼命在桌子上擂了一下。然后她说算啦，我谁也不需要！”她说过这话，却又在诺维科夫挂军大衣的地方跪下来，说：“你要活下去呀！”

然后她心里想：“真是虚伪，我真是一个水性杨花的女子。”

她故意折磨起自己，不出声地自己对自己说起话来，似乎是代表着一个又鄙俗又尖刻的人，不知是女人还是男人：

“哼，这个女人没有男人受不住啦，风流惯啦，又是在这风风雨雨的年月……已经扔掉一个啦，当然，她怎么会看得起克雷莫夫,他连党内都待不牢稳。这会儿她要做军长夫人啦。又是那样魁伟的男子汉！哪一个女人都会想的,当然啦……他不用花什么力气,她已经什么都给他了,不是吗？不用说,这会儿夜里该睡不着觉了,又担心他被打死,又担心他找上一个十九岁的电话员姑娘。"那个鄙俗而下流的人似乎窥见了连任尼娅自己也不知道的一个念头,就又说:"没什么,没什么,你很快可以跑去找他嘛。"

她真不懂,为什么她不爱克雷莫夫了。不过这会儿也不需要懂了,——她已经感到很幸福了。

忽然她不由地想起,是克雷莫夫阻碍着她的幸福。他一直站在诺维科夫和她中间,是他使她快活不起来。他还在毁坏她的生活。为什么她就应当永远痛苦,为什么还要受良心责备？有什么办法,不爱就是不爱！他究竟要她怎样,为什么他要一个劲儿地跟着她？她有权做一个幸福的女子,有权爱她爱的男子。为什么她总觉得克雷莫夫是一个弱者,是一个没办法、没主意、孤孤单单的人？他并不多么软弱！并不多么善良！

她对克雷莫夫愤恨起来。她决不拿自己的幸福给他做牺牲,决不,决不……他是一个残酷、狭隘的人,是一个顽固的狂热分子。她永远看不惯他对受难遭殃的人的那种冷漠态度。这和她,和她妈妈、爸爸多么不同啊……就在俄罗斯和乌克兰的农村里成千上万的妇女和儿童在可怕的饥饿中痛苦死去的时候,他竟说:"富农不值得怜惜。"在亚戈达和叶若夫那时候,他说:"没有罪的人是不会抓的。"有一次妈妈说,1918年在卡梅申,曾经用大船把商人、房产主和他们的家小送到伏尔加河心里,把他们淹死,其中就有玛露霞在中学里的同学,有米纳耶夫家、戈尔布诺夫家、卡萨特金家、萨波什尼科夫家，克雷莫夫听了后，却很激烈地说：“对待这些仇恨革命的人，您说该怎么办？拿甜饼喂他们吗？”为什么她没有幸福的权利？为什么她就应该痛苦，应该怜惜一个从来不怜惜弱者的人？

但是在她的心的深处，在她痛恨和发狠的同时，她也知道自己是不对的，克雷莫夫并不那么残酷。

她脱下她在古比雪夫市场上换来的厚裙子，穿起她自己夏季穿的裙子，这是斯大林格勒大火后留下来的唯一的一条裙子，一天傍晚她就是穿着这条裙子和诺维科夫一起站在斯大林格勒滨河大街霍尔祖诺夫纪念碑前的。

在亨利逊老奶奶被送走前不久，任尼娅问她，过去是不是爱过什么人。

老人家很不好意思，说：“是的，爱过一个黄鬈发、蓝眼睛的男孩子。他穿的是丝绒夹克，衬衣领子雪白雪白的。那年我十一岁，我和他不认识。”这会儿那个穿丝绒夹克的鬈发男孩子在哪儿呢？亨利逊老人家又在哪儿呢？

任尼娅坐到床上，看了看表。一般在这个时候沙尔戈罗茨基都要到她这儿来的。啊，她今天可不想听什么高深的谈论。

她很快地穿起大衣，扎好头巾。已经没意思了——军车早已开走了。

在车站的墙脚下，许许多多的人坐在提箱和包裹上。任尼娅在车站的小巷道里漫步走着，有一个女子问她有没有乘车用餐券，另一个女子问她有没有乘车凭证……有些人迷迷糊糊地用怀疑的目光在打量她。有一列货车很沉重地从第一道线路开过。

车站的墙哆嗦起来，站房的窗玻璃叮叮当当响了起来。似乎她的心也在打颤。擦着车站栏杆滑过的是一台台平板货车，上面是一辆辆的坦克。

她忽然充满了幸福感。一辆又一辆坦克滑过，还有像雕塑一样坐在坦克上的一个个头戴盔形帽、斜挎冲锋枪的红军战士。

她像小孩子一样挓挲着手臂，朝家里走去。她把大衣敞开，看着自己夏季穿的裙子。夕阳忽然把一条条街道照得十分明亮，寒冷、阴沉、破破烂烂、到处灰尘、冬季即将降临的城市一下子变得喜气洋洋，呈现出玫瑰色，鲜亮鲜亮的。她走进楼房，居民小组长加林娜因为今天在过道里见过前来找任尼娅的上校，所以露出一副巴结的神气，笑着说：

"有您的信。"

"噢，是我时来运转啦。"任尼娅心里想着，把信封打了开来。信是从喀山来的，是妈妈写来的。

她看过前面几行，就小声叫了起来，惊慌地唤道：

"托里亚呀，托里亚呀！"

六

夜里在大街上突然意外地出现在维克托的脑子里的那一想法，成了新理论的基础。他研究了几个星期得出的方程式完全没有扩展物理学家们承认的传统理论，没有成为其补充部分。相反，传统理论本身倒成了维克托求出的新的、广泛的答案中的部分现象，他的方程式把似乎包罗万象的传统理论包罗进去了。

维克托暂时不再上研究所去,试验室的工作由索科洛夫领导。维克托几乎不出门,只是在房里走来走去,有时在桌边坐一阵子。晚上有时出去散散步,专拣车站附近的偏僻街道走一走,为的是不碰上熟人。他在家里的生活依然像平常一样:吃饭时说说笑话,看报,听新闻广播,逗逗娜佳,向岳母问问工厂的情形,和妻子说说话儿。

柳德米拉觉得,丈夫在这些日子里和她一样了,做一切事情都是出于习惯,就像上了发条的钟表,心里对外在的生活没有什么感觉,他生活得很轻松,只是因为这生活他已经习惯了。但是这种相似并没有使柳德米拉和丈夫接近起来。这种相似是表面的。实际上是完全相反的原因使他们和家里人在思想上疏远了,完全相反的原因决定着他们对生和死的态度。

维克托不怀疑自己的成果。这样的信心他还从来不曾有过。但是恰恰就在这时候,在把他在实际中得出的最重要的科学答案表现为公式的时候,他一点也不怀疑其正确性。在他想到一个方程式可以重新解释广泛的物理现象群的那几分钟里,他不知为什么再也不像平素那样喜欢怀疑和动摇了,立刻就感觉出这一想法是正确的。

就连现在,他进行的复杂的数学运算快要结束,他一再地检查自己的论断过程的时候,他的信心也没有超过在空荡荡的大街上突然冒出来的猜想使他大吃一惊的那时候。

有时候他想看清楚他走过的道路。似乎这是十分简单的。

试验室里进行的试验应该可以证实理论的推断。结果却没有证实。试验结果与理论的矛盾,很自然地使人怀疑试验的准确性。根据许多研究者几十年的研究得出的理论，而且这一理论也阐明了一些新的研究试验中的许多现象，这样的理论似乎是不可动摇的。反复的试验一次又一次表明，因为带电粒子参与核反应的影响而出现的偏离依然完全不符合理论的推断。不论怎样修正试验的不准确性，不论怎样校正测量仪器，怎样调制摄取核爆炸图像的感光剂，都不能解释这种完全不相符合的现象。

这时候才清楚，试验结果是不容怀疑的，于是维克托便千方百计修补理论，将一些任意的假设纳入理论中，为的是使试验室中得到的新的试验资料服从于理论。他所做的一切，都由于他承认最基本、最主要的一点：理论来自试验，因此试验不能和理论相矛盾。为了使理论和新的试验相符合，花费了大量的劳动。但是传统的理论，似乎永远不能偏离、不能违背的理论，即使修补过，也仍然不能解释越来越矛盾的试验数据。修补过以后，仍然无能为力，就和没有修补一样。

于是出现了新的想法。

旧的理论不再是基础，不再是根本，不再是包罗万象的整体。旧理论不是错误，不是荒唐的迷误，但是却作为局部性答案进入了新的理论……皇太后朝拜起新的王妃。这一切都是在转瞬间发生的。

维克托一想到他脑子里出现新理论的情形，就感到意外和吃惊。

在这里，理论与试验相联系的简单逻辑完全不存在了。在这儿，似乎地上的脚印儿没有了，他看不清他走过的道路了。

以前他总认为，理论来自试验；试验产生理论。他认为，理论与新的试验数据的矛盾自然而然地导致新的、包罗性更广的理论的产生。

但是事情很奇怪，——他相信，实际情形完全不是那样。他取得成就，偏偏是在他既不想以理论联系试验，也不想以试验联系理论的时候。

新的理论似乎不是来自试验，而是来自维克托的头脑。这一点他理解得十分清楚。新理论是很自然地出现的。头脑产生了理论。理论的逻辑推理及其因果关系，都和马尔科夫在试验室里进行的试验没有联系。似乎理论是从自由自在的思想游戏中自然而然产生的，这种似乎与试验无关的思想游戏就能够解释所有老的和新的丰富的试验资料。

试验是外部推动力，促使脑子进行思考。但试验不能决定思考的内容。

这是使人吃惊的……

他的脑子里充满了数学关系式、微分方程、概率定律、高等代数定律和数论定律。

这些数学关系独立地存在于冥冥之中，超越原子核世界和星际世界，超越电磁场和引力场，超越时间和空间，超越人类历史和地球的地质史。但是却在他的头脑中。

同时他的头脑里也充满了另外一些关系和定律——量子关系定律、力场定律、可以判断核反应过程的真正实质的恒量定律、光的运动定律、时间与空间的收缩与延伸定律。事情很奇怪，在一个理论物理学家的头脑中，物质世界的变化过程仅仅是产生于空洞的数学中的各种定律的反映。在维克托的头脑里，不是数学反映世界，而是世界成了微分方程的投影，世界是数学的映象。

同时他的脑子里也充满了计量器和仪表所显示的数字、在感光剂中和在照相纸上记录粒子和核爆炸运动的一条条虚线。

同时他的脑子里也有树叶的飒飒声，也有月光，有小米饭和牛奶，有炉火的呼呼声，有乐曲声，有狗吠声，有罗马的元老院，有苏联情报局的战报，有对奴役的仇恨，有对南瓜子的喜欢。

理论就是从这种杂七杂八的状态中冒出来，浮出来，是从其深处钻出来的，那儿既没有数学，也没有物理，没有物理试验室的试验，没有现实的经验，那儿没有意识，只有下意识的可燃的泥炭……

与现实世界没有联系的数学推理，反映、表现和体现在现实的物理学理论中，而理论忽然又极其精确地化作复杂的虚线状的图案，印在照相纸上。

在头脑里产生了这一切的人，看着证实了他所发现的真理的一道道微分方程和一片片照相纸，抽搭起来，不住地揩着往外直涌的幸福的泪水。

话又说回来，如果没有那些不成功的试验，如果不出现那些混乱、不合理的情形，他和索科洛夫就勉勉强强修补旧理论了，那他们就错了。

幸亏，不合理就是不合理，没有向他们的执让步，多么好呀！

话说回来，尽管新的见解产生于头脑，但还是与马尔科夫的试验有关系的。确实，如果世界上没有原子核和原子，在人的头脑里也就不会有其概念，这话是不错的，是的，是的，如果没有精密的仪器，如果没有莫斯科水电站，没有冶金炉，不生产纯质的试剂,那么,数学在理论物理学家的头脑里也无法预测现实。

维克托感到惊异的是,他取得他的最高科学成就,偏偏是在他十分痛苦的时候,在他的脑子天天被愁闷压得非常难受的时候。怎么会出现这种情形呢?

为什么偏偏在一场使他惴惴不安的危险、大胆而尖锐的谈话,跟他的研究毫不相干的谈话之后,一切未解决的问题忽然在短短的瞬间找到了答案?不过,当然,这是无关紧要的巧合。

要想弄清楚这一切,是很难的……

研究工作完成了,维克托很想谈谈这项研究。在这之前他没有想过可以和什么人谈自己的想法。

他很想看到索科洛夫,想写信给契贝任。他在想象,曼德尔施塔姆、约费、朗道、塔姆、库尔恰托夫将怎样看待他的新方程,局里、科里、试验室的同事们又会是什么态度,新方程会给列宁格勒的人什么样的印象。他开始考虑,用什么标题发表他的著作。他开始思索,伟大的丹麦科学家会怎样对待他的专著,费密又会说什么。也许,爱因斯坦会读到他的专著,会写信给他。什么人会表示反对呢?他的研究有助于解决什么样的问题呢?

他不想跟妻子谈他的研究。一般在寄出公务方面的信件之前,他都要先念给柳德米拉听听。每次他在大街上突然碰到什么熟人,他的第一个念头是:柳德米拉就要觉得吃惊了。他和研究所长争论,说过一句尖锐的话,马上就会想:"我要对柳德米拉说说,我是怎样骂他的。"他不能想象,看电影、看戏而不知道有柳德米拉坐在一起,或者小声对她说:"天啊,简直是胡诌。"使他动心、使他不安的事,他都要跟她说一说;他还在大学上学的时候,就说过:“你知道吗,我觉得,我是个呆子。”

为什么他现在不说了呢?也许,他想跟她谈自己的事是因为相信她对他的事比对自己的事更关心,他的事就是她的事?现在已经不这样相信了。是她不爱他了?也许,是他不再爱他了?

不过他还是对妻子说了说自己在研究方面的情况,虽然他不愿意和她谈。

“你可知道,”他说,“我有一种很奇怪的感觉:现在我不管出什么事,哪怕朝我这心口来一下子,我这一辈子也不算白活了。要知道,正是现在我才第一次不怕死,哪怕马上死也不怕了,这不是,你看,搞出来啦!”

他把桌上写得满满的一页纸指给她看。

“我毫不夸张:这是研究核能量性质的新观点、新原理,是的,是的,这是开启许多关闭的大门的钥匙,你该知道。在小时候,不,不是小时候,不过,有这样一种感觉,就好像从黑乎乎、死沉沉的水里忽然冒出一朵睡莲,哈,太美了!”

“我太高兴啦,太高兴啦,维克托。”她说着,笑了起来。

他看出,她想起自己的心思,不是在共享他的高兴和激动。

她也没有把他对她说的事对妈妈说,也没有对娜佳说,看样子,她已经忘了。

晚上,维克托去找索科洛夫。

他不仅想和索科洛夫谈谈自己的研究。他很想和他叙叙自己的心情。

索科洛夫会理解他的。索科洛夫不光是聪明,心地也很善良和纯洁。

同时他也担心,索科洛夫会责备他,说他以前胆量不大。索科洛夫喜欢解释别人的所作所为,喜欢啰里啰唆地教训人。

他已经很久没上索科洛夫家里来。大概在这段时间里,在索科洛夫家里已经聚会过三四次客人了。有一会儿他似乎看见了马季亚罗夫那凸出的眼睛。“这家伙胆子真大。”他想道。奇怪的是,在整个这段时间里他几乎没有想起晚间的聚会,就是现在他也不愿意想。总有一种担心、恐惧、必不可免要遭殃的感觉和这种晚间的谈话联系着。是的,他们太肆无忌惮了。说丧气话,说丧气话,可是,你们瞧,斯大林格勒支持住了。德国人被抵挡住了,疏散的人就要回莫斯科去了。

他昨天对柳德米拉说,现在他不怕死了,就是马上死也不怕。可是他还是很怕去想他那些牢骚话。马季亚罗夫简直是毫无顾忌了。想起来就更可怕了。卡里莫夫所怀疑的事是十分可怕的。万一马季亚罗夫真的是拿话引话,汇报上去,怎么办呀?

“是的,是的,死也不怕了,”维克托想道,“不过我这个无产者现在有东西可以丢失了,不光是锁链。”

索科洛夫正穿着家常外衣坐在桌边,在看书。

“玛丽亚在哪儿?”维克托惊讶地问道,并且对自己的惊讶感到惊讶。他看到她不在家,心里若有所失,就好像他是准备和她谈理论物理的,不是和索科洛夫。

索科洛夫一面把眼镜往套子里塞,一面笑着说:

“难道玛丽亚一定要时时刻刻坐在家里吗?”

于是维克托又激动、又咳嗽,讷讷地、语无伦次地对索科洛夫讲起自己的想法,并且列出方程式。

索科洛夫是了解他的想法的第一个人,因此维克托对事情又有新的、完全不同的感觉。

"就是这样啦。"维克托说。他的声音哆嗦着,他感觉出索科洛夫也很激动。

他们都不作声了。维克托觉得这种沉默是好事。他低着头坐着,皱着眉头,忧郁地摇着头。最后他胆怯地、很快地看了看索科洛夫,——他觉得索科洛夫的眼里有泪水。

在这可怕的、全世界都在打仗的时候,两个人坐在这寒碜的小小房间里。在他们和生活在其他国家的人们以及生活在几百年以前的人们之间有着神奇的联系。以前的人们思想纯正,一心想完成人类应当完成的最高尚、最美好的事业。

维克托很希望索科洛夫以后也不说话。这种沉默是天大的好事……

他们沉默了很久。后来索科洛夫走到维克托身边,把一只手放在他的肩上,维克托觉得,索科洛夫马上就要哭了。

索科洛夫说:

"太好啦,太妙啦,太美妙啦。我衷心祝贺您。多么带劲儿,多么有说服力,多么漂亮呀!您的论断就是从美学角度来看也是完美无缺的。"

这一下子维克托更是激动万分,他在心里说:

"噢哈,天呀,天呀,不过这是面包,不是美学上的事。"

"哦,您瞧,维克托·巴甫洛维奇,"索科洛夫说,"您原来那样泄气,想把一切停下来,等回到莫斯科再说,真是太不应该了。"他用维克托最讨厌的神学教员的口气说起来:"你的信心太差,耐性太差。这往往对您很有影响……”

“是啊，是啊，”维克托连忙说，“我知道。我一走进死胡同就觉得难受，就闷得受不了。”

可是索科洛夫议论起来，他这会儿说的一切，维克托都不喜欢，虽然他一下子就明白了维克托的成就的意义，并且给予极高的评价。但是维克托觉得任何评价都使人不快，都没有一点意思。

“您的研究预示着了不起的结果。”什么“预示着”，简直是浑蛋话。不用索科洛夫说，维克托也知道他的研究“预示着”什么。结果干吗还要预示？研究本身就是结果，用不着预示什么。“您采用的是独特的解决方法。”没什么独特的……很普通，是面包，黑面包。

维克托特意谈起试验室日常的工作。

“顺便说说，我忘了告诉您，我收到乌拉尔的来信，咱们的订货交货时间要延期了。”

“瞧，瞧，”索科洛夫说，“等仪器来到，咱们已经在莫斯科了。这也有好的一面。要不然咱们在喀山反正不能安装，那样还要批评我们，说我们不积极完成我们的选题计划。”

他啰里啰唆地谈起试验室的事，谈起完成选题计划的问题。尽管维克托自己把话题转向研究所的日常事务，现在索科洛夫如此轻易地撇开主要的、重大的话题，他还是感到很不痛快。

此时此刻维克托感到自己分外孤独。

难道索科洛夫不明白，现在谈的是比一般的研究所选题更大的东西？

这大概是维克托所做出的最重要的科学答案;这一答案将影响物理学家们的理论观点。索科洛夫显然从维克托的脸色看出来,不应该这样轻易地、忙不迭地转向日常事务的话题。

“很有意思,”他说,“您完全从新的角度证实了中子和重核的这一问题。”他用手掌做了一个动作,就像是一架雪橇从陡坡上又快又平稳地飞驰下来。“在这方面,新仪器咱们还是用得着的。”

“也许是的,”维克托说,“不过我觉得这是局部性的。”

“噢,可不能这样说,”索科洛夫说,“这种局部够大的,这是巨大的能量,您必须认识到。”

“嗯,随它去吧,”维克托说,“有意思的是,我觉得,对微观能量方面的观点变了。这会使有些人高兴,免得闭着眼睛原地踏步。”

“他们也算不上多么高兴,”索科洛夫说,“就好像有些运动员,看到别人创了纪录,而不是他们创纪录时,表现出的那种高兴。”

维克托没有回答。索科洛夫触及了不久前在试验室里争论过的问题。

在那次争论的时候,萨沃斯季扬诺夫说,科学家的研究很像运动员的训练,科学家也要进行准备和训练,在解决科学问题时,其紧张程度不次于运动员的紧张,也是在创纪录。

维克托,特别是索科洛夫,听到萨沃斯季扬诺夫这样说,非常生气。

索科洛夫甚至做了长篇发言,把萨沃斯季扬诺夫叫新的犬儒主义者,从他的发言可以感觉到,似乎科学像宗教一样神圣,似乎人类对神圣天国的向往就表现在科学研究中。

维克托明白,他在争论时生萨沃斯季扬诺夫的气,不只是因为他说的不对。因为他自己有时就感到像运动员那样高兴,那样激动和嫉妒。

但是他知道,紧张、嫉妒、狂热、创纪录的感觉、运动员的激动都不是实质,只是他和科学的关系的表象。他生萨沃斯季扬诺夫的气,不仅因为他说对了,也因为他说的不对。

他在年幼时心中就产生的对科学的真正感情,他对任何人,甚至对妻子都没有说过。他高兴的是,索科洛夫在同萨沃斯季扬诺夫争论中说出了对科学的正确而高尚的看法。

为什么现在索科洛夫忽然说起科学家像运动员呢？他为什么说这话？为什么偏偏在这特别的、对于维克托特别要紧的时候说？

他感到慌乱、不快,便很尖锐地向索科洛夫问道：

"索科洛夫同志,既然不是您创的纪录,您是不是因为咱们刚才谈的事不高兴呀?"

索科洛夫这时候正在想着,维克托想出的答案是那么简单,不用说,在索科洛夫的脑子里已经有了,用不了多久,他一定也会说出来的。

索科洛夫说：

"是的,就是这样,就像洛伦兹那样不高兴,因为不是他自己,而是爱因斯坦完成了他洛伦兹的方程式。"

他极其坦率地承认了这一点,维克托倒因为有不好的感觉而后悔了。

但是索科洛夫马上又说：

“这是开玩笑，当然是开玩笑。这跟洛伦兹毫无共同之处。我没有那样想。不过还是我说的对，不是您说的对，虽然我没有这样想。”

“当然不会，当然不会。”维克托说。不过他的恼火还没有消下去，而且他彻底明白了，索科洛夫就是这样想的。

“今天他不诚实了，”维克托想，“他真是单纯得像个孩子一样，一作假，马上就露了馅儿。”

“索科洛夫同志，”他问道，“到星期六，你们家还像往常一样有人集会吗？”

索科洛夫动了动肥厚的、强盗相的鼻子，准备说点什么，但什么也没有说。

维克托用询问的目光看了看他。

索科洛夫说：

“维克托·巴甫洛维奇，不瞒您说，我已经不喜欢这种茶余闲谈了。”

现在他用询问的目光看了看维克托，虽然维克托没有说话，可是他又说：

“您要问，为什么？您自己也明白……这不是说着玩儿的。简直是乱说一气。”

“您并没有乱说呀，”维克托说，“您没说什么话嘛。”

“哼，您要知道，问题就在这里呢。”

“好吧，你们都上我家里去吧，我非常欢迎。”维克托说。

真难理解！他也作假了！干吗他要说谎？他在心里也赞同索科洛夫的态度，却为什么要和他争论？他也害怕这样的聚会嘛，现在他还是不希望有这样的聚会。

“为什么上您家里？”索科洛夫问道。“我说的不是这个。我就坦率地告诉您吧：我和我的亲戚，和主要的发言人马季亚罗夫吵了一场。”

维克托很想问：“索科洛夫同志，您相信马季亚罗夫是个忠厚人吗？您能为他担保吗？”

但是他却说：

“这有什么？都是自己吓唬自己，好像说一句大胆的话，国家就会垮台。您和马季亚罗夫争吵，倒是很遗憾。我很喜欢他。非常喜欢！”

“在俄罗斯最困难的时候，专挑俄罗斯人的毛病，实在不太好。”索科洛夫说。

维克托又想问：“索科洛夫同志，说正经的，您相信马季亚罗夫不会去汇报吗？”

但是他没有提这个问题，只是说：

“对不起，恰好这会儿不那么困难了。斯大林格勒的局面正在好转。我们也造好了迁回的名单。您可记得两个多月以前的情况？脑子里整天想的是上乌拉尔，进原始森林，上哈萨克。”

“那就尤其不应该，”索科洛夫说，“我看不出有什么理由要说丧气话。”

“丧气话？”维克托反问道。

“就是丧气话。”

“您是怎么啦，真的，索科洛夫同志。”维克托说。

他和索科洛夫告过别，可是心里还是有一股困惑和苦闷感。

他感到孤独的不得了。从早晨他就心神不定，思索着他怎样和索科洛夫见面。他感到：这将是一次不平常的会面。可是，索科洛夫说的一些话，他觉得几乎都是不真诚的，是很庸俗的。

他也很不真诚。他的孤独感依然没有消失，而且更强烈了。

他走出门来，走到大门口，有一个不高的女声喊了他一声。他听出这是谁的声音。

玛丽亚的被路灯照亮的脸、她的两腮和额头因为有雨水，亮闪闪的。她穿着旧大衣，头上裹着毛头巾，这位科学院士和教授的夫人简直成了战争疏散时期贫困的化身。

“真像一个售货员。”他想道。

“柳德米拉怎么样？”她问道。她那黑黑的眼睛里的凝视的目光却盯着维克托的脸。

他把手一挥，说：

“还是那样子。”

“明天我早一点儿上您家去。”她说。

“就这样您已经是她的保护医生了，”维克托说，“幸亏，索科洛夫能忍耐，他是孩子，没有您，一个钟头也不能过，可是您却离不了柳德米拉。”

她还在若有所思地看着他，似听见又似没有听见他的话，说：

“维克托·巴甫洛维奇，今天您的脸和往常完全不同。您有什么好事儿吧？”

“为什么您认为是这样？”

“您的眼睛和往常不一样。”她忽然说：“您的研究取得了好结果，是吗？哦，您瞧，可是您还以为山穷水尽了呢。”

“您这是从哪儿知道的？”他问道，并且在心里说：哼，娘儿们就是藏不住话，一定是柳德米拉对她说的。他把自己的气愤掩藏在取笑口气中，问道：“您究竟在我的眼睛里看到了什么？”

她思索他的话，有一会儿没有作声。她没有认真理会他的取笑口气，只是说：

“在您的眼睛里总是有一种苦闷的神气，可是今天没有了。”

于是他忽然对她说起来：

“玛丽亚，事情多么奇怪呀，我觉得，我现在完成了我一生的大事。因为科学是面包，是精神面包。而且要知道，这是在这样痛苦、这样艰难的时候完成的。多么奇怪，生活中的一切多么难以理解呀。唉，我真想……算了，没什么……”

她听着，还在看着他的眼睛，小声说：

“我要是能够把痛苦赶出你们的家门有多好呀。”

“谢谢，玛丽亚。”维克托一面告别，一面说。他心里一下子宁静下来，就好像他就是来看她的，而且也说出了他想说的话。

过了一分钟，他便忘了索科洛夫夫妇，走在黑乎乎的大街上，冷气从一个个大门下往外钻，十字路口的狂风吹得大衣下摆扑扑直抖。维克托耸了耸肩膀，皱了皱眉头：难道妈妈永远、永远不会知道儿子今天的事情了吗？

七

维克托召集了试验室的同事们，即物理学家马尔科夫、萨沃斯季扬诺夫、安娜·纳乌莫芙娜·魏斯帕比尔，机械师诺兹德林，电工佩列佩里津，对他们说，怀疑仪器不完善是没有根据的。正因为测量特别精确，所以不论试验条件怎样改变，得出的结果都是一样。

维克托和索科洛夫专门从事理论研究，试验室的试验工作由马尔科夫领导。他具有非凡的才能，善于解决试验中的疑难问题，准确无误地掌握复杂的新仪器的原理。

维克托很佩服马尔科夫对待他不熟悉的仪器的信心，他不必看什么说明书，几分钟工夫就能掌握其主要原理和细微零件的功能。他显然把物理仪器当作活物的身体，他认为，只要看见猫，就自然能看见猫的眼睛、尾巴、耳朵、爪子，能摸到猫的心跳，能说出哪一部分是管什么用的。

每当试验室里安装新的仪器，需要做细致精密活儿的时候，傲慢的机械师诺兹德林就成了王牌中的大王。

喜欢说笑话的浅色头发的萨沃斯季扬诺夫在说到诺兹德林时，笑着说；“等他死的时候，把他的一双手送到脑科研究所研究研究。”

但是诺兹德林不喜欢开玩笑，他不把从事研究的同事放在眼里，他明白，没有他的一双能干的手，试验室里的事情就干不成。

萨沃斯季扬诺夫是试验室里大家都喜欢的人。不论解决理论问题，解决试验方面的问题，他都有两下子。

他干起什么事情，又轻松，又快，毫不吃力。

他那发亮的小麦色头发，即使在最阴暗的秋天，也好像被阳光照得光闪闪的。维克托每看到他，心里就想，他的头发放光是因为他的智慧明亮和放光。索科洛夫也很器重萨沃斯季扬诺夫。

“是的，您我这样的丑角和书呆子，都比不上他，他能抵得上您、我，再加上马尔科夫。”维克托对索科洛夫说。

试验室里爱说俏皮话的人管安娜·纳乌莫芙娜叫“母鸡加公马”。她有非凡的工作能力和耐性。有一次，为了考察感光乳剂的变化，她守着显微镜坐了十八个小时。

很多研究所部门的领导人认为维克托很幸运，——他的试验室工作人员配搭得很好。维克托也常常开玩笑说：“每个主任都有跟他相般配的工作人员……”

“以前我们一块儿操心，一块儿发愁，”维克托说，“现在我们可以一块儿高兴了。马尔科夫教授进行试验是没有话说的。在这里面，当然也有机械小组的功劳，也有试验员们的功劳，他们进行了大量的观察，做过几百、几千次计算。”

马尔科夫很快地咳嗽着，说：

“维克托·巴甫洛维奇，很希望您尽量把您的观点说详细点儿。”

他放低了声音，又说道：

“我听说，科契库罗夫在邻近领域的研究使人在实践方面产生了希望。我听说，莫斯科方面已经来询问他的研究成果了。”

马尔科夫一般都了解各种各样事件的底细。当军车载着研究所的工作人员往外疏散的时候，马尔科夫就把很多消息带到车厢里：有线路阻塞的消息，换车头的消息，有关于旅途食品供应站的消息。

胡子拉碴的萨沃斯季扬诺夫故作忧虑地说：

“遇到这种事儿，我一个人要把试验室的酒精喝光了。”

安娜·纳乌莫芙娜是个大社会活动家，她说：

“瞧，咱们多走运，可是在基层工会的生产会议上已经有人说咱们犯了死罪啦。”

机械师抚摩着瘪下去的两腮，没有说话。

一条腿的电工佩列佩里津的腮慢慢红了，他没有说一句话，拐杖叭的一声掉在地上。

维克托这一天非常愉快，非常高兴。

上午年轻的所长皮敏诺夫就和维克托通了电话，对他说了不少好话。皮敏诺夫乘飞机上莫斯科去了，——正在做最后的准备工作，研究所几乎所有的部门就要回莫斯科去了。

“维克托·巴甫洛维奇，”皮敏诺夫最后说，“咱们很快就要在莫斯科见面了。我很幸运，我感到自豪，就在我担任所长期间，您完成了您的了不起的研究项目。”

在试验室工作人员大会上，一切情形都使维克托感到愉快。

马尔科夫常常嘲笑试验室的情况，他说：

“咱们的博士、教授有一个团，咱们的副博士和初级研究员有一个营，可是士兵只有诺兹德林一个！这是对理论物理学家信不过。我们像一座奇怪的金字塔，”他接着解释说，“塔顶又宽又大，往下越来越细。所以咱们摇摇晃晃，很不牢稳，应当让基础宽大,最好有一团诺兹德林。”

维克托作过报告之后,马尔科夫说:

“嘿,瞧我们这个团,瞧我们的金字塔。”

一直在说科学很像体育运动的萨沃斯季扬诺夫,听过维克托的报告以后,眼睛显得格外好看,露出又幸福又和善的神气。

维克托明白,萨沃斯季扬诺夫这会儿看待他不是像运动员看待教练,而是像教徒看待圣徒了。

他想起不久前他和索科洛夫的谈话,想起索科洛夫和萨沃斯季扬诺夫的争论,在心里说:

“也许,我在核能量方面能想出点儿什么,可是在人的方面一窍不通。”

快到下班的时候,安娜·纳乌莫芙娜来办公室里找到维克托,说:

“维克托·巴甫洛维奇,新来的人事处长没把我列入复员名单。我刚才看到名单了。”

“我知道,知道,”维克托说,“用不着犯愁,复员的名单有两份,您是第二批走,只不过晚几个星期。”

“可是在您这一组里偏偏就我一个人不是第一批。疏散日子我过够了,恐怕我要发疯了。每天夜里我都梦见莫斯科。再说,到莫斯科安装仪器,没有我怎么行?”

“是的,是的,的确是这样。不过您要知道,名单已经批过了,要改变,十分困难。磁力试验室的斯维琴已经为鲍里斯·伊斯莱列维奇说过,他的情况也和您一样,可是结果还是很难改变。您最好也等些时候吧。”

他忽然上了火,叫起来:

“谁知道他妈的是怎么考虑的,他们把一些闲人塞进名单里,像您,进行安装就马上需要的人,他们却不知为什么偏偏忘了。”

“不是把我忘了,”安娜·纳乌莫芙娜说着,眼睛里涌出了泪水,“比忘了还不如……”

安娜·纳乌莫芙娜迅速地用一种奇怪而胆怯的目光回头看了看半张着的门,说:

“维克托·巴甫洛维奇,不知为什么从名单里划掉的只是一些犹太人,人事处的秘书莉玛还告诉我,在乌法,在乌克兰科学院的名单中几乎把所有的犹太人都去掉了,只留下一些科学院院士。”

维克托半张着嘴,惘然失措地看了她一会儿,后来哈哈大笑起来:

“您怎么啦,好同志,您疯啦!我们谢天谢地,不是生活在沙皇俄国。您从哪儿学来这种狭隘的怪毛病?赶快把这些乱七八糟的糊涂想法扔远点儿吧!”

八

友谊!有各种各样的友谊。

劳动中的友谊。革命工作中的友谊,长途跋涉中的友谊,士兵的友谊,羁押犯人的监狱中的友谊,尽管在这儿相识与分手间隔只有两三天,可是这几天的印象却要保留很多年。安乐中的友谊,患难中的友谊。平等的友谊,不平等的友谊。

究竟什么是友谊?友谊的实质是否仅仅在于共同劳动和共

同命运中？要知道，有些人本是一个党的党员，却因为观点有微小的分歧，产生的仇恨竟超过他们对党的敌人的仇恨。有时候，有些并肩战斗的人彼此仇恨超过对敌人的仇恨。有时候犯人彼此之间的仇恨超过他们对监狱看守的仇恨。

当然，更多的还是在同命运、同职业、有共同思想的人中间交到朋友，不过还是不能说，类似的共同性是友谊的决定因素。

不喜欢自己的职业的人彼此也会有友谊，有时也会成为朋友。不仅战斗英雄、劳动英雄会成为朋友，战场上的逃兵和劳动中的逃兵也会成为朋友。不过，这样或那样友谊的基础都是共同性。

两个性格相反的人能不能成为朋友？当然可以！

有时友谊是一种无私的关系。

有时友谊是自私，有时友谊是自我牺牲，但奇怪的是，利己主义的友谊却能无私地给朋友带来好处，而自我牺牲的友谊的基础却是利己主义。

友谊是一面镜子，人可以在其中看到自己。有时候，你在同朋友谈心的时候，可以认识自己——等于自己同自己谈心，自己同自己交往。

友谊是平等和相似。但同时友谊又是不平等和不相似。

友谊有时是有实际目的、实际作用的，如共同劳动中的友谊，共同为生存而斗争的友谊，为面包而斗争的友谊。

有为了崇高理想的友谊，有观点相同、彼此谈得来的友谊，有工作各不相同、各不相干、然而对现实有共同看法的人的友谊。

可能，最崇高的友谊便是实用的友谊、劳动、斗争的友谊与谈得来的友谊的结合体。

朋友往往是彼此用得着的，但朋友从友谊中得到的东西并不总是相等的。朋友希望从友谊中得到的并不总是同样的东西。有的在交游中显露自己的经验，教人以经验，有人在交游中丰富自己的经验。有的在帮助弱者，帮助没有经验的年轻朋友时，看到自己的成熟和有能力，有的则在朋友身上看到自己的理想，希望自己也能那样成熟，有能力，有经验。就这样，有的在友谊中奉献，有的得到礼物。

有时朋友是无言的裁判，一个人借助这种裁判可以自己和自己对话，可以在自己心中找到欢乐，因为自己的想法在朋友的心中得到共鸣和反应，这些想法也就有了声音，能听见，能看见，因而可以在自己的想法中找到欢乐。

理性的友谊、观察者的友谊、哲学上的友谊要求人的观点一致，但这种一致可以不是无所不包的。有时友谊出现于争论中，出现于朋友的不相似中。

如果朋友们在各方面都相似，如果朋友们互相成为映象，那么，同朋友争论便等于自己同自己争论。

能够谅解你的弱点、缺点甚至毛病的人，能够肯定你的正确、才能和功绩的人，才是朋友。

用爱护的态度指出你的弱点、缺点和毛病的人，才是朋友。

所以，友谊的基础是相似，而其表现却是分歧、矛盾、不相似。所以，有的人在交游中一心想从朋友身上得到自己所没有的东西。有的人又在交游中一心想把自己所有的东西慷慨赠与别人。

喜欢交朋友是人的天性。不善于和人交朋友的人，就和动物交朋友，——和狗、和马，和猫，和老鼠，和蜘蛛。

绝对强大者不需要友谊，恐怕，只有上帝是这样的。

真正的友谊不依从于你的朋友在高位上还是被推下高位，还是在监狱中；真正的朋友看重的是心灵内在的实质，把荣耀、外在的权势置之度外。

友谊的形式是各种各样的，友谊的内容也是多种多样的，但友谊的牢固基础只有一种——那就是相信朋友，相信朋友不会出卖人。所以，在人为自由效力的地方，友谊特别珍贵。在为了最高利益牺牲朋友和友谊的地方，在人被看作最高理想的敌人，失去自己的一切朋友，却相信没有失去唯一的朋友的地方，友谊特别珍贵。

九

维克托回到家里，看到一件熟悉的大衣挂在衣架上—— 是卡里莫夫来了。

卡里莫夫把报纸放下。维克托心想，看样子，柳德米拉不愿意陪客人说话呢。

卡里莫夫说：

“我是从集体农庄上这儿来的，在那儿作报告的，”又补充说：“不过，请放心，我在农庄里吃得很饱。要知道，我们的人民是特别好客的。”

维克托心想，柳德米拉都没有问卡里莫夫要不要喝茶。

维克托只是在对卡里莫夫那宽鼻子的皱皱巴巴的脸仔细看了一阵子之后，才看出他的脸和一般的俄罗斯人以至斯拉夫人的脸型微微有些不同。有时在突然转头的短短瞬间里，这些细微的区别一齐表露出来，他的脸变成蒙古人的脸。

就像这样，有时维克托在大街上能猜出一些浅色头发、眼睛明亮、鼻子上翘的人是犹太人。有一些隐隐约约的特点可以说明这些人是犹太出身：有时是笑容，有时是皱眉头表示惊讶的神气，眯眼睛的神气，有时是耸肩膀的姿态。

卡里莫夫说起他见到的一位中尉，那位中尉是受伤后回村里看望父母的。显然，卡里莫夫就是为了说说这事儿来到维克托家的。

“真是个好小伙子，”卡里莫夫说，“他说话非常直率。”

“说的是鞑靼语吗？”维克托问。

“当然。”卡里莫夫说。

维克托心想，如果他遇到这样的受伤的犹太族中尉，他不会跟他说犹太语的；他懂得的犹太语不超过十个词儿，而且都是在开玩笑的时候使用的。

那名中尉在1941年秋天在刻赤附近被俘。德国人叫他去收割埋在雪下没有收割的庄稼喂马。中尉瞅准机会，在冬日暮霭的掩护下逃跑了。俄罗斯和鞑靼居民把他掩藏起来。

“我现在完全有希望看到妻子和女儿了，”卡里莫夫说，“原来德国人也和咱们一样，有各种各类的证件。”

“我过去上大学的时候，爬过克里木的山。”维克托说，并且想起妈妈汇钱让他去旅游的事。“那位中尉看到犹太人吗？”

柳德米拉朝门里探了探头，说：

“妈妈到现在没有回来，我很担心。”

“是呀，是呀，她这是哪儿去啦？”维克托心不在焉地说。等柳德米拉把门掩上，他又问道：“那位中尉有没有说起犹太人？”

“他看到，把一家犹太人拉去枪毙，有一个老奶奶，两个姑娘。”

“天啊！”维克托说。

“哦，此外，他还听说在波兰有一些集中营，把犹太人赶进去，杀掉，把尸体分割开，就像屠宰场里那样。不过显然这是瞎猜想。我专门问过他有关犹太人的情况，我知道您关心这方面的事。”

“为什么偏偏只有我关心？”维克托想。“难道别人都不关心？”

卡里莫夫沉思了一会儿，又说：

“哦，我忘啦，他还对我说，德国人好像下命令要把吃奶的孩子送到警备司令部去，他们往小孩子嘴上抹一种无色的药剂，小孩子马上就死。”

“是刚生下的婴儿吗？”维克托反问道。

“我以为，这都是瞎想，就跟瞎想的分割尸体的集中营一样。”

维克托在房间里踱了一会儿，然后说：

“当你想到今天还在杀害婴儿的时候，一切文化建树似乎都毫无意义了。哼，歌德和巴赫教人的是什么？杀起婴儿来啦！”

“是啊，可怕呀。”卡里莫夫说。

维克托看出卡里莫夫的同情心，但也看出他的高兴和兴奋：那名中尉的话增强了他同妻子相会的希望。可是维克托知道，战后他再也不能见到妈妈了。

卡里莫夫要回家了，维克托舍不得和他分别，便决定送他一下。

“您要知道，”维克托忽然说，“我们苏联科学家都是一些幸福的人。正直的德国物理学家或化学家，明知自己的发明对希特勒有好处，会有什么感觉呢？您是否能想象，一个犹太物理学家，他的亲人被这样杀害，就像宰杀疯狗一样，而他却幸存，在进行创造发明，他的发明却违反他的心意，在为法西斯增强军事实力？他什么都能看见，什么都明白，可是依然不能不为自己的发明感到高兴——实在可怕！”

“是呀，是啊，”卡里莫夫说，“可是要知道，动惯了脑筋的人没办法不动脑筋呀。”

他们来到街上，卡里莫夫说：

“您送我，我不敢当。天气这样冷，您回到家里才不久，就又上外面来。”

“没关系，没关系，”维克托回答说，“我只把您送到街口。”

他看了看同伴的脸，又说：

“虽然天气这么冷，我和您在大街上走一走，感到很愉快。”

“您不久就要回莫斯科了，咱们就要分别了。我很珍惜您我的知遇。”

“是的，是的，是的，说实在的，我也是这样。”维克托说。

维克托朝家里走着，竟没有注意，有人喊他。

马季亚罗夫拿黑黑的眼睛看着他。他的大衣领子竖立着。

“怎么回事儿？”他问道。“咱们的盛会停止啦？您的影子也见不到啦，索科洛夫在生我的气呢。”

“是啊，当然啦，很遗憾，”维克托说，“不过咱们在他家凭一时的激动胡乱说了不少。”

马季亚罗夫说：

“谁又会注意凭一时激动说出的话呢？”

他把脸凑到维克托跟前，他那睁得大大的、神情忧愁的大眼睛显得更忧愁了，他说：

“咱们的聚会停止了，倒也好。”

维克托问：

“怎么回事儿？”

马季亚罗夫一面呼哧呼哧喘着，一面说：

“应当告诉您，我觉得，卡里莫夫老头子是有任务的。懂吗？您好像跟他常常会面吧？”

“胡扯，我永远不会相信！”维克托说。

“您却没有想想，他所有的朋友，所有的朋友的朋友，已经化成灰土有十年了，跟他在一起的那一伙子连影子都没有了，只有他一个留下来，而且青云直上，当了院士。”

“这有什么？”维克托问。“我也是院士，您也是院士嘛。”

“就是这话。您想想这种美妙的命运吧。我，兴许您，先生，也不是小孩子。”

十

“维克托，妈妈刚刚才回来。”柳德米拉说。

符拉季米罗芙娜披着披肩坐在桌旁。她把一杯茶端到自己面前，却马上又推到一边，说：

“是这样，我和一个人说话的。那人在战争开始前见过米佳。”

她很激动，因此用特别平静、特别从容的语气说，她们车间试验室的一位同事的邻居家里来了一位乡亲，要在这儿住几天。那位同事当着那人的面偶然喊了一下符拉季米罗芙娜的姓，那人就问，在符拉季米罗芙娜家里有没有人叫米佳。

符拉季米罗芙娜下班后上那位同事家里去。才知道，那人是不久前才从集中营里释放出来的。他原是报社的校对。排字工人在排一篇社论时，把斯大林同志的姓氏排错了一个字母，他没有校对出来，因此坐了七年牢。战前因为他不老老实实，把他从科米自治共和国的集中营转押到远东的保密集中营，进入湖泊集中营系统，在那里和他住同一棚屋的有一个姓沙波什尼科夫的。

“我一听到他的话，就知道那是米佳。他说：‘他躺在床铺上，老是吹口哨：小黄雀，斑海雀，你在哪儿……’米佳在被捕前上我这儿来，我问他什么，他总是笑笑，总是在吹口哨：‘小黄雀……’今天晚上那人就要搭载货汽车上莱舍沃去了，他的家在那儿。他说，米佳有病，是坏血病，心脏也不大好。他说，米佳不相信自己能获得释放。米佳对他说过我，说过谢廖沙。米佳在厨房里干活儿，都认为这种活儿是上等活儿。”

“是啊，要干这种活儿，得上两次大学呢。”维克托说。

“这事儿可不能相信，万一是派的人来暗地试探呢？”柳德米拉说。

“谁需要试探一个老婆子？”

“不过，维克托是在很重要的单位里，自有人想知道他的情况。”

“算啦，柳德米拉，这是胡思乱想。”维克托生气地说。

“他为什么得到释放，他说了吗？”娜佳问道。

“他说的一切，都是不可思议的。那里有许许多多人，我觉得，那是个不可理解的世界。他好像是从另外的国度来的人。他们有自己的风俗，自己的中世纪和新世纪历史，自己的谚语……

我问他为什么获得释放，他很吃惊：‘您怎么不明白，给我定案啦！’我又不明白，原来，身体太弱、快要死的人是会释放的。他们集中营里有这样的分类：苦力、糊涂虫、狗腿……我问：1937年许许多多人得到的判决，十年没有通信自由，是怎么回事儿？他说，他换过几十个集中营，没遇到一个人是这样判决的。那些人又到哪儿去了呢？他说，不知道，集中营里反正没有。

伐木，超额，迁徙转移……他说得使我非常难过。米佳也待在那里面，也在说：苦力、糊涂虫，狗腿……他还说了说自杀的方法：在科雷马沼地上，不吃东西，一连几天光是喝水，就这样死于水肿，他们把这叫做‘喝水’‘开始喝水’，当然，心脏有毛病才用这种死法。”

她看着维克托那紧张而痛苦的脸和女儿那皱得紧紧的眉头。

她很激动，觉得头非常疼，嘴里发干，但她继续说下去：

“他说，在路上和在军车里比在集中营里更可怕，刑事犯作威作福，剥衣服，抢吃的东西，拿政治犯的性命当赌注，输了的就用刀杀人，被杀的人直到死也不知道自己的命是别人的赌注。还有更可怕的：在集中营里刑事犯处处占据着领导地位，棚屋大组长、采伐队长都是刑事犯，政治犯丝毫无权，拿他们不当人看，刑事犯还管米佳叫‘法西斯分子’。”

符拉季米罗芙娜放大了声音，像对群众讲话一样说：

“后来又把这个人从米佳那个集中营转押到瑟克特夫卡尔。在战争的第一年，中央派了一个姓卡什科津的人到米佳所在的那一类集中营里去，布置杀害了好几万犯人。”

“哎哟，我的天呀，”柳德米拉说，“我很想明白：斯大林是不是了解这种可怕的事？”

“哎哟，我的天呀，”娜佳很气愤地学着妈妈的语调说，“难道你不明白吗？他们是斯大林下命令杀的呀。”

“娜佳，”维克托说，“住嘴！”

维克托就像有些人一样，感觉似乎旁边有人注视着他心里的毛病，忽然发起火来，朝娜佳吼道：

“你别忘了，斯大林是最高统帅，正率领军队同法西斯作战，你的奶奶直到一生的最后一天都指望着斯大林，我们生活、呼吸，都因为有斯大林和红军……你还是先学学揩鼻涕，然后再责备斯大林，是斯大林在斯大林格勒挡住了法西斯。”

“斯大林坐在莫斯科，在斯大林格勒挡住法西斯的，你也知道是谁，”娜佳说，“真不知道你是怎么一回事儿，你从索科洛夫家回来,也说过我说的这话……”

他对娜佳的气更大了,他觉得这股气一辈子都消不了。

“我从索科洛夫家回来,根本没说过类似的话,你别胡扯,”他说。

柳德米拉说:

“就在苏联的孩子们纷纷为国战死的时候,干吗要提这些可怕的事?”

但是娜佳也马上说出她所理解到的爸爸心中的隐秘和弱点。

“哼,当然啦,你什么也没有说,”她说,“现在嘛,现在你在研究中取得了那样的成就,在斯大林格勒也把德国人挡住了……”

“你怎么能……”维克托说,“你怎么能怀疑爸爸虚伪呀!柳德米拉,你听见没有?”

他希望得到妻子的支持,但柳德米拉没有支持他。

“你有什么大惊小怪的?”她说。“你说的话她听了不少。这都是你和你那个卡里莫夫说的,和那个讨人嫌的马季亚罗夫说的。玛丽亚也常对我说起你们谈的话。而且你自己在家里也说了不少。唉,还是快点儿回到莫斯科去吧。”

“够啦,”维克托说,“我早就知道你要对我说什么样的痛快话了。”

娜佳没有再说话。她的脸变得像老太婆一样委顿、难看,她扭过头,背着爸爸,但是他还是看到了她的眼神,她用那样痛恨的眼神看他,他吃了一惊。

气氛显得非常窒闷,空气中似乎包含了太多的沉重的、不好的东西。几乎在每个家庭中一年年暗地生长着的东西,可能作怪、可能平息、因为相爱和相互信任而被压抑着的东西，现在冲了出来，浮到表面上，漫了开来，充塞在生活中，似乎在父亲、母亲和女儿之间仅仅存在着不了解、怀疑、气恼和责难了。

难道他们的共同命运产生的只有分歧和隔阂吗？

“奶奶！”娜佳唤道。

维克托和柳德米拉同时看了看符拉季米罗芙娜。她坐在那里，用手紧紧按着额头，好像头疼得不得了。

她是那样软弱无力，似乎她和她的痛苦谁也不稀罕，只能妨碍别人，使人生气，使家里人不和，她这个一辈子刚强、坚毅的人，这会儿坐在那里，那样孤单，那样软弱——这一切流露着一种说不出的可怜意味。

娜佳忽然跪下，把额头贴到奶奶的腿上，说，

“奶奶，亲奶奶，好奶奶……”

维克托走到墙边，打开收音机，硬纸板麦克风嘶哑地响起来，大声叫起来。似乎广播的是秋夜的雨雪天气，似乎在战场的前沿阵地，在战火烧毁的村庄，在士兵的坟头上，在科雷马和沃尔库塔，在野战机场上，在冷雨和初雪打湿了的卫生营帆布篷顶上，正是一片雨急风狂、雪花漫舞的景象。

维克托看了看妻子那愁眉不展的脸，便走到岳母跟前，抓起她的手，吻起手来。

然后，他俯下身去，抚摩娜佳的头。

似乎在这几分钟里一切都没有变化，房里依然是这几个人，他们依然十分痛苦，他们的命运依然如故。只有他们自己知道，他们的痛苦不堪的心在这几分钟里充满了多么神奇的温暖……

忽然一个很响的声音冲进房里：

“一天来，我军在斯大林格勒地区，在图阿普谢西北和在纳尔奇克地区同敌人继续进行战斗。其他战线没有任何变化。”

十一

德军中尉别捷尔·巴赫因为肩部被子弹打伤，进了军医院。他的伤势不重，送他上救护车的同伴们祝贺他走运。

巴赫怀着一种幸福感，同时疼得哼哼着，由卫生员搀扶着前去洗澡。

一接触到热热和和的水，真是说不出的快活。

“比在战壕里舒服吧？”卫生员问道。他希望对伤员说点儿快活的，就又说：“等您出院的时候，大概那儿全都收拾好了。”

他朝那个方向指了指，那边不停地传来响成一片的轰隆声。

“您来这儿不久吧？”巴赫问。

卫生员用树皮擦子给中尉擦了几下脊背之后，说；

“您为什么断定我来这儿不久？”

“这儿已经没有人认为战事会很快结束。这儿的人都认为战事很快结束不了。”

卫生员看了看澡盆里光着身子的中尉。巴赫想起来：军医院工作人员有责任汇报伤员的思想，而他的话表现出他对德军威力不相信。于是他一字一顿地又说了一遍：

“是啊，卫生员同志，这事怎样结束，目前还没有人知道呢。”

他为什么把这句危险的话重说一遍？这是只有生活在极权

制帝国的人才能明白的。

他重说一遍，是因为他很生气，不该在说过第一遍之后就害怕了。他重说一遍，也带有防备的目的——想骗骗他所设想的这个告密者，表示自己有口无心。

过了一会儿，他为了消除有关自己的反对立场的不好印象，又说：

“我们在这里集中这样多的兵力，可能自从战争开始以来还不曾有过。请相信我的话，卫生员同志。”

后来他厌烦了这种又复杂又伤脑筋的把戏，一心一意玩起儿童游戏：把热热和和的肥皂水攥在手里，使劲攥，那肥皂水一会儿射到澡盆沿上，一会儿射到巴赫自己的脸上。

“喷火器就是这样喷射。”他对卫生员说。

他瘦了多少呀！他看着自己的光光的两臂和胸膛，想起两天以前吻他的那个俄罗斯年轻女子。他何曾想到，在斯大林格勒会跟一个俄罗斯女子有这样一段艳史？当然，这还很难叫做艳史。只不过是偶然的战地艳遇。那是一种很不平常、难以想象的环境，他们在地下室里相遇，他在一片瓦砾中向她走去，一阵阵爆炸的火光映照在他身上。那在小说中也是一种十分精彩的场面。昨天他应该去找她的。她大概以为他已经牺牲了。等他康复后，一定还要去找她。真想知道，是谁填补了他的位子呢？自然界是不兴留空缺的呀……

洗过澡以后，很快把他带到X光室，X光医师让他站到X光透射机前。

“中尉，澡堂里热吗？”

“咱们又不是俄罗斯人，热一点儿不在乎。”巴赫回答说。他想给医生一点儿好印象，希望得到很好的诊断，动起手术也会轻快些，不怎么疼。

外科医生走了进来。两位医生看了看巴赫的内脏，可以看清已经在胸腔里钙化了的过去的各种病灶。

外科医生抓住巴赫的胳膊，把他转来转去，一会儿拉着他贴到荧光屏上，一会儿把他拉远一点儿。他注意的是弹片伤，至于伤的是一个受过高等教育的年轻人，那是无关紧要的情况。

两位医生说起话来，夹杂着拉丁语和开玩笑的、骂人的德国话，于是巴赫明白了，他的伤情不严重，胳膊还能保得住。

“请你们准备给中尉做手术，”外科医生说，“我还要在这儿看看一种复杂的伤情——颅部重伤。”

卫生员脱去巴赫的伤员服，一名外科护士叫他坐到凳子上。

“见鬼，”巴赫苦笑着说，并且因为自己光着身子感到不好意思，“小姐，应该先把凳子弄热和一点儿，再让斯大林格勒大战参加者的光屁股坐到上面。”

她连笑也没笑，回答他说：

“伤员同志，我们可没有这样的任务。”她说过这话，便把手术用具从玻璃橱里一样一样往外拿，巴赫一看到就觉得害怕。

可是摘除弹片的手术进行得又快又轻松。巴赫甚至生起医生的气，认为医生是在向伤员散布瞧不起小手术的思想。

那位外科护士问巴赫，要不要把他送到病房里去。

“我自己能走。”他说。

“您在我们这儿不会待很久的，”她用安慰的语调说。

“太好啦，”他说，“要不然，我已经开始苦闷啦。”

她笑了。

这位护士显然是按照报纸通讯来想象伤员的。作家和记者们在通讯里写的伤员，总是偷偷地从军医院里跑出去，跑回自己的营里和连里；他们一定要向敌人开枪开炮，不这样就不能过日子。

也许，记者们在军医院里也碰见过这样的人，不过当巴赫躺在铺了干净被单的床上，吃了一碗大米饭，又抽了一支烟（在病房里严禁抽烟），和邻床的人聊起来的时候，他可是感到快活得不得了。

病房里有四名伤员：三名是前方下来的军官，第四名是文官，凹进去的胸脯，凸出来的肚子，是从后方来办公事，在古姆拉克地区遭遇车祸。在他仰面躺着，把两手放在肚子上的时候，就好像有人和这位大叔开玩笑，往他的被窝里塞了一个足球。

显然，他就是因为这种伤得了个外号“守门员”。

守门员在所有的人当中，是唯一表示遗憾的，因为受伤不能报效国家。他常常用慷慨激昂的语调谈起祖国、军队、天职，说他因为在斯大林格勒受伤感到光荣。

为民族流过血的前方军官们，常常嘲笑他的爱国主义。

其中有一位侦察连长克拉浦，因为屁股受伤，天天趴在床上，苍白的脸，厚厚的嘴唇，凸凸的棕色眼睛，他对守门员说：

“看样子，您这样的守门员不仅能把球挡回去，也会把球踢进去。”

这位侦察连长是个色情狂，他主要谈的是两性关系。

守门员想讽刺一下对方，问道：

“为什么您没有晒黑呀？您大概是在办公室工作吧？”

可是克拉浦不是在办公室工作的。

“我是夜里的鸟儿，”他说，“我打食儿都是在夜里。我跟娘儿们睡觉是在白天，和您不一样。”

在病房里常常骂官僚们，他们一到晚上就坐小汽车从柏林上别墅去；骂那些军需官们，他们得勋章比作战的人都便当；谈作战的官兵家庭的贫困，不少人家里的房子都被炸毁了；骂后方的浪荡子勾引军人的妻子；骂前方的小货摊光卖香水和刮脸刀片。

睡在巴赫旁边的是盖尔涅中尉。巴赫原以为他是贵族出身，谁知他却是个农民，是德国国家社会主义党政变中涌现的人物之一。他担任一个团的副参谋长，在夜晚空袭中被弹片炸伤。

在把守门员送去做手术的时候，躺在角落里的很憨厚的上尉弗列谢尔说：

“我从1939年就打仗，可是我从来没有夸耀过自己的爱国主义。给我吃，给我喝，给我穿，我就打仗。没有什么道理好说。”

巴赫说：

“不对，不能那样说。打过仗的人嘲笑守门员的虚伪，这里面就有自己的道理。”

“是这样啊！”盖尔涅说。“请问，这究竟是什么样的道理？”

从他那很不和善的眼神，巴赫很习惯地感觉到他是一个仇恨希特勒以前的知识分子的人。巴赫看到和听到许多言论，说是旧知识分子倾慕美国财阀，说旧知识分子暗地倾向犹太旧教和犹太观念，在绘画和文学方面喜欢犹太风格。巴赫感到非常气愤。现在，当他愿意向新型人物的粗暴势力低头的时候，为什么还拿阴沉的、像狼那样的怀疑目光看他呢？难道他不是和他们一样，也挨过虱子咬，也挨过冻吗？他们竟不把他这个前沿阵地的军官当成德国人！巴赫闭上眼睛，转身朝着墙。

“您为什么问得这样恶毒？”他生气地说。

盖尔涅带着鄙夷和优越的笑容说：

“您好像没有明白吧？”

“我对您说，我是没有明白，”巴赫很生气地回答说，又补充说：“就是说，我正在猜想呢。”

盖尔涅当然笑了。

“哦，是阳一套阴一套吧？”巴赫高声说。

“就是，就是阳一套阴一套。”盖尔涅快活地说。

“是心里有鬼吧？ ”

这时候弗列谢尔哈哈大笑起来。克拉浦用胳膊肘支起身子，非常不客气地看了看巴赫。

“败类，”巴赫用打雷一样的声音说，“这都是人难以想到的，不过，盖尔涅，您已经是介乎猴子和人之间了……咱们说真的。”

他恨得打了一个寒颤，眯紧了本来就闭起的眼睛，在心里说：

“你们只要就任何小问题写出一个小册子，马上就仇恨起为德国科学奠定基础和砌墙的人。你们只要写进一本薄薄的小说，马上就瞧不起有光荣传统的德国文学。你们是否以为科学和艺术有点儿像官场，老一辈的官员妨碍你们晋升？你们和你们的书越来越没有出路啦，科赫、能斯脱、普朗克、凯勒曼已经在挡你们的路啦……科学和艺术不是官场，是无垠的天空下的帕耳纳斯山,永远是宽阔的,整个人类历史长河中所有的天才在那儿都有足够的地方可以生存,只是容不得你们和你们的恶果。不过这不是没有地方,只是那儿不是你们待的地方。可是你们还在忙着清除场地,然而你们那可怜的、吹不起来的气球不会因此就升高一点儿。你们赶走爱因斯坦,你们永远不能填补他的位置。是的,是的,爱因斯坦,他当然是犹太人,不过,对不起,他确实是天才。世界上还没有那样大的权力,能够帮助你们接替他的位置。你们想想吧,值不值得花那样大的力量来消灭那些人,那些人的位置是永远无法填补的。如果你们不够格,不能走希特勒开辟的道路,那也只能怪你们自己;不能恼恨够格的人。在文化方面使用警察式的仇恨办法,是毫无用处的！你们瞧,希特勒和戈培尔对这一点认识得多么深刻？他们以身作则在教导我们。他们在对待德国科学、绘画、文学方面表现得多么喜爱,多么有耐心,多么有策略。就要学他们的样子,走团结的道路,不能给我们德国的共同事业造成分裂!"

巴赫不出声地说完这番话,睁开眼睛。旁边的人都还躺在被窝里。

弗列谢尔说:

"伙计们,往这儿看!"他像变戏法一样从枕头底下抽出一瓶意大利白兰地。

盖尔涅的喉咙里发出一种奇怪的声音。只有真正的酒徒,而且只有农村里的真正酒徒看到酒瓶才会露出这样的神情。

"他这人不坏嘛,从各方面看,他不坏。"巴赫想道。并且因为自己说出的和没有说出的歇斯底里的话感到不好意思起来。

就在这时候,弗列谢尔用一条腿蹦着,往几个床头小柜上的玻璃杯里斟酒。

“您是野兽。”侦察连长笑着说。

“这可是能征惯战的中尉。”盖尔涅说。

弗列谢尔说:

“一位医官发现了我的酒瓶,问:‘您这报纸里面包的是什么?’我回答说:‘这是妈妈的来信,我一直带在身边。’”

他举起杯,说:

“来吧,中尉弗列谢尔向你们致敬!”

大家一饮而尽。

盖尔涅马上就想再喝一杯,就说:

“噢,应该还要留一杯给守门员呀。”

“守门员去他妈的吧,你说是吗,中尉?”克拉浦问道。

“让他为祖国效劳吧,咱们喝咱们的,”弗列谢尔说。每个人都希望活着嘛。”

“我现在来劲儿了,”侦察连长说。“这会儿顶好再来一个不胖不瘦的娘们儿。”

大家都快活起来,轻松起来。

“好,再来一杯。”盖尔涅举起杯来。

大家又喝干了。

“咱们能住到一个病房里,太好啦。”

“我一看,马上就断定:‘这才是真正的伙伴,都是上过火线的。’”

“可是说实话,我怀疑过巴赫,”盖尔涅说,“我心想:‘哼,这是党里的人。'"

"不,我不是党里的。"

他们摔开被子,躺了下来。大家都觉得热起来。谈起前方的事。

弗列谢尔原来在右翼,在奥卡托夫镇一带作战。

"谁他妈的知道,"他说。"苏联人简直不会打进攻仗。可是到十一月初,我们也停住了。我们在八月里喝了多少伏特加呀,天天举杯祝贺:'但愿战后不要失去联系,要成立攻克斯大林格勒老战士协会。'"

"他们进攻的本领不算差。"在工厂区作过战的侦察连长说。"他们不会固守。他们只要把我们从楼房里打出来,要么马上就睡觉,要么就吃起东西,军官们就喝起酒来。"

"他们都是一些野蛮人。"弗列谢尔说着,挤了挤眼睛。"我们在这些斯大林格勒野蛮人身上耗费的钢铁,比在整个欧洲耗费的还要多。"

"不光是耗费钢铁,"巴赫说,"在我们团里有一些人,常常无缘无故地哭起来,并且像公鸡一样叫起来。"

"如果到冬天事情还不能解决,"盖尔涅说,"那就要打起中国式的战争。像那样打来打去,毫无意思。"

侦察连长小声说:

"我告诉你们,咱们正准备在工厂区发动攻势,调集的兵力超过以前任何时候。近几天就要打响了。到十一月二十日,咱们都可以跟萨拉托夫的姑娘们睡觉了。"

在挂了窗帘的窗户外面响起粗大、雄壮而沉着的隆隆炮声、夜袭的飞机的轰轰声。

“苏联飞机出动了,”巴赫说,“他们的飞机在这时候进行轰炸。有些人管它们叫‘锯神经的锯子’。”

“在我们团部里管它们叫‘值班士官’。”盖尔涅说。

“别作声!”侦察连长竖起一个手指头。“你们听,这是重型炮!”

“可是我们却在轻伤员病房里喝酒呢。”弗列谢尔说。

于是他们在这一天里第三次快活起来。

他们谈起苏联的女人。每个人都有可谈的。巴赫一向不喜欢谈这些事。

但是在军医院的这天晚上,巴赫却说起住在被炸毁的楼房的地下室里的季娜,说得很带劲儿,大家都在笑。

卫生员走进来,打量了一下一张张的笑脸,就动手收拾守门员床上的被单。

“这个柏林来的祖国的卫士出院了吧?受伤是装的吧?”弗列谢尔问。

“卫生员,你怎么不说话?”盖尔涅说,“我们都是男子汉嘛,他要是有什么情况,就对我们说说。”

“他死啦,”卫生员说,“心肌麻痹。”

“你们瞧,满嘴爱国主义,落了个这样的结果。”盖尔涅说。

巴赫说:

“这样说死人,可不大好。他并不是说假话,他用不着在咱们面前说假话嘛。就是说,他是真心实意的。伙计们,这样不好。”

“哦,”盖尔涅说,“怪不得我觉得这位中尉是奉党的命令上我们这儿来的。我一下子就明白了,他是新的思想类型的。”

十二

夜里,巴赫睡不着,他太舒服了。想起掩蔽所,想起一起作战的伙伴,想起莱纳尔德的到来,他甚至还和他一起透过掩蔽所开着的门眺望落日,一起抽烟、喝暖水瓶里的咖啡,——他感到非常奇怪。

昨天,他要上救护车的时候,他还用没有受伤的胳膊抱着莱纳尔德,他们互相凝视着,笑了起来。

他何曾想到,他会在斯大林格勒的土室里同这个纳粹分子共饮,在炮火照耀的瓦砾场上去找自己的俄罗斯情人。

他的变化异常奇怪。多年来他一直痛恨希特勒。当他听到无耻的白发苍苍的教授说,法拉第、达尔文、爱迪生是一伙儿偷窃德国科学的盗贼,而希特勒才是古今各国最伟大的学者的时候,他怀着幸灾乐祸的心情想:“哼,算啦,这都是腐朽不堪的东西,这一切统统要完蛋。”还有那些小说用惊人的虚伪笔调描写没有缺点的人,描写高尚的工人和农民的幸福,描写英明的党的教育工作,同样引起他的反感。哼,杂志上发表的那些诗多么不像样子。这一点使他特别生气。他在中学里就写诗了。

可是现在他在斯大林格勒想入党了。当他是小孩子的时候,他怕父亲在争论中把他说服,常常用手捂住耳朵,喊:“我不愿意听,不听,就是不听……”可是现在他听了!世界绕着轴心转了个身。

他依然非常厌恶平庸的戏剧和电影。也许，人们在几年、十几年中读不到好的诗歌，又有什么办法呢？不过就是在今天也有可能写出真理！因为德国精神就是主要的真理，是世界的理想。要知道，文艺复兴时期的大师们就是在根据王公和主教的指示而写出的作品中也能表现最伟大、最可贵的精神。

侦察连长克拉浦还在睡着，他一面参加夜战，一面大声叫喊着，他的喊声大概在外面都能听得见："手榴弹！手榴弹！"他想爬，就很别扭地翻了个身，疼得叫了起来，后来又睡着了。打起鼾来。

甚至也使他打颤的对犹太人的残杀场面这会儿又重新出现在他的脑际。啊，如果他有权，他马上就下令制止对犹太人的大批屠杀。不过，虽然他有不少犹太朋友，应该说实在的；德国人有德国人的性格，德国人有德国人的精神，而犹太人有犹太人的性格，犹太人有犹太人的精神。

马克思主义破产了！一个人，父亲和母亲当年都是社会民主党人，是很难想到这一点的。

马克思就像一个物理学家，将物质构造理论的基础建立在互相排斥的力量上，忽视了全世界性的吸引力。他为阶级互相排斥的力量下了定义，他是人类有史以来对这种力量研究得最透彻的。但是他也和一些有伟大发现的人一样，片面地认为，他所证实的阶级斗争力量是唯一能决定社会发展和历史进程的。他没有看到民族的超阶级团结的强大力量，他这种物理学忽视了世界各民族凝聚的规律。

国家不是结果，国家是原因！

有一种很神秘、很奇怪的规律决定着民族的国家的诞生。国家是一种真正的结合体，只有国家能够代表千百万人的特别珍贵的、长远的东西，能够代表德国人的性格、德国的源流、德国人的意志、德国人的牺牲精神。

巴赫闭着眼睛躺了好一会儿。为了能睡着，他想象出一群羊：一头白羊，一头黑羊；又是一头白羊，一头黑羊；又是一头白羊，一头黑羊……

吃过早饭以后，巴赫给妈妈写信。他皱着眉头，叹着气，知道妈妈看到他写的内容，不会高兴的。但是，他近来的感觉，就应该对妈妈说说。他在回去度假的时候，什么也没有对她说。但她看出他的焦躁，看出他不愿意听没完没了地回忆父亲的事，——如今依然是这样。

她会想，他背叛父亲的信仰了。可是他没有。他倒是恰恰不肯背叛。

伤员们经过早晨的治疗，都疲乏了，所以都静静地躺着。夜里抬来一名重伤员，放在原来守门员的床上。他还在昏迷状态中，无法弄清他是哪一部分的。

怎么能向妈妈说清楚，今天新德国的人比小时候的朋友和他更亲近？

卫生员走进来，问道：

“谁是巴赫中尉？”

“是我。”巴赫说着，拿手盖住开了头的信。

“中尉先生，有一个苏联女人打听您。”

“打听我？”巴赫吃惊地问。他马上想到，这是他在斯大林格勒的情人季娜来了。她怎么会知道他在哪儿呢？可是他马上明白了，这是连里的救护车司机告诉她的。他很高兴，很感动：因为这要摸黑走出来，要搭顺路汽车，还要步行七八公里。于是他好像看到了她那大大的眼睛、苍白的脸，她那细细的脖子、头上的灰头巾。

病房里哈哈大笑起来。

“瞧咱们的巴赫中尉！”盖尔涅说。“这是他在当地居民中干出的成绩。”

弗列谢尔摆动了几下两手，就好像要抖掉手指头上的水，说：“卫生员，叫她到这儿来吧。中尉的床够宽的。我们就让他们成亲。”

侦察连长克拉浦说：

“女人和狗一样，男人到哪儿，她到哪儿。”

忽然巴赫生起气来。她是怎么想的？她怎么能上军医院里来？因为严禁军官和苏联女人有什么关系。万一在军医院里工作的有他家的人或者他的朋友福斯特家的人呢？只有那么一点不怎么样的关系，即使是一个德国女子，也未必敢来找他。

似乎那个昏迷中的重伤员正在厌恶地冷笑呢。

“请告诉那个女人，我不能出去见她。”他阴沉地说。并且为了不参与说笑，他马上拿起铅笔，念起已经写好的几行：

“……奇怪的是，多年来我认为国家压制着我。可是现在我明白了，正是国家代表着我的心意。我不希望命运一帆风顺。如果有必要的话，我可以同老朋友断绝关系。我知道，我要投奔的一些人永远不会真正拿我当自己人。但为了最主要的目标，我可以牺牲我的一切……”

病房里依然在高声说笑。

“安静点儿，别打搅他。他在给自己的未婚妻写信呢。”盖尔涅说。

巴赫笑起来。有时压抑着的笑很像抽泣，于是他心里想，他现在可以笑，也可以哭。

十三

有些将军和军官们，不是经常能见到第6步兵军团司令保卢斯的，都认为这位上将的思想和心情没有发生什么变化。举止风度、发布命令的特征、听取细小意见和重大报告时的笑容，都证明这位上将依然驾驭着战争的局面。

只有和司令特别接近的一些人，如他的副官阿丹斯上校、军团参谋长施密特将军，才了解保卢斯在斯大林格勒这段时间里的变化有多么大。

他依然显得很风趣，很宽厚，或者雍容自若，或者亲切地关怀下属的生活情形，依然牢牢操纵着指挥各团、各师作战的大权，依然能提升或降低下属的职务，批准奖赏，依然在抽自己习惯了的纸烟……但是最主要的、内心深处的状态却一天一天地在变化，而且正准备彻底变化。

他渐渐失去那种驾驭局面和时机的感觉。不久前，他见到司令部侦察科的报告，还只是用平静的目光匆匆扫一扫：苏军有什么打算，他们的后备兵力的调动有什么目的，都没有什么大不了的。

现在阿丹斯发现:每天早上他把一叠报告和文件放到司令的桌子上的时候,司令首先拿起的是有关苏军夜间行动的侦察报告。

有一次,阿丹斯改变了叠放文件的顺序,把侦察科的报告放在最上面。保卢斯打开公文夹,看了看放在上面的报告。他那长长的眉毛扬了起来,接着就把公文夹合上了。

阿丹斯上校明白了,他的做法很不聪明。保卢斯那种一闪即逝的、似乎很悲哀的目光使他大吃一惊。

过了几天,保卢斯看过了按往常顺序叠放的报告和文件之后,笑了笑,对自己的副官说:

“革新者先生,您显然是一个细心人。”

在这个寂静的秋日黄昏,施密特将军怀着几分得意的心情前去向保卢斯报告。

施密特顺着小镇的宽宽的街道朝司令住的房子走去,很快活地呼吸着寒冷的空气,寒冷的空气冲洗着夜里抽烟抽得发燥的喉咙,他望了望天空,只见天空被草原落日的模糊色彩染得斑斑斓斓。他的心里非常宁静,他想到绘画,想到午饭后的打嗝已经停止,不那么难受了。

他走在寂静而空旷的黄昏时候的大街上,在他的头脑里,在沉甸甸的大檐帽底下,装着全部设想,那是在最残酷的激战时必须说出来的,而在斯大林格勒战役时期这样的激战早晚会到来的。在司令请他坐下,准备好听他报告的时候,他就这样说了:

“当然,在我们作战的历史上,为了进攻是动员过大量大量的军事装备。不过，在这样小的作战地区，在陆地和空中造成这样的密度，我个人还从来不曾遇到过。”

保卢斯佝偻着身子坐着在听参谋长报告，似乎失去大将军风度，很匆忙、很听话地转着头，他的头随着施密特那指着图表线条和地图方块的手指头转悠。这次进攻是保卢斯筹划的。保卢斯已经定出进攻的兵力数据。但是现在，听着跟他共事多年的这位才华出众的参谋长的意见，他觉得，在未来作战计划的细节方面，他的一些想法是不现实的。

似乎施密特不是在陈述已经变为作战计划的保卢斯的设想，而是把自己的意见硬加给保卢斯，他与保卢斯的意见相反，准备使用步兵、坦克、工兵营发动进攻。

“是啊，是啊，密度太大了，”保卢斯说，“如果和咱们左翼的空虚相比，那就显得太突出了。”

“没办法呀，”施密特说，“东方的土地太多啦，比咱们德国的兵还多。”

“不光是我担心这一点，冯·魏克斯也对我说：‘咱们打人不是用拳头，而是挓挲开手指头，分散在无边无际的东方土地上。’担心这一点的不光是魏克斯。不担心的只有……”

他没有说完。

一切情况在意料之中，又在意料之外。

近几个星期的战斗中出现了偶然的情况不明和一些小小的失利，似乎从中就可以看出战争的新的、可悲的、毫无希望的真正实质。

侦察队不断地送来有关苏军在西北面集结的情报。空军无法阻止他们的集结。魏克斯在保卢斯军团的两翼已经没有后备兵力。魏克斯在罗马尼亚军队中设置德军广播电台,想迷惑苏军。但罗马尼亚人并没有因此就成为德国人。

一开始似乎所向无敌的对非洲的远征和在敦刻尔克、挪威、希腊对英国人的大规模镇压,结果仍没有占领英伦三岛;在东方的巨大胜利,朝伏尔加方向推进几千公里,结果并没有彻底击溃苏军。总以为大局已定,即使尚未彻底胜利,那这也只是偶然的不顺利,微不足道……

他与伏尔加河之间这几百米距离,这毁了一半的工厂,这烧焦的、空荡荡的一座座楼房残壁,与夏季攻势中攻占的广大地区相比,又算得了什么?……但是在埃及的沃土地带与隆美尔将军之间,也还有几千公里的沙漠。而且为了在已占领的法国取得完全胜利,再打几个敦刻尔克战役还是不行的……不论哪里总是差几千公里,不能彻底打垮敌人;不论哪里两翼总是空虚,所向无敌的军队背后总是留下广大的地区,后备兵力总是不足。

今年夏天又是何等气势呀!那些日子里他的感觉,恐怕一生中只能有一次。他感到自己的脸上已经有印度的气息。如果排山倒海的狂涛巨澜能够感觉的话,那么,其感觉正如他的感觉。

在这几天出现一种想法,认为德国人的耳朵已经习惯了弗里德里希的名字。当然,这是一种开玩笑的、不认真的想法,不过总是存在的。但正是在这些日子里,有一粒不怀好意的很硬的砂子不知是在脚下还是在牙齿中间咯吱响了一声。在司令部里依然是一片胜利和幸福的紧张气氛。他在接收各部指挥官的书面报告,听取口头报告、无线电报告、电话报告。似乎这不是繁重的作战工作，而是德国胜利的象征性表现……保卢斯着起话筒。“上将大人……”他从声音听出这是谁在说话。战时用惯了的语调和电话中的嗡嗡声很不协调。

师长维德列尔报告说，苏军在他的地段上发动了进攻，他们的一支步兵，大约有一个加强营，冲到了西边，占领了斯大林格勒火车站。有一种苦恼感的产生，正是和这桩微不足道的事紧紧联系着。

施密特念完了一道作战命令的草稿，微微舒展了一下肩膀，并且抬了抬下巴，表示他还没有失去官场应有的感觉，虽然他和司令之间的私人关系很好。

突然，上将放低了声音，既不用军人语调，更不用大将军口气，说了几句很奇怪的、使施密特大惑不解的话：

“我相信能取胜。但是您知道吗？咱们在这个城市打仗没有必要，毫无意思。”

“真有点儿意外，进攻斯大林格勒部队的司令会说出这话。”施密特说。

“您以为意外吗？斯大林格勒已经不再是交通中心和重工业中心。既然这样，咱们在这儿又能干什么呢？高加索方面军的东北翼可以由阿斯特拉罕至卡拉奇这条战线掩护。斯大林格勒在这方面不起什么作用。施密特，我相信能取胜，我们能够拿下拖拉机工厂。但是这并不能掩护我们的侧翼。冯·魏克斯认为苏军一定要反攻。虚张声势吓不住他们。”

“随着战局的变化，战事的意义也会变化，不过元首一向是不达目的，决不罢休啊。”施密特说。

保卢斯认为,问题就在于最光辉的胜利都没有带来什么结果,因为都没有坚决、顽强地进行到底;同时他又认为,一位统帅的真正价值,就在于能够拒绝执行已经失去意义的任务。

但是,他看着施密特那凝视的、聪明的眼睛,却说,

“我们不能把自己的意志强加于伟大的元首。”

他拿过桌子上的进攻的命令,签了字。

“考虑到要特别保密,只发四份吧。”施密特说。

十四

达林斯基从草原的军团司令部来到一支部队,这支部队在斯大林格勒战线的东南翼,在里海地区缺水的沙漠地带。

现在达林斯基觉得那紧靠着河水和湖水的草原有点儿像仙土福地了,那儿又长芦苇,有些地方还有树,还有马嘶。

在沙漠化的平原上住着几千人,他们习惯了潮湿的空气、清晨的露水、干草的沙沙声。沙子击打着皮肤,往耳朵里直钻,在小米饭和面包里咯吧直响,食盐里有沙子,枪栓里有沙子,手表里有沙子,战士的梦里也有沙子……人的身体、鼻孔、喉咙、小腿肚子在这儿都很难受。人的身体生活在这儿,就好像一辆大车离开了平坦的车辙,在烂泥里咯吱咯吱地慢慢挣扎。

整个一天,达林斯基都在炮兵阵地上转,和人谈话,做记录,拍摄图表,察看大炮、弹药仓库。快到傍晚时候,他筋疲力尽,头嗡嗡响,腿也疼,在松软的沙地上走路他实在太不习惯了。

达林斯基早就发现,在撤退的日子里将军们往往特别关心下

属的生活需要;司令员和军委委员们都很大方地表现他们的自我批评精神、怀疑精神和谦虚精神。

在军队里,从来不曾像悲惨的撤退时期,像敌人节节取胜、我们的最高统帅部愤怒地追查失败的罪人的时期那样,有那么多的聪明人和无所不知的人。

但是在这里,在沙漠里,人们却懒洋洋的,对一切都很淡漠。司令部里的军官和队列军官们似乎认定,在这世界上没有什么事需要他们关心,明天,后天,一年之后,沙子反正还是沙子。

炮兵团参谋长鲍瓦中校请达林斯基到他那儿去过夜。这位中校虽然姓的是英雄故事中鲍瓦王子的姓,身子却佝偻着,秃顶,一只耳朵听力很差。他有一次奉命上方面军炮兵司令部去,他的非凡的记忆力使大家吃了一惊。似乎在他那安在又窄又佝偻的肩膀上的秃脑袋里,装的全是数字、炮兵连和营的番号、驻地名称、指挥员的姓名、高地的标志。

鲍瓦住的是一座木板小屋,墙上抹了黄泥和牛粪,地上铺了破碎的油毡。这座小屋和散布在沙漠上的其他军官的住处没有任何不同。

"哈,您好!"鲍瓦说着,使劲握了握达林斯基的手。"好吗,嗯?"他朝着墙指了指。"这儿就是住在抹了牛粪的狗窝里过冬。"

"是啊,这房子不坏! "达林斯基说着,就看到文静的鲍瓦再也不文静了,觉得很惊讶。

他请达林斯基坐在原来装美国罐头的一个空箱子上,给他倒了一玻璃杯酒,玻璃杯黏糊糊的,边上还沾满了牙粉,又把放在一张泡软的报纸上的一个青色的渍番茄推了过来。

“请吧，中校同志，这就是我的葡萄酒和水果了！”他说。

达林斯基像一切不会喝酒的人一样，小心翼翼地喝了一小口，就把杯子放到离自己远些的地上，便向鲍瓦问起军队中的事。但是鲍瓦偏要谈别的，不谈正事。

“唉，中校同志，”他说，“我满脑子都是军事，从来不想别的，我们在乌克兰的时候，那儿的娘儿们才漂亮哩，在库班，就更不用说了……简直是心甘情愿送上门，只要你挤挤眼睛就行！可是我这个傻瓜待在那儿动也不动，后来醒悟过来，已经在沙漠里了！”

达林斯基起初因为鲍瓦不愿谈每公里战线的平均密度问题和在沙漠地区迫击炮优于大炮的问题，非常生气，可是终于还是对新的话题有了兴趣。

“当然啦，”他说，“乌克兰的女子确实漂亮得不得了。在1941年，司令部驻扎在基辅的时候，我遇到一个乌克兰女子，是一位检察院工作人员的妻子，简直美极啦！”

他欠起身来，举起一只手，手指头碰了碰矮矮的顶棚，又说：

“至于库班，我的看法也和您一样。库班在这方面也占有头等地位，十个中就有九个是美人儿。”。

达林斯基的话鼓起了鲍瓦的劲头儿。

他骂了一声娘，用哭腔叫了起来：

“可是，您瞧瞧加尔梅克娘们儿那模样儿吧！”

“可不能这么说！”达林斯基打断他的话，并且头头是道地说起黑皮肤、高颧骨、带有野蒿气味和草原烟味的女子的美。他想起了草原的军团司令部里的阿拉，就总结了一下自己的长篇议论：“总而言之，您说的不对，到处有漂亮娘儿们。沙漠里没有水，这是对的，可是漂亮娘儿们还是有的。”

但是鲍瓦却没有接他的话。这时达林斯基发现，鲍瓦睡着了。他这才想到，主人已经喝醉了。

鲍瓦睡觉打鼾，鼾声很像垂危病人的呻吟。他的头从床上耷拉下去。达林斯基怀着俄罗斯男子对待醉汉的那种特别的耐心和善意把鲍瓦的头放到枕头上，又在他腿下垫了一张报纸，擦了擦他嘴上的唾沫，这才四下里看了看，考虑自己在哪儿睡。

达林斯基把鲍瓦的大衣铺在地上，又把自己的大衣扔在鲍瓦的大衣上，拿自己的鼓膨膨的军用包当枕头，这军用包在出差期间又是自己的办公室，又是食品仓库，又是盥洗用具储藏处。

他走到外面，呼吸了几口夜晚的冷空气，看到黑黑的亚洲天空的星光，高兴得啊呀了一声，解了一下小便，依然在望着星星，心里说：“宇宙好大呀！”便回来睡觉。

他躺在主人的大衣上，把自己的大衣盖在身上，却没有合上眼睛，反而把眼睛睁得大大的，——有一种凄凉感，使他大吃一惊。

四周围黑沉沉，空荡荡，好不凄凉！瞧，他就睡在地上，看到的是渍番茄的残渣，还有一个硬纸箱，里面装的好像是带有老大的黑色商标的短短的方格毛巾、皱皱巴巴的衬领、空空的枪套、压瘪的肥皂盒。

秋天他在上波格罗姆内住过的小房子，今天他觉得是很阔绰的了。过一年之后，今天这间可怜的小屋也许又成了豪华的了，将来有一天住到地窖里，既没有刮脸刀，又没有提箱、没有破裹脚布的时候，又会想起这小屋的。

他在炮兵司令部工作的这几个月,他的心里发生了很大的变化。如饥似渴地要求工作的愿望已经满足了。他已经不因为自己在工作而感到幸福。因为天天能吃饱的人并不感觉自己是幸福的。

达林斯基工作能力很强,领导很器重他。起初一段时期这使他非常高兴,因为他难得有被人看重、被人珍视的时候。多年来他习惯了相反的情形。

达林斯基没有考虑过,为什么他心中产生了胜过同事们的感觉,却没有产生对同事们的宽容态度,——宽容是真正强者的特点。不过,显然他不是强者。

他常常发火,又嚷嚷,又骂人,然后很难过地看着被他骂的人,不过他从来不请求被他骂的人原谅。有些人恼恨他,但是不认为他是坏人。在斯大林格勒方面军司令部,对他的看法也许比过去在西南方面军司令部对诺维科夫的看法还要好些。据说,在一些大人物向莫斯科的一些更大的人物汇报时,常常整页整页地使用他的报告文稿。原来,在困难时期他的才智和他的工作都是有用的和有益的。战前五年他妻子离开了他,因为她认为他是人民的敌人,认为他巧妙地向她隐瞒了自己的无志气和两面派的本质。他常常因为出身不好找不到工作,——父亲和母亲的出身都不太好。起初他听说,不让他干的工作,却让极其愚蠢或者极其无知的人干了,他非常生气。后来他觉得,的确不能让他做重大的工作。他从集中营里出来以后,就真的感到自己各方面都不行了。

可是,在可怕的战争时期却不是这样了。

他把大衣朝肩膀上拉了拉，这样一来两条腿马上感触到从门缝儿钻进来的冷风，他心想，就在他的知识和本事用得上的时候，他却躺在这鸡窝里的地上，听着骆驼的嘹亮而难听的叫声，希求的不是疗养地和别墅，而是一条干净衬裤，希望能弄到一块肥皂头儿，洗一把澡。

他感到自豪的是，他的地位的提高和物质方面没有任何联系。但同时这也使他很气愤。

他在自信和自负的同时，在生活要求上却总是表现得很胆怯。他觉得，优越的生活条件永远不是他应该得到的。

他从小就习惯了这种不敢希求什么的感觉，习惯了已经成为习惯的总是没有钱的状况，习惯了经常感觉自己穿着寒碜的旧衣服。

就是在今天，在他一帆风顺的时候，他依然有这样的感觉。

他一想到，他要是上军委食堂去，服务员会说："中校同志，您应该在一般部队食堂用餐。"他就觉得害怕。有时在什么地方参加会议，有的将军会开玩笑，眨眨眼睛，说，"怎么样，中校同志，就在军委食堂喝碗加油甜菜汤吧？"他也觉得不自在。他看到，不仅是将军们，就连报社的记者们都像当家的那样笃定地在他们不应该得到享用的地方又吃又喝，又要汽油、服装、香烟，总是感到十分惊讶。

过去的日子一直是这样过的，他的父亲年年找不到工作，长年赡养一家人的是母亲，母亲是速记员。

到半夜时候，鲍瓦的鼾声停止了，达林斯基听到他在床上一点声息也没有，担心起来。

突然鲍瓦问道：

“中校同志，您没有睡吗？”

“没有，睡不着。”达林斯基回答说。

“真对不起，没有把您安排好，我喝醉了，”鲍瓦说，“现在我头脑清醒了，就像一点酒也没有喝。这会儿我躺在这儿，在想：咱们怎么来到这样的鬼地方啦？是谁让咱们来到这鬼地方的。”

“还能是谁，德国佬呗。”达林斯基回答说。

“您到床上来睡，我睡在地上。”鲍瓦说。

“不用，我在这儿挺好。”

“有点儿不像话，主人睡在床上，客人睡在地上，按照高加索风俗，可不应该这样。”

“没关系，没关系，咱们又不是高加索人。”

“差不多算高加索人啦，就在高加索山脚下嘛。您说，是德国佬让我们这样的，可是，您要知道，不光是德国佬，还有我们自己人。”

看样子，鲍瓦欠起身来：他的床咯吱响了几声。

“嗯，是啊……”他说。

“是啊，是啊。”达林斯基在地上说。

鲍瓦一下子把谈话推向特别的、异常的轨道，两个人都沉默下来，都在考虑，该不该和没摸底细的人谈这样的事。看样子，他们考虑之后，得出的结论是：不应该同没摸底细的人谈这类的话。

鲍瓦抽起烟来。

鲍瓦擦着火柴的时候，达林斯基看到了他的脸。他的脸好像很不舒展、很忧郁、很陌生。

达林斯基也抽起烟来。

在达林斯基擦火柴的时候,鲍瓦也看到了用胳膊肘支着身子的达林斯基的脸,他的脸好像很冷漠、很不亲切、很陌生。

不知为什么,在这之后偏偏谈起了不应该谈的话。

“是的。”鲍瓦说。不过这一次没有拉长声音,而是又短又干脆。“是官僚作风和官僚们让我们来到这儿的。”

“官僚作风是很坏的事。”达林斯基说。“我的司机说:战前在农村里的官僚作风十分严重,没有酒在农庄里别想弄到证明。”

“您别笑,这没有什么好笑的,”鲍瓦说,“您要知道,官僚作风可不是开玩笑的,官僚作风在和平时期把人折腾够了。在前方打仗的时候,官僚作风害起人来更够呛。在空军部队里有这样一件事:一架歼击机被击中,飞行员从着了火的飞机里跳出来,人好好儿的,裤子却烧坏了。可是,就是不发给他裤子!真荒唐,总务科副科长不肯发,说是还不到穿破的时候!飞行员三天没穿裤子,一直弄到军团司令那儿才解决。”

“这事儿荒唐是荒唐,”达林斯基说,“不过只是有的浑蛋不发裤子,不会因此就从布列斯特退到里海地区的沙漠上来。”

鲍瓦酸溜溜地哼哧了一声,说:

“难道我说是因为不发裤子?我再对你说一件事:有一个步兵排被包围了,没有东西吃。空军得到命令,要用降落伞向他们空投食品。可是军需处不发给食品,说是需要领用人在发货单上签字,如果从飞机上把这些东西给他们投下去,他们在下面怎么能签字呢?军需官就是不发。后来靠上面命令,才勉强发了。”

达林斯基笑了笑。

“有一件可笑的事，不过也是小事。只顾形式，不顾实际。在前方，官僚作风一表现出来就特别可怕。您可知道有一道‘不准后退一步’的命令？有一次，敌人对准几百人轰击，只要把人带到对面山坡上，人也安全，战略上也不吃亏，装备也能保住。可是有‘不准后退一步’的命令，所以就让待在炮火之下，人也完了，装备也完了。”

“就是，就是，一点不错，”鲍瓦说，“在1941年，从莫斯科派来两位上校，来我们军团里检查‘不准后退一步’这道命令的执行情况。他们没有汽车，我们在三昼夜之间从戈梅利往后跑了两百公里。我让两位上校坐到我们的吨半汽车里，免得他们落到德国人手里。他们在汽车里直打哆嗦，还一个劲儿地要求我：‘有关执行不准后退一步命令的情况，给我们提供一些材料。’他们要汇报，有什么办法呢？”

达林斯基往胸中吸了一大口气，就好像要潜入水深处，看样子，他确实潜入了深处，说：“有一名红军战士，是一个机枪手，保卫一处高地，一个人对七十个德国人，把敌人打退了，他也牺牲了，全军都向他表示敬意，可是他那害肺痨的妻子却被人从房子里赶出来，区苏维埃主席骂她：不要脸的女人，滚出去！这种官僚作风真可怕。有时候，让一个人填了二十四张履历表，可是到末了他自己在大会上承认：‘同志们，我不是你们的人。’您要知道，这也是官僚制度问题。要是一个人说：是的，是的，国家是工人农民的，可是我的爸爸妈妈都是贵族，是不劳动的分子，你们把我撵走，那就好了。这也是官僚制度问题。”

“可是我不认为这是官僚制度问题，”鲍瓦反驳说，“事实如此。国家是工人和农民的,是工人和农民在管理国家。这有什么不好的？这很好嘛。资产阶级国家不会让穷人来领导的。”

达林斯基愣了,看样子,对方完全想到别的方面去了。

鲍瓦擦着了火柴,却没有点烟,而是用火柴朝着达林斯基照了照。

达林斯基眯起眼睛,感觉就好像在战场上落到了敌人的探照灯灯光下。

可是鲍瓦说:

“我是地地道道的工人家庭出身,父亲是工人,祖父也是工人。我的出身历史都是清白的。可是我在战前也不受重用。”

“您究竟为什么不受重用?”达林斯基问。

“如果在工人农民的国家里,用慎重的态度对待贵族,我不认为是官僚作风。可是为什么我这样一个工人在战前要受压抑呢？不是往果品蔬菜公司的仓库里搬运土豆,就是扫街,我都不在乎。可是我恰恰用阶级观点发表了一下意见,批评了一下领导,说他们的日子过得太阔气了,我一下子就倒了霉。依我看,如果一个工人在自己的国家里都要吃苦受难的话,官僚作风的主要根源就在这里面。”

达林斯基马上感觉出来,对方这番话触及了非常重大的问题,并且因为谈这些激动人心、使心里火辣辣的事他还不习惯,也不习惯听别人谈这种话,所以心里感到说不出的畅快:因为毫无顾虑、毫无恐惧地发表意见,争论特别使人担心、使人激动,正因为特别使人担心、使人激动所以他从来没有同任何人谈过的事,实在是一种幸福。

在这里，在这小屋的地上，夜晚同这个朴实的军人在一起，这个人醉后又醒来，感觉到自己周围都是从西乌克兰来到这沙漠上的人，同这样一个军人谈话，似乎是另一种境况。于是出现了很随便、很自然、又盼望又期待然而很难理解、很难想象的情形，人与人真诚地谈了起来！

“您的话又对又不对，”达林斯基说，“穷光蛋进不了资产阶级的参议院，这样说是对的，但是穷光蛋如果成了百万富翁，就能进参议院了。福特就是工人出身。我们不让资产阶级和地主占据领导岗位，这是对的。但是如果给老老实实工作的人也打上犯罪印记，仅仅因为他的父亲或祖父是富农或者神甫，那就完全是另一回事儿了。这不算阶级观点。您以为我在集中营里受折腾的时候没有遇到普梯洛夫工厂的工人和顿涅茨矿工吗？要多少有多少！我们的官僚制度很可怕，因为这不是国家身上的赘疣，赘疣是可以割掉的。这种官僚制度所以特别可怕，因为官僚制度就是国家。在战争时期，没有任何人愿意为人事处长去牺牲。在申请书上批一个‘不同意’或者把士兵的遗孀赶出办公室，任何一个无能的奴才都能办得到。可是要把德国佬赶出去，就需要刚强的、真正的好汉了。”

“这话很对。”鲍瓦说。

“我不抱怨。我很感激，非常感激。非常感谢！我是幸福的！不过另一点就很不好：为了我能幸福，能为祖国贡献自己的力量，还要再来那样可怕的时期，那就糟了。那我再也不要这种幸福。去他妈的！”

达林斯基觉得，他还是没有深挖到主要的、他们所谈的问题的真正实质性的、能够一针见血地阐明现实问题的东西，不过他这一下子想了和说了平时不敢想和不敢说的事情，这使他感到非常高兴。他对自己的交谈者说：

“您要知道，这一生今后不论出现什么情况，我都不懊悔今天夜里同您的长谈。”

十五

莫斯托夫斯科伊在隔离室里过了三个多星期。给他吃得很好，党卫军的医生给他检查过两次，还开了处方，给他注射葡萄糖。

刚被关起来的时候，他一直等待着传讯，一个劲儿地埋怨自己：真不该同伊康尼科夫交谈；一定是那个糊涂老头子在搜查之前塞给他那几张可能有问题的纸，把他害了。

一天天过去，却没有传讯他。他思索着同犯人们进行政治谈话的题目，考虑可以吸收什么人参加工作。夜里睡不着的时候，他为传单打腹稿，挑选营里人交谈用的一些字眼儿，好让各种不同民族的人更容易打交道。

他想起了在奸细告密的情况下可以防止全面失败的一些秘密活动的传统办法。

他很想向叶尔绍夫和奥西波夫问问建立组织的最初几个步骤；他相信能够使奥西波夫消除对叶尔绍夫的偏见。

他觉得，又仇恨布尔什维克又盼望红军胜利的契尔涅曹夫实在可怜。他想到面临的审讯，心里几乎是平静的。

夜里,他的心脏病发作。他躺着,把头抵在墙上,难受得要命,只有在监狱里的快要死的人才会这样难受。他疼得昏迷了一阵子。等他苏醒过来,不怎么疼了,胸膛上、脸上、手上都出了一层汗。头脑里也出现了一种似是而非的、虚假的清楚状态。

他想起他和意大利神甫议论世界性罪恶的那番话,又联想起小时候有一天忽然下起雨来,他跑进妈妈做针线活儿的房间时那种幸福感;又联想起当年上叶尼塞流放地去看他的妻子,想起她那哭湿了的幸福的眼睛;又联想起面色苍白的捷尔任斯基,他在一次党的会议上向捷尔任斯基问起社会革命党一个可爱的小伙子的下落。捷尔任斯基回答说:"枪毙了。"又想起基里洛夫少校那苦闷的眼睛……又想起雪橇拖着的用被单盖着的朋友的尸体,朋友在列宁格勒被围的日子里没有得到他的帮助。

他那像小孩子一样的乱蓬蓬的头充满了幻想,他那老大的秃头顶贴在粗糙的集中营板墙上。

过了一阵子,遥远的事渐渐远去,越来越淡,渐渐失去色彩。他似乎慢慢沉入凉爽的水里。他睡着了,为的是在晨曦中重新听到笛声,迎接新的一天。

下午,把他带到澡堂里。他很不痛快地吸着气,打量着自己的胳膊和瘪瘪的胸膛。

"是啊,还不算老。"他想道。

等到带他来洗澡的士兵在手里捏着纸烟走出门去,一个正在用拖把擦洗水泥地的窄肩膀麻脸囚犯对莫斯托夫斯科伊说:

"叶尔绍夫要我向您报告一个消息:在斯大林格勒地区我军把德国佬所有的坦克打退啦。他要我告诉您,一切情况正常。他要您写传单，下一次洗澡的时候交给我。”

莫斯托夫斯科伊正想说，他没有铅笔和纸，但这时候一名看守走了进来。

莫斯托夫斯科伊在穿衣服的时候，摸到口袋里有一个纸包。里面有十块糖、一块用破布包着的奶油、一张白纸和一个铅笔头儿。

莫斯托夫斯科伊感到非常高兴。他希望有的东西全有了！可以不是在毫无意义地担心血管硬化、胃病、心绞痛的状态中结束生命了。

他把糖块和铅笔头儿紧紧按在胸前。

夜里，有一名党卫军的士官把他押出来，押着他顺着街道往前走。一阵阵冷风吹在他的脸上。他回头朝一座座沉睡的棚屋看了看，在心里说：“没什么，没什么，你们的莫斯托夫斯科伊同志神经不那么脆弱，同志们，你们好好儿地睡吧。”

他们走进集中营管理处大门。这里已经闻不到集中营里那种阿摩尼亚气味，可以闻到冰冷的烟草气息。莫斯托夫斯科伊发现地上有一根老大的烟头儿，他真想捡起来。

他们上了二楼，又上了三楼，那士官叫莫斯托夫斯科伊在擦脚垫上把脚擦干净，那士官自己也把鞋底擦了老半天。莫斯托夫斯科伊爬楼已经累得上气不接下气，这会儿尽可能平息一下气喘。

他们顺着铺在走廊里的长条地毯走去。

一盏盏小小的半透明的玻璃灯罩里透出柔和的、宁静的灯光。他们经过一个打磨得锃亮的门，门上挂着一个不大的木牌

“警备长办公室”，来到一个同样富丽堂皇的门前站住，门上的牌子是“党卫军少校利斯办公室”。

莫斯托夫斯科伊常常听到这个名字，这是秘密警察总头子希姆莱在集中营管理处的代表。莫斯托夫斯科伊觉得好笑的是，古泽将军曾经很生气，因为奥西波夫是利斯亲自审讯的，而审讯他古泽的却只是利斯的一名助手。古泽认为这是不看重队列指挥人员。

奥西波夫说过，利斯在审讯他的时候不用翻译，因为他原来是苏联里加市的德国人，精通俄语。

从里面走出一名年轻军官，对押解的士官说了几句话，便叫莫斯托夫斯科伊进办公室去，门依然开着。

办公室里没有人。地上铺着地毯，花瓶里插着鲜花，墙上还有一幅画：树林的边缘，一座座红瓦顶的农民房屋。

莫斯托夫斯科伊心想，他来到屠宰场场主的办公室里了，——旁边是要死的牲畜在哼哧，内脏在冒热气，屠宰手的身上溅满了血，可是场主这里却这样宁静，地毯这样干净，只有桌上那黑黑的电话机说明屠宰场和这间办公室是联系着的。

敌人！多么简直明了的字眼儿！又想起契尔涅曹夫，——在“狂飙突进运动”时代人的命运多么可怜。不过是戴了白手套的。于是莫斯托夫斯科伊看了看自己的手掌和手指头。

办公室里面的门开了。通向走廊的门也马上吱扭响了一下，看样子，是值班军官看到利斯来到办公室，把门掩上了。

莫斯托夫斯科伊皱紧眉头站着，等待着。

“您好。”一个灰军服袖子上带着党卫军标志的不高的人小声说。

利斯的脸上没有任何可憎的地方，因此莫斯托夫斯科伊觉得看到这张脸特别可怕。这是一张鹰钩鼻子的脸，凝视的黑灰色眼睛，宽大的额头，苍白的、瘦削的两腮，显露出一副爱劳动和清心寡欲的神气。

利斯等到莫斯托夫斯科伊咳嗽过了，说：

"我想和您谈谈。"

"可是我不想和您谈。"莫斯托夫斯科伊说过这话，侧眼朝远处的角落里看了看，估计利斯手下的刽子手们会从那边过来打他的耳光。

"我完全能理解您，"利斯说，"请坐吧。"

他让莫斯托夫斯科伊坐在安乐椅上，他也紧挨着坐下来。他说的俄语是一种没有特色、没有生活气息的冷的语言，是科普小册子里使用的语言。

"您身体不大好吧？"

莫斯托夫斯科伊耸了耸肩膀，什么也没有说。

"是的，是的，我知道。我派医生给您看了，他对我说过。我深更半夜里打扰您了。不过我实在想和您谈谈。"

"可不是嘛。"莫斯托夫斯科伊在心里说。他回答道：

"我是来受审的。咱们没有什么好谈的。"

"为什么？"利斯问道。"您看着我穿着制服。但我不是生来就穿这制服的。领袖和党分派穿制服，于是就穿上了，成了党的士兵。我一直是党内的理论家，我对哲学和历史问题很感兴趣，不过我是党员罢了。难道你们内务部的每个工作人员都赞赏卢比扬卡监狱吗？”

莫斯托夫斯科伊注视着利斯的脸。他心里想，这张苍白的、高额头的脸应该画在人类学图表的最低栏内，其进化程度相当于原始的尼安德特人。

“如果党中央派您去加强肃反委员会的工作，您能拒绝吗？您只能放下黑格尔的书，去工作。所以我们也放下了黑格尔的书。”

莫斯托夫斯科伊侧眼看了看说话的人，觉得这张肮脏的嘴说出黑格尔的名字，实在很奇怪，简直是亵渎……在拥挤的电车里，一个可怕的、老练的贼走到他跟前，要和他搭话。他听着，一心一意注视着贼的手，只要看到划包的刀片一闪，就照着眼睛打过去。

可是利斯抬起两手，朝手上看了看，说：

“我们的手和你们的手一样，是很爱干活儿的，不怕弄脏了。”

莫斯托夫斯科伊皱了皱眉头，觉得利斯的动作和似乎接续他的思路说出的话使人很难忍受。

利斯很快、很带劲儿地说起来，就好像以前已经和莫斯托夫斯科伊谈过，现在能够把打断的、没有说完的话说完，十分高兴。

“只要坐二十个钟头的飞机，您就可以到苏联的马加丹市，可以坐在自己的办公室里的椅子上了。您在我们这儿，可以和在自己家里一样，不过您不走运。你们的宣传机构竟和财阀的宣传机构一块儿丑化我们党的司法，我很痛心。”

他摇了摇头。接着又很快地说起令人吃惊、令人感到意外、又可怕又荒唐的话：

“在我们面对面互相看着的时候，我们看到的不仅是仇恨的面孔，我们是在照镜子。这是我们时代的悲剧。难道您没有在我们身上看到你们自己，看到你们的意志？难道在你们来说，世界不就是你们的意志，难道谁能够使你们动摇、使你们停止？”

利斯的脸凑近了莫斯托夫斯科伊的脸。

“您明白我的意思吗？我的俄语说得不太好，但我希望您能明白我的意思。您以为，您是在痛恨我们，但这是表象，实际上您是通过恨我们恨你们自己。很可怕，是吗？您明白吗？”

莫斯托夫斯科伊打定主意不说话，利斯也不一定要他说话。

莫斯托夫斯科伊有一会儿觉得，这个盯着他的眼睛的人并不想欺骗他，而是实心实意聚精会神地在说语，挑选着字眼儿。似乎他是在倾诉烦恼，请人帮他弄清使他苦恼的问题。

莫斯托夫斯科伊感到非常难受。似乎有一根针在扎他的心。

“您明白吗，明白吗？”利斯很快地说。他已经看不见莫斯托夫斯科伊了，他心里十分慌乱。“我们打你们的军队，但我们也是在打自己。我们的坦克冲击的不光是你们的国境，也是我们的国境，我们的坦克履带碾压的是德国的国家社会主义。真可怕，简直是梦里自杀。我们有可能失败得很惨。明白吗？如果我们胜利了，又会怎样？我们胜利了，我们就没有了你们，我们就要单独对抗痛恨我们的另外一个世界。”

这个人的话很容易驳倒。他的眼睛离莫斯托夫斯科伊更近了一些。但是有一种什么东西比这个老练的党卫军间谍的话更坏、更危险。这个东西有时在莫斯托夫斯科伊的心里和脑子里活动，并且吱咯吱咯地响，有时畏畏缩缩，有时响动得很厉害。这是一种很坏、很见不得人的怀疑，莫斯托夫斯科伊不是在异己者的话里发现的，而是在自己心里发现的。

就好比一个人怕生病，怕恶性肿瘤，却又不找医生，尽量不理会自己的病疼，不和家里人谈自己的病。现在有人对他说："您瞧，您常常这样疼，一般是在上午，一般是在……是的，是的……"

"您明白我的意思吗，老师？"利斯问道。"有一个德国人，您是非常了解他的判断能力的，他说，拿破仑一生的悲剧就在于他表现了英国精神，而英国正是他的死敌。"

"噢呀，这比打耳光都厉害，"莫斯托夫斯科伊心里想道，并且在心里说："他这是说的施本格勒。"

利斯抽起烟来，并且把烟盒递给莫斯托夫斯科伊。

莫斯托夫斯科伊生硬地说：

"不想抽。"

他想到，世界上所有的宪兵，不论四十年前审讯过他的那些宪兵，不论现在大谈黑格尔和施本格勒的这一个，都使用同样的笨拙办法：请被审讯的人抽烟；他一想到这一点，就比较坦然了。是的，说实话，这都是因为神经紊乱，由于意外：本来以为会挨耳光的，谁知却听到一番荒唐的、令人厌恶的话。不过，有些沙皇时代的宪兵也研究政治问题，其中也有一些真正有文化的人，有一个人还研究过《资本论》。可是不知道研究马克思的宪兵是否有这样的情况：突然在内心深处出现这样的念头——也许马克思是对的呢？在这种情况下那个宪兵有什么样的感觉呢？不过，不论怎样，宪兵不会成为革命者。他踩灭自己的怀疑，仍然做宪兵……我也是在踩灭自己的怀疑。不过我是仍然要做革命者。

利斯却没有注意莫斯托夫斯科伊已经拒绝抽烟，还在说：

“是的，是的，请吧，不错，这烟很好。”他把烟盒合上，并且很难过地说：“我的话为什么使您这样惊讶？您以为我不会说这样的话吗？难道在你们的卢比扬卡监狱里工作的没有受过高等教育的人吗？就没有人能够和巴甫洛夫院士、和奥尔登堡院士谈谈吗？不过他们是有目的的。我可是没有什么隐秘的目的。我可以向您保证。你们思考的问题，我也在思考。”

他笑了笑，补充说：

“一个盖世太保的保证，这可不是开玩笑的。”

莫斯托夫斯科伊在心里一遍又一遍地说：“不说话，就是不说话，不和他说什么话，不反驳。”

利斯继续说下去，他又好像把莫斯托夫斯科伊忘记了。

“两个极端！当然是这样！假如不完全是这样的话，今天就不会有这样可怕的战争。我们是你们的死敌，是的，是的。但我们的胜利也就是你们的胜利。明白吗？如果你们胜利了，那我们又会完蛋，又会依靠你们的胜利活下去。这好像是奇谈怪论：我们打输了，也是打赢了，我们将换一种形式继续发展下去，实质还是一样。”

为什么这个权势显赫的利斯不看缴获的电影，不喝酒，不给希姆莱写报告，不看养花的书，不看女儿的来信，不去玩弄刚刚从军列上挑选来的年轻姑娘，不去服用增强新陈代谢的药品、到他那宽敞的卧室里睡觉，却在深更半夜里把这个浑身散发着集中营里的臭气的苏联老布尔什维克找了来？

他打算干什么？他为什么掩盖自己的目的，他想探问的是什么?

现在莫斯托夫斯科伊不怕用刑审讯了。可怕的倒是有一种想法:万一这个德国人说的不是假话,而是实在话呢?一个人有时就是想说说话嘛。

有一种使他非常厌恶的想法:他们两个都是病人,两个人害的都是一种病,但是一个人憋不住,说出来了,和别人分一分痛苦,另外一个人却不说,瞒着,可是听着,听别人说。

利斯好像终于要回答莫斯托夫斯科伊没有说出口的问题似的,把桌上放着的公文夹打了开来,带着厌恶的神气用两个手指头把一叠肮脏的纸抽了出来。莫斯托夫斯科伊马上认出来,这就是伊康尼科夫塞给他的那几张纸。

利斯显然以为,莫斯托夫斯科伊一看到伊康尼科夫给他的这几张纸,会惊慌失措的……

但是莫斯托夫斯科伊没有惊慌失措。他几乎是很高兴地看着伊康尼科夫写满了字的这几张纸:一切都明朗了,就像警察审讯时常有的情况一样,丝毫不客气,直截了当。

利斯把伊康尼科夫写的字推到桌子边上,后来又拉到自己跟前。

他忽然用德语说起来。

“您看,这是从您那儿搜出来的。我看了几个字,就知道这种乱七八糟的玩意儿不是您写的,虽然我不认识您的笔迹。”

莫斯托夫斯科伊没有说话。

利斯用一个指头在纸上敲着,请他说话——是很客气地、善意地、一再地请他说话。

可是莫斯托夫斯科伊没有说话。

“我说错了吗？”利斯惊讶地问道。“不会的！我不会错。你们和我们都十分厌恶这上面写的东西。你们和我们是站在一起的，另一边才是这些乱七八糟的玩意儿！”他指了指伊康尼科夫那几张纸。

“好吧，好吧，”莫斯托夫斯科伊急急忙忙地、很不耐烦地说，“咱们就把事情谈谈吧。这几张纸吗？是的，是的，是从我那儿拿来的。您想知道这是谁交给我的吗？您别问这事儿吧。也许，是我写的。也许，是您叫您的走狗暗暗塞到我的褥垫底下的。明白吗？”

有一会儿，似乎利斯就要接受挑战，就要发作起来，叫喊：“我有办法叫您说出来！”

莫斯托夫斯科伊非常希望这样，这样事情就简单了；就好办了。“敌人”——是多么简单明了的字眼儿。

可是利斯却说：

“这几张破烂的纸算什么？谁写的，还不是一样？我知道：不是您，也不是我。我是多么难过呀。难过得不得了！如果不是战争，如果我们的集中营里关的不是战俘，这些集中营里会是一些什么人呢？如果不是战争的话，我们的集中营里关的会是党的敌人、人民的敌人。您熟悉的一些人现在就在你们的集中营里。如果在太平时期，我们的帝国保安局也会把你们的犯人关进德国的监狱，我们决不会释放的，你们的犯人也就是我们的犯人。”

他笑了笑，又说：

“我们在集中营里关过的那些德国共产党人，你们在1937年也关进了集中营。叶若夫关他们,帝国首领希姆莱也关他们……老师,您要相信黑格尔的话。”

他朝莫斯托夫斯科伊眏了眏眼睛,又继续说下去:

“我想,外语的用处在你们的集中营里不会比在我们的集中营里小些。今天我们对犹太人的仇恨使你们害怕。也许,明天你们就要采取我们的经验。到后天我们就显得更宽松了。我走过了很长的道路,是一位伟人领我走的。你们也有一位伟人领导着,你们也走过很长、很艰难的路。您相信布哈林是奸细吗?只有伟人能够领导你们走这条路。我也认识勒姆,我相信他。可是就应该枪毙他。我真不懂:你们实行恐怖政策,杀了几百万人,全世界竟只有我们德国人能理解:应该这样!完全正确!您一定要理解,就像我理解你们一样。这次战争想必使你们害怕了。拿破仑本来不应该打英国。”

这一新的说法使莫斯托夫斯科伊十分吃惊。他甚至眯起眼睛,不知是因为眼睛突然受到刺激,还是他想回避这种使人不快的说法。要知道,他的怀疑也许并不是软弱无力的表现,并不是可鄙的两重性的表现,不是疲惫和无信心的表现。也许,他这种时强时弱的怀疑正是他的最真诚、最纯洁之处。可是他却拼命压制、排斥、痛恨这种怀疑。也许,这里面就有革命真理的种子?这里面就有自由的炸药!

要想摆脱利斯,摆脱他那又滑又粘的手指头,只要不再痛恨契尔涅曹夫,不再瞧不起傻子伊康尼科夫就行了!不过,不行,还不止这样!还要否定终生的信仰,要批判自己一直在维护、在主张的东西。

可是，不行，还不止这样！不只是批判，而是要全心全意、用全部革命激情痛恨集中营、卢比扬卡监狱，痛恨沾满鲜血的叶若夫、亚戈达、贝利亚！不过还不够，还要痛恨斯大林和他的专制！

可是，不行，还不止这样！还要批判列宁！直到深谷的边缘！

但那将是利斯的胜利，不是在战场上进行的战争的胜利，而是在这种充满了蛇毒的、不用枪炮的战争中的胜利，这会儿这个秘密警察头目就是在同他进行这种战争。

似乎他马上就要发疯了。可是他忽然轻松愉快地舒了一口气。一时间使他非常害怕、使他迷乱的想法化为灰尘，显得很可笑、很可鄙。他迷惑了几秒钟。可是，他对伟大事业的正确性能够真的怀疑吗，哪怕一秒钟，哪怕一秒的十分之一？

利斯看了看他，咬了咬嘴巴，继续说：

“一些人看到我们就害怕，难道看到你们就喜欢，就对你们抱着希望吗？请您相信吧，看到我们害怕的人，看到你们也害怕。”

现在莫斯托夫斯科伊什么也不怕了。现在他知道了自己的怀疑的代价。他们不是要他到泥淖里去，不像他原来猜想的那样，而是要他进可怕的深谷！

利斯拿起伊康尼科夫那几张纸。

“您为什么要和这些人打交道？这种可恨的战争把什么都搞乱了，混杂了。唉，如果我能做得到的话，真想把混乱了的东西分分清楚。”

利斯先生，没有混乱。一切都很清楚，很简单。我们打败你们，并没有和伊康尼科夫、和契尔涅曹夫联合。我们有足够的力量对付你们，对付他们。

莫斯托夫斯科伊看出来：利斯把一切不好的东西拉到了一起，垃圾坑的气味是一样的，所有的残屑、木片、碎瓦全都一样。不应该在垃圾里寻找区别或相似的实质，而应当在建筑者的构思、在他的意图中去找。

于是他理直气壮地愤恨起来，不仅愤恨利斯和希特勒，而且也愤恨那个问他对马克思主义的意见的浅色眼睛的英国军官，愤恨独眼龙孟什维克的可恶的话，愤恨窝窝囊囊、却做了警察内线的神甫。这些浑蛋怎么会认为社会主义国家和法西斯帝国有什么相同之处呢？只有这个秘密警察头目利斯才看得上他们的烂货。这时候莫斯托夫斯科伊比以往任何时候都了解法西斯与其代言人的真正联系。

莫斯托夫斯科伊心里想，斯大林的天才是否就在于此：在痛恨和消灭这一类人的时候，只有他看到法西斯和伪善者、虚伪的自由的宣扬者的秘密联盟。他觉得这个道理显而易见，他真想对利斯说一说，说明他的理论的荒谬性。但他只是笑了笑，他是老练的，他可不像傻瓜戈尔登别尔那样，跟高等法院检察长胡乱谈民意党的事。

他用眼睛直盯着利斯，大声说（大概站在门口的警卫也能听到他的声音）：

"我劝您，不要在我身上浪费时间了。快把我枪毙，或者马上把我勒死，把我杀了吧。"

利斯赶紧说：

"谁也不想杀您。请放心吧。"

"我没什么不放心的，"莫斯托夫斯科伊快活地说，"我不想操心什么。”

“应该,应该操心！让我的失眠变成您的失眠吧。我们相互为敌的原因何在,我真不明白……希特勒不是元首,是斯津乃斯和克虏伯家的奴仆？你们没有个人土地所有权吗？你们的工厂和银行是属于人民吗？你们是国际主义者吗,我们是在鼓吹民族仇恨吗？是我们放了火,你们在千方百计灭火吗？全人类都在仇恨我们,都在用期望的目光望着你们的斯大林格勒吗？你们是这样说吗？胡说！瞎扯！全是胡诌出来的。咱们的政体实质是一样的,都是党统治的国家。我们的资本家不是主人。国家给他们计划和规格。国家征收他们的产品和利润。他们留下百分之六的利润作为他们的工资。你们的党领导的国家也制定计划、要点,征收产品。你们叫做主人的工人,也从你们的党的国家手里领取工资。”

莫斯托夫斯科伊望着利斯,心里想:“难道就是这种卑劣的胡扯曾经使我困惑过一阵子吗？难道我会在这种又毒又臭的泥水中呛死吗？”

利斯失望地摇了摇手。

“你们的人民的国家打的是工人的红旗,我们也号召建立民族功绩和劳动功绩,号召团结,我们也说:‘党代表着德国工人的理想。’你们也说:‘民族性。劳动。’你们和我们一样,都知道:民族主义是二十世纪的主要力量。民族主义是时代灵魂。在一个国家的社会主义是民族主义的最高表现！

我认为咱们没有理由互相为敌。但是德国人民的天才领袖和导师、我们的父亲、德国母亲们的最好的朋友、最伟大和最英明的统帅发动了这场战争。不过我相信希特勒！我相信,你们的斯大林的头脑也并没有因为愤怒和头疼而糊涂了。他能够透过战争的硝烟和炮火看到真理。他了解自己的敌人。他了解,很了解,即使现在,他在和敌人讨论反对我们的战略,在为敌人的健康干杯的时候。世界上有两位伟大的革命家:斯大林和我们的领袖。是他们的意志产生了国家的民族社会主义。

我认为,同你们联合,比起因为东方的辽阔土地而进行的战争更为重要。我们在建筑两座楼,两座楼应当在一起。老师,我希望您单独平静地生活一些时候,希望您想一想,好好想一想,下一次咱们再谈。"

"干什么？不高明！毫无意思！荒谬!"莫斯托夫斯科伊说。"干吗要这种莫名其妙的称呼'老师'?"

"噢,这称呼可不是莫名其妙的,您和我应该明白:未来的命运不是在战场上决定的。您是了解列宁的。他创立了新型的党。是他第一个懂得了,只有党和领袖能反映民族的动机,所以取消了立宪会议。不过,就像物理学中的麦克斯韦,在推翻牛顿力学的时候,还认为是在证实牛顿力学,列宁也是这样,在创立二十世纪伟大的民族主义的时候,却认为自己是国际主义的创造者。后来斯大林教给我们很多东西。为了在一个国家实行社会主义,必须取消农民种地和做买卖的自由,于是斯大林毫不手软,消灭了几百万农民。我们的希特勒看出来:妨碍我们德国民族的敌人是犹太人。于是他决定消灭几百万犹太人。不过希特勒不只是学生,他是天才！你们在1937年的清党,是斯大林从我们清除勒姆中看到的,看到希特勒也没有手软……您应该相信我。我在说话，您却不作声，不过我知道，我是您的外科上的镜子。”

莫斯托夫斯科伊说：

“镜子？您说的这一切，从头到尾都是胡说八道。我不想降低我的身份，驳斥您这些肮脏、发臭的无耻谰言。您是镜子吗？怎么，一点没有知觉吗？斯大林格勒会叫您恢复知觉的。”

利斯站起身来，莫斯托夫斯科伊慌乱、高兴而痛恨地想：“这一下他要枪毙我了……完啦！”

但是利斯好像没听见他的话似的，毕恭毕敬地向他深深地鞠了一个躬。

“老师，”他说，“你们时时刻刻教导我们，也时时刻刻向我们学习。咱们所想的会完全一致的。”

他的脸是忧伤的和严肃的，眼睛却在笑着。

又好像有一根很毒的针扎了一下莫斯托夫斯科伊的心。利斯看了看表。

“时间不会白白过去的。”

他按了按铃，小声说：

“如果您需要的话，就把这写的东西拿去吧。咱们不久还要见面的。再见。”

莫斯托夫斯科伊自己也不知道为什么，拿起桌上的纸，塞进口袋里。

他被带出了管理处的大楼。他吸了一口冷空气。在这湿乎乎的夜晚，离开秘密警察头目的办公室，不再听国家社会主义党理论家那轻轻的声音，听着晨曦中的汽笛声，心里多么舒畅呀。

当他被带到隔离室跟前时，有一辆带紫色车灯的小汽车从肮脏的柏油路上开过。莫斯托夫斯科伊明白，这是利斯回去休息了。他又感到十分苦恼。押送他的士兵把他送进隔离室，把门锁上。

他坐在铺上，心想如果我信仰上帝的话，就可以断定，这个可怕的交谈者是上帝派来惩罚我的，就因为我怀疑。”

他睡不着。新的一天已经开始了。他将背靠在粗糙的杉木板墙上，看起了伊康尼科夫写的东西。

十六

“世间大多数人都不想为‘善’下个定义。什么是善？什么人需要善？什么人行善？有没有通用的善，可以施之于一切人、一切民族、一切情况？或者，对我是善，对你就是恶，对我的民族是善，对你的民族就是恶？善是不是永久的、永远不变的，还是昨天的善今天就成为恶，昨天的恶今天就是善？

最后审判的时刻总是要到的，思考善与恶的不应只是哲学家和传教士，应该是所有的人，有知识的人和没有知识的人。

几千年来人类的有关善的概念是否有过变化？有没有像福音书上的圣徒说的对于所有的人都一样的这种概念？是不是不分希腊人与犹太人，不分阶级、民族、国家？也许，这一概念的范围还要广泛些，适用于动物、树木、苔藓，也就是被释迦牟尼及其佛经列入善的概念的那种广义的概念？就是那个释迦牟尼，为了使人生充满善和爱，才得出人生一切皆空的结论的。

我看到：人类的一些哲学道德领袖正在产生的一些观念使善

的概念越来越狭窄，和几千年来大不一样了。

与释迦牟尼相隔五世纪的耶稣的观念，使适于行善的生物界变狭窄了。不是所有的生物，只是人！

最初的基督徒的善，即所有的人的善，又变成只为基督徒的善，与之并存的是穆斯林的善。

但是过了几个世纪，基督徒的善又分裂为天主教徒的善、新教徒的善、东正教的善。在东正教的善中出现了旧教的善和新教的善。

同时存在的有富人的善和穷人的善，同时出现的有黄种人的善、黑种人的善、白种人的善。

而且，分裂了，又分裂，善已经被划进了宗派、种族、阶级的圈子，在圈子以外的一切人已经进不了善的圈子了。

于是人们看到，因为这种小的、不善的善，为了这种善而同这种小善认为恶的一切东西进行斗争，流的血实在太多了。

有时这种善的概念本身会成为人生的灾难，成为比恶更恶的恶。

这种善是一种空壳，神圣的种子已经从其中脱出，失落。谁能把失落的种子还给人类呢？

究竟什么是善？有人曾经这样说：善——就是意愿和与意愿相连的能够使人类、家庭、民族、国家、阶级、信仰兴旺发达的行动。

为了个人的好处而奋斗的人，总是尽力使之带上为大家的假象。所以他们说：我的好处和大家的好处是一致的，我的好处不仅对我有利，对大家都有利。我为自己做好事，就是为大家做好事。

所以,善失去其公共性之后,一个宗派、阶级、民族、国家的善总是尽可能使自己带上虚伪的公共性,以便为自己同自己认为恶的东西进行斗争作辩护。

不过,就连残暴的希律一世杀人流血也不是为恶,而是为他的残暴者的善。新的力量来到世上,他、他的家庭、他的亲人和朋友、他的王国、他的军队才面临灭亡。

但出现的不是恶,出现的是基督教。人类从来没听到过这样的话:'不要责备别人,就不会受人责备。因为……您怎样责备别人,别人就怎样责备您,您用怎样的尺度衡量别人,别人就用怎样的尺度衡量您……要爱您的敌人,祝福那些诅咒您的人,帮助那些仇恨您的人,为欺侮您、排挤您的人祈祷。不管您认为怎样,您想要别人怎样对待您,您就怎样对待别人;因为这是规律和神意。'

这条和平与爱的教义给人类带来的是什么?

拜占庭的圣像破坏运动,宗教法庭的刑讯,法国、意大利、佛兰德、德国的反异教运动,新教和天主教的斗争,僧侣会的阴谋诡计,尼康和阿瓦库姆的斗争,很多世纪以来对科学和自由的压制,基督徒对塔斯马尼亚异教居民的大屠杀,焚烧非洲黑人村庄的歹徒。所有这一切造成的灾难,超过了强盗和歹徒为作恶而作恶犯下的罪恶。

人类的人道主义学说本身的命运也是这样使人震惊,使人焦虑,人道主义学说没有逃脱共同的命运,也分裂为一个个局部的、小圈子的善。现实的残酷使一些伟人的心里产生了善,他们使善回到现实中来,一心想按照他们心中的善的模式改造现实。但是,现实并没有按照善的概念的模式变化,而是善的概念陷进了现实的泥淖中,渐渐分裂,失去原有的公共性,为当前的现实效劳,而不是按照自己的美好的、无定形的模式塑造现实。

人们往往认为现实的变化就是善与恶的斗争,但实际不是这样。希望人类善良的人,无法消除现实的恶。

需要有伟大的思想,能够开辟新的渠道,把石头推开,把暗礁消除,把森林移开,需要有公共的善的理想,好使伟大的流水和谐地流动。假如大海一旦有了思想,那么,每次风暴来临时,海水会产生幸福的思想和理想,每一股海浪在岩石上碎裂时,会以为它是为海水的好处牺牲的,就不会想到这是风把它吹起来的,尽管在这之前的千千万万股海浪都是风吹起的,今后风还会吹起千千万万股海浪。

很多书写了怎样同恶作斗争,写了什么是善,什么是恶。

但是这一切毫无疑问都是可悲的。其可悲就在于:哪里有善的曙光升起,这种善是永恒的并且永远不会被恶、被那种也是永恒的、但永远胜不过善的恶所战胜,哪里就流血,就会有大批儿童和老人死亡。不但是人,就连上帝也无法消除现实的恶。

‘可以听到拉玛的教堂歌调,听到大哭声、号叫声、哀嚎声:拉赫莉在哭自己的孩子,她不想止住哭,因为她的孩子没有了。’至于圣人认为什么是善,什么是恶,对于失去孩子的她来说,都无所谓了。

不过,也许,现实就是恶?

我看到了出现在我国的社会的善的思想的不可动摇的力

量。我在普遍集体化时期看到了这种力量，在1937年看到了这种力量。我看到，为了善的思想，这种思想极其美好、极其人道，就像耶稣教的理想那样，为了这种思想消灭了许多人。我看到整村整村的人死于饥饿，我看到农民的孩子死在西伯利亚的雪地里，我看到一列列军车把成千成万男人和女人从莫斯科、列宁格勒和苏联其他城市送往西伯利亚，因为他们被划为这种伟大、光辉的社会的善的思想的敌人。这种思想是美好的和伟大的，所以要杀掉一些人，摧残一些人的生活，要使妻子离开丈夫，使孩子离开父母。

今天德国法西斯的巨大恐怖笼罩了世界。到处可以听到被杀害的人的哀号和呻吟声。到处弥漫着火化炉的烟，天空黑暗，日月无光。

可是，就连这样的罪行，这种全世界、全人类不曾见过的罪行也是借了善的名义。

当年我住在北方森林里的时候，曾经想过，善不在人类中，不在动物和昆虫的相互残杀的世界中，而是在不言不语的树木世界里。可是，不对！我就看见了树林的行动，看见树木为争取土地在阴险毒辣地同青草和灌木丛进行搏斗。千千万万种子飞了开去，生根发芽，渐渐把青草弄死，把友好的灌木扼杀，成千成万取得了胜利的自播的幼芽参与了相互搏斗。只有那些活下来的树木组成统一的新的分享阳光的林冠，彼此缔结势均力敌的同盟。云杉和水青冈则在分享阳光的林冠下面昏暗的苦役牢里冻得瑟瑟发抖。

但是分享阳光的树木总有衰老的时候，高大的云杉就从它们的林冠底下冲出来，冲向阳光，把赤杨和白桦杀死。

树木就是这样永远生活在你争我夺中。只有瞎子才认为树木和草的世界是善的世界。难道生存就是恶？

善不在自然界，不在传教士和圣人的说教中，不在伟大的社会学家和人民领袖的学说中，不在哲学家的道德中……倒是一些普通人心里怀着对活物的爱，很自然地、不由自主地珍爱和怜惜生命，喜欢在劳动一天之后享受一下炉灶的温暖，不在场地上烧火堆和放火。

所以，除了可怕的大的善，还有平常的人的善良。一个老奶奶拿一块面包给俘虏吃，一个士兵把水壶里的水给受伤的敌人喝，年轻人怜惜老年人，农民把犹太老头子藏在草垛里，这都是善良。有的看守人员冒着个人失去自由的危险，把囚犯或俘虏的信件传送出来，不是给志同道合的同伴，而是给母亲和妻子们，这也是善良。

这是个别人对个别人的个人之间的善良，是不需要证明的、没有用心的小的善良。可以叫做没有用心的善良。是宗教的善和社会性的善之外的人的善良。

但是，我们想一想，就可以看出来：没有用心的、个人间的、偶然性的善良是永恒的。这种善良可以施于一切生物，甚至施于老鼠，施于树枝——有时行人会忽然站下来，把树枝扶一扶，让树枝更好更容易地重新长到树干上。

在可怖的时代，在以国家、民族光荣和对全世界行善为名义而进行疯狂残杀的时候，在人已经不像人，而只是像树枝一样荡来荡去，又像一块块石头填进山沟和土坑的时候，就是在这种可怖和疯狂的时候,这种没有用心的、可怜的、像镭粒子一样分散在生活中的善良也没有消失。

有一些德国兵来到村子里。昨天在路上有两名德国兵被打死。晚上把一些妇女赶出去,叫她们在树林边挖坑。有几名士兵住到一个上了年纪的女人家里。她的丈夫被警察带到警察所去了,警察所里还关着二十个农民。她一夜没有睡,德国兵在地下室里搜到一筐鸡蛋和一瓶蜂蜜,他们自己生起炉子,炒鸡蛋,喝酒。有一个年纪大些的吹起口琴,其余的人又跺脚又唱歌。他们对女房东连看也不看,好像她不是一个人,而是一只猫。早晨,天亮了,他们开始检查自己的枪。那个年纪大些的士兵很笨拙地拉了一下枪机,一颗子弹打进自己的肚子里。大家一齐叫起来,忙乱起来。几个德国兵草草地给他包扎了一下,就把他放到床上。接着他们都被叫走了。他们临走向女房东打了打手势,叫她照应受伤的德国兵。女房东看到,要把他掐死不费吹灰之力:他一会儿嘟哝,一会儿闭上眼睛,又哭又咕哝嘴巴。后来忽然睁开眼睛,很清楚地说:'大娘,给我水。'女房东说:'哼,你这该死的东西,把你掐死才好呢。'可是她还是给他端来了水。他抓住她的手,叫她把他扶起来,因为血堵得他不能喘气。她把他扶起来,他用两手勾住她的脖子,支撑着身子。这时村子里响起一片枪声,她吓得直打哆嗦。

后来她说起当时的情形,但是谁也无法理解,她也无法解释。

这是一种善良,有一首寓言,说的是一个修士让蛇在怀里暖和身子,就是指责这种善良没有意义。这种善良,就好比爱惜那咬小孩子的毒狼蛛。这是一种不理智的、有害的、荒唐的善良!

人们高兴地采集事例，记住这种没有意义的善良带来的和可能带来的害处。不必害怕！如果怕这种善良，就好比一条淡水鱼偶然从河里来到咸咸的海里，感到害怕。

没有意义的善良有时会给社会、阶级、民族、国家造成的害处，与天生善良的人发出的光相比，是会黯然失色的。

这种没有意义的善良正是人的人性，它就是人和其他一切的区别，它就是人的精神所能达到的最高境界。它说明，生存并不就是恶。

这种善良是没有言语、没有用心的。它是本能的，是盲目的。一旦耶稣教把它变为教堂神甫的教义，它就变得暗淡了，种子就变成了空壳。当善良没有言语、没有心思、没有用意的时候，当善良在人的心里隐藏着的时候，当善良没有成为传教士的武器和商品，当矿金没有炼成神的金币的时候，善良是有生命力的。它就像生活一样实实在在。就连耶稣的说教，也使善良失去其生命力。善良的生命力就在人心的不言不语中。

但是，我怀疑人类的善，也怀疑善良。我很惋惜它没有生命力！它既然没有什么感染力，又有什么好处呢？

我以为，它没有生命力，又好又没有生命力，简直就像露水。

怎么能不使它枯死，不使它丢失，而变为一种力量呢？教会就是使它枯死了，将它丢失了。当善良不是什么力量的时候，它是有生命力的。只要人想把善良变为力量，它就失去本色，就会暗淡，失去光彩，就会消失。

现在我看到恶的真正力量。天上是空的。地上只有人。拿什么来扑灭恶呢？拿人类的善良，拿这样几滴露水？但是要知道,这种火用所有的海洋里的水和所有云层的水都是扑不灭的,用从福音书所说的时代直到今天的钢铁时代所搜集起来的一点点可怜的露水也扑不灭……

就这样,我再也不相信能够在上帝身上、在自然界找到善,我也就再不相信善良了。

但是,法西斯的黑暗在我面前暴露得越多,越全面,我越是清楚地看到:人的人性总是存在的,是消灭不了的,即使在浸透了血的黄土的旁边,在毒气室的门口。

我在地狱里锻炼了自己的信心。我的信心是从火化炉里出来的,是穿过了毒气室的水泥墙的。我看出来,不是人在同恶的斗争中软弱无力,我看出来,是强大的恶在同人的斗争中软弱无力。毫无意义的善良的永远不灭的秘密就在于它的无力。这种善良是不可战胜的。这种善良越傻,越是没有意义,越是无力,就越是巨大。恶对它无可奈何。圣人、传教士、宗教改革家、首领、领袖对它无可奈何。它是一种不看什么、不说什么的爱,是人的本义。

人类的历史不是善极力要战胜恶的搏斗,人的历史是巨大的恶极力要碾碎人性的种子的搏斗。但是,如果人的人性就是现在仍没有被摧残尽的话,那么,恶已经不可能取得胜利了。”

莫斯托夫斯科伊看完之后,半闭起眼睛,坐了好几分钟。

是的,这是一个受了震动的人写的。一个可怜的灵魂的悲剧!

这个蔫了的人竟说,上天是空的……他把人生看作一切人对一切人的战争。到末了他玩弄起旧的铃铛，玩弄起老奶奶的善良，还打算用灌肠的喷嘴扑灭世界的大火。这一切多么无聊呀！

莫斯托夫斯科伊望着隔离室的灰墙，想起了天蓝色的安乐椅，想起他和利斯的谈话，感到十分沉重。这不是头难过，是心里难过起来，呼吸也困难了。看样子，他怀疑伊康尼科夫，是错了。这个呆子写的东西，不仅引起他的鄙视，也引起夜里和他谈话的那个讨厌的家伙的鄙视。他又想了想自己对契尔涅曹夫的感觉，想了想利斯谈到这一类人时的鄙夷和仇恨口气。他的模模糊糊的苦恼感似乎比肉体的痛苦更使他难受。

十七

谢廖沙·沙波什尼科夫指着放在砖堆上背囊旁边的一本书，说：

"你看过吗？"

"看了好几遍啦。"

"喜欢吗？"

"我更喜欢狄更斯。"

"嘿，狄更斯。"

他用讥笑的、傲慢的口气说。

"你喜欢《帕尔马修道院》吗？"

"不怎么喜欢。"他想了想，回答说。又补充说："今天我要跟步兵一起把旁边一座小屋里的德国佬打出去。"他看到她的目光，又说："当然，是格列科夫的命令。"

“别的迫击炮手呢，琴佐夫呢？”

“他们不去，就我一个去。”

他们沉默了一会儿。

“他老是缠着你吗？”

她点了点头。

“你怎么样？”

“你知道嘛。”

“我觉得，我今天可能被打死。”

“为什么叫你跟步兵一起去？你是迫击炮手嘛。”

“为什么他要把你留在这儿？报话机已经打成碎片。早就该把你送回团里去，上左岸去。你在这儿无事可干，成了流浪女郎啦。”

“不过咱们可以天天见面呀。”

他摆了摆手，就走开了。

卡佳向周围看了看。彭丘克在二楼望着，笑着。显然，谢廖沙也看到了彭丘克，所以忽然走了。

德军用大炮轰这座楼房，一直轰到黄昏时候。有三个人受轻伤，有一段内墙倒塌下来，把地下室的出口堵住，大家把出口处打通，一颗炮弹又把一段墙炸倒，又把地下室出口堵住，大家又开始挖。

安茨菲罗夫朝灰尘飞扬的幽暗处瞅了瞅，问道：

“喂。报话员同志，您活着吗？”

“是的。”卡佳在幽暗处回答说。她打了一个喷嚏，朝战士们啐了一口。

“祝您健康。”一名工兵说。

等到天黑下来，德军打出照明弹，用机枪扫射起来，有几架轰炸机飞来，扔下爆破弹。谁也没有睡觉。格列科夫亲自打起机枪，步兵有两次大声骂着娘，用工兵的锹掩护着脸，冲上去把德国佬打退。

德国佬似乎觉得，他们要进攻的是他们不久前占领的无主的、无人要的楼房。

当枪炮声停息时，卡佳能听到他们吵吵嚷嚷说话的声音，就连他们的笑声也能听得很清楚。

德国佬说话非常难听，发音完全不像外语课教师教的那样。她看到小猫从垫子上爬了下来。小猫后面两个爪子不能动了，只用两个前爪在爬，正急急忙忙朝卡佳爬来。

后来小猫不爬了，嘴张了几下，就闭上了……卡佳拨了拨小猫合上的眼皮。“死了。”卡佳在心里说。不禁浮起一股厌恶感。她忽然明白了，这已经半麻痹的小猫是预感到要死了，所以想到她，向她爬来……她把已死的小猫放进一个坑里，上面撒了一些碎砖渣子。

地下室里充满了照明弹的光，她觉得似乎地下室里没有空气，似乎她呼吸的是一种带血的液体，这种液体从天花板上往下流，从每一块砖里往外渗。

瞧，德国佬从远处的角落里爬出来啦，正在朝她爬来呢，马上就会把她抓住，把她带走啦。已经很近啦，他们就在跟前打枪啦。也许，德国佬要扫清二楼？也许，他们不从下面来，而是从上面，从天花板的窟窿里跳下来？

卡佳为了使自己镇定，尽量回想钉在家门上的小牌儿："济霍米罗夫家——按一下，茨加家——按两下，契列穆什金家——按三下，芬别尔格家——按四下，文格罗夫家——按五下，安德柳欣柯家——按六下，彼果夫家——长长的一下……"她拼命回想芬别尔格家那放在煤气炉上、盖着胶合板的大锅子，回想阿纳斯塔西娅·斯捷潘诺芙娜·安德柳欣柯家那用大套子套着的木盆、济霍米罗夫家那挂在绳扣上的掉了瓷的脸盆。她想象她在给自己铺床，把妈妈的棕色头巾、一块棉绒、开了绽的夹大衣都垫到弹簧坏了的弹簧褥垫底下。

然后她就想"6-1"楼房。这会儿，当希特勒匪徒疯狂地扑来，从地上爬过来的时候，那些粗野的骂娘话似乎也不可恼了，格列科夫的目光她也不怕了，以前她看到那目光，不仅脸会红，连脖子、连军装里面的肩膀都会红的。在参军后的这几个月里，她听了多少下流话呀！当秃顶的中校龇着金牙暗示她可以留在河那边的通讯站时，她和他进行了多么不好的"无线电"通话呀……她想起有些女孩子小声唱的伤心的歌儿：

……有一个秋夜里
指挥官亲自将她温存，
唤了她一夜小亲亲，
从此她再也离不开男人……

她不是胆小鬼，只不过浮现出这样的心情。

她第一次看到谢廖沙，在他念诗的时候，她心里想："真是一个呆子。"后来他有两天不见影子，她也不好意思打听他，心里老是在想,他是不是被打死了。后来他在夜里突然出现了,她并且听见他对格列科夫说,他是从司令部的掩蔽所里偷跑回来的。

“好,”格列科夫说,“你这是开小差跟着我们朝阴间跑。”

谢廖沙在离开格列科夫从卡佳身边走过的时候,没有看,也没有回头。她很难过,后来生起气来,又在心里说:“傻瓜!”

后来她听到楼房里的人的谈话。他们说的是,谁最有可能第一个和卡佳睡觉。有一个说:“不用说,是格列科夫。”

另外一个说:“这可不一定。不过,谁的名次排在最后面,我倒是可以说说,那就是迫击炮手谢廖沙。女孩子越是年轻,越喜欢老练的男子。”

后来她看到,跟她逗着玩儿、跟她开玩笑几乎完全停止了。格列科夫不掩饰别人接触卡佳时他的不快心情。

有一次,大胡子祖巴廖夫喊她:“喂,楼长夫人。”

格列科夫并不着急,但是,显然他很有信心,而且她也感觉到他很有信心。在报话机被炸成碎片之后,他叫她躲到很深的地下室的一个隔间里。

昨天他对她说:“我这一辈子还没有见过像你这样的姑娘哩,”又补充说:“我要是在战前遇到你,一定会娶你。”

她想说,要娶她还得问问她呢,可是她没有说,她不敢说。

他对她没有任何不好的行为,没有对她说过任何粗野的下流话,但是她想到他,就觉得可怕。

也是昨天,他很忧愁地对她说:

“德国佬很快就要发动进攻了。咱们这里面的人未必有谁能活下来。德国佬盯住我们的楼房不肯放。”

他用缓慢而凝神的目光把她打量了一下，卡佳害怕了，不是因为想到了德国佬即将发动的进攻，而是因为看到这缓慢而镇静的目光。

“我会上你这儿来的。”他说。似乎这话和他说的在德国佬发动进攻之后未必有谁能活下去的话没有什么联系，但联系是有的，而且卡佳也明白了。

他不像她在科特卢班山下看到的那些指挥员。他和人说话既不高声大叫，也不吓唬，可是大家都听他的。他坐在那里，又抽烟，又说笑，又听别人说笑，跟士兵没有任何区别。可是他的威信很高。

她和谢廖沙几乎不说话。她有时觉得，他爱上她了，可是也和她一样，在又喜欢又怕的人面前非常胆怯。谢廖沙又胆小，又没有经验，可是她真想请求他保护，对他说：“来我这儿坐坐吧。”有时她还想安慰安慰他。跟他在一块儿说话，感觉真是奇怪，就好像根本没有打仗，也没有这“6-1”楼房。他也好像感觉到这一点，就有意尽量表现得粗野些，有一次他还在她面前骂过娘。

就这会儿她也觉得，她的模模糊糊的想法和感情与格列科夫派谢廖沙去攻打德国佬占的房子这件事有一种无情的联系。

她听着枪声，想象着，谢廖沙躺在红红的砖堆上，已经死去的、一头乱发的头耷拉下去。

她感到对他心疼得不得了。五光十色的夜晚的战火，对格列科夫的害怕心情，对他的钦佩心情，钦佩他敢于凭借一片瓦砾向德军的钢铁队伍发动进攻，还有想念母亲的心情——这一切在她心里交织在一起了。

她想，只要能看到谢廖沙活着回来，她要把一切都交给他。

“要是有人说，她对他比对妈妈都好哩，怎么办？”她心里想道。

后来她听见一个人的脚步声。她用手指头抓住一块砖，仔细听着。

枪声停了，一切都静下来。

她的脊背、肩膀、小腿都痒起来，但是她怕挠痒，怕弄出响声。

有人问巴特拉科夫，为什么他老是挠痒，他回答说：“这是神经性的。”可是昨天他说：“我在身上逮了十一个虱子。”于是科洛密采夫笑着说：“神经性的虱子咬巴特拉科夫啦。”

等到她被打死了，大家把她抬到坑边，会说：

“这可怜的姑娘浑身都是虱子啦。”

也许，这真是神经性的？于是她明白了，黑暗中有一个人向她走来了，不是虚幻的、臆想的人，是从沙沙声中、从一片片亮光、一片片黑暗、从紧张的心跳中出现的。卡佳问道：

“是谁？”

“是我，自己人。”黑影回答说。

十八

“今天不发动进攻了。格列科夫决定改在明天夜里。今天德国佬一个劲儿地在进攻。我想顺便说说，这本《修道院》我从来没看过。”

她没有回答。

他很想在黑暗中看清她的神情，一阵爆炸的火光顺应他的愿望，把她的脸照得透亮。过了一秒钟，又黑了下来，于是他们又无声地商量好，再等待下一次爆炸和闪光。谢廖沙握住她的手。他攥住她的手指头。他平生第一次把姑娘的手握在自己手里。

生满虱子的，肮脏的姑娘静静地坐着，她的脖子在黑暗中发亮了。

突然闪起照明弹的亮光，他们把头挨在一起。他把她抱住，她眯起眼睛，他们都在学校里念过一篇小说：谁睁着眼睛接吻，谁没有真正的爱情。

"这不是开玩笑，是吗？"他问道。

她用两手捧住他的两鬓，把他的头转过来朝着自己。

"海枯石烂，永不变心。"他慢慢地说。

"太好了，"她说，"我就是怕：忽然有什么人来。可是以前不论谁来，不论是里亚霍夫、科洛密采夫、祖巴廖夫……我有多么高兴呀。"

"还有格列科夫。"他提醒说。

"哎呀，不。"她说。

他吻起她的脖子，并且解开她军装上的扣子，拿嘴去吻她那瘦削的锁骨，却不敢吻她的胸脯。她抚摩着他那硬扎扎的、没有洗过的头发，就好像他是一个小孩子，她已经知道，这一切现在是不可避免的了，这都是应该有的事了。

他看了看发光的手表面子。

"明天谁带你们去进攻？"她问道。"是格列科夫吗？"

“你问这干什么？我们自己去，用不着谁带我们。”

他又把她抱住，忽然他的手指头发凉，由于下了决心和激动，胸中也发起凉来。她半躺在军大衣上，似乎连气也不喘了。他一会儿碰着她那粗糙的、好像蒙着灰土似的军服和裙子，一会儿碰着她那扎手的充革布深筒靴子。他的手感觉到她的身体的温暖。她想坐起来，但是他吻起她来。忽然一阵亮光闪起，刹那间照亮了落在砖堆上的卡佳的军帽，照亮了她的脸，在这几秒钟里，他觉得她的脸和往常大不一样。可是马上又黑了下来，而且不知为什么特别黑……

“卡佳！”

“怎么啦！”

“没什么，就是想听听你的声音。你为什么不看我？”

“别这样，别这样，冷静点儿！”

她又想拿他和妈妈比，想想她应该更喜欢谁。

“原谅我。”她说。

他没有明白她的意思，就说：

“你别怕，我一辈子不变心，只要能活下去的话。”

“我这是想起了妈妈。”

“可是我的妈妈死了。我现在才明白，她是因为爸爸被流放的。”

他们互相拥抱着，在军大衣上睡着了。楼长走到他们跟前，看了看他们的睡态：迫击炮手谢廖沙的头枕在报话员姑娘的肩上，他的一只手搂着她的腰，他好像怕把她丢了。格列科夫觉得他们两个都死了，因为他们躺在那里一动也不动，那样安静。

黎明时候，里亚霍夫朝地下室的隔间里瞅了瞅，喊道：

“喂，沙波什尼科夫，喂，文格罗娃，楼长叫你们哩，要快点儿，麻利点儿！”

在朦胧而寒冷的晨曦中的格列科夫的脸是阴沉的、严峻的。他的一个宽大的肩膀靠在墙上，他那蓬乱的头发耷拉在窄窄的额头上。

他们站在他面前，倒换着两只脚，没有觉察到他们是手挽手站着。

格列科夫动了动他那扁平的狮子鼻子的老大的鼻孔，说：

“是这样，沙波什尼科夫，你马上到团部去，我派你去。”

谢廖沙感觉到姑娘的手指在抖动，就把她的手指头攥住，于是她也感觉到他的手指在抖动。他吸了一口气，舌头和上腭都发干发燥。

多云的天空和大地一片寂静。盖着军大衣胡乱躺在地上的人似乎都没有睡，都在等待着，连气也不喘。

周围的一切都很好，都很可亲，谢廖沙心想：“要把他从天堂赶出去，要像拆散农奴一样把我们拆散了。”于是他怀着祈求和仇恨的心情望着格列科夫。

格列科夫眯起眼睛，凝视着姑娘的脸，谢廖沙觉得他的目光很讨厌、很无情、很放肆。

“好吧，就这样，”格列科夫说，“报话员同志跟你一块儿去，没有报话机，她在这儿无事可干，你把她送回团部去。”

他笑了笑。

“以后你们上哪儿，到时候你们自己知道。这是调派信，我把你们两个人写在一起了，我不喜欢写字。明白吗？”

谢廖沙忽然看到，一双又好看、又亲切、又聪明、又忧伤的眼睛正望着他，这样的眼睛他还从来不曾见过。

十九

步兵团政委皮沃瓦罗夫没有到过“6-1”楼房。

和楼房的无线电联系中断了，不知是报话机坏了，还是上级的严厉训斥使楼房里的头头儿格列科夫大尉厌烦了。

有一段时间，可以通过一名党员迫击炮手得到有关被围困大楼里的情况的报告。他报告说，楼长作风散漫，对士兵们信口开河，胡说八道。不过，格列科夫同敌人作战是很勇敢的，这一点汇报人也不否认。

就在皮沃瓦罗夫准备进入“6-1”楼房的这天夜里，团长别廖兹金害起重病。

他躺在掩蔽所里，脸烧得通红，睁着失神的、透明的、茫然的眼睛。

医生看了看别廖兹金，慌了。他治惯了打断的胳膊、腿和打裂的头盖骨，现在却是一个人本身害起病来。

医生说：

“要拔火罐子，可是到哪儿去弄罐子呀？”

皮沃瓦罗夫决定向上级报告团长的病情，可是师政委打电话给皮沃瓦罗夫，要他立刻到师部去。

当皮沃瓦罗夫喘着粗气（他遇到炮弹爆炸，曾经两次卧倒）走进师政委的掩蔽所时，师政委正在和从左岸来的一位营政委说话。皮沃瓦罗夫听说这个人常常给驻扎在各个工厂里的部队作报告。

皮沃瓦罗夫大声报告说：

“奉命来到。”并且马上就报告了别廖兹金的病情。

“啊……伤脑筋，”师政委说，“皮沃瓦罗夫同志，您得担当起团的指挥任务啦。”

“被围困的楼房怎么办？”

“您不用管啦，”师政委说，“这座被围困的楼房惹出大麻烦。这事儿弄到方面军司令部去啦。”

他把一张密码电报对着皮沃瓦罗夫晃了晃。

“我就是为这事叫您来的。这不是，克雷莫夫同志接到方面军政治部的命令，要他进入被困的楼房，建立布尔什维克党的秩序，在那里做作战政委，如有必要，就解除那个格列科夫的职务，自己担任指挥……因为这是在你们团的地段上，所以你们要给予一切必要的供应，要负责帮助进入被困楼房，负责今后的联系。明白吗？”

“明白了，”皮沃瓦罗夫说，“一定做到。”

说过这话以后，他又用平时谈家常的、不是谈公事的语气问道：

“营政委同志，跟这样一些小伙子打交道，是您的专长吗？”

“正是我的专长，”从左岸来的政委笑着说，“1941年夏天我带领二百人从包围中冲出来，在乌克兰到处转，见惯了游击习气。”

师政委说：

“好吧，克雷莫夫同志，那您就去干吧。多跟我联系。国中有国是很不好的。”

“是啊，那里面的人还和报话员姑娘有一些不干不净的事儿呢，”皮沃瓦罗夫说，“我们的别廖兹金一直在担心。他们的报话机又叫不通。那里面的小伙子又是那种样子，他们什么事儿都会干出来。”

“好啦，到里面您就清楚了，要好好地整一整，祝您成功。”师政委说。

二十

格列科夫送走谢廖沙和卡佳之后，过了一天，克雷莫夫便在一名士兵护送下，前往被德军围困的有名的大楼。

他是在明亮而寒冷的黄昏时候从步兵团团部出发的。克雷莫夫一进入斯大林格勒拖拉机厂的铺了沥青的院子，就比任何时候更清楚、更强烈地感觉到死亡的危险。

同时，他的振奋的心情和高兴的心情依然没有消失。他突然收到的方面军司令部的密码电报向他证实了，在斯大林格勒这地方，一切都不一样，这里是另外一种关系，另外一种评价标准，对人有另外一种要求。克雷莫夫又是克雷莫夫了，不是残废队的残废人，而是布尔什维克的作战政委了。危险而困难的任务并没有使他感到害怕。他在师政委眼里和皮沃瓦罗夫眼里又看到了过去党内同志常常对他流露的那种神情，感到何等愉快，何等甜蜜。

在被炸得坑坑洼洼的沥青地上，在被炸坏的迫击炮旁边，躺着一名被打死的红军战士。

现在，就在克雷莫夫心里充满了希望，兴高采烈的时候，他一看到这具尸体，不知为什么非常吃惊。他见过许多死人，对死人已经没什么感觉了。可是现在他哆嗦起来，——已经僵了的尸体像鸟儿一样软弱无力地躺着，蜷着两条腿，好像怕冷。

一个身穿歪歪扭扭的灰斗篷的政治指导员提着鼓鼓的图囊从旁边跑过，几名红军士兵用帆布拖着防坦克地雷，和地雷在一起的是一个个老大的面包。

死人不需要面包和武器了，也不希望收到忠诚的妻子的来信了。他并没有因为死就强大起来，他是最弱小的，像一只死麻雀，连小蚊子、小虫儿都不怕他。

在车间的一个墙豁口里，炮兵们正在安置团里的一门炮，并且和一挺重机枪的机枪手在争吵。从争吵者的手势可以清楚地看出来，他们吵的是什么。

“你要知道，我们的机枪在这儿待了多久啦？你们还在河那边逛荡的时候，我们就在这儿打机枪啦。”

“你们真不要脸，你们算什么人！”

空中一声尖啸，一颗炮弹在车间角落里爆炸了。炮弹片打在墙上。走在克雷莫夫前面的士兵回头看了看，看看政委是不是被炸死了。等到克雷莫夫走到跟前，他说：

“政委同志，您别怕，我们认为这儿是第二梯队，是大后方。”

过了不长时间，克雷莫夫就明白了，车间墙外的院子确实算是很平安的地方。他们又跑，又卧倒，把脸埋在地里，然后又跑，又卧倒。他们有两次跳进步兵所在的战壕里;他们在烧毁的房屋中间跑,这一带已经没有人了,只有钢铁的呼啸与尖叫声……那名士兵为了安慰克雷莫夫,又说道:

“这不算什么,顶要紧的是飞机没有轰炸。”接着又提议说:“来,政委同志,咱们下到这个弹坑里去。”

克雷莫夫溜进弹坑里,朝上面看了看:蓝天还在头顶上,头也没有掉下来,依然长在肩膀上。只有死神在前后左右、在头顶上啸叫和狞笑的时候,才感觉到人的存在是很奇怪的。

在死神挖出的坑里的这种安全感也是很奇怪的。

那士兵不等他喘息过来,就说:

“跟我爬进去!”他爬进了坑底一个黑咕隆咚的通道口。克雷莫夫跟着他钻进去,低矮的通道口变宽了,顶也变高了,他们进了地道。

在地下可以听到地上大战的隆隆声,穹顶在颤动,隆隆声在地道里滚动着。在铁管特别密集、像胳膊一般粗的黑黑的电缆纵横交叉的地方,墙上用红粉写着“小心”。那士兵用电筒照了照,说:

“咱们头顶上就是德国佬了。”

一会儿他们拐进一条窄窄的通道,朝着一个隐约可见的灰色光点走去。通道深处的光点越来越清楚,越来越亮,传来的爆炸声和机枪射击声也越来越激烈。

有一小会儿,克雷莫夫觉得他这是朝死刑台走去。但是等他们来到地面上,克雷莫夫看到的首先是一张张人的脸;他觉得这一张张脸像圣像一样安详。

克雷莫夫顿时产生了一种难以形容的感觉，又高兴，又轻松。他甚至感到，这疯狂的战争不像是生与死的可怕关头，而是像年轻、强壮、充满生命力的行路人头顶上的雷雨。

他产生了一种很明显、很强烈的信心，相信他现在时来运转了。

他好像在这一天的光明中看到了自己的未来——他又可以充分发挥自己的才干、志向和布尔什维克的抱负了。

自信感、年轻感和怀念离去的妻子的悲伤感交织在一起，他觉得她是无比可爱的。

可是现在他觉得不是永远失去她了。她会跟力量、跟以前的生活一起回到他这儿的。他离不开她呀！

有一个老头子，把军帽扣在额头上，站在一堆火旁边，用刺刀翻着在洋铁瓦上烙的土豆饼；土豆饼烙好了，他就放到钢盔里。他一看到这个联络员，很快地问道：

“谢廖沙在那儿吗？”

联络员一本正经地说：

“首长来啦！”

“老大爷，多大岁数啦？”克雷莫夫问。

“六十啦，”老头子回答说，又解释说：“我是从工人民兵里来的。”

他又侧眼看了看联络员。

“谢廖沙在那儿吗？”

“他不在团里，看样子，他到友邻部队去了。”

“唉，”老头子懊丧地说，“他要完啦。”

克雷莫夫向大家问好，向四周围看了看，又去看了看地下室里用木板隔了一半的一个个隔间。有一处安放着团里的一门炮，炮口从墙上打的一个窟窿伸出去。

“就像在战列舰上。”克雷莫夫说。

“是的，不过水太少啦。”那个士兵说。

再往前，在石头坑里和夹缝里安放着迫击炮。

在地上放着一些带尾巴的地雷。多少过去一点儿，在防雨布上放着一架手风琴。

“咱们这‘6-1’号楼撑住啦，没有向法西斯屈服，”克雷莫夫大声说，“全世界千千万万人都为这感到高兴。”

大家都没有说话。

波里亚科夫老头子把装满土豆饼的钢盔端到克雷莫夫面前。

“关于波里亚科夫怎样烙饼，不可以报导吗？”

“你们光知道笑，”波里亚科夫说，“可是我们的谢廖沙被赶走了。”

这个迫击炮手问道：

“还没有开辟第二战场吗？一点消息也没有吗？”

“还没有。”克雷莫夫回答说。

有一个穿着汗衫、敞着军服上衣的人说：

“有一次伏尔加河那边的重炮朝我们轰来，一阵气浪把科洛密采夫打倒，他爬进来就说：‘好啦，同志们，开辟第二战场啦。’”

一个黑头发的小伙子说：

“干吗要瞎说，假如没有重炮的话，咱们在这儿也待不住。德国佬早把咱们吃掉啦。”

“可是，指挥员在哪儿呀？”克雷莫夫问。

“那不是，躺在最前沿上呢。”

这支队伍的指挥官正躺在高高的砖堆上，用望远镜在瞭望。

克雷莫夫唤他一声，他很不情愿地转过脸来，带着警告的神气调皮地把一个指头放到嘴上，又用望远镜瞭望起来。过了一会儿，他的肩膀抖动起来，他笑了。他从上面爬下来，笑着说：

“比下棋还不如呢。”他打量了一下克雷莫夫军服上的绿杠和政工人员军星，说：“营政委同志，欢迎光临寒舍。”并且自我介绍说：“我是楼长格列科夫。您是从我们的地道里来的吗？”

他的一切——他的目光，他的快动作，他的扁鼻子的大鼻孔——都是很粗野的，本身就是粗野。

“没什么，没什么，我会使你服帖的。”克雷莫夫在心里说。

克雷莫夫开始向他询问情况。格列科夫懒洋洋地、心不在焉地回答着，一面打呵欠，一面四处张望，好像克雷莫夫的问话打扰了他，使他不能回想真正重要的、有意义的事情。

“要是把您撤掉呢？”克雷莫夫问。

“为什么？”格列科夫回答说。“顶好用小教练机送点儿黄烟来，当然，还要迫击炮弹、手榴弹，如果舍得的话，再弄点酒和吃的东西来……”他扳着手指头数算着。

“这么说，您不准备离开啦？”克雷莫夫又生气又不满意地端详着格列科夫那很不好看的脸，问道。

他们都不说话了，在这短短的沉默时间里，克雷莫夫战胜了自己要在精神上制服被困大楼里的人的心情。

“您写作战日记吗？”他问道。

“我没有纸，”格列科夫回答说，“没地方写，而且也没有工夫，也没有必要。”

“您是在176步兵团团长领导下呀。”克雷莫夫说。

“是，营政委同志。”格列科夫回答说。又用冷笑的口吻说：“在这块地段被截断，我在这座楼房里把人和武器集合起来，打退三十次进攻，烧毁八辆坦克的时候，没有什么人领导我。”

“现有人员的准确数字，您知道吗？检查过吗？”

“我用不着检查，我又不申报队列人员名单，又不到行政管理处和补给站领给养。我们有烂土豆吃，有臭水喝就行了。”

“这楼里有女人吗？”

“政委同志，您好像是在对我进行审问呀？”

“你们的人有被俘的吗？”

“没有，没有人被俘。”

“那么，你们的女报话员哪儿去啦？”

格列科夫咬了咬嘴唇，两道眉毛皱到了一起，他回答说：

“那个姑娘是德国间谍，她发展了我，后来我把她强奸了，后来我又把她枪杀了。”他伸直脖子，问道：“您是要我这样回答吗？”又用冷笑的口吻说：“我看出来，这儿有惩戒营的气味了，是这样吗，首长同志？”

克雷莫夫一声不响地看了他一会儿，说：

“格列科夫呀，格列科夫，您的头发昏啦。我也被围困过嘛。别人也问过我嘛。”

他看了看格列科夫，慢慢地说：

“我有命令，必要时解除您的指挥职务，亲自指挥这批人员。

干吗您自己要往叉子上闯，非要我走这一步呢？”

格列科夫没有说话，想了想，侧耳听了听，然后说：

“没有声音了。德国佬停止进攻了。”

二十一

“那好吧，咱们两个人坐一会儿，”克雷莫夫说，“研究一下情况。”

“干吗要两个人坐坐，”格列科夫说，“我们这儿打仗都是大家一块儿，研究情况也是大家在一块儿。”

克雷莫夫很喜欢格列科夫的粗鲁，但同时又很生气。他很想对格列科夫说说在乌克兰被围困的事，说说自己在战前的情形，使格列科夫不把他看成官僚。但是他觉得，说这类的事，就表示自己软弱。他到这座楼里来是表现自己的力量的，不是表现软弱。他本来就不是政治部门的官僚，他是作战政委。

他在心里说：“没什么，政委又不丢脸。”

在一片寂静中，大家在砖堆上坐下来或半躺下来。格列科夫说：

“今天德国佬不会再来了。”他向克雷莫夫建议说：“政委同志，咱们来吃点儿东西吧。”

克雷莫夫和格列科夫一起在休息的人们当中蹲下来。

“我看着你们大家，”克雷莫夫说，“脑子里有一个想法老是转悠着：俄罗斯人总能打败普鲁士人。”

有一个不高的、懒洋洋的声音应声说：

“是嘛！”

在这一声“是嘛”中，流露出很明显的对这一公式的勉强附和与嘲笑的意味，所以大家一齐轻轻笑了起来。他们比那个第一次说出“俄罗斯人总能打败普鲁士人”的人更了解，俄罗斯人消耗着多大的力量，而他们本身就是这种力量的直接代表。而且他们也知道和明白，普鲁士人打到伏尔加河边，打到斯大林格勒，完全不是因为俄罗斯人总能打败他们。

这时候克雷莫夫发生了奇怪的变化。他一向不喜欢政治工作人员颂扬俄罗斯古代将领，他的革命的心灵十分厌恶《红星报》社论中摘引德拉戈米罗夫的话，他认为没有必要颁发苏沃洛夫、库图佐夫、鲍格丹·赫梅利尼茨基勋章。革命就是革命，革命的队伍只需要一种旗帜，那就是红旗。可是为什么偏偏就在今天，在他重新呼吸到往日列宁主义的革命空气的时候，却出现了这种感触和想法？

一名士兵用嘲笑的、懒洋洋的语气说的那一声“是嘛”刺得他很疼。

“同志们，怎样打仗，用不着教导你们，”克雷莫夫说，“在这方面，你们可以教导任何人。可是，前总指挥部为什么认为有必要派我上你们这儿来呢？或者说，我上你们这儿来干什么呢？”

“是来喝菜汤，为了喝菜汤吧？”有一个人很亲热地小声推测说。

但是听众迎接这小声推测的笑声就不小了。克雷莫夫看了看格列科夫。

格列科夫和大家一起在笑。

“同志们。”克雷莫夫说。他气得两边腮都红了。“同志们，严肃点儿，我是党派到你们这儿来的。”

这是怎么回事儿？是偶然出现的情绪，还是造反？是不是因为觉得自己有本事、有经验，不愿听政委的？也许，听众的开心没有任何反叛的意味，只是因为感觉到真正的平等，这种感觉在斯大林格勒是很强烈的。

可是为什么以前克雷莫夫很赞赏的这种真正平等的感觉现在却引起他的气愤，他要把它压下去，打下去呢？

克雷莫夫在这里同这些人的关系不融洽，不是因为他们受压抑、张皇失措、胆怯。这儿的人感觉自己是强者，是有信心的，难道他们这种强者感影响他们和政委克雷莫夫的关系，引起他和他们之间的疏远和仇视？

烙饼子的那个老头子说：

“我早就想问问党里的人。政委同志，听说，到了共产主义社会，大家都各取所需，那么，如果每个人都按照需要，一天喝到晚，可怎么办呀？”

克雷莫夫朝老头子转过脸去，看到他脸上一副真正担心的神气。

可是格列科夫在笑，他的眼睛也在笑，大大的鼻孔笑得更大了。

头上缠着血糊糊的肮脏绷带的一名工兵问道：

“政委同志，集体农庄怎么办？战后最好把集体农庄取消。”

“这个报告题目倒是不坏。”格列科夫说。

“我到你们这里不是来作报告的，”克雷莫夫说，“我是作战政委，我到这里来，为的是消灭你们的严重的游击习气。”

“那您就来消灭消灭吧，”格列科夫说，“可是，谁又来消灭德国佬呢？”

“会有人的，不用您操心。我不是为喝汤来的，不像你们说的那样，我是来烧布尔什维克的饭的。”

“好吧，您就来消灭消灭，”格列科夫说，“就来烧烧饭吧。”

克雷莫夫一面笑着，同时又很严肃地说：“如有必要，连您，格列科夫，同布尔什维克的饭一起吃下去。”

这会儿克雷莫夫镇定了，有信心了。原来拿不定主意，不知道怎样办最正确，这会儿主意拿定了。应该解除格列科夫的指挥职务。

克雷莫夫现在已经清楚地看出格列科夫的敌对思想和异己思想，发生在被困楼房里的英雄事迹既不能减弱，更不能消除这种思想。他知道，他能制服格列科夫。

等到天完全黑下来，克雷莫夫走到楼长跟前，说：

“格列科夫，咱们来认真地、开诚布公地谈一谈。您想要什么？”

格列科夫很快地、从下面朝上（他坐着，克雷莫夫站着）看了看他，快活地说：

“我想要自由，我就是为自由作战。”

“我们都要自由。”

“算了吧，”格列科夫把手一甩，“你们要自由干什么？你们只要能打败德国佬就行了。”

“格列科夫同志，不要开玩笑，”克雷莫夫说。“有的战士说出不正确的政治主张,您为什么不制止呢?嗯?您有威信,您可以制止,不次于任何一个政委。可是我有一种印象,大家一面说怪话,一面看着您,似乎在等待您的赞许。那个说到集体农庄的战士就是这样。您为什么要支持他呢?我干脆了当地告诉您:咱们一起来把这种情形整顿整顿吧。如果您不愿意,我也干脆了当地告诉您:我不会开玩笑的。”

“说说集体农庄,这有什么?实际上,都不喜欢集体农庄嘛,这一点您也不是不知道。”

“您怎么,格列科夫,想改变历史的进程吗?”

“您想把一切拉回老的轨道上去吗?”

“这‘一切’是什么?”

“就是一切。普遍的强制劳动。”

他用懒懒的口吻说着,毫不客气,一面冷笑着。他忽然欠起身来,说:

“政委同志,算啦。我什么也没有想。我是随便说说,逗逗您。我是和您一样的苏联人。不相信我,我可要生气啦。”

“那咱们别开玩笑,格列科夫,咱们来认真谈谈,如何克服这种不好的、不是苏联人应有的游击情绪。这是您滋生出来的,您帮助我把它消灭吧。您还要光荣地进行战斗呀。”

“我很想睡觉。您也该休息了。您会看到,天一亮就睡不成了。”

“好吧,格列科夫,那就明天谈吧。我反正又不想离开你们这儿,我哪儿也不去。”

格列科夫大笑起来:

“看样子，咱们能谈得好。”

“情况很清楚了。”克雷莫夫想道。“我不能用顺势疗法。我要用手术刀。政治上的驼背靠劝说是不能抻直的。”

格列科夫忽然说：

“您的眼睛很深沉。您很苦恼。”

克雷莫夫因为感到意外，把两手一摊，什么也没有说。可是格列科夫好像听到了对方承认他的话，就又说：

“您要知道，我也有苦恼。不过这算不了什么，是个人的事。这种事儿在报告里也是不值得写的。”

夜里，在睡着了的时候，克雷莫夫被一颗流弹打伤了头部。子弹打掉一块皮，在颅骨上划了一下。伤势不重，但是头晕得厉害，克雷莫夫站不住了。老是想呕吐。

格列科夫吩咐准备担架，就在黎明前的寂静时刻，把受伤的克雷莫夫送出了被围困的楼房。

克雷莫夫躺在担架上，头又发晕又嗡嗡作响，鬓角咚咚地响，一阵阵地刺疼。

格列科夫把担架送到地道口。

“政委同志，您真不走运。”他说。

克雷莫夫脑子里忽然出现了一种猜想：是不是格列科夫夜里朝他开的枪？

快到黄昏时候，克雷莫夫开始呕吐，头疼加剧了。

他在师的卫生营里躺了两天，然后被转送到左岸，住进军团野战医院。

二十二

团政委皮沃瓦罗夫来到卫生营狭小的地下室里，看到情况很不好——伤员们都横七竖八地躺着。他在卫生营里没有见到克雷莫夫，昨天夜里把他送到左岸去了。

“他怎么一去就受伤了呢？”皮沃瓦罗夫想道。“也许是他不走运，也许是他走运。”

皮沃瓦罗夫同时很想做个决定，该不该把生病的团长送进卫生营。他好不容易回到团部掩蔽所（他在路上差一点被德军的迫击炮打死），对士兵格鲁什科夫说，卫生营里没有任何条件为病人治病。到处是成堆的血糊糊的纱布、绷带、棉花，走到跟前都害怕。格鲁什科夫听到政委这样说，就说：

“当然嘛，政委同志，在自己的掩蔽所里总要好些。”

“是啊，”政委点头说，“在那儿简直就分不清，谁是团长，谁是士兵，大家都躺在地上。”

于是，按军衔应该躺在地上的格鲁什科夫说：

“是啊，这怎么像话呀。”

“团长说什么来吗？”皮沃瓦罗夫问。

“没有。”格鲁什科夫摇了摇手。“政委同志，他哪儿还能说什么，给他送去妻子的来信，信还放在那儿，他连看也没看。”

“你说什么？”皮沃瓦罗夫说。“他病成这样啦。连信也不看，这事儿真可怕！”

他把信拿起来，在手里掂量了掂量，把信拿到别廖兹金面前，一本正经地用提醒的口吻说：

“别廖兹金同志，您的夫人来的信。”等了一会儿，又换了另外一种口气说：“老兄，这是你妻子的信呀，你难道不明白吗，嗯？”

但是别廖兹金没有明白。

他的脸通红通红的，那玻璃球似的眼睛亮晶晶地、茫然地望着皮沃瓦罗夫。

这一天，战争带着一般顽强的劲头儿撞击着生病的团长的掩蔽所。从夜里起，几乎所有的电话联系都中断了；偏偏别廖兹金掩蔽所里的电话一直很正常，各处都通过这条线打来电话：从师里，从军团司令部作战科，古尔耶夫师的一位团长，别廖兹金手下的营长鲍丘法罗夫和德尔金。掩蔽所里一直有人来来往往，门不停地吱扭着，格鲁什科夫挂在门口的帆布不停地呼啦呼啦响着。从清早起，人们就惶惶不安，等待着。这一天与往常不同，大炮懒洋洋地发射着，飞机稀稀拉拉、漫无目的地胡乱扔着炸弹，正因为这样，很多人产生了极其苦恼的认识，认定德国人要发动突击了。这一苦恼的认识同样折磨着崔可夫、团政委皮沃瓦罗夫，同样折磨着坐在“6-1”楼房里的人，折磨着一大早就在斯大林格勒拖拉机厂烟囱旁边喝酒为自己过生日的一名步兵排排长。

每次在别廖兹金的掩蔽所里谈起有趣的事或者特别可笑的事的时候，大家都要回头看看团长：难道他连这都听不见吗？

连长赫连诺夫因为夜里伤了风，用沙哑的嗓子对皮沃瓦罗夫说，黎明前他从他的地下指挥所里走出来，蹲在石头上，听听德国佬有没有什么动静。忽然空中响起又生气又发狠的声音：“唉，赫连[1],怎么连灯也不点?”

赫连诺夫愣了一会儿:这是谁在天上唤他呀?他都害怕了。后来才弄清楚了,这是小飞机飞行员关了马达,在头顶上滑翔,看样子是想给“6-1”楼房空投食品,看到没亮出标志就生气了。

在掩蔽所里的人都回头看了看别廖兹金,看他是不是笑了。但是只有格鲁什科夫觉得,在病人那像玻璃球一样发亮的眼睛里似乎出现了一点生气。吃午饭的时间到了,掩蔽所里空了。别廖兹金静静地躺着,格鲁什科夫在叹气:别廖兹金躺在那里,旁边就是盼了很久的信。皮沃瓦罗夫和接替已牺牲的科申科夫的新的少校参谋长去吃饭了,喝美味的甜菜汤和好酒。炊事员已经请格鲁什科夫喝过这种很好喝的甜菜汤了。可是当家的团长却什么也不吃,只是用茶缸喂他几口水……

格鲁什科夫打开信,径直走到床边,清清楚楚地、慢慢地低声念道:

“你好,我的亲爱的瓦尼亚,你好,我的心肝儿,你好,我的好人儿。”

格鲁什科夫皱起眉头,继续念信上的话。

他为昏迷中的团长念妻子的信。已经由军事检查机关检查人员看过的这封信充满柔情蜜意,充满惆怅之情。这信世界上只有一个人能看,那就是别廖兹金。

当别廖兹金转过头来并且说:“给我。”又伸过手来的时候,格鲁什科夫并没有觉得十分惊讶。

信上一行行的字在哆嗦着的粗大的手指头中间哆嗦着:

①此处是音译。本意是“浑蛋”。

“……瓦尼亚，这儿太美了，瓦尼亚，太想念你了。柳芭老是问，为什么爸爸不和我们在一起。我们住在湖边，房子里很暖和，房东有奶牛，有牛奶。我们有你寄来的钱。我早晨出门去，寒冷的水里漂浮着黄的、红的枫叶，四周围已经到处是雪了，因此水显得特别蓝，天也特别蓝，树叶黄的格外黄，红的格外红。柳芭还问：你为什么哭？瓦尼亚，瓦尼亚，我的亲爱的，谢谢你，因为你的一切，谢谢你，因为你的一切，一切，因为你的善良。我为什么哭，怎么解释呢？我哭，因为我活着；我哭，因为斯拉瓦不在了，我却活着，很难受；我哭，因为你活着，我很幸福；我哭，因为我想起妈妈和姐妹们；我哭，因为我看到了早晨的阳光，因为四周围这样美，而我和所有的人都这样痛苦。瓦尼亚，瓦尼亚，我的亲爱的，我的心肝儿，我的好人儿……”

头脑一个劲儿在打转转儿，四周围一切都在打转转儿，手指在哆嗦，信和灼热的空气一起在哆嗦。

“格鲁什科夫，”别廖兹金说，“今天一定要给我治好(塔玛拉可不希望他生病)。怎么样，开水炉子没有打坏吧？”

“开水炉子好好儿的。一天怎么能给您治好呀？您发烧有40度哩，一下子怎么能好起来？”

几名士兵轰隆轰隆地把一个空汽油桶滚进了掩蔽所里，往桶里倒了半桶热腾腾的浑浊的河水。水是用锅子和帆布桶往里倒的。

格鲁什科夫帮别廖兹金脱光衣服，把他扶到桶边。

“中校同志，太烫啦。”格鲁什科夫摸了摸桶外面，马上把手抽回来，说：“会把您烫坏的。我叫过政委同志，他在师长那儿开会呢，咱们最好等政委同志来。”

“等他干什么？”

“如果您出什么事儿，我就要自杀。我也许自个儿下不了手，那就请政委皮沃瓦罗夫同志向我开枪。”

“来，帮我下去。”

“请原谅，至少我要把参谋长叫来。”

“嗯。”别廖兹金说。虽然这一声又短又沙哑的“嗯”出自一个脱得光光的、勉强站得住的人之口，但是格鲁什科夫不再犟了。

别廖兹金爬进水里之后，哼哼起来，又哎哟又乱动，格鲁什科夫看着他，也哼哼起来，围着桶转起圈子。

“就像在产科医院里啦。”不知为什么他这样想道。

别廖兹金昏迷了一会儿，军事上的担心和生病的发烧在迷糊状态中搅在了一起。忽然心不动了，不跳了，滚烫的水也不那样烫得难受了。后来他清醒过来，对格鲁什科夫说：

“要把地上的水扫一扫。”

但是格鲁什科夫没有看到桶里的水漫出来。团长的通红的脸开始变白了，嘴半张开，剃得光光的头上冒出老大的汗珠子，格鲁什科夫觉得汗珠子好像是蓝色的。别廖兹金又开始昏迷，但是等格鲁什科夫试图把他拖出来时，他清清楚楚地说：

“还不到时候。”他咳嗽起来。等到一阵咳嗽过去，别廖兹金不等喘过气来，就说：“再加一些开水。”

他终于从水里爬了出来。格鲁什科夫看着他，心里非常不是滋味。他帮别廖兹金擦干身子，躺到床上，盖上被子和军大衣，然后又把掩蔽所里所有的一切破旧的东西，如雨衣、棉袄、棉裤，全都盖上去。

等到皮沃瓦罗夫回来，掩蔽所里已经收拾好了。只是空气中还有湿乎乎的、像澡堂里的气味。别廖兹金静静地躺着，睡着了。皮沃瓦罗夫在他身边站了一会儿。

“他的脸色很好。”皮沃瓦罗夫想道。“他倒是没写过揭发材料。”

这一整天他惴惴不安，因为他想起他在五年前揭发过和他一起上过两年大学的同学什梅廖夫。今天，出现了这种不祥的、使人苦恼、使人难受的寂静状态的时候，什么样乱七八糟的事都浮现在头脑里，什梅廖夫也浮现在头脑里，他仿佛看到：什梅廖夫脸上带着又可怜又痛苦的表情，侧眼望着，听着在大会上宣读他的好朋友皮沃瓦罗夫的揭发材料。

夜里十二点左右，崔可夫打来电话，没有通过师长，而是直接打到驻守在拖拉机厂的团里，因为他很为这个团担心：侦察队多次报告，说德军的坦克和步兵一个劲儿地往这一地区集中。

“喂，你们那里怎么样？”他很焦急地说。“你们团究竟是谁在指挥？巴秋克告诉我，说团长害了什么肺炎，要把他送到左岸去。”

一个沙哑的声音回答说：

“这个团是我在指挥，我是别廖兹金中校。是有一点儿伤风，不过现在又好好儿的啦。”

“我听到啦。”崔可夫好像有些幸灾乐祸地说。“你沙哑得厉害呢，德国佬就要给你喝点儿热牛奶啦，已经准备好啦，你要注意，他们就要给你来一下子啦。”

“懂了，一号同志。”别廖兹金说。

“啊，懂啦，”崔可夫带着吓唬口吻说，“那你就注意，如果想后退，那我就给你拌糖生蛋黄，不比德国佬的牛奶差。”

二十三

波里亚科夫和克里莫夫约好夜里要去一趟团部，老头子想打听一下谢廖沙的下落。

波里亚科夫把自己的想法对格列科夫说了说，格列科夫很高兴。

“快去吧，快去吧，老爹，你到后方可以多少休息一下，还可以对我们说说他们在那儿怎么样。”

“是说卡佳怎么样吧？”波里亚科夫猜到格列科夫为什么赞成他的想法，就问道。

“他们已经不在团里了，”克里莫夫说，“我听说，团长派他们上伏尔加河那边去了。他们大概已经在阿赫图巴户口登记处登记了。”

波里亚科夫是一个不肯饶人的老头子，他就问格列科夫：

“要是这样的话，是不是就不让我们去啦，或者您写信去？”

格列科夫很快地看了他一眼，但是很平静地说：

“好啦，去吧。已经说过了嘛。”

“当然啦。”波里亚科夫在心里说。

早晨四点多钟，他们顺着地道爬去。波里亚科夫的头时不时地碰到支架上，不时地骂谢廖沙两句，他又生气又觉得不好意思，因为他竟想念起这个小伙子。

地道宽一些了，他们坐下来多少休息一下。克里莫夫笑着说：

“你怎么不带点儿礼物呀？”

“去他的吧，乳臭未干的孩子，”波里亚科夫说，“要带就带一块砖头，敲他几下子。”

“当然啦，”克里莫夫说，“你就是为这去的嘛，还准备过河到那边去哩。也许，老人家，你是想看看卡佳吧，吃醋了吧？”

“走吧。”波里亚科夫说。

不多一会儿，他们就来到地面上，走在没有人的地段上。四周围静悄悄的。

“是不是仗打完啦？”波里亚科夫想道。他马上清清楚楚地想象到自家的屋：桌上摆了一碟子热汤，老伴儿在刮他钓来的鱼。他都觉得身上发热了。

就是这天夜里，保卢斯将军发出向斯大林格勒拖拉机厂地区进攻的命令。

两个步兵师应当进入飞机、大炮和坦克打开的大门。从半夜起，红红的香烟火就在士兵们的无所事事的手里晃动着了。

在黎明前一个半小时，“容克”轰炸机的马达声就在工厂各车间的上空响了起来。轰炸开始之后，就没有停顿和休歇了；如果在这连成一片的轰隆声中还有短暂的间隙的话，那这间隙里也充满了炸弹的呼啸声，一颗颗炸弹正拼足了自己的沉重的钢铁力量朝地上冲。这连成一片的轰隆声似乎能和钢铁一样，打碎人的头颅，打断人的脊梁骨。

天开始放亮了,可是工厂区上空依然黑沉沉的。

似乎大地自动在喷射电光、轰隆声、硝烟和黑色灰尘。

特别强大的攻击对准了别廖兹金团和“6-1”号楼房。

在整个团的防地上,被震聋了的人们都像发了疯似的跳起来,明白了这是德国佬开始了新的、空前强大的杀人勾当。

克里莫夫和老头子遇到了轰炸,便连忙朝无人地段奔去,在九月末重磅炸弹在那儿炸了不少大坑。朝无人地段跑的还有刚刚从轰塌的战壕里跳出来的鲍丘法罗夫营的战士。

德军战壕与苏军战壕之间的距离很近,所以一部分炸弹落到德军前沿阵地上,炸死炸伤德军打头进攻的一个师的部分士兵。

波里亚科夫觉得好像是下游阿斯特拉罕来的风在波涛汹涌的伏尔加河上呼啸。他有好几次被气浪冲倒,他在倒下的时候,忘记了他是在阳间还是阴间,忘记了他是年老还是年轻,忘记了哪儿是上,哪儿是下。但是克里莫夫一直拉着他,跑呀,跑呀,他们终于倒进一个深坑里,滚到潮漉漉、黏糊糊的坑底。这儿有三重黑暗,就是说,这黑暗是由夜的黑暗、硝烟和尘土的黑暗、深坑的黑暗交织成的。

他们躺在一起,在年老的和年轻的脑子里都有所期望的光、活命的祈求。这种光、这种感人的希望不仅燃烧在所有人的脑子里和心里,而且也燃烧在鸟兽的最简单的心里。

波里亚科夫小声骂着娘,认为一切灾难全是谢廖沙招来的,他嘟哝说:“谢廖沙竟搞成这样啦。”他仿佛看到,谢廖沙在祈祷。

这种连成一片的爆炸不可能持续很久,因为已经是超负荷的了。但是不少时间过去,强烈的轰隆声依然没有减弱,黑黑的烟幕依然没有放亮，而是越来越浓，把天和地连接得更紧密。

克里莫夫摸了摸波里亚科夫的粗糙的干活儿的手，握了握，他的手动了动，那是善意的回答，这对于处在未埋土的坟墓里的克里莫夫是一种暂时的安慰。近处的爆炸把土块和碎石朝坑里撒来；碎砖块打在老头子的背上。等到一片片的土从坑壁上往下溜，他们就感到恶心起来。坑已经不像坑了，而且再也看不见光了，德国人把一切从天上往下撒，要把四周围填平了。

克里莫夫平常在侦察的时候，不喜欢有搭档，喜欢快点儿溜进黑暗中去，就像冷静而老练的游泳者喜欢快点儿离开岸边岩石，泅进辽阔的大海的黑郁郁的深处。然而在这土坑里，他却很高兴有波里亚科夫躺在一起。

时间不再均匀地前进，而是疯狂起来，像爆炸的气浪一样朝前冲，有时忽然凝冻起来，被卷成了羊角形。

但是终于坑里的人抬起头来，头顶上出现了模模糊糊的亮光，硝烟和灰尘渐渐被风吹散……大地安静下来，连成一片的轰隆声变成零零落落的爆炸声。心中出现了苦闷的疲惫感，似乎心中的一切生命力都被挤压光了，只剩下了苦闷。

克里莫夫欠起身来，在他旁边躺着的竟是一个德国兵，身上盖了一层灰土，从帽子到靴子，浑身都被战争磨破了，咬烂了。克里莫夫一向不怕德国人，他一向相信自己的力量，相信自己有本事神出鬼没地抢在敌人之前一秒钟扣响扳机，扔出手梢弹，用刺刀捅出去或者用枪托子打过去。

可是现在他茫然失措了，他吃惊的是，在听不见也看不见的时候，他感觉到这个德国兵在旁边竟因此得到安慰，他竟把德国兵的手当成波里亚科夫的手。他们互相对望着。他们被同样一种力量控制着，他们都无法摆脱这一力量，这一力量不保护他们中任何一个，而是同样威胁着两个人。

这两个战场上的敌手都没有作声。

他们所具有的准确无误的机械性能——杀人，没有发挥出来。

波里亚科夫坐在稍远些的地方，也在看着满脸胡茬子的德国兵。尽管波里亚科夫不喜欢长时间不说话，可是这会儿也没有说话。

活着是可怕的，他们的眼睛深处闪现出一股沮丧的洞察力，仿佛看到，就是在战后，那股使他们来到这坑里、使他们趴在地上的力量，将不仅等待着失败者。

他们就像商量好了一样，从坑里往外爬，尽管自己的脊背和脑壳很容易受到枪击，但是都毫不犹豫地相信自己没有危险。

波里亚科夫直往下滑，但是在旁边爬的德国兵没有帮助他，老头子滚了下去，一面咒骂着天和地，可是又仍然顽强地朝地面上爬。克里莫夫和那个德国兵爬到地面上，两个人都望了望，一个朝东面望，一个朝西面望：上级是不是看到他们从一个坑里爬出来，谁也没有打死谁。他们都没有回头，各自朝自己的战壕走去，跨过被炸翻过来、还在冒烟的土地上的一个个土包和一道道沟坎。

“咱们的大楼没有了，炸平了。”克里莫夫恐怖地对跟上来的波里亚科夫说。“弟兄们，难道你们都死了吗？”

这时候，大炮和机枪响了起来，响起一片呼啸声，呜呜叫声。

德军发动了强大的攻势。这是斯大林格勒最沉重的一天。

“都是浑小子谢廖沙搞的。”波里亚科夫嘟哝说。他还不明白是怎么一回事儿，不明白“6-1”大楼里的人已经全部牺牲了，他看到克里莫夫在抽搭、在哀叹，还生气呢。

二十四

在飞机轰炸的时候，一颗炸弹落在营指挥所所在的地下煤气管道的检修处上面，把此刻正在里面的团长别廖兹金、营长德尔金和营里的报话员埋住。别廖兹金处在一片漆黑中，耳朵也被震聋了，被石头粉灰呛得喘不上气来，起初他以为自己已经完了，但是德尔金在短暂的寂静时刻里打了一个喷嚏，问：

“中校同志，您活着吗？”

别廖兹金就回答说：

“活着。”

德尔金听到团长的声音，高兴起来，多年来没有离开过他的好情绪马上又回到他心中。

“既然活着，那就是一切情况正常。”他说，虽然他被灰土呛得喘不过气来，又咳嗽又往外吐，虽然情况并不怎么正常。德尔金和报话员被碎石头埋住，还不知道他们的骨头断了没有，他们的感觉还没有恢复。一根铁梁悬在他们的头上，使他们直不起腰来，但是，看样子，正是这根铁梁救了他们。德尔金捏亮了手电筒，他才真正害怕起来。在一片灰尘中，一块块石头、压弯的铁梁、鼓起来的抹了润滑油的混凝土、炸碎的电缆都悬在头顶上。

看样子,只要再有爆炸一震动,这狭窄的空隙就没有了,几个人就没有了,铁和石头就要合拢了。

他们安静了一阵子,缩着身子,一种疯狂的力量冲打着一个个的车间。别廖兹金心想,这些车间在以自己的僵死的躯体参加保卫战呢,因为要打碎混凝土、钢铁和配件是很难的。

后来他们到处敲了敲,摸了摸,就明白了,要自己爬出去是不可能的。电话机还好好的,但是哑了,因为电话线被炸断了。

他们彼此几乎不能说话,因为爆炸的轰隆声掩盖了他们的声音,他们被灰尘呛得直咳嗽。

前一天还在发高烧的别廖兹金,现在并不觉得没有力气。他的力量在战斗中往往能带动指挥人员,能带动战士们,不过这力量的实质不是军事性与战斗性的,这是一种普普通通、通情达理、人性的力量。能保持这种力量并且能够在残酷的战斗中表现出这种力量的只有很少一些人,正是这些人,这些平易近人、通人情、讲道理、有人性的人,才是战争的真正主人。

但是轰炸停止了,被埋住的几个人又听到钢铁的隆隆响声。

别廖兹金揩了揩鼻子,咳嗽了几声,说:

“狼群叫起来啦,坦克朝拖拉机厂冲来啦。”又补充说:“咱们正好在他们的路上。”

也许由于彻底绝望了,德尔金忽然用难以形容的嗓门儿大声唱了起来,一面咳嗽,一面唱起电影歌曲:

伙计们,日子过得很好,很好,
跟头领在一起咱们不用烦恼……

报话员心想，营长准是疯了，可是他也一面咳嗽一面吐，跟着唱了起来：

老婆会伤心，会嫁给别人，

一嫁给别人，就把我忘了……

这时候在地面上，在充满了硝烟、灰尘和坦克吼声的隆隆作响的车间废墟上，格鲁什科夫不顾血糊糊的手上的皮肉，拼命地扒石头、混凝土块、断钢筋，他用一股疯狂的劲头儿干着，正是这股疯劲儿帮助他扭动沉重的铁梁，干几十个人才能干的事情。

别廖兹金又看到了带有硝烟与尘土的朦胧的光线，这光线中还混杂着爆炸声、德军坦克的吼声、大炮声与机枪声。不管怎么说，那是一种微弱的亮光了，别廖兹金一看到这亮光，首先就在心里说："你瞧，塔玛拉，你不该为我担心嘛，我对你说过，没有什么了不起的嘛。"格鲁什科夫那一双强壮有力的手把他抱住。

德尔金用号哭的声音叫道：

"团长同志，向您报告，我的一个营全完了。"

他用手朝四周围指了指。

"瓦尼亚死了，我们的瓦尼亚死了。"他指了指侧着身子躺在黑黑的、软和和的一大摊血与机油中的营政委的尸体。指挥所倒是比较平安，只有桌子和床上撒了一层土。

皮沃瓦罗夫一看见别廖兹金，就高兴地骂起娘来，并且跑了过来。

别廖兹金就问起来：

"和各营有联系吗？被围的大楼怎样啦？鲍丘法罗夫怎么

样？我刚才和德尔金就像落进老鼠夹子里，不见光，也没有联系。谁活着，谁死了，我们的人在哪儿，德国佬在哪儿，我一点儿也不知道，快把情况说一说！你们在战斗的时候，我们还在那儿唱歌哩。”

皮沃瓦罗夫说起伤亡情况，说“6-1”大楼里的人都完了，都牺牲了，那个好捣乱的格列科夫也死了，只活下来两个人：一名侦察兵和一个民兵老头子。

但是这个团经住了德军的打击，活下来的人还活着。这时候电话机发出声音，团部里的人看了看电话员，从他的脸色看出来，这是斯大林格勒最高指挥官打来的电话。

电话员把话筒递给别廖兹金；听得很清楚，掩蔽所里安静下来的人都听出了崔可夫那粗大而低沉的声音：

“是别廖兹金吗？你们的师长负伤了，副师长和参谋长都牺牲了，我命令您担任师长职务。”稍停之后他用又慢又重的声音说：“你在空前艰难、危险的情况下率领全团作战，顶住了进攻。谢谢你。好同志，我拥抱你。祝你成功。”

在拖拉机厂各车间里的战斗开始了。活着的人还活着。

“6-1”楼房无声无息。再也听不到从瓦砾堆里打出来的枪声。显然，空袭的主要力量对准了这座楼房，断垣残壁倒塌了，石头堆被扫平了。德军坦克借这座死楼的瓦砾堆做掩护，向鲍丘法罗夫营开了火。

不久前使德国人感到害怕、感到残酷无情的这座楼的废墟，如今却成了他们的安全地带。

从远处看，那一个个红红的砖堆很像是一块块老大的冒热气的生肉，身穿灰绿军服的德国兵吱吱哇哇叫着，很起劲地在被摧毁的楼房的砖堆中间跑来跑去。

“你指挥这个团吧。”别廖兹金对皮沃瓦罗夫说。又说：“整个战争期间上级都对我很不满意。可是现在，我在地下闲待了一阵子，又唱了歌儿，可是你瞧，又得到崔可夫的感谢，又捞到师长头衔，这可不是玩儿的。现在我可是不能放过你。”

但是德国佬冲过来，没工夫开玩笑了。

国家出版基金项目
“十三五”国家重点出版物出版规划项目
安徽省文化强省建设专项资金项目

生活与命运

下

Жизнь и судьба

Второй том

［苏联］瓦西里·格罗斯曼◎著
力 冈◎译

安徽师范大学出版社
·芜湖·

二十五

在寒冷的下雪的日子里,维克托带着妻子和女儿来到莫斯科。符拉季米罗芙娜不愿意使厂里的化验工作中断,就留在了喀山,虽然维克托已经在设法把她安置在卡尔波夫研究院。

这些天是很奇怪的——心里又高兴又惶惶不安。似乎德国人依然很可怕,很强大,他们正准备新的、猛烈的进攻。

似乎,战争还没有转折。但是人们想回莫斯科已经是很自然的、合情合理的事了,政府开始组织的一些单位复员回莫斯科的事也是合乎规律的了。

人们已经感觉出战争的春天的隐隐约约的信息。不过,首都在战争的第二个冬天里依然显得很冷清,很凄凉。

人行道上的肮脏的雪堆很像一座座小山一样。在郊区的大街上,一条条小道像农村小路一样连接着一家家门口和电车站与商店。很多窗子里伸出冒烟的罗马尼亚式铁烟囱,墙上覆盖了一层熏得黄黄的冰凌。

身穿小皮袄、头上裹围巾的莫斯科人显得很土气,很像乡下人。

在从车站回家的路上,维克托坐在货车车厢里的行李上,打量着坐在旁边的娜佳的阴沉的脸,问道:

“怎么,小姐,你在喀山想象的莫斯科不是这种样子吧?”

娜佳因为爸爸摸到了她的心思,很生气,就什么也没有回答。

维克托就给她讲解起来:

“人类不懂得,人类建起的城市并不是自然生成的大自然的一部分。人类为了保护人类文化,驱除野狼,清除冰雪、杂草,就不能放下武器、锹和扫帚。如果马虎大意,闲散一两年,那就糟了,野狼会从森林里跑出来,杂草到处生长,城市会被雪堵塞住,到处是灰尘。已经有多少大城市被尘土、积雪和荒草淹没了呀。”

维克托很希望跟捞外快的司机一起坐在驾驶室里的柳德米拉也能听到他的高论,就把身子探到车厢拦板外面,对着开了一半的小窗孔问道:

“柳德米拉,你坐得舒服吗?”

娜佳说:

“不过是扫院子的人没有扫雪,这跟毁灭文化有什么关系?”

“你这傻孩子,”维克托说,“你看看这一堆堆的冰。”

汽车很猛烈地颠簸了一下,车厢里所有的箱子和包裹一下子蹦了起来,维克托和娜佳也跟着蹦了一下。他们对看了一下,笑了起来。

奇怪,很奇怪。他何曾想到,在战争的痛苦年月里,在喀山逃难的时候,他会取得他最大、最重要的成就?

他们在进入莫斯科的时候,似乎只能感到得意和兴奋,也许只有怀念安娜·谢苗诺芙娜、托里亚、玛露霞,怀念几乎每个家庭都有的牺牲者的痛苦心情,会和归来的喜悦心情交织在一起,填满人的心灵。

然而,一切并不像所想象的那样。在火车里,维克托常常因为一些小事发火。他生气的是,柳德米拉老是睡觉,也不看看窗外她儿子保卫过的土地。她在睡梦中大声打呼噜。一名伤兵从

车厢里走过，听到她的呼噜声，说：

“哎哟，打得真带劲儿！”

他很生娜佳的气：妈妈专捡她吃剩的东西吃，她也就毫不客气地在包里挑选烤得最好的饼子。在火车里她学会了对待爸爸使用一种戏弄和嘲笑的腔调。维克托听到她在旁边一个单间里说：“我爸爸是个老大的音乐迷，自己也能胡乱弹一弹钢琴。”

同车厢的人谈莫斯科的下水道和暖气设备，谈到那些无忧无虑的人不必按莫斯科的转账单付钱，不需像没有公房住的人那样付房租，还谈到往莫斯科带什么样的食品比较合算。维克托听到谈生活问题就生气，可是他也谈了房屋管理和自来水问题，在夜里睡不着的时候，他又想到在莫斯科登记领取供应品问题，又想到电话是不是已经被拆除了。

一个很凶恶的女列车员在打扫车厢的时候，从座位下面扫出维克托扔的一根鸡骨头，就说：

“哼，简直是猪，还自以为是有文化的人呢。”

在穆罗姆，维克托和娜佳在站台上散步，从两个身穿羊羔皮领子大衣的年轻人身边走过。其中一个年轻人说：“大英雄疏散回来啦。”

另一个解释说：

“大英雄要赶回去领取保卫莫斯科奖章呢。”

在卡纳什车站，火车在迎面开来的一列装运犯人的军车旁边停下来。押车士兵在军车旁边走来走去，犯人们将一张张苍白的脸贴在小小的、装了铁栏杆的窗户上，叫喊着：“抽烟……”“给点儿黄烟吧……”押车士兵骂着，把犯人从窗口赶开去。

黄昏时候,维克托走到索科洛夫夫妇所在的车厢里。玛丽亚头上裹着花头巾,正在铺床,让丈夫睡下铺,自己睡上铺。她很担心丈夫是不是舒服,维克托问她什么,她回答得牛头不对马嘴,她甚至都没有问柳德米拉身体好不好。

索科洛夫打着呵欠,说是车厢里太闷,弄得他一点精神也没有了。维克托看到索科洛夫没有因为他的到来表示高兴,而是一副心不在焉的样子,不知为什么感到特别生气。

维克托说:

"我这一辈子头一次看到,丈夫让妻子爬上铺,自己睡下铺。"

他说这话用的是很气愤的口气,连他自己也觉得奇怪,这种情况为什么使他这样生气。

"我们一直是这样,"玛丽亚说。"他在上铺总感到气闷,我倒是无所谓。"

她并且吻了吻索科洛夫的鬓角。

"好啦,我走了。"维克托说。索科洛夫夫妇没有挽留他,他又很生气。

夜里车厢里很闷。想起喀山,想起卡里莫夫、符拉季米罗芙娜,想起和马季亚罗夫谈的话,想起在大学里的小小的房间……过去维克托上索科洛夫家去,议论政治的时候,玛丽亚的眼睛多么亲切,多么动情啊。不像今天在车厢里这样漠然,这样疏远。

"鬼才知道这是怎么一回事儿,自己睡在下面,下面又舒服又凉爽。这算什么道理?"他在心里说。

他一向认为玛丽亚在他认识的女人当中是最好的女人,又温

柔，又善良。现在他生她的气了，就在心里想道："就像是一只红鼻子母兔。索科洛夫是一个难以相处的人，又懦弱，又拘谨，同时又自负得不得了，城府很深，又爱记仇。是的，实在够她受的。"

他怎么也睡不着，试着想想即将和朋友们，和契贝任见面的情形，——很多人已经知道他的研究成果了嘛。他见到的将是什么样的情形呢？他是胜利归来的呀。古列维奇和契贝任会对他说什么呢？

他想，能够详详细细地掌握新的试验装备性能的马尔科夫再过一个星期才能到莫斯科来，他不来还不能开始工作。糟糕的是，索科洛夫和我都是瘸子，只能动脑子，不能动手……

唉，好一个胜利者，胜利者！

但是这些想法懒懒地接续着，渐渐断了。

他眼前出现了叫喊着"要抽烟""给点儿黄烟"的人们，出现了管他叫"大英雄"的两个年轻人。波斯托耶夫当着他的面对索科洛夫说了一句很奇怪的话；索科洛夫说了说年轻物理学家兰杰斯曼的研究情况，波斯托耶夫就说："兰杰斯曼又算什么，维克托·巴甫洛维奇的第一流发现才真正能震动世界呢。"他把索科洛夫抱住，又说："不过最主要的还是，咱们是苏联人。"

电话还通吗，煤气还有吗？难道一百多年前的人在躲避拿破仑之后回莫斯科的时候，也想这些乱七八糟的事吗？……

汽车在楼房大门口停下来。于是维克托一家人又看到了自家的一套住房的四个窗户，窗玻璃上还保留着去年夏天贴的蓝色纸条条儿，又看到了大门，看到人行道边的菩提树，看到"牛奶店"的招牌、房管处门上的牌子。

“电梯恐怕还没有开。”柳德米拉说。并且转脸朝着司机，问道：“同志，您能不能帮我们把东西送到三楼？”

司机回答说：

“怎么不行，可以。不过，您要给我一些面包，算是脚力。”

把汽车上的东西卸下来，留下娜佳看东西，维克托和妻子朝楼上走去。他们慢慢地朝上走，感到很惊奇，因为一切都没有什么变化，二楼那包了黑漆布的门。那熟悉的邮箱都是老样子。多么奇怪呀，街道、房屋、几乎已经忘记的许多东西都没有消失，这不是，这一切又出现在眼前，人又置身其中了。

有一次，托里亚不愿等电梯，跑上三楼，从上面对着维克托叫喊：“哈，我已经到家了！”

维克托对妻子说：“咱们在平台上歇一会儿，你都喘不上气来啦。”

“我的天啊，”柳德米拉说，“这楼梯脏成什么样子啦。明天我就找房管处，叫瓦西里·伊万诺维奇组织人打扫打扫。”

终于他们夫妻两人站到自己的家门口了。

“也许，你想亲手开开门吧？”维克托问。

“不，不，你开吧，你是户主嘛。”

他们走进房里，没有脱大衣，在各个房间里走了一遍。她用手试了试暖气片，拿起电话筒，吹了吹，说；

“电话还能打通哩！”

然后她走到厨房里，说：

“也有自来水哩，这么说，卫生间还能用哩。”

她走到煤气炉跟前，试了试煤气炉开关，煤气是关着的。

我的天，我的天啊，一切都还在。敌人被挡住了。他们回到自己家里来了。1941年6月21日那个星期六，好像就是昨天。好像一切都没变，好像一切都变了！是另外一些人回到家里，他们已经是另外一种心情，另外一种命运，他们生活在另外一个时代。为什么这样心神不宁，这样平淡无味？为什么已经逝去的战前生活显得那样美好，那样幸福？为什么要这样操心明天的事——凭票供应的事，户口登记的事，用电限额问题，电梯开不开的事，订报问题？……到夜里又可以在自己的床上听熟悉的钟声了。

他跟在妻子后面走着，忽然想起他在夏天来莫斯科的情形，想起和他在一起喝酒的俊俏的尼娜，空酒瓶现在还放在厨房里的泄水盆旁边呢。

他想起他看过诺维科夫上校带来的妈妈的信之后的那个夜晚，想起自己突然上契里亚宾斯克的情形。他就是在这儿吻尼娜的，她有一只头发夹子掉下来，他们怎么找也找不到。他心慌起来，担心那只头发夹子现在出现在地板上，也说不定，尼娜把口红和香粉盒忘在这里呢。

但是这时候，司机呼哧呼哧喘着粗气，把箱子放下来，打量了一下房间，问道：

“整个这一套房间都是你们家住的吗？”

“是的。”维克托很不好意思地回答说。

“我们家六口人才住八平方哩，”司机说，“我老婆在白天趁大家都去干活儿的时候睡觉，夜里她就在椅子上坐着。”

维克托走到窗前，看到娜佳站在汽车旁堆的东西旁边，又蹦

又跳，还用嘴呵着手指头。

好娜佳，可怜的女儿，这就是你的家呀。

司机把装吃食儿的口袋和装被褥的大布袋扛进来，就在椅子上坐下来，卷起烟卷儿。

看样子，他当真关心起居住问题，他一再地和维克托谈起卫生设备和区房管局的人贪污受贿。

这时厨房里的锅子响了几声。

“这就烧饭啦。”司机说，并且朝维克托挤了挤眼睛。

维克托又朝窗外看了看。

“这就好了，好了。”司机说。“可是等到在斯大林格勒打垮了德国佬，大家都从疏散的地方回来，房子就更不够住了。不久前我们有一个工人受过两次伤以后回到工厂里，不用说，房子被炸毁了，他带着一家人住到没人住的地下室里，老婆怀着孩子，两个孩子都害肺病。地下室里灌进了水，水到了膝盖以上。他们把木板铺在板凳上，从床上到桌子边，从桌子边到炉边，都从木板上走。于是他到处要求解决住房问题，党委会、区委会都找过，也给斯大林写过信。都答应解决，答应只是答应。一天夜里他带上老婆、孩子和破烂东西住进五楼一个房间，是区苏维埃的机动房间。房间有 8.43 平方。这一下子事情闹大了！检察长把他传了去：要么在二十四小时内搬出去，要么判五年徒刑，两个孩子交保育院。这一来，他怎么办？他在战争中得过五颗勋章，现在他把五颗勋章扎在胸膛上，扎进肉里，就在中午休息的时候在车间里上了吊。大伙儿发现了，马上把绳子割断。救护车把他送进医院。这一来，马上给他发了住房证，他目前还在医院里呢，不过总

算他走运，房间虽小，可是总算有了个窝儿。结果还不坏。”

司机刚说完他的故事，娜佳就走了进来。

“要是东西被偷了，谁负责任？”司机问。

娜佳耸了耸肩膀，就一面呵着冻僵的手指头，在几个房间里转悠起来。

娜佳一走进房间来，就惹爸爸生气了，

“你哪怕把领子放下来也好。”他说，但是娜佳没有理睬，却朝着厨房叫道：

“妈妈，我饿死啦！”

这一天柳德米拉表现出非凡的精力和干劲儿，维克托简直觉得，她如果把这股劲头儿用在军事上，德国佬一定会从莫斯科后退一百公里。

管道工接通了暖气，管道完全正常，虽然不怎么热。找煤气工人却很不容易。柳德米拉打电话给煤气管道主任，管道主任从抢修队派来一名工人。柳德米拉把煤气炉所有的灯头都点着了，把烙铁放上去，虽然火力不大，但是坐在房里可以不穿大衣了。在司机、管道工、煤气工忙活过一阵子之后，装面包的口袋就轻飘飘的了。

柳德米拉做家务事一直忙到很晚时候。她把破布缠到刷子上，把天花板上和墙上的灰土都扫干净了。又把吊灯架上的灰土揩干净了，把干枯了的花拿到黑黑的过道里，清扫出很多垃圾、旧纸、破布；娜佳也一面嘟哝着，提出去三桶脏水。

柳德米拉把厨房里和餐室里的家什都洗了一遍，维克托也在她的指挥下擦洗碟子、叉子和刀子，茶具却不放心让他擦洗。她

又开始擦洗浴室，在炉子上炼油，挑拣从喀山带来的土豆。

维克托给索科洛夫打了个电话，接电话的是玛丽亚，她说：

“我叫他睡了，一路上他很疲乏，不过，如果有什么急事，我把他叫醒。”

“不，不，我没有事，只是想和他聊聊。”维克托说。

“我觉得太福气啦，”玛丽亚说，“我一个劲儿想哭呢。”

“上我们家来玩儿吧，”维克托说，“您怎么样，晚上有空吗？”

“今天哪儿行啊，”玛丽亚笑着说，“柳德米拉有多少事儿，我也有多少事儿。”

她问了问用电限额和自来水管道方面的事，他忽然很不礼貌地说：

“我马上把柳德米拉叫来，让她来和您谈自来水问题。”马上又故意用开玩笑的口吻说：“您不来，真遗憾，实在遗憾，要不然咱们可以念念福楼拜的长诗《马克斯与莫里兹》了。”

但是她没有理睬他的玩笑，说：

“我等一会儿再给您打电话。柳德米拉收拾房间有多么忙，我就有多么忙。”

维克托明白，她听到他的不礼貌的腔调生气了。他忽然很想上喀山去。人究竟有多么奇怪呀？

维克托打电话找波斯托耶夫，他们家的电话却打不通。

他打电话找物理学博士古列维奇，邻居回答说，古列维奇上索科里尼基妹妹家去了。

他打电话找契贝任，却没有人接电话。

忽然电话铃响起来，有一个孩子声音要娜佳接电话，但是这

时候娜佳倒垃圾桶去了。

“谁找她?”维克托一本正经地问。

“没要紧事儿,是一个熟人。”

“维克托,别在电话里闲扯吧,帮我把橱子搬一搬。”柳德米拉喊道。

“我跟谁闲扯?在莫斯科还没有人跟我闲扯呢,”维克托说,“你顶好还是给我弄点儿吃的。索料洛夫已经吃过饭,睡了。”

似乎柳德米拉把家里搞得更乱了:到处堆着衣服,从橱子里拿出来的家什摆在地板上;又是锅子,又是盆,又是口袋,想在各个房间里和走廊里走走,却走不通。

维克托以为柳德米拉开头会有一段时间不上托里亚的屋里去,他估计错了。

她的眼里流露着操心的神气,脸红红的,她说:

“维克托,你把这只中国花瓶放到托里亚的屋里,放到书橱上,我洗干净啦。”

电话铃又响了,他听到娜佳说:

“你好,我哪儿也没有去,刚才妈妈叫我倒垃圾桶去啦。”

柳德米拉催促他说:

“维克托,帮帮我吧,别睡觉,还有这么多事情嘛。”

女人有多么强大的本能,这种本能多么顽强又多么单纯。

到晚上,整理得一切就绪了,房间里暖和了,又呈现出战前原有的样子。

晚饭是在厨房里吃的。柳德米拉烙了饼,又用下午烧的米饭当馅做了馅饼。

“刚才是谁给你打电话?”维克托问娜佳。

“噢,是一个男孩子,”娜佳回答说,并且笑了起来,“他打电话已经打了四天了,终于打通了。”

“你怎么,和他通信来吗? 事先告诉他你要回来吗?”柳德米拉问道。

娜佳气得皱了皱眉头,一个肩膀动了动。

“可是,哪怕有一只狗给我打打电话也好啊。”维克托说。

夜里,维克托醒来。柳德米拉穿着内衣站在托里亚的房间的开着的门前,说:

“你瞧,我的托里亚,我一下子都收拾好了,你的屋里也收拾好了,就跟没有打仗一样,我的好孩子……”

二十六

复员回来的科学家们汇集在科学院的一座大厅里。

这些人有年老的,有年轻的,有面色苍白的,有秃顶的,有大眼睛的,有小而锐敏的眼睛的,有宽额头的,有窄额头的,大家汇集在一起之后,就感受到过去生活中曾经存在过的那种崇高的诗意,散文的诗意。那潮湿的床单,那放在没有生炉子的房子里的潮湿的书,竖起大衣领子做科学报告的情形,用冻僵的红红的手指头抄写公式的情形,用发粘的土豆和烂白菜叶子做的莫斯科杂烩汤,拥挤着领票证的场面,造名册请求配给咸鱼和补贴素油的麻烦情形,——这一切一下子就淡忘了。老同事见了面,问好声响成一片。

维克托看到契贝任和院士希沙科夫在一起。

“德米特里·佩特罗维奇！德米特里，佩特罗维奇！”维克托看着他的亲热的脸，一连喊了两遍。契贝任把他抱住。

“您的孩子们从前方给您来信吗？”维克托问道。

“他们都很好，来信的，来信的。”

契贝任却没有笑，而是皱起眉头，维克托从他这种神气看出来，他已经知道托里亚牺牲了。

“维克托·巴甫洛维奇，”他说，“请代我向您的夫人表示敬意，衷心的敬意。我的敬意和内人的敬意。”

契贝任接着又说：

“我看过您的论文了，很有意义，很重要，比一般认识到的还要重要。您要知道，其重要性将超过我们现在所能想象到的。”

他吻了吻维克托的额头。

“哪里，哪里，这算不了什么。”维克托说。他觉得又不好意思，又高兴。他来开会的路上，还惴惴不安地想着呢：有谁看过他的论文，会怎样评价他的论文？要是根本没有人看过呢？

他听了契贝任的话，马上就充满了信心：他和他的论文在这里要成为唯一的话题了。

希沙科夫站在旁边，可是维克托有很多话要对契贝任说，这些话是不能当着别人的面说的，尤其不能当着希沙科夫的面说。

维克托看见希沙科夫，常常想起格列布·乌斯宾斯基的很滑稽的话：“金字塔形水牛。”

希沙科夫那肉嘟嘟的方脸，那傲慢的、肉嘟嘟的嘴唇，肉嘟嘟的手指头和油光光的指甲，密密实实的银灰色平头，维克托一看

到就觉得不痛快。他每次遇到希沙科夫，心里都要出现疑问："他认识我吗？会跟我打招呼吗？"每当希沙科夫用肉嘟嘟的嘴唇慢慢地说出好像也是肉嘟嘟的、像牛肉似的话时，他却一面生自己的气，一面感到高兴。

"是一头傲慢的公牛！"维克托在谈到希沙科夫时，对索科洛夫这样说。"我一见到他就害怕，就像小镇上的犹太人见了骑兵上校。"

"有什么了不起的！"索科洛夫说。"谁都知道，他都不知道摄影图像出现时的正电子。每一个研究生都知道，希沙科夫院士却不知道。"

索科洛夫很少说别人坏话，不知是由于谨慎，还是由于那种不能责难别人的宗教式感情。可是希沙科夫总是使他非常生气，所以他常常骂希沙科夫，嘲笑希沙科夫，忍也忍不住。

大家谈起战争。

"咱们在伏尔加河上把德国人挡住啦，"契贝任说，"伏尔加河真了不起呀。真是活命水，活命水呀。"

"是斯大林格勒，斯大林格勒，"希沙科夫说，"斯大林格勒之战反映出我们的战略的光辉和我们的人民的坚强。"

"阿列克谢·阿列克谢耶维奇，您知道维克托·巴甫洛维奇最近的论文吗？"契贝任问。

"当然听说过，不过还没有看过。"

从希沙科夫脸上看不出他是否真的听说过维克托的论文。

维克托对着契贝任的眼睛看了很长的一眼：让他的老朋友和老师看到他经受的痛苦吧，让契贝任知道他的损失和疑虑吧。可

是维克托的眼睛也看出了契贝任的悲哀、他的痛苦的思绪、他的暮年疲惫感。

索科洛夫走过来，就在契贝任和他握手的时候，希沙科夫院士不大客气地拿眼睛扫了扫他的旧上衣。等波斯托耶夫走到跟前，希沙科夫绽开他那大脸上所有的肉高兴地笑了笑，说：

“你好，你好，我的好朋友，我见到你才高兴哩。”

这两个又高又粗的魁梧汉子谈起身体健康、老婆、孩子、别墅。

维克托低声问索科洛夫：

“你们家收拾好了吗？家里暖和吗？”

“目前还不比在喀山好。玛丽亚一再要我问候你们。可能明天下午她上你们家去。”

“那太好啦，”维克托说，“我们已经想她了，在喀山天天见面，我们已经习惯了。”

“是啊，天天见面，”索科洛夫说，“据我看，玛丽亚一天上你们家三趟。我早就劝她搬到你们家去啦。”

维克托笑起来，心里想，自己的笑不是完全自然的。这时候数学家列昂季耶夫院士来到大厅里。列昂季耶夫大鼻子，大脑袋剃得光光的，戴着黄镜框的大眼镜。过去他们住在加斯普拉的时候，有一次上雅尔塔去，在酒店里喝了很多酒，唱着黄色小调来到加斯普拉的食堂里，弄得食堂工作人员不知如何是好，惹得所有休养的人捧腹大笑。列昂季耶夫现在一看见维克托，就笑起来。维克托微微垂下眼睛，等待着列昂季耶夫谈他的论文。

但是看样子，列昂季耶夫想起了加斯普拉的趣事，把手一挥，

高声说：

“噢，怎么样，维克托·巴甫洛维奇，咱们再喝几杯？”

进来一位穿黑西装的黑头发年轻人，维克托发现，希沙科夫马上向他鞠了一个躬。

苏斯拉科夫走到年轻人跟前。苏斯拉科夫是在主席团里分管重要而不为人所知的事情的；大家只知道，借助他的力量比借助主席团的力量更容易把一位科学博士从阿拉木图调到喀山，更容易分到住房。这是一个面容疲惫、习惯于夜晚工作、脸颊像灰色面团一样苍白的人，是大家时时都用得着的人。

大家都习惯了，苏斯拉科夫在开会时抽“巴尔米拉”牌高级香烟，院士们抽黄烟和土烟，在走出科学院大门以后，不是科学界名人们对他说：“来，坐我的车吧。”而是他一面朝自己的小汽车走，一面对名人们说：“来，我把您带着。”

现在维克托观察着苏斯拉科夫和那个黑头发的年轻人说话，看出来，那个年轻人丝毫无求于苏斯拉科夫。不论请求的方式多么斯文典雅，总能看出，谁是求人的，谁是被人求的。相反，那个年轻人倒是希望快点儿结束同苏斯拉科夫的谈话。年轻人特意带着非常恭敬的神气向契贝任鞠了一个躬，但是在这种恭敬之中有一种不易觉察、但不知为什么还是可以觉察到的漫不经心的神气。

“请问，这位年轻的大人物是谁？”维克托问。

波斯托耶夫低声说：

“他最近调到中央委员会科学处工作。”

“您要知道，”维克托说，“我有一种很奇怪的感觉。我觉得，

我们在斯大林格勒的不屈不挠精神——这就是牛顿的不屈不挠精神，爱因斯坦的不屈不挠精神，在伏尔加河上的胜利标志着爱因斯坦思想的胜利，总而言之，我就是有这样的感觉。”

希沙科夫带着无法理解的神气笑了笑，轻轻摇了摇头。

“阿列克谢·阿列克谢耶维奇，难道您不理解我的意思吗？”维克托说。

“是啊，是不能理解，”来到旁边的科学处的年轻人笑着说，“看样子，只有所谓相对论才能帮助找出俄罗斯的伏尔加河与爱因斯坦之间的联系。”

“所谓相对论？”维克托吃惊地说。他看到对他表示的这种不友好的嘲笑态度，不禁皱了一下眉头。

他为了寻求支持，看了看希沙科夫，但是看样子，这位金字塔形水牛那种不屑一顾的蔑视态度也推广到爱因斯坦身上了。

维克托立刻觉得十分懊恼，又难受，又气愤。他有时候就会这样，一生起气来，费很大力气才能忍住。以后回到家里，他会在夜里说话反击欺负他的人，慷慨激昂。有时他忘乎所以，又叫喊，又打手势，通过想象中的发言维护自己的所爱，嘲笑敌人。柳德米拉就对娜佳说：“你爸爸又发表高论了。”

这会儿他感到受了侮辱，不仅是因为对待爱因斯坦的轻蔑态度。他认为，每一个熟人都应该和他谈谈他的论文，他应该成为与会者注意的中心。他觉得自己受了欺负，受了凌辱。他知道，为这类的事生气是很可笑的，但是他生气了。只有契贝任和他谈起他的论文。

维克托用温和的口气说：

“法西斯分子赶走了天才的爱因斯坦，他们的物理学就成了猢狲的物理学。可是，谢天谢地，我们挡住了法西斯的进攻。于是这一切就在一起了：伏尔加河，斯大林格勒，还有我们时代首屈一指的天才人物爱因斯坦，还有最落后的村庄，没有文化的老农妇，还有大家都盼望的自由。这一切都连在一起了。我好像说得很乱，不过，恐怕没有什么比这种乱更清楚了。”

“维克托·巴甫洛维奇，我觉得，您对爱因斯坦的颂扬太过分了。”

“总而言之，”波斯托耶夫快活地说，“可以说，是有些过分。”

科学处的年轻人带着不快活的神气看了看维克托。

“嗯，维克托·巴甫洛维奇。”他说。维克托又感觉出他的口气的不善。“您认为在我国人民这样重大的日子里在您的心里把爱因斯坦和伏尔加河联系起来是很自然的，可是在观点不同的人的心里在这些日子里却出现另外的想法。各人的心是各人的，这没有什么好争论的。不过，至于如何评价爱因斯坦，倒是可以争论争论，因为，我认为，把唯心主义理论冒充最高的科学成就是不应该的。”

“您别来这一套吧。”维克托打断他的话。又用傲慢的、教训的口吻说：“阿列克谢·阿列克谢耶维奇，现代物理学离开爱因斯坦，就是猢狲的物理学。我们不应该拿爱因斯坦、伽利略、牛顿的名字开玩笑。”

他动了一下手指头，警告希沙科夫，他看到希沙科夫眨巴了一下眼睛。

过了一小会儿，维克托就站在窗前，声音忽大忽小地把这次

偶然发生的冲突说给索科洛夫听。

“您刚才就站在旁边,竟然什么也没有听见,”维克托说,“契贝任也好像有意走了开去,没有听见。”

他皱起眉头,不再说话了。他还想今天自己会成为大家注意的中心呢,想得多么天真,多么孩子气啊。谁知,大家的激动情绪是上级机关的一个年轻人的到来引起的。

“您知道这个年轻后生姓什么吗?”索科洛夫就好像猜到了他的心思,忽然问道。“他是什么人家里的?”

“我一点也不知道。”维克托说。

索科洛夫把嘴巴凑到维克托耳朵上,小声说起来。

“您说什么!”维克托叫起来。他想起当时他很不理解的金字塔水牛和苏斯拉科夫对待这位大学生年龄的小伙子的态度,不禁拉长声音说:“怪……不……得……呢……我还觉得奇怪呢。”

索科洛夫微微笑着对他说:

“您回来第一天就在科学处和科学院领导层为自己建立起良好关系啦。您就像马克·吐温小说中那个人物,在税务检查官面前夸起自己的收入。”

但是维克托不喜欢这种俏皮话,他问道:

“您刚才站在我旁边,当真没有听见我们的争论吗?还是不愿意参与我和税务检查官的谈话?”

索科洛夫那小小的眼睛对着维克托笑了笑,那双眼睛显得很善良,因此也显得很好看了。

“维克托·巴甫洛维奇,”他说,“您别难过,难道您以为,希沙科夫会重视您的论文吗?哼,我的天啊,我的天啊,这儿有多少荣

华富贵的事要忙活，您的论文可是实在事情呀。”

他的眼神和声调中流露出真诚和温暖，这正是维克托在喀山那个秋日黄昏去找他时希望得到的。那时候在喀山维克托投有得到。

大会开始了。发言的一些人谈到科学在危难的战争时期的任务，谈到自己愿意为人民的事业贡献出全部力量，要帮助军队战胜德国法西斯。谈到科学院各研究所的研究工作，谈到党中央对科学家的帮助，谈到斯大林同志在领导军队和人民的同时，还要抽时间关心科学问题，还说科学家们要不辜负党和斯大林同志本人的信任。

谈到在新的环境中势必进行组织上的改变。物理学家们很吃惊地了解到，他们对该研究所的科学研究计划很不满意；过分注重纯理论问题了。大家都在大厅里小声传说着苏斯拉科夫的话：“研究所脱离实际。”

二十七

党中央委员会在研究国内科学研究工作的状况问题。都说，党现在要把主要的注意力放在物理学、数学和化学的发展上。

中央委员会认为，科学应当面向生产，应当接近现实，同现实有更密切的联系。

据说，斯大林同志参加了会议，他像往常一样，一只手握着烟斗，在大厅里走来走去，不时地带着沉思的神气停下来，不知是倾听与会者的发言，还是倾听自己心里的话。

与会者尖锐地批评了唯心主义和轻视本国哲学和科学的倾向。

斯大林在会议上有两次插话。当谢尔巴科夫发言，赞成对科学院的预算进行限制的时候，斯大林摇了摇头，说：

“搞科学不是做肥皂。我们对科学院不进行限制。”

第二次插话是在会上有人谈到唯心主义理论的害处和一部分科学家过分崇拜西方科学的时候。斯大林点点头，说：

“应当好好保护我们的人，决不能实行专制残暴统治。”

被邀参加这次会议的科学家们，对朋友们说了说斯大林的情形，叫朋友们保证不要说出去。过了三天，整个莫斯科科学界人士便在几十个家庭和朋友圈子里小声议论起会议上的情形。

很多人小声传说着，说斯大林已经白了头，说他的嘴里一口黑牙，牙齿已经坏了，说他的手很好看，手指头细细的，因为出过天花，脸上还有麻子。

听到这些话的人警告未成年的人说：

“小心，你要是乱说，不仅要害了自己，还会害了我们全家。”

大家都认为，科学家们的状况将会大大地改善。斯大林说的关于专制残暴制度的话，使人产生很大的希望。

过了几天，著名的植物遗传学家切特韦里科夫被逮捕了。关于他被捕的原因有各种各样的传说：有的说，他是间谍；有的说，他在出国期间常常和俄国的流亡分子会面；有的说，他的德国裔妻子在战前常常和住在柏林的妹妹通信；有的说，他企图推广小麦的有害品种，以便造成病害和歉收；有的认为，他的被捕与他说的有关食指的一句话有关系；有的认为，他被捕是因为他对小时

候的伙伴说过一桩政治方面的笑话。

在战争时期，听到的政治方面逮捕的事比较少，所以许多人，包括维克托在内，就以为这种可怕的事永远不会有了。

又想起了1937年，那时候几乎每天都可以说出夜里被捕的人的名字。又想起那时候怎样在电话里互相报告这方面的事："昨天夜里安娜·安德列耶芙娜的丈夫病了……"想起邻居在电话里怎样回答有关被捕者的情况："他离开了，不知道什么时候能够回来……"想起当时常听到的怎样逮捕人的情形：有的正在给孩子洗澡，就被抓走了，有的是在工作，在看戏，在深夜里被抓走。想起来："搜查了两天两夜，什么都搜了，甚至把地板都撬起来……几乎什么都没看，为了做样子，随便翻了翻书……"

想起一去不复返的几十个人的名字：瓦维洛夫院士……维捷院士……诗人曼德尔施塔姆、作家巴别尔……鲍里斯·皮利尼亚克……梅耶霍德……细菌学家科尔叔诺夫和兹拉托罗夫……普列特尼约夫教授……列文博士……

但是问题不在于被捕者是杰出的人、有名的人，而是在于，不论有名的、无名的、平平常常的、谦虚朴实的，都没有罪，他们都是勤勤恳恳工作的。

难道这一切又要开始了？难道到战后听到夜里的脚步声和汽车声还是要心惊肉跳？

多么难把争取自由的战争和这种事联系在一起呀……是啊，是啊，我们在喀山真不该那样乱说呀。

切特韦里科夫被捕之后，过了一个星期，契贝任声明离开物理研究所，接替他的位子的是希沙科夫。

科学院主席团的人上契贝任家里去过。据说,不知是贝利亚,还是马林科夫召见过契贝任,好像契贝任不肯改变研究所的选题计划。

据说,考虑到他的巨大的科学成就,暂时不想对他采取极端措施。同时被解除职务的还有分管行政工作的所长、年轻的自由主义分子皮敏诺夫,认为他不称职。

希沙科夫院士担任了所长职务和契贝任原来担任的学术领导职务。

有传闻说,契贝任在这些事情之后,心脏病发作。维克托马上就准备去看他,就往他家里打了个电话。接电话的保姆说,契贝任最近确实身体不大好,遵照医生意见,同夫人一起上外地去了,过两三个星期才能回来。

维克托对柳德米拉说:

"这种情形,就好比把一个小孩子从电车门口往下推,还要把这叫做保护人不受专制残暴制度的危害。契贝任是马克思主义者,还是佛教徒、喇嘛教徒,这跟物理有什么关系?契贝任建立了一个学派。契贝任是卢瑟福的朋友。契贝任方程式每一个管院子的人都知道。"

"哼,关于管院子的,爸爸,你算了吧。"娜佳说。

维克托说:

"小心,你要是乱说,不仅要害了自己,还会害了我们全家。"

"我知道,这种话只能对家里人说。"

维克托用温和的口气说:

"唉,好孩子,我有什么办法能改变中央的决议?能用头去撞

墙吗？而且契贝任是自己声明愿意离职的呀。况且，正如所说的，大家都不赞成他的做法。”

柳德米拉对丈夫说：

“用不着这样激动。再说，你自己也常常和契贝任争论嘛。”

“如果不争论，就没有真正的友谊。”

“就是了，”柳德米拉说，“瞧着吧，你那样喜欢乱说，也会把你的试验室领导职务撤掉。”

“我倒不担心这个，”维克托说，“娜佳说得不错，的确，我所有的话都是说给自家人听的，等于在口袋里做手势。你打个电话给切特韦里科夫的夫人，去看看她！你们是朋友嘛。”

“现在可不兴这样，再说，我们也不是多么亲近的朋友，”柳德米拉说，“我一点也帮助不了她。她现在也用不着我。以往出了这种事之后，你给谁打过电话吗？”

“依我看，应该。”娜佳说。

维克托皱了皱眉头。

“就是打电话，实质上还是等于在口袋里做手势。”

他想和索科洛夫谈谈契贝任的离职，这种事不能和老婆孩子谈。但是他硬压制着自己不给索科洛夫打电话，这种事不能在电话里谈。

还是很奇怪。为什么让希沙科夫当所长？很明显，维克托最近发表的论文是科学界的大事。契贝任在学术会议上说，这是苏联物理理论界十年来最重大的事件。可是却让希沙科夫做研究所的领导。这是闹着玩儿的吗？他看着几百张照片，看到电子的痕迹往左偏转，忽然又看到照片上同样的痕迹、同样的粒子往右

偏转。可以说,把正电子握住了。这是年轻的萨沃斯季扬诺夫也会明白的。可是希沙科夫却撅起嘴,把照片推到一边,认为照片有毛病。谢里番说:“唉,这就是向右呀,你简直不知道哪边是右,哪边是左。”

但最奇怪的是,谁也不觉得这样的事奇怪。这样的事也就不知不觉变成理所当然的了。维克托的朋友们、他的妻子和他自己也就认为这种情况是合理合法的了。维克托不适合做所长,希沙科夫适合做所长。

波斯托耶夫怎么说?哦……他说:“最主要的是,我们都是苏联人。”

不过,要做一个比契贝任更爱苏联的苏联人,恐怕很难。

早晨,在去研究所的路上,维克托想象着,所里的工作人员,从院士到试验员,一定都在谈着契贝任了。

研究所门口停着一辆小汽车,司机是一个戴眼镜的上了年纪的人,正在看报。

门房老头子夏天常常和维克托一块儿在试验室里喝茶,今天在楼梯上碰到他,说:

“新官上任啦。”又伤心地说:“咱们的老所长呢,嗯?”

在大厅里,试验员们在谈设备安装的事。试验设备是昨天从喀山运来的。试验大厅里摆满一个个的大箱子。在乌拉尔定做的新仪器同旧的设备一起运到。诺兹德林站在一个老大的木板箱旁边,维克托觉得他的脸上似乎流露着一副不可一世的神气。

佩列佩里津在腋下夹着拐杖,用一条腿在这个大箱子周围蹦跳着。

安娜·斯捷潘诺芙娜指着一个个的箱子，说：

“您看，维克托·巴甫洛维奇！”

“这么大的东西连瞎子也会看到。”佩列佩里津说。

但安娜·斯捷潘诺芙娜说的不是箱子。

“看见啦，看见啦，当然看见啦。”维克托说。

“再过一个小时，工人们就来了，”诺兹德林说，“我已经跟马尔科夫教授说好了。”

他是用当家人的平静而缓慢的口气说这话的。轮到他说话算数的时候了。

维克托走进自己的办公室。马尔科夫、萨沃斯季扬诺夫坐在长沙发上，索科洛夫站在窗前，旁边的磁试验室主任斯维琴坐在写字台前抽着自己卷的烟卷儿。

维克托一走进来，斯维琴站起来，要把椅子让给他：

“这是主人的位子嘛。”

“不用，不用，请坐吧。”维克托说。接着又问：“最高会议上谈的是什么？”

马尔科夫说：

“关于限额问题。每位院士的限额要提高到一千五，一般的人的限额提高到五百，和人民演员、和列别杰夫-库马奇那样的伟大诗人一样。”

“咱们要开始安装设备了，”维克托说，“可是契贝任不在所里了。正如俗话说的：房屋失火，时钟还在走。”

但是坐在办公室里的人都没有接他的话。

萨沃斯季扬诺夫说：

“昨天有一个堂弟来了,他是出了医院上前方去,从这儿路过,家里没有酒,我向邻居家买了一瓶,花了三百五十卢布。”

“真不得了!”斯维琴说。

“搞科学不是做肥皂,”萨沃斯季扬诺夫快活地说。但是从几个人的脸色可以看出来,他这个玩笑开得很不合适。

“新官已经到任啦,”维克托说。

“是一个劲头儿十足的人呢。”斯维琴说。

“咱们有希沙科夫当头头儿,就有办法啦,”马尔科夫说,“他是日丹诺夫同志家里的座上客。”

马尔科夫是个很奇怪的人,他与人交往似乎不多,但总是什么事都知道:知道旁边的试验室里的副博士加布里切芙斯卡娅怀了孕,知道清洁工丽达的丈夫又进了军医院,也知道最高学位评委会没有批准斯莫罗金采夫的博士学位申请报告。

“可不是吗,”萨沃斯季扬诺夫说,“他的出了名的错误我们都是知道的。不过,总的说,他这人也不坏。诸位可知道,好人与坏人的区别在哪儿?好人做卑鄙事不是心甘情愿的。”

“错误不过是错误,”磁试验室主任说,“不过,一个人凭错误当不了院士。”

斯维琴是研究所党委委员,他是1941年秋天入党的,虽然参与党的活动不久,但和很多人一样,非常顶真,用宗教式的虔诚对待党的使命。

“维克托·巴甫洛维奇,”他说,“我正有事要找你,党委请您在大会上发言,谈谈您对新的任务的看法。”

“要我谈领导的错误,批判契贝任吗?”维克托很气愤地问

道。他本不希望这样，可是一谈起来就控制不住了。“我不知道我是好人还是坏人，但是要我干卑鄙的事，我不心甘情愿。”

他转脸朝着试验室的同事们，问道：

“比如说，同志们，你们赞成契贝任离职吗？”他原本相信会得到他们支持的，可是看到萨沃斯季扬诺夫态度暧昧地耸了耸肩膀并且说“人老了，不中用了”的时候，他觉得很尴尬。

斯维琴说：

“契贝任已经声明，他不再安排任何新的研究工作。有什么办法呢？再说，是他自己辞职的呀，而且还挽留过他呢。”

“那么，阿拉克切耶夫呢？”维克托问。“哼，终于露底了。”

马尔科夫压低了声音说：

“维克托·巴甫洛维奇，据说，当初卢瑟福曾经发誓不研究中子，担心中子可以造成巨大的爆炸力。这是很高尚的，但又是一种毫无意义的清高。据说，契贝任就常常谈一些类似的、带有浸礼派教会精神的话。”

维克托心想：“天啊，他怎么全知道呀？”

维克托对索科洛夫说：

“彼特尔·拉甫连季耶维奇，可见，您和我不是大多数。”

索科洛夫摇了摇头，说：

“维克托·巴甫洛维奇，我认为，在这样的时期，个人主义和执拗是不容许的。战争时期嘛。在领导同志和契贝任谈话的时候，他就不应该考虑自己，不应该考虑自己的利益。

“哎哟，你也这样，起义啦？”维克托说。他用这样一句挖苦话掩盖自己的慌乱。

不过说也奇怪：他不光是慌乱，好像也很高兴。他想："哼，当然啦，我早就知道嘛。"但有什么"哼，当然"的？因为他并没有料到索科洛夫会这样回答。就算料到的话，又有什么可高兴的？

"您应该发言，"斯维琴说，"您完全不一定要批评契贝任。哪怕说几句话，谈谈党中央的决议和您的研究的关系。"

战前，维克托常常在音乐学院的交响乐音乐会上和斯维琴见面。据说，斯维琴青年时代在物理数学系上学的时候，常常写朦胧诗，在衣兜上插菊花。可是现在斯维琴说起党委的决定，就像说的是亘古不变的真理的定义。

维克托有时想对他挤挤眼睛，拿手指头轻轻朝他的腰上捅一捅，说："喂，老头子，咱们干干脆脆地谈谈吧。"

但是他知道，现在不能和斯维琴干干脆脆地谈什么了。不过，他因为听了索科洛夫的话感到吃惊，还是干干脆脆地谈起来。

他问道："把切特韦里科夫抓起来，也和新的任务有关系吗？老瓦维洛夫坐监牢，也和这有关系吗？如果我斗胆说一句，我认为，契贝任在物理学方面有更大的发言权，其权威性超过日丹诺夫同志，超过中央科学处处长，甚至超过……"

在座的人都看着他，以为他就要说出斯大林的名字。他看到他们的眼神，就把手一挥，说：

"好啦，算啦，咱们上试验大厅里去吧。"

从乌拉尔运来的一些装着新仪器的箱子已经打了开来，从锯屑、碎纸、撬开的木板中已经小心翼翼地取出有大半吨重的仪器主要部件。维克托把手放在光溜溜的金属表面上。

从这个金属肚子里将产生急速的粒子束，就像谢利格尔湖边

的小教堂下面涌出一条伏尔加河那样。

这时候，人的眼睛是很舒服的。当你感觉到世界上竟有这样神奇的机器时，是很愉快的。还要什么呢？

下班以后，试验室里只剩下维克托和索科洛夫两个人。

“维克托·巴甫洛维奇，您为什么像只公鸡一样直蹦直跳？您真沉不住气。我对玛丽亚说了说您在科学院大会上的成就，竟然在半小时之内破坏了同新所长、同科学处年轻的大人物的关系。玛丽亚吓得提心吊胆，夜里都睡不好觉。您要知道咱们生活在什么时代。我看见过您看着仪器时的脸。这一切都要为几句空话牺牲了。”

“够啦，够啦，”维克托说，“连气都不能喘啦。”

“啊，等一等，”索科洛夫打断他的话，“在研究方面谁也不会干涉你。你可以痛痛快快地喘气。”

“您听我说，我的好朋友，”维克托说着，苦笑了一下，“您对我是好意，我非常感谢。请允许我也以好意相报。比如，说实在的，您为什么忽然当着斯维琴的面那样说契贝任？在喀山有过一阵子思想自由之后，我见到这种事不知道为什么这样难受。至于我……非常遗憾，并不是那样天不怕地不怕的人。正如咱们在学生时期常说的，并不是丹东①。”

“噢，您不是丹东，真谢天谢地。说实在的，我一向认为，政治演说家恰恰是那些在创作与创造方面无所作为的人。而您我是可以有所作为的。”

“噢，是这样啊，”维克托说，“那么，法国的伽罗华怎么样

①丹东是法国大革命时期政治活动家。

呢？基巴利契奇又怎么样？”

索科洛夫把椅子推开，说：

“您该知道，基巴利契奇上了绞刑台。不过我指的是乱说废话。就像马季亚罗夫说的那些话。”

维克托问：

“这么说，我也是乱说废话了？”

索科洛夫一声不响地耸了耸肩膀。

他们过去有多次争执和口角都被忘记了，看样子这次争执也会被忘记的。可是不知为什么这次短暂的争执没有白白地过去，没有被忘记。当一个人和另一个人相处十分融洽的时候，他们有时也争吵，有时也吵得很没有道理，他们彼此的怨气还是会消失得无影无踪。但如果在人们之间出现了内在的分歧而又不了解这种内在分歧的话，那么，即使偶然的一句话，彼此间一点小的疏忽，也会变成一把尖刀，对友谊是致命的。

而且内在的分歧往往隐藏得很深，永远不暴露出来，人们也就永远认识不到。于是人们就认为，一次无关紧要的大声争论冲口而出的不好听的话是破坏多年友谊的不幸原因。

不是的，伊凡·伊凡诺维奇和伊凡·尼基福罗维奇争吵不是因为公鹅[1]！

---

①在果戈理的小说《伊凡·伊凡诺维奇和伊凡·尼基福罗维奇吵架的故事》中，因为骂了一声“公鹅”，两个好朋友打了一辈子官司。

二十八

大家都说研究所副所长卡西扬·捷连季耶维奇·科甫琴科是“希沙科夫的准确无误的底片”。科甫琴科和蔼可亲，说话有时带几个乌克兰词儿。他以惊人的快速度分到了房子和专用小汽车。

马尔科夫知道院士们和科学院领导人的很多事情。他说，科甫琴科获得斯大林奖金，是因为他生平第一次宣读的一篇已经发表的论文，而他之所以成为论文作者之一，仅仅因为他搞到紧缺的试验材料并使论文很快地在各级通过。

希沙科夫责成科甫琴科组织选聘人员，填补新的空缺。要招聘一些高级科研人员，还要填补真空试验室主任和低温度试验室主任两个空缺。

军事部门调拨了材料和人力，机械厂在改建，研究所大楼在装修，莫斯科水电站向研究所供应无限额的电力，保密工厂拨给研究所一些紧缺材料。这些事也都是科甫琴科操办的。

通常每当一个单位里来了新的领导人，大家都会用尊敬的口气说：“他上班比大家都早，下班比大家都晚。”大家也是这样说科甫琴科的。但是，如果大家说新的领导“上任已经有两个星期了，可是只来过一次，只待过半小时。简直见不到他这个人”，这样的新领导会引起下属更大的尊敬。因为这就说明，领导人正在攀登新的阶梯，正在高级领导层中活动。

开头一段时期在研究所里大家就是这样谈论希沙科夫院士的。

话说契贝任到城外别墅里去,如他自己说的,到试验小屋里搞研究去了。著名的心脏病医生法因加尔特教授劝他不要做剧烈动作,不要拿重东西。契贝任在别墅里又劈柴,又挖沟,自我感觉良好,他写信给医生说,是严格的治疗制度帮助了他。

在饥饿而寒冷的莫斯科,研究所似乎是一块温暖而富饶的绿洲。所里的工作人员夜里在潮湿的住房里冻得发抖,早晨一来上班,就很满意地把手放在热乎乎的暖气片上。

研究所里的人特别喜欢设在半地下室里的新食堂。食堂有小卖部,卖酸牛奶、甜咖啡、香肠。售货员在卖食品的时候,不要食品供应卡上的肉票和油票,这是研究所里的人最看重的。

食堂里的伙食分六个等级:供应各学科博士的,供应高级研究员的,供应初级研究员的,供应高级试验员的,供应技术人员的,供应服务人员的。

主要的纠纷是围绕着两种高级伙食发生的,二者的差别仅在于第三道菜,一种是干果做的果羹,一种是干粉做的羹。发生纠纷,还与发给博士、各科主任家里的食品袋有关系。

萨沃斯季扬诺夫说,当年议论哥白尼的理论,还没有现在议论这些食品袋这样激烈。

有时会觉得,参与创立这种神秘的分配等级制的不光是院委会和党委会,还有更高、更神秘的机构。

一天晚上柳德米拉说:

“今天我收到发给你的食品包,不过,觉得很奇怪。斯维琴,在研究方面一点本事也没有,可是领到二十个鸡蛋,不知为什么只给你十五个。我还看了看名单。给你和索科洛夫都是十五

个。”

维克托说起笑话:

“鬼才知道是怎么一回事儿! 众所周知,我们的科学家是分等级的:最伟大的,伟大的,著名的,优秀的,最后,是高级的。因为最伟大的和伟大的已经不在人世了,所以不用发给他们鸡蛋了。其余的科学家都按其科学家的分量发给白菜、碎麦米和鸡蛋。可是我们全乱了:有的人对社会无益,却能主持马克思主义讨论会,讨得院领导喜欢。一切都乱了套。科学院汽车库主任的待遇和泽林斯基一样:二十五个鸡蛋。昨天斯维琴的试验室里有一位很和蔼的女子甚至气得放声大哭起来,像甘地一样绝食了。”

娜佳听了爸爸的话,哈哈大笑,接着说:

“你要知道,爸爸,你们和清洁工在一块儿吃你们的煎肉排而不觉得难为情,是很奇怪的。奶奶无论如何不会赞成。”

“知道吗,”柳德米拉说,“这就是按劳分配的原则嘛。”

“哼,简直荒唐。这种食堂连一点儿社会主义气味也没有。”维克托说。接着又说:“哼,算了吧,我看这一切都是胡闹。你们可知道,”他忽然说,“今天马尔科夫对我说什么? 他说,不仅是我们研究所里的人,而且数学研究所和力学研究所里的人都用打字机把我的论文打出来,在互相传阅哩。”

“就像传阅曼德尔施塔姆的诗一样吗?”娜佳问。

“你不要笑,”维克托说,“一些大学的高年级学生还要求给他们做专题报告哩。”

“就是嘛,”娜佳说,“就连波斯托耶夫家的阿尔珈也对我说:你爸爸成了天才啦。”

“噢，不一定吧，我离天才还远着哩。”维克托说。

他朝自己的房间走去，但是马上又转回来，对妻子说：

“我真想不通，会有这样浑蛋的事，发给斯维琴二十个鸡蛋。我们这儿真会侮辱人！”

索科洛夫在名单上和他排在一个等级，他也感到很不痛快，虽然也觉得不好意思。当然嘛，应该表示表示维克托的成就大些，哪怕多一个鸡蛋也好，比如说，给索科洛夫十四个，少一点点儿，只是表示表示。

他觉得自己很可笑，但是，不知为什么他觉得他和索科洛夫分得一样多比起斯维琴分得比他多更可气。斯维琴的情形是很简单的：他是党委委员，他的优势是在党国方面。维克托对这一点是不生气的。

可是索科洛夫的情形就涉及科研能力和科学家的成就。在这方面维克托就不能平心静气了。他从内心里感到气愤，感到难受。但这些评价是以很可笑、很可怜的方式进行的。他很明白这一点。但是如果一个人并不总是很伟大，有时也会很可怜，那又有什么办法呢？

在上床就寝的时候，维克托想起不久前和索科洛夫谈起契贝任的那一场谈话，很生气地说：

“一副奴才相！”

“你说谁？”正在被窝里看书的柳德米拉问道。

“说的是索科洛夫，”维克托说，“真是个奴才。”

柳德米拉把一个手指头夹在书里，也没有转过头来，说：

“你瞧着吧，说不定还要把你从研究所赶出去呢，全是因为你

乱说一气。又爱发火，对什么人都不满意……跟什么人都吵过了，现在我看出来，你还要跟索科洛夫吵一场呢。过不了多久，就没有一个人肯上咱们家来了。”

维克托说：

“噢，用不着，用不着，柳德米拉，亲爱的。噢，怎么给你解释呢？你要知道，现在又像战前那样为了每一句话提心吊胆了，又像那样没有一点儿正气了。你瞧瞧契贝任！柳德米拉，这可是一个了不起的人呀！我以为全研究所里的人会一齐叫起来的，谁知只有一个看门的老头子对他表示同情。波斯托耶夫竟对索科洛夫说：‘最主要的是，我们都是苏联人。’他说这话管什么用？”

他很想和柳德米拉多谈一会儿，对她说说自己的一些想法。他不知不觉地关心起这些事，关心起发食品的事，感到很惭愧。为什么会这样？为什么来到莫斯科以后，他好像老了，没有劲头儿了，关心起生活琐事、庸俗的问题、官场上的事？为什么在喀山的时候他的精神生活更深厚、更有意义、更纯洁？为什么就连他主要的科研兴趣、他的欢乐也模糊了，同许多渺小、虚荣的念头混到了一起？

“柳德米拉，我真不痛快，很难过。喂，你怎么不说话呀？嗯，柳德米拉？”

柳德米拉没有说话。她睡着了。

他轻轻地笑起来。他觉得真好笑：一个女人听说他得罪了人，担心得睡不好觉，另一个女人却睡着了。于是他仿佛看到了玛丽亚那瘦瘦的脸，便把刚才对妻子说的话又说了一遍：

“你了解我吗？嗯，玛丽亚？”

“真见鬼，什么乱糟糟的东西往脑子里直钻。”他想道，一面沉沉入睡。

乱糟糟的东西确实钻进了他的脑子。

二十九

维克托的手不巧。家里的电熨斗烧坏了，因为短路电灯灭了，一般都是柳德米拉修理。

在他们共同生活的头几年，他的无用使她感到可亲可爱。但是近来她开始生他的气。有一次，他把空空的茶壶放到火上，她就说：

“你的手简直是泥巴做的，笨透啦！”

在研究所里开始安装仪器的时候，维克托常常想起这一句使他生气、使他懊恼的话。

在试验室里当家做主的是马尔科夫和诺兹德林。萨沃斯季扬诺夫首先感觉到这一点，有一次在生产会议上说：

“除了马尔科夫教授和诺兹德林，没有上帝，也没有有上帝的代表！”

马尔科夫的古板和稳重不见了。维克托很赞赏他的思想的大胆，能够随时随地解决突然出现的问题。维克托觉得马尔科夫简直像一名外科医生，在纵横交错的血管与神经结中间得心应手地操纵着手术刀。似乎有一个有着高度智慧和灵敏感觉的聪明动物正在诞生。似乎这个新的、在世界上第一次出现的金属有机体也有心脏，也有感觉，也会高兴和痛苦，和制造它的人完全

一样。

维克托总觉得马尔科夫那种坚定不移的自信心有些可笑，他坚信自己的工作、自己设计的仪器比释迦牟尼和穆罕默德干的那些无聊的事或者托尔斯泰和陀思妥耶夫斯基写的书更为重要。

托尔斯泰怀疑过自己的伟大创作是否有益！天才的作家并不坚信自己在做有益于人类的事。但是物理学家们就不怀疑自己的研究对人类是有用的。马尔科夫就不怀疑。

但是现在维克托不觉得马尔科夫的这种信心可笑了。

维克托喜欢看诺兹德林拿锉刀、钳子、螺丝刀干活儿或者细心地调理一缕缕的电线，帮助电工将引线上的电流通向新的装置。

地上放着一捆捆的电线和许多青灰色的铅片。大厅当中的钢板上放着从乌拉尔运来的带有不少方的和圆的镗孔的新装置的基本部分。这种用于超精密的物质研究的金属庞然大物蕴藏着一种惊心动魄的美。

一两千年以前，在海边有几个人用粗木头做木筏，用绳子捆，用扒钉钉。海边沙滩上放着绞车、木工台，用瓦罐在火上熬松脂……出海的时刻越来越近了。

晚上，做木筏的人回到家里，呼吸呼吸家庭生活的气息，烤烤火，听听老婆的唠叨和笑声。有时也和家里人吵吵嘴，打打孩子，和邻居吵一架。到夜里，在温暖的黑暗中会听到大海的波涛声，会预感到未来航程的惊险，心会紧紧收缩起来。

索科洛夫在看别人做事情的时候，一般不说话。维克托在回头看的时候，一般都要碰到他那严肃的、凝视的眼神，似乎往常他

们之间良好的、重要的关系依然存在。

维克托很想开诚布公地和索科洛夫谈谈。事实上，一切都是很奇怪的。就如天天想着票证、限额，想着荣誉的分量、领导的照顾，都是有损心灵的，是很奇怪的。这不是，心灵里也还有与领导、与职务高低、与奖金无关的东西。

现在又觉得喀山的那些晚上很好、很有年轻人气氛，有点儿像革命前的大学生晚间集会。可能马季亚罗夫是一个十分清白的人。真奇怪：卡里莫夫怀疑马季亚罗夫，马季亚罗夫也怀疑卡里莫夫……两个人都是十分清白的。他相信这一点。不过，也许像海涅说的，“两个都臭”呢？

他有时想起和契贝任谈发面桶的一番话。为什么他现在回到莫斯科，一切渺小、卑微的东西都在心里浮现出来？为什么他不尊敬的一些人都浮到了面上？为什么他认为有本事、有才能、忠诚可靠的一些人如此无用呢？要知道契贝任谈过希特勒德国，契贝任说错了呀。

“很奇怪，”维克托对索科洛夫说，“各个试验室的人都来看咱们安装设备，就是希沙科夫没有来看过，一次也没有来。”

“他的事情很多呀。”索科洛夫说。

“当然，当然。”维克托连忙表示同意。

是啊，回到莫斯科以后，很难和索科洛夫推心置腹地谈谈了。真不知道是怎么一回事儿。

说也奇怪，他再也不和索科洛夫争论任何问题了，倒是希望避开争论。

但是要避开争论也不容易。有时争论会突然发生，出乎维克

托的意外。

维克托慢悠悠地说:

“我想起咱们在喀山说的许多话……哦,马季亚罗夫怎么样,有信给您吗?”

索科洛夫摇了摇头。

“不知道,不知道马季亚罗夫怎么样。我对您说过嘛,直到离开喀山,我们都没有再见面。想起那时候咱们谈的一些话,我越来越觉得不痛快。咱们因为灰心丧气,就想把战争时期的暂时困难说成是苏维埃制度的所谓缺陷造成的。一切被看作苏维埃制度的缺陷的,恰恰是其优越性。”

“比如说,1937年也是优越性吗?”维克托问道。

索科洛夫说:

“维克托·巴甫洛维奇,近来咱们不论谈什么,您都要使谈话变成争论。”

维克托很想对他说,恰恰相反,他倒是不希望争吵,是索科洛夫有火气,这种火气就使他一有什么缘由就争论起来。

可是他却说:

“可能这是因为我的脾气太坏,而且越来越坏。不光是您这样说,柳德米拉也这样说。”

他说过这话,心里想:“我多么孤单呀。在家里,在外面,都很孤单。”

三十

帝国党卫军首领希姆莱要召开会议,研究帝国保安总部推行的特别措施。这次会议受到特别重视,这和希姆莱前往元首的行营有关系。

党卫军少校利斯接到柏林来的命令,要他汇报集中营管理处附近一项特别工程建筑的进展情况。

利斯在视察这项工程之前,先要到福斯公司的机械厂和为保安部生产订货的化学工厂去一趟。在这之后,利斯再上柏林去向主持筹备会议的党卫军少校埃希曼汇报情况。

利斯因为有机会去柏林,感到很高兴。老是住在集中营里,天天和野蛮、愚昧的人打交道,他感到受不了。

他在上汽车的时候,想起了莫斯托夫斯科伊。

大概老头子在隔离室里日日夜夜在拼命猜想,利斯传他去有什么目的,正在紧张地等待着哩。

实际上不过是要检验一下自己的一些想法,希望写一篇论文《敌人的意识形态及其代表人物》。

多么有意思的性格呀!事实上,如果有谁进入原子核,不仅会受到排斥力的作用,也会受到吸引力的作用。

小汽车出了集中营的大门,利斯也就把莫斯托夫斯科伊忘记了。

第二天一早,利斯来到福斯公司的工厂。

吃过早饭以后,利斯在福斯的办公室里和设计师普拉什凯谈

了谈，然后和指导生产的几个工程师谈了谈；在办事处营业主任和他谈了谈所订的成套设备的成本计算。

他在工厂的各个车间里待了几个小时，在机器的隆隆声中转来转去，到傍晚，他就十分疲乏了。

福斯的工厂生产的是保安部订货的重要部分，利斯看了十分满意：企业领导者对事情考虑得很周密，技术条件执行得很精确，机械工程师们改进了传送结构，热力工程师设计出最经济的焚化炉操作图。

在工厂里很辛苦地转悠了一天之后，傍晚来到福斯家里，觉得特别愉快。

利斯到化学工厂一看，却非常失望：计划生产的化学产品只生产出百分之四十多一点儿。

尤其使利斯生气的是，化学工厂的人有很多怨言：生产又复杂，又变化无常；在空袭的时候炸坏了通风装置，车间里有许多工人中毒；稳定生产所需要的硅藻土供应很不正常；密闭的容器常常在铁路运输中耽搁……

不过，化学股份公司经理处的人非常清楚保安部订货的意义。股份公司的化学总工程师基利赫加尔津对利斯说，保安部的订货任务一定要如期完成。经理处已经采取措施，推迟完成军火部的订货任务，这是从1939年9月以来不曾有过的事。

利斯没有去观看化学合成试验室的一次重要试验，但是查看了有生理学家、化学家、生物化学家签名的记录。

这一天，利斯会见了进行试验的科学工作者。这是一些年轻的科学家。有两个女的，一个是生理学家，一个是生物化学家；一

名病理解剖医生，一名低沸点有机化合专家，还有领导试验的毒物学家菲舍尔教授。参加会议的人给利斯留下良好的印象。

虽然他们因为自己制定的研究方案受到称赞都很高兴，但是他们也不在利斯面前掩盖自己的工作的薄弱环节和自己的怀疑。

第三天，利斯和奥别尔什泰因安装公司的一名工程师一起乘飞机飞往建筑工地。他心情很好，这一次外出他很开心。接下去就是最开心的事：视察过工程之后，就要和工程的技术领导人一起飞往柏林，到保安总部去汇报情况。

天气很坏，下着十一月的冷雨。飞机好不容易在集中营的中央机场着陆——在低空机翼就开始结冰，地面上还笼罩着一层雾。黎明时候下过雪，有的地方的土块上还有一点一点的又湿又滑的雪，还没有被雨水冲洗掉。

工程师们的呢帽帽檐浸透了沉甸甸的雨水，耷拉了下来。

新铺的铁路通到建筑工地上，这铁路直接与主要干线相连接。

铁路附近有一些仓库的库房。于是就从仓库开始视察。正在敞棚底下对物品进行分类：有各种各样的机械零件，有溜槽和滑轮传送装置的各个部件，有各种直径的管子，有鼓风和通风装置，有粉碎骨头的球磨机，有尚未装上架子的测量气体和测量电力的仪器，有一捆捆的电缆，有水泥，有自动翻斗车，一堆堆的钢轧，还有办公室的家具。

有一些特别库房由党卫军把守着，这种库房有许多排气装置，通风机嗡嗡地响着。这是已经开始生产的化学化合产品仓库。里面有许多带有红色气门的大瓶和贴了红蓝色标签的十五

公斤大罐，远看很像一罐罐保加利亚果酱。

从这座有一半在地下的库房里走出来，利斯和他的陪同者迎面碰上刚刚乘火车从柏林来的公司的总设计师什塔尔干克教授，还有工程主任冯·莱涅凯工程师。莱涅凯是个高大的男子，穿着黄色的皮夹克。

什塔尔干克呼哧呼哧地喘着气，潮湿的空气引起他的哮喘病发作。他周围的工程师们都在责怪他不爱惜自己的身体；他们都知道，什塔尔干克的设计图册就在希特勒的私人图书室里。

建筑工地和二十世纪中期一般的巨大建筑工地没有任何不同。

在一处处基坑周围可以听到哨兵的哨声、挖土机的轧轧声、吊车的移动声、机车的尖叫声。

利斯及其陪同者走到一座没有窗子的四方形灰色建筑物跟前。所有的工业建筑物、一座座红砖炉、粗大的烟囱、装了玻璃顶的调度塔和警卫塔，都跟这座没有窗子、没有挂牌子的灰色建筑物有关系。

筑路工正在一条路上铺沥青，热腾腾的灰烟从压路机下面往上冒，和灰色的冷雾混合到一起。

莱涅凯对利斯说，在检查1号工程的密闭性的时候，结果不能令人满意。什塔尔干克忘记了自己的哮喘，用激动的嘶哑声音向利斯说明新建筑物的设计思想。

一般的工业水轮机看起来很简单，体积又小，却是巨大的能量和速度的中心，在水轮机的旋转中水的地质能量变为功。

这座建筑物就是根据水轮机的原理建造的。它能使生命和

与生命有关的各种能量变为无机物。在这种新形式的轮机中,要消除心理功能、神经功能、呼吸功能、心脏功能、肌肉功能、造血功能。将水轮机原理、屠宰机原理、焚烧垃圾机原理联合于新建筑之中,必须把这几种特性联合于一个简单的设计方案之中。

“众所周知,”什塔尔干克说,“我们的敬爱的元首在视察最平常的工业工程的时候,也不会忘记设计形式。”

他放低了声音,只让利斯一个人能听见。

“您是知道的,帝国元首看到华沙附近的集中营设计形式过分讲求神秘的一面,非常不高兴。这一切也必须考虑到。”

水泥建筑的内部结构是与高速度大量生产的工业时代相适应的。

生命和水一样,一进入下水道,就不能停止,也不能往回流了。生命在水泥通道里的移动速度可以用斯托克斯关于液体在管子里移动的公式来表示,就是说,其移动的速度取决于其浓度、比重、黏性、摩擦性、温度。一盏盏电灯嵌在棚顶上,都用很厚的半透明玻璃保护着。

越往前走,电灯越亮,走到密闭室门口,更是亮得刺眼。密闭室安着光溜溜的钢门。

来到门口,就感到特别激动,建筑工人和安装工人在新的成套设备要开工时往往会这样的。

一些做粗活的工人用水龙带在冲洗地面。一名穿白大褂子的化学工程师在关闭的门口测量压力。莱涅凯吩咐打开密闭室的门。走进带有低低的水泥顶的宽敞的密闭大厅之后,有几名工程师摘下帽子。密闭大厅的地面是用可移动的沉甸甸的钢板拼

成的，钢板都装了钢框，一块块的钢板紧紧靠在一起。在调度人员开动机械装置的时候，做地面的一块块钢板就一齐竖立起来，密闭大厅里所有的一切都会进入地下室。下去的有机物要经过口腔科人员检查，摘去装在口腔里的贵重金属。然后，通向火化炉的传送带开始运转。已经失去知觉的有机物到了火化炉里就在热能的作用下受到进一步的破坏——变为磷肥、石灰和灰烬、氨、二氧化碳和二氧化硫。

一名联络官走到利斯跟前，递给他一封电报。大家都看到，这位党卫军少校看过电报之后，脸色阴沉下来。

电报通知利斯，说党卫军少校埃希曼今天夜里来工地上和他见面。埃希曼已经乘汽车上了慕尼黑的公路干线。

利斯不能去柏林了。他本来明天夜里就要回到自己的别墅里，生病的妻子就住在别墅里，天天盼望着他。他本来可以在睡觉之前穿着软软和和的便鞋，在安乐椅上坐一会儿，在温暖与舒适中暂时忘却这严峻的时代。夜里在郊外别墅的被窝里听着柏林防空部队高射炮远远的轰鸣声，多么愉快呀。

傍晚时候在柏林，在做过汇报之后，在上郊外之前，在没有空袭的安静时候，他可以去看望哲学研究所里的一个年轻女子，只有她才知道他有多么难过，心里多么慌乱。为了和那女子相会，他在公文包里还带了一瓶白兰地和一盒巧克力。现在这一切成了泡影。

工程师们、化学家们、设计师们都一齐望着他：是什么样的烦恼事使保安总部的这位视察要员如此不快呢？谁又能知道呢？

在场的人有一会儿曾经以为，密闭室已经不属于建筑者了，

已经活了,就要凭自己的水泥特性生活,要满足自己的水泥的饥渴,就要开始分泌毒液,用钢铁的大嘴开始咀嚼,开始消化食物了。

什塔尔干克朝莱涅凯挤了挤眼睛,小声说:

“大概利斯是接到通知。那位党卫军少校要在这儿听他的汇报,这我在早晨就知道了。他原本要在家里休息休息,也许还要和一位心爱的女士相会,这一来就落空了。”

三十一

利斯和埃希曼在夜里见了面。

埃希曼有三十五岁左右。手套、帽子、靴子,这三样表现德国武装力量的神气、高傲和优越性的东西,和党卫军领袖希姆莱所穿戴的完全一样。

利斯在战前就认识埃希曼一家。他们是同乡。利斯在柏林大学上学的时候,在报社以及后来在哲学杂志编辑部工作的时候,有时到故乡城市去看看,常常见到中学时期的同学。有些人在社会浪潮中得势了,后来浪潮过去,就消沉了,荣誉和物质享受又被别人捞去。可是年轻的埃希曼一直生活得很不起眼,很单调。凡尔登城下的炮声,曾经似乎要来的胜利,失败和通货膨胀,国会里的政治斗争,绘画、戏剧、音乐中左的和超左的流派的冲击,新风尚的兴起和衰落,——一切都没有改变他的单调生活。

他做过外地一家公司的代理人。他在家里和对待外人不过分粗暴也不过分殷勤。人生的条条大路都被闹哄哄的、指手画脚

的、敌视他的人群堵塞着。到处可以看到排挤他的又敏捷又机警的人，他们又灵活又老练，闪动着发亮的深沉的眼睛，带着傲慢的神气朝他冷笑……

在柏林中学毕业之后，他没有找到工作。柏林一些公司的经理和业主对他说，没有空缺，可是埃希曼从旁边了解到，有的公司没接收他，却接收了一个很不像样子的不知是什么民族的人，也许是波兰人，也许是意大利人。他想上大学，但是大学里对人的态度很不公正，他上不了。他看到，考试人员一看见他的淡色眼睛和圆圆的脸、淡色的平头、又短又直的鼻子，就没有劲了。似乎他们喜欢的是长脸、黑眼睛、佝偻腰、窄肩膀的人，喜欢没出息的人。回到外地的人不只是他一个。这是很多人的命运。柏林一直有一类人，这一类的人在社会各个阶层都有。但是这一类人大多数是在崇尚世界主义、失去民族特点的知识分子中间，他们不分德国人和意大利人，不分德国人和波兰人。

这是很特殊的一类人，是一个很奇怪的种族，他们最聪明，最有学问，最能冷眼旁观。这类人所发出的朝气蓬勃的、非侵略性的思想威力给予人的强烈感觉是可怕的。这种威力表现在这些人的奇怪的爱好中，表现在他们的日常生活中，他们在生活中注意时髦，却又不修边幅，不看重时髦；表现在他们对动物的热爱，爱动物却与他们的纯粹城市生活方式相结合；表现在他们的抽象思维能力方面，他们善于抽象思维的同时，却又十分喜欢艺术中和生活中粗犷的东西……这些人推进了德国的染料化学和氮合成化学，推进了强射线研究和优质钢的生产。就因为他们，外国的学者和艺术家、哲学家和工程师们纷纷来到德国，但正是这些

人最不像德国人，他们在全世界到处游荡，他们的友好交往完全不是德国需要的，他们的德国人天性太不鲜明。

一个外地公司的职员怎么能出人头地呀，能够吃饱肚子就不错了。

可是现在你瞧他手里的文件，这文件在世界上只有三个人知道，那就是希特勒、希姆莱、卡尔津布伦涅尔，他把文件锁进保险柜，走出自己的办公室。一部老大的黑色轿车正在门口等着他。卫兵向他敬礼，副官给他打开车门，党卫军少校埃希曼上了车。司机开大了油门，这部大马力的警察要员专用车便飞驰起来，一路上只见城里的警察恭恭敬敬对汽车行礼，急急忙忙打开绿灯，汽车穿过一条条柏林街道，便上了公路干线。冷雨、晨雾、喇叭声，缓缓的转弯处。

在斯莫列维奇，在果树丛中是一座座幽静的小房子，人行道上长着青草。在加尔季切夫商场的街道上，涂了紫色或红色记号的肮脏的镉黄色爪子的母鸡在灰土中跑来跑去。在基辅的波多尔区和瓦西里科夫，在多层的、有很多肮脏的玻璃窗的楼房里，楼梯被千万孩子的鞋子和老头子拖鞋磨得光光溜溜的。

在敖德萨，院子里长着花皮的悬铃木，晒着花连衣裙、褂子和裤子，煮果酱的铜盆在火盆上冒着热气，还没有见过太阳的黑皮肤婴儿在摇篮里啼哭。

在华沙，在狭窄的六层楼房里住着裁缝、装订工人、家庭教师、夜咖啡馆的歌手、大学生、钟表匠。

在斯大林道尔弗，傍晚农舍里生起炉火，风从彼列科普方向吹来，带有盐味、热乎乎的尘土味，老牛哞哞叫着，晃悠着沉重的

大头……

在布达佩斯，在法斯托夫，在维也纳，在梅利托波尔和在阿姆斯特丹，在玻璃窗明净如镜的别墅里，在工厂烟雾笼罩的房屋中，居住着犹太族的人们。

集中营的铁丝网、毒气室的墙、防坦克壕的黄土把千千万万人联结在一起，他们属于各种各样的年龄和职业，使用各种各样的语言，具有各种各样的生活和精神爱好，有信神的宗教狂热者，也有无神论的狂热崇拜者，有工人，有游手好闲的人，有医生和商人，有聪明人，有白痴，有小偷，有喜欢空想的人，有冷眼旁观者，有好心人，有圣洁的人，也有卑劣的人，死神在等待着他们。

警察要员的大马力轿车奔驰着，在秋天的公路干线上不停地转着弯儿。

三十二

他们是在夜里见面的。埃希曼一面往办公室里走，一面很快地询问着，径直走进办公室，坐到安乐椅上。

“我的时间不多，最迟在明天我要上华沙去。”

他已经到集中营警备队去过，和建筑工地主任谈过。

“工厂的情况怎样，您对福斯这个人的印象如何，据您看，这些化学家有水平吗？”他很快地询问着。

埃希曼用他那长着红红的大指甲的粗大的白手指头翻阅着桌上的文件，不时地用自来水笔做记号，利斯觉得，埃希曼并不认为这种使铁石心肠也要发冷发怵的事情与其他事情有什么不同。

利斯这几天喝了很多酒。气喘病加剧了，每天夜里他感到心跳得厉害。但是他认为，酒精对身体的害处，不如神经紧张的害处大，而他是时时刻刻处在神经紧张状态中的。

他很希望重新去研究那些敌视国家社会主义的著名活动家的思想，解答那些冷酷、复杂然而不流血的问题。到那时候他就不再喝酒，一天顶多抽上两三支香烟。所以不久前一天夜里他把一个苏联的老布尔什维克叫了来，跟他下了一盘政治棋，他回到卧室以后，没用安眠药就睡着了，一直睡到上午9点多钟。

在夜间视察毒气室的时候，建设者们为埃希曼和利斯安排了一次别出心裁的小小宴会。在毒气室中间放一张小桌，摆上酒和菜，莱涅凯请埃希曼和利斯饮酒。

埃希曼一见到这别出心裁的酒宴，就笑起来，说：

“我乐意从命。”

他把帽子交给自己的护兵，就在桌旁坐下来。他的一张大脸忽然露出踌躇满志的样子，就像千千万万喜欢吃喝的男子坐上摆满山珍海味的宴席那样。

莱涅凯站着斟好了酒，大家都端起酒杯，等着埃希曼致祝酒词。

在这水泥密闭室的寂静中，在斟得满满的酒杯里，有一种异常紧张的气氛，利斯觉得，他的心简直要经受不住了。很希望高声祝愿德国理想早日实现的祝酒词打破紧张气氛。但是紧张气氛还没有打破，而是越来越紧张了。因为埃希曼正在吃火腿面包。

“先生们，你们怎么啦？”埃希曼问。“这火腿太好了。”

“我们在等待您的祝酒词呢，”利斯说。

埃希曼端起酒杯。

“祝咱们为党国效劳取得更大胜利，依我看，这是最值得祝贺的。”

只有他一个人几乎没喝，而是吃了很多。

早晨埃希曼穿着裤衩在打开的窗户前做了一会儿早操。晨雾中露出一排排整整齐齐的集中营棚屋。一阵阵火车头的汽笛声传来。

利斯一向不羡慕埃希曼。利斯没有很高的职务，却有很高的地位——在帝国保安总部里都认为他是一个聪明人。希姆莱很喜欢和他交谈。

上层的人在大多数情况下尽可能不在他面前显示自己官位高。他习惯于不仅在保安部门博得尊敬。到处都有帝国保安总部的影响和势力：在大学里，在儿童疗养院院长的签字中，在歌剧院招收年轻演员的考试中，在为春季画展评选作品的时候，在国会选举的候选名单中。

这儿是生活的轴心。党所以永远正确，党的道理或者没有道理所以能战胜其他任何道理，党的哲学所以能战胜其他一切哲学，主要靠国家秘密警察的工作。这真是一根魔杖！要是失落了，魔力就消失了，伟大的演说家就会变为牛皮大王，学术巨著就会变为异端邪说，万万不能把这根魔杖放下。

利斯这天早晨看着埃希曼，生平第一次感到自己萌发了嫉妒心理。

埃希曼在离开之前几分钟说：

“利斯，咱们是同乡呀。”

他们谈起他们喜欢去的故乡城市的一些街道、饭馆、电影院。

“当然，有的地方我也没有去过。”埃希曼说。并且提到一个俱乐部，那地方他这个小业主的儿子过去是不能去的。

利斯想换个话题，就问道：

“请问，能不能大致地有个数，准备处理多少犹太人？”

他以为，他的问题问得过头了，也许，除了元首和希姆莱，世界上只有三个人能够回答他的问题。

但是，在埃希曼回忆过他年轻时在民主和风行世界主义时代不得志的情形之后，利斯问他这种事，承认自己不知道，正是最恰当的时候。

埃希曼回答了他。

利斯非常吃惊，又问一遍：

“是几百万吗？”

埃希曼耸了耸肩膀。

他们沉默了一阵子。

“咱们在学生时代不曾相识，非常遗憾，”利斯说，“如歌德说的，最好的是大学生时代。”

“我没有做过柏林的大学生，我是在外地上学的，您用不着感到遗憾。”埃希曼说。又补充说：“老乡，这个数目我是第一次说出来。如果算上在贝希特斯加登、帝国内阁和元首府那几次，那这个数目总共说过七次或者八次。”

“我明白，我们不会在明天的报纸上看到这个数目。”

“我指的就是报纸。”埃希曼说。

他带着冷笑的神气看了看利斯，利斯感到惶恐不安，因为他觉得埃希曼比他更聪明。

埃希曼却说：

“除了咱们都是一个绿树丛中的宁静小城的人以外，我对您说出这个数目，还有一个原因。我希望，它能使我们在今后的共同工作中很好地配合。”

“非常感谢，”利斯说，“应当好好想一想，事情是十分重大的。”

“当然啦。这主意不光是我的。”埃希曼竖起一个指头朝着上面。“如果您能跟我合作，万一希特勒失败了。那咱们就一起上吊。”

“前景是十分美好的，值得考虑，”利斯说。

“可以设想，两年后我们再坐在这房间里的舒适的小桌旁，就可以说：我们用二十个月的时间解决了人类用二十个世纪没有解决的问题！”

他们告别了。利斯目送着汽车。

他对于人与人在国家中的关系有自己的观点。在国家社会主义国家中，生活不能自由发展，生活的每一步都必须加以控制。

为了指导人的呼吸、母亲的感情，指导如何读书、唱歌、夏天旅游，领导工厂和军队，就需要有许多领导者。因为生活不能像野草一样随便生长，不能像大海一样随便翻腾。利斯认为，领导者可以分为四种性格类型。

第一种类型；性格单纯的人。他们一般缺乏敏锐的智慧和分析的能力。这些人从报纸和杂志上摘取口号和公式，从希特勒的

讲话中、戈培尔的文章中、佛朗哥和罗森堡的书中寻找理论依据。一旦感觉失去支柱，就不知所措。他们不考虑各种现象的联系，在任何问题上都表现得很激烈和偏执。他们不论对待哲学、国家社会主义的科学、似是而非的新发现，对待新戏剧的成就、新的音乐、国会选举运动，都十分顶真。他们像小学生一样，读书死记硬背，听报告、看书都要做笔记。他们的个人生活一般都十分简朴，有时甚至很贫困，他们往往比其他类型的人更积极地响应党的号召，离开家庭。

利斯起初以为埃希曼正是属于这种类型。

第二种性格类型：聪明的无耻之徒。这些人知道魔杖是存在的。他们在可靠的朋友圈子里讥笑很多人，讥笑新博士和硕士的无知，讥笑各级长官的错误和习性。他们不讥笑的只有领袖和崇高理想。这些人一般生活都很阔绰，他们有的是酒喝。这些人在党内占据高职位的比在低职位的多。在下层当权的主要是第一种性格类型的人。

利斯认为，在最高层掌权的是第三类性格的人。最高领导层掌权的不过八九个人，再有十五至二十人相配合。那儿另是一番天地，不再有什么信条，可以自由地裁判一切。那儿不再有理想，只看是否有利于我，只求称我心意，翻云覆雨，心狠手辣，不惜任何手段。

有时候利斯觉得，在德国所发生的一切都是为了他们和他们的利益。

利斯发现，极少数人出现在最高层，往往标志着不祥事件的开始。这少数翻云覆雨的高手们提拔一些恪守信条的人，为的是

让他们干特别血腥的事情。恪守信条的老实人暂时会受到最高层的赏识和犒劳,但是等到完成了任务,一般都要销声匿迹,有时会落得和自己的牺牲者一样的下场。最上层又是只有几个翻云覆雨的高手了。

第一种性格类型的老实人具有特别可贵的品质:他们具有人民性。他们不光摘引国家社会主义大师们的语句,也说人民的语言。他们的粗暴是人民的粗暴,农民的祖暴。他们说的笑话会在工人大会上引起一阵阵笑声。

第四种性格类型:奉命行事的人。他们对信条、思想、哲学丝毫不感兴趣,但也没有什么分析能力。国家社会主义党给他们薪俸,他们就为党效劳。他们追求的唯一的、最高的目标就是吃、穿、别墅、珠宝、家具、小汽车、冷气设备。他们不大喜欢金钱,不相信金钱的可靠性。

利斯向往最高领导层,希望和最高领导者交往,和他们接近,在高层里,在玩弄心计、进行文的较量的地方,他感到得心应手,轻松自如,非常得意。

但是利斯看到,在可怕的高层,在一些最高的领导者之上,在同高层之上还有一个隐隐约约、模模糊糊、不易理解、不依逻辑行事的世界,领袖希特勒就在这个最高世界里。

不知为什么,许多无法结合的特点汇集于希特勒的一身:他是许多高手的头儿,是超级技师,特等装修工,总监工,其阴险毒辣甚至超过他的所有的亲密助手的总和。利斯害怕的正是这一点。况且,在希特勒身上还有教条式的狂热、宗教式的信仰和信仰的盲目性,又像老牛一样的不讲道理,这些特点利斯只是在最

低层的党的领导者中间见到过。他是魔杖的创作者，是头号圣人，同时又是极其愚昧和狂热的信徒。

现在，利斯目送着汽车渐渐远去的时候，他觉得埃希曼忽然使他产生了一种又害怕又羡慕的隐隐约约的感觉，过去使他产生这种感觉的世界上只有一个人，那就是德国人的领袖希特勒。

三十三

重新建立起来的部队在夜间秘密地朝斯大林格勒前线移动。

在斯大林格勒西北，顿河中游，新战线的兵力越来越密集。一列列军车就在草原上停靠，部队就在重新铺好的铁路线上下车。

天一开始放亮，夜虽如奔腾的河流似的铁路线就安静下来，只有淡淡的尘雾笼罩在草原上。白天，炮身用干枯的野草和麦秸掩盖着，似乎世界上再没有什么东西比这些和秋日的原野融为一体的炮身更沉静的了。一架架飞机张着翅膀，像一只只僵死的昆虫似的停在机场上，上面覆盖着网状掩蔽物。

在只有几个人能看到的地图上，三角符号、菱形符号和圆圈儿一天比一天稠密，标志番号的数字也越来越稠密，——这是新的西南战线，也就是现在的进攻战线上的新的部队在编队，在聚集，在开向出发地界。

坦克兵团、炮兵师避开炮火连天的斯大林格勒，顺着伏尔加右岸空旷的盐碱地带朝南开去，开向一处处安静的河湾。军队渡过伏尔加河以后，在加尔梅克草原上，在湖汉之间的盐碱地上驻

扎下来，成千上万的俄罗斯人说起他们都觉得奇怪的话……这是在战场南边，在加尔梅克草原上集结兵力，面对德军的右翼。苏军最高指挥部正准备包围保卢斯的斯大林格勒军团。

一艘艘轮船、渡船、驳船在秋日的星光下，在黑沉沉的夜色中，把诺维科夫的坦克军渡向斯大林格勒以南的右岸。

成千上万的人看到用白漆写在钢甲上的俄罗斯古代将领的名字："库图佐夫""苏沃洛夫""亚历山大·涅夫斯基"。

千千万万的人看到，苏联的重炮、火箭炮和从盟国租借来的武器一齐向斯大林格勒涌去。

虽然千千万万人看到了这样的调动，集结大量兵力准备进攻斯大林格勒西北面和南面的行动还是在秘密中进行着。

怎么会出现这种事呢？德国人也知道这种大规模调动呀。要遮盖是不可能的，就好比一个人走在草原上，遮不住草原上的风。

德国人都知道苏军在向斯大林格勒调动，可是进攻斯大林格勒对于他们依然是秘密。每一个德军的尉官看到地图上标出的苏军集结地点，都会猜出只有斯大林、朱可夫、华西列夫斯基知道的苏方的最高军事机密。

可是，德军在斯大林格勒地区被包围不论对德军尉官们，不论对德军元帅们，都是非常突然的。

怎么会出现这种事呢？

斯大林格勒依然没有失守，德军多次进攻依然没有取得决定性的胜利，虽然在进攻中投入了大量兵力。而在消耗殆尽的苏军的一些团里，也只剩下几十名战士。这承担起残酷战斗的超级重

负的少数人正是使德国人思想产生迷乱的原因。

敌人不能设想，他们强大的兵力会被一小堆人打碎。似乎苏军的后备力量是在准备支援和增援苏联守军。在伏尔加河畔抗击保卢斯军团进攻的战士们成了斯大林格勒进攻战的战略家。

而历史的无情的魔力隐藏得还要深些。在这里面，自由是可以产生胜利的，因为自由仍然是战争的目的，所以一接触到历史的有魔力的手指，便成了历史的得心应手的工具。

三十四

一个老奶奶抱着一抱干芦苇朝家门口走去，她的阴沉的脸流露出一副操心的神气，她从一部落满灰尘的吉普车旁边走过，又从军部的一部坦克旁边走过，坦克上盖着帆布，一个角紧靠着房子的板墙。她瘦得皮包骨头，样子很不起眼，似乎再没有什么比这个从她家门前的坦克旁边走过的老奶奶更平常的了。可是，这个老奶奶，还有此时在棚子底下挤牛奶的她的不好看的女儿，还有把一个指头杵到鼻孔里、看着牛奶从奶头里往外窜的她的白头发的外孙，却和驻扎在草原上的军队有重要关系，其重要程度超过世界上一切大事。

所有这些军队上的人，不论是军部、军团司令部的少校们，坐在黑乎乎的乡下圣像下面抽香烟的将军们，在俄罗斯炉灶上烧羊肉的将军们的炊事员们，躲在仓库里用子弹和钉子做发卷儿的电话员姑娘们，在院子里对着洋铁洗脸盆刮脸、一只眼看着镜子、一只眼看着天空注视着敌机的坦克手们，——这钢铁、电力和汽油

组成的整个战争世界，已成为一座座草原村庄长期生活的不可分割的一部分。

对于老奶奶来说，还有一种不可分割的关系：她看到今天在坦克上的小伙子们，就想起夏天那些疲惫无神的小伙子，那些小伙子步行来到这里求宿，一个劲儿担惊害怕，夜里都不睡，不时地到外面观望。

加尔梅克草原村落里的这个老奶奶，和在乌拉尔给后备的坦克军军部送铜茶炊的老奶奶，和六月间在沃罗涅日把麦秸铺在地上让上校睡觉、一面望着窗外红红的火光画着十字的老奶奶，都有不可分割的关系。不过这种关系已经习以为常，不论要回屋里生炉灶的老奶奶，不论走出门来的上校，都没有注意到。

加尔梅克草原上异常宁静，使人心旷神怡。这天早晨在柏林大街上走来走去的人是否知道，俄罗斯在这里已经把自己的脸转向西方，准备进攻和前进了？

诺维科夫在台阶上唤来司机哈里托诺夫：

"把我的和政委的大衣带上，咱们要很晚才能回来。"

盖特曼诺夫和涅乌道布诺夫走出门来。

"涅乌道布诺夫同志，"诺维科夫说，"要是有什么情况，您打电话给卡尔波夫，下午三点以后，就打电话给别洛夫和马卡罗夫。"

涅乌道布诺夫说：

"会有什么情况呢？"

"那可说不定，也许司令员一下子来了呢。"诺维科夫说。

从太阳那边出现了两只铁鸟，朝村子飞去。飞得越来越快，

响声越来越大,草原的安静一下子就被打破了。

哈里托诺夫从汽车里跳出来,朝仓房的墙根下跑去。

“你怎么,傻瓜,躲起自己的飞机来啦?”盖特曼诺夫喊道。

这时候其中一架飞机用机枪朝村子扫射起来,另一架飞机投下一枚炸弹。呼啸声,轰隆声,妇女尖叫起来,小孩子哭起来,爆炸掀起的土块纷纷往地上落。

诺维科夫听到炸弹下落的啸声,弯了弯身子。有一小会儿,一切都笼罩在灰尘与硝烟中,他能看见的只有和他站在一起的盖特曼诺夫。接着涅乌道布诺夫的身影也从灰尘与硝烟中露了出来。他直着身子、昂着头站在那里,像是木雕的,只有他没有弯下身子。

盖特曼诺夫脸色有些灰白,但是又兴奋,又快活,一面打裤子上的灰土,一面带着洋洋得意的自夸口气说:

“没什么,还行,裤子还没有湿哩,咱们的将军甚至连动都没有动呢。”

然后盖特曼诺夫和涅乌道布诺夫去看炸弹坑周围的土飞得多么远。他们吃惊的是,远处房屋上的玻璃大都碎了,最近的房屋上的玻璃却好好的。他们又看了看倒下的篱笆。

诺维科夫觉得这两个第一次看到炸弹爆炸的人很有意思;看样子,他们吃惊的是,把这枚炸弹造出来,带上天空又扔到地上,目的只有一个:炸死盖特曼诺夫的孩子的父亲和涅乌道布诺夫的孩子的父亲。原来,人在战场上就干这种事儿。

盖特曼诺夫坐上汽车以后,一个劲儿在谈这次空袭,后来自己打断自己的话,说:

“诺维科夫同志，你听我说这些话，也许觉得好笑，你遇到上千次轰炸，我这是头一回呀。”接着又自己打断自己的话，问道：“我问你，那个克雷莫夫好像被俘过吧？”

诺维科夫说：

“克雷莫夫吗？你问他干什么？”

“我在方面军司令部听到说起过他，说得很有意思。”

“他被围困过，至于被俘，好像没有。说他什么来着？”

盖特曼诺夫没听到诺维科夫的话，捅了捅司机的肩膀，说：

“顺着这条大路可以到第一旅旅部，不用过那条沟。你瞧，我在战场上也是有眼力的。”

诺维科夫已经习惯了，盖特曼诺夫在交谈时从来不跟着对方走：一会儿他自己说，一会儿提问题，一会儿又是他说，一会儿又问起什么。似乎他的思想走的是没有规律的曲线。不过，看起来好像是这样，实际上却不是这样。

盖特曼诺夫常常谈起自己的老婆和孩子，随身带着很厚的一摞家里人的照片，两次派人上乌法去送东西。

可是他马上就爱上了卫生所的很凶的黑头发女医生塔玛拉·巴甫洛芙娜，而且爱得很深。有一天早晨维尔什科夫很痛心地对诺维科夫说：

“上校同志，女医生夜里在政委那儿睡的，天快亮时候才出来。”

诺维科夫说：

“维尔什科夫，这不是您管的事。您别偷偷拿我的水果糖就好了。”

盖特曼诺夫不隐瞒他和塔玛拉·巴甫洛芙娜的关系，就是这会儿在草原上，他也把肩膀靠在诺维科夫身上，小声说：

“诺维科夫同志，有一个小伙子爱上咱们的女医生啦。”他带着亲热和惆怅的神气看了看诺维科夫。

“那就是政委。”诺维科夫说着，拿眼睛瞟了瞟司机。

“这也没什么，布尔什维克又不是和尚，”盖特曼诺夫小声说，“你要知道，老糊涂蛋爱上她啦。”

他们沉默了几分钟。盖特曼诺夫又说起话来，似乎刚才说那一番推心置腹、亲密无间的话的不是他。

“诺维科夫同志，你到了你熟悉的前方环境里，一点没有瘦。可是，就拿我来说，我天生是做党的工作的材料。我是在最艰难的一年到州党委工作的，如果是别人，会累出肺痨病的：粮食计划没有完成，斯大林同志两次打电话找我，可是我即使有点儿不自在，照样发胖，就像在疗养院一样。你现在就是这样。”

“鬼知道我是干什么的材料，”诺维科夫说，“也许，我当真是打仗的材料吧。”

他笑起来。

“我发现，一看到什么有趣的事儿，我首先就想，别忘了对任尼娅说说。刚才德国佬向你和涅乌道布诺夫扔下第一颗炸弹，我就想：一定要对她说说。”

“要作政治汇报吗？”盖特曼诺夫问道。

“就是，就是。”诺维科夫说。

“老婆嘛，当然啦，”盖特曼诺夫说，“老婆总是最亲近的。”

他们来到第一旅驻地，下了汽车。

在诺维科夫的脑子里经常有一大串人、人的名字、地名、大大小小的任务、明白的事和不明白的事、下达的和取消的指示。

夜里他有时忽然醒来,犯起愁来,他很怀疑:该不该进行超出瞄准器射程标尺刻度的远程射击?在行进中射击是否合适?各排排长是否能迅速而准确地判断战局的变化,独立决策,瞬息间发出命令?

然后他想象,一队一队的坦克冲破德军和罗马尼亚军队的战线,冲进缺口,进行追击,和强击航空大队、自行炮队、摩托化步兵、工兵联合在一起,不断地向西推进,夺取渡口、桥梁,绕过布雷区,攻向敌人防御中心。他高兴和激动得把两条光光的腿从床上耷拉下来,坐在黑暗中,兴奋得喘着粗气。

他从来不想把夜里自己的一些想法告诉盖特曼诺夫。

他在草原上比在乌拉尔更是经常对盖特曼诺夫和涅乌道布诺夫感到恼火。

他在心里说:“你们是专拣甜饼子吃。”

他已经不是1941年那样子了。他比以前喝酒喝得多。他常常骂娘,常常发火。有一次他还要打燃料供应处处长。

他看到,有些人很怕他。

“他妈的谁知道我是不是生成的打仗的材料,”他说,“不过顶好还是跟自己喜欢的娘儿们住在森林小屋里。白天去打打野味,晚上回来。她做好了吃的,吃过就睡觉。战争可是不能养活人。”

盖特曼诺夫侧歪着头,仔细看了看他。

第一旅旅长卡尔波夫上校圆滚滚的脸,红红的头发,晶亮晶

亮的蓝眼睛,这样的眼睛只有头发很红的人才有。他在战地无线电台旁边碰到了诺维科夫和盖特曼诺夫。

他的作战经验有一段时间和西北战线的战斗有关系;在那里,卡尔波夫不止一次把自己的坦克埋到土里,把坦克变成不动的火力点。

他和诺维科夫、盖特曼诺夫一起朝第一团驻地走去,那神气就好像他是主要首长,他的动作是那样从容。

从他的体质来看,似乎他应该是一个喜欢喝酒和美食的和善的人。但他却是另外一种性格:不爱说话,对人很冷淡,器量又小,又多疑。他从不热情招待客人,是一个出了名的小气鬼。

盖特曼诺夫称赞了他们为坦克和大炮挖掘掩蔽所的认真态度。

这位旅长什么都考虑到了,既考虑了坦克威胁的方向,又考虑到侧翼进逼的可能性,他只是没有考虑到,即将开始的战斗可能使他带领全旅迅速地冲进缺口,转向追击。

诺维科夫看到盖特曼诺夫又点头又说话表示赞许,十分生气。

可是卡尔波夫就好像故意给诺维科夫火上浇油似的,说:

“上校同志,请允许我来说说。在敖德萨我们就隐蔽得很好。那天傍晚我们发起反攻击,狠狠打了罗马尼亚人一顿,到夜里遵照军团司令员的命令我军像一个人一样进入海港,上了轮船。罗马尼亚人到上午十点钟才猛醒过来,急忙进攻已经放弃的战壕,可是我们已经在黑海上的轮船上了。”

“你们现在好像不是仍然面对罗马尼亚人的空战壕呀。”诺维

科夫说。

卡尔波夫能不能在进攻时期日日夜夜地往前冲，把敌人的作战部队、防御中心抛在后面？……能不能不顾自己的头、后脑勺、腰侧，一心只想着追击，一直往前冲？他不是那种性格，不是的。

四周围的一切依然带有已经过去的暑热的痕迹；奇怪的是，空气如此凉爽。坦克手们在做着士兵们的家常事：有的把小镜子靠在炮塔上，坐在钢甲上刮脸，有的在擦枪，有的在写信，有的在地上铺了帆布，在上面打扑克牌，有一大堆小伙子闲着没有事儿，围着一位卫生员姑娘说笑。在辽阔的天空下、辽阔的大地上的这幅平常的画面，充满了黄昏前的惆怅情调。

这时候，一位营长朝着来到跟前的三位首长跑来，一面跑一面抻平制服上衣，尖声喊着：

“全营弟兄们，立正！”

诺维科夫就像和他争论似的，回答说：

“稍息！稍息！”

在政委随便说着话走过的地方响起笑声，坦克手们互相看了看，他们的脸显得更快活了。

政委问一些人，离开乌拉尔的姑娘，心里什么滋味；又问，是不是一写信就写很多张纸；还问，在草原上能不能天天收到《红星报》。

政委狠狠批评了军需官：

“弟兄们今天吃的什么？昨天吃的什么？前天吃的什么？你这三天也是吃大麦米加青番茄汤吗？好吧，把炊事员叫来，”他在坦克手们的一片笑声中说，“让他说说，他给军需官做什么吃

的。”

他一再询问坦克手们的生活条件和生活情形，好像是责备队列军官不关心士兵生活：

“你们这是怎么回事儿，光知道操心战术，战术。”

军需官是一个瘦瘦的人，穿着落满灰土的胶布靴子，一双手通红通红的，好像洗衣女子的手，刚刚在冷水里涮过衣服。他站在盖特曼诺夫面前，不住地咳嗽着。

诺维科夫可怜起他来，就说：

“政委同志，咱们是不是一块儿从这儿上别洛夫那儿去？”

盖特曼诺夫从战前起，就不愧是一个很好的群众工作者和领导者。他一开始说话，人们就开始笑，他的话简单明了，生动活泼，还常常带上几句粗话，一下子就会抹掉州委书记和穿工装的肮脏的普通人之间的界限。

他常常关心生活问题：是不是能按时领到工资，乡村商店和工人合作社有没有次货，宿舍里暖气设备好不好，田间宿营地是否筑好了炉灶？

他和上了年纪的工厂女工和农庄女庄员说话特别随便，特别和善，大家都很喜欢，因为书记是人民的勤务员，因为很喜欢他常常严厉地批评管供应的人、公共宿舍的保卫人员，如果工厂厂长和农机站站长不关心干活儿的人，他也严厉地批评厂长和站长。他是农民的儿子，自己也在工厂里做过钳工，工人们都能感觉到这一点。但是他在自己的州党委办公室里操心的却总是他对国家负的责任，莫斯科的忧虑是他的主要忧虑；关于这一点，大工厂的厂长们知道，农村区委书记们也知道。

“你在破坏国家的计划，明白吗？党证你想要不要？你可知道，党委托给你的是什么？还有什么说的？”

在他的办公室里，没有人笑，没有人说笑话，不谈公共宿舍里的开水，不谈车间的绿化。在他的办公室里批准硬性的生产计划，谈的是提高生产定额，谈的是住房建筑暂缓进行，要把腰带勒得更紧些，更坚决地降低成本、提高零售商品价格。

当他在州党委主持会议的时候，特别能显示出这个人的本事。在这些会议上常常会出现一种感觉，所有的人不是带着自己的想法和要求到他的办公室里来的，而是为了来帮助盖特曼诺夫，整个会议进程事先已经由盖特曼诺夫的毅力、智慧和意志安排定了。

他说话声音不高，从容不迫，相信听他说话的人很好地在听着。

“你说说你那个区的情形，同志们，咱们让农业专家发发言。如果你，彼特尔·米海洛维奇，能补充补充，就更好啦。让拉齐科说说吧，他在这方面不是十分顺利。你，罗季昂诺夫，我看出来啦，也想发发言哩；同志们，依我看，问题很清楚啦，可以做结论啦，我想，不会有什么反对意见。同志们，这儿有一份决议草案，罗季昂诺夫，你念念吧。”罗季昂诺夫本来想表示怀疑，甚至想争论争论的，这一来就很用心地念起决议，一面侧眼看着会议主席，担心自己是不是念错了字句。“就这样吧，同志们都没有意见。”

不过，最了不起的是，盖特曼诺夫在要求各个区委书记完成计划的时候，在削减农庄劳动日可怜的报酬的时候，在降低工人工资的时候，在要求降低成本的时候，提高零售价格的时候，在很

感动地和农村妇女谈话,表示同情她们生活困难的时候,在看到工人住房拥挤表示难过的时候,他都能显得很真诚,很自然。

这是很难理解的。不过,难道现实中所有的事情都那么容易理解吗?

在诺维科夫和盖特曼诺夫走到汽车跟前的时候,盖特曼诺夫对送他们的卡尔波夫开玩笑说:

“我们只有在别洛夫那儿吃午饭了,您和您的军需官的午饭我们就吃不成了。”

卡尔波夫说:

“政委同志,目前还没有让军需官动用前方仓库的东西。至于他本人,顺便说说,他什么也不吃,正在害胃病。”

“害胃病,哎呀呀,那可真糟。”盖特曼诺夫说着,打了一个呵欠,把手一挥。“好啦,我们走啦。”

别洛夫旅与卡尔波夫旅相比,向西挺进了很远。

别洛夫是一个瘦瘦的、大鼻子的人,两条腿弯弯的,又长又粗,头脑又灵活又机敏,说话像开机关枪一样。诺维科夫很喜欢他。

诺维科夫认为他是生就的坦克军里猛冲快攻的好手。

他博得的评价是很好的,虽然他参加战斗的时间不长。他在十二月里在莫斯科附近对敌人后方进行过坦克袭击。

可是现在诺维科夫很不放心,只看这位旅长的毛病:酗酒,放荡,追逐女人,健忘,得不到下属的爱戴。别洛夫没有采取防御措施。看样子,别洛夫不关心这个旅的物质技术供应问题。他关心的只是燃料和弹药的供应。至于如何修理坦克和从战场上撤出

受损伤的坦克的问题，他也关心得不够。

“您这是怎么啦，别洛夫同志，不管怎么说，这不是在乌拉尔，是在草原上呀。”诺维科夫说。

“是啊，就像一群茨冈人，营地太不像样子了。”盖特曼诺夫补充说。

别洛夫马上回答说：

“在防空方面，我采取了措施；至于地面的敌人，并不可怕，我认为，在这样的后方，敌人不可能来。”

他吸了一口气，说：

“不希望防守，一心想往前冲。上校同志，心里憋得难受。”

盖特曼诺夫说：

“好样的，别洛夫，好样的。真是当今的苏沃洛夫，真正的大将之材。”然后把称呼换成“你”，用亲热的口气小声说：“政治部主任告诉我，好像你和卫生所的一位护士勾搭上啦，是真的吗？”

别洛夫因为听到盖特曼诺夫的亲热口气，一下子没有明白这不好的问题，就问道：

“对不起，他说什么了？”

不过，因为不等重复，那句话就进入了他的意识，他不好意思起来。

“我也是个男子汉呀，没办法呀，政委同志，天天在野地里嘛。”

“可是你有老婆，还有一个孩子呀。”

“三个孩子。”别洛夫带着忧愁的神气纠正说。

“噢，你瞧，三个孩子哩。指挥部撤掉了第二旅的一名很好的

营长布兰诺维奇，采取了严厉措施，在出发之前派科贝林接替了他，不过就是因为这样的事儿呀。你给下属做的什么样子呀，嗯？还是苏联军官，是三个孩子的父亲呢。”

别洛夫恼了，大声说：

“这事儿怪不得哪一个，因为我没有强迫她。做这种样子的有您，有我，也有您的爹。”

盖特曼诺夫没有提高嗓门儿，却把称呼又换成“您”，说：

“别洛夫同志，别忘了您是党员。在上级首长和您说话的时候，要好好站着。”

别洛夫换成军人的完全像木头一样的姿势，说：

“对不起，政委同志，我当然明白，当然能认识到。”

盖特曼诺夫对他说：

“我相信你在军事上是有成绩的，军长也相信你，只是不要在个人生活上出问题。”他看了看表。“诺维科夫同志，我要回军部去，不能和你一起上马卡罗夫那儿去了。我借用一下别洛夫的汽车。”

等他们走出掩蔽所，诺维科夫憋不住，问道：

“怎么，想塔玛拉了吗？”

盖特曼诺夫带着使人不解的神气用冷冷的眼睛看了看他，用不满意的口气说：

“方面军军委委员有事找我呢。”

诺维科夫在回军部之前，又去看了他很喜欢的第三旅旅长马卡罗夫。

他们一块儿朝湖边走去。有一个营驻扎在湖边。

马卡罗夫脸色苍白,眼睛流露着忧郁的神气,似乎这样的眼睛不可能属于一个重型坦克旅旅长,他对诺维科夫说:

"上校同志,在德国佬赶着我们在芦苇丛里到处跑的时候,白俄罗斯那片沼地,您还记得吗?"

诺维科夫记得白俄罗斯那片沼地。

他想了想卡尔波夫和别洛夫。显然,问题不仅在于经验,还在于天性。应该让指挥员们取得他们所缺乏的经验。但是无论如何不应该压制他们的天性。不能把歼击航空兵调为工兵。不是所有的人都像马卡罗夫一样,既能守,又善攻。

盖特曼诺夫说自己天生是做党的工作的材料。那么,马卡罗夫就是当兵的材料。不能派错了用场。马卡罗夫呀,马卡罗夫,真是一员好战将!

诺维科夫不希望听马卡罗夫汇报。他喜欢和他商量,和他交换意见。在进攻中怎样配合步兵和摩托化步兵,配合工兵,配合自行炮炮兵?在进攻开始后,他们对敌人的意图和行动的推测是否彼此相符?他们对敌人防坦克力量的估计是否一致?怎样才能正确地确定展开兵力的界线?

他们来到营指挥所。

营指挥所在一条不深的干沟里。营长法托夫一看到诺维科夫和旅长,就觉得不好意思,因为他觉得营部的掩蔽所太不像样子,不配接待这样的高级客人。而且还有一名战士拿火药撒在木柴上生火,炉子里哧啦哧啦响着,好像有意使人难堪。

"同志们,咱们要记住,"诺维科夫说,"咱们这个军将担负的是整个前线的最重要的一部分任务,我又把其中最困难的部分交

给了马卡罗夫，据我所知，马卡罗夫又把自己任务中的最复杂部分交给了法托夫。至于怎样完成任务，这是你们自己需要考虑的。我在战斗中不会把自己的决定强加给你们。”

他向法托夫询问了怎样和团部、和各连连长进行联系的问题、电台工作情况、弹药数量问题、发动机检修问题、燃料质量问题。

在分手之前，诺维科夫说：

“马卡罗夫，全准备好了吗？”

“没有，上校同志，还没有完全准备好。”

“再有三天能行吗？”

“上校同志，能行。”

诺维科夫在坐上汽车以后，对司机说：

“哈里托诺夫，怎么样，马卡罗夫这儿好像一切都像个样子吧？”

哈里托诺夫侧眼看了看诺维科夫，回答说：

“上校同志，这儿的样子吗，当然啦，一个个都像得很。食品供应处处长喝得醉醺醺的，营里有人来领浓缩食品，可是他睡觉去了，把钥匙带走了。等到把他找了来，他又找不到钥匙了。一位司务长对我说，连长把弟兄们的酒都领了去，给自己过命名日，把酒全喝光了。我想换一个轮子，把车胎补一补，可是他们连胶水都没有。”

三十五

涅乌道布诺夫将军在军部的房屋里朝窗外看了看，在一团灰尘中看到了军长的吉普军，非常高兴。

在他小时候，有一天大人都出门去了，他觉得一个人在家里没有人管束了，十分高兴，可是，把门一关上，他就觉得好像有贼，好像失火了，于是他从门口到窗口来来回回地走着，呆呆地听着，拿鼻子闻着，闻闻有没有烟味。

他现在觉得自己束手无策，过去他管理大事的一些方法，在这里全用不上。

万一敌人突然来了呢？要知道，从军部到前方也只有六十公里呀。在这儿不能用撤职来吓唬坦克，不能谴责坦克和阶级敌人有关系。要是坦克一个劲儿地猛冲过来，拿什么来阻挡坦克呢？这种显而易见的事情，却使涅乌道布诺夫感到十分惊讶——国家发怒时的威力曾经使千千万万人服服帖帖，心惊胆战，现在，在这前线上，在德国人冲过来的时候，竟一钱不值了。德国人不填写履历表，不在大会上交代自己的历史，也不必因为父母在革命前的经历担惊害怕。

他所喜欢、所依靠的一切，他的命运和他的孩子们的命运，已经不在伟大而威严、他觉得可亲可爱的国家保护之下了。于是他第一次带着不好意思和友好的心情想到诺维科夫。

诺维科夫一走进军部的房子，就说：

“将军同志，我看到了，马卡罗夫是好样的！他在任何情况下

能够独立地解决突然出现的问题。别洛夫可以不顾一切地往前冲，别的事他不懂。至于卡尔波夫，则是一个慢性子、没有冲劲儿的人，就需要督促。”

“是啊，是啊，干部决定一切嘛。要时时考察干部，这是斯大林同志教导我们的，”涅乌道布诺夫说。又很快地说：“我一直在想，这小镇上有德国间谍，今天早晨一定是这暗藏的坏家伙招引飞机来轰炸咱们军部。”

涅乌道布诺夫在对诺维科夫说起军部的一些事情时，说：

“现在有友邻部队和加强部队的一些指挥官要上咱们这儿来，没什么特别事儿，只是来认识认识，来拜访拜访。”

“很遗憾，盖特曼诺夫上方面军司令部去了。谁知道他去干什么？”诺维科夫说。

他们约定一起吃午饭。诺维科夫便朝自己的住处走去，去洗脸，换换落了许多灰尘的上衣，

在宽宽的小镇的街道上，空荡荡的。只有炸弹坑旁边站着一个老头子，正是诺维科夫的房东老大爷。老人家挓挲着两条胳膊在弹坑旁边测量着，就好像这弹坑是挖出来派什么用场的。诺维科夫走到他跟前，问道：

“老大爷，你在这儿干什么？”

老人家像当兵的那样行了一个军礼，说：

“首长同志，1915年我做过德国人的俘虏，在德国给一个女主人干过活儿。”他指了指弹坑，然后又指了指天空，挤了挤眼睛。“这一定是那一家的少爷，狗崽子，飞来啦，来看我哩。”

诺维科夫大笑起来：

“啾,老人家!”

他朝盖特曼诺夫住的房子看了看,看到那面窗子上的护窗还关着。他朝台阶上的岗哨点了点头,忽然想道:“盖特曼诺夫上方面军司令部去干他妈的什么?他究竟有什么事?”他心中闪过一个惴惴不安的念头:“真是一个伪君子,他怎么能责备别洛夫行为不端呢,他自己就和塔玛拉嘛,真是可怕。”

但是诺维科夫马上就觉得这种想法是没有根据的了,他生性不是多疑的。

他拐过屋角,看到一块空地上有几十个小伙子,可能是区兵役局动员的新兵,正在水井旁边休息。

带领这些小伙子的一名士兵,因为走累了,用军帽蒙着脸,睡着了,在他旁边是堆得像小山一样的包裹和提箱。小伙子们显然走了不少路,脚走累了,有几个小伙子脱光了鞋袜。他们的头还没有剃光,远看很像一群农村的学生,正在课间时间休息。他们那瘦瘦的脸、细细的脖子、淡黄的头发、用父亲的上衣和裤子改做的带补丁的衣服——所有这一切都带有孩子气。有几个人在玩着孩子们的传统游戏,当年这位军长也玩过的:在远处挖一个小坑,眯起一只眼睛,瞄一瞄,拿铜板朝小坑里扔。其余的小伙子在看着他们玩儿。只有他们的眼睛不像小孩子眼睛,他们的眼睛流露着惶惶不安和忧愁的神气。

他们发现了诺维科夫,就朝睡觉的士兵看了看,看样子,是想问问他,在这位军队首长从他们旁边走过的时候,他们能不能扔铜板,能不能照样坐着。

“玩吧,小伙子们,玩吧,”诺维科夫用温和的声音说着,并且

朝他们招了招手,便走了过去。

他心中涌起一股剧烈的怜悯感,这股感情来得异常猛烈,他甚至因此感到张皇失措。大概是这一张张瘦瘦的、大眼睛的孩子气的脸,这寒碜的农村服装,一下子干脆了当地说明白了:这都是一些孩子,一些小孩子……在军队里,孩子气和天性往往隐藏在军帽底下,在姿态中,在靴子的吱咯声中,在经过磨练的动作和言语中。现在这一切却赤裸裸地表露在外面。

他走进房里。奇怪的是,在今天的一些很复杂、很使人忧虑的想法和观感之中,最使他忧虑的是他看到了这些孩子新兵。

"有生力量,"诺维科夫自言自语地说:"有生力量呀,有生力量。"

他在军队里这么多年,只知道害怕上级责备他损失技术装备和弹药,责备他延误时机,责备他不爱护机器、马达、燃料,责备他擅自放弃制高点和要道口……还没有见到过上级领导听说战斗中损失了大量有生力量而真正生气的。有时候一个领导者把大批的人推到炮火下,为的是免得上级领导发火,并且可以为自己辩护,可以把两手一摊,说:"没有办法呀,我已经把一半人力用上去,可是还是无法夺取所指定的阵地。"

有生力量呀,有生力量。

他有几次看到,有些领导者把有生力量赶到炮火下,甚至不是为了逃避责任和形式上的执行命令,而是为了逞雄,因为要固执己见。战争的秘而又秘及其悲剧精神使一个人有权力叫另一个人去死。这种权力所依靠的基础是:人们为了共同事业,可以赴汤蹈火。

但是诺维科夫有一个朋友，本是一个通情达理的指挥员，他在前沿观察所的时候，不改变自己的习惯，每天要喝新鲜牛奶。每天早晨都有第二梯队的士兵冒着敌人的炮火用暖水瓶给他送牛奶。有时德军把送牛奶的士兵打死了，诺维科夫的那个朋友，那个好人，就没有牛奶喝了。到第二天，就又派另外的士兵冒着炮火用暖水瓶给他送牛奶。这个通情达理、关怀下属的好人心安理得地喝他的牛奶，他手下的士兵都称他父亲。这种事实在令人难以理解。

一会儿，涅乌道布诺夫就来找诺维科夫。诺维科夫一面对着小镜子匆忙而细心地梳理头发，一面说：

"将军同志，是啊，战争总归是很可怕的事呀！把一些小孩子赶来补充兵力了，您看到吗？"

涅乌道布诺夫说：

"是啊，这样的部队太嫩，太年幼了。我把那个带队的兵叫醒了，我说把他送到惩戒连里去。他也不管管他们。不像什么军队，乱糟糟的，简直是乌合之众。"

在屠格涅夫的小说里有时写道，一个地主新来安家，邻近的地主纷纷前来拜访。天黑时就有两部小汽车来到军部门前，主人便出来迎接客人：来客是炮兵师师长、榴弹炮团团长和火箭炮旅旅长。

……亲爱的读者，咱们手挽着手，一同去我的芳邻达吉雅娜·鲍里索芙娜的庄园吧……

诺维科夫已经从前方的一些故事中和指挥部的通报中熟悉了上校炮兵师师长，甚至能清清楚楚地想象出他的外表：紫红色脸

膛，圆圆的脑袋。可是，他原来已经上了年纪，而且腰也佝偻着。

似乎他那一双愉快的眼睛错误地安到了一张忧郁的脸上。有时他的眼睛笑得那样有神，似乎这双眼睛才是上校的灵魂，而那皱纹、那弯腰弓背本来就不应该和这双眼睛连接在一起。

榴弹炮团团长洛帕津不仅可以被看作炮兵师长的儿子，甚至可以被看作他的孙子。

火箭炮旅旅长马基德是一个黑脸汉子，翘翘的上嘴唇上面有一抹黑黑的小胡子，因为过早地秃顶，额头显得很高，他是一个能说会道、喜欢说俏皮话的人。

诺维科夫把客人带进屋里，屋里已经摆好了酒菜。

“请尝尝乌拉尔口味。”他指着碟子里的腌蘑菇和醋渍蘑菇说。

本来做出很优美的姿势站在餐桌旁的炊事员，一下子红了脸，噢呀一声，便走开了，他觉得难为情。

维尔什科夫凑到诺维科夫耳朵上，指着桌上，小声说：

“来吧，把酒瓶打开。”

炮兵师师长莫罗佐夫用指甲比着玻璃杯上四分之一多少往上一点儿的地方，说：

“无论如何不能再多，我的肝不好。”

“您呢，中校同志？”

“我身体好着呢，斟满吧，没问题。”

“我们的马基德可是好样儿的。”

“少校同志，您的肝怎么样？”

榴弹炮团团长洛帕津用手捂着自己的杯子，说：

“谢谢，我不喝酒。”他把手移开，又说：“象征性地斟一点点儿吧，咱们好碰杯。”

“洛帕津是学前儿童，喜欢吃糖。”马基德说。

他们祝贺共同作战取得胜利，一齐把杯干了。于是，像常有的场合一样，大家谈起和平时期彼此都相识的大学和中学里的同学。

大家又谈到前线的领导，谈到驻扎在秋季寒冷的草原上何等凄凉。

“怎么样，快结婚了吧？”洛帕津问道。

“是要结婚了。”诺维科夫说。

“是啊，是啊，我们的‘卡秋莎’到哪儿，那儿就可以举行婚礼。”马基德说。

马基德坚信他指挥的火箭炮具有决定性作用。一杯酒下肚之后，他流露出一副强者爱护弱者的神气，似乎在对弱者嘲笑，怀疑，不放在眼里，这使诺维科夫很不喜欢。

诺维科夫近来常常在心里估量，任尼娅会怎样看待前方这个人或那个人，他在前方的这个或那个战友如果和任尼娅在一起，会说些什么，会有什么样的表现。

诺维科夫觉得，如果马基德见了任尼娅，一定会缠住不放，装腔作势，又吹牛，又说笑话。

诺维科夫感到不安，感到有妒意，似乎马基德拼命在向任尼娅卖弄聪明，似乎任尼娅正在听他的俏皮话。

他也想向她显示显示自己的聪明，他想说说，了解和认识同自己并肩战斗的人，事先能判断出他们在战斗环境中的所作所

为,有多么重要。他想说说,对卡尔波夫就需要督促,对别洛夫就需要劝阻,至于马卡罗夫,不论进攻或防守,都是一样地迅速、灵活,应付裕如。

毫无意思的闲谈引起了争论,在不同兵种的指挥官之间常常会出现这样的争论。争论虽然是很热烈的,不过从实质上说,也是没有多大意思的。

“是啊,人需要的是指引和教导,强迫其改变心意是不应该的。”莫罗佐夫说。

“人需要的是坚定不移的领导,”涅乌道布诺夫说。“不应该怕负责任,应该把责任承担起来。”

洛帕津说:

“谁没有到过斯大林格勒,就根本算不上见过战争。”

“不过,对不起,”马基德反驳说,“斯大林格勒又怎么样?英勇,顽强,坚决,这我不抬杠,抬杠是好笑的!我虽然没有到过斯大林格勒,但是我可以大胆地说,我见过战争。我是进攻的军官,我参加过三次进攻,可以说:亲自冲锋,亲自冲进突破口。我的火箭炮发挥了威力,不仅超越了步兵,而且超越了坦克,也可以说,超越了空军。”

“哼,中校同志,说什么超越坦克,您算了吧,”诺维科夫恼火地说,“坦克是运动战的主人,这是没有话说的。”

“还有一种十分简单的办法,”洛帕津说,“在胜利的时候把一切归于自己。在失败的时候把一切推给友邻部队。”

莫罗佐夫说:

“唉,友邻呀,友邻,有一次,步兵部队的一位将军请求我用

炮火支援他。‘快，朋友，请向那边的高地发炮。’‘用大口径的？’他却骂起娘来，说：‘开炮就是了，别管那一套！’后来才了解，原来他既不知道口径，也不知道射程，而且连地图也看不明白，只知道‘开炮，开炮，打他妈的……’对下属只知道叫喊：‘往前冲，要不然把你的牙打掉，老子枪毙你！’可是却自认为掌握了战争的全部奥妙。这也算友邻部队长官，就请您多多关照吧。而且你还要归他统制呢，他是将军嘛。”

“唉，对不起，您说的话和我们的情况毫不相干，”涅乌道布诺夫说。“在苏联部队里没有这样的指挥官，更没有这样的将军！”

“怎么没有？”莫罗佐夫说。“打了一年仗，我遇到的这种自作聪明的人有多少呀，他们只知道拿手枪吓唬人，骂娘，毫无意义地把人赶到炮火下面。就比如不久前，有一位营长简直哭着说：‘我干吗要赶着人去叫机枪扫？’一位将军师长握起拳头对着这位营长吆喝：‘要么你马上带人去冲，要么我把你当狗一样打死，’于是他带着人冲上去，就好像带着牲口上屠宰场。”

“是啊，是啊，这就叫作：为所欲为。”马基德说。“将军们为所欲为不光在这方面，他们随随便便糟蹋电话员姑娘。”

“他们写两个字至少要有五个错误。”洛帕津说。

“就是，就是，”莫罗佐夫没有听清楚，就说，“跟他们在一起作战就要多流血。他们的本事就在于不怜惜人。”

莫罗佐夫的话引起诺维科夫的同感。他在军队里这么多年，经常遇到这类的事情。

他忽然说：

“怎么能怜惜人呢？如果一个人怜惜人的话，他就不应该来打仗了。”

今天他看到那些孩子新兵，心里十分难受，他很想说说他们的事。可是他并没有说出他的一片好心的话，而是带着一股突如其来的、连自己也莫名其妙的恼恨和粗暴劲儿又接着说：

“这怎么能怜惜人呢？战争所以是战争，就是不能怜惜自己，也不能怜惜别人，主要的问题是：不等把人训练好就编进军队，就把重要的装备交给他们。请问，该怜惜谁呢？”

涅乌道布诺夫拿眼睛很快地打量了一遍大家的脸。

涅乌道布诺夫害过不少好人，就像此刻坐在桌旁的这样的人。诺维科夫忽然产生一种使他吃惊的想法：此人可能制造的不幸，也许不次于在前沿阵地上等待着莫罗佐夫、等待着他诺维科夫、马基德、洛帕津和今天在小镇上休息的农村小伙子们的不幸。

涅乌道布诺夫用教训的口气说：

“这不符合斯大林的教导。斯大林同志教导我们说，最宝贵的是人，是我们的干部。我们最宝贵的财产是干部，是人，应当像爱护眼珠一样爱护他们。”

诺维科夫看到，大家听了涅乌道布诺夫的话，露出赞许的表情。他心里想：“这就有意思了。我在他们眼里成了禽兽中的禽兽，涅乌道布诺夫却成了怜惜人的人。很遗憾，盖特曼诺夫不在这儿，他可是更像一位圣人。我和他们在一起，总是这样。”

他打断涅乌道布诺夫的话，已经是非常粗暴、非常恼恨地说：

“咱们的人是很多的，装备却很少。任何一个笨蛋都会造人，不像造坦克、造飞机。如果要怜惜人的话，就别担任指挥官！”

三十六

斯大林格勒方面军司令叶廖缅科上将召见坦克军的领导人诺维科夫、盖特曼诺夫、涅乌道布诺夫。

昨天叶廖缅科上各旅里去过，但是没有上军部去。

应召前来的几个人坐在这里，侧眼看着叶廖缅科，不知道他要和他们谈什么。

叶廖缅科发现盖特曼诺夫在打量小床上的皱皱巴巴的枕头，就说：

“脚疼得厉害。”并且用粗话骂起自己的脚。

大家都没有说话，一齐看着他。

“总的说，你们军准备工作做得不坏，已经准备好了。”叶廖缅科说。

他在说这话的时候，看了看诺维科夫，可是诺维科夫听到司令员的称赞并没有露出喜色。

叶廖缅科觉得有点儿奇怪：一位军长受到难得夸奖人的司令员的夸奖，反应竟如此淡漠。

“上将同志，”诺维科夫说，“我已经向您报告过，集中在草原干沟地带、准备加入本军编制的137坦克旅，一连两天遭到我们的强击航空部队的轰炸。”

叶廖缅科眯起眼睛，在揣测他的用心：是想撇清自己呢，还是在控告空军指挥官？

诺维科夫皱起眉头，又说：

“您还没有吃饭吧？”这位指导员问道。“咱们一块儿去吃饭。”

克雷莫夫说，他还在等着办手续。

“那我先去了，”指导员说。并且在临走时很随便地开玩笑说：“要抓紧时间，要不然咱们就要上军人商店食堂去拼命，去和非军职人员、和打字员姑娘们一起吃饭了。”

一会儿，克雷莫夫也办好了手续，来到外面，吸了一口秋天的潮湿空气。

为什么政治部主任用那样阴沉的脸色迎接他？有什么地方使这位主任不满意？是克雷莫夫没有完成任务？是政治部主任不相信克雷莫夫负伤，怀疑他胆怯？是因为克雷莫夫越过顶头上司直接来见他，而且不是在接待时间，所以他生气？是因为克雷莫夫两次称呼他“旅级政委同志”，而没有称呼他“少将同志？”也许，这与克雷莫夫无关，而是因为别的什么事？是因为托谢耶夫没有得到库图佐夫勋章？是收到了报告妻子生病的家信？谁又能知道，为什么政治部主任这天上午心情这样坏？

克雷莫夫在斯大林格勒待了几个星期，已经不习惯这阿赫图巴河中游地方的情形。政治部领导人和同事们的冷漠的目光，食堂服务员们的冷漠的目光，他已经很不习惯了。在斯大林格勒可不是这样！

黄昏时候他回到自己住的屋子。主人家的狗非常热情地欢迎他。那狗好像是由不同的两半拼成的：后面一半的毛是棕红色的，那长长的头是黑白相间的。狗的两半都在表示欢迎：那棕红色的、毛茸茸的尾巴不住地摇着，那黑白相间的头扎到克雷莫夫的手里，用和善的棕色眼睛很亲热地看着他。在朦胧的暮色中，

似乎是两只狗在和克雷莫夫亲热。狗和他一起进了过道。正在过道里忙活的女房东很生气地对狗说:“该死的,滚出去!”然后才像政治部主任那样,阴沉着脸和克雷莫夫打招呼。

住过了斯大林格勒那可亲可爱的、用防雨布做门的土室,那潮湿的、烟气腾腾的掩蔽所,他觉得这安静的小屋、这罩了白枕套的枕头、这挑花窗帘多么不舒服,多么冷清呀。

克雷莫夫坐到桌旁,开始写报告。他写得很快,偶尔地查看一下在斯大林格勒的记录。最不容易写的是有关“6-1”号搂的情况。他站起来,在屋子里踱了一会儿,又坐下来,马上又站起来,走到过道里,咳嗽了几声,听了听:鬼老婆子难道连茶水都不供应了?然后他用小罐子从桶里舀了一些水,水很好喝,比斯大林格勒的水好多了,他回到屋里,坐下来,手里握着钢笔,想了一会儿。然后他躺到床上,合上眼睛。

究竟是怎么一回事儿?格列科夫对他开枪!

在斯大林格勒,他和人们的联系感、亲近感总是越来越强,他在斯大林格勒呼吸非常轻松。在那儿没有阴沉的、对他冷淡的目光。他进入“6-1”楼房,似乎更强烈地感受到列宁的气息。可是他到那里面以后,马上就觉得他们对他嘲笑,不怀好意,他就生起气来,要纠正他们的思想,吓唬他们。他为什么要说起苏沃洛夫?格列科夫对他开了枪!他今天感到特别孤独,看到一些人的傲慢和高人一等的态度,他感到特别受不了,他认为这些人不过是半文盲,是不干正事的家伙,在党内不过是乳臭未干的小儿。在托谢耶夫面前立正站着有多么难受呀!可以感觉出他那气愤的、时而露出嘲笑意味、时而露出蔑视意味的目光。要知道,论党

内资格，托谢耶夫连同他的官衔和勋章，还不抵克雷莫夫一个手指头。都是一些和列宁传统无关的、在党内得势的小人！他们之中有许多人是在1937年爬上来的，靠的是写秘密报告，揭发人民敌人。他忽然想起他在地道里朝一点阳光走去时那种美好的刚强、自信、轻松的感觉。

他甚至气愤得喘不上气来，他认为是格列科夫不叫他过那种理想的生活。他在去那座楼房的时候，觉得自己时来运转，十分高兴。他觉得，列宁的传统就在这座楼房里。格列科夫却朝列宁式的布尔什维克开了枪！是他让克雷莫夫回到阿赫图巴河边的办公室里，回到龌龊的生活中！可恨的家伙！

克雷莫夫又在桌边坐下来。他写的没有半句谎话。

他把写好的文字看了一遍。不用说，托谢耶夫会把他的报告交给特别科。格列科夫从政治上瓦解了一个战斗的排，并且进行暗杀活动，向党代表和政委开枪。会把克雷莫传去作证，和被捕的格列科夫对质。

他想象着格列科夫坐在侦查官桌子前面的样子：胡子老长，脸色黄中带灰，连腰带也没有。

格列科夫说的“你很苦恼”，怎么办，在报告里不好写呀。

马克思列宁主义党的总书记被公认为是绝对正确的，几乎是神圣的！在1937年斯大林毫不怜惜老资格的列宁式的战士。他破坏了党的民主与铁的纪律相结合的列宁主义精神。

那样残酷地杀害列宁主义党的党员，能够设想吗，对头吗？不过，格列科夫是要当众枪毙的。杀自己人是可怕的，而格列科夫不是自己人，他是敌人。

克雷莫夫从不怀疑党有权使用专政之剑，从不怀疑革命具有消灭一切敌人的神圣权力。他也从来不同情反对派！他从来不认为布哈林、雷科夫、季诺维也夫和加米涅夫走的是列宁主义路线。托洛茨基虽然智慧过人，虽然具有光辉的革命气质，可是依然不能根除过去的孟什维克观点，没有提高到列宁主义的高度。真正有本事的是斯大林！所以大家都称他主人。他的手从来不发抖，他没有布哈林那种知识分子的优柔寡断性格，列宁缔造的党粉碎一批又一批敌人，跟着斯大林不断前进。格列科夫的军功算不上什么。跟人民敌人没什么争论的，不必去听他们的什么道理。

可是，不论克雷莫夫怎样激发自己的仇恨，此时此刻他对格列科夫再也恨不起来了。

他又想起了："您很苦恼。"

"这算什么，"克雷莫夫想道，"怎么，我这不是告密吗？尽管不是捏造，但总是告密……没办法呀，好同志，你是党员嘛……那就尽党员的责任吧。"

第二天上午，克雷莫夫把自己写的报告送交方面军司令部政治部。

过了两天，政治部宣传鼓动科科长、团级政委奥基巴洛夫代替政治部主任召见了他。托谢耶夫在接见刚从前方来的坦克军政委，所以不能亲自接见他。

面色苍白、大鼻子、精明而干练的团级政委奥基巴洛夫对克雷莫夫说：

"克雷莫夫同志，过一两天，您还要上右岸去走一趟，这一次

是上舒米洛夫的64军团去。凑巧,我们有一部汽车要上州党委指挥所去,您再从州党委指挥所过河上舒米洛夫那儿去。州党委书记要上别克托夫镇去参加庆祝十月革命节大会。"

他不慌不忙地向克雷莫夫交代了派他去64军团政治处的任务。任务非常琐碎,非常乏味,包括收集书面材料,不是实际工作需要的材料,而是供办公室统计数字用的。

"是不是还去做做报告?"克雷莫夫问道。"我遵照您的指示准备了十月革命的报告,想到部队里去做几次报告。"

"暂时缓一缓吧,"奥基巴洛夫说。并且说了说为什么暂时不要克雷莫夫作报告。

在克雷莫夫准备要走的时候,奥基巴洛夫对他说:

"您的报告在这里,竟有这样的事,政治部主任把情况对我说了。"

克雷莫夫的心发起怵来:大概,格列科夫的案子已经交办了。这时奥基巴洛夫又说:

"你们那位好汉格列科夫很走运,昨天62军团政治处主任向我们报告,格列科夫在德国人进攻拖拉机厂的时候牺牲了,和他手下所有的弟兄一起牺牲了。"

他为了安慰克雷莫夫,又说:

"军团司令提请追认他为苏联英雄,不过现在很明显,我们会把这事压下来的。"

克雷莫夫把两手一摊,好像在说:"好啦,走运倒是走运,反正没办法了。"

奥基巴洛夫压低了声音说:

“特别科科长认为，他可能还活着。可能跑到敌人那边去了。”

克雷莫夫回到家，看到一张纸条：要他上特别科去。

看样子，格列科夫的案子还没有了结。

克雷莫夫决定等出差回来再去特别科进行这场不愉快的谈话。反正人已经死了，没什么可以着急的了。

三十八

在斯大林格勒南部的别克托夫镇上，州党委决定在造船厂举行隆重的集会，庆祝十月革命二十五周年。

11月6日清早，斯大林格勒州党委的一些领导人来到伏尔加左岸的橡树林里，在州党委的地下指挥所里会齐。州委第一书记、各部门书记、州党委委员们吃完了三道菜点的热腾腾的早饭，便坐上汽车，出了橡树林，上了通向伏尔加河的大路。

坦克和大炮在夜间前往图马克南渡口走的就是这一条路。被战争的炮火打得坑洼不平的草原上，到处是冻实的黄泥巴块和结了冰的水洼，景象十分凄凉。伏尔加河里漂流着冰块，冰块的沙沙声在离岸边几十米以外的地方都能所得见。正刮着下游来的狂风，在这样的日子乘坐无遮无羞的铁驳船渡过伏尔加河不是什么快活事儿。

等待渡河的红军战士穿着被伏尔加河的冷风吹得鼓起来的军大衣，坐在驳船上，一个个紧紧靠在一起，尽可能不挨到冷冰冰的钢铁。牙齿咯咯地敲打着，腿蜷缩着，等到阿斯特拉罕方面的强劲的冷风一吹过来，人就冻僵了，连呵手指头、揉自己的腰、揩

鼻涕的劲儿都没有了。驳船烟囱里冒出来的烟被撕成一片一片的，铺在伏尔加的上空。那烟因为有冰作底衬，显得特别黑，那冰也因为有驳船的烟作低低的天幕，显得特别白。流冰从斯大林格勒的岸边带来战争的声音。

一只大头的乌鸦停在一大块冰上沉思着。是有些事情值得思考。旁边一大块冰上有一片烧剩的士兵大衣的衣襟，还有一大块冰上有一只冻得像石头一样的毡靴，一支卡宾枪，那弯弯的枪筒子冻进了冰里。州委书记和党委委员们的一部部小汽车在朝驳船上开。书记和委员们下了汽车，站在船边上，看着缓缓流动的冰块，听着冰块的沙沙声。

驳船的老船长嘴唇发青，戴着红军士兵皮帽、穿着黑色小皮袄。他走到州委分管运输的书记拉克季昂诺夫面前，用河上的潮湿、多年的老酒和土烟磨练出来的非同寻常的嗄哑声音说：

“书记同志，早晨我们第一趟开船过河的时候，看到冰上躺着一个水手，同志们想把他弄下来，差点儿和他一起沉下去，只好用铁棍凿。那不是，在河岸上，用帆布盖着。”

老船长用肮脏的手套朝岸边指了指。拉克季昂诺夫看了看，没有看见从冰里凿出来的死者，他想用粗暴而不客气的问话掩盖自己的不自在，就指着天空问道：

“你们管他干什么？特别现在这是在什么时候？”

老船长把手一挥说：

“现在是轰炸得很厉害呀。”

老船长骂了一声暂时没有轰炸的德国人，在骂德国人的时候，他的声音忽然一点儿也不嗄哑了，又响亮，又清脆。

拖船拖着驳船缓缓地朝别克托夫镇和斯大林格勒之间的河岸驶去，那河岸好像不是战时的河岸，而是平时的河岸，挤满了仓库、棚屋和房舍。

前去庆祝革命节的书记和委员们站在冷风里站腻了，于是他们又坐进汽车。红军战士们隔着玻璃看着他们，就像在参观玻璃缸里的金鱼。

坐在小汽车里的斯大林格勒州党委领导者们在抽烟，在挠痒，聊天……

隆重的庆祝会在夜里举行。

铅印的请柬与和平时期的请柬的不同之处，只是在于易碎的灰色纸质地太差，请柬上也没有印出集会地点。

斯大林格勒州党委领导者们、64军团来的客人们、附近一些企业的工程师和工人们进入会场都是由熟悉道路的人带领着："这儿拐弯，再拐弯，小心，这儿有弹坑，钢轨，小心点儿，这儿有一个石灰坑……"

在黑暗中到处可以听到说话声、脚步声。

克雷莫夫白天过河后已经到了64军团政治处，现在和64军团的代表一起来参加庆祝会了。

这些人在漆黑的夜里在迷宫似的工厂区走着，像这样秘密而分散地进行活动，有点儿像在旧俄国庆祝革命节日。

克雷莫夫激动得呼哧呼哧喘着粗气，他知道，此时此刻他不用准备就可以作报告，他凭一个老练的群众宣传员的感觉可以感觉出来：大家和他一样激动，一样高兴，因为在斯大林格勒的英勇战斗很像俄国工人的革命斗争。

是的，是的，是的。动员起全民族的巨大力量的战争是为革命而进行的战争。他在被围困的楼房里谈起苏沃洛夫，并不是背离革命。斯大林格勒、塞瓦斯托波尔、拉季谢夫的命运、马克思宣言的威力、列宁在芬兰车站装甲车上的号召都是一致的。

他看到了普里亚欣，普里亚欣像往常那样慢悠悠的，不慌不忙。说来有些奇怪，他想和普里亚欣谈谈，却怎么也谈不成。

他到了州党委的地下指挥所，就马上去找普里亚欣，他有许多话要和他谈谈。但是却谈不成，电话铃声几乎响个不停，不时有人来找第一书记。普里亚欣忽然向克雷莫夫问道：

"有一位盖特曼诺夫，你认识吗？"

"我认识，"克雷莫夫回答说。"在乌克兰，在党中央，做过中央委员。怎么啦？"

但是普里亚欣什么也没有说。后来就忙着准备上车了。克雷莫夫不高兴的是，普里亚欣没有请他坐自己的汽车。他们有两次面对面碰到一起，普里亚欣就好像不认识他了，那一双眼睛又冷，又淡漠。

两位军人顺着明亮的走廊走来——一位是肥胖的、肩宽腰圆的军团司令舒米洛夫，一位是鼓鼓的棕色眼睛的小个子西伯利亚人、军团军委委员阿勃拉莫夫将军。克雷莫夫觉得，在两位将军经过的穿着军装、棉袄、皮袄的热腾腾的男子汉人群中有一股纯朴的民主气息，这种气息便是革命初期的精神，列宁精神。一踏上斯大林格勒的河岸，克雷莫夫又感触到这一点。

主席团就座。斯大林格勒市苏维埃主席皮克辛便和所有的大会主席一样，把两手撑在桌子上，慢慢地朝着嚷嚷得最厉害的

地方咳嗽了几声，就宣布斯大林格勒市苏维埃、党市委与部队代表、斯大林格勒工厂工人代表联合举行的庆祝伟大的十月革命二十五周年的大会开始了。

从硬邦邦的掌声中可以听出来，在这儿鼓掌的全是男子汉的手，士兵的手和工人的手。

然后，大块头、大脑门、动作缓慢的第一书记普里亚欣开始作报告。他说不出早已过去的事情和今天的事情之间有什么联系。

似乎普里亚欣在和克雷莫夫进行争论，他以自己思想的平缓反驳克雷莫夫的激动。

本州的企业正在按照国家计划进行生产。左岸的各农业区完成了国家的收购任务，尽管多少迟了一点儿，但基本上是令人满意的。

在市内和城市以北的一些企业没有完成国家的任务，因为这些企业在交战地区。

就是这个人，当年曾经和克雷莫夫一起站在前线的群众大会上，从头上摘下帽子，高声叫喊：

“战士同志们，弟兄们，制止血腥的战争！自由万岁！”

现在他看着大厅里的人，说，本州向国家交售的粮食数量减少了很多，是因为季莫夫区和科捷尔区无法完成交售任务，这两个区是战场，还有卡拉奇区和上库尔莫亚尔区全部或部分地被敌人占领了。

然后他又说，本州的群众一面为完成国家的任务继续劳动着，一面广泛地参加了反抗德国侵略者的战斗。他列举了劳动者参加民兵队伍的数字，又报了报因为出色地完成指挥部的任务并

且在执行任务中表现英勇顽强而得奖的斯大林格勒人的人数,而且说明,这个数字是不够完全的。

克雷莫夫听着第一书记的平静的声音,明白了,他的思想、感情与他所说的本州的工业和农业完成国家计划的话如此惊人地不一致,这不是毫无意义的,而是表现出他的人生目的。

普里亚欣用石头一样的冰冷口气在强调国家肯定无疑会取得胜利,却不知国家正靠人民的苦难和向往自由的热衷保卫着。

一张张工人和军人的脸严肃而阴沉。

想起斯大林格勒的人们,想起塔拉索夫、巴秋克,想起自己和被围的"6-1"号楼里的士兵的谈话,觉得多么奇怪,多么令人神往呀。想想死在被围楼房瓦砾中的格列科夫,多么不舒服,多么难过呀。

格列科夫对他说那些难听的话,究竟是什么用心?格列科夫竟向他开枪。这位斯大林格勒州党委第一书记、这位老同志普里亚欣的话为什么这样不入耳,这样冷冰冰的?多么奇怪、多么复杂的感情呀。

普里亚欣的报告快要结束了,他说:

"我们有幸可以向伟大的斯大林汇报,本州的劳动者完成了苏维埃国家交给自己的任务……"

听完报告之后,克雷莫夫一面随着人群朝门口移动,一面用眼睛寻找普里亚欣。在斯大林格勒鏖战的日子里,普里亚欣样作报告,不应该这样。

克雷莫夫忽然看到了他:普里亚欣从主席台上下来之后,和64军团司令站在一起,用专注而阴沉的目光对直地朝克雷莫夫

望着。他发现克雷莫夫也在朝他看，就慢慢把眼睛转过去。

“怎么一回事儿？”克雷莫夫想道。

三十九

庆祝大会散场之后，当天夜里克雷莫夫就搭乘顺路汽车来到斯大林格勒发电站。

这天夜里发电站的景象显得十分凄惨。昨天德军重轰炸机刚刚轰炸过发电站。炸得到处是大坑，炸起一堆一堆的土块。车间的窗玻璃一块也没有了，有的车间震塌了，三层的办公大楼也炸得不成样子了。

油变压器烟气腾腾地燃烧着，懒洋洋地冒着牙齿似的不高的火焰。

担任门卫的一个格鲁吉亚小伙子领着克雷莫夫在院子里走着，院子里有火光照耀着。克雷莫夫发现，在抽烟的门卫小伙子的手指头打着哆嗦。重型炸弹不仅炸得石头楼房在倒塌，在燃烧，炸得人心里也乱了，也燃烧起来。

克雷莫夫自从得到前来别克托夫镇的命令那一时刻起，就想着和斯皮里多诺夫见面的事。

也许任尼娅在这儿，在斯大林格勒发电站呢？也许，斯皮里多诺夫知道她的下落，也许他还收到过她的信，她在信的结尾写着：“您是不是知道克雷莫夫的什么情形？”

他又激动又高兴。也许斯皮里多诺夫会说：“任尼娅一直在想您呢。”也许他会说：“您要知道，她老是在哭呢。”

从早晨起,他就急不可待地要上斯大林格勒发电站来。他很希望在白天来看看斯皮里多诺夫,哪怕待几分钟也好。

但是他还是控制住自己,上64军团指挥所去了,虽然军团政治处一位指导员小声提醒过他:

“您这会儿不必急着去见军委委员。他今天一早就喝醉了。”

果然不错,克雷莫夫真不该急着去见将军,而没有在白天来看斯皮里多诺夫。他坐在地下指挥所等待接见的时候,听到军委委员在胶合板隔壁那边向打字员口述给友邻军团司令崔可夫的祝贺信。

他在慷慨激昂地口述着:

“瓦西里·伊万诺维奇,好战士,好朋友!”

将军口述到这里,哭了起来,并且又抽搭着重复了好几遍:“好战士,好朋友,好战士,好朋友……”

后来他厉声问道:

“你打的是什么?”

“瓦西里·伊万诺维奇,好战士,好朋友。”女打字员念道。

看样子,军委委员觉得她的平淡的语调很不合适,于是纠正她,用高亢的声音说:

“瓦西里·伊万诺维奇,好战士,好朋友!”

他又动了感情,嘟哝起来:“好战士,好朋友,好战士,好朋友……”

后来将军憋住泪水,又厉声问道:

“你打的是什么?”

“瓦西里·伊万诺维奇,好战士,好朋友。”女打字员说。

克雷莫夫明白了，不必急着见他了。

此刻院子里的火光很不明亮，照不清道路，倒是把道路弄得混乱了，似乎这火是从地下钻出来的；也许是大地本身在燃烧——这低低的火焰是这样潮湿，这样沉重。

他们走到发电站站长地下指挥所跟前。落在不远处的炸弹炸起一座座高高的土丘，隐隐约约有一条还没有踩实的小路通向指挥所入口。

门卫小伙子说：

"您来得很巧，今天过节。"

克雷莫夫心里想，他想说的话不能当着别人的面对斯皮里多诺夫说，不能当着别人的面问。他让门卫小伙子把站长叫到外面来，就说方面军司令部有一个政委来了。等到剩下他一个人，他激动起来，怎么也镇定不下来。

"这是怎么啦？"他在心里说。"我以为已经断了呢。难道战争也不能把感情冲干净？我这是干什么？"

"走吧，走吧，走吧，快走，要不然就完了！"他自言自语地说。

但是没有力气走，没有力气离开。

斯皮里多诺夫从地下指挥所走了出来。

"同志，有何事见教？"他用不高兴的口气说。

克雷莫夫问道：

"斯捷潘·菲道罗维奇，不认识我啦？"

斯皮里多诺夫忐忑不安地说：

"这是谁呀？"他盯着克雷莫夫的脸，忽然叫了起来："尼古拉，尼古拉·格里高力耶维奇！"

他使出猛劲儿用双臂搂住克雷莫夫的脖子。

“尼古拉,我的好兄弟。”他说着,鼻子酸了。

这次在瓦砾堆中的见面使克雷莫夫十分感动。他感觉到斯皮里多诺夫在哭。还是那样,还是那样……他从斯皮里多诺夫的信任和高兴中感觉出自己和任尼娅一家的亲近,又在这种亲近中重新衡量了自己的内心痛苦。为什么,为什么她要走呀,为什么带给他这样大的痛苦呀?她怎么能这样做呀?

斯皮里多诺夫说:

“都是战争,战争毁了我的一切。我的玛露霞死了。”

他说起维拉,说她在几天以前终于离开发电站,上伏尔加左岸去了。他说:

“她真是一个傻孩子。”

“她丈夫在哪儿?”克雷莫夫问道。

“大概早已不在人世了。他是一个歼击机飞行员。”克雷莫夫再也憋不住,问道:

“任尼娅怎么样,还活着吗,在哪儿?”

“活着,不是在古比雪夫,就是在喀山。”

他看着克雷莫夫,又说:

“这可是最要紧的:活着!”

“是的,是的,当然,这是最要紧的,”克雷莫夫说。

可是他以前就不知道什么是最要紧的。他只知道自己心里还非常痛苦。他知道,和任尼娅有关的一切,都会引起他的痛苦。不论他听说她心情愉快,无牵无挂,不论他听说她心情痛苦,遭遇不幸,他都一样难受。

斯皮里多诺夫说了说符拉季米罗米娜的情形，又说了说谢廖沙的情形、柳德米拉的情形，克雷莫夫只是不住地点头，小声嘟哝着说：

“是啊，是啊，是啊……是啊，是啊，是啊……”

“尼古拉，咱们走，”斯皮里多诺夫说，“上我家里去。我现在没有别的家了。就这儿是我的家。”

油灯的亮光照不亮摆满了床铺、橱柜、电话机、玻璃瓶、一袋袋面粉的地下指挥所。

在贴墙的板凳、床铺、箱子上坐的都是人。在窒闷的空气中回响着嗡嗡的说话声。

斯皮里多诺夫把酒精斟进玻璃杯、茶缸、锅盖。大家都安静下来，用一种特别的目光注视着他。这种目光深沉而严肃，毫无担心的意味，只有信任：相信他的公正。

克雷莫夫打量着在座的人的脸，心里想：“最好格列科夫也在这儿。最好也给他斟一杯。”可是格列科夫已经饮完了他应该喝的酒。他不能在人世上再喝了。

斯皮里多诺夫端着酒杯站了起来，克雷莫夫心想：“这一下糟了，他要像普里亚欣那样发表长篇大论了。”

可是斯皮里多诺夫拿酒杯在空中画了一个“8”字形，说：

“来吧，伙计们，干杯。祝大家节日快乐。”

玻璃杯叮当响，铁茶缸叮当响，干杯的人哼哧着，还把头直摇晃。

这儿的人有各种各样的，国家在战前把他们安插在不同的地方，他们没有聚在一起饮过酒，没有互相拍过肩膀，没有说：“喂，

你听着,我来对你说说。”

但是在这里,在炸毁的发电站和燃烧的土地下面,却产生了纯正的兄弟情谊,为了这种情谊不惜牺牲生命,这种情谊十分温暖。

担任夜间打更的一个白发老头子唱起一支古老的歌儿,在革命前察里津的一家法国工厂里的小伙子们很喜欢这支歌儿。

他唱得很清脆,很响亮,依然是年轻时候的声音,因为他自己也觉得年轻时的声音太陌生,所以他听着自己的声音露出好笑和惊讶的神气,就好像在听别人唱。

还有一个黑头发的老头子,把眉头皱得紧紧的,很认真地在听着这支倾诉爱情和爱的痛苦的歌儿。

是的,听唱歌是很愉快的,这样的美好而可怕的时刻,像这样把站长、战地面包房的驭手、更夫、门卫,将加尔梅克人、俄罗斯人、格鲁吉亚人联结成一体的时刻,是令人愉快的。

那个黑头发老头子等到老更夫把倾诉爱情的歌儿一唱完,又皱了皱已经皱得够紧的眉头,慢慢地、无腔无调地唱了起来:

> 我们要打倒旧世界,
> 把旧世界的灰烬
> 从我们的脚上抖干净……

党委书记大笑起来,摇晃起脑袋,斯皮里多诺夫也大笑起来,摇晃起脑袋。

克雷莫夫也笑了笑,向斯皮里多诺夫问道:

“这位老头儿大概以前是孟什维克吧?”

斯皮里多诺夫完全了解安德列耶夫的情况，他当然也可以对克雷莫夫说一说，但他怕的是尼古拉耶夫听到，而且纯朴的兄弟情感也暂时消退了，于是斯皮里多诺夫打断歌声，喊道：

“巴维尔·安德列耶维奇，离题太远啦！”

安德列耶夫马上就不唱了，看了看，然后说

“我还以为没有离题呢。迷糊啦。”

担任门卫的格鲁吉亚小伙子让克雷莫夫看了看他的脱了皮的手。

“我这是挖我的好朋友的，他叫谢廖沙·沃罗比约夫。”

他的一双黑眼睛亮起来。他喘着粗气，就像尖声喊叫似的说：

“我喜欢谢廖沙，比亲兄弟还亲。”

白发老更夫已经喝醉了，满脸是汗，缠着党委书记尼古拉耶夫说：

“喂，你还是听我说，马库拉泽说他喜欢谢廖沙·沃罗比约夫，比亲兄弟还亲，这算什么！你可知道，我以前在煤矿里干活儿，东家有多么喜欢我，多么看得起我。他和我一块儿喝酒，我唱歌给他听。他当面对我说，你虽然是普通矿工，可是我拿你当亲兄弟看待。我们常在一块儿聊天，在一块儿吃饭。”

“那是一个格鲁吉亚人吧？”尼古拉耶夫问道。

“我才不管他是不是格鲁吉亚人。东家姓沃斯克列辛斯基，所有的矿都是他的。你可知道他多么看得起我呀。他有百万家产，可是为人真不坏。你懂吗？”

尼古拉耶夫和克雷莫夫交换了一下眼色，两个人都很幽默地

挤了挤眼睛，摇了摇头。

“嘿，”尼古拉耶夫说，“这话不错。活到老，学到老嘛。”

“那你就学学吧。”老头子没有听出嘲笑意味，就认真地说。

这天晚上过得格外好。到了很晚的时候，等到大家都开始走了，斯皮里多诺夫对克雷莫夫说：

“尼古拉，不要穿大衣，别走了，在我这儿睡吧。”

他不慌不忙地给克雷莫夫铺床，一面考虑着底下铺什么：被子，棉衣，还是防雨布？克雷莫夫走出地下室，望着轻轻晃动的火焰，在黑暗中站了一会儿，又回到地下室里，可是斯皮里多诺夫还在给他铺床。

等克雷莫夫脱了靴子，躺下来，斯皮里多诺夫问道：

“怎么样，还舒服吗？”

他抚摩了一下克雷莫夫的头，亲热地、醉醺醺地笑了笑。

克雷莫夫看到上面燃烧着的火焰，不知为什么想起了1924年1月为列宁送葬的时候夜里在志愿队伍里燃起的篝火。

留在地下室里过夜的人好像都已经睡着了，漆黑漆黑的，什么也看不见。

克雷莫夫睁着眼睛躺着，没有注意黑暗，他想着，想着，回忆着……

那是冰天雪地的严寒的日子。受难教堂顶上是黑沉沉的冬日天空，许许多多的人头戴皮帽、布琼尼式军帽，身穿军大衣和皮夹克。受难广场忽然变成一片白，那是千万张纸，是政府的通告。

用农民的雪橇把列宁的尸体从哥尔克运往火车站。雪橇滑铁咴咴响着，马匹打着响鼻。跟在棺材后面的是头戴毛皮圆帽、

扎着灰头巾的克鲁普斯卡娅，列宁的妹妹安娜和马丽亚，他的好友们，哥尔克村的农民。在农村为善良的脑力劳动者、为地方自治局派任医生、农艺师送葬，往往是这样。

哥尔克村里静悄悄的。壁炉的瓷砖闪着亮光，在铺了白色被单的床边有一架小橱，小橱里摆满了带标签的小瓶，散发着各种各样的药味。一位穿白衣的上了年纪的女医生走进空空的房间里。她依然习惯地踮着脚走路。女医生从床边走过，捡起凳子上的一段小绳子和捆在上面的一小片报纸，睡在椅子上的一只小猫听到玩具的习惯的沙沙声，很快地抬起头来，看了看空空的床，便又打着呵欠躺下了。

走在棺材后面的亲人和亲近的同志们怀念着死者。两位妹妹回想着那个白头的男孩子，他的性子很执拗，有时爱讥笑人，对人要求很苛刻，但是他心肠是好的，他很爱妈妈和弟弟、妹妹们。

妻子回忆着：在苏黎世，列宁蹲在地上，和女房东的小孙女季莉说话儿。女房东带着很可笑的瑞士口音用俄语说：

“你们应该生几个孩子啦。”

他带着幽默的神气很快地朝上面看了看克鲁普斯卡娅。

“狄纳莫”的工人来到哥尔克，列宁出去迎接他们，想得出了神，想说话，可是像诉苦一样哞哞地叫着，并且摆了摆手；工人们站在他周围，看到他在哭，也都哭了。还有那临终时的目光，好像害怕，好像有苦要诉说，很像小孩子看着妈妈的目光。

远处出现了车站的建筑物，机车和高高的烟囱在雪地里显得分外黑。

伟大列宁的战友雷科夫、加米涅夫、布哈林在雪橇后面走着，

胡子上冻结了白霜，他们漫不经心地看着一个穿着长大衣和软筒皮靴的黑脸膛的有麻子的人。他们常常带着嘲笑和容忍的神气打量他那高加索人的装束。斯大林如果知趣的话，他就不应该上哥尔克来，因为在这儿聚会的是伟大列宁的亲属和最亲近的朋友。他们却没有想到，正是这个人将成为列宁的继承人，他会把他们所有的人，包括最亲密的战友，统统打翻，甚至不准列宁的妻子继承列宁的遗产。

列宁的真理不在布哈林、雷科夫、季诺维也夫手里，也不在托洛茨基手里。他们都错了。他们谁也不能成为列宁事业的继承人。不过，就是列宁直到生命的最后一刻也不知道、不明白，列宁的事业会成为斯大林的事业。

一部农村的木架子雪橇拖着一个解决了俄罗斯、欧洲、亚洲和全人类命运的人的尸体去车站的那一天，已经过去将近二十年了。

克雷莫夫的思想总是萦绕着那个时候，他回忆着1924年1月里那些严寒的日子，那夜间篝火的噼啪声，克里姆林宫那挂着冰雪的墙，那千万张痛哭的脸，那撕心裂腑的工厂汽笛声，站在木台上宣读告人民书的叶甫多基莫夫的洪亮的声音，那紧紧靠在一起的一堆人抬着棺材走向仓促钉成的木头陵墓的情景。

克雷莫夫走上铺了地毯的工会大厦的台阶，看到旁边的一面面大镜子都披了黑红两色的绸带，充满松针气味的暖和的空气中回荡着哀乐声。他走进大厅，看到他在斯莫尔尼宫和老广场的主席台上常常看到的一些人都垂着头。后来，在1937年他又在工会大厦看到这些垂着的头。大概这些后来被定为罪犯的人听着

维辛斯基那冷酷而响亮的声音，会想起当年他们跟在雪橇后面，站在列宁的棺材旁边，听着哀乐的情景。

为什么在庆祝革命节的时候在斯大林格勒发电站忽然想起那年一月里的一些日子？几十个和列宁一起缔造布尔什维克党的人竟成了奸细，成了外国间谍收买的代理人，只有一个人，虽然一直在党内不占重要地位也不是著名理论家，却成为党的事业的救星，成为真理的化身。他们怎么会承认呢？

最好别想这一切。但是这天夜里克雷莫夫偏偏想着这一切。他们怎么会承认呀？我为什么不说话呀？克雷莫夫心想，我不说话，是没有胆量说："我不相信布哈林是破坏者、凶手、奸细。"而且在表决时我还举了手。以后又签了名。以后又做报告，写文章。我自己觉得我的义愤是发自内心的。那时我的怀疑和焦虑哪儿去了呢？这是怎么一回事儿呢？一个人有两种意识吗？还是一个人就是两个不同的人，各有各的意识？怎么理解呢？不过这种情况是常见的，不光是我，很多人都是这样。

格列科夫说出了很多人心里暗暗感觉到的问题，这些问题秘藏在心底，使人忧虑，引人关心，有时对克雷莫夫有很大的吸引力。但是，这秘藏的问题一说出来，克雷莫夫就觉得有恶意和敌意，就想把格列科夫压倒和制服。如果必要的话，他还会毫不犹豫地把格列科夫枪毙。

普里亚欣却用官腔官调的冷漠语调说话，他代表国家又谈完成计划的百分比，又谈粮食交售，又谈各种各样的任务。克雷莫夫听到这官气十足的、毫无热诚的人，见到说这种话的官气十足的、毫无热诚的人，一向十分反感，十分讨厌，但是他和这些人步

调一致，他们现在是他的上级同志。列宁的事业造就了斯大林，通过这些人，通过国家，得到体现。克雷莫夫愿意毫不犹豫地为其声誉和生存献出自己的生命。

就拿老布尔什维克莫斯托夫斯科伊来说吧。他从来没有为他相信忠于革命的一些人说过话，没有维护过他们。他什么也不说。他究竟为什么不说话呢？

再拿那个诚实可爱的小伙子科洛斯科夫来说。他是高级新闻训练班的学员，克雷莫夫当时给他们讲过课。科洛斯科夫是从农村里来的，他对克雷莫夫说了不少集体化的情况，说区里有些坏蛋，看中了谁家的房子或者果园，就把谁划成富农。他说到农村的饥饿，说到怎样残忍地把所有的粮食全部弄走，一粒不剩……他说起农村里一个很好的老头子，为了救活自己的老伴和小孙女，自己死掉，他说到这里还哭了。可是不久克雷莫夫就在墙报上看到科洛斯科夫写的文章，说富农把粮食埋到地里，说富农对新生政权怀着刻骨的仇恨。

这个真正动情地哭过的科洛斯科夫为什么这样写？莫斯托夫斯科伊为什么不说话？难道仅仅因为胆小怕事？克雷莫夫有多少次心与口不一致呀。但是当他说和写的时候，却觉得他正是这样想的，他也就相信他说的正是他所想的。有时候他对自己说：“有什么办法呢，这是革命需要的呀。”

各种各样的情况都有过，有过，什么都有过。克雷莫夫没有好好维护自己的朋友，尽管他相信他们是无罪的。有时他不说话，有时他说几句含含糊糊的话，有时更要坏些：他说话，而且说的不是含糊话。有时把他传到党委去，到区委，到市委，到州委，

有时把他传到保安机关,向他询问他熟悉的一些人、一些党员的情况。他从来没有诬陷过朋友,从来不曾诽谤什么人,他没有写过密报,没有告过人……

且住,格列科夫呢?格列科夫是敌人。克雷莫夫对敌人是从来不客气的,从来不怜悯敌人。

但是为什么他和被镇压的同志的家属断绝关系呢?他不再上他们家去,不再给他们打电话;不过,他在大街上遇到被镇压的同志家里的人,从来不曾转到另一边人行道上去,而是依然和他们打招呼。

可是更有一些不同的人,这些人通常是老奶奶,家庭女工,党外的平民,常常通过他们往集中营里送东西,从集中营里发出来的信也写他们的地址,他们不知为什么却不怕。有时这些老奶奶,这些家庭女工和没有文化的保姆,充满了宗教观念,她们收养被捕的父母留下的孤儿,免得这些孩子进收容所和保育院。可是党员们却害怕沾到这些孤儿,就像怕火一样。难道这些老奶奶,这些平民,这些没有文化的保姆比列宁式的布尔什维克莫斯托夫斯科伊和克雷莫夫更清白,更有骨气?

人能够战胜恐怖;所以小孩子能够在黑暗中走路,士兵能够投入战斗,一个小伙子可以前进,可以在高空跳伞。

可是有一种恐怖却很特殊,很厉害,千千万万人都不能战胜这种恐怖;这就是在莫斯科的灰暗的冬日天空用不祥的、变幻莫测的红色字母写出的恐怖——国家恐怖……

不对,不对!恐怖本身不能起这样大的作用。革命的目的以道德的名义摆脱了道德,借口为了未来,证明今天的伪君子、告密

者、两面三刀的人是正确的,还要宣传,为什么一个人为了人民的幸福应该把无罪的人推入陷坑。这股势力叫人不要理睬进入集中营的人的孩子,也是以革命的名义。这股势力还在说,如果一个妻子不揭发自己的清白无辜的丈夫,就必须离开孩子,在集中营里关十年,这都是革命的需要。

革命的势力与死亡的恐怖、对刑讯的恐惧、感受到远方集中营气息的人的痛苦结成了联盟。

以前人们走向革命的时候,知道等待着自己的是监狱、苦役、成年累月的流浪和无家可归、断头台。

现在最糟糕、最令人担心、令人不安的是,今天为了换取对革命的忠诚,换取对伟大目标的信仰,革命要付出优厚的待遇、克里姆林宫的酒宴、人民委员的任命书、专用汽车、疗养证、国际车厢。

"尼古拉,你没有睡吗?"斯皮里多诺夫在黑暗中问道。

克雷莫夫回答说:

"差不多睡着啦,正要睡呢。"

"噢,对不起,我不打搅你了。"

四十

那天夜里把莫斯托夫斯科伊传去和党卫军少校利斯谈过话之后,又是一个多星期过去了。

忐忑不安的等待和紧张换成了难以承受的苦恼。

莫斯托夫斯科伊有时候觉得,朋友和敌人永远把他忘记了,

朋友和敌人都认为他已经成了一个无用的、老糊涂了的老头子，成了稻草人，成了废物，

一个晴和的早晨，一名党卫军看守带他去洗澡。这一次这名看守没有进澡堂，而是坐在台阶上，把枪放在旁边，抽起烟来。这一天天气晴朗，阳光照在身上很暖和，这名士兵当然不愿意到潮湿的澡堂里去。

管澡堂的一名战俘走到莫斯托夫斯科伊跟前。

“您好，亲爱的莫斯托夫斯科伊同志。”

莫斯托夫斯科伊惊愕得叫了起来：站在他面前的竟是穿着制服上衣、戴着勤务臂章、手里晃悠着抹布的旅政委奥西波夫。

他们拥抱在一起。奥西波夫急急忙忙地说：

“我在澡堂里弄到这点儿差事，现在去替换固定的清洁工，我想和您见见面。科季科夫、将军、兹拉托克雷列茨都叫我问候您。您先说说您的情况，您身体怎么样，他们想要您怎样？您一面脱衣服，一面说。”

莫斯托夫斯科伊把那天夜里传他去谈话的情形说了说。

奥西波夫用凸出的黑眼睛看着他，说：

“他们想劝诱您哩，真是妄想。”

“为什么呢？什么目的？目的何在？”

“可能他们想搜集历史方面的资料，想评价党的创始人和领袖。也许，他们想找材料发表什么宣言、文告、公开信。”

“这种打算永远不能得逞。”莫斯托夫斯科伊说。

“莫斯托夫斯科伊同志，他们不会善罢甘休的。”

“他们的打算永远不会得逞，痴心妄想，”莫斯托夫斯科伊又

说了一遍，然后问道："您说说，你们怎么样？"

奥西波夫小声说：

"比预料的情况要好些。最要紧的是，已经和在工厂里工作的人取得了联系，已经开始向我们输送武器，有自动步枪，有手榴弹。有人把零件送来，夜里我们进行装配。当然，目前数量还有限。"

"这是叶尔绍夫安排的，他真有两下子！"莫斯托夫斯科伊。他脱去衬衣，看了看自己的胸膛，看到自己的衰老，很懊恼，很难过地摇了摇头。

奥西波夫说：

"您是党的老同志，我应该告诉您：叶尔绍夫已经不在咱们的集中营里了。"

"什么，怎么不在啦？"

"把他送走了，送到布痕瓦尔德集中营去了。"

"你们怎么啦？"莫斯托夫斯科伊叫起来。"他是一个出色的小伙子呀。"

"他就是到了布痕瓦尔德，依然可以是出色的小伙子。"

"这究竟怎么搞的，为什么会出这种事？"

奥西波夫阴沉地说：

"在领导人员中很快就出现了分裂。许多人自发地倾向叶尔绍夫，这就冲昏了他的头脑。他怎么也不服从领导核心的指挥。他是一个身份不明的人，一个异己分子。情况越来越混乱。地下工作的第一训条就是铁的纪律。可是我们却出现了两个核心：一个党的核心，一个党外核心。我们讨论了情况，通过了决议。一

位在办公室工作的捷克同志把他的卡片放进为布痕瓦尔德挑出来的一部案卷里,这样就很自然把他列入了名单。”

“真是再简单不过了。”莫斯托夫斯科伊说。

“这是共产党员一致通过的决议。”奥西波夫说。

他穿着自己的寒碜的衣服站在莫斯托夫斯科伊面前,手里拿着抹布,神气又严肃,又坚定,相信自己绝对正确,相信自己的权力比上帝的权力更大、更威严,更有权将他所从事的事业提交人类命运的最高法官。

而脱得光光的、瘦瘦的老头子,伟大的党的创始人之一,坐在那里,把两个瘦瘦的、干瘪的肩膀耸得高高的,头垂得低低的,一声不响。

他眼前又浮现出那一夜在利斯的办公室里的情景。

他又觉得十分可怕:难道利斯说的不是假话,难道他真的没有什么秘密的宪兵式的目的,真的是想和他谈谈?

他挺起腰来,又像往常那样,像十年前集体化时期那样,像当年把他年轻时的同志一个个送上断头台的政治恐怖时期那样,说:

“我作为一名党员,服从这一决议,承认这一决议。”他从放在板凳上的上衣里子里抽出几片纸,这是他草拟的传单。

忽然在他眼前浮现出伊康尼科夫的脸,他那像牛眼一样的眼睛,莫斯托夫斯科伊又想听听这个又傻又善良的教士的声音。

“我想问问伊康尼科夫的情形,”莫斯托夫斯科伊说,“那位捷克同志没有把他的卡片塞进那里面去吧?”

“那个老傻子,您说的那个脓包吗?他被处决了。他拒绝上

工,不肯去建筑杀人集中营。凯泽奉命把他枪毙了。”

这天夜里,在集中营的棚屋的一面面墙上,贴了不少莫斯托夫斯科伊拟定的有关斯大林格勒战役的传单。

四十一

战争结束以后不久,在慕尼黑的秘密警察档案室里发现了西德一座集中营里地下组织一案的侦讯材料。在案卷的最后一页中写着,对案犯的判决已经执行,尸体已经火化。名单中的第一名便是莫斯托夫斯科伊。

研究了侦讯材料之后,还是无法判断出卖了同志的内奸是谁。可能,秘密警察把他和被他出卖的人一起处死了。

四十二

在监督队的宿舍里,很暖和,很安宁。监督队是监督毒气室、毒物仓库和火化炉进行工作的。

为长期在1号工程工地工作的囚犯创造了很好的生活条件。每一张床前都有一张小桌,有热水瓶,床与床之间的走道上铺了地毯。

为毒气室干活儿的人没有人看押,而且在特别的食堂吃饭。监督队里的德国人吃饭像在饭店里那样,每个人都可以随便点菜。监督队里的德国人可以拿到额外的工资,几乎相当于相应级别的现役军人工资的三倍。他们的家属在住房方面享受着优待,

他们得到的粮食供应是高标准的，在受到空袭威胁的地区他们有权最先疏散。

士兵罗捷在观察窗口值班。等到一道程序快结束的时候，他就下命令把毒气室里的人卸下去。此外，他还要监视牙科医生们，看他们干得是否认真，是否仔细。他几次向工程主任卡里特卢夫特报告他同时执行两项任务的困难：有时候他在注视上面放毒气，就不能注视下面牙科医生找金牙和将人推上输送带的地方，工人们就会偷懒。

罗捷习惯了自己的工作，已经不像最初几天那样面对着观察窗口惶惶不安了。他的前任有一天因为一件事情被打死了，那件事情应该是一个十二岁的孩子干的，不应该是一个执行特殊任务的党卫军士兵干的。罗捷起初不明白同事们在说话中暗指的是什么不体面的事，到后来他才明白了。

罗捷不喜欢这新的工作，虽然他已经习惯了。他对于周围的人对他的尊敬，很不习惯，感到很不安。食堂里的女侍者们常常问他为什么脸色那样苍白。自从他记事起，妈妈就经常哭。不知为什么父亲经常被解雇，好像他有工作的时候不如失业的时候多。他学会了父母那种轻盈、柔和、不会惊扰任何人的步子，学会了对邻居、房东、房东的小猫、校长和站在路口的警察的那种惶恐而亲切的笑。温和与亲切似乎是他性格的基本特点。所以他自己也觉得奇怪，他心中竟有那么多仇恨，怎么过去多年中没有表露出来。

他进了监督队；善于识别人的队长很了解他的软弱、温柔的性格。

看着犹太人在毒气室里抽搐，一点意思也没有。罗捷对于那些喜欢干这种事的士兵很厌恶。特别使人厌恶的是在毒气室门口值早班的战俘茹琴科。他的脸上一直带着一种孩子般的、因而特别令人厌恶的笑容。罗捷不喜欢自己的工作，但是他知道干这种工作有明显的和潜在的好处。

每天下班的时候，很有气派的牙科医生都要交给罗捷一个小小的纸包，里面包几颗金牙。这小小的纸包只是每天交给集中营管理处的贵金属的微不足道的一部分，但是罗捷已经有两次把一公斤左右的金子交给妻子。这是他们的美好的未来，可以帮他们实现安度晚年的理想。他在年轻时又软弱又胆小，没能够好好地为生活奋斗。他从来不怀疑党的目的只有一个，那就是为弱小的人争取幸福。他已经亲身体验到希特勒的政策的良好结果，因为他就是弱小的人，而他和他一家的生活现在又好，又快活，和以前无法比了。

四十三

安东·赫麦尔科夫有时在心里对自己的工作感到害怕。晚上，他躺在床上，听着特罗菲姆·茹琴科的笑声，感到发冷，难受，感到心慌。

茹琴科的手指头又粗又长，正是这双手天天关毒气室的密闭的门。他的手好像从来没有洗过，当他伸手到面包篮子里去拿面包的时候，令人感到厌恶。

茹琴科每天早晨出去值班，等着人群排着队从铁路那边走来

的时候，感到无比的兴奋。他总觉得人流移动得慢得不得了，常常扯着嗓子发出尖细的、焦急的叫声，上下颌轻轻哆嗦着，就好像小猫注视着玻璃窗外的麻雀。

此人便是赫麦尔科夫心里不安的原因。当然，赫麦尔科夫也可以喝酒，也可以醉醺醺地拿站队等候的女人取乐。有一处狭窄的通道，监督队的工作人员可以从这里进脱衣室去挑选女人。男人毕竟是男人。赫麦尔科夫有时也挑选一个大姑娘或者小媳妇，带到无人的棚屋隔间里，过半个钟头再带回去交给押解人员。他不说话，女人也不说话。不过，他来到这里，不是为了女人和酒，不是为了华达呢马裤和细皮的军官靴。

在1941年7月的一天，他被俘了。德国人用枪托子劈头盖脸地打他，他害痢疾，他穿着破靴子被赶着在雪地里走，给他喝黄黄的、带有机油的水，他用手指头撕死马身上的发黑发臭的肉，他吃臭大头菜和烂土豆皮。他所选择的只有一点——活下去，他再也不想别的，他躲过了十来次死亡，没有饿死，没有冻死，他不想死于痢疾，不想在头上带着9克重的弹头倒下去，不想浮肿，不想让自己的心在脚下冒上来的水里憋死。他不是罪犯，他是刻赤市的一名理发师，不论亲戚、同院的邻居、同行，不论和他一起喝酒、吃熏鱼、打牌的朋友，从来没有谁认为他不好。他也认为，他和茹琴科没有任何共同之处。但是有时他觉得，他和茹琴科之间的区别是微不足道的；干的反正都是一样的事情，至于怀着什么心情去干，一个高高兴兴在干，一个不高兴在干，又有什么要紧的？

可是他却不知道，茹琴科使他惶惶不安，不是因为茹琴科的罪最大。他所以觉得茹琴科可怕，是因茹琴科的天生的、可怕的

变态在为他的行为辩护。而赫麦尔科夫却不是变态人,他是正常的人。

他模模糊糊地懂得,在法西斯时期,对于一个还想做人的人来说,比活命更容易做到的选择——就是死。

四十四

工程主任兼监督队长卡里特卢夫特要求调度总站每天晚上把第二天火车到达的时间报来。卡里特卢夫特可以事先向手下的工作人员布置工作,把车厢的总数、运到的人数告诉他们;另外,还要根据从哪一国来的火车,就调哪一国的战俘前来协助执行——有剃头的,有带路的,有卸人的。

卡里特卢夫特工作认真;他不喝酒,看到下属醉了,他也不生气。只有一次大家看到他很快活、很兴奋;那一天他要回家过复活节,已经坐上汽车,他把党卫军上尉加恩叫到跟前,把女儿的相片给他看,那女孩大脸庞,大眼睛,长得很像父亲。

卡里特卢夫特很喜欢工作,不愿意白白浪费时间。晚饭后他不上俱乐部,不打牌,也不看电影。过圣诞节的时候,在监督队里举行了枞树晚会,有业余合唱队演出,在吃晚饭的时候无偿地发给每两个人一瓶法国白兰地。卡里特卢夫特来俱乐部待了半个小时,大家都看到他的手指头上还有新鲜的墨水痕迹,说明他在圣诞节晚上还在工作。

过去他住在乡下父母的房子里,看来,他的一生就要在这座房子里度过了,因为他喜欢乡下的安静,他不怕干活儿。他想振

兴父亲的家业，不过他认为，不论他养猪和做大头菜、小麦买卖赚多少钱，他一辈子都要住在父亲的又舒适又安静的房子里。可是人生多变。在第一次世界大战快要结束的时候，他上了前线，走上命运为他铺好的道路。似乎命运决定了他从一个农村小伙子成为士兵，又从战壕进入司令部警卫队，又从办公室到副官处，从帝国保安总部到集中营管理处，最后，在杀人营里担任了监督队队长。

如果卡里特卢夫特将来到天庭受审，他会为自己的灵魂辩护，会理直气壮地对审判官说，是命运把他推上刽子手的道路，杀了五十九万人。他面对着强大的力量，面对着世界大战、巨大的民族运动、不可违抗的党国的暴力，又有什么办法呢？谁又能按自己的心意行事？他是一个人，他本来可以在父母的房子里住下去的。不是要走这条路，是推着他走，不是他愿意走，是牵着他走，他就像一个小小的孩子，命运牵着他的手走路。他派去工作的人和派他来工作的人如果面对天庭审判官，也会这样或者大致这样为自己辩护。

卡里特卢夫特不需在天庭为自己的灵魂辩护。所以上帝也不需要向卡里特卢夫特证实世界上没有罪人。

有天庭的审判，有国家与社会的审判，但是还有最高审判，那就是罪犯对罪犯的审判。有罪的人掂量了极权制国家的威力，知道国家是无比强大的。这种可怕的力量用宣传、饥饿、孤苦、集中营、死的威胁、落魄和屈辱把人的意志束缚住。但是，一个人在贫困、饥饿、集中营和死亡的威胁下走的每一步，在受制约的同时，也表现出一个人的不受约束的意志。在这位监督队长走的道路

上，从乡村到战壕，从党外的平民到自觉的国家社会主义党党员，到处都有他的意志的痕迹。命运带着人走什么路，一个人跟着走，是因为他愿意；他也可以不愿意。命运带领着一个人，这个人会成为毁灭性力量的工具，但是他可以从中捞到便宜，而不是吃亏。他知道这一点，于是他便去捞便宜；可怕的命运和人有不同的目的，但是两者走的道路是一条。

不是无罪和慈悲的天庭审判官，不是英明的、以国家和社会利益为准绳的国家最高审判庭，不是圣人，不是教士，而是可怜的、受到法西斯压迫的肮脏而有罪的人，亲身体验过极权制国家的恐怖政策的人，自己已经倒下过、已经弯下腰、畏畏缩缩、低三下四的人，这样的人在宣布判决。

他会说：

“在可怕的世界上，罪人是有的！我就有罪！”

四十五

行程的最后一天到了。一节节车厢咯啦咯啦，制动器吱嘎吱嘎，然后静了下来，然后响起门闩的叮当声，响起口令声：

“下车！”

人们纷纷走出来，来到新雨后潮漉漉的站台上。

一张张熟悉的脸，出了黑暗的车厢，显得多么奇怪呀！

大衣和头巾比人的变化要小些；女褂和连衫裙使人想起当初在里面穿衣的房子和对着试穿的镜子。

出了车厢的人挤成一堆一堆的，紧紧地靠在一起，就有一种

习惯的、可以使人放心的气氛；在熟悉的气味中、熟悉的热气中、熟悉的痛苦的脸上和眼睛里，在从四十二节货车车厢里走出来、紧紧靠在一起的巨大人群中，洋溢着这样的气氛。

两名穿长大衣的党卫军巡逻兵慢慢走着，那钉了铁掌的靴子敲得水泥地当当响。他们带着一副傲慢和沉思的神气，不看那两个抬出一个白脸上披着白发的死老婆子的犹太小伙子，不看那个趴着在水洼里喝水的鬈发小矮子，也不看那个掀起裙子系裤带的驼背女人。

两名党卫军士兵有时交换一下眼色，说一两句话。他们在水泥地上走着，那神气就像太阳在天上走。太阳并不注视风、云彩、海浪和树叶的动静，但是它在从容自若的移动中知道，大地上因为有了阳光，一切事情在正常地进行着。

一些身穿蓝色工装、头戴大檐便帽、袖子上带着白色臂章的人在叫喊着，催促从车上下来的人，他们用的是奇怪的语言，是俄语、德语、犹太语、波兰语和乌克兰语的大杂烩。

穿蓝色工装的人很快、很熟练地调理着站台上的人群，挑出站也站不住的人，让比较强壮的人把这些半死不活的人抬上汽车，让乱糟糟的人群站成队伍，让队伍移动，指明移动的方向和目的。

队伍中每排有六个人，在队伍里传着一个消息："上澡堂去，先上澡堂去！"

似乎慈悲的上帝再也想不出更慈善的主意了。

"好啦，犹太人，咱们走吧。"一个头戴便帽的押解队的头头儿叫喊着，一面打量着人群。

男人和女人们都提起包裹，孩子们抓住妈妈的裙子或父亲的衣襟。

“上澡堂去……上澡堂去……”这话使人心里喜洋洋的。

那个戴便帽的大个子身上有一股平易近人、招人喜欢的神气，似乎他和这些不幸的人亲近，而不是和那些身穿灰大衣、头戴钢盔的人亲近。一个老奶奶带着祈祷时的小心神气用手指头尖抚摩着他的工装袖子，问：

“是去洗澡吗？”

“是的，是的，大娘，是去洗澡！”他忽然用嘶哑的嗓门大声发出口令：“开步走！”

站台空了，一些穿工装的人在打扫水泥地上的破布片、绷带、有人扔掉的破套鞋、孩子们丢下的拼字方块，还有人在轰隆轰隆地关车厢的门。一节节车厢上的钢铁叮叮当当响动起来，像波浪似的扩展开去。空空的列车动了，前去消毒。

服务队干完了活儿，经过公务大门回到集中营里去。东方来的列车是最糟糕的，在里面最多的是死人、病人，在车厢里可以找到的是虱子，可以闻到的是臭气。这些列车就像匈牙利的或者荷兰的，或者比利时的列车一样，在里面找不到一瓶香水、一包可可、一听炼乳。

四十六

人群往前走着，前面出现了一座很大的城市。城市的西边沉没在雾气中。远处工厂烟囱里冒出来的黑烟和雾气混合在一起，

像棋盘一样的一排排棚屋罩着轻烟，一条条笔直的集中营街道和雾气合在一起，显得很奇怪。

东北方升起高高的黑红色火光，似乎是潮湿的秋日天空燃烧过以后，还在发红。有时从潮湿的火光中冒出火焰，又慢，又不清晰，缓缓地爬动着。

人群来到宽阔的广场上。广场中央有一座用木头搭起的高台，在大众游艺场上常常有这样的高台。上面站着几十个人。这是乐队。这些人就像他们的乐器一样，一个和一个不同。有些人打量着渐渐走近的人群。但是有一个身穿浅色外套的白头发的人说了一句什么话，于是在高台上的人一齐拿起自己的乐器。就好像有一只鸟又胆怯又放肆地叫了起来，于是，被铁丝网和警笛声撕得支离破碎、散发着臭味和油烟味的空气里充满了音乐声。就好像一阵被太阳晒得暖和和的夏日的好雨光闪闪地落到大地上。

集中营里的人、监狱里的人、冲出监狱的人、去死的人都能感受音乐的震撼人心的力量。

谁也不像进过集中营和监狱的人，不像走向死亡的人对音乐的感受那样强烈。

音乐声一触及就要去死的人，在人们心中突然重新唤醒的不是思想，不是希望，而只是一种模糊而强烈的生命奇迹。人群队伍里响起一片号哭声。似乎一切都变了样子，一切都合成一个整体，一切分散的，房屋，天地，童年，道路，车轮轧轧声，饥渴，恐怖和这罩在雾中的城市，这暗红色的火光，这一切一下子全都汇合起来了，不是汇合在脑海里，不是在画面上，而是汇合在以往生活

的一种模糊、热烈、醉心的感情中。在这里，在火化炉的火光中，在集中营的广场上，人们感觉到，生命大于幸福，因为生命也是痛苦。自由不光是幸福。自由是艰难的，有时也是痛苦的，因为自由就是生命。

音乐挑起心灵的最后震动，使得心灵在模模糊糊的心的深处将一生中感受到的一切，将生的欢乐与痛苦，与这雾茫茫的早晨、这头顶上的火光汇合到一起。但也许不是这样。也许，音乐只是一把开启人的感情的钥匙，它在这个可怕的时刻把人的内心打了开来，但不是音乐充满人的心灵。

有时候，一支儿歌能够使一个老头子哭起来。但这不是老头子为儿歌哭，儿歌只是一把钥匙，打开了心灵在寻找的东西。

人们还在广场上画着弧形，从集中营的大门里出来一部奶油色小汽车。一名身穿皮领军大衣、戴眼镜的党卫军军官从汽车里走出来，打了一个不耐烦的手势，正在注视着他的乐队指挥马上忙不迭地把手垂了下来，乐队演奏一下子停止了。

广场上很多声音一连声地叫喊："立正！"

军官从一排排的人旁边走过。他用手指头在指，押队人就把他指到的人从队伍里拉出来。军官用冷冷的目光打量着被拉出来的人，押队的头头儿为了不妨碍军官考虑，用小声在问着：

"多大年龄？什么职业？"

被挑出来的有三十来个人。

依然有声音在一排一排的人群旁边响着：

"医生，外科大夫！"

没有人应声。

“医生,外科大夫,出来!”

依然没有人应声。

那军官对站在广场上的上千人失去了兴趣,便朝汽车走去。

把挑出来的人排成五个人一排,朝带有标语牌的集中营大门转过脸去,那标语牌上写着:“劳动改造,重新做人。”

人群队伍里有一个小孩子叫起来,一些妇女像发了疯似的尖声叫起来。被挑出来的人垂着头,一声不响地站着。

可是,谁又能描写出一个人放开妻子的手时的感情和最后匆匆看一看妻子的脸的那种目光?以后怎么能活下去,想起在默默告别的时候为了掩盖保得一命的可耻的喜悦心情,眨了一会儿眼睛,能无遗憾?

怎么能忘记,妻子把小包袱交给丈夫,包袱里有订婚戒指,还有几块糖和干粮?看到天空又闪起新的火光,知道那是在烧他吻过的手、使他心醉的眼睛、他在黑暗中凭气味也能闻出来的头发,知道那是在烧他的孩子、妻子、母亲,又怎么能活下去?在棚屋里怎么能靠近炉子,怎么能拿钵子到长勺子底下去接灰灰的汤糊,怎么能把掉下来的鞋掌钉到鞋上?怎么能拿铁钎干活儿,怎么呼吸,怎么喝水?因为孩子们的叫声、母亲的哭号声还在耳朵里呀。

继续活下去的人被赶着朝集中营的大门走去。他们听着后面的叫喊声,他们也在叫喊,撕胸前的小褂,前面是另一种生活等待着他们:充电的铁丝网,架着机枪的混凝土守望塔,棚屋,脸色煞白的妇女在铁丝网外面望着他们,他们胸前带着红的、黄的、蓝的布条子标记排着排着队去干活儿。

乐队又演奏起来。被挑出来为集中营干活儿的人走进建筑

在沼地上的集中营。黑乎乎的水阴沉无声地在粘腻的水泥板和沉甸甸的大石块中间流着。这水呈黑红色，散发着腐烂的气息。这水里有一团团绿色的化学物质的泡沫、一块块脏布、从集中营手术室里扔出来的一块块血淋淋的肉。这水流入集中营的地下，然后又钻出地面，然后又流入地下。不过，水是要继续流下去的，这集中营里出来的阴沉的水早晚会成为海浪，成为早晨的露水。

可是不幸的人们就要去死了。

四十七

索菲亚·奥西波芙娜走着均匀而沉重的步子，一个男孩子拉着她的手。小孩子的另一只手抚摩着口袋里的火柴盒，火柴盒里的脏棉花中有一只深褐色的蚕蛹，是在车厢里刚刚从茧里钻出来的。旁边是钳工拉萨尔·扬凯列维奇，一面走，一面嘟哝，他的老婆杰鲍拉·萨穆伊洛芙娜抱着一个小孩子。列维卡·布赫曼在背后嘟哝着："唉，天呀，唉，天呀，唉，天呀。"这一排的第五个人是图书管理员穆霞·鲍里索芙娜。她的头发梳得好好的，衣领还显得很白。她在路上有几次用她领到的面包换半锅子温水。这个穆霞·鲍里索芙娜从来不对谁抱怨什么，在车厢里大家都把她看作圣女，一些见过世面的老奶奶都在吻她的衣服。前面的一排只有四个人，因为那个军官在挑人的时候一下子就挑出去两个，就是斯列波依父子，他们在回答什么职业问题的时候，一齐说："牙科医生。"军官点了点头。斯列波依父子猜到：可以保命了。这一排里留下来的三个人悠荡着手，看来，他们的手没有用场了；第四

个人把领子支得高高的，两手插在口袋里，昂着头，毫不在乎地走着。前面，往前四五排，有一个很突出的高大老头子，戴着红军士兵的暖帽。

在索菲亚·奥西波芙娜背后走的是穆霞·维诺库尔，她在火车上度过了十四岁生日。

死神呀！它竟像人的伙伴一样，随随便便地找起人来，随随便便进入人家，进入车间，到市场上找家庭主妇，把她和菜篮子一起带走，和孩子们一起玩耍；女装裁缝们在成衣店里唱着歌儿在为委员的妻子赶做女大衣，它也走进去；有人排队买粮食，它也来站队；老奶奶补袜子，它也来跟前坐一坐。

死神干着自己平常的事情，人们也干着自己的事情。有时死神让人把烟抽完，把饭吃完，有时它像个好朋友一样，粗声粗气地哈哈大笑着拍拍人的肩膀，把人拉住。

人似乎终于对死神有所了解了，死神已经向人显示出它的平常和孩子般的单纯。这种转变和过渡太容易了，就好像过一条小河，小河上有小小的木桥，从这边的炊烟袅袅的小屋旁到那边空旷的草地上，不过五六步。就这么一回事儿！有什么好怕的？瞧，小牛吧嗒着蹄子从小桥上走过去了，瞧，孩子们也吧嗒着光脚丫儿跑过去了。

索菲亚听到了音乐声。她第一次听到这乐曲是在小时候，后来上大学的时候，年轻时做医生的时候，她也听过。这支乐曲充满了对未来的生气勃勃的预感，她听着总是非常激动。

音乐欺骗了她。索菲亚已经没有未来了，只有已经过去的生活。

她顿时感触到自己的已经过去的与众不同的独身生活，这种感触一时间遮住了面前的现实——生命断崖的边沿。

这是所有感触中最奇怪的感触！这种感触是无法表达的，即使对最亲近的人，对妻子、母亲、父亲、兄弟、朋友、儿子，都无法说，它是心灵的秘密，即使心灵很想泄露自己的秘密，也无法泄露。一个人会把自己一生的感触带走，无法和任何人分享。一个与众不同的独身的人、一个在意识中和下意识中汇集了好的一切和坏的一切的人的奇特之处，是可笑、可爱、可耻、可怜、羞涩、亲切、胆怯、容易惊愕，从小到老都是如此，——这一切融汇在对自己的独身的一生的秘密的、默默的孤独感中。

当乐队开始演奏的时候，达维德想掏出口袋里的火柴盒，为了不让蛹冻伤了风，把火柴盒打开一点点儿，好让他看看奏乐的人。但是走了几步之后，他就不再觉得有高台上的人，只剩下天上的火光和音乐了。悲哀而洪亮的乐曲声把思念妈妈的苦灌入他心中，灌得满满的，就像灌满了一个碗。妈妈好静，身体很弱，一直觉得丈夫把她扔掉是件不体面的事。她给达维德做了一件褂子，邻居们在走廊里笑，笑话达维德的褂子是花布做的，而且袖子也缝斜了。妈妈是他的唯一保护人和希望。他一直坚定不移地、一心一意地指望着她。可是，也许现在是音乐使他不再指望妈妈了。他爱妈妈，可是妈妈软弱，无能为力，就和现在跟他走在一起的这些人一样。音乐声悠悠忽忽，缓缓的，他觉得就像小小的波浪，他在迷糊状态中看到过，那是在他发高烧，他从滚热的枕头上爬下来，躺到热乎乎、湿漉漉的沙上的时候。

乐队声音高起来，一个嗄哑的大嗓门儿大叫起来。

在他害咽峡炎的时候从水里冒出来的一堵黑乎乎的墙，现在又悬在他的头顶上，遮住整个天空。

一切曾经使他心悸的东西全都汇合到一起，联结成一体。他看到小羊羔没有觉察枞树丛中狼的影子的那幅画时的害怕，市场上被宰的小牛的蓝眼睛的头，死去的奶奶，布赫曼家憋死的小姑娘，曾经使他不要命地叫起来并且叫唤妈妈的那第一次下意识的夜晚的恐惧，全都来到面前。死神睁大两眼站着，有天那么高大，小达维德迈着小小的步子朝死神走去。周围只有音乐声，既不能抓住作依靠，又不能在上面把头撞碎。

没有翅膀、没有爪子、没有胡须、没有眼睛的蛹还睡在火柴盒里，很信赖地傻等着。

既然是犹太人，那就完了！

他寻找着，憋得喘不上气来。如果他有力气的话，他会把自己掐死的。音乐声停了。他的一双小腿和另外几十双小腿在急急忙忙地跑着。他没有什么想法，他既不能哭，又不能叫。汗湿的手指头紧紧捏住口袋里的火柴盒，但是他已经不记得有蛹了。只有小小的腿在走着，走着，急急忙忙地跑着。

如果他的恐惧再持续几分钟，他会带着碎裂的心跌倒的。

音乐声停止以后，索菲亚擦干了眼睛，很生气地说：

“哼，来这一套！”

后来他看了看这孩子的脸，脸色是那样恐怖，这样特别的表情，即使在这里也是显得十分突出的。

“你怎么啦？怎么一回事儿？”索菲亚叫了起来，并且猛地扯了扯他的手。“你怎么啦，怎么一回事儿，咱们这是上澡堂去洗澡

呀。”

在德国人挑外科医生的时候，她没有作声，因为她痛恨敌人。

钳工的妻子在旁边走着，她抱着的可怜的大脑袋婴儿用纯真和若有所思的目光看着周围的一切。这位钳工妻子夜里在车厢里为自己的孩子偷了一个妇女的一小把糖。那个被偷的妇女也是非常虚弱的。有一个姓拉比杜斯的老头子为她抱不平。那个老头子在身子底下撒了不少尿，所以谁也不愿意坐在他身边。

这会儿钳工的妻子杰鲍拉心事重重地走着，手里抱着孩子。那孩子本来日日夜夜都在哭的，现在却不作声。这女人的黑眼睛流露出那样的悲伤神情，她那难看的肮脏的脸和苍白的、皱皱巴巴的嘴唇也就不多么显眼了。

“圣母呀！”索菲亚在心里说。

在战前两年多以前，有一天她看到，从天山山峦背后升上来的太阳照得山顶积雪亮晶晶的，可是湖水还在黑暗中，就像用蓝宝石雕成的。这时她心想，世界上再没有什么人不羡慕她，于是她的五十岁的心里顿时涌出一股十分强烈的感情：如果在哪一座寒碜、黑暗、低矮的小屋里有一双孩子的手把她搂住，她就死而无怨了。

小达维德勾起她非同一般的慈爱之情，这样的感情她对孩子们还不曾有过，虽然她一直非常爱孩子们。在车厢里她拿出自己的一部分面包给他吃，常常在昏暗中把他的脸转过来朝着自己，她想哭，想把他紧紧搂在怀里，想吻他，就像妈妈们吻小宝宝那样，吻得又快又急。为了不让他听得太仔细，她小声说：

“吃吧，我的好儿子，吃吧。”

她很少和这孩子说话，一种奇怪的羞涩感使她尽力掩盖她心中产生的母亲感情。但是她发现：如果她走到车厢的另一边，这孩子就惴惴不安地注视着她；等她来到他身边，他就放下心来。

她自己不愿意承认，为什么叫外科医生离开队伍的时候，她没有应声，继续留在队伍里，为什么在这几分钟里她的心情格外激动。

人群队伍从铁丝网旁边，壕沟旁边，从架着旋转机枪的混凝土守望塔旁边走过。这些早已忘记自由的人觉得，那铁丝网和机枪不是为了防备集中营里的人逃跑，而是为了不让这些去死的人躲进苦役集中营里。

人群队伍离开集中营的铁丝网，朝几座又矮又大的平顶建筑物走去。远远看去，达维德觉得这些没有窗户的灰色方形建筑物很像大型的拼图方块。

达维德从转弯的几排人的空隙中看到敞开大门的建筑物，也不知为什么，从口袋里掏出装着蛹的火柴盒，也没有和蛹告别，就把火柴盒扔到一边。让它活着吧！

“德国人好气派呀。”走在前面的一个人说。就好像德国警备队能听到他的奉承话，会看重他的奉承话似的。

那个支着领子的人不知为什么很奇怪、很特别地耸了耸肩膀，这在旁边看得很清楚；他朝右边看了看，又朝左边看了看，顿时变得又高又大，就像张开了翅膀，突然很轻盈地一跳，一拳打在一名党卫军押队兵的脸上，把他打倒在地。索菲亚凄厉地叫了一声，也跟着朝前冲去，但是踉跄了一下，跌倒了。马上有几只手把她抓住，帮她站了起来。后面的人挤了上来，达维德一面回头看

着，怕把他挤倒，无意中看到押队的德国兵把一个男子拉到了一边。

在索菲亚试图朝德国兵扑去的一刹那间，她忘记了小孩子。现在她又牵住他的手。达维德看到，一个人在片刻间感到有自由的希望时，眼睛会有多么明亮，多么有神，多么好看。

这时候，前面的几排人已经走上澡堂大门前面的沥青场地，就要进入大敞着的门的人们的脚步声音开始变了。

四十八

在潮湿而暖和的脱衣间里，幽暗而宁静，还有若干长方形小窗户。

一排排带有红漆编号的、厚实的白木头板凳朝幽暗中伸去。大厅中间有一道不高的隔墙，一直延伸到大门对面的墙壁，隔墙的一边是男子脱衣的地方，另一边是女人和小孩子脱衣的地方。

像这样分隔开，没有引起人不安，因为人们依然能互相看到，互相招唤："玛尼娅，玛尼娅，你在那儿呀？""是的，是的，我看见你啦。"有人在喊："马季尔达，你把擦子带过来，给我搓搓背！"几乎所有的人都感到放心了。

有一些穿工作服的很严肃的人在人群中来来回回走着，在维持秩序，说的都是一些合乎情理的话，比如，要把袜子和包脚布塞到靴筒里，一定要记住哪一排、哪一个位子的编号。

许多人的声音低低地、嗡嗡地响着。

当一个人渐渐脱光的时候，他也就渐渐接近自己。天啊，胸

膛上的毛更硬了,更密了。而且有那么多白的。指甲有多么难看呀。脱光了的人看着自己,只能得到一个结论:“这就是我。”一个人会认出自己,确定自己这个“我”,因为“我”永远只有一个。一个小孩子把细细的手臂交叉在露着肋骨的胸前,看着自己的蛤蟆似的身体,会认出:“这就是我。”等他再过五十年,打量着自己腿上的骨骨棱棱的青筋,打量着自己的肉嘟嘟的、耷拉下去的肚子,也会认出自己:“这就是我。”

但是却有一种奇怪的感情惊动了索菲亚。在这儿不论裸露出年轻的身体、年老的身体,不论是大鼻子、瘦小的孩子身体,老奶奶们会看着摇头说瘦得可怜的,不论是十四岁姑娘的身体,即使在这里几百双眼睛也在欣赏的,不论是残缺、衰弱、令人肃然起敬的老头子和老奶奶的身体,不论强壮的、带毛的男子汉的脊背,不论肉滚滚的女人的大腿和丰满的乳房,都是人的身体,人的身体从破衣烂衫中裸露出来。索菲亚觉得,她所感到的“这就是我”不光是她自己,而是人类。这是光光的人类的身体,有年轻的,也有年老的,有充满生气的、正在成长的、强壮的,也有衰老的、带有鬈发和白发的,有好看的,有难看的,有强壮的、有软弱无力的。她看着自己的厚厚的雪白的肩膀,还没有人吻过呢,只有在小时候妈妈吻过,然后她带着一派柔情把目光转到孩子身上。难道在几分钟之前她竟忘记了他,像醉汉一样疯狂地扑向党卫军吗?“真是个犹太小傻瓜,”她心里想道,“还有俄罗斯老傻瓜也宣传不以暴力抗恶哩。他们那时候没有法西斯嘛。”索菲亚再不因为她这个处女心中萌发了母亲感情而觉得羞耻,俯下身去,用自己的干活儿的大手捧住达维德的小脸,她觉得自己已经把他那亲

热的眼睛握在手里，她吻了吻他。

“是的，是的，好孩子。”她说，“这不是，咱们来到澡堂里了。”

在混凝土脱衣间的幽暗中，似乎符拉季米罗芙娜的眼睛闪了一下。她还活着吗？她们分别了。索菲亚走了，这不是，她完了，安娜·什特鲁姆也完了。

钳工的妻子想让丈夫看看脱得光光的小儿子，但是丈夫在隔墙那边，于是她把用布包着一半的孩子递给索菲亚，很得意地说：

“一把他脱光，他就不哭了。”

隔墙那边有一个长着黑黑的大胡子、里面穿着破烂睡裤的男子，闪动着发亮的眼睛和金牙叫道：

“玛尼娅，这儿还卖游泳衣哩，买不买？”

穆霞·鲍里索芙娜听到这句玩笑话，用手捂着从宽大的衬衣豁口里露出来的乳房，笑了笑。

索菲亚早已懂得，被判决的人说俏皮话，并不能产生精神力量，然而当弱者和怯懦者对恐怖取笑的时候，恐怖就不那么可怕了。

列维卡·布赫曼那消瘦了的好看的脸带着一副十分痛苦的神气，她把热辣辣的大眼睛转过去，解开自己的沉甸甸的辫子，把戒指和耳环藏到里面去。

她现在有一股盲目的、很强烈的求生的劲头儿。虽然她是不幸的，是软弱无力的，但是法西斯已经把她折磨够了，再也没有谁能够消除她的求生的欲望。现在，在她藏戒指的时候，已经不记得，因为怕自己的孩子哭会暴露阁楼上的藏身处，正是用这双手把自己的孩子掐死的。

但是，就在列维卡·布赫曼像终于躲进安全的密林的野兽似的慢慢舒了一口气的时候，她看到一个穿工作服的女人在用剪刀剪穆霞·鲍里索芙娜头上的辫子。旁边还有一个女人在剪一个小姑娘的辫子。光溜溜的黑头发无声地落在水泥地上。一堆堆头发散在地上，就好像妇女们在又黑又亮的水里洗脚。

一个女人不慌不忙地把列维卡护着头的手拉开，抓住脑后的头发，剪刀尖儿碰到了藏在头发里的戒指，那女人也不停止工作，用手指头摸出缠在头发里的戒指，凑到列维卡的耳朵上说："都要还给您的。"又用更小的声音说："德国人在这儿。别作声。"列维卡没有记住这个穿工作服的女人的脸，她没有眼睛、嘴巴，只有露出青筋的黄黄的手。

在隔墙的那边有一个歪鼻子上歪戴着眼镜、很像一个可怜的病鬼的白头发男子，他用眼睛扫了扫一排排的板凳，用清清楚楚、一字一顿的和聋子说话的语调问道：

"妈妈，妈妈，妈妈，你感觉怎么样？"

一个满脸皱纹的小老婆子忽然在嗡嗡的几百人的声音中听出儿子的声音，猜到了他常常问的问题，便很亲热地朝他笑了笑，回答说：

"脉很好，很好，跳得很好，你放心吧。"

索菲亚旁边有一个人说：

"这是盖尔曼，有名的内科医生。"

有一个光光的年轻女人，牵着一个穿白裤衩的厚嘴唇小姑娘的手，高声大叫着：

"要杀咱们啦，要杀咱们啦，要杀咱们啦！"

“别嚷嚷,别嚷嚷,你们别叫这个疯女嚷嚷。”穿工作服的女人说。她们回头看看,看不到押解队了。耳朵和眼睛在幽暗和寂静中得到休息。脱去因为肮脏和出汗变成了木头的衣服,脱去快要腐烂的袜子和包脚布,有多么快活呀,好几个月没尝到这种快活滋味了。穿工作服的几个女人剪完头发,走了,人们更自由地舒了一口气。有些人打起盹儿,有些人在衣缝儿里逮虱子,有些人在小声说话儿。有一个人说:

“可惜没有扑克牌,要不然咱们可以来捉捉傻瓜。”

可是这时候监督队队长一面吸着香烟,拿起电话筒,仓库管理员便把一个个像果酱罐子一样的贴了红色标签的罐子装上带马达的小车,坐在办公室里的特别科值班人员看着墙上:红色信号灯就要亮了。

“起立!”脱衣间各个角落里忽然响起口令声。

一排排板凳的两头都站着穿黑制服的德国人。人们走进一条宽阔的走廊,走廊的顶上嵌着一盏盏不太明亮的电灯,电灯都用厚厚的椭圆形玻璃罩护着。在这儿可以看出吞吸着人流的、缓缓弯曲的混凝土的肌肉力量。很静,只有光着脚走路的人们的沙沙的脚步声。

在战前有一次索菲亚对任尼娅·沙波什尼科娃说:“如果一个人注定了被另一个人杀死,那么,看着他们怎样渐渐碰到一起,是很有意思的。起初他们也许离得非常远,比如,我在帕米尔高原上采杜鹃花,我走我的路,将来要杀死我的人这时候却在八千俄里之外,放学之后在小河里逮鲈鱼。我要去参加音乐会,他这一天却在车站买票,要上姑娘家去。不过反正早晚我们会碰到一

起，就要出事了。”现在索菲亚想起了那一番很奇怪的话。她看了看廊道的顶：头上有这样厚的混凝土，她再也听不见沉雷，看不见暴雨了……她光着脚朝廊道的弯曲处走着，廊道也无声无息地、亲切地迎着她漂流过来；自然而然地移动着，没有强制，就好像迷迷糊糊地滑动，就好像从里到外四周围都抹了甘油，所以都在自然而然地滑动。

密闭室的大门渐渐地、突然地开了。人流慢慢地滑动着。有一个老头子和老奶奶，在一起生活了五十年，在脱衣服的时候分开了，现在又走在一起了。钳工的妻子抱着醒了的孩子，妈妈和儿子都朝人群头顶上看着，不是想看看空间，是想看看时间。内科医生的脸闪了一下，旁边又闪过善良的穆霞·鲍里索芙娜的眼睛，又闪过列维卡·布赫曼的恐怖的目光。再就是柳霞·什捷林塔尔，真无法掩盖、无法减弱她那青春的眼睛、轻轻呼吸的鼻孔、脖子、半张着的嘴唇的美；旁边走着的便是嘴巴又发青又干瘪的拉比杜斯老头子。索菲亚又紧紧搂住达维德的肩膀。这种对人的柔情在她心中还从来不曾有过。

走在旁边的列维卡叫了起来。她的叫声极其可怕，这是一个人面临死亡时的叫声。

在毒气室门口站着一个人，手里拿着一段引水管。他穿的是带拉链的棕色短袖衬衫。列维卡·布赫曼就是看到他那隐隐约约的、孩子般的、狂喜的狞笑，才这样可怕地叫起来。

那人的一双眼睛在索菲亚的脸上扫了一下：就是他，终于见面了！

她觉得，她的手指头应该扼住从敞开的领子里伸出来的那根

脖子。但是那个狞笑的人又快又利落地扬了一下棒子。她在钟声与玻璃响声中听到那人在喊:“狗崽子们,别磨蹭了!”

她硬撑着没有跌倒,并且迈着沉甸甸的步子和达维德一起慢慢跨过铁门坎。

四十九

达维德用手摸了摸钢门框,觉得冷冰冰的。他在这钢镜子里看到一个模模糊糊的淡灰色的点儿,那是他的脸。他的光脚丫儿感觉到,这厅里的地面比廊道里的地面要凉些,因为不久前才冲洗过。

他迈着小小的步子,在这个矮顶的混凝土大箱子里慢慢走着。他看不到灯,但是这厅里有灰灰的亮光,就好像阳光透过混凝土盖顶射了进来,这冷冷的亮光似乎不是为活人照亮的。

人们原来在一起的,现在散开了,彼此看不见了。闪过柳霞·什捷林塔尔的脸。在火车上达维德每看到她,总有一种迷恋的感觉,又甜蜜,又惆怅。但是过了一会儿,在柳霞原来的地方却出现了一个不露脖子的矮个子女人。接着这地方又出现了一个蓝眼睛白头发老头儿。马上又出现了一个年轻男子的睁得大大的、呆滞不动的眼睛。

这种移动不是人类的活动,也不是低等生物的活动。既无用心,也无目的,表现不出活人的意志。人流朝大厅里流动着,正要进来的人推挤着已经进来的人,这些人推挤着那些人,从无数胳膊肘、肩膀、肚子的小的推挤中产生了运动,这种运动和生物学家

布朗发现的分子运动没有任何区别。

达维德觉得,有人带他走,他就应该走。他走到墙边,先是膝盖、然后是胸膛碰到了冷冰冰的墙,再也没有路了。索菲亚靠在墙上站着。

有一会儿他们看着从门口移动过来的人群。门离得很远。但是可以看出门在哪儿。因为人在进门的时候紧紧挤在一起,人体的白影子特别密集,等到进了宽敞的毒气室,就松散开了。

达维德看到一张张人脸。早晨下了火车之后,他看到的一直是许多脊背,现在好像一列火车的人都面对着他。索菲亚忽然变得和以前不同了;她的声音在这又平又宽敞的混凝土大厅里变了腔调,她一进入这大厅,整个样子都变了。她在说"我的好孩子,紧紧靠住我"的时候,他觉得她很怕丢了他,剩下她一个人。可是他们无法紧紧靠在墙上,而是离开了墙,又迈着碎步挪动起来。达维德觉得他比索菲亚挪动得快些。她的手攥住他的手,朝她跟前拉。可是有一种柔软的、渐渐增强的力量把达维德朝另一方向拉,索菲亚的手指头渐渐松了。

毒气室里的人群越来越密集,移动越来越慢,人的步子越来越小。没有人指挥这混凝土箱子里的移动。人在这毒气室里站着不动,还是漫无目的地在绕弯儿、转圈子,德国人觉得已经无所谓了。光光的孩子漫无目的地迈着小小的步子。他的又轻又小的身体的曲曲弯弯的移动路线和索菲亚那又大又重的身体的曲曲弯弯的移动路线渐渐不一致了,于是他们分开了。牵住他的手是拉不住他的,应该像那两个女的,那个妈妈和姑娘一样,脸贴着脸,胸膛贴着胸膛,哆哆嗦嗦地、死死地抱在一起,成为一个不可

分的身体。

人越来越多,分子运动随着分子的密集渐渐偏离阿伏伽德罗定律。小孩子丢掉了索菲亚的手,叫了起来。但是索菲亚马上成为过去。要紧的是现在,眼前。一张张人嘴在一起呼吸着,人的身体紧紧挨在一起,人的思想和感情也连成一体。

达维德落进了一部分旋转的人流中,这些人离开墙壁,朝门口倒流过去。达维德看到三个人紧紧抱在一起:两个男子保护着老妈妈,老妈妈保护着两个孩子。忽然在达维德旁边出现了新的人流,朝新的方向移动。响声也不同了,不是沙沙声和嘟哝声了。

“请大家让路!”有一个胳膊强劲有力、粗脖子、低着头的人想穿过紧紧靠在一起的人体。他想从沉闷的混凝土节奏中冲出去,他的身体就像鱼的身体在厨房里的案子上那样,在盲目地、没有目的地挣扎。他很快就喘不上气来,安静下来,倒动着脚,像大家一样了。

因为他的搅动,人流的移动有所改变,达维德又来到索菲亚身边。她使足劲儿把孩子紧紧搂在怀里,这种劲儿杀人营里的工人们是发现过的,也知道这种劲儿有多么大,他们在清理毒气室的时候,从来不想把抱在一起的亲人的尸体分开。

门口响起叫喊声。许多人看到挤得紧紧的人群已经把毒气室塞得满满的,不肯跨进敞着的门。

达维德看到门是怎样关上的:那钢门就好像被磁石吸引着,又从容又平稳地渐渐接近了钢门框,门与门框合在一起,成为一体。

达维德发现,在墙的上部,在一个方形的金属网罩里,有一个

活物动了起来，他以为那是一只灰老鼠，不过他马上明白了，那是风扇转了起来。感觉到有一种淡淡的、甜丝丝的气味。

脚步声停止了，偶尔可以听到含糊不清的话、呻吟声、叫声。说话已经于人无益了，行动已经没有意义了，行动是为了未来，在毒气室里没有未来了。达维德的头和脖子的活动，并没有引起索菲亚也朝另一个活物看的方向看看的念头。

她的眼睛看过荷马的诗，看过《消息报》、迈因·里德的作品、黑格尔的《逻辑学》，看过许多很好的人和很坏的人，看过库尔斯克青草地上的鹅，在普尔科沃天文台看过星星，看过外科器械的亮光，在罗浮宫看过《蒙娜丽莎》，看过市场上的番茄和芜菁，看过伊塞克湖的碧波，现在这眼睛没有用场了。这会儿要是有人把她的眼睛弄瞎，她也不会觉得是损失。

她呼吸着，但呼吸已成为一项沉重的工作，她使出所有的劲儿来进行呼吸工作。她想在震耳欲聋的钟声中聚精会神地最后想一想。但是什么也想不成。索菲亚一声不响地站着，也没有闭上什么也看不见的眼睛。

小孩子的动作常常使她心中充满怜惜之情。她对这孩子的感情极其单纯，不用说话，也不需要用眼睛看。这个垂死的孩子在呼吸着，但是他吸进的空气不是延长他的生命，而是在毁灭他的生命。他的头转来转去，他还想看看。他看到倒在地上的人，他看到张开的、没有牙的嘴，看到张开的、带白牙的、带金牙的嘴，看到从鼻孔里流出来的一道道鲜血。他看到隔着玻璃朝毒气室里看着的好奇的眼睛。罗捷那观望的眼睛有一小会儿和达维德的眼睛碰到一起。他还要说话，他还想问问索菲亚阿姨，那双

眼睛为什么像狼眼睛。他还要想一想。他在这世界上只走了几步呀，他见过孩子的光脚丫在热乎乎的土地上走出的脚印儿，他的妈妈还住在莫斯科，月亮朝下看着，眼睛可以从下面看到月亮，煤气炉上烧着开水，白头鸡跑来跑去，他抓住蛤蟆的后腿，叫蛤蟆跳舞，还有早晨的牛奶，——他依然想着这一切。

一双有劲的、火热的手臂一直在搂抱着达维德。这孩子还不明白，他的眼睛黑了，心里咚咚响了一阵，就不响了，脑子里枯寂了，模糊了。他被杀死了，他不再存在了。

索菲亚·奥西波芙娜·列文顿感觉到，孩子的身体在她怀里软瘫了。她又失去了他。在使用毒气在地下加工产品的时候，用作毒气试剂的小鸟和老鼠一下子就会死去，因为小鸟和老鼠的身体很小，这孩子也因为身体小得像鸟儿一样，所以比她先走了一步。

“我做妈妈了。”她想道。

这是她最后一个念头。

可是她的心还活着：心在紧缩，疼痛，在怜惜你们，活着的和死去的人们；索菲亚感到一阵恶心，就把达维德，已经成了尸体的孩子紧紧搂在怀里，她也成了死人，成了尸体。

五十

人死了，就是从自由的世界进入奴隶的王国。生命也就是自由，所以死的过程就是渐渐失去自由的过程；起初是知觉渐渐微弱，然后是渐渐消失；在失去知觉的肌体里，生命进程在一定时间内依然延续着，血液还在循环，还在呼吸，新陈代谢还在进行着。

但这种向奴隶王国的败退是不可扭转的，因为知觉已经消失，自由的火已经熄灭。

夜空的星星暗淡了，银河不见了，太阳熄灭了，金星、火星、木星熄灭了，海洋寂然不动了，千千万万树枝寂然不动了，风也寂然不动了，花儿不鲜艳也不芳香了，粮食消失了，水也消失了，空气的凉爽与闷热都消失了。人心中的宇宙不再存在了。这个宇宙和不依靠人而存在的唯一的宇宙惊人地相似。这个宇宙和依然存在于千千万万活人头脑中的宇宙惊人地相似。但是这个宇宙的特别惊人之处是，它有一种东西，这种东西使这个宇宙的海洋的涛声、鲜花的香味、树叶的沙沙声、花岗石的色彩、秋日田野的凄凉与存在于或者曾经存在于别人头脑里的宇宙的一切，与不依靠人而永久存在的那个宇宙的一切都不相同。一个生命的灵魂保持其独特性，便是自由。宇宙在人的意识中的反映是人的力量的基础，但是，只有当一个人作为一个在时间的长河中永远无人可以模仿的世界而存在时，人生才是幸福，才是自由，才是最高的目的。只有这样，一个人才能感到自由和善良的幸福，才能在别人身上找到在自己身上找到的东西。

五十一

和莫斯托夫斯科伊、索菲·奥西波芙娜·列文顿一起被俘的司机谢苗诺夫，在靠近前线地区的集中营里忍饥挨饿过了十个星期之后，同一大批被俘的红军在一起，被押往西部边境。

在靠近前线的集中营里，他从来没有挨过拳头和枪托子，也

没有挨过踢。

在集中营里挨饿。

水在小河里缓缓流着，哗哗响着，叹息着，拍打着岸边，可是，瞧，水轰轰响起来，狂号起来，翻滚着巨石，冲走大树，就像冲着麦秸一样，当你看到被挤压在狭窄河道里的河水震撼着山崖，当你觉得这好像不是水，而是许许多多沉重的透明铅块活了，站立起来，发起疯来的时候，会心惊胆战。

饥饿像水一样，永远地、很自然地和生命联系着。所以饥饿有时会一下子成为消灭肉体、摧残和扭曲灵魂、毁灭千千万万活物的力量。

饲料缺乏、大雪、冰封大地、草原和森林干旱、水灾、瘟疫可以使羊群和马群死亡，可以使狼、狐狸、唱歌的鸟儿、野蜂、骆驼、鲈鱼、毒蛇死去。人在自然灾害时候受的苦难也和动物差不多。

国家能够按照自己的意愿用堤坝强制性地、人为地约束生活，挤压生活，这时候可怕的饥饿的力量就像狭窄的河道里的河水一样，可以震动、扭曲、摧残、消灭人、部落、民族。

饥饿可以渐渐榨干人体细胞中的蛋白质和脂肪，饥饿可以使骨头变软，使孩子们的小腿佝偻和弯曲，可以使人贫血，使人头晕，使肌肉干瘪，破坏神经组织，饥饿可以重重地压在心上，把欢乐与信心赶走，可以消灭思考的能力，可以使人驯顺、低三下四、残忍、绝望和麻木不仁。

人的人性有时会完全灭绝，这饥饿的生物就会杀人，会吃死尸，会吃人。

国家能够筑起堤坝，把小麦、黑麦与种小麦、黑麦的人隔开，

从而引起可怕的大批死亡，这种死亡类似德军围困期间列宁格勒几十万人的死亡，类似希特勒集中营里几百万战俘的死亡。

吃饭呀！饮食呀！食粮！粮食！调料与佐料！小吃与大吃！稀汤！淡饭！营养！油腻的饮食，大鱼大肉的饮食，定量的饮食，寒碜的饮食。丰富而阔绰的饮食，精致的饮食，简单的饮食，乡村的饮食！美味的饮食。粗糙的饮食。粗糙饮食……

土豆皮、狗肉、蛤蟆、蜗牛、烂菜叶、发霉的甜菜、死马肉、猫肉、乌鸦和寒鸦的肉、腐烂的粮食、皮腰带、皮靴筒、糨糊、从军官食堂里流出来的油乎乎的泔水泡透的泥土——这都是吃的东西。这都是从堤坝里渗透出来的东西。

很多人在想方设法得到这些东西，分享这些东西，交换这些东西，互相偷窃这些东西。

在路上走到第十一天，当火车停在米海洛夫村车站的时候，押解队把昏迷过去的谢苗诺夫从车厢里拖出去，交给车站当局。

上了年纪的德国警备队长对着这个靠在消防棚墙上的半死不活的红军战士看了一会儿。

“让他爬到村子里去吧。要是把他关起来，过一天就会死。枪毙也不值得。”警备队长对翻译官说。

谢苗诺夫爬到了车站附近的一个村子里。

第一户人家不让他进去。

“什么也没有，你走吧。”门里有一个老奶奶的声音对他说。

他来到第二个人家门口，敲门敲了很久，没有人应声。也许这一家已经没有人，也许从里面闩住了。

第三家的门半掩着，他走进过道，没有人呼唤他，他走进屋

子里。

一股暖气朝他扑来。他的头发起晕来，他躺到门口一条大板凳上。

谢苗诺夫重重地、急促地呼吸着，一面打量着白色的墙壁、圣像、桌子、炉子。他在集中营里过了这么久之后，一见到这一切，十分激动。

窗外闪过一个人影，一个妇女走进屋子，一看到谢苗诺夫，叫了起来：

"您是什么人？"

他什么也没有说。他是什么人，那是很清楚的。

这一天，不是强大的国家的无情的力量，而是一个人，是赫里斯佳·丘尼娅克老大娘左右着他的生命和命运。

太阳从灰色云块的缝儿里凝望着战火纷飞的大地。在战壕、掩体、集中营的铁丝网、讲坛和特别科之上刮过的风，也来到小屋的窗前低声呼叫。

老大娘给谢苗诺夫端来一茶缸牛奶，他很费劲地、狼吞虎咽地喝了起来。

他喝完牛奶，就呕吐起来。吐得肚子要翻出来，眼睛里流着泪水，他好像快要死一样，哧哧地直往里吸气，吐过了又吐。

他拼命压制呕吐，脑子里只有一个念头：他浑身又脏又臭，老大娘会把他赶出去的。

他用发红的眼睛看着老大娘拿来拖把，拖起地板。

他想对她说，他自己打扫，自己来擦洗，只要她不撵他走。但他只是嘟哝了两句，用哆哆嗦嗦的手指头比划了几下。时间一点

一点地过去。老大娘一会儿走进来,一会儿又走出去。她没有撵谢苗诺夫走。也许,她找过邻居,请邻居去叫巡逻队或者警察?

老大娘把一铁锅水放到炉膛里。水烧热了,冒起热气,老大娘的脸露出忧愁的、不和善的神气。

谢苗诺夫心想:“她要把我撵走了,等我走了,她可以进行消毒。”

她从箱子里拿出褂子和裤子。她帮助谢苗诺夫把衣服脱了,把他的衣服包起来。他闻到了自己的肮脏身体的气味,闻到了浸过尿、血和屎的衬裤的气味。

她扶着他坐到一个木盆里。她的粗糙有力的手轻轻擦洗着他那被虱子咬遍了的身体。热乎乎的肥皂水在他的胸前背后流着。他忽然哽咽起来,浑身哆嗦起来,一面吞着鼻涕,尖声叫起来:“妈妈……好妈妈……好妈妈……”

她用灰色的粗麻布手巾揩干他的流泪的眼睛、头发、肩膀。她搀扶着他坐到板凳上,弯下身子,揩干了他那像麻秆一样细的腿,给他穿上褂子和内裤,扣上用布结成的扣子。

她把盆里的水倒进桶里,把又黑又臭的脏水提出去。

她把一张羊皮筒子铺到炕上,上面蒙上带条纹的麻布,又从床上拿来一个大枕头,放好。

然后她像搀一只小鸡一样,轻轻地把谢苗诺夫搀起来,帮助他爬到炕上去。

谢苗诺夫迷迷糊糊地躺着。他的身体感触到难以想象的变化:残酷的世界一心想消灭这受尽折腾的牲畜的企图再也不能实现了。

但是不论在集中营里，不论在火车上，他都没有像现在这样感到难受。两腿麻木，手指头酸痛，骨头疼得厉害，恶心，头脑里乱糟糟的，有时忽然轻飘飘、空荡荡的，发起晕来，眼睛刺疼，不住地打嗝儿，眼皮发痒。有时心里发闷，发慌，胸中说不出的难受，好像就要死了。

过了四天。谢苗诺夫下了炕，开始在屋里走动。他感到惊奇的是，好像世界上有许多吃的东西。在集中营里却只有烂甜菜吃。似乎世界上只有稀稀的糊，只有集中营里的发臭的稀汤。

可是现在他看到了小米、土豆、白菜、猪油，他听到了公鸡的叫声。

他像个小孩子一样，觉得世界上好像有两个魔术师，一个善良的魔术师，一个凶恶的魔术师，他很怕凶恶的魔术师又把善良的魔术师打败，那样温暖、有饭吃、善良的世界就要消失，他又要用牙齿啃自己的皮腰带。

他摆弄起一盘手推的磨，因为这手磨的工作效率实在太低。磨几把灰灰的粗面，就要弄得满头大汗。

谢苗诺夫用锉刀和砂纸把传动杆打磨光了，又把连接传动杆与磨盘的栓紧了紧。他这个有文化的莫斯科机械师认为该做的，都做了，对乡下木匠做得粗糙的活儿进行了加工，但是在这之后，手磨更不灵活了。

谢苗诺夫躺在炕上，思考着怎样才能更好地磨面粉。

早晨他又把手磨拆开，使用了轮子和旧挂钟的部分零件。

“赫里斯佳大娘，您来看看！”他带着自夸的口气说，并且指了指他安装的双齿轮传动装置。

他们彼此几乎不说什么话。她没有说过她那死于1930年的丈夫，没有说过失去音信的儿子，也没有说过嫁到普里卢基、忘记了妈妈的女儿。她也没有问他，是怎样被俘的，是什么地方人，是乡下人还是城里人。

他怕到外面去；每次在上院子里去之前，先要朝窗外观察半天；而且总是急急忙忙回到屋里。如果关门的响声大了，或者茶缸掉在地上，他就害怕，好像好日子完了，赫里斯佳老大娘再也无能为力了。

有时邻居上赫里斯佳大娘家来，谢苗诺夫就爬到炕上躺着，尽可能不大声喘气，不打喷嚏。不过，邻房不是经常来。

村子里没有驻扎德国兵。他们驻扎在车站附近的铁路工人村里。

他想到四周围在进行战争，而自己在这儿过温暖与安宁的日子，并不觉得有愧，他很怕再一次落入集中营和饥饿的世界。

他早晨醒来，很怕马上睁开眼睛，似乎过了一夜魔法消失了，他又要看到集中营的铁丝网和警备队，又要听到空饭盒的响声了。

他闭着眼睛躺着，听听赫里斯佳老大娘是不是消失了。

他很少去想不久前的日子，不去回想政委克雷莫夫、斯大林格勒、德国集中营、押送俘虏的火车。但是每天夜里他都在梦里哭和叫。

有一天夜里他从炕上爬下来，在地上爬了一会儿，躲到板床底下，在板床底下睡到天亮。早晨起来，他想不起他梦见了什么样可怕的事。

有几次他看到载重汽车载着土豆和粮食从村里街道上经过，有一天他还看到一部小轿车。马达很好，车轮在泥水里也不打滑。

有时他想象着德国巡逻队在过道里叽里呱啦说起话来，马上就会冲进屋里来，他的心就会打颤。

他向赫里斯佳老大娘问过德国人。

她回答说：

“有些德国人不坏。在我们这儿打仗的时候，我这屋子里住过两个德国人，一个是大学生，一个是画家。他们常常和孩子们一块儿玩。后来住过一个汽车司机，他还带着一只小猫。他开车回来，小猫就跟他玩儿。小猫好像是从边境上跟他来的。他吃饭时也要把小猫抱在怀里。他对我也很好，给我拉来不少木柴，有一次还给我丢下一口袋面粉。可是有些德国人很坏，杀小孩子，杀老头子，不拿我们当人，随便朝人家里跑，在女人面前光着身子。我们乡下的警察也有这样的，对人很凶恶。”

“咱们可是没有像德国人那样的野兽。”谢苗诺夫说。接着又问道：“赫里斯佳大娘，我住在您家里，您不害怕吗？”

她摇了摇头，说，村子里有很多放回来的俘虏，当然，那都是回自己村子的乌克兰人。不过她可以说，谢苗诺夫是她的侄儿，是跟丈夫上了俄罗斯的姐姐的儿子。

谢苗诺夫已经认识了一些邻居和街坊，认识了第一天没有让他进门的那个老奶奶。他知道，晚上姑娘们常常上车站去看电影，每到礼拜六，车站上有乐队演奏，有舞会。他很想知道，德国人在电影院里放什么样的电影。但是上赫里斯佳大娘家里来的

只有老年人,他们不看电影。没有人可以问。

邻居一位大娘拿来女儿的来信,女儿是参加招工上德国去的。信里有好几处地方谢苗诺夫不懂,于是别人解释给他听。那姑娘在信中写着:“瓦尼亚和格里沙飞来了……”瓦尼亚和格里沙是在空军里服务的。这就是说,苏联空军轰炸了德国的城市。

那姑娘在另外一处写着:“搞得很厉害,就像巴赫马奇那样。”这也是指飞机轰炸,因为在战争初期巴赫马奇车站常常受到很强烈的轰炸。

这天晚上,有一个高高的瘦老头子来到赫里斯佳大娘家。他把谢苗诺夫打量了一遍,便用地道的俄语说。

“好汉,你从哪儿来?”

“我是俘虏。”谢苗诺夫回答说。

老头子说:

“我们都是俘虏。”

他在沙皇时代当过炮兵,炮兵的一些号令他还记得很清楚,并且当着谢苗诺夫的面表演起来。他发号令用俄语,用嗄哑的声音,可是报告结果却用很响亮的声音,像个年轻人一样,并且还带有乌克兰口音,看样子,他是在模仿几十年前长官的声音和他自己的声音。

后来他骂起德国佬。

他对谢苗诺夫说,起初人们指望德国人解散集体农庄,可是结果德国人想到,集体农庄对他们也是好事情。他们也搞起五户小组、十户小组,和原来的生产小组、生产小队一样。赫里斯佳大娘用长长的、伤心的语调说:

“唉,集体农庄呀,集体农庄!”

谢苗诺夫说:

“集体农庄有什么,谁都知道,咱们到处都有集体农庄嘛。”

赫里斯佳大娘说:

“你住嘴。你可知道,外地人怎样成群成群上我们这儿来的吗? 1930年,整个乌克兰都在瞎折腾。天天吃荨麻,吃黄土……把粮食全部弄走,一粒不剩。我男人饿死了,我又是受的什么样的罪呀! 我浑身浮肿,话也不能说,路也走不动。”

谢苗诺夫听赫里斯佳大娘说她也和他一样挨过饿,十分吃惊。他总觉得,饥饿和瘟疫和这个善良人家的大娘是无缘的。

“也许,你们家是富农吧?”他问道。

“哪儿是什么富农呀! 所有的人都遭殃呀,比战争时期还糟。”

“你是乡下人吗?”老头子问。

“不是,”谢苗诺夫回答说,“我是在莫斯科出生和长大的,我父亲也是在莫斯科出生和长大的。”

“是啊,”老头子带着自夸的口气说,“如果你那时候也参加了集体化,也会完蛋,城里人嘛,说完蛋就完蛋。为什么我活下来啦? 我懂得野生草木。你以为我说的是橡子、椴树叶、荨麻、滨藜吧? 这些东西大家一下子就吃光了。可是我知道五十六种能吃的野草。所以我活下来了。春天刚刚来到,还看不到一片叶子,我就在地里挖草根吃。伙计,我什么都认识,每一样根、皮、花儿我都认识,每一棵草我都认识。牛、羊、马全死了,可是我没有死,我比牛、羊、马更会吃草。”

“你是莫斯科人吗?”赫里斯佳大娘慢慢地重问了一遍。“我还不知道你是莫斯科人呢。”

老头子走了,谢苗诺夫躺下睡了,可是赫里斯佳大娘用手托着腮坐着,望着黑黑的夜空。

那一年是丰收年景。小麦长得密密麻麻,齐齐整整,和她的瓦西里的肩膀一样高,把赫里斯佳连头都遮住。

村里到处可以听到微弱而缓慢的呻吟声,骨瘦如柴的孩子在地上爬着,有气无力地哭着;饿得连喘气也没有劲儿的男子汉拖着水肿的腿在外面晃悠着。妇女们到处找东西吃,什么都吃:荨麻,橡子,椴树叶,掉在外面的马蹄,骨头,牛角,羊角,未加工的羊皮……然而从城里来的小伙子们还在一家一家地转悠着,不管死人,也不管半死不活的人,打开地窖,在棚子里挖坑,拿铁钎子插进地里,寻找和收缴富农藏的粮食。

在一个闷热的夏日里,她的瓦西里死了,停止了呼吸。这时候从城里来的小伙子们又来到屋里,其中有一个蓝眼睛的人,说话带俄罗斯口音,就和谢苗诺夫一样,走到死者跟前,说:

“富农顽抗到底,毫不怜惜自己的命。”

赫里斯佳叹了一口气,画了一个十字,便去铺床。

五十二

维克托·什特鲁姆原以为,他的研究只能得到狭小的理论物理学界的重视。但事实不是这样。近来给他打电话的不只是一些熟识的物理学家,还有一些数学像和化学家。有些人请他解释

问题,因为他的数学推论太复杂了。

有的学生会的代表到研究所来找他,请他给物理系和数学系高年级学生作报告。他在科学院做过两次报告。马尔科夫和萨沃斯季扬诺夫告诉他,在很多研究所的试验室里都在对他的研究进行争论。

柳德米拉在限额供应商店里听到一位科学家的夫人问另一位夫人:“您站在谁后面?”那位夫人回答说:“这不是,我站在什特鲁姆夫人后面。”原来发问的那位夫人说:“这就是什特鲁姆夫人吗?”

维克托并没有表露出他因为自己的论文引起这样不同寻常的广泛关注而感到高兴。但是他对荣誉不是无动于衷的。在研究所的学术委员会会议上,他的论文被推选为斯大林奖金备选项目。维克托没有出席这次会议,但是这天晚上他一直注视着电话机,等着索洛科夫给他打电话。会后第一个给他打电话的是萨沃斯季扬诺夫。

往常爱嘲笑人甚至爱说下流话的萨沃斯季扬诺夫,现在说话的口气和往常不一样了。

“这是胜利,了不起的胜利!”他一再地说。

他说了说普拉索洛夫院士的发言。这位老院士说,自从他的研究辐射压力的老朋友列别杰夫去世以后,在物理研究所里还没有出现过这样有分量的论文。

斯维琴教授谈到维克托的数学方法,说这种方法本身就有创新成分。他说,只有苏联人才能在战争环境中这样忘我地为人民的事业贡献自己的力量。

还有很多人发言，马尔科夫也发了言，但是最响亮、最带劲儿的话是古列维奇说的。

“他是好样的，”萨沃斯季扬诺夫说，“他说的话最实在，说话不带框框儿。他说您的著作是经典性的，说应该把您的著作和原子物理奠基人的著作，如普朗克、玻尔、费马的著作，排在同样的位置。”

“真带劲儿。”维克托在心里说。

萨沃斯季扬诺夫打过电话不久，索科洛夫又打来电话。

“今天我不上你们家去了，抽出二十分钟和您在电话里谈一谈吧，我实在太忙了。”他说。

索科洛夫也十分激动，十分高兴。

维克托说：

“我忘记了问萨沃斯季扬诺夫表决的情形。”

索科洛夫说，表示反对的只有从事物理理论研究的加甫罗诺夫教授。他认为，维克托的著作建立在很不科学的基础上，来源于西方物理学家的观点，实际上是不顶用的。

“加甫罗诺夫反对，这倒是好事。”维克托说。

“是啊，也许是好事。”索科洛夫也说。

加甫罗诺夫是一个怪人。大家戏称他“斯拉夫兄弟派”。他带着一股狂热而顽强的劲头儿千方百计地要证明，物理学的一切成就都和俄国科学家的著作有关系，他把很少有人知道的一些名字，如别特罗夫、乌莫夫、亚可甫列夫，看得比法拉第、麦克斯韦、爱因斯坦还要高。

索科洛夫用开玩笑的口吻说：

“维克托·巴甫洛维奇,您瞧,整个莫斯科都承认您的著作的重大意义了。不久就要为您举行庆祝宴会了。”

玛丽亚接过话筒,说:

“恭喜您,请代我向柳德米拉表示祝贺。我为您、为她感到非常高兴。”

维克托说:

“这都算不了什么。”

可是这种“算不了什么”使他非常高兴,非常激动。

夜里,柳德米拉已经在铺床准备睡觉了,马尔科夫打来电话。他是一个熟悉官场情形的人。他用和萨沃斯季扬诺夫、索科洛夫不同的语气说了说学术委员会会议情形。古列维奇发言以后,科甫琴科在一片笑声中说:

“连数学研究所里都敲起钟来,围绕着维克托·巴甫洛维奇的论文闹腾起来。虽然没有什么宗教游行,可是已经有人举起神幡。”

多疑的马尔科夫感觉到科甫琴科的笑话是带有恶意的。他观察到的另外一些情形都和希沙科夫有关系。希沙科夫没有说出自己对维克托的论文的看法。他听着别人发言,只是不时地点点头,也许是表示赞成,也许那意思是:“等着瞧吧。”

希沙科夫极力推荐年轻教授莫洛堪诺夫的著作为斯大林奖金备选项目;他的著作是论述钢的伦琴射线分析的,实用范围很小,只是对于生产优质钢的某些工厂有意义。

马尔科夫又说,散会之后,希沙科夫就走到加甫罗诺夫跟前,和他谈起来。

维克托说：

“马尔科夫同志，您最好到外交部门去工作。”

不善于开玩笑的马尔科夫回答说：

“不，我还是做我的物理试验。”

维克托走到柳德米拉的房间里，说：

“推荐我领取斯大林奖金啦。他们说了不少使我高兴的事情。”

他又对她说了说参加会议的人发言的情形。

“所有这些官方的赞许，都是狗屁不值。不过你要知道，我讨厌透了那种长期形成的莫明其妙的局面。上大厅里去开会，第一排座位常常空着，但是我不敢去坐，总是坐到最后一排，可是希沙科夫、波斯托耶夫却总是毫不犹豫地坐到主席团位子上去。我瞧不起主席团的交椅，但是在心里希望自己至少有资格坐这样的交椅。”

“要是托里亚知道了，才高兴哩。”柳德米拉说。

“这事儿我也不能写信向妈妈报告了。”

柳德米拉说：

“维克托，已经十二点了，娜佳还没有回来呢。昨天她十一点就回来了。”

“会有什么事呢？”

“她说她是上好朋友玛伊卡家里去，可是我很不放心。她说，玛伊卡的父亲的汽车有夜晚通行证，他可以把她送到咱们的街口。”

“那还有什么不放心的？”维克托说过这句，心里想道：“真是的，正谈着巨大的成就，谈着国家的斯大林奖金，干吗要拿家庭琐

事把这样的谈话打断?”

他没有说出口来,只是轻轻叹了一口气。

在学术会议之后的第三天,他往希沙科夫家里打了一次电话,他想请他为年轻物理学家兰杰斯曼安排工作。科学院管委会和人事处一直拖着不肯办手续。同时他想请希沙科夫设法快一点儿把安娜·纳乌莫芙娜从喀山调回来。现在,在研究所安装新设备的时候,把有技术特长的工作人员留在喀山,是没有意义的。

他早就想和希沙科夫谈谈这些事了,但是他觉得希沙科夫也许会不够客气,会说:“您去找副所长谈吧。”所以维克托一直拖着没有谈。

现在,成功的浪波激起了他的劲头儿。十天之前他还觉得去见希沙科夫是很不合适的,可是今天他觉得往希沙科夫家里打电话是很平常、很自然的了。

一个女人声音问道:

“您是谁?”

维克托报了姓名。他报得那样从容,那样镇静,他听着自己的声音感到十分愉快。

接电话的女子迟疑了一下,然后很亲切地说:“请等一会儿。”可是过了一会儿她又很亲切地说:“对不起,请您明天上午十点钟往研究所打电话。”

“对不起,打搅了。”维克托说。

他浑身感到热辣辣的,很不舒服。

他闷闷不乐地揣度着,恐怕到夜里在梦中也摆脱不了这种不舒服的感觉,等早晨醒来,会在心里想:“为什么这样恶心?”然后

会想起来："哦，都是因为这次愚蠢的电话。"他来到柳德米拉房间里，说了说给希沙科夫打电话没有打成。

"是啊，是啊，王牌打的不是地方，就像你妈妈常说我的。"

他又骂起接电话的那个女人，

"他妈的，那母狗，我真受不了官腔官调的那一套：先问我是什么人，然后回答说，老爷没有工夫接电话。"

柳德米拉在类似的情况下一般都要生气的，他很想听听她的说法。

"你该记得，"他说，"我曾经说过，希沙科夫态度冷淡是因为他不能靠我的论文捞到什么资本。可是现在他觉得可以捞到资本了，不过捞到的是另一种资本：可以贬低我。因为他知道，上面有人不喜欢我。"

"哎呀，你担心的事太多了，"柳德米拉说，"现在什么时间啦？"

"九点一刻。"

"瞧，娜佳还不回来呢。"

"哎呀，"维克托说，"你担心的事太多了。"

"顺便说说，"柳德米拉说，"今天我在商店里听说：斯维琴也被推荐为奖金备选人了。"

"你看，有这种事，他没有告诉我呀。他凭什么被推荐？"

"好像因为散射理论。"

"真是莫名其妙。他的论文是在战前发表的呀。"

"那有什么关系。过去发表的东西也可以得奖。他会得奖的，你得不到。你就等着瞧吧。这都怪你自己。"

“柳德米拉,你太糊涂了。上面有人不喜欢我呀!”

“你需要的是妈妈。她什么都依着你。”

“我真不明白你为什么有这样的火气。如果当初你对我妈妈所表现的亲热,能有我对你妈妈所表现的十分之一就好了。”

“可是你妈妈从来就没有窑欢过托里亚。”柳德米拉说。

“不是这样,不是这样。”维克托说。他觉得妻子也成了外人,她是那样顽固和不讲理,使人感到可怕。

五十三

第二天早晨,维克托从索科洛夫口里听到一桩新闻。昨天晚上,希沙科夫把研究所里一些人请到家里去了。索科洛夫去了,紧接着科甫琴科也坐着小汽车到了。

在被邀请的人当中还有党中央科学处年轻的处长巴季因。

维克托觉得很不自在:显然,他给希沙科夫打电话,正是高朋满座的时候。

他微微笑着对索科洛夫说:

“在被邀请的宾客中还有圣热曼伯爵哩,先生们究竟谈了些什么?”

他忽然想起来,在给希沙科夫打电话的时候,还用那样从容的语调报自己的姓名,相信希沙科夫一听到“什特鲁姆”,马上就会高高兴兴地跑了来呢。他想起这一点,甚至懊恼得叫了起来,心里想,狗要抖掉咬得受不了的蛇蚤而抖不掉的时候,就是这样的。

“顺便说说，”索科洛夫说，“这次招待得很好，完全不像在战争时期。咖啡，真正的古尔贾尼葡萄酒。人也不多，只有十来个人。

“很奇怪。”维克托说。索科洛夫马上明白了这意味深长的“很奇怪”指的是什么，他也意味深长地说：

“是啊，不完全清楚，更确切地说，完全不清楚。”

“古列维奇去了吗？”维克托问道。

“古列维奇没有去，好像给他打过电话，他在指导研究生试验。”

“哦，哦，哦。”维克托说着，用手指头敲起桌子。过了一会儿，他自己也意想不到地忽然向索科洛夫问道：“索科洛夫同志，大家没有说起我的论文吗？

索科洛夫踌躇了一下，说：

“维克托·巴甫洛维奇，我有这样一种感觉，很多人称赞您，崇拜您，是在帮您的倒忙，因为这样领导很生气。”

“您怎么不说话呢？嗯？”

索科洛夫告诉他，加甫罗诺夫说起维克托的论文，说论文中的观点与列宁主义的物质观相矛盾。

“噢？”维克托说。“那又怎么样呢？”

“是啊，您要知道，加甫罗诺夫是胡说八道，不过总是很不愉快的事。巴季因就支持他的说法。似乎是这样，您的论文尽管有不少独到的见解，但是和那次有名的会议上所定的方针是抵触的。”

他回头朝门口看了看，又朝电话机看了看，然后小声说：

“您要知道，我觉得，因为要开展维护科学的党性的运动，莫不是咱们研究所的领导有意选定您做替罪羊。您该知道咱们的运动是怎样进行的。选定一个牺牲品，拼命来折腾。这真是可怕呀。您的论文可是真了不起，真难得呀！”

“怎么，就没有人表示不同意见吗？”

“好像没有。”

“您呢？”

“我认为争论是没有意义的。反正无法推翻他们的定论。”

维克托感觉出朋友的不好意思，也不好意思了，就说：

“噢，噢，当然，当然，您说得很对。”

他们都沉默着，但他们的沉默不是很舒服的。维克托感到害怕，感到发怵，触发了平时隐藏在心中的恐怖感，他害怕起来，怕国家发怒，怕自己成为国家发怒的牺牲品，国家发起怒来，可以使人变为齑粉。

“是啊，是啊，是啊，”他意味深长地说，“不图发胖，只求活命就行啦。”

“我多么希望您能明白这一切呀。”索科洛夫小声说。

“索科洛夫同志，”维克托也用小声问道，“马季亚罗夫在那儿怎么样，平安无事吗？他有信给您吗？我有时十分担心，自己也不知道因为什么。”

在这次突如其来的交谈中，他们好像在用小声专门表示：人与人之间还有自己的、特别的、人类的、国家以外的关系。

索科洛夫平静地、一个字一个字地回答说：

“没有，我没有收到喀山方面任何信件。”

他的平静而响亮的声音好像在说：这些特别的、人类的、国家以外的关系现在对他们毫无意义了。

马尔科夫和萨沃斯季扬诺夫走进办公室，谈起完全不同的话题。马尔科夫举了一些例子，说明一些妻子搅得丈夫过不好日子。

“有什么样的丈夫，必然有什么样的妻子。”索科洛夫说过这话，看了看表，便走出办公室。

萨沃斯季扬诺夫对着他的背影笑着说：

“如果在电车上只有一个位子，必然是他坐上去，他的玛丽亚站着。如果夜里有人来电话，他再也不会从床上起来，而是玛丽亚穿了睡衣跑去问：您是谁？显然，这样的妻子是一个人的好伙伴。”

“我不在幸福者之列，”马尔科夫说，“我常常听到命令：你怎么，聋了吗，开门去！”

维克托忽然生起气来，说：

“哼，您怎么啦，咱们怎么能比得上……索科洛夫是模范丈夫！”

“马尔科夫同志，您怕什么，”萨沃斯季扬诺夫说，“您现在日日夜夜在试验室里，老婆管不到了。”

“您以为，她因为我天天不在家，不骂我吗？”马尔科夫问道。

“当然啦。”萨沃斯季扬诺夫说着，舔了舔嘴唇，已经感觉出自己要说的俏皮话的滋味了。“你应该待在家里！正如俗话说的，我的家就是我的监狱嘛。”

马尔科夫和维克托都笑起来。马尔科夫显然担心这愉快的

谈话会拖延下去,便站起来,自言自语地说:

“该干事情了。”

等他走出门去,维克托说:

“这样古板的一个人,动作一向慢条斯理的,现在却像喝醉酒一样了。的确是日日夜夜泡在试验室里。”

“是啊,是啊,”萨沃斯季扬诺夫也承认说,“他就像一只做窝的鸟儿。一头埋进工作里啦!”

维克托笑了笑,说:

“他现在连上流社会的新闻也不关心了,不再传播这种新闻了。是啊,是啊,我很喜欢做窝的鸟儿。”

萨沃斯季扬诺夫猛地转过脸来,朝着维克托。

他那淡黄色眉毛的年轻的脸是严肃的。

“正好,要谈谈上流社会的新闻,”他说,“维克托·巴甫洛维奇,应该说,昨天在希沙科夫家举行酒会,没有请您去,这是令人气愤的事,毫无道理的事……”

维克托皱了皱眉头,他觉得这种同情的话有伤他的尊严。

“您算了吧,别说了!”他不客气地说。

“维克托·巴甫洛维奇,”萨沃斯季扬诺夫说,“当然,希沙科夫没有请您,算不了什么。不过,加甫罗诺夫说的话多么可恶,索科洛夫没有对您说过吗?只有丝毫不顾羞耻,才会说您的论文中有犹太教精神,才会说古列维奇称赞您的论文是经典性的,只因为您是犹太人。尤其是在领导者不出声的冷笑中说这些卑鄙的话。好一个‘斯拉夫兄弟’!”

在午休的时候,维克托没有上食堂去,他在自己的办公室里

来来回回地踱着。他何曾想到，人世间有这样多卑鄙龌龊的东西！萨沃斯季扬诺夫倒是有头脑！可原来还以为他只是一个只会说说俏皮话、天天带着穿游泳装的姑娘照片的头脑简单的小伙子呢。是啊，总的说，这一切都是小事。加甫罗诺夫的胡说八道根本算不了什么，他是一个精神变态的人，是一个爱嫉妒的小人。没有人反驳他，是因为他说的话太荒唐，太可笑。

可是这些小事、微不足道的事还是使他很不安，很难受。希沙科夫怎么能不请他呢？的确很不礼貌，很没有道理。特别有伤自尊心的是，平庸无才的希沙科夫和他的宾客们丝毫不把他放在眼里。他非常痛苦，就好像出了不幸的事，这一生都无法挽回了。他知道这是胡思乱想，可是自己拿自己没有办法。哼，哼，还想比索科洛夫多分一两个鸡蛋呢。休想！

但是有一件事实实在在地使他伤心。他真想对索科洛夫说："我的朋友，您怎么不羞愧呀？加甫罗诺夫那样诬蔑我，您怎么瞒着我呀？您在那儿不说话，也不对我说。您真不应该，真不应该呀！"

可是，尽管自己还在生气，他马上自己对自己说："不过，你也不说话嘛。你也没有对你的朋友索科洛夫说，卡里莫夫怀疑他的亲戚马季亚罗夫的哪一点嘛。你也没有作声呀！因为不好意思？怕伤和气？胡说！不过是害怕！"

显然，命运决定了整个这一天是不愉快的。

安娜·斯捷潘诺芙娜走进办公室，维克托看了看她那很难受的脸，问道：

"安娜·斯捷潘诺芙娜，出了什么事吗？"又在心里想道："她

是不是听说我的一些不愉快的事了?"

"维克托·巴甫洛维奇,"她说,"这样的事落到我头上了,为什么我落得这种下场?"

原来,在午休时间人事处把她叫了去,要她写离职申请书。因为院长有指示:要解除没受过高等教育的试验员的职务。

"胡说八道,我真不明白这搞的是什么名堂,"维克托说,"我去叫他们别胡闹,请您放心。"

使安娜·斯捷潘诺芙娜感到特别难受的是杜宾科夫的话,他说,领导上对她没有任何意见。

"维克托·巴甫洛维奇,对我有什么意见吗?我妨碍了您的工作,对不起,请您原谅我吧。"

维克托披上大衣,就穿过院子,朝人事处所在的二层楼走去。"好啊,好啊,"他在心里说,"好啊,好啊。"他再也没有多想。但是这"好啊,好啊"却包含着很多意思。

杜宾科夫一面和维克托打招呼,一面说:

"我正要找您呢。"

"为安娜·斯捷潘诺芙娜的事吗?"

"不是,那不必要。是因为有某些情况,研究所的主要工作人员需要填这样一份履历表。"

维克托看了看很多张表格纸订成的履历表,说:

"哎呀!这要花一个星期的工夫。"

"维克托·巴甫洛维奇,瞧您说的。不过,在填写否定项目的时候,不要划斜线,要写:没有,不是,未参加,等等。"

"我有一个意见,"维克托说,"应该取消解除我们的一级试

验员安娜·斯捷潘诺芙娜·洛沙科娃职务的荒唐的命令。”

杜宾科夫说：

“洛沙科娃吗？维克托·巴甫洛维奇，我怎么能取消院领导的命令呀？”

“鬼知道这算怎么一回事儿！她拯救了研究所，在炸弹底下保护了所里的财产。可是现在凭着形式上的理由解除她的职务。”

“没有形式上的理由，我们不能解除任何人的职务。”杜宾科夫很神气地说。

“安娜·斯捷潘诺芙娜不仅是一个极好的人，她还是我们试验室里最出色的工作人员之一。”

“如果她的确是无法代替的，那您就去找找科甫琴科同志，”杜宾科夫说，“正好，你们试验室里还有两个问题，您要征求他的同意。”

他把用别针别在一起的两张纸递给维克托。

“这是关于选聘人员担任研究员职务的。”他朝一张纸看了看，慢慢念了念：“兰杰斯曼·艾米里·频胡索维奇。”

“哦，这是我写的嘛。”维克托认出杜宾科夫手里的纸，就说。

“这是科甫琴科同志的批示：不符合要求。”

“怎么不符合要求？”维克托问。“我知道他是符合要求的，科甫琴科怎么知道他不符合我的要求？”

“所以您要去和科甫琴科同志谈谈，”杜宾科夫说。他看了另一张纸，说：“这是我们留在喀山的工作人员的申请书，也需要您去说说理由。”

“哦,怎么啦?”

“科甫琴科同志批的是:目前不宜调动,因为他们在喀山大学工作十分需要,这个问题放到学年结束时再研究。”

他说话声音不高,很温和,好像希望用亲切的声音软化这使维克托不愉快的消息,但是他的眼睛里却没有亲切的神气,只有不怀好意的好奇神气。

“谢谢您,杜宾科夫同志。”维克托说。

维克托又来到院子里,又一遍一遍地在心里说:“好呀,好呀。”他不需要领导的支持,不需要朋友的情谊,不需要和妻子心灵相通,他可以单独作战。他回到主楼,登上二层。

身穿黑色西装和乌克兰式绣花衬衣的科甫琴科紧跟着向他报告维克托来见的女秘书走出办公室,说:

“请,请,维克托·巴甫洛维奇,请进寒舍坐坐。”

维克托走进摆满了红色安乐椅和大沙发的“寒舍”。科甫琴科请维克托坐在沙发上,自己也挨着坐了下来。

他一面听维克托说话,一面微微笑着,他的亲切神情很有点儿像杜宾科夫的亲切神情。而且,在加甫罗诺夫发言评论维克托的论文的时候,他好像也是这样微笑的。

“有什么办法呀?”科甫琴科把两手一摊,很伤心地说。“这不完全是我们自作主张呀。她曾经在炸弹底下吗?现在这已经不算功劳了。如果祖国有命令的话,每一个苏联人都会到炸弹底下去。”

后来科甫琴科沉思了一下,说:

“还有一种办法,虽然会有人找茬儿。可以把洛沙科娃调任

制剂员。科技人员供应卡还给她留着。这我可以办到。”

“不行,这对她是一种侮辱。”维克托说。

科甫琴科问道:

“维克托·巴甫洛维奇,您是希望,苏维埃国家施行一种法律,在您的试验室里施行另一种法律吗?”

“恰恰相反,我正是希望在我的试验室里也施行苏维埃的法律。按照苏维埃法律,不能解除洛沙科娃的职务。”

维克托又问:

“科甫琴科同志,如果要谈法律的话,那您为什么不批准很有才华的小伙子兰杰斯曼进我的试验室?”

科甫琴科咬了咬嘴唇。

“您可知道,维克托·巴甫洛维奇,也许,按照您的要求,他能工作得很好,不过还有一些情况,是研究所的领导应该考虑的。”

“很好。”维克托说。又重复一遍:“很好。”

他又小声问:

“是履历问题吗? 亲属在国外?”

科甫琴科不作回答,只把两手一摊。

“科甫琴科同志,如果这种愉快的谈话还能继续下去的话,”维克托说,“请问,为什么您不让我的同事安娜·纳乌莫芙娜·魏斯帕比尔从喀山回来? 顺便说一句,她是副博士。我的试验室和国家有什么矛盾?”

科甫琴科带着受难者的脸色说:

“维克托·巴甫洛维奇,您怎么审问起我来啦? 我对干部负有责任呀,您要理解这一点。”

“很好，很好。”维克托觉得已经到了一点不客气地谈一谈的时候，就说：“那好吧，可敬的同志，我不能继续工作了。研究科学不是为杜宾科夫，也不是为了您。我在这儿也是为了工作，不是为了给人事处创造我无法知道的好处。我要给希沙科夫写报告，让他派杜宾科夫来主持核物理试验室好啦。”

科甫琴科说：

“维克托·巴甫洛维奇，说实在的，不要激动嘛。”

“不，我就是不能再工作了。”

“维克托·巴甫洛维奇，您不知道，领导上，尤其是我，有多么看重您的工作。”

“至于你们看重我还是不看重我，我可是一点不放在眼里。”维克托说过这话，在科甫琴科脸上看到的不是生气的表情，而是快活与满意的表情。

“维克托·巴甫洛维奇，”科甫琴科说，“我们无论如何不能让您离开研究所。”他皱起眉头，又说：“而且也完全不是因为无人可以代替。难道您以为就是没有人可以代替维克托·巴甫洛维奇·什特鲁姆吗？”最后又用十分亲切的语调问道：“如果您没有兰杰斯曼和魏斯帕比尔就不能从事科学研究的话，难道全苏联都没有人能代替您吗？”

他看着维克托，维克托感觉到，科甫琴科就要把一些话说出来了，那些话就像不见形迹的雾气似的，一直缭绕在他们中间，时时触及眼睛、手、脑子。

维克托垂下头，再也不像一位做出了不起的发明、又傲慢又骄矜、又清高又尖刻的教授、博士和著名学者了。

这个驼背、窄肩、鬈发、鹰钩鼻子的男子眯缝起眼睛，好像等着挨耳光似的，望着穿乌克兰绣花衬衫的人，等待着。

科甫琴科轻轻地说：

“维克托·巴甫洛维奇，不要激动，不要激动，说实在的，不要激动。嗯，您怎么啦，真的，因为这样一点儿微不足道的事，吵闹起来啦。”

五十四

夜里，等妻子和女儿睡了，维克托就开始填履历表。履历表上几乎所有的问题都和战前一样。正因为这些问是一些老问题，所以他觉得这些问题提得很奇怪，因而使他重新惴惴不安起来。

国家操心的不是维克托在研究中使用的数学器械是否够用，正在试验室安装的设备是否能适应将应用新设备进行的复杂试验，中子辐射的防护设备是否完善，索科洛夫和维克托的关系及其在科研上的配合好不好，是否有足够的初级研究人员进行不厌其烦的计算，他们是否懂得，在很多方面全靠他们的耐心、长期的紧张和聚精会神。

这是最重要的表，是表中之王。它要了解柳德米拉的父亲的情况、她的母亲的情况，要了解维克托的爷爷和奶奶的情况，要了解他的爷爷和奶奶过去生活在哪里，死在哪里，葬在哪里。维克托的父亲巴维尔·约瑟弗维奇在1910年因为什么去柏林？国家的担心是认真的和严肃的。维克托把履历表浏览了一遍之后，也传染上了疑心病，不相信自己的可靠性和真实性了。

1:姓、名、父称……他是谁,这个在深夜里填履历表的是什么人,是什特鲁姆·维克托·巴甫洛维奇吗?因为,好像父亲和母亲是在国外结婚的,在维克托满两岁的时候,他们又离婚了,他仿佛记得,在父亲的证件中,父亲的名字是宾胡斯,而不是巴维尔。为什么我的父称是巴甫洛维奇?我是什么人?我清楚自己的来历吗?万一我本来是姓哥尔曼,也许是姓萨盖塔奇内呢?也许是法国姓杰弗尔什,也就是俄罗斯的杜布罗夫斯基呢?

他满脑子疑虑,接着又开始填写第二项。

2:出生时间……年……月……日……写明新历与旧历。他约莫生于十二月的一天,可是他怎么知道的呢,他能肯定自己恰恰是生于这一天吗?为了推卸责任,是不是写明"听别人说的"?

3:性别……维克托满怀信心地写上"男子"。可是他在心里说:"哼,我算什么男子呀,真正的男子汉见到契贝任被撤职,不会不说话的。"

4:出生地(旧的行政区划:省、县、乡、庄,新的行政区划:州、地区、区、村)……维克托写上:哈尔科夫。妈妈对他说过,他出生在巴赫穆特,可是他出生两个月以后,妈妈迁到哈尔科夫,在哈尔科夫领到他的出生证。怎么办,要不要加以说明?

5:民族……这是第五项。这样简单的、在战前毫无意义的问题,现在几乎成了特别重要的问题了。

维克托握紧笔,用清清楚楚的字体写上:犹太族。他不知道,对于几十万人来说,填写这第五项:加尔梅克族、巴尔卡尔族、车臣族、克里木鞑靼族、犹太族……很快将意味着什么?

他不知道,围绕这第五项发生的阴森可怕的事情会越来越

多;他不知道,恐怖、厄运、绝望、没有前途、流血将从邻近的第六项“社会出身”迁徙、转移到这一项;他不知道,几年之后,很多人将怀着命中不幸的心情填写这第五项,就像过去几十年中哥萨克军官、贵族和工厂主的子女、神甫的儿子填写邻近的第六项那样。

不过这时他已经感觉到和预感到围绕着这第五项的强力线越来越密集。昨天晚上兰杰斯曼打电话给他,他告诉兰杰斯曼,安排工作的事还一点没有头绪。“我估计就是这样嘛。”兰杰斯曼用恼恨的、责备维克托的口气说。“是您的履历有问题吗?”维克托问道。兰杰斯曼对着话筒哼了一声,说:“是我的姓有问题”[①]。

娜佳在晚上喝茶的时候说:

“爸爸,你可知道,玛伊卡的爸爸说,明年国际关系学院再也不招收犹太学生了。”

“好吧维克托心里说犹太族就犹太族,不能不写。”

6:社会出身……这是一株大树的树干,其树根深深扎进地里,其树枝宽宽地铺展开来,下面是许许多多阔大的履历树叶,父亲和母亲的社会出身、父亲的父亲和母亲的社会出身……妻子的社会出身、妻子的父亲和母亲的社会出身……如果是离过婚的,还有原来的妻子的社会出身、她的父亲和母亲在革命前的职业。

伟大的革命是社会革命,是穷人的革命。维克托总觉得,在第六项中反映出穷人在受富人统治的几千年中产生的应有的不信任,是很自然的。

他写上:小市民出身。小市民!他算什么样的小市民呀!也许是战争启迪了他,他忽然怀疑起来:苏联正当地查询社会出身

①兰杰斯曼是犹太人的姓。

问题与德国人怀着血腥的目的查询民族属性问题，两者之间是否真正有什么本质的区别？他想起了在喀山晚间的一些谈话，想起马季亚罗夫说的契诃夫怎样看待人的一些话。

他想道："我以为看重社会特征是有道理的，是应该的。德国人却认为看重民族特征是绝对有道理的。我却认为，毫无疑问，杀犹太人，仅仅因为他们是犹太人，是十分可怕的。因为他们是人，他们每一个都是人，有好人、坏人、聪明人、蠢人、笨人、快活人、善良人、反应灵敏的人、吝啬鬼。可是希特勒说：都是一样，反正都是犹太人！我坚决反对！不过我们也有这样一种准则：反正不是贵族，反正是富农出身，是商人出身。至于他们是好人、坏人、有才华的人、善良人、愚蠢人、快活人，怎么办？要知道，我们的履历表不是商人、神甫、贵族的履历表呀。是他们的孩子、孙子的履历表。怎么，他们的血统就是贵族血统，就像犹太血统一样吗？怎么，他们生来就是商人，就是神甫吗？这是胡说八道。女英雄索菲娅·佩罗夫斯卡娅是将军的女儿，不是普通的将军，是省长。把她赶走吧！可是当年抓住卡拉科佐夫的警察走狗科米萨罗夫如果填写第六项，也会写'小市民'。还可以招收他上大学呢。斯大林说过：'儿子不能为父亲负责。'不过斯大林又说：'苹果与苹果总是相离不远。'好吧，小市民出身就小市民出身吧。"

7：社会成分……是职员吗？职员就是会计、文书等。他这个职员用数学阐明了原子核的衰变过程，职员马尔科尔想借助新的试验设备证实他这个职员在理上的推断。

"很对嘛，"他在心里说，"就是职员。"

他耸了耸肩膀，站起来，在房里走了一会儿，动了动手掌，好

像要把什么人推开。然后他又坐下来，回答表上的问题。

……

29:本人或近亲是否受过审判或审查，是否被捕过，是否受过法律或者行政处分，何时，何地，受处分原因？如果处分已被撤销，说明何时撤销……

对维克托的妻子也提出同时的问题。他心中掠过一阵凉气。这可是不容争辩，不是开玩笑的。他的头脑中闪出一个一个的名字……我相信他根本没有罪……是一个不适应现实的人……她是因为不告发丈夫被捕的，好像判了八年，我说不准，我没有和她通信，好像是在捷姆尼科夫，我是偶然听说的，在街上碰到过她的女儿……我记不清了，他好像是在1937年初被捕的，是的，被剥夺通信权利十年……

妻子的哥哥原来是党员，我过去很少和他见面；不论我，不论妻子，都不和他通信；岳母好像去看过他，是的，是的，那是在战前很久；他的第二个妻子因为不揭发他，也被送往集中营，她已经在战争期间死了；他的儿子参加了斯大林格勒保卫战，是志愿参加的……我的妻子和第一个丈夫离婚了，她和第一个丈夫生的儿子，也就是我的继子，在保卫斯大林格勒的战斗中牺牲了……她的第一个丈夫被捕了，离婚之后，她就一点不知道他的情况了……至于为什么被捕，我可说不准，只是模模糊糊听说，好像是托洛茨基分子，不过我不相信，我对这种事丝毫不感兴趣……

维克托顿时充满无限的负罪感和不清白感。他想起一个悔过的党员在大会上说的话："同志们，我不是我们的人。"

他忽然想反抗。我不是服服帖帖、百依百顺之辈！上面有人

不喜欢我，不喜欢就不喜欢好啦！我是孤独的，妻子也不关心我了，不关心就不关心好啦！我可是不能栽诬不幸的人、清白无辜死去的人。

同志们，想到这种种事情，实在惭愧呀！很多人是无罪的，还有老婆、孩子，他们何罪之有？应该向这些人悔罪，请求他们饶恕。你们是不是想证实我不合格，使人对我不信任，因为我和无辜被害的人有亲戚关系？如果我有错误的话，那我的错误就是，在他们倒霉的时候帮助他们太少了。

另外一条完全不同的思路却在同一个人的脑子里同时并行着。

我没有和他们保持联系嘛。我没有和阶级敌人通过信，没有收到过从集中营里来的信件，我没有给他们物质支援，过去和他们见面很少，很偶然……

30：有无亲属在国外（何地，何时出国，出国原因）？是否同他们保持联系？

这新的问题增强了他的苦恼。

同志们，难道你们不了解，沙皇俄国的条件下，侨居国外是免不了的吗？很多穷人侨居国外，爱自由的人侨居国外，列宁也在伦敦、苏黎世、巴黎居住过。为什么你们看到我的姑姑和叔叔以及他们的子女在纽约、巴黎、布宜诺斯艾利斯就眨眼睛呢？……不记得是哪一位朋友说俏皮话："姑妈在纽约呀……以前我以为，饥饿不是姑妈，却原来，姑妈就是饥饿。"①

不过，实在也可观，他在国外的亲属的名单竟比他的论文篇

①"饥饿不是姑妈"是谚语，本意是：饥饿是无情的。

目单短不了多少。如果再加上被镇压的亲戚名单呢？……

好啦，这么看，一个人完啦。进垃圾堆去吧！异己分子呀！不过这不对头，不对！科学用得着他，而不是加甫罗诺夫和杜宾科夫；他可以为自己的国家献出生命。履历很光彩而善于欺骗和出卖的人还少吗？不是有很多人在履历表上写的是“父亲——流氓”“父亲——地主”，而在战斗中献出了生命，参加了游击队，走向断头台吗？

这是怎么一回事儿？他知道：这是统计方法！是可能性！在非劳动出身的人中间遇到敌人比在无产者出身的人中间遇到敌人的可能性大。不过要知道，德国法西斯也是根据可能性大小在消灭一些国家的人民和民族。这种原则是很不人道的。既不人道，又不讲理。对待人只能用人道的办法。

维克托一定要设计出另外一种履历表，好使试验室能够招纳人才，那将是人道主义的履历表。

他觉得，和他一起工作的人是俄罗斯人还是犹太人、乌克兰人、亚美尼亚人，都无所谓，其祖父是工人还是老板、富农，都无所谓；他对待共同工作的同志的态度，不是看这位同志的兄弟是否被保安机关逮捕；这位同志的姐妹住在科斯特罗马还是日内瓦，他觉得都无所谓。

他要问的是：您从什么时候开始研究理论物理，您怎样看待爱因斯坦对普朗克老头子的批评，您是光喜欢数学推论，还是也喜欢进行试验，您怎样看待海森堡，您是否相信有可能列出统一的磁场方程式？最主要、最主要的是能力、热情、才气。

如果共同工作的同志愿意回答的话，他还会问，喜欢不喜欢

散步,喜欢不喜欢喝酒,是否喜欢听交响乐,是否喜欢塞顿-汤普森为孩子们写的书,托尔斯泰与陀思妥耶夫斯基——哪一个更伟大,是否喜欢种花、钓鱼,是否喜欢毕加索,契诃夫的哪一篇小说最好?

他感兴趣的是,将和他一起工作的同志是喜欢沉默寡言还是喜欢聊天,是否善良,是否风趣,是不是爱忘事,是不是爱发火,是不是爱面子,会不会和俊俏的薇拉·波诺马列娃干什么风流事儿。

有关这方面的事,马季亚罗夫说得非常好,正因为说得太好了,所以大家都觉得,莫非他是奸细。

天啊,我的天啊……

维克托拿起笔,写道:"艾斯菲莉·谢苗诺芙娜·塔舍夫斯卡娅,姨娘,从1909年侨居布宜诺斯艾利斯,音乐教师。"

五十五

维克托走进希沙科夫的办公室,有意地控制着自己,不说一句尖刻的话。

他明白:因为他和他的论文在这位当官的院士头脑里处在最差、最末尾的位子上而生气和感到委屈,是很愚蠢的。

但是维克托一看到希沙科夫的脸,就感到忍不住要发火了。

"希沙科夫同志,"他说,"俗话说强扭的瓜不甜,不过,您从来没有关心过设备安装。"

希沙科夫很和气地说:

“一定在最近上你们那儿去看看。”

这位所长恩意隆隆，保证光临，好使维克托感到幸福。

希沙科夫又说：

“总的说，我觉得，领导上对你们各方面的需要，还是够关心的。”

“特别是人事处。”

希沙科夫非常和气地问：

“人事处有什么地方给您造成不便？您可是第一个说这种话的试验室领导人呀。”

“希沙科夫同志，我想把魏斯帕比尔从喀山调回来，她在核摄影方面是独一无二的专家，却调不回来。我坚决反对解除洛沙科娃的职务。她是一个极好的工作人员，一个极好的人。我实在无法想象，怎么能解除洛沙科娃的职务。这是不合情理的。还有，我要求正式批准选聘的副博士兰杰斯曼的学位。他是一个有才华的小伙子。您还是对我们的试验室重视不够。要不然不需要说这些话来浪费我的时间了。”

“这些话也浪费我的时间嘛。”希沙科夫说。

维克托很高兴，因为希沙科夫不再用和善的口气跟他说话了，如果还用和善口气，他是不好发火的。他就说：

“令人不愉快的是，这些问题基本上是围绕着姓犹太姓的人产生的。”

“原来是这样呀。”希沙科夫说。他从和平转向战争。“维克托·巴甫洛维奇，研究所担负着重要的任务。我们是在多么困难的时期担负这样的任务，这是毋须对您说的。我认为，您的试验

室在目前不能充分有助于完成这些任务。还有,围绕着您的论文嚷嚷得太厉害了,您的论文毫无疑问是很有意思的,但也毫无疑问是有争论的。”

他咄咄逼人地说:

“这不光是我的看法。很多同志认为,这种嚷嚷会引起科学工作人员思想混乱。昨天有关方面同我详细地谈过这个问题。有这样的意见:您应该重新考虑您的论断,您的论断与唯物主义的物质观相矛盾,您应当自己出面谈谈这个问题。有些人出于令我不解的用心,希望在我们应当全力以赴地完成战争提出的任务的时候,把有争论的理论宣布为科学的总方向。这是极其严重的。您却来对什么洛沙科娃的事表示怎样怎样的不满。对不起,我从来不知道洛沙科娃是犹太姓。”

维克托听着希沙科夫的话,不知如何是好了。从来没有谁当面表示反对他的论文。现在他是第一次从这位院士,从他所在的研究所的领导人嘴里听到。

他已经不怕什么后果,一股脑儿把他所想的、因此也就不该说的全说了出来。

他说,物理学的存在,不是为了证明哲学的正确性。他说,数学推断的逻辑性,胜过恩格斯和列宁的理论的逻辑性,党中央科学处的巴季因可以使列宁的观点适用于数学和物理学,而不能使数学和物理学适用于列宁的观点。他说,狭窄的实用主义对科学是有害的,不论这实用主义来自什么人,“就算是来自上帝也罢”;只有伟大的理论能产生伟大的实践。他相信,许多重大的技术问题,而且不只是技术问题,在二十世纪还要依靠核反应理论

来解决。如果希沙科夫没有说出名字的那些同志们认为有必要让他发言的话，他很乐意按照这样的精神说一说。

“至于姓犹太姓的一些人的问题，希沙科夫同志，如果您真是俄罗斯知识分子的话，就不应该用开玩笑作回答，”他说，“如果您不答应我的上述要求的话，我只有立即离开研究所。我无法在这儿工作。”

他换了一口气，看了看希沙科夫，想了想，又说：

“在这种情况下，我很难工作下去。我不光是一个物理学家，我还是一个人。我无颜面对等待我帮助、等待我说公平话的人。”

他在说“在这种情况下，我很难工作下去”的时候，就没有勇气再说一遍立即离开的话了。维克托从希沙科夫脸上看出来，他已经发现了这种和缓的说法。

也许正因为这样，希沙科夫强硬起来：

“咱们没有必要用最后通牒式的语言继续谈下去了。我当然不能不考虑您的愿望。”

在整个一天里，维克托一直怀着一种又难受又高兴的奇怪感情。试验室里的仪器和即将安装好的新设备似乎一直就是他的生活、头脑和身体的一部分。他怎么能离开它们单独生存呢？

想起他对所长说的一番离经叛道的话，就觉得害怕。同时他又觉得自己很刚强。他的软弱同时也是他的刚强。不过他怎么能想到，在他取得科学上巨大成就的日子里，在回到莫斯科以后，他会去说这样一番话？

谁也不会知道他和希沙科夫的冲突，但是他觉得，今天同事们对他特别亲热。

安娜·斯捷潘诺芙娜抓住他的手，握了握。

“维克托·巴甫洛维奇，我不想对您表示感谢，但我知道，您就是您。”她说。

他一声不响地站在她面前，很激动，而且几乎很幸福。

“妈妈，妈妈，”他忽然在心里说，“你看，你看。”

他在回家的路上打定主意，什么也不对妻子说。可是他还是放不了什么都要对妻子说说的习惯，所以在外间里，一面脱大衣，一面就说：

“听我说，柳德米拉，我要离开研究所啦。”

柳德米拉又慌乱，又伤心，但是马上对他说出使他很不愉快的话：

“你那神气，就好像你是罗蒙诺索夫或者门捷列夫似的。你离开了，自会由索科洛夫或者马尔科夫接替你。”她抬起头来，暂时停止了针线活儿。“让你的兰杰斯曼上前线去吧。要不然真要让一些有成见的人形成一种看法：犹太人就想把犹太人安排在国防部门的研究所。”

“好啦，好啦，够啦，”他说，“你可记得涅克拉索夫的话：‘不幸的人想的是进光荣的殿堂，结果进的是病房。’我认为我是对得起我吃的粮食的，可是他们却要我检讨错误，检讨异端邪说。哼，真难以设想：检讨错误！这真是岂有此理！明明大家一致推荐我作奖金备选人，大学生们天天请我作报告。这都是巴季因搞的！不过，哪儿是巴季因，是有人不喜欢我！”

柳德米拉走到他跟前，给他理了理领带，抻了抻上衣下摆，问道：

“你脸色很苍白，大概没吃饭吧？”

“我不想吃。”

“你先就着奶油吃点儿面包，我去把饭热一热。”

然后她往杯子里倒了几滴心脏病药水，说：

“喝吧，我不喜欢你这种模样，让我试试你的脉搏。”

他们朝厨房走去。维克托一面吃面包，一面朝娜佳挂在煤气表旁边的小镜子里看着。

“多么奇怪，难以理解。”他说，“我在喀山何曾想到，我会填这样复杂的履历表，会听今天听到的这种话。好厉害呀！国家与人……有时把人抬得很高，有时毫不费劲儿就把人扔进深渊。”

“维克托，我要和你谈谈娜佳了，”柳德米拉说，“她几乎每天都是过了宵禁时间才回家。”

“前两天你已经对我说过这事儿了。”维克托说。

“我知道我说过了。昨天晚上，我无意中走到窗前，一拉窗帘，却看到：娜佳和一名军人走在一起，他们在牛奶铺旁边站下来，接起吻来。”

“噢呀呀！”维克托说着，惊讶得连嚼面包都停止了。

娜佳和军人接吻了。维克托一声不响地呆坐了一会儿，后来就笑起来。也许只有这一条惊人的新闻能使他摆脱沉重的想法，冲淡他的不安心情。有一刹那，他们的目光碰到一起，柳德米拉也不由自主地笑了。此时此刻在他们中间出现了充分的理解，这种理解不需要言语和思考，一生中只能在很少的时间里出现。

所以，柳德米拉听到维克托说的似乎不是地方的话，也就不觉得意外了。他说的是：

“可爱,可爱,不过你说说,我和希沙科夫吵得对吗?”

这思路是很简单的,但要了解就不那么简单了。这里面包括他想到过去的生活,想到托里亚和他的妈妈的遭遇,想到现在在打仗;想到一个人不论得到多大的名和利,等到老了,总是要死的,总有年轻人来接替他,还想到,也许最重要的是一生过得清白。

维克托又向妻子问道:

“你说对吗,应该吗?”

柳德米拉摇了摇头,表示不赞成。几十年融洽、和谐的生活也会产生差异。

“你要知道,柳德米拉,”维克托心平气和地说,“一些实际上很正直的人,往往不会处人处事,爱发脾气,说粗话,不注意方式方法,容易得罪人,在工作上和在家里争吵中,都认为他们不对。可是那些不正直的、爱欺压人的人,却很会处人处事,又会说理,又镇静,又懂方式方法,倒往往显得是正派人。”

娜佳在十点多钟回来了。柳德米拉听到钥匙开门的声音,就对丈夫说:

“你和她谈谈吧。”

“你谈比较合适,我不谈吧。”维克托说。不过等娜佳披散着头发、鼻子红红的走进餐室里,他却说:“你这是和什么人在大门口接吻?”

娜佳忽然回头看了看,就好像想跑掉。她半张开嘴,望着爸爸。

过了一小会儿,她耸耸肩膀,很不在乎地说:

“哦……安得留沙·洛莫夫,他现在在尉官学校。”

“你怎么,打算嫁给他吗?”维克托问道。他听到娜佳那种自信的语调,感到吃惊。他回头看了看妻子,看她是不是看见了娜佳。

娜佳像成年人一样眯起眼睛,说出很气愤的话。

“嫁给他吗?”她反问一句。这话本是维克托问女儿的,可是他一听到又感到十分吃惊。“可能,要嫁给他!”

过一会儿,她又说:

“也许不会,我还没有最后决定。”

一直没有作声的柳德米拉问道:

“娜佳,你为什么撒谎,又说玛伊卡爸爸送你,又说复习功课?我可是从来没有对自己的妈妈说过谎。”

维克托想起来,在他追求柳德米拉的时候,有一次她来赴约会,说:

“我把托里亚丢给妈妈了,我骗她,说我上图书馆。”

娜佳忽然又恢复了自己的孩子本性,用哭腔和懊恼的腔调叫道:

“在我背后当密探,好吗?你妈妈也在你背后当密探来吗?”

维克托气愤地大声呵斥道:

“混账,你敢顶撞妈妈!”

她带着苦恼而忍耐的神情看着他。

“那好哇,娜佳小姐,就是说,您还没有决定,是嫁给他还是给那位年轻上校做情妇?”

“是的,还没有决定,第二,他不是上校。”娜佳回答说。

难道穿军大衣的小伙子吻的是他的女儿的嘴唇？难道可以和小娜佳，和一个又可笑又聪明的小傻丫头谈恋爱，凝视她的小狗一样的眼睛？

但是这是平常而又平常的事。

柳德米拉没有作声，她知道，娜佳现在就要生气，不再回答了。她知道，等到只剩下她们两个人，她就要抚摩女儿的头，娜佳就要抽搭起来，不知为什么抽搭，柳德米拉就十分心疼地可怜起她来，也不知为什么要可怜她，因为归根究底，对于一个姑娘来说，和小伙子接吻并不是多么可怕的事情。娜佳也就会把洛莫夫的事一五一十地说给她听，她就会一面抚摩着女儿的头发，回想自己最初接吻的情形，就要想念托里亚，因为生活中不论发生什么事，她都要和托里亚联系起来。托里亚不在啦。

这种处在战争深渊边缘上的姑娘的爱情，多么可悲呀。托里亚呀，托里亚……

可是维克托却怀着做父亲的忧虑心情，还在嚷嚷着。

“那个浑蛋在哪一部分？”他问。“我去找他们的首长谈谈，让他知道，怎么能和不懂事的孩子谈情说爱。”

娜佳不作声。维克托很喜欢她的傲慢，不由地也不作声了。过了一会儿，他问：

“你干吗要看着我，就好像高等动物看着一只变形虫？”

真有些奇怪，娜佳的目光使他想起今天和希沙科夫的谈话。镇定而自信的希沙科夫仗恃着国家和科学院的权力，傲气十足地看着他。在希沙科夫炯炯的目光之下，维克托本能地感觉到所有自己的反抗、最后通牒、发脾气都是徒然的。国家制度的威力像

巨石一般耸立着，希沙科夫带着毫不在乎的镇定神气看着维克托在嚷嚷，料定他挪动不了巨石。

而且也很奇怪的是，这会儿站在他面前的小姑娘也意识到，他激动和生气，想做不可能的事，想制止生活的进程，是毫无意思的。

夜里，维克托想到，如果离开研究所，他的日子就很不好过。别人会说他离开研究所带有政治性质，说他已成为不良的反动思想情绪的源泉；而且现在是战争时期，研究所又受到斯大林的特别关注。再说，还有那份可怕的履历表……

还有和希沙科夫那一场很不理智的谈话。还有在喀山说的那些话。还有马季亚罗夫……

他忽然觉得非常可怕，很想给希沙科夫写一封和解的信，把今天的一切事情一笔勾销。

五十六

下午，柳德米拉从供应商店回来，看到信箱里有一封信。她上楼梯后跳得很厉害的心跳得更厉害了。她手里拿着信，走到托里亚的房间门口，开了门，房间里没有人：他今天也没有回来。

柳德米拉看到是她从小就熟悉的妈妈的笔迹，便把信浏览了一遍。她看到任尼娅的名字、维拉的名字、斯皮里多诺夫的名字，信里却没有儿子的名字。希望又退到僻静的角落里，但希望没有屈服。

妈妈几乎没有写自己的生活情形，只是提到，喀山的房东太

太在柳德米拉走后表现出很多令人不快的地方。谢廖沙、维拉和斯皮里多诺夫还是没有音信,妈妈很担心任尼娅,看样子,她的生活中发生了很重大的事。任尼娅在给妈妈的信中暗示着有很不愉快的事,暗示她不得不上莫斯科去。

柳德米拉不会忧愁。她会悲伤。托里亚,托里亚,托里亚。

斯皮里多诺夫丧妻了……维拉成了无妈妈的孤女;谢廖沙活着吗,是不是受了重伤躺在什么地方的军医院里?他的父亲不是被枪毙,便是死在集中营里了,母亲也死于流放中……妈妈的房子被烧毁了,现在是一个人生活,见不到儿子,也不知道孙子的下落……

妈妈没有写她在喀山的生活,没有提到她的身体,也没有提到房间里是否暖和,暖气设备是否改善了。

柳德米拉知道,妈妈对这些事为什么只字不提,是怕她知道了难过。

柳德米拉的房子好像一下子空了,变得冷冰冰的。就好像可怕的无形炸弹落在房子里,房子里所有的东西都炸坏了,热气跑掉了,房子也成了瓦砾。

这一天她对维克托想了很多。他们的关系已经坏了。维克托常常对她发火,对她很冷淡,而且特别可悲的是,她对这一切也冷漠了。她太了解他了。从旁边看,他很像是一个富于理想的和高尚的人。她对人从来没有那种诗意的、热情洋溢的态度,可是玛丽亚却把维克托看成具有自我牺牲精神的英雄,一个高尚的人、英明的人,玛丽亚喜欢音乐,有时听到弹钢琴,激动得脸都发了白,维克托有时也应她的请求弹弹钢琴。她的天性显然很需要

有一个崇拜的对象，于是她为自己塑造了这样一个崇高的形象，为自己臆造出一个实际上不存在的维克托。如果玛丽亚天天注意观察维克托的话，她会很快失望的。柳德米拉知道，推动维克托的行动的只是个人主义，他谁也不爱。就是现在，她想到他和希沙科夫的冲突，在为丈夫担心害怕的同时，也感到像往常那样气愤：他为了个人痛快，为了显示自己，为了扮演保护弱者的英雄，连自己的科学、家里人的安宁都可以牺牲。

不过昨天他在为娜佳担心的时候，就忘记了自己的个人主义。可是，维克托能不能忘记自己的一切不愉快的事，为托里亚操操心呢？昨天她估计错了。娜佳没有真正坦率地和她谈谈。这是怎么回事儿，是孩子气，是偶然的，还是她命定的？

娜佳对她说了说一些同伴，她就是在这些同伴的圈子里和那个洛莫夫认识的。她十分详细地说了说一些小伙子，说他们念旧诗，他们议论新艺术和旧艺术，他们对一些事抱的是蔑视和嘲笑的态度，柳德米拉觉得，对那些事是既不能蔑视，也不能嘲笑的。

娜佳很乐意回答柳德米拉的问题，而且看样子说的也都是实话："不，我们不喝酒，只喝过一回，那是送一个男孩子上前方。""有时谈谈政治。当然啦，不像报纸上那样，不过谈得很少，大概只有一两次。"

但是柳德米拉一问起洛莫夫，娜佳就很生气地回答："不，他不写诗。""我怎么会知道他的父亲、母亲是什么人，我当然从来也没有看到他们，这有什么奇怪的？他从来不提爸爸，大概他觉得，他是在食品店做生意的。"

这会怎样呢，这是娜佳命运定了，还是过一个月就会把一切

忘得无影无踪?

她在做饭、洗衣服的时候,都在想着妈妈,想着维拉、任尼娅、谢廖沙。她给玛丽亚打了一个电话,但是没有人接电话,又往波斯托耶夫家里打了一个电话,保姆回答说,女主人出去买东西去了,又往房管所打了一个电话,想找一个修理工来修水龙头,房管所的人回答说,修理工没有来上班。

她坐下来写信。似乎她要写很长的一封信,检讨她不能为妈妈创造必要的生活条件,所以妈妈宁愿一个人住在喀山。从战前起,柳德米拉的亲戚们就不来探望和过夜了。现在就连最亲近的人也不到她在莫斯科的这很大的一套房子里来了。信她也没有写成,只是撕了四张纸。

这一天快下班的时候,维克托打来电话,说他一时不能回来,晚上有些技术人员要来,是他从军工厂请来的。

"有什么新闻吗?"柳德米拉问道。

"噢,在这方面的新闻吗?"他说。"没有,没有什么新闻。"

晚上,柳德米拉又把妈妈的信看了一遍,走到窗前。

月色皎洁,大街上空空荡荡。她又看到娜佳挽着那个军人的胳膊,他们顺着马路朝家里走着。后来娜佳跑起来,穿军大衣的小伙子却站在空荡荡的街心里,望着,望着。柳德米拉这时在心里好像把一切似乎不能结合的东西结合到一起。这里面有她对维克托的爱、她为他分担的焦虑、她对他的愤恨。还有没有吻过姑娘的香唇就离开了人世的托里亚,还有站在马路上的尉官,还有,瞧,维拉正在喜气洋洋地上自己的斯大林格勒的家的楼梯呢,还有无家可归的妈妈……

她心中充满活着的感觉,活着曾经是她唯一的欢乐和可怕的痛苦。

五十七

维克托在研究所大门口碰到希沙科夫。希沙科夫正在下汽车。

希沙科夫掀了掀帽子打招呼,没有表示要站下来和维克托说说话儿。

“我要倒霉了。”维克托在心里说。

斯维琴在吃午饭的时候,虽然坐在旁边的桌上,却不看他,也不和他说话。胖子古列维奇在走出食堂的时候和维克托说话,今天说话口气特别亲热,握住他的手握了很久,但是等所长接待室的门开了一道缝儿,古列维奇便突然和他分手,很快地顺着走廊走去。

在试验室里,正在和维克托商谈如何准备仪器进行核粒子摄影的马尔科夫从记录本上抬起头来,说:

“维克托·巴甫洛维奇,有人告诉我,在党委会上很不客气地谈到您。科甫琴科给您罗织罪名,说:‘什特鲁姆不愿意在我们这个集体里工作。’”

“他说就说吧。”维克托说。他觉得自己的眼皮跳了起来。

在和马尔科夫谈核粒子摄影的时候,维克托产生了一种感觉:似乎主持试验室工作的已经不是他,而是马尔科夫了。马尔科夫说话已经用的是十分从容的当家人口气,诺兹德林两次走到

他面前,向他请示有关仪器安装的问题。

但是马尔科夫忽然露出有苦衷和恳求的脸色,他小声对维克托说:

“维克托·巴甫洛维奇,如果您谈起这次党委会,千万不要说是我说的,要不然我就倒霉了:泄露党的秘密。”

“当然,您放心。”维克托说。

马尔科夫说:

“一切都会解决的。”

“唉,”维克托说,“没有我也行啊。不论花费多少心血,都是白费劲儿!”

“我觉得,您说得不对,”马尔科夫说,“我昨天和科奇库罗夫谈过,您该知道,他是一个讲求实际的人。他对我说:‘在什特鲁姆的论文中,数学多于物理,不过,说也奇怪,这使我开了窍,我自己也不知道为什么。’”

维克托明白马尔科夫暗示的是什么:年轻的科奇库罗夫很热心地在研究慢中子作用于重原子核的有关问题,他强调,这些研究将有很大的实用意义。

“科奇库罗夫这样的人一点也不起作用,”维克托说,“起作用的是巴季因之流。可是巴季因认为我应当检讨,承认我把物理学家们引向学究式抽象概念的泥坑。”

显然,试验室里的人都已经知道维克托和领导人的冲突和昨天的党委会议。安娜·斯捷潘诺芙娜用难受的目光看着维克托。

维克托希望和索科洛夫谈谈,但是索科洛夫早晨就上科学院去了,后来打来电话,说有事要耽搁,不一定到研究所来了。

萨沃斯季扬诺夫的情绪却特别好，不住地在说俏皮话。

“维克托·巴甫洛维奇，”他说，“可敬的古列维奇真是一位又闪光又突出的学者。”他在说这话的时候用手摸了摸头和肚子，暗示古列维奇秃头和大肚子。

傍晚，维克托在步行回家的路上，无意中在卡卢加街上碰到玛丽亚。

她首先唤他。她穿着维克托以前没有见过的一件大衣，所以他一下子没有认出她来。

“太好了，”他说，“您怎么到卡卢加街上来啦？”

她看着他，沉默了一小会儿。后来她摇了摇头，说：

“这不是偶然的，我想见见您，所以我到卡卢加街上来了。”

他很不好意思，轻轻地把两手一摊。

他的心慌乱了一小会儿，他以为，她要向他报告很可怕的事情，警告他有危险。

“维克托·巴甫洛维奇，”她说，“我想和您谈谈。我丈夫把情况全对我说了。”

“噢，把我的了不起的成就全说了。”维克托说。

他们并排朝前走去，不过走着的似乎是两个互不相识的人。

她不说话，他感到气氛很沉重。他侧眼看了看她，说：

“柳德米拉为这事儿骂我哩。您大概也想生我的气了。”

“不，我不生气，”她说，“我知道，是什么迫使您这样做的。”

他很快地看了她一眼。

她说：

“您想着您的妈妈。”

他点了点头。

然后她说：

“我丈夫不愿意告诉您……他听说，行政领导和党组织结成一伙儿反对您，他听到巴季因说：‘这不是一般的歇斯底里。这是政治上反苏的歇斯底里。’”

“我这算什么歇斯底里，”维克托说，“我就感觉到，你丈夫不愿意把他知道的情况告诉我。”

“是的，他不愿意。我也替他难受。”

“他害怕吗？”

“是的，他害怕。此外，他认为，您原则上是不对的。”

她小声说：

“他是一个好人，他受的折腾太多了。”

“是啊，是啊，”维克托说，“这也叫人痛心：如此高大而勇敢的科学家，如此胆小的心灵。”

“他受的折腾太多了。”她又说了一遍

“不过，”维克托说，“不应该是您，应该是他把这一切告诉我。”

他挽住她的胳膊。

“玛丽亚，”他说，“您告诉我，马季亚罗夫在那儿怎么样？我怎么也弄不清，究竟是怎么一回事儿。”

他现在一想到在喀山说的那些话，就感到提心吊胆，常常想起一些个别的字句，想起卡里莫夫不怀好意的警告，同时也想起马季亚罗夫的猜疑。他觉得，悬在他头顶上的莫斯科阴云不可避免地要和喀山的闲谈联系起来。

“我也不清楚是怎么一回事儿，”她说，“我们寄给马季亚罗

夫的挂号信，退回来了。他是换了地址呢，还是离开了？还是出了顶坏的事？"

"是啊，是啊，是啊。"维克托嘟哝说。一时间他不知说什么才好。

玛丽亚显然以为索科洛夫对维克托说过那封寄出去又退回来的信。可是维克托根本不知道那封信，显然索科洛夫没有对他说。维克托问她，究竟是怎么一回事儿，指的是马季亚罗夫和索科洛夫的争吵。

"咱们上逍遥公园去。"他说。

"不过咱们走的不是那个方向。"

"卡卢加街这边也有一个门。"他说。

他想更详细地向她问问马季亚罗夫的情况，问问他对卡里莫夫怀疑的一些问题和卡里莫夫所怀疑的问题。在空旷的逍遥公园里没有人打搅他们。玛丽亚会马上了解这次谈话的重要性。他觉得，他可以放心地、随便地和她谈谈他所担心的一切问题，她有什么话都会对他说的。

昨天开始化冻了。在逍遥公园的山坡上，有些地方的雪已经化了，露出潮湿的烂树叶，但是一些小沟里的雪还很厚。头顶上是布满薄云的灰色的天空。

"这样的黄昏多么好呀！"维克托一面说，一面吸着潮湿而寒冷的空气。

"是的，很好，一个人也没有，就好像在郊外。"

他们在泥泞的小路上走着。遇到水洼儿，他就搀着玛丽亚的手，帮她跨过去。

他们一声不响地走了很久，他不想开口说话了，既不想谈战争，也不想谈研究所里的事情，也不想谈马季亚罗夫和他的担心、他的预感、疑虑，他想一声不响地和这个娇小的、走路又不敏捷又轻盈的女人走走，想享受一下不知为什么忽然来临的无限轻松与安宁感。

她也什么也不说，微微低着头，走着。

他们走到河岸上，河里依然是黑沉沉的冰。

“太好了。”维克托说。

“是的，太好啦。”她说。

岸边的沥青小路是干的，他们走得快了，就好像两个走远路的行人。他们遇到一位受伤的尉官和一位穿滑雪衫的矮个子、宽肩膀姑娘。他们互相搂抱着走着，不时地接吻。他们来到维克托和玛丽亚跟前，又接了一个吻，回头看了看，笑了起来。

“哦，也许娜佳和她的尉官常常这样在这里走来走去。”维克托想道。

玛丽亚回头看了看那对青年男女，说：

“多么糟糕。”她笑了笑，又说：“柳德米拉对我说过娜佳的事。”

“是呀，是呀，”维克托说，“这真是太出奇了。”

过了一会儿，他说：

“我决定给机电研究所所长打个电话，自我推荐。如果他们不接受，那我就上新西伯利亚或者克拉斯诺亚尔斯克去。”

“有什么办法呀，”她说，“看样子，就得这样。不这样不行。”

“多么糟糕呀。”他说。

他很想对她说说，他对研究、对研究所的爱有多么强烈，他看着很快就要试用的设备，又高兴又伤心，他觉得，他会在夜里上研究所去，隔着窗子看的。他想，也许玛丽亚会感到他的话有自我显示的意味，所以就没有说。

他们走到战利品展览馆跟前。放慢脚步，观看漆成灰色的德国坦克、大炮、迫击炮和翅膀带有黑色卐字的飞机。

“就是看着这些不响也不动的东西，都觉得害怕。”玛丽亚说。

“没什么，”维克托说，“应当想想，在将来的战争中这些东西会变得像火枪和长矛一样不管用，也就不害怕了。”

他们快要走到公园大门口，维克托说：

“咱们这次溜达到头了，逍遥公园这样小，真遗憾。您不累吧？”

“不累，不累，”她说，“我已经习惯了，步行走路太多了。”

不知是她没有明白他的话的用意，还是装作没有明白。

“您知道，”他说，“不知为什么我和您见面总要靠您和柳德米拉见面或者我和您丈夫见面。”

“是的，是的，”她说，“不这样又怎样呢？”

他们走出公园。城市的闹声包围了他们，破坏了静静地散步时美好的心境。他们走上离他们相遇的地方不远的一个广场。

她像个小姑娘望着大人一样，从下面朝上望着他，说：

“您现在可能对自己的研究、对试验室、对仪器感到特别热爱。不过您不可能有别的做法，别人可能，您不可能。我把很坏的情况对您说了，不过我以为，知道真情总要好些。”

“谢谢您，玛丽亚。”维克托握着她的手，说。“我感谢的不光是这一点。”

他觉得她的手指头在他的手里哆嗦了几下。

“真奇怪，”她说，“咱们分手差不多都是在咱们会面的地方。”

他用开玩笑的口气说：

“难怪古人说：始终如一。”

她皱起眉头，显然是在思索他的话，后来笑起来，说：

“我不懂。”

维克托望着她的背影：是一个不高的、瘦小的女子，像这样的女子，迎面相遇的男子是从来不会回头看的。

五十八

达林斯基过去很少像这次来加尔梅克草原上出差一样，一连几星期过这种苦闷的日子。他给方面军领导人打了一个电报，说在安然无事的极左翼再待下去没有必要，说他的任务已经完成了。但是方面军领导却表现出达林斯基无法理解的一股固执劲儿，就是不把他召回。

最轻松的是工作时间，最难挨的是休息时间。

四周围都是松散、干燥、沙沙响的沙。当然这里也有生物：蝎虎和乌龟在沙里沙沙地爬着，尾巴在沙上划出一道道印子，有的地方生长着脆弱的、和沙一样颜色的刺草，老鹰在空中盘旋着，寻找死动物和扔掉的食物，蜘蛛用老长的腿奔跑着。

自然条件的贫乏，十一月的无雪沙漠的寒冷与单调，似乎把人掏空了，不仅人的生活，就连人的思想也贫乏、单调和苦闷了。

达林斯基渐渐屈服于这种沉闷的沙漠的单调。他一向对吃东西很淡漠，可是在这里他老是想着吃饭。第一道菜是用大麦粉和渍番茄做的酸羹，第二道菜是大麦米饭，他一见到这样的饭就头痛。他坐在幽暗的板棚里，面对着洒满一摊摊菜汤的木板桌子，看着人们端着浅浅的洋铁钵子喝汤，就感到难受，想快点儿离开食堂，别听羹匙的叮当声，别闻令人恶心的气味。但是一走出来，食堂又恢复了吸引力，他又想着食堂，数算着到明天吃午饭还有多少时间。

夜里小屋里很冷，达林斯基睡不好：脊背、耳朵、脚、手指头都冻得难受，脸颊冻得发木。他睡觉总是不脱衣服，脚上裹两副裹脚布，头用毛巾包起来。

起初他感到奇怪，他在这儿接触到的人似乎想的不是战争，他们的头脑里塞满了吃的问题、抽烟问题、洗衣服问题。但是没过多久，达林斯基在和营长、连长们谈大炮怎样过冬、谈锭子油、谈弹药供应问题的时候，就发现自己头脑里也充满了生活方面的各种各样操心的事、希望和苦恼。

方面军司令部好像远在天外，他只能幻想小一点儿的：到埃利斯塔附近的军团司令部去住一两天。他想上军团司令部，不是盼望和蓝眼睛的阿拉·谢尔盖耶芙娜会面，而是思念着洗洗澡，洗洗衣服，吃一碗菜汤白面条。

现在他觉得在鲍瓦那儿过夜都是愉快的了，住在鲍瓦的小屋里实在不坏。而且和鲍瓦谈的不是洗衣服，也不是菜汤。

特别使他受不了的是虱子。

他很长时间不明白，为什么身上常常发痒，有时正谈着公事，他忽然拼命在腋下或大腿上抓起痒来，却还不明白谈话对方的会心的笑。他一天一天地痒得越来越厉害。锁骨旁边和腋下发痒已经成了习惯。

他以为他是害皮疹，认为害皮疹是因为皮肤太干燥了，是尘土和沙子刺激的。

有时痒得难受，他在路上走着，忽然站下来，又搔大腿，又搔肚子，又搔屁股。

夜里身上痒得特别厉害。达林斯基一醒过来就拼命拿手指甲挠胸前的皮肤，挠上很久。有一次他仰面躺着，把腿跷起挠腿，又一面呻吟着挠腿肚子。越热皮肤越痒，他发现了这一点。一到被窝里浑身就痒得受不了。有时在夜里他到寒冷的空气里，就不怎么痒了。他想上医务所去，要一点治皮疹的药膏。

有一天早晨，他扯了扯衬衣领口，看到领子缝儿里有一些懒洋洋、肥嘟嘟的虱子。虱子非常多。达林斯基又害怕又不好意思地回头看了看睡在他旁边的大尉，大尉已经醒来，坐在床上，脸上带着发狠的表情在敞开的长衬裤上挤虱子。嘴里还不出声地嘟哝着，显然是在进行战斗统计。

达林斯基脱下衬衣，也干起同样的事。

这儿的早晨静悄悄，雾蒙蒙。听不见枪炮声，也没有飞机隆隆声，大概正因为这样，在两位军官手指甲下面阵亡的虱子的咯吧声特别清脆。

大尉瞥了达林斯基一眼，说：

“嗬，好家伙，像狗熊！不，应该说，像母猪！”

达林斯基一面在衬衣领子上搜索着，说：

“难道不发药粉吗？”

“发是发，”大尉说，“可是有什么用？需要洗澡，可是喝的水都不够。食堂里为了节省水，锅碗几乎都不洗。哪儿有水洗澡？”

“有没有灭虱汽锅？”

“算了吧。只是把衣服熏一熏，熏得虱子红一阵子。唉，我们驻扎在奔萨做后备队的时候，那日子才快活哩！我都没有上过食堂。女房东给我做吃的，而且不是老奶奶，是水灵灵的娘儿们。每星期洗两次澡，天天有啤酒喝。”

“怎么办呀？”达林斯基问道。“这儿离奔萨还远呀。”

大尉一本正经地看了看他，用信任的口气说：

“中校同志，有一个好办法。用鼻烟！把砖碾碎了，和鼻烟掺和在一起。撒到衬衣上。虱子就要打喷嚏，难受得团团转，撞到砖上把头撞碎。”

他是一本正经的，所以达林斯基一下子没有明白他是在进行口头创作。

几天之后，达林斯基便听到十来个这种题材的故事。口头创作是很丰富的。

现在他的脑子日日夜夜思索着许多问题：吃饭、洗衣服、换衣服，药粉，用瓶子装开水把虱子烫死，把虱子冻死，把虱子烧死。他连女人也不想了，他想起了他在集中营里听刑事犯人说的俗语：“有劲儿活，就没劲儿想老婆。”

五十九

整整一天达林斯基都是在炮兵营阵地上度过的。一天中,没听到一声炮响,没有一架飞机在空中出现。

营长是一个年轻的哈萨克人。他用纯正的俄语说:

“我想,明年可以在这儿种瓜了。您来吃瓜好啦。”

这位营长在这儿并不坏,他一天到晚露着白牙说笑,用弯弯的短腿在很深的沙子里轻快地来来回回走着,亲热地看着站在油毡小屋旁边的上了套的骆驼。

可是达林斯基看到年轻哈萨克人的快活劲儿,很生气。他希望孤独,所以到傍晚时候,他朝第一连阵地走去,虽然下午他已经去过了。

月亮升上来,老大老大的,黑色多于红色。月亮在黑色而透明的天空里慢慢往上升着,因为使劲,它的脸儿涨得越来越红。在带怒气的月光中,夜晚的沙漠、长筒子大炮、反坦克枪和火箭炮显得十分特别,十分惊慌,十分小心。大路上有一队骆驼拉的大车,车上装的是弹药箱和干草。一切无法连接的东西似乎连接起来了:不论是一部部牵引拖拉机,不论是载有部队报纸印刷设备的汽车,无线电台的细细的天线,长长的骆驼脖子,骆驼的从容不迫的波浪式步子,就好像骆驼浑身没有一根硬骨头,全是用橡胶浇成的。

骆驼走过去了,寒冷的空气中留下一股农村的干草气息,当年伊戈尔王子的大军作战的空旷的田野上空,也出现过这样黑色

多于红色的老大的月亮。当年波斯人进军希腊，罗马军队进入德意志森林，首席执政官的部队夜晚到达金字塔脚下的时候，天空悬挂的也是这个月亮。

当人们想到过去的时候，总是通过稀稀的筛子筛选出一件件历史大事，把士兵的痛苦、磨难和不幸全部筛掉。在头脑里只剩下空洞的故事，得胜的军队怎样部署，失败的军队怎样部署，参加战斗的有多少战车、石弩、骆驼或者多少坦克、大炮、飞机。头脑里留下的印象是，英明而幸运的统帅怎样牵制中心，突击侧翼，山冈后面的伏军怎样突然冲出来决定了战斗的结局。再就是很平常的故事：得胜的统帅回朝后，被怀疑有意推翻君主，结果因为拯救祖国而献出头颅，或者幸免一死，被流放。

这儿真是艺术家创作的一幅激战之后的图画：一轮朦胧的老大的月亮悬挂在战场上空，身穿锁子甲的英雄们张开手臂睡着，旁边是打坏的战车或者坦克，有些胜利的英雄们抱着冲锋枪，坐在摇摇晃晃的帆布帐篷里，有的头戴有铜鹰的罗马式头盔，有的头戴近卫军皮帽。

达林斯基无精打采地坐在炮兵连阵地上的一个弹药箱子上，听两名盖了大衣躺在大炮旁边的战士在说话。连长和指导员上营部去了，从方面军司令部来的这位中校似乎也睡熟了。战士们是从通信员嘴里了解他的身份的。两个战士悠然自得地抽着自己卷的烟卷儿，吐着烟圈儿。

这显然是两个好朋友，他们都有真正的朋友才会有的感情，他们相信，一个人生活中发生的每一桩微不足道的小事，对于另一个人往往是很重要的，是值得关心的。

“怎么啦?”其中一个似乎用嘲笑和漠不关心的口气问。

“怎么啦,怎么啦,难道你不知道他的情形?他的脚疼,不能穿这种鞋。”

“那又怎么啦?”

“可是他只好穿鞋子呀,又不能光着脚。”

“噢,就是说,没有发给他靴子。”他的口气中再也没有嘲笑和漠不关心的意味了,他显得对这件事十分关心。

然后他们谈起家里的事。

“你猜我老婆写些什么?这也没有,那也没有,不是儿子生病,就是女儿生病,老娘们儿,就是这样。”

“可是我老婆写得更干脆:你们在前方有什么难的,你们有给养,可是我们在这儿过这种战时困难日子,简直活不下去了。”

“都是女人见识,”一个说,“她们躲在大后方,不了解前方是什么样子。她们光看到你的给养。”

“一点儿不错,”另一个说,“她们有时买不到煤油,就以为这是天大的事了。”

“是的,她们有时站站队,似乎比在这沙漠上拿燃烧瓶打坦克都困难。”

他竟说起坦克和燃烧瓶来,其实他和他的朋友都知道,德国人的坦克从来没上这儿来过。

在生活中是男人更艰苦还是女人更艰苦这个永远谈不完的话题,也发生在战时这夜晚的沙漠上。不过还没有得出结论,其中一个就很不果断地说:

“不过,我老婆是有病,她的脊椎骨有毛病,抬一下重东西,

就要躺几个星期。”

接着，似乎又换了话题，他们谈起这四周围是一块多么可恨的缺水的地方。

那个离达林斯基比较近些的战士说：

“她这样写，也没有不好的意思，只是因为不了解。”

另一名战士补充了一下，否认自己有意说军人妻子们的坏话，同时又不否认：

“是的。我这是说气话。”

然后他们又抽了一会儿烟，沉默了一会儿，又说起保险刀片多么不保险，说起连长的新制服，又说起，不论多么艰难困苦，还是想活下去。

“你瞧，这夜晚多么好，你要知道，我在上中学的时候，看到这样一幅画：当空一轮明月，战场上到处是战死的英雄。”

“这有什么相同之处？”另一名战士笑道。“那是英雄，咱们算什么，和麻雀一样，咱们干的是蠢事。”

六十

达林斯基右方响起爆炸声，打破夜的寂静。“103毫米。”老练的耳朵判断说。脑子里闪过一些念头，那是在敌人的炮弹爆炸时常常出现的：“是不是偶然的？唯一的？是试射？会不会采取交叉射击？是不是进行炮轰？是不是坦克来了？”

一切久经战阵的人都在倾听，脑子里都出现了和达林斯基大致相同的念头。

一切久经战阵的人都能从上百种声音中分辨出一种真正使人担心的声音。一个老练的战士,不论他正在干什么,不论是手里正拿着调羹,或者正在擦枪,在写信,在用手指头抠鼻子,在看报,或者完全无思无虑(一个当兵的在空闲时候有时也会这样),会立刻转过头去,竖起专注而灵敏的耳朵。

这一次马上得到了答案。右边接二连三传来爆炸声,接着左边也传来爆炸声,四周围轰隆隆,卡啦啦,硝烟弥漫,一切都震动起来。

这是炮轰!

透过硝烟、灰土和沙子可以看到爆炸的火光,在爆炸的火光中可以看到硝烟。

人们在奔跑,在卧倒。

沙漠上一片凄惨的叫声。炮弹开始在骆驼旁边爆炸,骆驼把大车弄翻,拖着扯断的套绳奔跑着。达林斯基不顾炮弹纷纷在爆炸,站起身来,注视着可怕的景象。

他的脑子里清清楚楚地闪过一个念头:他在这儿看到的是祖国的末日景象。他心中充满了不祥的感觉。这沙漠中疯狂奔跑的骆驼的可怖的叫声,这俄罗斯人的惊骇的喊声,这纷纷奔跑躲避的人们!俄罗斯完了!被赶到靠近亚洲的寒冷的沙漠上的俄罗斯,就要完了,就要死在昏沉而静谧的月光下,亲切而悦耳的俄罗斯语言已经和狂奔的、被德国炮弹炸伤的骆驼的恐怖与绝望的惨叫声合成了一片。

在这痛苦的时刻,他心中出现的不是愤怒,不是仇恨,而是对世上所有的弱者和穷人的兄弟情感;他在草原上遇到的那个加尔

梅克人的黑乎乎的苍老的脸此时此刻不知为什么浮现出来,而且他觉得格外亲切,似乎早就熟识了。

“有什么办法呢,这是注定了的。”他在心里说。他也明白了,如果失败了,他也没有必要活在世上了。

他环视了一下躲在掩壕里的士兵们,挺直了身子,准备在这场凄惨的战斗中担负起这支炮兵连的指挥任务,他叫道:

“喂,电话员,过来!到我这儿来!”

可是爆炸声忽然停息了。

就在这天夜里,遵照斯大林的指示,三方面军的司令员瓦图京、罗科索夫斯基和叶廖缅科向所属部队发布了进攻的命令,正是这次进攻在一百小时中解决了斯大林格勒战役的命运和保卢斯的三十三万大军的命运,成为整个战争进程的转折点。

军团司令部有一通电报在等待着达林斯基:要他去诺维科夫上校的坦克军里去,负责向方面军司令部报告坦克军的战斗行动。

六十一

在十月革命节过后不久,德国空军又对斯大林格勒发电站进行了密集轰炸。十八架轰炸机向发电站投下大批重型炸弹。

一片瓦砾的发电站笼罩着一团团的硝烟,德国空军的毁灭性力量使发电站的工作完全停止了。

在这次轰炸之后,斯皮里多诺夫的手剧烈地哆嗦起来。他端起茶杯喝茶,常常把茶泼洒出来,有时觉得哆嗦的手指头端不住

茶杯，只好把茶杯放回桌子上。只有在喝过酒之后，手指头才停止哆嗦。

领导者开始放工人走了，于是工人们便搭过河的船只渡过伏尔加河和图马克河，进入草原，朝中阿赫图巴和列宁斯克走去。

发电站领导人曾经向莫斯科询问过，要求允许撤离，因为车间已经炸毁，他们留在前线已失去意义。莫斯科方面迟迟不作回答，斯皮里多诺夫非常着急。在轰炸之后，党中央马上通知召见党委书记尼古拉耶夫，尼古拉耶夫便乘飞机上莫斯科去了。

斯皮里多诺夫和卡梅绍夫在发电站的瓦砾堆中走来走去，互相劝说着：他们在这儿无事可做，应该离开。可是莫斯科一直没有回话。

斯皮里多诺夫特别为维拉担心。她渡过伏尔加到左岸以后，感到身体很不好，不能上列宁斯克去了。要乘载货汽车在炸坏的路上走一百公里，汽车在冻得像石头一样的土块丛中走，颠得很厉害，一个快到分娩时候的孕妇是受不了的。

几位熟识的工人把她搀到岸边一条驳船上，这条船已经冻在冰上，变成了宿舍。

在发电站第二次被轰炸之后不久，维拉请快艇上的一位技师给爸爸送来一封信。她叫爸爸放心：在舱里给她让出一块地方，是在一个很舒服的角落里，还有布幔遮着。在疏散的人中间有别克托夫门诊所的一名护士和一位产科医生老大娘；离驳船四公里有一所野战医院，如有什么复杂情况，随时可以把医生请来。驳船上有开水炉子，有炉灶，做饭大家一齐动手，粮食由州党委供应。

虽然维拉要爸爸放心，可是信上的每一句话都引起他的担心。也许，只有一点使他得到安慰，就是维拉写的：自从打仗以来，这条驳船一次也没有遭到轰炸。如果他能到左岸去，他一定能弄到一部小汽车或者救护车，至少把维拉送到中阿赫图巴去。

可是莫斯科还是没有回话，没有叫站长和总工程师离开，虽然现在被炸毁的发电站只需要一小队军事化的保卫人员就够了。工人和技术人员们不乐意没有事在发电站闲待着，一得到站长允许，马上就朝渡口走去。

只有安德列耶夫老头子不愿意到站长这儿来拿盖有圆图章的正式证明信。

在轰炸之后，斯皮里多诺夫就劝安德列耶夫上列宁斯克去，他的儿媳妇和孙子就住在那儿，可是安德列耶夫说：

“不去，我要留在这儿。”

他觉得，他在斯大林格勒的河岸边，可以和过去的生活保持联系。也许，再过一段时间他就可以回到拖拉机厂工人村去了。他可以在毁于炮火的房屋中间走走，到他老伴侍弄的小园子里去，把倒下的小树扶起来，支起来，看看埋起来的东西是否还在，然后在歪倒的栅栏旁边的石头上坐一坐。

“瞧，瓦尔瓦拉，缝纫机还在，而且还没有生锈呢，栅栏旁边的苹果树全完啦，是炮弹炸坏的，在地窖里桶里的酸白菜只是上面开始发霉。”

斯皮里多诺夫本来想和克雷莫夫谈谈自己的事情，但是十月革命节以后克雷莫夫再也没有上发电站来。

斯皮里多诺夫和卡梅绍夫决定等到11月17日，到那时就走，

因为在发电站的确无事可干。德军却还在不时地炮轰发电站。在密集轰炸之后十分焦急的卡梅绍夫说：

“斯皮里多诺夫同志，他们既然不停地在轰，可见他们的侦察队一点儿也不顶用。他们的空军随时都可能再来轰炸。要知道德国人执拗得像老牛一样，会照准了一块空地方一个劲儿地猛轰。”

11月18日，斯皮里多诺夫和保卫人员告过别，吻了吻安德列耶夫老头子，最后扫视了一遍发电站的瓦砾堆，便离开了斯大林格勒发电站，一直没有得到莫斯科方面的正式准许。

他在斯大林格勒战役期间在发电站干了很多事情，干得很认真，很艰苦。他害怕打仗，很不习惯战争环境，一想到空袭就胆怯，在轰炸时吓得直发呆，然而他还在工作，因此他的工作就尤其艰苦，尤其可贵。

他提着箱子，背着包袱，一面走，一面回头望着，向站在炸毁的大门口的安德列耶夫挥着手，望着已经没有了玻璃的工程技术大楼，望着涡轮车间的凄凉的断墙，望着依然在燃烧的储油室上空的轻烟。

他离开发电站的时候，发电站已经不需要他了，是在苏军开始进攻的前一天离开的。

但就是他没有挨过去的这一天，却在很多人的眼睛里把他的勤恳、艰苦的工作一笔勾销；有些人本来准备把他称作英雄的，现在却管他叫胆小鬼和逃兵了。

他心中很久都保留着十分痛苦的感情，常常想起，他是怎样一面走，一面回头看，一面挥手，凄凉而孤单的老头子怎样站在电站大门口望着他。

六十二

维拉生了一个儿子。

她躺在驳船舱里,在一张用粗糙的木板钉成的床上。几个女人为了让她暖和,把不少破旧衣服堆到他身上,和她躺在一起的是裹在小被子里的婴儿。要是有人进来,掀开帷幔,她便看到许多人、男人和女人、从上面床铺上耷拉下来的破烂儿。她听到乱哄哄的说话声、孩子的哭叫声和闹腾声。她的头脑里模模糊糊的,烟气腾腾的空气也模模糊糊的。

舱里很闷,同时又很冷,板壁上有的地方结了霜花。人们夜里睡觉不脱毡靴和棉衣。妇女们整天裹着头巾和破被子,不住地呵冻僵的手指头。

小小的窗户几乎挨到冰面,光线勉强可以透进来,所以大白天在舱里都是幽暗的。到晚上就点起油灯。人们的脸被烟子熏得黑乎乎的。舷梯旁的舱门一打开,一团团的热气就冲进舱来,很像爆炸的炮弹的硝烟。

头发蓬乱的老奶奶们挠着白发和灰发,老头子们坐在地上端着杯子在喝开水,裹着头巾的孩子们在各色各样的枕头、包袱、箱子上爬着玩儿。

维拉因为有孩子躺在胸前,觉得她的想法变了,她对一切人的态度变了,身体也变了。

她想到自己的好朋友季娜·麦尔尼科娃,想到照料过她的老奶奶谢尔盖耶芙娜,想到春天,想到妈妈,想到破了的衬衣,想到

棉被，想到谢廖沙和托里亚，想到肥皂，想到德国人的飞机，想到斯大林格勒发电站的掩蔽所，想到自己的头发很久没有洗，而她所想到的一切，都充满了对她所生的孩子的感情，都和孩子有关系，其意义大小都是由和孩子的关系而定。

她看着自己的手、自己的脚、自己的胸膛、手指头。这已经不是那双打排球、写文章、翻书的手。这已经不是那双在学校楼梯上跑上跑下、在暖和的河水里蹦来蹦去、被荨麻扎得痒痒的腿了，也不是街上行人回头看她时看到的那双腿了。

她想着孩子，同时也想着维克托罗夫。

飞机场在伏尔加左岸，维克托罗夫就在附近，伏尔加河再也不能把他们分开了。

马上就会有飞行员们到舱里来，她就问："你们认识维克托罗夫上尉吗？"

飞行员们会说："我们认识。"

"请你们告诉他，他的儿子和妻子在这儿。"

有些妇女到帷幔后面来看她，摇摇头，又笑，又叹气，有的俯身向着婴儿，哭了起来。

她们为自己哭，为婴儿笑，要懂得她们的心情，是不需要什么话的。

如果有人向维拉问什么话，那么问话的意义只是在于，产妇怎样才能喂好婴儿：乳房是不是有奶水，有没有乳腺炎，潮湿空气是不是使她感到气闷。

产后第三天，父亲来到她身边。他已经不像斯大林格勒发电站的站长：提着箱子，背着包袱，胡子拉碴的，竖着大衣领子，系

着领带,鼻子和两腮被冷风吹得通红。

父亲来到她的床前,她看到父亲那打颤的脸最初一会儿不是对着她,而是对着躺在她旁边的小东西。

他背过身去。她从他的肩膀和脊背看出来,他是在哭。她明白,他哭的是,妈妈再也不会知道这个外孙了,不能像他刚才那样看看外孙了。

过了一会儿,他对自己流泪又生气,又感到不好意思,因为几十个人看见了,他用冻哑了的声音说:

“好呀,因为你,我做爷爷啦。”他俯下身去,吻了吻维拉的额头,又用冰冷的脏手抚摩了几下她的肩膀。

然后他又说:

“十月革命节那天,克雷莫夫上发电站来过。他还不知道你妈妈已经不在了。他一个劲儿问任尼娅的情况。

一个胡子拉碴的老头子穿一件女式棉袄,露着一团一团的烂棉花,他吃力地喘着气说:

“斯皮里多诺夫同志,现在又是颁发库图佐夫勋章,又是颁发列宁勋章和什么英雄勋章,为的是多杀一些人。我们的人和他们的人杀了多少啦!倒是真应该颁发这么大的勋章,两公斤重的,给您的女儿,因为她在这样艰苦的条件下带来了新生命。”

这是在维拉生过孩子之后谈起她的第一个人。

斯皮里多诺夫决定留在驳船上,等到维拉身子硬朗了,和她一起上列宁斯克去。他要上古比雪夫去接受新的任务,上列宁斯克是顺路。他看到驳船上的伙食太差,应当马上为女儿和外孙想想办法,所以等身上暖和过来之后,便前去找州党委的指挥所,州

党委指挥所就在附近，在森林中的什么地方。他指望到那儿通过朋友弄一些猪油和糖来。

六十三

这一天在舱里特别难受。伏尔加上空笼罩着乌云。在到处是垃圾和黑乎乎的泔水的肮脏的冰上没有孩子在游玩，妇女们也不在冰窟窿里洗衣服，下游来的冷风撕扯着冻在冰上的破布，又从舱门的缝儿里钻进舱里，使整个驳船到处是呼啸声和咯吱声。

人们呆呆地坐着，裹着头巾、棉衣、棉被。最喜欢唠叨的娘儿们也不说话了，倾听着风的吼声、木板的咯吱声。

天色渐渐黑了。似乎这黑暗是来自人们难以忍受的痛苦，来自可怕的寒冷、饥饿、肮脏，来自没完没了的战争的折磨。

维拉躺着，用棉袄一直盖到下巴，每一阵风钻进舱里，她都感觉到冷气在脸上拂动。

此时此刻她对一切都很悲观：父亲也不能把她送走了，战争永远不会结束，到春天德国人就会侵入乌拉尔，侵入西伯利亚，他们的飞机会永远在天空尖叫，永远有炸弹爆炸声。

她第一次怀疑维克托罗夫离她很近。战场是很多的。也许，不论战场上，不论后方，都已经找不到他了。

她掀开小被子，凝视着孩子的脸。孩子为什么哭呀？也许，是她的苦恼传给了他，就像她把温暖和奶水给了他一样。

这一天，酷寒、凛冽的冷风、在辽阔的平原和大河上进行的大规模战争使大家都很难受。

难道一个人长期过这样可怕的饥寒交迫的日子能忍受得了？

为维拉接生的老奶奶谢尔盖耶芙娜走到她床前，说：

“我看你今天的样子很不好，还不如第一天。”

“没什么，”维拉说，“爸爸明天就要回来，会给我带吃的东西来。”

虽然谢尔盖耶芙娜听说要给产妇带猪油和糖来，感到很高兴，她还是很气愤、很不客气地说：

“你们这些当官的人家，总有好东西吃，到处有好吃的东西等着你们。可是我们吃的东西只有一样——冻土豆。”

“安静点儿！”有一个人叫道。“安静点儿！”

在船舱的另一头响着一个不很清楚的声音。

那声音忽然响亮起来，压倒其他一切声音。

那是一个人就着油灯的亮光在读报：

“最新消息……我军在斯大林格勒市区发起强大攻势……近几天驻守在斯大林格勒附近要冲地带的我军向德国法西斯军队发起猛攻。是从两个方向开始进攻的：从斯大林格勒西北方和南方……”

人们一声不响地站着，在哭。一条无形的奇怪的线联结着他们和那些小伙子，那些小伙子此时此刻正迎着寒风在雪地上前进，有的躺在雪地里，浑身是血，用模糊的目光向人世告别。

老头子和妇女们在哭，工人们在哭，孩子们带着不是孩子应有的表情和大人站在一起听人读报。

“我军攻克顿河东岸的卡拉奇市、克里沃穆兹金车站、阿布加萨罗沃市及其车站……”

维拉和大家一起哭着。她也觉得有一条线联结着那些在黑沉沉的冬夜里前进、倒下去又爬起来、又倒下去再也爬不起来的人和在这舱里听进攻消息的苦难的人们。

那些人迎着死亡往前冲,是为了她,为了她的儿子,为了两手在冷水里冻裂了口子的妇女们,为了老年人,为了裹着妈妈的破头巾的孩子们。

于是她十分高兴地哭着想,等她的丈夫上她这儿来,妇女、老年人和工人们会一齐把他围住,对他说:“好孩子!”

读报的人却念道:“我们正继续进攻。”

六十四

值班参谋向空军第八军团司令汇报了各团一天来的作战情况。

将军把放在面前的报表浏览了一遍,对值班参谋说:

“萨卡布卢卡很不走运,昨天他的政委被击落了,今天又有两名飞行员被击落。”

“司令员同志,我往他们团部打过电话,”值班参谋说,“明天安葬别尔曼同志。军委委员说要去参加葬礼,要讲话。”

“我们的委员就喜欢讲话。”司令员笑着说。

“司令员同志,两名飞行员是这样:中尉科罗尔是在第38近卫师防地上空被击落的,小队长维克托罗夫上尉是在德军机场上空被敌机打得着了火,还没有飞到前线,就在高空坠落,恰好落在中间地带。步兵看到,几次想到他跟前去,德国人不让去。”

“是啊，常常有这种情况。”司令员说着，用铅笔搔了搔鼻子。“您现在办一件事：和方面军司令部联系一下，提醒他们，萨哈罗夫曾经答应给我们换一辆吉普，要不然很快就没有车子用了。”

死去的飞行员在积雪覆盖的小丘上躺了一夜。寒风凛冽，星光灿烂。黎明时小丘变成粉红色，飞行员躺在粉红色的小丘上。后来吹起贴地的搅雪风，尸体渐渐被雪埋住。

第三部

一

在斯大林格勒进攻战开始之前几天，克雷莫夫来到第64军团的地下指挥所。军委委员阿勃拉莫夫的副官坐在写字台前就着鸡汤吃饼子。

副官放下调羹，叹了一口气，从这口气可以听出来，鸡汤滋味太美了。克雷莫夫的眼睛都湿了，他忽然极其强烈地希望就着白菜汤吃一块饼子。

在布幔后面，副官禀报过以后，就没有声音了。过了一会儿，克雷莫夫听到他已经熟悉的嗄哑的声音，不过这一次那声音不高，克雷莫夫听不清说的是什么。

副官走出来，说：

“军委委员不能接见您。”

克雷莫夫惊讶地说：

“我没有要求接见。是阿勃拉莫夫同志叫我来的。”

副官看着鸡汤，没有作声。

“这么说，是改变主意了？我真不明白。”克雷莫夫说。

克雷莫夫出了地下指挥所，顺着一条干沟朝伏尔加河岸边走去，军队报纸的编辑部在那儿。

他走着，因为这次莫名其妙的召唤，因为自己见到别人吃饼子就眼馋，心里十分懊恼，一面倾听着库波罗斯山沟那边传来的零乱的、懒洋洋的炮声。

有一位头戴军帽、身穿军大衣的姑娘朝作战科走去。克雷莫

夫朝她打量了一眼，在心里说："真漂亮！"

他的心又因为习惯的惆怅感紧紧收缩起来，他想起任尼娅。他又同样习惯地吆喝自己："追上她，追上去！"又回想起在哥萨克小镇上那一夜，想起那个年轻的哥萨克女子。

后来他想起斯皮里多诺夫："是一个很好的人，不过他当然不是斯宾诺莎[①]。"

这些念头、懒洋洋的炮声、对阿勃拉莫夫的恼火、秋日的天空在他的脑海里清清楚楚地回旋了很久。

有一名军大衣上带有绿色大尉领章的司令部工作人员，从指挥所赶来，把他喊住。

克雷莫夫大惑不解地朝他看了看。

"上这儿来，这儿来，请吧。"大尉用手指着一座小屋的门，低声说。

克雷莫夫经过一道岗哨，朝门口走去。

他们走进屋里。屋里有一张办公桌，在板墙上用图钉钉着斯大林肖像。

克雷莫夫以为大尉找他有事，大概要说："对不起，营政委同志，您能不能把我们的报告带到左岸，交给托谢耶夫同志？"

但是大尉没有这样说。

他说的是：

"把您的武器和身份证交出来。"

于是克雷莫夫十分慌乱地说了已经毫无意义的话：

"您有什么权力这样对待我？您想看我的身份证，先把您的

---

①斯宾诺莎是荷兰17世纪伟大的哲学家。

身份证给我看看。”

后来，等他相信了这毫无来由、毫无道理但又毫无疑问的事，他就说了成千上万的人在他之前在类似的情况下说过的话：

“这真荒唐，我简直一点儿也不懂，莫名其妙。”

不过，这已经不是自由的人的话了。

二

“你别装糊涂。你说，你在被围困期间干了些什么？”

他在伏尔加河左岸，在方面军司令部特别科受到审讯。

油漆地板、窗台上的花盆、墙上的挂钟似乎都散发着小地方的宁静气氛。右岸显然有飞机在轰炸；从斯大林格勒方面传来的轰隆声和玻璃颤动声似乎显得又熟悉又亲切。

和自命不凡的、嘴唇灰白的侦讯员一起坐在吃饭的桌子旁边的是一个粗野的中校，不知为什么他还没有发作。

可是你瞧，中校肩膀上带着石灰炉壁上的石灰印子，走了过来，走到这个坐在凳子上、当年指导过东方殖民国家工人运动的人，这个身穿军服、佩戴政委金星的人，这个生来善良、和蔼的人跟前，照他的脸上狠狠打了一拳。

克雷莫夫用手摸了摸嘴巴和鼻子，朝自己的手上看了看，看到手上又是血又是唾液。然后他动了动嘴巴。舌头发僵，嘴唇也麻木了。他看了看刚刚擦洗过的油漆地板，便把血吞咽下去。

夜里他痛恨起特别科的人。但是起初他既不觉得恨，又不觉得疼。一拳打在脸上，把他的精神打垮了，除了麻木感和发僵感

以外,什么感觉也没有。

克雷莫夫回头看了看哨兵,觉得很不好意思。红军士兵看到了一个共产党员挨打!打的是共产党员克雷莫夫,是当着小伙子的面打的,克雷莫夫所参加的伟大革命就是为了这些小伙子。

那个中校看了看表。已经是科长级食堂开晚饭的时间。

克雷莫夫被押着在又是灰土又是雪粒的院子里走着,朝着原木搭成的囚室走去。这时候,从斯大林格勒方面传来的空袭的轰隆声特别清楚。

在麻木过去之后,他的第一个念头是,德国人的炸弹可以把这小小的囚室炸毁……这个念头又简单又丑恶。

在原木作墙的闷人的囚室里,他感到又绝望,又愤怒,再也控制不住自己。当年是他用嗄哑的嗓门儿叫喊着,向飞机奔去,迎接自己的好朋友季米特洛夫同志,是他抬过蔡特金同志的棺材,现在也是他像个小偷一样看着,特别科人员是不是要打他。是他从重围中把许多人带出来,他们都称他"政委同志"。现在是一个拿枪的农村小伙子用厌恶的目光看着他,看着他这个在审讯中被另外一个共产党员打得满脸是血的共产党员……

他还不能理解"失去自由"这句话的全部意义。但他已经成为另外一种生物,他的一切都应当改变,因为他已经失去自由。

他的眼前发黑……他要去找谢尔巴科夫,去找党中央,他还可以去找莫洛托夫,不把这个坏蛋中校枪毙,决不罢休。你们打电话吧!就打电话给克拉辛吧。要知道,斯大林都听说过我,知道我的名字。斯大林同志有一次问日丹诺夫同志:"这是哪一个克雷莫夫,是在共产国际工作过的那个克雷莫夫吗?"

可是克雷莫夫马上就觉得脚下是深深的泥潭,他就要陷进又黑、又黏、又稠的无底泥潭中……有一种不可抗拒的、比德国的装甲部队更厉害的力量向他扑来。他失去了自由。

任尼娅呀!任尼娅呀!你看见我了吗?任尼娅!瞧瞧我吧,我遭殃了!我太孤单了,没有人理睬我了,你也不睬我了。

坏蛋打他呢。他神志模糊,气得手指头都打哆嗦,真想朝特别科的坏蛋扑过去。

他过去对宪兵、对孟什维克、对他审讯过的党卫军军官都没有这样痛恨过。

克雷莫夫通过打他的人看到的不是敌人,而是克雷莫夫自己,也就是当年还是孩子的时候看到共产党宣言上那句激动人心的话"全世界无产者,联合起来!"而兴奋得流泪的那个克雷莫夫。这种相近的感觉才真正可怕。

三

天色渐渐黑了。有时这小小囚室的难闻的空气中充满斯大林格勒激战的隆隆声。也许是德国人在攻打保卫着正义事业的巴秋克和罗季姆采夫的部队。

过道里偶尔有走动声。大囚室的门有时打开。大囚室里住的是逃兵、叛徒、趁火打劫的人、强奸犯。他们不时地要求上厕所,看守的士兵在开门之前,总要和他们争吵老半天。

把克雷莫夫从斯大林格勒的河边押来的时候,让他在大囚室里待了一阵子。谁也没有注意这位袖子上还带有红星的政委。

他们关心的只是有没有带纸，好让他们卷烟卷儿。这些人所想的只是吃、抽烟、满足身体需要。

是谁，是谁控告他？多么痛心啊：知道自己无罪，却又觉得犯了弥天大罪，吓得浑身发冷。罗季姆采夫的管道，“6-1”号楼的瓦砾，白俄罗斯的沼地，沃龙涅日的冬天，渡河的事——一切幸福的、愉快的事都已成为过眼云烟。

他现在真想上外面去走走，抬起头看看天空。去看看报纸，刮刮胡子，给弟弟写封信，他想喝杯茶，他还要归还他借来的一本书，看看表，洗洗澡，到箱子里去拿一块手帕。可是他什么也不能了，他失去了自由。

很快就把克雷莫夫从大囚室里带到过道里，警备队长骂看守的士兵说：

“我对你说的很清楚，你他妈的为什么把他塞到大房间里？哼，你糊里糊涂，想上前线是不是？”

等警备队长一走开，看守的士兵对克雷莫夫发牢骚说：

“经常是这样。单人囚室总不得空闲！他自己说过，要把该枪毙的关在单人囚室里。如果我把您关进去，该把他关到哪儿去？”

一会儿克雷莫夫就看到几名士兵从单人囚室里押出一名判处枪决的犯人。犯人那一头淡黄色的头发贴在凹进去的狭窄的后脑上。他可能有二十岁，至多二十五岁。

把克雷莫夫带进空出来的单人囚室里。他在幽暗中看到小桌子上有一个饭盒，还摸到旁边有用面包瓤捏成的一只小兔子。看样子，这是犯人刚刚捏成的：面包还是软和和的，只有兔子的两

只耳朵有点儿变硬了。

渐渐静下来……克雷莫夫半张着嘴，坐在铺上，睡也睡不着：需要想的事情太多了。但是被打昏了的头脑不能想，鬓角疼得厉害。头脑里一阵阵长浪，在旋转，在奔腾，在震荡，想镇定也镇定不了，想什么都想不成。

夜里过道里又有嚷嚷声。值班的士兵在呼唤领班的班长。靴子的踢踏声。克雷莫夫听出警备队长在说话：

“把他妈的那个营政委带出来，让他在警卫室里坐一会儿。”又补充说：“重大事故就是重大事故，上级早晚会知道的。”

单人囚室的门开了，一名士兵喊道：

“出来！”

克雷莫夫走了出来。过道里站着一个光着脚、只穿着衬裤的人。

克雷莫夫这一生见过很多可怕的东西，但是他一看到这张脸，就觉得，比这张脸更可怕的东西他从来没有见过。这张脸很小，带有肮脏的黄斑。一张脸在可怜地哭着，那皱纹、那哆哆嗦嗦的腮和嘴唇都在哭。只有眼睛没哭，不过最好别看那双可怕的眼睛，那眼睛的神情也是极其可怕的。

“走吧，走吧。”士兵催促克雷莫夫说。

到了警卫室里，这名士兵对克雷莫夫说了说发生的重大事故。

“警备队长说要送我上前线，实际上在这儿还不如上前线，在这儿人的神经快要错乱了……把一名故意自伤的弟兄拉出去枪毙。他开枪透过一个大面包打伤了自己的右胳膊。把他枪毙了，

用土埋上,可是夜里他又活了过来,又回到我们这儿。”

他对克雷莫夫说话,尽可能既不称“您”,也不称“你”。

“他们搞得太马虎了,简直叫人看着可怕。就是宰牲口也不该这样马虎。可是他们干什么都马马虎虎的。土地是冻的,他们只把荒草扒几下,胡乱撒几把土,转身就走。当然啦,他是能爬出来!如果好好儿地把他埋上,他永远也爬不出来。”

克雷莫夫是常常回答问题,扭转人的思想,为人讲解的,现在却大惑不解地向这名士兵问道:

“不过,他怎么又回来啦?”

看守的士兵笑了笑。

“还有哩,带他去枪毙的班长说,既然重新为他办手续,就应该发给他口粮,可是总务科长很凶,发起脾气:既然已经枪毙了,还发什么口粮?依我看,这话也对。是班长太马虎,怎么能叫总务科负责任?”

克雷莫夫忽然问道:

“您在战前是干什么的?”

“战前我在国营农场养蜂。”

“清楚了。”克雷莫夫这样说,因为四周围和他的头脑里的一切都糊里糊涂,很不清楚。

黎明时候,又把克雷莫夫押回单人囚室。用面包瓤子捏的小兔子依然在饭盒旁边。不过这会儿小兔儿已经硬了,不软和了。大囚室里传出恳求的声音:

“看守,行行好,带我去解解手吧!”

这时候,草原上升起棕红色的太阳。好像是一个上了冻又粘

满泥土的肮脏甜菜疙瘩爬到了天上。

不久就把克雷莫夫押上一辆吨半汽车，负责押送的一名和善的中尉就和克雷莫夫坐在一起。司务长把克雷莫夫的提箱交给他。吨半汽车就咯吱咯吱地在冻实的阿赫图巴河边的泥块上蹦跳着，朝列宁斯克的飞机场开去。

他呼吸着潮湿的冷气，他满怀信心和希望，——可怕的噩梦似乎已经结束了。

四

克雷莫夫走出小汽车，把灰色的卢比扬卡峡谷打量了一遍。因为长时间的飞机马达声，因为眼前不停地闪过一片片收割完毕的和尚未收割的田野、一条条小河、一片片树林，因为心中交替地闪过失望、信心、灰心，这会儿头脑里在轰轰作响。

门开了。他进入窒息人的官气和疯狂的官场严密统治的世界，进入一种生活，这种生活在战争之外，与战争无关，又在战争之上。

在一个闷人的空房间里，在探照灯似的明亮的灯光下，叫他脱光了衣服。在一个穿白大褂子的若有所思的人摸他的身体的时候，他打着哆嗦想道，战争的沉雷和钢铁都没有打乱这不知羞耻的手指头的一丝不苟的动作。

他想起一名死去的红军战士，在防毒面具里留下在进攻前写好的字条儿："我是为幸福的苏联生活死的，家里还有老婆和六个孩子。"一名被烧死的坦克手，浑身黑乎乎的，一缕缕头发粘在年

轻的头上;成千上万人民的军队,穿过森林和沼地,开炮,打机关枪……

那手指头还在摸着,又镇定,又平静,可是政委克雷莫夫还在炮火下呼喊过:“怎么,格涅拉洛夫同志,您不想保卫苏维埃祖国!”

“转过身去,弯下腰,把腿伸出来。”

然后,他穿起衣服照相,敞着领口照,板着面孔照,带着表情照,从正面照,从侧面照。

然后,他在心里狠狠地骂着娘,在一张纸上盖了手印儿。然后一名忙忙碌碌的工作人员把他裤子上的纽扣剪下来,又拿走他的腰带。

然后他乘灯光明亮的电梯上去,顺着铺了地毯的长长的、空荡荡的走廊朝前走去,经过一个个带圆孔的门。外科诊所病房。癌外科诊疗室。空气是暖和的,是带有官气的,被电灯照得通亮。这是诊断社会病的X光研究所……

“究竟是谁把我关进来的?”

在这窒闷、不通风的空气中很难思考什么。梦、清醒、过去、未来全都搅在一起。他失去自我感觉……我是不是有过妈妈?也许,我从来没有妈妈。任尼娅也是可有可无的了。松树顶上的星星,抢渡顿河,德国人的绿色照明弹,“全世界无产者,联合起来”,每一个门里面都有人,我要死得像个共产党员,莫斯托夫斯科伊这会儿在哪儿,头轰轰直响,难道是格列科夫朝我开枪,卷发的格里高力·叶甫谢耶维奇,共产国际主席,在这走廊上走,多么难闻、多么闷人的空气,多么讨厌的探照灯光……格列科夫朝我

开枪，特别科的坏家伙打我一拳，德国人朝我开枪，不知明天我会怎样，我向你们发誓，我什么罪也没有，要说有罪，只有瞎编，好样的老头子在十月革命节在斯皮里多诺夫那儿唱起歌儿，肃反委员会，肃反委员会，肃反委员会，捷尔任斯基当年是这座房子的当家人，亨利·亚戈达，还有明仁斯基，后来就是小个子、绿眼睛的彼得堡无产者叶若夫，现在是又和蔼又精明的贝利亚，当然，当然，我们见过面，我们唱过："起来，饥寒交迫的奴隶……"我什么罪也没有，要说有罪，只有瞎编，难道要把我枪毙？……

在笔直的走廊里走，而生活是乱糟糟的，又是小道，又是山沟、沼地、小河、草原灰土、未收割的庄稼，挤着走，绕着走，当命运笔直的时候，就直着走，走廊，走廊，走廊里有很多门。

克雷莫夫从容不迫地走着，不快也不慢，好像押着他的士兵不在他后面，在他前面。

他一来到卢比扬卡的房子里，就产生了一种不同的感觉。

"点的轨迹。"他在按指印儿的时候，这样想道。他不明白自己为什么这样想，虽然正是这个念头表达了他的新的感觉。

所以产生新的感觉，是因为他失去自己的本来面目。如果他要喝水，会让他喝个够，如果他心脏病发作，突然跌倒在地，也会有医生给他打针抢救。可是他已经不是克雷莫夫，他感觉到这一点，虽然他还不理解这一点。他已经不是原来那个克雷莫夫同志，不能像原来那样穿衣、吃饭、买票看电影、思考、睡觉，总是感觉自己就是自己。克雷莫夫同志本来和所有的人都不同，心灵不同，思想不同，革命前的党龄不同，刊登在《共产国际》杂志上的文章与众不同，各种各样的习惯与众不同，气派与众不同，和共青

团员或区委书记、工人、老党员、老朋友、求助者谈话的语调也与众不同。如今他的身体像人的身体,行动和思维像人的行动和思维,但是克雷莫夫同志作为人的实质、他的尊严、他的自由全消失了。

把他押进一间囚室。囚室长方形,光溜溜的镶木地板,有四张床,铺得平平展展,被子连皱褶都没有,他顿时感觉出来:三个人用人的好奇的目光看了看这第四个人。

他们是人,至于他们是好人还是坏人,他不知道,他们对他敌视还是漠视,他不知道,但是他们对他的好态度、坏态度、冷漠态度,都是人对人的态度。

他坐到给他指定的床上,那三个坐在床上、膝头放着打开的书本的人都一声不响地看着他。他似乎已经失去的美好、可贵的感觉又回来了。

有一个人大块头,宽额头,凸凸的脸,那矮矮的、肉嘟嘟的额头上面是密密麻麻的白了的和没有白的、像贝多芬那样蓬乱的鬈发。

另一个是老头子,两手像纸一样白,光秃的头顶和脸部都显得骨骨棱棱的,就好像雕在金属上的浅浮雕,似乎他的血管里流的是雪,不是血。

还有一个和克雷莫夫坐在一张床上,是一个很和蔼的人,因为刚刚摘下眼镜,鼻梁上还带着红红的印子,这人又可怜,又善良。他用手指了指头,微微笑了笑,摇了摇头,克雷莫夫便懂了:看守的士兵在小孔里看着呢,不能说话。

头发蓬乱的人第一个开口说话。

“好吧，”他懒懒地然而很和善地说，“我就代表大家欢迎部队来的人。敬爱的同志，您是从哪儿来的？”

克雷莫夫很不好意思地笑了笑，说：

“从斯大林格勒。”

“噢，看到英勇保卫战的参加者，真是高兴。欢迎光临寒舍。”

“您抽烟吗？”白脸老头子很快地问道。

“我抽烟。”克雷莫夫回答说。

老头子点了点头，就低下头看书。

这时和克雷莫夫坐在一起的近视的人说：

“是这样的：我没有给同志们创造方便，我说我不抽烟，就不发给我烟了。”

他问道：

“您离开斯大林格勒很久了吗？”

“今天早晨还在那里。”

“哦……哦……”那个大个子说，“乘飞机来的吗？”

“是的。”克雷莫夫回答说。

“您说说，斯大林格勒怎么样？我们没有订到报纸。”

“您想吃饭，是吗？”和善而近视的人问道，“我们已经吃过晚饭了。”

“我不想吃，”克雷莫夫说，“德国人拿不下斯大林格勒。现在这已经很清楚了。”

“我一直相信这一点。”大个子说。

老头子砰的一声把书合上，向克雷莫夫问道：

“看样子,您是共产党员吧?”

“是的,是党员。”

“小声,小声,只能用小声说话。”和善而近视的人说。

“说到党员身份也要用小声。”大个子说。

克雷莫夫觉得他的面孔很熟悉,他忽然想起这个人:这是莫斯科有名的报幕员。当年克雷莫夫带妻子上圆柱大厅参加音乐会,看到他在舞台上。现在却在这儿见面了。

这时候门开了,看守的士兵往里面看了看,问:

“谁是‘卡’,跟我走!”

大个子回答说:

“我是卡,卡茨涅林鲍肯。”

他站起来,用手指头梳了梳乱蓬蓬的头发,便不慌不忙地朝门口走去。

“这是提审他。”近视的邻床犯人说。

“为什么说‘卡’?”

“这是规矩。前天看守来喊他,就说‘谁是卡茨涅林鲍肯? 就叫卡!’真好笑。真怪。”

“是啊,我们都笑了。”老头子说。

“你这个老会计,因为什么也到这儿来啦?”克雷莫夫在心里说,“我也要叫‘克’了。”

犯人们开始睡了,可是强烈的光依然亮着。克雷莫夫觉得有人在小孔里注视着他卷裹脚布,往上提长衬裤,挠胸膛。这是一种专用的灯光,不是为囚室里的人照亮,而是为了能看清他们的活动。如果在黑暗中观察他们更方便的话,就让他们待在黑暗

中了。

老会计脸朝墙躺着。克雷莫夫和邻床的近视的人在小声说话，谁也不看谁，而且用手捂着嘴，免得看守的士兵看到他们的嘴巴在动。

他们不时地看看旁边空着的床。不知为什么他们在为受审的报幕员担心。

近视的人说：

“我们在牢房里都变成兔子了。就像童话里说的，神仙用手一指，人就变成兔子。”

他说起同囚室的人。

老头子也许是社会革命党，也许是社会民主党，也许是孟什维克，他的姓是德列林格。克雷莫夫过去在什么地方听说过这个人。德列林格在监狱、政治隔离室、集中营里过了二十多年，接近当年莫罗佐夫、诺沃鲁斯基、弗罗连科、菲格纳在施吕瑟尔堡要塞度过的年限。现在把他押回莫斯科，是因为他又作案：他在集中营里想就农业问题对被划为富农的犯人作报告。

报幕员和德列林格有同样漫长的狱龄。二十多年之前，他开始在肃反委员会在捷尔任斯基手下工作，后来又在亚戈达领导的国家政治保安局，在叶若夫领导的内务部，在贝利亚领导的国家安全部工作。他有时在中央机关工作，有时主持大规模的集中营建设。

克雷莫夫原来也错看了和自己说话的这位鲍戈列耶夫。这位难友原来是一位艺术理论家、古董鉴赏专家，有时还写诗，不过他的诗从来没有发表过，因为不符合时代要求。

鲍戈列耶夫又小声说：

"可是现在，您要知道，什么都完了，完了，我也变成了兔子。"

多么荒唐，多么可怕呀，世界上什么都没有了，只有抢渡布格河、第聂伯河，只有在皮里亚京被围困，只有奥夫鲁奇沼地、马马耶夫冈、"6-1"号楼，只有政治汇报、弹药消耗、政工人员负伤、夜间突击、在战斗中和行军时的政治工作、试射、坦克袭击、火箭炮、总参谋部、重机枪……

在同一世界、同一时间里什么都没有了，只有夜间的审讯、起床号、点名、被押着上厕所、发香烟、搜查、对质、侦讯员、特别会议的决定。

但是这种情形、那种情形都有。

但是为什么他觉得同囚室的人失去自由、住在内部监狱的囚室里是很自然的、不可避免的？为什么他克雷莫夫住在这囚室里、睡在这床铺上就是荒唐的、毫无道理的、不可思议的？

克雷莫夫急不可待地要说说自己。他忍不住说：

"我老婆离开我了，没有人给我送东西。"

大个子肃反工作人员的床铺直到早晨都是空的。

五

战前，克雷莫夫有时从卢比扬卡经过，就猜想在这昼夜有人活动的房子里在干些什么。被捕的人在这内部监狱里蹲八个月、一年、一年半：在进行侦讯。然后被捕者的家属就收到集中营里

的来信，于是常常出现一些地名：科米、萨列哈尔德、诺里尔斯克、科特拉斯、马加丹、沃尔库塔、科雷马、库兹涅茨克、克拉斯诺亚尔斯克、卡拉干达、纳加耶夫海湾……

但是成千上万的人进入内部监狱之后，就永远没有消息了。检察机关通知家属，说这些人被判剥夺通信权十年。但是在集中营里根本没有判这种刑的犯人。剥夺通信权十年显然指的是枪决。

有人从集中营里来信，写到，身体很好，很暖和，如果有可能的话，请寄一些大葱和大蒜去。有人给家属解释说，大葱和大蒜是治坏血病的。至于在侦讯监狱里度过的时间，从来没有人在信里提到。

在1937年夏季的夜晚，从卢比扬卡和共青团胡同里经过，是特别可怕的。

一条条闷热的、夜晚的街道空荡荡的。一座座敞着窗户的楼房黑沉沉的，里面挤满了人，却又像是空旷无人。这种宁静使人毫无宁静感。在遮着白窗帘的明亮的窗户里人影憧憧，在大门口，汽车车门不时地砰砰响着，车灯忽明忽灭。似乎偌大一座城市被卢比扬卡的明亮而呆滞的目光封锁住了。脑子里出现了一个一个的熟人。和他们的距离不能以空间来度量，这是用另外的尺度测定的一种距离。天上人间没有一种力量能够越过这一深渊，这深渊等于死的深渊。不过，不是在土里，不是在棺材里，而是在这儿，人还活着，在呼吸，在思考，在哭，没有死。

汽车送来一批又一批被捕的人，成百、成千、成万的人在内部监狱里，在布特尔监狱、列福尔托夫监狱里消失了。

一批批新的工作人员进入区委、人民委员会、军事部门、检察机关、公司、医院、工厂管委会、基层工会、工厂工会、土地管理处、细菌试验室、模范剧院院部、飞机设计院、设计巨型化学与金属产品的研究所，代替被捕的人。

有时候，来接替人民敌人、恐怖分子、破坏分子的人转眼间就成了敌人、异己分子，也被逮捕了。有时又一批接替的人也是敌人，也被逮捕。

有一位列宁格勒的同志悄悄地对克雷莫夫说过，他曾经和列宁格勒同一个区党委的三位书记住在一个囚室里。每一个新上任的书记都揭发过自己的前任，说他是敌人和恐怖分子。在囚室里他们睡在一起，谁也不恨谁。

当年任尼娅的哥哥米佳·沙波什尼科夫进过这座楼房。腋下夹着一个白色的小包袱，是妻子给他收拾的，有毛巾、肥皂、两套衬衣、牙刷、袜子、三块手帕。他走进这楼房的时候，在脑子里还记着党证上的五位数字、自己在巴黎商务代办处的办公桌、国际车厢，还记着在国际军厢里和妻子明确关系的情景、喝矿泉水和懒洋洋地翻看《金驴记》的情景。

当然，米佳没有任何罪行。可还是把米佳关进来了。克雷莫夫倒是没有被关过。

当年柳德米拉的第一个丈夫阿巴尔丘克就在这条灯光明亮、从自由通向不自由的走廊里走过。阿巴尔丘克在前去受审的时候，急不可待地想解开莫名其妙的疑团……可是过了五个月、七个月、八个月，阿巴尔丘克写道："使我第一次产生杀害斯大林同志的念头的，是德国军事间谍机关的一个头头儿，当初是一位地

下工作的领导人使我和他认识的……我们谈话是在五一游行之后，在亚乌斯克林荫道上，我答应再过五天给他最后的回答，我们约定了下一次接头的时间、地点……”

在这里面进行的工作是令人吃惊的，实在令人吃惊。要知道，当年高尔察克手下一名军官朝阿巴尔丘克开枪的时候，他连眼睛也不眨一眨。

当然，是他们强迫他写假供词栽诬自己。阿巴尔丘克当然是真正的共产党员，是坚强的、列宁主义的老战士，他什么罪也没有。可是把他逮捕了，他写了供词……克雷莫夫没有被关过，没有被捕过，没有被迫写什么供词。

有关这类事的情况，克雷莫夫听说过。有些情况是有的人悄悄对他说的，说过之后还要叮嘱：“不过你要记住，这事你如果说了，哪怕对一个人，对老婆、对妈妈说了，我就完了。”

有些情况是另外一些人透露的。有的人喝多了酒，听到别人自以为是的愚蠢说法，很不服气，无意中说出几句不留心的话，接着就不作声了，到第二天好像顺便说说似的，打着呵欠说：“哦，我昨天好像胡说了一些什么话，不记得了吧？好，不记得更好。”

有些情况是朋友们的妻子上集中营里去看过丈夫之后对他说的。

不过这一切都是传闻，都是瞎说。克雷莫夫从来就没有遇到这类事。

可是，你瞧。现在把他关进来了。无法设想的、荒唐的、没有道理的事就出现了。当年关押孟什维克、社会革命党人、白党分子、神甫、富农代言人的时候，他连一分钟也没有考虑过，这些人

失去自由，等待判决，心里是什么滋味。他没有想过他们的妻子、母亲、孩子。

当然，当爆炸的炮弹越来越近，伤害的不是敌人，而是自己人的时候，他已经不那么心安理得了，因为关的不是敌人，而是苏联人，是党员呀。

当然，在把他特别亲近的一些人、他认为是列宁式的布尔什维克的一些同辈人关进来的时候，他是受到震动的，夜里睡不着觉，思考过，斯大林是否有权剥夺人的自由，折磨他们，枪毙他们。他想到他们遭受的苦难，想到他们的妻子和妈妈的苦难。因为他们不是富农，不是白党分子，他们是人，是列宁主义的布尔什维克。

不过他还是安慰自己：不管怎样，他克雷莫夫还没有被关过、被流放过嘛，他还没有写过什么供词，没有被迫招认过什么罪状嘛。

可是，你瞧。现在把他克雷莫夫，把列宁主义的布尔什维克关进来了。现在再也无法自我安慰，无法解释，无法说明了。这是事实。

他已经见识了一些情况。牙齿、耳朵、鼻子、光身子的腹股沟都成了搜查的对象。然后是提着剪掉了扣子的裤子和衬裤，又可怜又可笑地在走廊里走，近视的人的眼镜也被没收，他们整天惶惶不安地眯着眼睛，揉搓着眼睛。人进了囚室，便成了试验室里的老鼠，就会产生新的反应，说话声音小小的，上床、起床、大小便、睡觉、做梦，时时刻刻都在观察之下。原来这里的一切是这样残酷，这样荒唐，这样不人道，这样骇人听闻。他第一次明白，在

卢比扬卡干的事情这样可怕。要知道,这是在折磨他这个布尔什维克、这个列宁主义者,折磨克雷莫夫同志呀。

六

一天天过去。没有提审克雷莫夫。

他已经知道什么时间吃饭,吃些什么,知道放风的时间和洗澡的时间,知道监狱烟草的烟气、点名的时间,知道图书室里大概有一些什么样的书,认识了一些看守的面孔,常常惶惶不安地等待着同囚室的人被提审归来。被提审次数最多的是卡茨涅林鲍肯。提审鲍戈列耶夫总是在白天。

没有自由的生活呀！这是疾病。失去自由就等于失去健康。电灯亮着,水龙头里有水,钵子里有菜汤,但是灯光、水、面包都是有专门作用的,需要供应,就供应。有时为了侦讯的需要,可以使犯人一时见不到灯光,吃不到饭,睡不成觉。因为他们得到这一切,不是为了他们本身,这是对待他们的一种工作方法。

瘦得皮包骨的老头子被提审过一次,他回来以后,很神气地说:

“通过三个小时的不开口,侦讯官先生弄清楚了,我的姓确实是德列林格。”

鲍戈列耶夫总是非常和蔼可亲,和同囚室的人说话总是用十分尊敬的口气,常常询问同囚室的人的健康和睡眠情况。

有一天,他对克雷莫夫念起诗来,后来他忽然停住,说:

“对不起,您好像不感兴趣呀。”

克雷莫夫笑了笑，说：

“说实在的，我一窍不通。不过我过去看过黑格尔的诗，我倒是懂。”

鲍戈列耶夫非常害怕提审。他一听到值班的看守来传他去受审，就惊慌失措。每次受审回来，似乎都瘦了、小了、老了。

他说起对他的审讯，都是前言不搭后语，绕来绕去，而且眯着眼睛。无法理解他的罪名是什么：也许是说他有意谋害斯大林，也许是说他不喜欢用社会主义现实主义精神创作的作品。

有一次大个子肃反工作人员对鲍戈列耶夫说：

“您可以帮助他们制造一条罪状。我劝您这样编造：‘我对一切新事物怀有刻骨的仇恨，凡是获得斯大林奖金的艺术作品，我都不满意。’这样也不过判十年徒刑。尽量不要揭发自己的朋友，揭发朋友并不能保护自己，相反，倒是会说您参加什么组织，您就会进入保密的集中营。”

“您怎么啦，”鲍戈列耶夫说，“我怎么能帮助他们呀，他们什么都知道。”

他常常就他喜欢的话题小声发表议论：我们都是童话中的人物。不论是威风凛凛的师首长、伞兵，不论是马蒂斯、皮萨列夫的高徒，不论是党员、地质学家、肃反工作人员、五年计划的建设者、驾驶员、巨型钢铁产品的制造者，都是童话中的人物。我们本来神气活现，信心十足，可是一跨进这奇异的楼房的大门，魔杖一挥，我们就变成小不点儿，变成小猪崽子、小松鼠。现在我们算什么？不过是小虫儿，不过是蚂蚁蛋儿。

他的见解独到、奇特，显然也很深刻，不过在日常生活方面气

量却很狭小,常常担心发给他的东西比别人的少,比别人的坏,担心缩短了放风时间,担心有人在放风时间吃他的东西。

生活中充满各种各样的事件,但生活是空虚的,是虚假的。囚室里的人生存在干涸的河槽里。侦讯员在侦查这河槽、石头、裂缝、高高低低的堤岸。但是当初冲成这河槽的水已经没有了。

德列林格很少和人说话,如果说话,大半是和鲍戈列耶夫,显然因为他不是党员。

不过他在和鲍戈列耶夫说话的时候,常常发火。

“您是一个怪人,”有一次他说,“第一,您对您瞧不起的人又恭敬又亲热,第二,您天天问我身体怎样,其实我是死是活对于您完全是一样。”

鲍戈列耶夫抬起头看着囚室的天花板,把两手一摊,说:

“您听着,”于是拖长声调念道:

“你的甲壳是什么做的,可是龟甲?”
我这样问,得到这样的回答:
“这是我积累的恐惧做成的,
世界上再没有什么比这更结实!”

“这是您写的诗吗?”德列林格问道。

鲍戈列耶夫又把两手一摊,没有回答。

“老头子很害怕,积累了不少恐惧。”卡茨涅林鲍肯说。

吃过早饭以后,德列林格给鲍戈列耶夫看了看一本书的封面,问道:

“您喜欢吗?”

“说实在的，不喜欢。”鲍戈列耶夫说。

德列林格点了点头。

“我也不赞赏这部作品。盖奥尔吉·瓦连季诺维奇说：‘高尔基塑造的母亲形象是圣像，工人阶级不需要圣像。’”

“一代一代的人都在读《母亲》，”克雷莫夫说，“怎么是圣像？”

德列林格用幼儿园保育员的语调说：

“所有希望奴役工人阶级的人，都需要圣像。比如，在你们共产党的神龛里就有列宁的圣像，也有斯大林的圣像。涅克拉索夫不需要圣像。”

似乎不光是他的头顶、额头、手、鼻子是用白骨头旋成的，他的话也当当响，好像是骨头做成的。

“噢呀，真是一个坏家伙。”克雷莫夫在心里说。

鲍戈列耶夫生起气来。克雷莫夫从来没看到这个和蔼可亲、善于隐忍的人这样生气。鲍戈列耶夫说：

“您在对诗的认识方面，只知道有涅克拉索夫，却不知后来又出了布洛克，出了曼德尔施塔姆，出了赫列布尼科夫。”

“曼德尔施塔姆我不了解，”德列林格说，“可是赫列布尼科夫不过是颓废、堕落。”

“去您的吧！”鲍戈列耶夫第一次十分激烈地大声说，“我讨厌透了您那普列汉诺夫的老一套说教。在咱们这房间里，你们是不同派别的马克思主义者，但是有一点是相同的：对诗歌一窍不通，根本不懂得诗是怎么一回事儿。”

说来很奇怪。克雷莫夫一想到，在看守人员的眼里，不论值

夜班的、值日班的人员眼里，他这个布尔什维克、这位政委竟和坏老头子德列林格没有任何不同，他就特别不痛快。

所以现在，他这个一向反对象征派、颓废派、一生喜欢涅克拉索夫的人，宁愿在争论中支持鲍戈列耶夫了。

如果皮包骨的老头子说起叶若夫的坏话，他也会信心十足地代为辩护的，会说枪毙布哈林是正确的，妻子不揭发丈夫被流放也是正确的，可怕的判决、可怕的审讯都是正确的。

可是皮包骨的老头子没有说。

这时候一名看守走进来，带德列林格去厕所。

卡茨涅林鲍肯对克雷莫夫说：

“我和他两个人在这房间里过了五天。他一句话也不说。我对他说：‘两个犹太人，两个大人，在卢比扬卡附近的村子里一块儿过了好几个晚上，一句话也不说，实在好笑。’不行！他就是不说话！为什么不睬人？他为什么不愿意和我说话？是有血海深仇还是夜里在拉克鲍伊麦拉赫杀了神甫？他要怎样？真是一个老小孩子。”

“是敌人。”克雷莫夫说。

显然大个子肃反工作人员对德列林格非常感兴趣。

“您要知道，他的罪行很重！”他说，“全是虚构！他已经在集中营里待了很多年，前面还有棺材等着他，可是他毫不在乎。我真羡慕他！来提审他，喊：谁是‘德’？他像树桩一样，就是不作声。直到喊他的姓，他才答应。领导人来到囚室里，打死他，他也不站起来。”

等到德列林格上厕所回来，克雷莫夫对卡茨涅林鲍肯说：

“在历史法庭面前，一切都算不了什么。您我虽然在这里面，还是要痛恨共产主义的敌人。”

德列林格带着好笑和好奇的神气看了看克雷莫夫。

“算什么历史法庭，”他没有对着任何人，只是说，“这是历史性的迫害！”

卡茨涅林鲍肯不应该羡慕德列林格的刚强。他的刚强已经不是人的刚强。是一种盲目的、非人的狂热用自己的化学热在燃烧空虚而冷漠的心。

俄罗斯的轰轰烈烈的战争、和战争有关的一切大事都很少触动他，他不问前方的战事，也不问斯大林格勒的情形。他不知道新兴的城市，也不知道大力发展的工业。他过的已经不是人的生活，而是在独自下一局没完没了的、抽象的狱中棋。

克雷莫夫倒是对卡茨涅林鲍肯很感兴趣。克雷莫夫感觉出来、看出来，卡茨涅林鲍肯很聪明。他说笑、打诨、瞎扯，他的眼睛却是深沉的、懒懒的、疲惫的。见过世面、厌倦了人生而不怕死的人的眼睛往往是这样的。

有一次谈起在北冰洋沿岸建筑铁路，他对克雷莫夫说：

“这计划是非常美好的。”接着又说：“不过，要实现这一计划，得付出上万人的生命。”

“是有些可怕。”克雷莫夫说。

卡茨涅林鲍肯耸了耸肩膀，说：

“您要是看看劳改队怎样去上工就好啦。全都像死人一般的沉默着。头顶上是绿的和蓝的北极光，四周围都是冰雪，黑沉沉的北冰洋在怒吼。在这儿也可以看到强大的力量。”

他劝克雷莫夫说：

“应该帮助侦讯员，他是新干部，很难完成任务……如果帮助他，给他指示，那也是帮助自己，免得一次一次的提审。结果反正一样：专门会议会作出早就决定的决定。”

克雷莫夫正要和他争论，他又说：

“个人清白——是中世纪残余，是神话。托尔斯泰说，世界上没有有罪的人。我们肃反工作人员却得出最严密的结论：世界上没有无罪的人，没有不能判罪的人。逮捕证写的是谁，谁就有罪。在逮捕证上写谁都可以。每个人都可以上逮捕证。给别人写逮捕证写了一辈子的人也可以，狡兔死，走狗烹嘛。”

他认识克雷莫夫的很多朋友，有些是在1937年经他审讯时认识的。他说起经他审讯的人，既不痛恨，也不抱愧，使人觉得有些奇怪，他说：“这人很有意思，”“真是怪人，”“这人挺讨人喜欢。”

他常常提到法朗士，提到《阿巴纳斯随想录》，喜欢引用巴别尔小说中人物别尼亚·克里克的话。说起大剧院的歌舞演员都亲切地叫他们的名字和父称。他搜集了不少珍本古书。他说了说他在被捕前不久搜集到的一部拉季谢夫文选有多么珍贵。

“要是能把我搜集到的书交给列宁图书馆，那就好了，”他说，“要不然那些浑蛋会让那些书散失了，因为他们不懂书的价值。”

他的妻子是芭蕾舞演员。他担心拉季谢夫文选的命运，显然胜过担心妻子的命运。克雷莫夫说到这一点，他回答说：

“我的安格琳娜是一个聪明女子，她不会倒霉的。”

似乎他什么都明白,但是什么感情也没有。一些很普通的概念,如离别、磨难、自由、爱情、女人的忠贞、痛苦,他都无法理解。他说起他在肃反委员会工作的头几年,他的声音中出现了兴奋的意味。“那时候多好呀,那些人多棒呀。”他说。至于克雷莫夫一生的所作所为,他认为那属于宣传范畴。

他说过斯大林:

“敬佩斯大林,胜过敬佩列宁。他是我真正爱戴的唯一的一个人。”

但是,这个当年参与制定处治反对派首领方案、在贝利亚手下主持北极圈里大规模集中营建设的人,如今在自己原来工作的楼房里夜间提着剪掉了扣子的裤子前去受审,为什么竟这样心平气和,处之泰然?孟什维克德列林格用沉默对他表示不满,他为什么那样不安,那样难受?

有时克雷莫夫自己也怀疑起来。为什么他在给斯大林写信的时候,那样愤怒,那样冲动,浑身打颤,浑身冒汗。狡兔死,走狗烹。这事就出在1937年,好几万党员,都是像他这样的,甚至比他更好。狡兔死,走狗烹。为什么他现在对“汇报”这个词儿这样反感?仅仅是因为他坐了牢,正是由于什么人的汇报。过去他常常听取各排政治时事宣传员的政治汇报。那是很平常的事。很平常的汇报。红军士兵里亚鲍什坦带着贴身十字架,说共产党员是不懂天理的人;里亚鲍什坦进了惩戒连,活了多久呢?红军士兵高尔杰耶夫说他不相信苏联武装力量的强大,认为希特勒一定会胜利;高尔杰耶夫进了惩戒排,活了多久呢?红军士兵马尔凯维奇说:“所有共产党员都是贼,等时候一到,我们用刺刀把他

们戳死，人民就自由了。”军事法庭判处马尔凯维奇死刑，都是他汇报的。他还向方面军政治部汇报过格列科夫，如果不是德国的炸弹把格列科夫炸死的话，会当着很多军官的面把他枪毙的。那些被送进惩戒营、被法庭判了刑、在特别科被审讯的人，又是什么感觉呢？

可是在战前，他多次参与办理这一类的案件，心安理得地看待一些朋友的话：“我在党委说过我和彼特尔的谈话”“他在党的会议上如实地交代了伊万来信的内容”“一传讯他，他作为一个共产党员，当然应该把一切都说出来，他交代了同志们的思想情况，也交代了瓦洛佳多次来信的内容。”

是的，是的，这些情况都有过。

唉，这又管什么用……所有这些解释，不论是书面的还是口头的，都不能帮助任何人走出监狱。其真正用意只有一点：为的是自己不陷入泥坑，自己摆脱。

克雷莫夫没有很好地维护自己的朋友，实在没有，虽然他不喜欢干这类事情，怕这类事情，千方百计地逃避。他为什么冲动，为什么打颤呢？他希望怎样呢？是希望卢比扬卡的值班看守知道他的孤独？希望侦讯人员同情他被心爱的女子扔掉，在分析案情时要考虑到他夜夜在呼唤她，在咬自己的手，考虑到妈妈还唤他的小名？

夜里克雷莫夫醒来，睁开眼睛，看见德列林格在卡茨涅林鲍肯床前。明亮的电灯光照在老囚犯的背上。鲍戈列耶夫也醒了，用被子盖着腿，坐在床上。

德列林格冲到门口，用皮包骨的拳头擂起门来，用骨头般的

声音叫喊起来：

“喂，值班的，快叫医生，犯人心脏病发作啦！”

“别叫，住嘴！”值班看守跑到小孔跟前，喝道。

“怎么能不叫，人要死啦！”克雷莫夫大声叫道。他也从床上跳起来，跑到门口，和德列林格一起用拳头擂起门来。他看到鲍戈列耶夫又在床上躺下来，用被子蒙住头，显然是怕参与这夜晚的特别事件。

一会儿门就开了，走进来好几个人。

卡茨涅林鲍肯昏迷了，他身躯高大，老半天才把他弄到担架上。

早晨，德列林格突然向克雷莫夫问道：

“请问，您这位共产党的政委在前方是不是常常遇到不满的表现？”

克雷莫夫问：“什么样的不满，对什么不满？”

“我指的是对布尔什维克的集体化政策、对战争的总的领导不满，总之，是指政治上的不满的表现。”

“从来没有。类似的思想表现连影子也没有遇到过。”克雷莫夫说。

“噢，噢，当然，我也是这样想。”德列林格说，并且满意地点了点头。

七

在斯大林格勒城下包围德国人的主张，被认为是十分英

明的。

在保卢斯军队的两翼秘密集结大量兵力,是袭用原始时代就产生的原理:当光脚、歪额头、大颌骨的原始人要包围进入洞穴的森林野兽的时候,就是悄悄地在灌木丛中爬的。有什么惊异的呢,是惊异木棒和远程大炮的不同,还是惊异古老武器和新式武器的原理几千年来没有变化?

不过,了解了人类活动的螺旋在不断地向广的和高的方向增加其螺旋线的同时,却有一个不变的轴,既不必感到失望,也不必感到惊异。

虽然成为斯大林格勒战役关键的包围原理不是新的,斯大林格勒大反攻的组织者们正确地选定了运用这一古老原理的地区,毫无疑问是有功绩的。他们还正确地选定了进行这一战役的时机,很好地训练了军队,巧妙地集结了军队;使三方面军,即西南方面军、顿河方面军、斯大林格勒方面军,很好地配合,也是组织者的功绩;在没有自然条件作掩护的草原地带秘密集结兵力也是很不容易的。南面的部队和北面的部队要从德国人的左肩和右肩擦过,在卡拉奇会合,包围敌人,打碎保卢斯部队的骨头,摘取其心和肺。要花费很多力气制订战役的细节,侦察敌军的火器、兵力、后方、交通线。

不过,最高统帅斯大林、朱可夫、华西列夫斯基元帅、沃罗诺夫、叶廖缅科、罗科索夫斯基和总参的许多有才能的军官参与的这次战役的筹划,其基础仍然是原始毛人早已运用于战斗实践的两翼包围敌人的原理。

天才的定义只适用于实现了新的思想的人,而且新思想是指

核心,不是皮壳,是轴,不是绕轴转的螺旋圈儿。从马其顿王亚历山大时代起,所有战略与战术的拟定,都和这一类的神奇行动毫无共同之处。人的意识震慑于大规模的军事行动,就常常把规模之大和统帅的思想成就之大混为一谈。

战争的历史表明,统帅们在突破防线的战斗中,在追击、迂回、包围战中,运用的并不是新的原理,他们运用的是尼安德特时代就知道的原理,而且可以说,这些原理就连那些包围牲口的狼和抵御狼的牲口都知道。

一个能干而认真负责的厂长,一定会保证原料和燃料的及时供应,使各车间保持联系,使工厂生产所需要的几十种大大小小的条件得到满足。

可是,如果历史学家说,是厂长的活动创造了冶金学、电工学和金属的伦琴射线原理,研究工厂史的人的意识就会不赞成:发明伦琴射线的是伦琴,不是我们的厂长……炼铁炉在我们的厂长以前就有了。

真正伟大的科学发明可以使人变得比大自然更聪明。大自然借助这些发明、通过这些发明认识自己。伽利略、牛顿、爱因斯坦在认识空间、时间、物质和力方面所做的事,就属于这样的人类伟大事件。人类通过这些发明,创造了超过自然存在的深度和高度,因此,促进了自然界的自我认识,促使自然界更加丰富。

有些已经自然形成的、可以看到、可以感触到的已经存在的原理,只是由人说出来,这是低一级的,是二级发明。

鸟飞、鱼游、风滚草和圆石的滚动、风吹得树木摇摇晃晃并且摆动枝叶、海参的喷射运动——这一切都是这种或那种可以感触

到的、明显的原理的表现。人类从现象中得出原理，应用于人类环境中，并且根据需要和可能性不断地加以发展。

飞机、涡轮机、喷气式发动机、火箭在生活中是有巨大意义的，人类制造出这些东西应归功于人类的才能，不过并不是天才。

运用人类而不是自然发现和总结出来的原理，比如在无线电、电视、雷达方面得到运用和发展的电磁场理论原理，运用这样的原理的发明，也属于二级发明。释放原子能也属于这样的二级发明。建成第一个核反应堆的费密不应当希求得到人类天才的称号，虽然他的发明已成为世界历史新纪元的开端。

人类借助新的条件，不断地改进人类活动环境中已经存在的东西，比如，在飞行器上安装新的发动机，把轮船上的蒸汽发动机换成电力发动机，又把电力发动机换成原子能发动机，这在发明中属于更低级，属于第三级了。

今天的战争艺术是新的技术条件与旧的原理相配合，人在这方面的活动，正是属于第三级。否定领导作战的将军的活动在军事上的意义，是不对的。不过，把将军称为天才也是不对的。这样看待一位有才能的指挥生产的工程师，是荒谬的；这样看待一位将军，不仅是荒谬的，而且是有害的，是危险的。

八

两个大锤，每一个都是由几百万吨钢铁和活人血肉铸成的，一南一北，等待着信号。

首先发起进攻的是布置在斯大林格勒西北方的部队。1942

年 11 月 19 日上午 7 时 30 分，西南方面军和顿河方面军全线发起了长达八十分钟的强大的炮火准备。炮兵徐进弹幕射击猛击第三罗马尼亚军团盘踞的阵地。

8 时 50 分，步兵与坦克发起进攻。苏军士气空前高涨。第 76 师在该师管乐队演奏的进行曲乐声中发起冲锋。

下午，敌人防御配系的战术纵深被突破。战斗在广大的地带展开了。

罗马尼亚第 4 军被击溃了。罗马尼亚第 1 骑兵师被分割，它与克莱尼亚地区第 3 军团其余部队的联系已被切断。

第 5 坦克军团从谢拉菲莫维奇西南三十公里的高地上发起进攻，突破罗马尼亚第 2 军的阵地，很快地向南推进，快到中午的时候，已经占领了佩列拉佐夫以北的高地。苏军的坦克军和骑兵军转向东南方推进，傍晚时候就到达古森卡和卡尔梅科沃，深入罗马尼亚第 3 军团后方六十公里。

一昼夜之后，11 月 20 日拂晓，集结在斯大林格勒南方加尔梅克草原上的部队发起进攻。

九

诺维科夫在拂晓前很久就醒来了。诺维科夫是那样兴奋，以至于自己感觉不出兴奋了。

“军长同志，您喝茶吗？”维尔什科夫得意洋洋地、亲热地问道。

“好，”诺维科夫说，“你告诉炊事员，叫他煎几个鸡蛋。”

“上校同志，煎什么样儿的？”

诺维科夫一时没有说话，思索了一会儿，维尔什科夫以为军长在考虑问题，没有听到他的问话。

“煎荷包蛋，”诺维科夫说过，看了看表，“你去看看盖特曼诺夫起来没有，过半个钟头咱们就要动身了。”

他觉得他没有想，过一个半小时就开始炮火准备；没有想，天空就要被几百架强击机和轰炸机闹得轰轰叫起来；没有想，工兵就要爬着去剪铁丝网和清除地雷，步兵就要拖着机枪朝着他在炮队镜里观察过多次的雾蒙蒙的山冈奔去。他似乎没有感觉到此时此刻他和别洛夫、马卡罗夫、卡尔波夫的关系。他似乎没有想，昨天在斯大林格勒西北方，苏军坦克进入炮兵和步兵突破的德军防线之后，不停地朝卡拉奇方向推进，再过几个小时，他的坦克就要从南面开去，与北面来的坦克会合，以便包围保卢斯的军队。

他没有想方面军司令部，没有想，明天斯大林也许会在自己的命令中提到诺维科夫的名字。他没有想任尼娅，没有回忆他在布列斯特跑向机场、天空升起德寇发动的战争的第一道火光的那一天黎明。

但是，他没有想的一切，都在他心中。

他想的是：穿软底的新靴子呢，还是穿皮靴，可不能把烟盒忘了；他想：哼，狗崽子，又给我冷茶；他在吃煎鸡蛋，还掰下一块面包，仔细地在揩煎锅上的油。

维尔什科夫报告说：

“您给我的任务完成啦。”马上又用谴责的语调和信任的口气说：“我问卫兵：‘他在家吗？’卫兵回答说：‘他能上哪儿去，在跟

娘儿们睡觉呢。'"

卫兵说的是比"娘儿们"更难听的词儿，但是维尔什科夫认为，和军长说话不能用这样的词儿。

诺维科夫没有作声，用手指头在扫桌上的面包渣子。

一会儿，盖特曼诺夫走了进来。

"喝茶吗？"诺维科夫问道。

盖特曼诺夫用断断续续的声音说：

"该动身了，诺维科夫同志，茶喝过了，该去打德国佬了。"

"嘿，好家伙。"维尔什科夫在心里说。

诺维科夫走进军部的屋子，和涅乌道布诺夫谈了谈联络问题和转发命令问题，又看了看地图。

黑沉沉的夜色，似乎一片寂静，诺维科夫不由地想起在顿巴斯的童年。那时的黎明就是这样，似乎一切都在沉睡，可是过几分钟，空中就会充满汽笛声，人们就会朝矿井和工厂大门走去。但是在汽笛声响起之前就醒来的小别佳·诺维科夫知道，千百只手已经在黑暗中摸裹脚布、靴子，许多妇女已经光着脚在地上走，锅碗瓢盆已经在叮当响了。

"维尔什科夫，"诺维科夫说，"把我的坦克开到观察所，今天我要用。"

"是，"维尔什科夫说，"我把所有的东西装上去，您的东西，政委的东西。"

"不要把可可忘了。"盖特曼诺夫说。

涅乌道布诺夫披着军大衣走到台阶上。

"刚才托尔布欣中将打电话问，军长是不是上观察所了。"

诺维科夫点了点头，捅了捅司机的肩膀：

“走吧，哈里托诺夫。”

汽车出了小镇，离开最后一户人家，转了一个弯，又转了一个弯，就朝正西开去，擦过一片片白雪和枯草丛。

汽车经过一片洼地，第一旅的坦克就集结在这里。

诺维科夫忽然对司机说：“停下！”他跳下车来，朝着在晨曦中显得黑乎乎的坦克走去。

他走着，不和任何人说话，注视着一个个人的脸。

他想起前几天在乡村广场上看到的未剪过头的补充队的小伙子们。确实，他们是孩子，可是世界上的一切，不论是总参谋部的计划，不论是方面军司令部的命令，一个小时之后他要向各旅旅长发出的命令，政工人员对他们说的话，作家们在报纸文章和诗歌中写的许多话，都是为了要他们到炮火底下去。冲啊，冲啊！在黑沉沉的西方他们将遇到的是：朝他们射击，砍他们，履带碾他们。

“要举行婚礼啦！”是的，不过没有甜葡萄酒，没有手风琴。“苦啊！”诺维科夫就要这样叫了，十九岁的新郎官们不会转过头去，会老老实实地吻新娘们。

诺维科夫觉得他似乎是在自己的弟弟们、侄儿们、街坊邻居的孩子们中间走着，几千个无形的农妇、姑娘、老奶奶在看着他。

母亲们在战争时期也认为任何人无权让别人去死。在战场上也能遇到一些人，他们似乎暗地里参与母亲们的活动。这些人说：“别动，别动，你上哪儿去，听，火力多么猛。他们在那儿等我的报告呢，你在这儿烧烧开水好啦。”这样的人在电话里向上级报

告说:“是,把机枪推到前面。”可是,放下话筒,就说:“推到前面没有意思,会把一个好小伙子打死的。”

诺维科夫朝自己的坦克走去。他的脸显得阴沉而僵硬,似乎吸进不少十一月拂晓时候黑沉沉的潮气。当坦克发动起来的时候,盖特曼诺夫用会意的目光看了看他,说:

“诺维科夫同志,你可知道,正是在今天,我很想对你说说:我真喜欢你,你要明白,我相信你。”

十

一片寂静,没有任何声音,似乎世界上既没有草原,也没有晓雾,也没有伏尔加河,只有寂静。黑云上飞过一阵轻快而明亮的波纹,然后灰色的晓雾又变成深红色,忽然轰隆声震动了天空与大地……

近处的炮声与远处的炮声连成一片。回声把连成一片的声音储存起来,又把复杂交错的声音扩散开去,这声音便充满了辽阔战场的巨大空间。

泥土房屋在打颤,一团团的黄土从墙上掉下来,无声无息地落在地上。草原村庄里一户户人家的门自动开了又自动关上,湖上的薄冰裂了缝。

狐狸摇着长满柔软的毛的沉甸甸的尾巴跑起来,兔子也跑,不是躲狐狸,而是跟着狐狸跑;夜间的猛禽和白日的猛禽也许是第一次汇合在一起,挥动沉甸甸的翅膀,飞上天空……有些黄鼠也糊里糊涂地从洞里跑出来,就好像迷迷糊糊、头发蓬乱的汉子

从着了火的房子里往外跑。

似乎发射阵地上的潮湿的早晨的空气因为接触到几千门大炮的滚热的炮筒,温度上升了一度。

在前沿观察所,可以清清楚楚地看到苏军炮弹的爆炸,看到黑色和黄色的硝烟在旋转,泥土和肮脏的雪纷纷扬起,看到炮火的白光。

炮声停了。一团团硝烟慢慢化为一缕缕干燥、炽热的长发,与潮湿、寒冷的草原雾混合到一起。

天空马上充满新的声音,轰轰隆隆,又沉重,又响亮,——一批批苏联飞机向西飞。飞机的轰隆声、啸声、吼声使一片灰云的模糊的天空的许多层楼的高处成为清晰可见的、可以感觉到的。一批批装甲强击机和歼击机贴近地面飞行,像低低的云片,而在云片之中和云片之上是用粗嗓门儿吼叫的不易看到的轰炸机。

德军飞机在布列斯特上空,苏军的天空在伏尔加河畔的草原之上。

诺维科夫没有想这些事,没有回忆,没有比较。他正在经历的事比回忆、比较、思考更重要。

静了下来。等着静下来以便发出进攻信号的人,准备一见到信号就朝罗马尼亚军团的阵地扑过去的人,一时间都在寂静中屏住气息。

在无声无息、浑浊的太古海洋一般的寂静中,在这几秒钟里,定好了人类发展曲线的转折点。参加保卫祖国的决战多么好,多么幸福呀。迎着死亡站起来,不是逃避死亡,而是跑去迎接死亡,多么沉痛,多么可怕呀。年纪轻轻的死去,多么可悲呀。希望活,

希望活呀。但愿保留年轻的生命，保留活得还太少的生命，世界上再没有什么愿望比这更强烈的了。这种愿望不在思想中，它比思想更强烈，它在呼吸中，在鼻孔里，在眼睛里，在肌肉里，在贪婪地吸收氧气的血红蛋白中。这愿望是如此之大，没有什么能与之相比，没有什么能测量其大小。可怕呀。在进攻之前实在可怕。

盖特曼诺夫呼哧呼哧地、深深地吸了几口气，看了看诺维科夫，看了看战地电话机，看了看无线电发报机。

盖特曼诺夫看到诺维科夫的脸，感到十分惊异。这张脸已经不是盖特曼诺夫几个月来常常看到的那张脸。原来那张脸的各种各样的神气他都见过的，不论在愤怒的时候、忧虑的时候、傲慢的时候，不论在高兴的时候、愁眉苦脸的时候。

没有压下去的罗马尼亚炮队一个一个地复活了，从纵深处朝前沿阵地进行急促射击。强大的高射炮也对准地面目标开了火。

“诺维科夫同志，”盖特曼诺夫十分激动地说，“到时候啦！不要考虑太多！”

不仅是在战争时期，他总认为，为了事业牺牲一些人是很自然的，是无可非议的。

但是诺维科夫不肯发命令，他吩咐接通重炮团团长洛帕津的电话，刚才他的大炮轰击过拟定的坦克运动的中心地带。

“你瞧着吧，诺维科夫同志，托尔布欣会骂你的。”盖特曼诺夫看了看自己的手表。

诺维科夫不仅对盖特曼诺夫，自己对自己也不好意思承认自己的可笑的温情。

“我们会损失很多坦克的，心疼坦克呀，”他说，“几十部漂亮的坦克呀，总共不过几分钟的事，等我们把高射炮和反坦克炮压下去，他们就在我们掌心里了。”

在他面前的草原上一片硝烟。和他一起站在战壕里的人目不转睛地看着他。各坦克旅旅长在等待着他通过无线电发出的命令。

他充满了一名上校惯有的战斗激情，很不斯文的功名心在紧张地突突跳动，而且盖特曼诺夫在催促他，他也怕上级。

而且他清楚地知道，他对洛帕津说的话，总参历史科不会有人研究的，不会受到斯大林和朱可夫的称赞，不会使他得到盼望已久的苏沃洛夫勋章。

有一种权力大于不加考虑就叫人去死的权力，那就是在叫人去死的时候好好考虑考虑的权力。诺维科夫行使了这一权力。

十一

斯大林在克里姆林宫等待斯大林格勒方面军司令的报告。

他看了看表；炮火准备刚刚结束，步兵已出动，机动部队准备进入炮兵冲开的突破口。空军的飞机在轰炸后方、道路、机场。

十分钟之前，他和瓦图京通过话：西南方面军坦克部队与骑兵部队的推进超过了原计划中的设想。

他拿起铅笔，看了看仍然没有声音的电话机。他想在地图上标出南路人马开始运动的位置。但是一种迷信的感觉使他放下了铅笔。他清清楚楚感觉到，希特勒此时此刻正在想着他，并且

知道他也在想着希特勒。

丘吉尔和罗斯福相信他,但是他明白:他们的信任不是绝对的。他们使他生气的是,他们虽然喜欢和他协商,但是在和他商议之前,他们之间已经商量好了。

他们知道,战争来了,总会过去的,而政治是永远留着的。他们赞赏他的逻辑、他的知识、他的清楚的头脑;他们使他恼火的是,总认为他是亚洲式的统治者,不是欧洲式的领袖。

他忽然想起托洛茨基那带有蔑视意味、微微眯着的、凌厉逼人的、聪明的眼睛,他第一次感到可惜,可惜托洛茨基已经不在人世,要不然让他看看今天多好呀。

他觉得自己是幸福的,身体是强壮的,嘴里没有像铅一样的讨厌的味道,心也不疼。在他来说,生的感觉和强的感觉是一回事。战争开始以后,斯大林就有一股苦恼感。元帅们看到他发火,呆呆地、笔直地站在他面前的时候,他仍然感到苦恼;当几千人在大剧院里站着向他致敬的时候,他还是感到苦恼。他总觉得,他周围的人一想起他在1941年夏天的张皇失措,就偷偷地嘲笑他。

有一次,当着莫洛托夫的面,他抓住自己的头发,嘟哝说:"怎么办……怎么办呀……"在国防委员会会议上,他变了腔调,大家都垂下了头。他有好几次发出毫无意义的指示,他看出,大家都明白这些指示毫无意义……7月3日,他开始发表广播讲话的时候,心情十分慌乱,一面在饮治病的矿泉水,电波把他的慌乱心情传送出去……朱可夫在6月末不客气地反驳他,他一时间十分尴尬,说:"您想怎样就怎样吧。"有时他想把重任让给在1937

年被杀害的雷科夫、加米涅夫、布哈林，让他们领导军队、领导国家吧。

他有时会出现十分可怕的感觉：在战场上取得胜利的不光是他今天的敌人。他想象到，跟在希特勒的坦克后面，在硝烟与灰尘中朝他走来的还有那些似乎被他永远制伏了、被他打得永世不能翻身的人。那些人从冻土中爬出来，炸翻他们头上的永久冻土，冲破重重铁丝网。载满复活的人的一列列火车从科雷马开来，从科米共和国开来。许许多多农村妇女、儿童从土里爬出来，脸上带着可怕、悲痛、憔悴不堪的神情，走着，走着，用善良而悲伤的眼睛在找他。他比谁都清楚，审判失败者的不只是历史。

有时他恨死了贝利亚，因为贝利亚显然了解他的心情。

所有这一切不好的、软弱的情绪持续了不久，只有几天，这一切只是有时候冲出来。

但是他还是常常有沮丧感，胃灼热搅得他不得安宁，后脑常常疼痛，有时头晕得可怕。

他又看了看电话机：叶廖缅科该向他报告坦克的运动情况了。

现在到了他显示威力的时候。此时此刻决定着列宁缔造的国家的命运，党的合理的中央集权也是在此刻获得实现的可能性，以便在建设大型工厂，建立原子能发电站和热核装置，制造喷气式飞机和涡轮螺旋桨飞机、宇宙火箭和洲际火箭，建筑摩天大楼、科学宫，开凿新的运河和海，在北极圈里建筑公路和城市中实现中央集权。

此时此刻决定着被希特勒占领的法国、比利时、意大利、斯堪

的纳维亚国家和巴尔干国家的命运，在宣布奥斯威辛、布痕瓦尔德和莫阿比特监牢的瓦解，在准备打开纳粹分子建立的九百处集中营和劳动营的大门。

还决定着即将前往西伯利亚的德军战俘的命运。也决定着在希特勒集中营里的苏军战俘的命运，后来在他们获得释放之后，斯大林决定把他们送往西伯利亚，分享德军战俘的命运。

还决定着米霍埃尔斯及其朋友和演员祖斯金、作家贝格尔森、马尔基什、费费尔、克维特科、努西诺夫的命运，要不然在处决以沃夫西教授为首的一批犹太医生的恶性案件之前他们就被处死了。

还决定着波兰、匈牙利、捷克斯洛伐克和罗马尼亚的命运。

还决定着苏联农民和工人的命运，决定着苏联思想、苏联文学和科学的自由。

斯大林很激动。此时此刻，国家未来的强盛和他的意志是一致的。

他的伟大、他的天才不在于他本身，不以国家与武装力量的大小为转移。他写的书、他的学术著说、他的学说能够有意义，能够成为千百万人研究和赞颂的对象，只有在国家取得胜利的时候。

给他接通了叶廖缅科的电话。

“喂，你那儿怎么样？”斯大林也不问好，径直问道，“坦克出动了吗？”

叶廖缅科听到斯大林带火气的声音，赶紧把香烟熄灭了。

“没有，斯大林同志，托尔布欣的炮火准备还没有结束。步兵

已经扫清前沿,坦克还没有进入突破口。"

斯大林清清楚楚地骂了几声娘,就把话筒放下。

叶廖缅科又把香烟点着了,便给51军团司令打电话。

"为什么坦克到现在还没有出动?"他问道。

托尔布欣一只手拿着话筒,另一只手拿着一块大手帕在揩胸膛上的汗。他的制服敞开着,那雪白的衬衣的敞着的领口里露出脖根的肉嘟嘟的皱褶。

他呼哧呼哧喘着气,用肥胖人那种不慌不忙的语调回答,因为肥胖的人不仅理智上明白,而且全身都明白,着急是不行的:

"刚才坦克军军长向我报告说,在预定的运动中心地带还有敌人的炮火没有被压下去。他要求再等几分钟,让我军炮火把敌方炮火压下去。"

"不能再等!"叶廖缅科严厉地说,"让坦克立即出动。过三分钟向我报告。"

"是。"托尔布欣说。

叶廖缅科本想把托尔布欣骂一顿,却突然问道:

"您怎么喘得这样厉害,病了吗?"

"没有,我身体很好,叶廖缅科同志,我刚才吃过早饭。"

"立即行动吧,"叶廖缅科说过这话,放下话筒,随口说,"吃早饭吃得气都喘不上来啦。"又骂了一句很难听的。

等到坦克军军部指挥所里的电话机嗡嗡响起来的时候,虽然因为重新开始的炮轰听不清话筒里的声音,诺维科夫还是明白了,这是军团司令要求他立即率领坦克进入突破口。

他听完了托尔布欣的话,心里想:"早就料到啦。"他回答说:

“是，中将同志，遵命。”

然后他朝着盖特曼诺夫笑了笑，说：

“再打上四分钟还是需要的。”

过了三分钟，托尔布欣又打来电话，这一次他不喘了。

“上校同志，您是在开玩笑吧？为什么我听到还在炮击？立即执行命令！”

诺维科夫吩咐电话员接通炮兵团长洛帕津的电话。他听到洛帕津的声音，但他没有说话，看着秒针在走动，等待打满第二个四分钟。

“嘿，我们的老爷子真行！”盖特曼诺夫出自内心地赞叹说。

又过了一分钟，炮声停息下来的时候，诺维科夫戴起耳机，呼唤打头冲向突破口的坦克旅旅长。

“别洛夫！”他喊道。

“有。军长同志。”

诺维科夫张大了嘴，用醉汉般的发狂的声音叫道：

“别洛夫，快出动！”

青色的硝烟搅和得晨雾更浓了，马达吼叫声震得空气嗡嗡直响，坦克军进入突破口。

十二

在11月20日凌晨，加尔梅克草原上的大炮开始轰击，布置在斯大林格勒南面的斯大林格勒方面军突击部队向布置在保卢斯的右翼的第4罗马尼亚军团发起进攻的时候，苏军的进攻目标对

于“B”集团军群司令部就是显而易见的了。

活动在苏军突击集团左翼的坦克军进入查查湖和巴尔曼查克湖之间的突破口，便朝西北向卡拉奇挺进，前去接应顿河方面军与西南方面军的坦克军与骑兵军。

11月20日下午，从谢拉菲莫维奇发起进攻的突击集团到达苏罗维基诺以北，给保卢斯军团的交通线造成威胁。

但是保卢斯的第6军团还没感到有被包围的危险。下午六时，保卢斯向“B”集团军群司令魏克斯男爵上将报告说，计划在夜里继续派出侦查小分队在斯大林格勒进行活动。

晚上保卢斯收到魏克斯的命令：停止在斯大林格勒的一切进攻战斗，抽出大量的步兵、坦克兵团和反坦克武器，按梯队形式集中到左翼后面，准备朝西北方向进行突击。

保卢斯在这天晚上十点钟收到的这一道命令，标志着德军在斯大林格勒进攻的结束。

迅速发展的战局使这一道命令也失去了意义。

11月21日，从克列特和谢拉菲莫维奇发起进攻的苏军突击集团，朝自己原来的方向旋转90度，汇合之后，向卡拉奇地区及其以北的顿河推进，直扑德军斯大林格勒战线的后方。

这一天，四十辆苏军坦克出现在高高的顿河西岸，离保卢斯军团指挥部所在的戈卢宾镇只有几公里。另外一群坦克毫不费力地夺取了顿河上的桥：守桥部队把苏军坦克部队当成了装备着缴获的坦克、常常通过这座桥的训练部队。苏军坦克进入卡拉奇。开始包围德军的两个斯大林格勒军团，即保卢斯的第6军团和戈特的第4坦克军团。为了从后方保护斯大林格勒的阵地，保

卢斯的精锐部队384步兵师把战线转向西北，进行防御。

就在这时候，从南面进攻的叶廖缅科的部队击溃了德军第29摩托化师，打垮了罗马尼亚第6军，朝卡拉奇至斯大林格勒的铁路线推进。

在暮霭中，诺维科夫的坦克接近了大大加强了的罗马尼亚军队的防御中心。

但是这一次诺维科夫再不怠慢。他没有利用黑沉沉的夜色暗地集中坦克为进攻做准备。

依照诺维科夫的命令，所有的机器，不光是坦克，而且还有自行火炮，还有装甲运输车，还有装载摩托化步兵的汽车，一下子开足了灯光。

几百道明亮耀眼的灯光划破黑暗。大批的战争机械从黑沉沉的草原上朝前涌去，吼声、炮声、机枪声震耳欲聋，刺目的灯光耀眼欲花，罗马尼亚守军吓得目瞪口呆，一片混乱。

在短短的战斗之后，坦克继续向前推进。

11月22日上午，从加尔梅克草原出发的苏军坦克进入布济诺夫镇。黄昏时候，从南来的和从北来的苏军的两支先头的坦克分队在卡拉奇以东，在保卢斯和戈特的两大军团的后方会师了。到11月23日，步兵集团便朝奇尔河和阿克赛河推进，成为突击集团可靠的外侧。

红军最高统帅向各部提出的任务完成了，——在100小时内完成了对德军斯大林格勒集团的包围。

局势的下一步发展会怎样呢？是什么决定了下一步发展？是谁的决定表现了历史的厄运？

11月22日下午六时，保卢斯通过无线电向“B”集团军群司令部报告说：

“军团被包围。整个察里察河谷、从苏维埃镇至卡拉奇的铁路线、该地区的顿河桥、河西岸的高地，在英勇抗击之后，转入苏军之手……弹药情况十分危急。粮食只能供应6天。如果不能完成环形防御工事，请求给予行动自由。那时情况可能迫使放弃斯大林格勒以及战线的北段……”

11月21日夜里，保卢斯还收到希特勒的命令，要把他的军队所占据的地区叫作“斯大林格勒堡垒”。

在这之前的一道命令是：“军团司令及司令部应进入斯大林格勒。第6军团应进行环形防御，等待进一步指示。”

在保卢斯与各军军长商议过之后，“B”集团军群司令魏克斯男爵打电报给最高统帅：

“尽管做出这一决定我感到责任沉重，还是应当向您报告：我认为必须支持保卢斯将军撤出第6军团的建议……”

经常和魏克斯保持联系的陆军总参谋长蔡茨列尔完全赞同保卢斯和魏克斯的必须放弃斯大林格勒地区的意见，认为靠空运供应陷入重围的大量军队是不可思议的。

11月23日夜里两点钟，蔡茨列尔用电话通知魏克斯说，他终于说服希特勒放弃斯大林格勒。他说，关于第6军团突围的命令，将由希特勒于11月24日上午发出。

24日上午十时过后不久，“B”集团军群与第6军团之间唯一的一条电话线断了。

一分钟一分钟过去，等不到希特勒发出的突围的命令，因为

必须迅速行动，魏克斯决定自己担起责任，发出突围命令。

通信兵正准备把魏克斯的电报发出去，这时候通信联络勤务科科长却听到最高统帅部发来的元首给保卢斯将军的电报：

“第6军团被苏军围困是暂时的。我决定在斯大林格勒北郊、科特卢班、137号高地、135号高地、马林诺夫镇、斯大林格勒南郊等地集中兵力。你们可以相信我能做到我应做的一切，保证你们的供应和适时突围。我了解英勇的第6军团及其司令，相信第6军团能尽其职责。阿道尔弗·希特勒。”

现在已反映出第三帝国的可悲命运的希特勒的决定，决定了保卢斯的斯大林格勒军团的命运。希特勒用保卢斯的手，用魏克斯、蔡茨列尔的手，用德军各军军长和各团团长的手，用士兵的手，用一切不愿意执行他的决定而又执行到底的人的手，在德国战争史上写下了新的一页。

十三

在一百小时的战斗之后，西南方面军、顿河方面军、斯大林格勒方面军的部队会合了。

在黑沉沉的冬日天空下，在卡拉奇郊外碾得乱糟糟的雪地上，苏军先头的坦克分队会师了。辽阔的积雪的原野被几百条履带划了许多道道儿，被炮弹炸成焦煳一片。沉重的坦克在一团团飞雪中迅速奔驰着，白色的雪团在空中颤动。在坦克急转弯的地方，冻土和白雪一起飞向空中。

苏军的强击机和歼击机吼叫着贴着地面从伏尔加那边飞来，

掩护进入突破口的坦克部队。重炮在东北方轰鸣，硝烟弥漫的黑沉沉的天空闪着一道道模糊的亮光。

两辆 T-34 型坦克面对面停在一座小小的木头房子旁边。因为作战胜利和面临生死关头心情十分激动的、肮脏的坦克手们，呼哧呼哧地、津津有味地吸着寒冷的空气，在坦克里面吸够了带油烟气的窒闷的空气之后，这寒冷空气就使人觉得特别提神了。坦克手们把黑色的皮帽推到后脑勺上，走进房子，从察察湖边来的坦克上的班长从衣服口袋里掏出一瓶酒……一个穿着棉袄和老大的毡靴的妇女，把在她那只打颤的手里叮当直响的玻璃杯放到桌子上。抽搭着说：

"唉，我还以为活不成了呢，我们的大炮好厉害呀，好厉害呀，我在地窖里待了两夜加一天。"

又有两个宽肩膀、小个子像两个拼图方块似的坦克手走进房里来。

"瞧，瓦列拉，多好的招待。咱们好像也有什么吃的东西。"从顿河方面军来的坦克上的班长说。于是，那个叫瓦列拉的小伙子把手伸进很深的衣服口袋，从口袋里掏出用油糊糊的战报包着的一截熏肠，把熏肠分成几份，还很认真地用棕色的手指头把掰掉出来的白白的肥肉块儿往里塞。

坦克手们把酒喝干了，他们觉得十分幸福。一名坦克手那塞满了熏肠的嘴一面笑着，一面说：

"咱们会合啦，就是说，你们的酒、我们的熏肠会合啦。"

大家都很喜欢这个说法，大家笑着，嚼着熏肠，重复着这话，感到十分亲热。

十四

从南面来的坦克上的班长通过无线电向连长报告了在卡拉奇郊外会师的情形。他还补充了几句话，说西南方面军的弟兄们非常好，说他们还共饮了一瓶酒。

这情形迅速地逐级上报，过了几分钟，旅长卡尔波夫便向军长报告了会师的消息。

诺维科夫感觉到军部里出现在他周围的友好的欢欣鼓舞气氛。

坦克军在进军中几乎没有损失，按时完成了该军担负的任务。

涅乌道布诺夫在发出给方面军司令的报告以后，握住诺维科夫的手握了很久；这位参谋长平时充满了恼恨和火气的眼睛变得明亮了，温和了。

“您瞧，我们的人在没有内部敌人和破坏者的时候，能创造什么样的奇迹。”他说。

盖特曼诺夫把诺维科夫抱住，用眼睛扫了扫站在旁边的一些指挥员、司机、传令兵、话务员、译电员，抽搭了两下，为了让大家都能听到，大声说：

“谢谢你，诺维科夫同志，作为一个俄罗斯人、一个苏联人，要感谢你。我盖特曼诺夫作为一个共产党员，要感谢你，衷心地向你致敬，向你表示感谢。”

他又一次把诺维科夫抱住，并且吻了吻深受感动的诺维

科夫。

“你把一切都准备好了，把人都研究透了，什么都预见到了，所以就收获到大量工作结的果实。”盖特曼诺夫说。

“哪儿有什么预见？”诺维科夫说。他听到盖特曼诺夫的话，又不好意思，又快活得不得了。他拿起一叠战报晃了晃，说这就是我的预见。我首先寄希望于马卡罗夫，可是马卡罗夫损失了速度，而且偏离了预定的运动中心，在侧翼参与了不必要的局部战斗，损失了一个半小时。我本来以为，别洛夫会不顾两翼，往前直冲，可是别洛夫在第二天不是撇开防御中心不顾一切地朝西北突进，而是和炮兵、步兵一起打起磨蹭战，甚至转为防御，因为这样胡闹损失了十一个小时。而卡尔波夫倒是第一个冲向卡拉奇，像旋风一样毫无顾忌地前进，毫不理睬两翼发生了什么事，第一个切断了德国人的主要交通线。这就是我对人的研究，这就是我的预见。我原来还以为，卡尔波夫需要拿棍子赶，认为他只会左顾右盼，只会保证自己的两翼。”

盖特曼诺夫笑着说：

“好啦，好啦，谦虚是美德，这我们是知道的。伟大的斯大林教导我们要谦虚嘛。”

诺维科夫感到很幸福。这一天，他多次想到任尼娅，老是回头看，似乎就要看到她，大概，他的确太爱她了。

盖特曼诺夫用说悄悄话的小声说：

“诺维科夫同志，我一辈子也忘不了你是怎样推迟八分钟出击的。军团司令在催促。方面军司令要求立即率领坦克进入突破口。我还听说，斯大林还打电话问过叶廖缅科，为什么坦克没

有出动。你竟让斯大林等待。这不是，我们进入了突破口，确实没有损失一辆坦克，没有牺牲一个人。这件事我永远不会忘记。”

可是到了夜里，等诺维科夫开着坦克前往卡拉奇地区之后，盖特曼诺夫来到参谋长跟前，说：

“将军同志，我写了一封信，说明军长擅自推迟八分钟，才开始这场具有伟大意义的关键性战役、这场决定伟大卫国战争命运的战役。请您看看这封信。”

十五

当华西列夫斯基通过高频电话向斯大林报告包围了德军斯大林格勒集团的消息时，他的助理波斯克列贝舍夫站在他旁边。斯大林也不看波斯克列贝舍夫，有一阵子他半闭着眼睛坐着，好像要睡觉。波斯克列贝舍夫屏住气息，尽可能不响动。

这不仅是他对活着的敌人胜利的时刻。这是他对过去取得胜利的时刻。1930年农村坟头上的荒草会越来越茂密。北极圈里的冰层和雪丘会平静地保持沉默。

他比世界上任何人都懂得：胜利者是不受审判的。

斯大林忽然希望他的孩子们、他的孙女、也就是不幸的亚可夫的小女儿和他在一起。他可以安安静静、心平气和地抚摩抚摩小孙女的头，不去看他的小屋之外的世界。文静可爱的、病弱的小孙女，童年的回忆，凉爽的小花园，远处小河的流水声。其余的一切对于他都无所谓了。因为他的超级权力不依靠军队的强大和国家的强盛。

他没有睁开眼睛，慢慢地、用一种特别柔和、喉音特别重的语调说：

“啊，鸟儿落网了，瞧着吧，别想从网里逃脱，咱们无论如何不能分离了。”

波斯克列贝舍夫看着斯大林那稀稀拉拉的白头发，看着他那麻脸和闭着的眼睛，忽然感到他的手指头发起冷来。

十六

在斯大林格勒地区的胜利进攻，消除了苏军防线上的许许多多缺口。这种消除缺口不仅是在斯大林格勒与顿河两大方面军的范围内，不仅是在崔可夫军团与布置在北面的苏军的几个师之间，也不仅是在一些脱离后方的连与排之间和隐藏在房屋中的小分队和战斗小组之间。孤立感、半被包围感和被包围感也从人们的意识中消失了，换成了整体感、团结一致感和众多感。这种个人与众多的军队合为一体的意识，便是所谓制胜的士气。

当然，在陷入重围的德军士兵的头脑和心灵中，出现了完全相反的思想变化。由几十万能思想、能感觉的细胞组成大脑脱离了德国的武装力量。虚无缥缈的电波和更虚无缥缈的宣传仍和德国一直保持联系的一些话证实了，保卢斯在斯大林格勒的一些师已经被包围。

当年托尔斯泰说过，对军队完全包围是不可能的，这一说法一再为托尔斯泰那时候的战争经验所证实。

1941—1945年的战争却证实，可以把军队包围起来，按在地

上,套上铁箍。在1941—1945年的战争期间,包围已成为很多苏联军队和德国军队的无情的现实。

托尔斯泰的说法毫无疑问在当时是正确的。正如许多伟人说的有关政治或战争的话,大都不具有永久的生命力。

在1941—1945年的战争中,包围成为现实,是因为军队有极大的机动性,而军队的机动性所依靠的后方的笨重设施的转动极不灵活。进行包围的部队可以利用机动性的一切有利条件。被包围的部队完全失去机动性,因为在包围中不可能为现代化的军队组织多层次的、大范围的、工厂式的后方。被围的部队便瘫痪了。进行包围的部队则可以利用陆上和空中的一切机械。

被包围的军队失去机动性,不仅是失去军事机械方面的优势。被包围的军队的广大士兵和军官就好像从现代文明世界掉进过去的世界。被围部队的士兵和军官不仅会重新估计作战部队的力量、战争的前景,还会重新评价国家的政策、党的领袖的威力、法典、宪法、民族性格、民族的过去和将来。

那些像鹰一样洋洋得意地感到自己的翅膀强劲有力、在被缚住的、无可奈何的猎物之上翱翔的人,同样也会重新评价上述一些问题,不过,当然带有相反的特点。

保卢斯的军队在斯大林格勒被包围,决定了战争进程的转折。

斯大林格勒的胜利决定了战争的结局,但是在胜利了的人民和胜利了的国家之间仍然进行着无声的争论。人的命运、人的自由取决于这一争论。

十七

在东普鲁士和立陶宛的边境上，在格尔利茨的秋天的树林里，下着稀稀拉拉的小雨。一个穿灰色斗篷的中等个头儿的人在高大树木中间的小道上走着。卫兵们看到希特勒，屏住呼吸，一动也不动，雨滴慢慢地在他们的脸上滚着。

他想呼吸呼吸新鲜空气，一个人独自待一会儿。潮湿的空气使人非常舒服。飘洒着可喜的冷雨。一株株多么可爱、多么沉静的大树。在柔软的落叶上走一走，多么惬意。

野战大本营里的人一整天使他气得不得了……斯大林从来不曾引起他的尊敬。在战前他就觉得斯大林所做的一切又愚蠢又笨拙。斯大林的狡猾和奸诈都像庄稼汉一样简单。他的国家也是不像样子的。丘吉尔有一天总会明白新德国的悲剧性作用：正是新德国用自己的身体掩护了欧洲，抵挡了亚洲的斯大林的布尔什维主义入侵。他想象那些主张从斯大林格勒撤出第6军团的人，——他们倒是特别持重，特别恭敬的。使他生气的是那些轻率地相信他的人，——他们总是啰啰唆唆地对他表示自己的忠诚。他一直希望带着蔑视的心情想想斯大林，把斯大林想得一钱不值，他又感觉到，他这种愿望是失去优势感引起的……斯大林不过是一个狠毒的、报复心很重的高加索小铺老板。他今天的胜利根本改变不了什么局面……老浑蛋蔡茨列尔会不会暗暗用嘲笑的目光看他？他一想到戈培尔会向他报告英国首相评论他的军事才能的俏皮话，就十分生气。戈培尔会笑着说要承认，他说

的话实在够俏皮。”在他那聪明而好看的眼睛里会浮现出隐藏得很深的嫉妒者的得意神情。

第6军团的不愉快处境使他心慌意乱，失去本色。事情主要的糟糕之处，不在于丢了斯大林格勒，不在于一些师被包围；也不在于斯大林赢了他。

一切他都能扭转。

他一向就有一些很普通的想法和嗜好。但是等他变得伟大和具有无限权力之后，这一切就引起人们的赞赏和敬佩。他代表着德国民族的精神。但是新德国及其武装力量的威力一旦开始动摇，他的英明就会减弱，他的天才就会消失。

他不羡慕拿破仑。他很不喜欢那些在孤独、贫困、毫无办法的境况中依然十分伟大的人，不喜欢那些在好的和坏的境况中依然保持其力量的人。

他在林中独自散步的时候，也未能摆脱日常事务，并且在内心深处找到了总参谋部和党的领导机构那些墨守成规的人不可能找到的最高明、最切实的答案。他之所以产生难以忍受的烦恼，是因为他又感到他和大家平等了。

要想成为新德国的缔造者，要想燃起战火和奥斯威辛的炉火，创立盖世太保，做一个平常人是不行的。新德国的缔造者和领袖一定要脱离人类。他的思想、感情及其日常生活只能在人类之上，在人类之外。

苏联的坦克使他回到了他原来离开的地方。他的思想、他的答案、他的嫉妒心今天不再是对着上帝，对着世界的命运。苏联的坦克又使他回到人间。

独自一人在林中,起初他感到轻松的,现在他感到害怕了。孤零零的,没有卫兵,没有熟悉的副官,他觉得自己就好像童话中的孩子走进了黑郁郁、到处是妖魔的密林。

童话中的小孩子就是这样走,小羊羔就是这样在林中迷了路,走着走着,也不知道大灰狼从密林深处偷偷朝它走来。从几十年的黑黑的沉淀层中浮出他童年时候的恐怖,想起小人书上的一幅画:一只小羊羔站在阳光明丽的林中空地上,在黑黑的、潮湿的大树丛中露出狼的红眼睛和白牙齿。

他又像小时候那样,想叫起来,想唤妈妈,想把眼睛捂起来,想跑。

不过在林中,在大树丛中藏着的是一个团的他的私人卫队,几千个强壮、受过训练、机动灵活、反应迅速的人。他们的生活目的是:不准外人的气息摇动他头上的一根头发,不准外人的气息碰到他。不少电话机在轻轻地响着,向各处、各地段通报独自在林中散步的元首的每一行动。

他转过身来,压制着想跑的心情,朝着自己的野战大本营的绿色房屋走去。

卫兵们看到元首走得很急,以为大本营里有急事等着他去。他们怎么能想到,德国元首在林中暮霭初降时候想起了童话中的狼?

在树丛中,大本营一个个窗户里的灯光亮了。他想到集中营火化炉的火光,心中第一次出现人的恐怖。

十八

苏军第62军团指挥所和许多掩蔽所里的人都产生了一种十分奇怪的感觉：很想摸摸自己的脸，摸摸自己的衣服，动动靴子里的脚趾头。德国人不打炮了。静下来了。

寂静得使人头晕。人们觉得，似乎人都变空了，心麻木了，手和脚动作起来和以前有些不同了。在寂静中吃饭，在寂静中写信，夜里在寂静中醒来，似乎是奇怪的，不可思议的。寂静有自己的声音、很静的声音。寂静产生许多似乎很奇怪的新的声音：刀子的叮当声，翻书的沙沙声，地板的咯吱声，光脚儿的吧嗒声，笔尖的哧哧声，手枪保险机的咔嚓声，掩蔽所墙上挂钟的嘀嗒声。

军团参谋长克雷洛夫走进军团司令的掩蔽所，崔可夫坐在床上，对面的小桌后面坐着古洛夫。克雷洛夫本想一进门就说说最新的消息：斯大林格勒方面军已经发起进攻，包围保卢斯的问题再有几个小时就可以解决了。他看了看崔可夫和古洛夫，便一声不响地坐到床上。这样重要的消息克雷洛夫都没有对两位故友说说，可见他在他们脸上看到的不是一般的表情。

三个人都不说话。寂静产生了新的、在斯大林格勒听惯了的声音。寂静还准备产生新的、在战斗的日子里不必要的想法、激情、焦虑。

但是此时此刻他们还不知道一些新的想法；担心、功名心、凌辱、嫉妒心还没有从斯大林格勒的苦难经历中诞生出来。他们还没有想到，他们的名字现在和苏联的军事历史的光辉一页永远连

在一起了。

这寂静的时刻是他们一生中最好的时刻。此时此刻他们只有人的感情，后来他们谁也不能自我解释，为什么他们此刻感到这样幸福、这样悲伤，充满这样的热爱和温情。

在结束了防御战之后，要不要继续说说斯大林格勒的将军们？要不要说说斯大林格勒防御战的一些领导人的可怜的贪求？

真理只有一种。没有两种真理。没有真理或者伴随着残缺不全的真理、破碎的真理、砍削过的或者修剪过的真理，是很难生活的。部分真理不是真理。在这美好的寂静的夜里，让毫无掩饰的完整的真理占据心灵吧。我们要在这样的夜里把人的善良、人的伟大劳动日计算在人的名下。

崔可夫走出掩蔽所，慢慢走到伏尔加河岸堤上，木板台阶在他脚下咯吱咯吱响着。天色已经黑下来。西方和东方都没有声音。工厂的轮廓、城市楼房的断垣残壁、一个个掩蔽所都和静默无声的、黑沉沉的大地、天空、伏尔加河融为一体。

人民的胜利就是这样表现自己的。没有军队的分列式，没有轰鸣的混合乐队，没有烟火和礼炮，而是在潮湿的夜晚，在大地、城市、伏尔加河的安宁和静谧中迎接人民的胜利。

崔可夫十分激动，他那被战争磨硬了的心在胸中怦怦跳动着。他仔细听了听：并非寂静无声。从班内沟和“红十月工厂”那边传来歌声。下面，伏尔加河边有低低的说话声，有吉他的声音。

崔可夫回到掩蔽所。正等着他吃晚饭的古洛夫说：

“瓦西里·伊万诺维奇，真奇怪：这么安静。”

崔可夫在鼻子里嗯了一声，没有说话。

过了一会儿，等他们在饭桌边坐下来，古洛夫说：

“唉，同志，你听到快活的歌儿都哭了，看样子，你也吃了不少苦呀。”

崔可夫很快地、很惊讶地看了看他。

十九

在斯大林格勒的山沟坡上挖的一个土室里，几名红军战士围坐在自制的小桌旁，小桌上还有一盏自制的油灯。

司务长在往各人的杯子里斟酒。大家注视着这珍贵的液体小心翼翼地升向司务长的很不好看的指甲，那指甲定在带棱的玻璃杯的大致的赤道上。

大家把酒喝干了，就吃起面包。有一名战士把一口面包吃下去之后，说：

“是啊，德国佬打得我们够呛，不过我们还是打赢了。”

“德国佬这一下子老实了，再也扑腾不起来了。”

“扑腾够了。”

“斯大林格勒大劫难到头了。”

“不过他们还是制造了很多灾难。把半个俄罗斯烧掉了。”

他们吃了很久，不慌不忙，在不慌不忙中体会看一个人在长期艰苦的工作之后休息、喝酒、吃饭时的幸福和安宁感。

头脑迷迷糊糊的，但是这种迷糊有点儿特别，并不使人迷糊。不论面包的滋味、大葱的咯吱声、放在土室土墙脚下的枪支，不论伏尔加河、想家的念头、对强大敌人的胜利以及抚摩过孩子

的头发、搂抱过妻子、掰过面包、卷过烟卷儿、如今又夺得胜利的手，对这一切，他们感觉特别清楚。

二十

疏散出去的莫斯科人在准备复员的时候，最高兴的也许不是很快就要见到莫斯科，而是摆脱了疏散时期的生活。斯维尔德洛夫斯克、鄂木斯克、塔什干、克拉斯诺亚尔斯克等城市的街道和房屋、秋日天空的星星、面包的味道——一切都成了令人厌恶的了。

如果他们看到苏联情报局报道的好消息，就会说：

“好啦，现在咱们很快就要走了。”

如果看到令人忧虑的消息，就会说：

“唉，不会再号召家庭团聚了。”

听到不少传说，说有些人没有通行证也回到莫斯科，——他们从远程列车上爬到工作列车上，然后又爬到电气列车上，电气列车上没有军队拦截。

人们都忘记了，1941年10月，在莫斯科过日子好像是在受刑讯。那时候人们多么羡慕那些用不祥的故城天空换取鞑靼和乌兹别克的安宁的莫斯科人……

人们都忘记了，在1941年10月的灾难的日子里，有些没上去火车的人纷纷丢掉箱子和包袱，徒步朝扎戈尔斯克走去，只要能离开莫斯科就行。现在人们也是宁可丢下东西、工作、安排好的生活，步行回莫斯科，只要能离开疏散地就行。

一心想离开莫斯科和一心想回莫斯科这两种相反的心情的

主要实质，就在于一年来的战争改变了人们的意识，对德国人的莫名其妙的恐惧变为对苏联力量的优势的信任。

在11月下旬，苏联情报局报道了对弗拉季高加索（即奥尔忠尼启则）地区德国法西斯军队的攻击，然后又报道了在斯大林格勒地区进攻的胜利。在两个星期中，播音员有9次这样广播："目前，我军在继续进攻……对敌人又一次沉重打击……我军在斯大林格勒城下摧毁敌军的反抗，突破敌军在顿河东岸的新防线……我军继续进攻，推进了十至二十公里……近日部署在顿河中游地区的我军对德国法西斯军队发起进攻……我军在顿河中游地区继续进攻……我军在北高加索继续进攻……我军又在斯大林格勒西南方发动突击……我军在斯大林格勒以南发动进攻……"

在1943年除夕，苏联情报局发表战报：《我军在斯大林格勒地区六个星期的进攻的总结》，综述了德军在斯大林格勒地区被包围的情况。

人们的意识准备转变，要用全新的观点看待现实中的大事，虽然这种思想转变的准备是秘密进行的，其秘密程度不次于准备斯大林格勒进攻战。在人们的潜意识中进行的这种再结晶，在斯大林格勒进攻战之后，第一次明朗化，第一次表现出来。

现在人们思想的变化和莫斯科会战胜利时的思想变化大不一样，虽然从表面上看来没有什么不同。

其区别在于，莫斯科会战的胜利主要的是促成了对德国人态度的变化。在1941年12月，对德国军队的莫名其妙的恐惧心理消失了。

斯大林格勒、斯大林格勒进攻战促成了军队与老百姓的新的

自觉。苏联人、俄罗斯人开始从新的角度认识自己,开始从新的角度看待各种民族的人。俄罗斯的历史开始被理解为俄罗斯的光荣史,而不是俄罗斯农民与工人的苦难史和屈辱史。民族性由形式的一部分变为内容,成为世界观的新的基础。

在莫斯科会战胜利的日子里,仍是战前的老的思维形式、战前的观念在起作用。

重新认识战争大事,认识苏联武装力量和国家的力量,是巨大的、长期的、广泛的认识过程的一部分。

这一过程在战前很久就开始了,不过主要不是在人民的意识中,而是在人民的潜意识中。

三项大事是重新认识现实和人与人关系的重要标石,那就是:农村集体化、工业化、1937年。

这些事件和1917年的十月革命一样,造成了广大阶层的人的动荡和变化;这些动荡伴随着对人的肉体的消灭,消灭的人数超过了消灭俄国贵族阶级和工商业资产阶级时期消灭的人数。

斯大林领导的这些事件,标志着新的、苏维埃国家建设者在经济方面的胜利,标志着社会主义在一个国家的胜利。这些事件是十月革命的必然的结果。

不过,在集体化、工业化和几乎更换了所有领导干部的时期建立起来的新的结构,并不想放弃旧的思想公式和概念,虽然这些公式和概念对于新结构已失去真正的内容。新的结构利用的是一些旧的概念和成语,这些概念和成语发源于革命前就形成的社会民主党多数派。国家民族性仍然是新结构的基础。

战争加速了在战前就暗暗进行着的重新认识现实的过程,加

速了民族意识的出现——“俄罗斯”这个词儿重新获得了真实的内容。

起初，在撤退时期，这个词儿大都和一些否定意义的词儿联系着：俄罗斯落后、一团糟，俄罗斯闭塞，俄罗斯没有希望……但是，民族意识既然出现了，就盼望着战争的节日……

国家也渐渐趋向新的范畴的自觉。

民族意识在民族灾难的日子里表现出来，便是强大的、极好的力量。人民的民族意识在这样的时期是极好的，因为这种意识是人性的，而不是因为是民族性的。这是人的尊严，人对自由的向往，人对善良的信赖，只是表现在民族意识的形式中。

不过，在灾难岁月里激起的民族意识可以发展为多种多样的。

毫无疑问，一心要保护全机关不受世界主义者和资产阶级民族主义者侵犯的人事处长的民族意识和保卫斯大林格勒的红军战士的民族意识表现是不同的。

苏联这样一个大国的现实，确定了唤起民族意识与完成国家在战后生活中的任务的关系——在树立民族主权思想方面，在各个领域树立苏联和俄罗斯的主权观点方面。

所有这些任务不是在战时和战后突然出现的。在战前，在农村的种种事件、建立祖国的重工业、干部大换班标志着斯大林所定的制度作为社会主义在一个国家胜利的时候，这些任务就出现了。

俄国社会民主党的亲切的印记被抹去，被取消了。

正是在斯大林格勒战役转折的时候，在斯大林格勒的火焰成为黑暗王国的唯一自由信号的时候，这一重新认识过程开始公开

化了。

发展的逻辑导致的结果是，人民战争在斯大林格勒保卫战时期达到最高的热潮的同时，也为斯大林提供了可能性，公开宣扬国家民族主义思想体系。

二十一

在物理研究所前厅里贴出的墙报上，有一篇文章，标题是《永远同人民在一起》。

这篇文章说，在伟大的斯大林率领下正在穿越战争暴风雨的苏联，科学具有巨大意义，党和政府给予科学工作者极大的尊敬和光荣，世界上任何国家都不曾这样，即使在艰苦的战争时期，苏联政府也为科学家的正常的和有成效的工作创造了一切条件。

文章接着谈到研究所担负的巨大任务，谈到新的建设，谈到扩大旧的试验室，谈到理论与实践的联系，谈到科学研究对于国防工业有何等重要意义。

文章谈到全体科学工作者的爱国主义热潮，说科学工作者决不辜负党和斯大林同志的关怀和信任，不辜负人民对苏联知识分子的光荣的先进队伍，对科学工作者的期望。

文章的最后部分写到，可惜，在健康而友爱的集体中也有一些人缺乏对人民、对党的责任感，有一些人脱离了友好的苏维埃家庭。这些人使自己和集体对立起来，把自己的个人利益摆在党交给科学家的任务之上，拼命夸大自己的实有的和臆造的功绩。他们之中有些人有意或无意地成为异己的反苏思想的代表，宣扬

敌对的政治思想。这些人一般都要求用客观主义的态度对待外国唯心主义科学家的充满反动精神和蒙昧主义精神的唯心主义观点，夸耀自己同这些科学家的联系，从而侮辱俄罗斯科学家的苏维埃民族自豪感，贬低苏联科学的成就。

这些人有时像英勇的卫士，要维护似乎被践踏的正义，企图在短视、轻信的人和糊涂人中间赚得廉价的声名，实际上他们却在散播纠纷、不相信俄罗斯科学的力量、不尊重其光荣历史和伟大人物的种子。文章号召消灭一切腐朽的、异己的、敌对的东西，消灭一切不利于完成党和人民在伟大的卫国战争期间交给科学家的任务的因素。文章的结束语是："沿着马克思主义哲学明灯所照亮的光辉道路，沿着列宁和斯大林的党为我们开辟的道路，向着新的科学高峰，前进！"

虽然文章没有点出名字，但是试验室里的人都明白，矛头是对着维克托·什特鲁姆的。

萨沃斯季扬诺夫对维克托说了说这篇文章。维克托没有去看文章，这时候他站在即将完成新设备安装的同事们旁边。他抱住诺兹德林的肩膀，说：

"不论怎样，这大家伙是有办法的。"

诺兹德林忽然骂起娘来，骂的是复数代名词，维克托一时不明白他骂的是什么人。

快下班的时候，索科洛夫走到维克托跟前。

"维克托·巴甫洛维奇，我很欣赏您。您一整天都在工作，就好像什么事儿也没有。您的毅力真了不起。"

"如果一个人天生是淡黄头发的，决不会因为墙报上的文章

变成黑头发的。”维克托说。

他生索科洛夫的气已成了习惯，正因为他已经习惯了，似乎这种气已经没有了。他已经不责备索科洛夫的不坦率和怯懦。有时他自己对自己说他有很多好的地方，不好的地方人人都免不了有。”

“是啊，文章与文章不同，”索科洛夫说，“安娜·斯捷潘诺芙娜看了这篇文章，心脏病都发作了。已经把她从医务所送回家了。”

维克托心想：“究竟写的是多么可怕的事？”不过他没有问索科洛夫。至于文章的内容，谁也没有和他说起。人们不和病人谈他的不治的癌症，大概就像这样。

傍晚维克托最后一个离开研究所。看大门的老头子阿列克谢·米海洛维奇已经调到存衣室工作，他一面给维克托拿大衣，一面说：

“您瞧，维克托·巴甫洛维奇，真是的，在这世界上好人总不得安宁。”

维克托穿好大衣，又上了楼，在墙报栏前站了下来。

他看完了那篇文章，惊慌地四处看了看：一时间他仿佛觉得，他马上就要被逮捕了，可是前厅里空空荡荡，十分安静。

他实实在在地感觉到一具脆弱的人体的重量和庞大的国家的重量的悬殊，他觉到，仿佛国家用巨大而明亮的眼睛死死地盯着他，仿佛国家就要朝他压下来，他就要咯吱一声，尖叫一声，就消灭了。

街上人很多。维克托觉得，在他与行人之间有一片无主的

土地。

在电车里，有一个戴着皮军帽的人用兴奋的语调对自己的同伴说：

“你听到最新消息了吗？”

前面座位上有一个人说：

“斯大林格勒！德国佬完啦！”

一个上了年纪的妇女看着维克托，好像是责备他不说话。

他带着温和的心情想到索科洛夫：人人都有缺点，他也有，我也有。

但是因为承认自己和别人同样有毛病和缺点的心从来没有彻底真诚的，他马上就想：“他的观点取决于国家是否喜欢他，他的生活是否顺利。等到春天来临，等到胜利了，他一句批评的话都不会说。我却不是这样：不论国家状况是好是坏，不论国家折磨我还是心疼我，我对国家的态度不会变化。”

他到家里要对柳德米拉说说这篇文章。看样子，当真要整他了。他要对柳德米拉说：

“柳德米拉，你瞧瞧这斯大林奖金！想抓人的时候，常常写这样的文章。”

“我们是同命运的，”他想道，“如果请我去巴黎大学举行学术讲座，她会和我一块儿去；如果送我上科雷马的集中营，她也会跟我去。”

“是你自己把自己弄到这种可怕的地步。”柳德米拉会说。

他会很尖刻地说：

“我需要的不是批评，是体贴和理解。研究所里的批评已经

够我受的了。”

给他开门的是娜佳。

在幽暗的走廊里，娜佳把他抱住，并且把脸贴到他的胸膛上。

“我浑身又冰冷，又潮湿，让我把大衣脱了，出了什么事吗？”他问道。

“难道你没听到？斯大林格勒呀！巨大的胜利。德国佬被包围了。咱们走，快走。”

她帮他脱了大衣，拉着他的手进了房间。

“这儿来，这儿来，妈妈在托里亚的房里呢。”

她把门开了。柳德米拉坐在托里亚的书桌前。她慢慢朝他转过头来，又得意又伤心地朝他笑了笑。

这天晚上，维克托没有将研究所里发生的事告诉柳德米拉。

他们坐在托里亚的书桌前。柳德米拉在一张纸上画包围斯大林格勒的德军的示意图，向娜佳解释她的作战计划。

夜里，维克托在自己的房间里想：“天啊，写一份检讨书吧，大家在这种情况下都写嘛。”

二十二

墙报上出现那篇文章之后，又过了几天，试验室里的工作照常进行着。维克托有时灰心丧气，有时兴致勃勃，很带劲儿地在工作，在试验室里来来回回地走着，还不时用手指头在窗台上和金属外壳上轻快地敲出自己喜欢听的声音。

他开玩笑说，看样子，在研究所里蔓延起近视流行病，很多熟

人面对面遇到他，都带着若有所思的神气从旁边走过去，连招呼也不打；古列维奇老远看见维克托，也摆出一副若有所思的神气，走到大街的另一边去，在一张广告前面站下来。维克托为了看个究竟，回头看了看，这时候恰好古列维奇也回头看，他们的视线相遇了。古列维奇做出一副又惊讶又高兴的姿态，鞠了个躬。这一切都不是多么使人愉快的。

斯维琴见到维克托，打了招呼，还细心地碰了碰脚跟，不过在打招呼的时候他的脸上的表情却很不自然，就好像他在迎接不友好国家的一位大使。

维克托做了统计：哪些人不理睬他，哪些人对他点头，哪些人和他握手问好。

每天他回到家里，第一件事就是问妻子：

“有没有谁来电话？”

柳德米拉的回答一般都是：

“没有，如果不算玛丽亚的话。”

她知道她说过这话后他常常问的问题，就又说：

“马季亚罗夫暂时也没有信来。”

“你瞧，”他说，“过去天天给咱们打电话的，现在不怎么打了；过去不怎么打的，现在根本不打了。”

他觉得，家里人对待他也和以前不一样了。有一次他在喝茶，娜佳从他身边走过，也不向他问好。

他厉声对她喝道：

“为什么连招呼也不打？你觉得我不是活物吗？”

显然他在说这话的时候脸上表情显得非常可怜、非常痛苦，

娜佳理解他的心情，所以没有顶撞他，而是急忙说：

“好爸爸，亲爸爸，原谅我。”

就在这一天，他问她：

“娜佳，你还是常常和你那位大将军见面吗？”

她一声不响地耸了耸肩膀。

“我要警告你，”他说，“不许和他谈政治问题。如果在这方面出问题，就更够我受的了。”

娜佳还是没有粗暴地回答，而是说：

“你放心吧，爸爸。”

早晨，他快到研究所的时候，就开始四下里张望，时而放慢脚步，时而加快脚步。他看到走廊里没有人，便垂下头急匆匆地往前走，如果有什么地方的门开了，他的心就紧缩起来。

他终于走进试验室之后，便呼哧呼哧直喘，就好像一个士兵终于跑过受炮火控制的阵地，进入自己的战壕。

有一天，萨沃斯季扬诺夫来到维克托的办公室里，说：

“维克托·巴甫洛维奇，我和大家都请求您写一份检讨书，检讨检讨，我请您相信，这能够起作用。您想想看，就在您面前摆着大量的工作，应该说，摆着伟大的工作的时候，就在我们这学科的有生力量都指望着您的时候，忽然就这样一下子翻了车，怎么办呀！您写一份检讨书，承认一下错误吧。”

“我检讨什么？我有什么错误？”维克托说。

“哎，还不就是那么一回事儿，大家都这样做嘛，不论是在文学界，在科学界，还有不少党的领导人，还有您喜欢的音乐家们，肖斯塔科维奇也承认错误，写检讨书，检讨过之后，就没有事了，

还在继续工作。”

“不过我究竟检讨什么呢？向谁检讨呢？”

“您写给院部，写给党中央。这实际上不是主要的，写给谁都行！主要的是您检讨了。比如，就写：‘我承认错误，我错了，现在认识到了，保证改正。’就写诸如此类的话，您是知道的，这都是老一套了。不过主要的是，这能管用，总是管用的！”

萨沃斯季扬诺夫那一向在笑的、快活的眼睛现在是严肃的。似乎眼睛的颜色也变了。

“谢谢，谢谢，好同志，”维克托说，“您的友情真使我感动。”

又过了一个钟头，索科洛夫对他说：

“维克托·巴甫洛维奇，下礼拜举行扩大的学术委员会会议，我认为，您一定要说一说。”

“说什么呢？”维克托问。

“我觉得，您应该解释解释，说干脆些，就是要检讨错误。”

维克托在办公室里踱起来，忽然在窗前站下来，朝院子里看着，说：

“索科洛夫同志，是不是最好还是写一份检讨书？这样比起当众自己往自己脸上吐唾沫，总要轻松些。”

“不，我以为，您一定要说一说。昨天我和斯维琴谈过，他向我示意，说上面，——他还含含糊糊地朝上面的门檐上指了指，——希望您在会上说一说，而不是要您写检讨书。”

维克托很快地朝他转过身来：

“我既不在会上检讨，也不写检讨书。”

索科洛夫就像一位精神病医生在和病人谈话那样，用十分耐

心的语气说:

"维克托·巴甫洛维奇,您在目前的情况下不说话,就等于有意地自杀,有可能把您的问题弄成政治问题。"

"您可知道,使我特别难受的是什么?"维克托问道,"为什么在大家都高高兴兴的胜利日子里我会遇到这样的事?哪一个狗崽子会说我公开攻击列宁主义原理,说我认为苏维埃政权完了?有人就是喜欢拣软的欺。"

"我听到过这种说法。"索科洛夫说。

"哼,去他妈的吧!"维克托说,"我不检讨!"

可是到了夜里,他一个人却躲在自己的卧室里写起检讨书。他感到羞惭,把检讨书撕碎,却马上又写起在学术委员会会议上的发言稿。他重看了一遍,用手在桌上一擂,又把发言稿撕碎。

"就这样,随它去!"他说出声来,"要怎样就怎样吧。坐牢就坐牢好啦。"

他咂摸着自己的最后决定的滋味,一动不动地坐了一阵子。然后他想出一个主意:他可以写一份检讨书的预备稿,如果他决定检讨的话,就交上去。这样不会损伤什么尊严。谁也不会看到这份检讨书,任何人看不到。

他是一个人,门也关着,周围的人都睡了,窗外静悄悄的,没有警笛声,也没有汽车声音。

但是有一种看不见的力量把他压住。他感觉到它的威慑的重量,它强迫他按它的意图去想,强迫他按照它的意思写。它就在他身体内部,强迫他的心收缩,溶解他的决心,干预他对待妻子和女儿的态度,混入他的过去,混入他关于年轻时代的一些想

法。他并且开始感觉自己是愚钝的、无聊的、常常说一些枯燥无味的啰嗦话使人感到厌烦的。甚至他的著作好像也失去了光彩，蒙上了一层灰土，不再使他充满了光明和欢乐。

只有不曾亲身体验过这种力量的人，见到有人屈服于这种力量，才会感到惊讶。亲身体验过这种力量的人，感到惊讶的倒是另一点：敢于发一下火，哪怕说一句冲口而出的愤怒话，哪怕很快地、很不大胆地做一个反抗的手势。

维克托写检讨书是自己留着的，他要收藏起来，不给任何人看，但是同时他心里也明白，这检讨书说不定会用得着的，还是留着吧。

早晨，他一面喝茶，一面看表：该上研究所去了。他充满可怕的孤独感。似乎今生今世再不会有谁上他家来了。要知道，没有人给他打电话，不仅仅是因为害怕。还因为他又无聊，又乏味，又无能。

“不用说，昨天也没有谁问到我了？”他对柳德米拉说过这话，便朗诵起来：“我一个人在窗前守候，看不到客人，也看不见朋友……”

“我忘了告诉你，契贝任回来了，打来电话，说希望看到你。”

“啊，”维克托说，“啊，这事儿你怎么能不告诉我呢？”他在桌上敲起胜利的乐曲。

柳德米拉走到窗前。又高又驼背的维克托不慌不忙地走着，不时地挥两下皮包，她知道，这是他想着和契贝任见面，在迎接他，和他说话呢。

这些天来，她十分心疼丈夫，为他担心，但也想着他的缺点，想着他的主要缺点——自私。

刚才他就在朗诵："我一个人在窗前守候，看不见朋友……"所以他上试验室去了，试验室里有很多人，有工作；到晚上他就要去找契贝任，大概不到十二点不会回来，也不想想，她一整天会孤单单的，会一个人站在窗前，房子里空荡荡的，身边一个人也没有，她也看不到客人，看不到朋友。

柳德米拉上厨房里去洗碗。这天早晨她心里特别难受。玛丽亚今天也不会打电话来，今天她要上沙鲍洛夫镇去看姐姐。

娜佳的事多么使人不放心呀。她不言不语，当然也不顾禁令，仍然天天晚上出去玩儿。维克托天天操心的是自己的事，也不肯想想娜佳。

门铃响了，大概是木匠来了，昨天她和木匠约好，今天要来修托里亚的房间的门。柳德米拉非常高兴：活生生的人来了。她把门开了——在幽暗的走廊里站着一个女子，头戴灰羔羊皮帽，手里还提着箱子。

"任尼娅！"柳德米拉叫起来。她的声音那样高，那样伤感，连她自己都很吃惊。她一面吻着妹妹，抚摩着她的肩膀，一面说："托里亚不在了，不在了，不在了。"

二十三

浴盆里的热水细细的流着，流得很慢，只要把龙头多少一开大，水就变成凉的。浴盆上水上得很慢，可是姊妹俩觉得，她们见

了面好像还没有说过两句话呢。

后来，等到任尼娅进去洗澡，柳德米拉不时地走到浴室门口，问：

“喂，你在里面怎么样，要不要给你擦擦背？你注意煤气炉，不要灭了。”

过了几分钟，柳德米拉用拳头敲了敲门，生气地问道：

“你在里面怎么啦，睡着了吗？”

任尼娅穿着姐姐的毛茸茸的浴衣走出浴室。

“啊，你真是个女妖。”柳德米拉说。

任尼娅想起来，那天夜里诺维科夫来到斯大林格勒的时候，索菲亚·奥西波芙娜就曾经管她叫女妖。

饭菜已经摆好了。

“有一种很奇怪的感觉。”任尼娅说坐了两天两夜没有卧铺的火车之后，在浴室里洗个澡，就好像回到了和平康乐的时期，可是在心里……”

“你怎么忽然上莫斯科来啦？有什么很不好的事吗？”柳德米拉问道。

“等一会儿再说，等一会儿。”

她摆了摆手。

柳德米拉说了说维克托的情况，说了说意想不到的娜佳的可笑的浪漫史，说了说一些熟人连电话也不来了，碰到维克托就好像不认识。

任尼娅说了说斯皮里多诺夫上古比雪夫的情形。他变得又可爱又可怜了。调查小组在调查他的问题，在查清之前，不给他

安排新的工作。维拉带着小孩子住在列宁斯克，斯皮里多诺夫说起小外孙就哭。后来她又对柳德米拉说了说亨利逊老奶奶被流放的事，又说了说沙尔戈罗茨基老头子多么可爱，里蒙诺夫怎样帮助她办好户口手续。

任尼娅的头脑里还回旋着抽烟人喷出的烟雾、车轮轧轧声、车厢里的说话声，所以她看着姐姐的脸，感觉软软和和的衣服贴到洗得干干净净的身上，坐在又有钢琴又有地毯的房间里，确实感到奇怪。

在姊妹俩互相说的许多事情中，在她们今天的高兴的事和伤心的事、好笑的事和感人的事中，总有一些已经离开人世、但永远和她们分不开的亲人和朋友。不论说到维克托的什么，总有他妈妈的影子站在他后面；说起谢廖沙，马上就会出现他那进了集中营的爸爸和妈妈；还有那个宽肩膀、厚嘴唇的腼腆小伙子的脚步声日日夜夜在柳德米拉身边响着。但是并没有说起他们。

“索菲亚·奥西波芙娜一点音信也没有，就好像沉到地里去了。”任尼娅说。

“列文托妮哈有消息吗？”

“有，有，她有消息。”

“我不喜欢她。”柳德米拉说。她又问道：“你还画画吗？”

“在古比雪夫没画。在斯大林格勒画过。”

“你可以夸耀夸耀了，维克托在疏散时还带着你的两幅画呢。”

任尼娅笑着说：

“这是令人高兴的。”

柳德米拉说：

“你这将军夫人，怎么不说说最要紧的？你满意吗？爱他吗？”

任尼娅一面掩上胸前的衣襟，一面说：

“是的，是的，我很满意，我很幸福，我爱他，他也爱我……”又用迅速的目光看着柳德米拉，补充说：“你可知道，我为什么上莫斯科来？克雷莫夫被捕了，在卢比扬卡监狱里。”

“天啊，这究竟是为什么？他可是百分之百的布尔什维克呀！”

“咱们的米佳呢？你那阿巴尔丘克呢？他恐怕是百分之二百的了。”

柳德米拉沉思起来，说：

“要知道，克雷莫夫多么无情呀！他在普遍集体化时期就不同情农民。我记得我曾经问他：这究竟是怎么回事儿呀？他回答说：都是富农，死就死吧。他对维克托很有影响。”

任尼娅带着责备的口气说：

“唉，姐姐，你总是想起人的不好的地方，而且直截了当地说出来，偏偏是在不应该说的时候。”

“有什么办法，”柳德米拉说，“我是直性子呀，就像车杠一样。”

“好啦，好啦，不过你不要因为你的车杠式的美德感到骄傲。”任尼娅说。

她又小声说：

“姐姐，我也被传讯了。”

她从沙发上拿起姐姐的头巾,用头巾把电话机捂住,说:

“据说,可以在电话里窃所。他们还要我签了字,保证随传随到。”

“据我所知,你没有和克雷莫夫办理结婚登记手续呀。”

“是没有登记,可是没登记又怎样呢?他们审讯我,就拿我当妻子。我就对你说也说吧。他们送来传票,要我带着身份证出庭。我一个一个地回想,想到大哥,想到大嫂,甚至想到你那阿巴尔丘克,所有被捕的熟人都被想到了,却怎么也没有想到克雷莫夫。是快到五点钟把我传去的。那是一个很普通的机关办公室。墙上挂着斯大林和贝利亚的巨幅肖像。一个年轻人,一副平平常常的嘴脸,带着咄咄逼人的神气看着我,开门见山地问:‘您了解尼古拉·格里高力耶维奇·克雷莫夫的反革命活动吗?’我有好几次觉得,我从那里面出不来了。你要知道,他甚至向我暗示说,诺维科夫是个可怕的坏家伙,好像我和诺维科夫接近为的是搜集他可能泄露的情报,然后交给克雷莫夫。我心里好像一切都变成了木头。我对他说:‘您要知道,克雷莫夫可是一个忠心耿耿的共产党员,和他在一起,就像在区党委会里。’他对我说:‘噢,这么说,您认为诺维科夫不是苏联的人吗?’我对他说:‘你们干的事情真奇怪,人家在前方和法西斯作战,您这个年轻人却坐在后方败坏人家的名誉。’我以为他听到这话会打我耳光的,可是他有些发窘,红了红脸。总而言之,克雷莫夫被捕了。罪名有些莫名其妙——又是托洛茨基派,又是和盖世太保有秘密关系。”

“多么可怕呀。”柳德米拉说过这话,就在心里想,本来托里亚也可能被包围,也可能被怀疑干这种事呀。

“可以想见,维克托听到这消息会怎样的,”她说,“他现在神经紧张得可怕,总觉得会有人来抓他。他天天在回想他在什么地方,和什么人说过什么话。特别是常常想到那倒霉的喀山。”

任尼娅目不转睛地对着姐姐看了一阵子,终于说:

“要不要对你说说,最可怕的是什么?那个侦讯官问我:‘既然您的丈夫对您说过托洛茨基称赞他的文章的话:太精彩了,您怎么不知道您的丈夫是托洛茨基派呢?’后来我在回家的路上想起来,确实克雷莫夫对我说过:‘只有你一个人知道这话。’到了夜里,我猛然想起来:诺维科夫秋天上古比雪夫来的时候,我对他说过这话。我觉得,我简直要发疯了,我觉得太可怕了……”

“你倒霉。你就应该遇到这类的事儿。”

“为什么我就应该?”任尼娅问道,“你也可能会有这种事儿嘛。”

“噢,不是。你丢了一个,又找一个。却要对这一个说那一个的事。”

“不过,你也和托里亚的父亲分手了呀。恐怕你也对维克托说了不少。”

“不,你说的不对,”柳德米拉用肯定无疑的语气说,“这是根本不同的两码事。”

“那又为什么?”任尼娅问道。她看着姐姐,忽然感到很恼火。“你要知道,你说的话实在太蠢。”

柳德米拉很平静地说:

“我不知道,也许很蠢。”

任尼娅问道:

“你没有钟吗？我要上库兹涅茨桥24号。”她已经压不住火气，说：“柳德米拉，你的性格很乖僻。难怪你住着四居室的一套房间，妈妈却宁愿在喀山孤单单一个人过日子。”

任尼娅说过这两句无情的话，便懊悔说得太尖刻了，为了让姐姐能感觉到她们之间相互信任的关系还是胜过偶然的争执，就说：

“我希望相信诺维科夫。不过总是，总是……为什么这话让保安人员知道了呢？是怎么知道的呢？这可怕的迷雾怎么来的呢？”

她很希望妈妈在她身边。她会把头放在妈妈的肩上，说：“好妈妈，我太疲乏了。”

柳德米拉说：

“你可知道，会有什么样的事？你那位将军也许会把你们说的话对什么人说说，那人就记下来了。”

“是啊，是啊，”任尼娅说，“真奇怪，这样简单的问题我竟没有想到。”

来到又清静又安宁的柳德米拉的家里，她更清清楚楚地感觉出自己内心的慌乱了……

她离开克雷莫夫时没有感觉到、没有想到的，在分离之后暗暗使她痛苦、使她不安的，——尚未断绝的对他的柔情，为他担忧的心情，和他处惯了的感觉，——近几个星期以来增强了，又冒出来了。

她在工作时想到他，在电车上想到他，站队买东西时也想到他。几乎每天夜里她都要梦见他，在梦里呻吟、喊叫、惊醒。

梦总是噩梦，总是梦见大火，梦见打仗，梦见克雷莫夫面临危险，而且总是无法使他脱离危险。

早晨，她在匆匆忙忙地穿衣服、洗脸，担心上班迟到的时候，她也在想着他。

她觉得她已经不爱他了。但是，难道会这样时时刻刻想着一个自己不爱的人，会因为他的不幸的命运感到这样痛苦吗？为什么每次里蒙诺夫和沙尔戈罗茨基嘲笑和说克雷莫夫喜欢的一些诗人和艺术家平庸无才的时候，她很想看到他，抚摩抚摩他的头发，亲亲他，心疼心疼他呢？

现在她已经不记得他的思想狂热、他对被镇压者遭遇的漠不关心、他在普遍集体化时期说到富农时那股凶狠劲儿。

现在她想起的只是好的地方，只是带有浪漫色彩的事，令人感动的事，使人伤感的事。现在他征服她的力量是他的弱小。他的眼睛是小孩子的眼睛，他的笑是不知所措的笑，他的动作是笨拙的动作。

她仿佛看到他的肩章被撕掉了，胡子已经花白了，仿佛看到他夜里躺在床铺上，看到他在监狱院子里放风时的脊背……大概他在想，她本能地预测到他今天的遭遇，这就是他们分手的原因。他躺在监狱里的床上，想着她……她做了将军夫人……

她不知道：这是怜悯，是爱情，是良心，还是责任心？

诺维科夫给她寄来通行证，并且通过军用专线和空军里的一位朋友说好了，那位朋友答应用飞机把任尼娅送到方面军司令部。领导也给她三个星期的假，让她上前方去。

她自己一遍又一遍地安慰自己说：

“他会了解的，他一定会了解，我不这样不行。”她知道，她这样对待诺维科夫是很可怕的：他天天在等她呀。

她给他写了一封信，丝毫不隐瞒地把一切都说了说。她把信寄出去以后，就想，军事检查机关会看到这封信的。这一切会给诺维科夫带来非同一般的麻烦。

“不要紧，不要紧，他会了解的。”她一再地说。

不过，问题是，诺维科夫了解是会了解，可是等他了解了，就会从此和她分手的。

她是不是爱他，她爱的是否仅仅是他对她的爱？

当她想到难免要和他最后分手的时候，她感到自己就要孤孤单单，顿时觉得十分可怕，十分痛苦，十分恐怖。

她一想到是她自己，是自己心甘情愿毁掉自己的幸福，就觉得特别难受。

但是，当她想到，现在她已经什么也不能改变了，他们是不是完全、彻底分手不是取决于她，倒是取决于诺维科夫的时候，这种想法尤其使她难受。

当她想到诺维科夫觉得非常难受、非常痛苦的时候，她就开始想象克雷莫夫的样子。想象着传她去对质……你好，我的可怜的好人呀。

诺维科夫却是高大、强壮、肩宽腰粗，大权在握。他不需要她的支持，他自己能行。她管他叫“胸甲骑兵”。她永远也不会忘记他那英俊可爱的脸，她会永远怀念他，怀念她自己毁掉的自己的幸福。随它去吧，随它去吧，她不怜惜自己，她不怕自己痛苦。

但是她知道，诺维科夫并不是多么刚强。有时他脸上会出现

几乎毫无办法的、胆怯的表情……

而且她对自己也并不是那么残酷无情，对自己的痛苦并不是那么毫不在乎。

柳德米拉好像参与了妹妹的思考，问道：

“你和你那位将军怎么办呀？”

“我很怕想这一点。”

“唉，谁也无法理解你的做法。”

“我不能不这样做！”任尼娅说。

“我不喜欢你这种不实际。离了就是离了。好了就是好了。用不着藕断丝连，拖泥带水。”

“噢，噢，是要我避祸寻福吗？按这条原则做人，我不会。”

“我说的不是这个。我很尊敬克雷莫夫，虽然我并不喜欢他；你那位将军，我还从来没有见过。既然你决定做他的妻子，就要对他有责任心。你却毫无责任心。他担负着重要任务，在打仗，可是妻子却在这时候送东西给被捕的人。你可知道，这会给他带来什么后果？”

“我知道。”

“那你究竟爱不爱他？”

“你行行好，别问吧。”任尼娅带着哭腔说，并且在心里说：“我究竟爱谁呢？”

“不，你回答我。”

“我不能不这样做，因为人不是为了快活进卢比扬卡的大门的。”

“不应当只考虑自己。”

“我考虑的就不是自己。”

“维克托也会这样考虑的。归根究底都是个人主义。”

“你的逻辑真是不可思议，我从小就觉得你很古怪。你把这叫作个人主义吗？”

“你这样又有什么用呢？你又不能改变判决。”

“比如，有朝一日把你关起来，那时候你就知道亲人能起到什么作用了。”

柳德米拉改变话题，问道：

“你这漂泊的新娘，告诉我，你有玛露霞的相片吗？”

“只有一张。你记得吗，是在索科利尼基照的？”

她把头放在姐姐的肩上，用诉苦的语气说：

“我太累了。”

“你休息休息，睡一会儿，今天你哪儿也别去。”柳德米拉说，“我把床给你铺好了。”

任尼娅半闭起眼睛，摇了摇头。

“不，不，不用。我是活得太累了。”

柳德米拉拿来一个大信封，把一摞照片抖落在妹妹的膝盖上。

任尼娅翻看着照片，叫了起来：“我的天呀，我的天呀……这一张我记得，是在别墅里照的……小娜佳多好玩儿呀……这是爸爸流放回来以后照的……米佳还是中学生呢，谢廖沙像他像极了，特别是脸的上一部分……这是妈妈抱着玛露霞，那时候我还没出世哩……”

她发现，在这些相片当中没有一张托里亚的相片，不过她没

有问，托里亚的相片在哪儿。

“好啦，夫人，”柳德米拉说，“应该伺候你进餐啦。”

“我的胃口很好，”任尼娅说，“就像小时候那样，生气不影响吃饭。”

“好哇，那就谢天谢地。”柳德米拉说着，吻了吻妹妹。

二十四

任尼娅在贴满五颜六色的伪装纸条和纸块的大剧院附近下了无轨电车，走上库兹涅茨桥，经过美术基金会展览馆，战前这儿曾经展出过她熟悉的一些画家的作品，也曾经展览过她的作品，可是她现在从这里走过，甚至都没有想起来。

她有一种很奇怪的感觉，她的生活就像茨冈人玩的纸牌，一下子就变出了莫斯科。

她老远就看到卢比扬卡的牢固的房子的黑灰色花岗岩石墙。

“你好，尼古拉。”她在心里说。也许克雷莫夫已经感觉出她走近了，十分激动，却不知道为什么激动。

旧的命运成为她的新命运。似乎已经永远成为过去的，又成为她的未来。

带有明亮的朝街玻璃窗的宽敞的新接待室关闭着，仍然在老接待室里接待探望者。

她走进肮脏的院子，顺着一面旧墙朝半开着的接待室的门走去。接待室里一切都显得十分平常：桌子上有许多墨水印子，墙边摆着一张张木沙发，带有木板窗台的一个个小窗户，小窗户便

是查询处。

似乎那座俯瞰卢比扬卡广场、斯列津巷、福尔卡索夫巷、小卢比扬卡的多层的石头大楼和这个小小的办公室没有什么联系。

接待室里的人很多，都是探望亲人的，多数是妇女，在各个窗口站着队，有的坐在沙发上，有一个老头子戴着厚玻璃眼镜在桌上填写一张表。任尼娅看着这些老老少少、男男女女的一张张的脸，心想，他们所有的人的眼神、嘴的形态有很多相同之处，她如果在电车上、在大街上碰到这样的人，就会猜到是上库兹涅茨桥24号来的。

她向一名年轻的值班人员打听。这人穿着红军服装，不知为什么却不像红军。他问任尼娅：

“你是第一次来吧？”然后指了指墙上开的小窗户。

任尼娅站进队伍，手里拿着身份证，她的手掌和手指头都紧张得出了汗。站在她前面的一个戴圆帽的妇女小声说：

“如果在内部监狱没有，就要去马特罗斯·挤什纳，然后去布特尔斯克，不过在那里在一定的日期按字母顺序接待，然后上列弗尔托夫军事监狱，然后再到这儿来。我寻找儿子找了一个半月了。您上军事检察院去过吗？”

队伍移动得很快，任尼娅心想，这不是好事，大概回答都是敷衍了事，很简短。但是，等到一个穿得很讲究的上了年纪的妇女走到窗口，却停顿了很久。大家小声传说着，值班人员亲自去问情况去了，因为在电话里说不详细。那个妇女半侧身朝着队伍站着，眯着眼睛，那表情似乎在说，她在这儿也不认为自己和这群可怜的被捕者的亲属是平等的。

不一会儿,队伍又动起来。有一个年轻女子在离开窗口的时候,小声说:

“回答只有一句:不准送东西。”

旁边一个女子对任尼娅解释说:“这就是说,侦讯还没有结束。”

“能不能见面呢?”任尼娅问道。

“唉,您怎么啦?”那女子说,并且笑了笑任尼娅的天真。

任尼娅从来没有想到,人的脊背这样善于表情,这样明显地表达出人的精神状态。快要走到窗口的人们,不知为什么很特别地伸长了脖子,他们的脊背,连同那耸起的肩膀,那绷紧的肩胛骨,好像是在叫,在哭,在抽搭。

等到任尼娅前面只有六个人了,小窗户啪的一声关上了,说是休息二十分钟。站队的人在沙发上和椅子上坐下来。

这里有母亲们,有妻子们。有一个上了年纪的男子,是一位工程师,他的妻子是对外文化协会的翻译,现在在监狱里;有一名中学女学生,她的妈妈被捕了,她的爸爸在1937年就被判处剥夺十年通信自由;有一位瞎眼的老奶奶,是邻居领她来的,她是来打听儿子的消息;有一位外国女子,不大会说俄语,她是一名德国共产党员的妻子,身穿方格的外国大衣,手里提着一个花布提包,眼睛完全像俄罗斯老奶奶的眼睛。

这里有俄罗斯人,有亚美尼亚人,有乌克兰人,有犹太人,还有莫斯科郊区集体农庄的一名女庄员。在桌子上填表的那个老头子是季米里亚泽夫学院的教师,他的上中学的孙子被捕了,显然是因为在晚会上说错了话。

在这二十分钟里，任尼娅听到和了解了很多事情。

今天的值班员很好……在布特尔监狱不收罐头食品，一定要送大葱和大蒜——治坏血病：在这里，上星期三有一个人拿到了证件，在布特尔监狱关了他三年，一次也没有审问过，就放了……从被捕到进集中营，一般要过一年左右……不能送好东西；在克拉斯诺普列斯宁羁押监狱，把政治犯和刑事犯关在一起，刑事犯见什么东西抢什么东西……不久前这儿来过一个妇女，她的老头子是一个很大的设计师，老头子被捕了，原来他在年轻时和一个女子有过短时间的关系，生了个男孩子，他一直付给她孩子的赡养费，可是从来没有见过那孩子，等那孩子长大成人，在前线上跑到德国人那边去了，所以设计师被判了十年徒刑，因为他是祖国叛徒的父亲……大部分是依据58-10条款进来的，反革命宣传，也就是瞎扯，随便说说……就在五一节前被捕了，一般在节日前抓人抓得特别多……这里来过一个妇女，有一个侦讯官往家里给她打电话，她忽然听到丈夫的声音……

说也奇怪，任尼娅在这内部监狱的接待室里，倒是比在姐姐家洗过澡以后心里镇定些，轻松些。

有的妇女送的东西被收下后，显露出多么幸福的神情呀。

有一个人用压得低低的声音在旁边说：

"他们说到1937年被捕的一些人的情况都是胡乱说的。他们对一个妇女说：'你丈夫活着，在干活儿哩。'可是她第二次来，还是那个值班的回答她说，'你丈夫在1939年死了。'"

终于小窗户里面的人抬起眼睛看着任尼娅了。这是一张普普通通的办事人员的脸，也许他昨天还在消防队办公室里工作，

明天,如果上级有命令,他又会到授奖科填报表了。

“我想打听一个被捕的人——尼古拉·格里高力耶维奇·克雷莫夫。”任尼娅说。她觉得,就连不认识她的人都会察觉,她说话的声音变了。

“什么时候被捕的?”值班人员问。

“在十一月里。”她回答说。

值班人员交给她一张查询表,说:

“您填好,交给我,不用再排队。明天来听回话。”

他在给她表的时候,又看了她一眼,这匆匆的一瞥不是普通办事员的目光,而是克格勃人员的精明和搜索的目光了。

她开始填表,手指头哆嗦着,就像刚才坐在这椅子上的那个季米里亚泽夫学院的那个老头子。

在和被捕人关系一栏内她写的是“夫妻”,而且用粗粗的笔画描了描。

她把填好的表交去以后,坐到沙发上,把身份证放进手提包。她从手提包的这一格又换到那一格,重放了好几次,她明白了,她是不愿意离开这些站队的人。

此时此刻她只希望一点:让克雷莫夫知道她在这里,知道她为了他已经扔掉一切,看他来了。

但愿他能知道她在这儿,在他跟前。

她在街上走着,暮霭渐渐浓了。她这一生一大半是在这座城市里度过的。但是那画展的日子,看戏、下饭馆、别墅休养、听交响乐的日子离开她太远了,似乎她没有过过那种日子。斯大林格勒、古比雪夫、诺维科夫那好看的、有时她觉得英俊无比的脸已成

为过去。剩下的只有库兹涅茨桥24号的接待室，她觉得她好像是在一个陌生的城市的陌生的街道上走。

二十五

维克托一面在外间里脱套鞋，和老保姆打招呼，一面看着契贝任房间的半开着的门。

老保姆伊凡诺芙娜一面帮维克托脱大衣，一面说："进去吧，进去吧，他在等你呢。"

"娜杰日达·菲道罗芙娜在家吗？"维克托问。

"不在家，昨天她带着侄女上别墅去了。维克托·巴甫洛维奇，您不知战争很快就要结束了吗？"

维克托对她说：

"听说，有人叫朱可夫的司机问问朱可夫，战争什么时候结束。朱可夫坐上汽车，却问起司机：'你能不能说说，这战争什么时候结束？'"

契贝任出来迎住维克托，说：

"老人家，不要把我的客人抢去。你请你的客人好啦。"

维克托每次到契贝任这儿来，都感到很兴奋。现在虽然他心里十分苦恼，仍然别有一种已经不习惯的轻松感。

往常维克托走进契贝任的书房，打量着一个一个的书架，总要用开玩笑的口吻说说《战争与和平》里的一句话："噢，在写哩，没有玩。"

现在他也说："噢，在写哩，没有玩。"

书架上十分凌乱，很像车里亚宾斯克工厂车间里那种表面上的混乱。

维克托问：

“您的孩子们有信来吗？”

“收到大儿子的来信，小儿子在远东。”

契贝任握住维克托的手，借助默默无言的握手表达了不需要用话说的心情。老保姆伊凡诺芙娜也走到维克托跟前，吻了吻他的肩膀。

“维克托·巴甫洛维奇，您有什么新闻吗？”契贝任问道。

“我的消息，也就是大家的消息。斯大林格勒的消息。现在毫无疑问：德国佬要完蛋了。我个人却没有什么好消息，相反，全是坏消息。”

维克托对契贝任说起自己的倒霉事。

“现在朋友们和老婆都劝我检讨。把自己的正确说成错误。”

他一个劲儿地说自己的事，说了很多。一个害重病的病人，总是日日夜夜想着自己的病。

他撇了撇嘴，耸了耸肩膀。

“我常常想起咱们说过的关于发面和浮上表面的脏东西的那番话……在我四周围从来没出现过这样多的肮脏东西。而且不知为什么这一切偏偏出在胜利的日子里，这就特别可恼，特别使人难以容忍。”

他看着契贝任的脸，问道：

“依您看，这不是偶然的吧？”

契贝任的脸非常奇怪：很平常，甚至很粗陋，高颧骨，翘鼻

子，像一张庄稼汉的脸，尽管如此，却又十分文雅，十分清秀，伦敦的绅士、开耳文勋爵都望尘莫及。

契贝任忧郁地回答说：

“等到战争结束了，咱们再说说，什么是偶然的，什么不是偶然的。”

“也许，到那时候猪都会把我吃掉了。明天就要在学术委员会会议上拿我开刀了。就是说，已经在院部和党委会上把我结果了，只是在会议上宣布一下，说这是人民的声音，群众的要求。”

维克托在和契贝任说话的时候，觉得自己很奇怪：他们谈的是维克托生活中的痛苦的事情，不知为什么心里却很轻松。

“我倒是认为，现在是用银盘子，也许是用金盘子捧着你哩。”契贝任说。

“这为什么？我把科学引进了学究式的抽象概念的泥坑，使科学脱离了实际嘛。”

契贝任说：

“是啊，是啊。很奇怪！您知道，男人是爱女人的。女人是男人的人生目的，是男人的幸福、希望、欢乐。但是不知为什么男人总要隐瞒着，这种感情不知为什么成了不体面的东西，男人必须说，他和女人睡觉，是因为她给他做饭、补袜子、洗衣服。”

他把两手举在自己的面前，挓挲开手指头。他的手也是很奇怪的：是一双像铁钳一样有力的干活儿的手，又很像一双贵族的手。

契贝任忽然发起火来：

“可是我不害臊，我需要爱情并不是为了做饭！科学的价值

就在于它为人类造福。可是我们科学院的一些家伙却奉命说：科学是实际的女佣，要依照谢尔巴科夫的家规干活儿：'您有什么吩咐？'只能准许这样！……不对！科学发明本身有其崇高的价值！科学发明可以改善人，其作用超过蒸汽锅炉、涡轮机、航空和从诺亚时代到我们今天的全部冶金工业。改善心灵，心灵！"

"我倒是赞成您的说法，不过恐怕斯大林同志不赞成。"

"没什么，没什么。这就是事情也有另一个方面。今天麦克斯韦的抽象理论到明天会变为军用无线电呼号。爱因斯坦的引力场理论、薛定谔的量子力学和玻尔理论体系明天就成为最强大的实际力量。这是应该可以理解的。这道理极其简单，就连笨鹅都会懂得。"

维克托说：

"不过，您也曾亲身体验到，政治领导者不愿承认今天的理论明天会变为实际。"

"不，倒是有些相反，"契贝任慢慢地说，"我自己不愿意领导研究所，正是因为我知道：今天的理论明天会变为实际。可是很奇怪，非常奇怪，我原来就认为，希沙科夫会因为发现核反应过程受到提拔。而这种事没有您是不行的……说准确点儿，不是原来认为这样，而是一直认为是这样。"

维克托说：

"我不理解您辞去研究所职务的动机。您的话我不明白。但是我们的领导向研究所提出了曾经使您担心的任务，这是很明白的。领导者往往在一些比较明显的事情上犯错误。比如伟大领袖一直在加强同德国人的友好关系，而且在战争开始前几天还用

特快列车给希特勒送橡胶和其他战略原料。而在我们的事业中……伟大的政治家出错儿就更不算什么。而在我的生活中，一切都翻了个儿。我在战前的著作都是接触实际的。比如，我在车里雅宾斯克就常常上工厂去，帮助安装电子仪器。可是在战争时期……”他带着快活而无可奈何的神气把手一挥。“我走进了深深的密林。有时不知是害怕，还是觉得不自在。真的……我想建立核相互作用物理学，可是这样引力、质量、时间就不存在了，而没有实体、只有磁作用的空间也要分为两个。在我的试验室里有一个很有才能的年轻人，就是萨沃斯季扬诺夫，有一次我和他谈起我的研究。他问我这一点，又问那一点。我对他说：这还不是理论，这是提纲和一些想法。第二空间——这是方程中的指数，不是实有的。对称只是存在于数学方程中，我不知道，基本粒子的对称是否与之相符。数学答案走到了物理学前面，我不知道，基本粒子物理是否愿意挤进我的方程。萨沃斯季扬诺夫听着，听着，然后说：‘我想起大学里的一位同学，他有一次解一道方程式解乱了，就说：这不是科学，这是一群瞎子集合在荨麻地里……’”

契贝任笑起来。

“确实很奇怪，您自己无法认识到自己的数学方程在物理学方面的意义。就像有一只来自奇异国度的猫，首先出现猫的笑容，然后才出现猫本身。”

维克托说：

“可是，我的天呀，我在内心里却相信：人类生活的主要的轴恰恰就在这儿。我决不改变我的观点，决不后退。我从来不放弃自己的信仰。”

契贝任说：

“我知道，您离开试验室会有什么样的心情，您的数学和物理学的关系眼看着就要在试验室里显现出来。这是很痛苦的，不过我为您感到高兴，正直的心不会磨灭。”

“只要不把我磨灭掉就行啦。”维克托说。

伊凡诺芙娜送进茶来，把桌上的书推开，腾出地方。

“哦，是柠檬呀。”维克托说。

“您是贵客嘛。”伊凡诺芙娜说。

“我啥也算不上。”维克托说。

“喔，喔，”契贝任说，“干吗要这样？”

“真的，明天就要对我开刀了。我感觉到了。到后天我会怎样呢？”

他把茶杯朝自己跟前移了移，用茶匙在小碟子边上敲着自己的绝望心情的进行曲，心不在焉地说：

“哦，柠檬呀。”他觉得用同样的语调把这话说了两遍，感到不好意思起来。

他们沉默了一阵子。契贝任说：

“我想和您谈谈一些想法。”

“我很愿意听。”维克托心不在焉地说。

“其实，不过是空想……您知道，关于宇宙无限的概念，现在已经成了人人知道的道理。总星系总有一天会成为某一个俭省的人就着喝茶的糖块，而电子或中子则会成为人类可以纵横驰骋的世界。这已经是小学生都知道的了。”

维克托点了点头，在心里说：“的确是空想。今天老头子有点

儿不正常。”同时他想象着明天会议上希沙科夫的样子。“不,不,我不去。要是去,就要检讨,或者争论政治问题,那就等于自杀……”

他轻轻打了一个呵欠,想道:“这是心力衰竭。人打呵欠都是因为心脏有毛病。”

契贝任说:

“能够限制无限性的,恐怕只有上帝……因为在宇宙界限之外,必须承认有神的力量。不是这样吗?”

“是这样,是这样。”维克托说。又在心里说:“德米特里·佩特罗维奇呀,我可是没有心思谈哲学,人家要抓我坐牢了。必然的事嘛!再说,我在喀山又和那个马季亚罗夫说直话说了不少。也许他就是暗探,也许是逼着他来套别人的话。我一切都很糟糕。”

他看着契贝任,契贝任注视着他那似乎很用心的目光,继续说:

“我以为,限制宇宙无限性的界限是有的,那就是生命。这界限不在爱因斯坦的曲率范围,而是在生命的对立性和死的物质中。我觉得,可以给生命下定义为自由。生命就是自由。生命的基本原则就是自由。自由与受奴役,生命与死的物体——界限就在这里。再就是,我以为,自由一旦出现了,就开始了自己的演化。演化分两种途径进行着。人比起原生动物有更多的自由。生物世界的整个演化过程就是从自由的最小限度到最高限度的运动过程。这就是生命形式演化的实质。最富于自由的形式,便是最高的形式。这是演化的第一分支。”

维克托看着契贝任，沉思起来。契贝任点了点头，似乎是对他的用心倾听表示赞许。

“还有演化的第二条分支，我以为是数量方面的演化分支。今天，如果一个人的重量算50公斤的话，全人类的重量就有一亿吨了。这比以前，比如说，一千年前，多得太多了。活物的量依靠死物体供应的养料会越来越多。地球会渐渐充满生物。人类住满了沙漠，住满了北极地区，就要开始进入地下，地下城市和场地离地面会越来越深。地上生活的人就要成为优越的了。然后住满一个又一个行星。如果想象到由于时间无限而生命演化不断，那么将来死物质变生命的过程会在银河系范围内进行。物质将由死的变成活的，变成自由。宇宙就活了，世界上的一切都成了活的，也就是都成了自由的。自由、生命就会战胜奴役。”

“是的，是的，”维克托说，并且笑了笑，“可以拿积分为例。”

“实质就是这样，”契贝任说，“我研究过星体演化，可是我懂得，活的黏液留下的小小灰斑都是轻易动不得的。演化的第一分支，从低级到高级，那是了不起的。将会出现具有一切天然特点的人：到处都能去，什么都知道，什么都能做得到。最近一百年内会解决物质变能的问题和创造活物质的问题。在战胜空间和取得极限速度方面也会有相应的发展。在比较遥远的将来，会朝着掌握能的最高形式，即掌握精神能的方向前进。”

维克托忽然不再觉得契贝任说的一切是空谈了。原来，他不赞同契贝任说的话。

“人能够通过仪器的显示使整个总星系的有理性生物的精神活动的内容、节奏具体化。光需要几百万年才能穿越的空间，精

神能霎时间就能穿越。上帝的特征——无所不在,将成为精神的成就。不过,人能够与上帝并驾齐驱之后,还不会就此停止。人要解决上帝都无法解决的问题。人要建立和整个宇宙、和另外的空间、另外的时间的高级理性生物的联系,人类的整个历史与另外的时间相比,只是似有若无的短暂的一闪。人还要建立和微观宇宙的生命的有意识联系,微观宇宙生命的演化,在人类看来只是短短的一瞬。那将是完全消灭时间与空间障碍的时代。人类就会看不起上帝了。"

维克托点了点头,说:

"德米特里·佩特罗维奇,开头我听着您的话,心里在想,我哪儿有心思听哲学议论,人家要抓我去坐牢了,还谈什么哲学。可是我一下子就忘记了科甫琴科,也忘记了希沙科夫、贝利亚同志,忘记了明天也许会把我赶出试验室,后天也许就会把我关起来。不过,您要知道,我听着您的话,不是感到高兴,而是感到失望。您把我们说得很了不起,神话中的大力士赫耳库勒斯在我们面前成了可怜的小矮子。可是就在这时候,德国人就像宰疯狗一样在杀犹太老年人和小孩子,我们也发生过1937年的事,发生过普遍集体化的事,把几百万不幸的农民流放,饥饿,人吃人……您要知道,我总觉得从前一切都单纯些,明朗些。经历了种种可怕的不幸与灾难之后,一切都变得复杂了,难以理解了。人会看不起上帝,可是能不能也看不起恶魔,战胜恶魔?您说,生命就是自由。可是在集中营里的人是不是这样想?生命遍布于宇宙之后,会不会用自己强大的力量建立奴役制,其可怕程度超过您说的对死物质的奴役?您还是告诉我,将来的人在善良方面能不能超过

耶稣？这是最主要的！请告诉我，如果无所不能、无所不在的人类仍然带有我们今天的刚愎自用和利己主义，包括阶级的、民族的、国家的、个人的利己主义，人类的强大将给世界带来什么？那时的人会不会把全世界变成总星系规模的集中营？就是说，就是说，请告诉我，您是否相信善良、道德、慈悲心的进化？人是不是在这方面也会进化？"维克托很抱歉地皱了皱肩头。"对不起，我一定要请您回答这个问题，这个问题也许比咱们谈的数学方程还要抽象。"

"这个问题并不那么抽象，"契贝任说，"因此也反映在我的生活中。我决定不参加原子裂变的研究。人类要过明智的生活，今天的善良和好心肠是不够的，您说的也是这一点。如果人一旦掌握了原子内部能量的力量，会怎么样呢？今天精神能还处在很可怜的水平。不过我相信未来！我相信，日益发展的不只是人的力量，还有仁爱心，还有人的精神。"

他看到维克托脸上的表情，感到惊讶，就沉默下来。

"我想过，想过这一点，"维克托说，"有一次我也觉得十分可怕！我们在这儿担心人类的不完美。可是，比如说，在我的试验室里，还有谁考虑这一点呢？索科洛夫吗？他有很了不起的才能，可是胆子太小，在国家的力量面前低声下气，认为一切权力都是天生的。马尔科夫吗？他完全置身于善、恶、仁爱、道德等问题之外。他有实干的才能。他解决科学问题，就像棋式专家解决棋式问题。我对您说过萨沃斯季扬诺夫吗？他是一个招人喜欢的、很聪明、很出色的物理学家，但他又是一个所谓没有头脑的、轻浮的小伙子。他把一大堆穿游泳衣的相识的姑娘的相片带到喀山，

他讲究穿戴，喜欢喝酒、跳舞。对于他来说，科学就是运动，解决问题，弄清现象，就是创运动纪录。最要紧的是，不能被欺骗和利用！可是，就连我现在也没有想这些问题。在我们的时代，从事科学研究的应当是具有伟大心灵的人，应当是先知和圣者！可是现在研究科学的却是有实干才能的人、棋式专家、运动员。他们不知道自己在创造什么。您怎么样？可是您不过是您。柏林的契贝任就不会拒绝研究中子！那又怎么样？我呢，我又怎么样？我原来觉得一切都很简单，可是现在觉得不是这样，不是这样……您知道，托尔斯泰曾经认为自己的天才作品是无聊的游戏。我们物理学家进行创作却不是靠天才，而是使出全身的力气、全部的心血。”

维克托的睫毛不住地眨巴起来。

“我到哪儿去找信心、力量、百折不挠的精神呀？”他很快地说。他的声音中出现了犹太口音。“啊，我能对您说什么呀？您懂得我现在的苦楚，现在他们整我，只是因为我……”

他没有说完，很快地站了起来，茶匙掉到地上。他哆嗦着，两只手都在哆嗦。

“维克托·巴甫洛维奇，请您不要难过，”契贝任说，“还是来谈点儿别的吧。”

“不，不，请原谅。我要走了，我的头有点儿疼，对不起。”

他开始告别。

“谢谢，谢谢！”维克托说。也不看契贝任的脸，觉得自己再也控制不住激动的心情。

维克托朝楼下走去，泪水在他的脸上扑簌簌流着。

二十六

维克托回到家里,家里人都已经睡了。他觉得,他会在桌前一直坐到天亮,把自己的检讨书写了又写,看了又看,再考虑第一百次:明天他去不去研究所。

他在很长的回家的路上的时候,什么也没有想:没有想在楼梯上流泪,没有想因为忽然激动起来中断了他和契贝任的谈话,没有想他的可怕的明天,也没有想揣在上衣旁边口袋里的给妈妈的信。安静的夜晚的街道使他的心情也安静下来,他的头脑空空的,好像一眼可以看透,可以穿过似的,就像夜晚的莫斯科的空旷无人的林荫道。他不难过,不因为刚才流泪感到不好意思,不担心自己的命运,不盼望好的结局。

早晨,维克托朝浴室走去,可是浴室的门从里面锁上了。

“是你吗,柳德米拉?”他问道。

他听到任尼娅的声音,啊呀了一声。

“我的天,任尼娅,你怎么在这儿呀?”他说。因为太突然,他呆呆地问道:“柳德米拉知道你来了吗?”

任尼娅走出浴室,他们拥抱起来。

“你的气色不大好呀,”维克托说过这话,接着又说,“我这是随便说的。”

她接着就在走廊里对他说了说克雷莫夫的被捕和她来莫斯科的目的。

他很吃惊。但是他听到这个消息之后,觉得任尼娅此行尤其

难得。假如任尼娅是喜气洋洋地来的,一心想的是自己的新生活,他就不会觉得她这样可亲可爱了。

他和她说话,向她询问着,一面不住地看钟。

“这多么荒唐,多么不可思议,”他说,“你倒是想想尼古拉和我谈的许多话,他常常纠正我的思想。可是你瞧!我满脑子异端邪说,却还自由自在,他这个虔诚的共产党员倒被捕了。”

柳德米拉说:

“维克托,你要注意:餐室里的钟慢十分钟。”

他嘟哝了一句,便朝自己房里走去,在经过走廊的时候,又朝挂钟看了两次。

学术委员会会议定于上午十一时开始。他虽然置身于许多习惯了的东西和书籍之中,却以超乎寻常、近似幻觉的敏锐感清清楚楚地感觉到研究所里的紧张和忙碌。十点半钟了。大概索科洛夫开始脱工作服了。萨沃斯季扬诺夫小声对马尔科夫说:“嗯,看样子,咱们的疯子拿定主意不来了。”古列维奇挠着厚厚的后脑勺,朝窗外看了看:一部小汽车来到研究所大楼门前,希沙科夫头戴呢帽、身披长长的牧师式斗篷走出汽车。随后又有一部小汽车来到,是年轻的巴季因。科甫琴科顺着走廊走来。会议厅里已经有十五六个人,在看着报纸。他们提前来到,因为知道今天的人很多,要先占一个好点儿的位子。斯维琴和研究所党委书记拉姆斯科夫带着一副煞有介事的神气站在党委会门口。白发苍苍的老院士普拉索洛夫拿眼睛朝上望着,在走廊里缓缓走着;他在这一类的会议上说话特别鄙俗。初级研究员们成群成堆地走着,闹闹哄哄的。

维克托看了看表，从抽屉里拿出自己的检讨书，装到口袋里，又看了看表。

他可以去参加学术委员会会议，不检讨，一声不响地坐一坐……不行……既然去了，就不能不说话，既然说话，就得检讨。可是如果不去，就把自己所有的路切断了……

别人会说："他没有勇气……有意和群众对立……是政治上的挑战……这样一来，问题的性质就变了……"他从口袋里掏出检讨书，并没有看，马上又装进口袋里。这检讨书他反复看过几十遍了："我认识到，我对党的领导表示不信任，这种行为不符合苏联人的行动准则，所以……还有，我在研究中没有意识到自己偏离了苏联科学的光辉道路，不自觉地对抗……"

他老是想再看看检讨书，可是他把检讨书一拿到手里，就觉得每一个字他都熟悉得不得了……共产党员克雷莫夫进了卢比扬卡监狱。他维克托又喜欢怀疑，又怕斯大林的残酷，还议论过自由，议论过官僚作风，再加上现在被看作政治问题的事，早就应该被送到科雷马去了……

最近几天他越来越害怕，似乎他就要被捕了。要知道，一般都不是开除公职，事情就完了。先是批判，然后开除，然后抓起来。

他又看了看表。这时大厅里应该已经坐满了人。大家都朝门口看着，小声说着："维克托·什特鲁姆还没来呢……"有人说："快到中午了，维克托还没来呢。"希沙科夫坐到主席位子上，把皮包放到桌上。科甫琴科旁边还站着一名女秘书，女秘书是拿着紧急文件来请他签字的。

维克托想到会场上几十个人焦急而不耐烦地等待着，也急得不得了。大概，在卢比扬卡监狱里，在负责他的专案的人的房子里，有些人也在等着：他怎么还没来呀？他仿佛看到中央委员会也有一个面色阴沉的人：怎么他还不来呀？他仿佛看到许多熟人都在对家里人说："真是疯子。"柳德米拉在心里责备他：托里亚献出生命保卫国家，可是维克托竟在战争时期和国家争执起来。

过去每当他想起他的亲戚和柳德米拉的亲戚中有那么多被镇压、被关的人的时候，他总是自我安慰地想："如果他们问我，我会说：我的亲戚不都是这样的人，还有克雷莫夫哩，他也是和我很近的亲戚，是有名的共产党员，老布尔什维克，地下工作者。"

可是现在你瞧克雷莫夫！如果那里面开始审问他，他就会想起维克托的许多牢骚怪话。不过，克雷莫夫跟他也不是那么亲近了，因为任尼娅已经和他分手了。而且，他和他也没有说过多么危险的话，因为在战前维克托还没有什么特别尖锐的意见。啊，要是问起马季亚罗夫呢？

几十、几百种拉力、压力、推力、撞力合成一种合力，似乎要把他的肋骨折断，把他的头盖骨击碎。

什托克曼博士的话"孤独的人是刚强的"是不对的……孤独算什么刚强：他偷偷地朝四下里打量着，带着自嘲和无可奈何的表情匆匆忙忙地结起领带，把检讨书放到新礼服的口袋里，穿起崭新的黄皮鞋。

就在他穿好衣服站在桌边的时候，柳德米拉走进门来，她一声不响地吻了吻他，就出去了。

不，他不宣读自己的检讨书！他要说说心里的实话：同志们，

朋友们，我听到你们的话十分难过，我十分难过地在想，在艰苦奋战取得斯大林格勒的战役转折的大喜的日子里，我怎么会这样孤单，怎么会听到自己的同志、兄弟和朋友们的愤怒的谴责……我向你们发誓：我不吝惜全部心血、全部力量……是的，是的，是的，他现在知道要说些什么……快点儿，快点儿，他还来得及……同志们……斯大林同志，我有过错误，到了深渊的边沿，才看清自己的错误。他要说的是他内心深处的话！同志们，我的儿子就牺牲在斯大林格勒城下……

他朝门口走去。

就在这最后一分钟里，他最后拿定了主意，剩下的只是快点儿赶到研究所，把大衣脱在存衣室里，走进会议厅，听着几十个人激动的低语声，打量着一张张熟悉的脸，说："同志们，我请求发言，我要说说这些天来我所想的和我感觉到的……"

但也正是在这几分钟里，他动作缓慢地脱掉上衣，搭在椅背上，解下领带，卷了卷，放到桌子边上，坐下来，开始解鞋带儿。

他顿时充满轻松感与清白感。他坐着，很平静地沉思起来。他不信上帝，但是不知为什么此时此刻他觉得仿佛上帝在看着他。他这一生从来没有体验过这样幸福又这样安宁的心情。再没有什么力量能够夺去他的正确性了。

他想起妈妈。也许，当他不由自主地改变主意的时候，妈妈在他跟前。因为在这之前一分钟，他还真想去做违心的检讨呢。当他下决心做出最后决定的时候，没想到上帝，也没想到妈妈。但是上帝和妈妈是和他在一起的，尽管他没有想到。

"我心里多么痛快呀，我真幸福。"他心里想道。

他又想象起会议情形，想象着很多人的脸，仿佛听到发言者的声音。

“我心里多么痛快，多么舒畅呀。”他又想道。

似乎他从来没有这样认真思索过自己的一生，这样认真想过亲近的人，从来没有这样认真地了解自己和自己的命运。

柳德米拉和任尼娅走进他的房里。柳德米拉看见他脱了外衣，只穿着袜子，敞着衬衣领口，不禁像个老奶奶似的啊呀叫了一声。

“我的天，你没有走呀！那现在会怎么样？”

“我不知道。”他说。

“不过，也许还不迟吧？”她说。然后看了看他，又说：“我不知道，我不知道，你是大人嘛。可是，你在决定这样的问题的时候，应当考虑的不光是自己的原则。”

他没有作声，后来叹了一口气。

任尼娅说：“姐姐！”

“噢，好吧，好吧，”柳德米拉说，“听天由命吧。”

“是的，柳德米拉，”维克托说，“以后咱们还要慢慢走着瞧呀。”

他用手捂住脖子，笑着说：

“对不起，任尼娅，我没系领带。”

他看着柳德米拉和任尼娅，觉得他现在才真正懂得，生活在人世上是多么不容易、多么不可轻视的事，和亲人的关系有多么重要。

他明白了，生活会照常进行下去，他又可以发火，可以为琐碎事操心，可以生妻子和女儿的气了。

“好啦，谈我的事谈够了，”他说，“任尼娅，咱们来下下棋，你可记得，那一次你一连赢了我两局？”

他们把棋摆好，维克托是白子，第一步走的是王侧小卒。任尼娅说：

“尼古拉用白子往往都是先走王。啊，今天上库兹涅茨桥，会得到什么回话呀？”

柳德米拉弯下身，把便鞋推到维克托脚底下。他也不看，想把脚插进鞋里，柳德米拉带着抱怨的意味叹了一口气，便跪到地上，把便鞋给他穿到脚上。他吻了吻她的头，漫不经心地说：

“谢谢，柳德米拉，谢谢。”

任尼娅还没有走第一步，就摇了摇头。

“哼，我真不懂。托洛茨基问题是老问题了。一定是出了什么事儿，可是什么事儿呢？”

柳德米拉一面摆正白棋子，一面说：

“昨天夜里我几乎一夜没有睡。那样忠实、思想水平那样高的共产党员呀。”

“昨天夜里，你可以算睡得很好，”任尼娅说，“我醒了好几次，你都是在打呼噜。”

柳德米拉生气了：“胡说，我简直都没有合眼。”

她对丈夫说，同时也是出声地回答使她不安的思绪：

“没关系，只要不逮捕，就没关系。如果什么都不给你，我不怕，咱们可以卖东西，可以上别墅去，我到市场上去卖草莓。我还可以到中学里去教化学。”

“别墅不会再让住了。”任尼娅说。

“难道你们不明白，尼古拉什么罪也没有？”维克托说。

“不是那种随便胡来的人。”

他们面对棋盘坐着，看着棋子，看着只走了一步的唯一的一个小卒，说着话儿。

“任尼娅，好妹妹，”维克托说，“你是凭良心行事。要知道，这是一个人最可贵的东西。我不知道，生活会带给你什么，但我相信，你现在所作所为对得起良心。我们最大的不幸，就是我们所作所为不凭良心。我们说的，不是我们所想的。感觉是一样，做的却是另一样。你该记得，托尔斯泰说到死刑，说过‘我不能沉默！’可是在1937年处死成千上万无辜的人的时候，我们却沉默。沉默还算好的哩！还有不少人闹闹哄哄大加赞扬呢。在普遍集体化的可怖时期，我们也沉默。我以为，我们还谈不上社会主义，社会主义不仅仅是在于重工业。社会主义首先要有凭良心的权利。剥夺人的凭良心的权利，是非常可怕的。如果一个人能够凭良心行事，会感到十分幸福的。我替你高兴，你是凭良心行事的。”

“维克托，你不要像佛陀一样说教了，不要把糊涂人弄得更糊涂，”柳德米拉说，“良心有什么用？断送自己的幸福，让一个好人痛苦，这又对克雷莫夫有什么好处？我不相信，等到把他放出来，他会有什么幸福。在他们分手的时候，他好好儿的嘛。她的良心是对得起他的。”

任尼娅拿起做王的棋子，在空中转悠了几下，看了看贴在上面的呢子片儿，又放回原地方。

“姐姐，”她说，“还能有什么幸福。我想的不是幸福。”

维克托看了看表。他觉得表面子很平静，长短针似乎带着睡意，十分安宁。

“这会儿他们在那儿讨论得正带劲儿呢。在拼命地批判我呢，不过我既不气，又不恼。”

“要是我，就打那些不要脸的家伙的嘴巴，”柳德米拉说，“一会儿管你叫科学的希望，一会儿照你吐唾沫。任尼娅，你什么时候上库兹涅茨桥？”

“四点钟。”

“我给你做午饭，吃了再去。”

“今天咱们午饭吃什么？”维克托说，又笑着补充说，“两位女同胞，你们可知道，我对你们有什么要求？”

“知道，知道。你是想干你的事情。”柳德米拉说着，站了起来。

“要是别人，在这样的日子，早气得发疯了。”任尼娅说。

“这是我软弱，不是刚强，”维克托说，“昨天契贝任和我谈科学，谈了很多。可是我另有看法，另有一种观点。就像托尔斯泰那样，他怀疑，他感到苦恼，不知道文学对人是否有用，不知道他写的书对人是否有用。”

“哼，你要知道，”柳德米拉说，“你想在物理方面写出《战争与和平》，还早着哩。”

维克托感到十分尴尬。

“是的，是的，柳德米拉，你说得很对，我是胡乱说说。”他嘟哝说，并且不由自主地用责备的目光看了看妻子。“天哪，就是在这样的时候还是需要着重指出我说的每一句错话呀。”

他又剩了一个人。他看起昨天他做的记录,同时在想今天的事情。

为什么柳德米拉和任尼娅离开他的房间,他就舒畅了?有她们在场,他产生了一种感觉,感觉到自己是虚伪的。他提议下棋,他表示希望干事情,其中都有虚伪性。显然,柳德米拉管他叫佛陀,正是感觉出这一点。而且他在赞美良心的时候,也感到他的声音有虚伪、不自然的意味。他怕别人怀疑他是自我欣赏,就尽可能说一些很平常的话,但是这样故意表示平常,就像在讲道台上布道一样,也有其虚伪性。

有一种模模糊糊的不安宁感使他放不下心来,他不明确:他缺少什么。

他几次站起来,走到门口,倾听柳德米拉和任尼碰说话的声音。

他不想知道他们在会议上说些什么,不想知道谁的发言特别激烈和凶狠,不想知道他们做了什么样的决议。他要给希沙科夫写一封短短的信,说他病了,最近几天不能上研究所去。以后就不需要这样解释了。能做到的,他总是想尽可能做到。其实,已经没用了。

为什么近来他这样怕逮捕?他没干什么坏事呀。他只是随口乱说。而且,其实没说什么了不起的坏话。他们是知道的。

但是心里还是惶惶不安,他忍不住朝门口看了看。也许,他是想吃饭?大概,今后不能享受按级别供应了,也不能进高级食堂了。

外室里响起轻轻的门铃声,维克托急忙跑出去,朝着厨房高

声说：

“柳德米拉，我去开门。”

他把门开了。在幽暗的外室里，玛丽亚的一双惶惶不安的眼睛看着他。

“啊，就是的，”她小声说，“我就知道您不会去。”

维克托帮她脱大衣，他的手感觉到传到大衣领子上的她的脖子和后脑勺的温暖，这时他忽然领悟到：他刚才就是在等她的，因为预感到她要来，所以他倾听，并且一再地朝门口看。

他明白这一点，因为他一看到她，马上就有轻松感和很自然的喜悦感。每次他在傍晚带着沉重的心情从研究所回来，惶惶不安地打量着行人，注视着电车和公共汽车窗外一张张女人的脸，他就是希望遇到她。每当他回到家里，问柳德米拉：“有谁来过吗？”他就是想知道她是不是来过。早就是这样了……她来了，他们说话，开玩笑；她走了，他似乎就把她忘了。当他和索科洛夫说话的时候，柳德米拉说她问候他的时候，她都会出现在他的头脑中。似乎除了他看到她的时候和说她是多么可爱的女子的时候，她都不存在。有时，为了逗引柳德米拉生气，他还说她的好朋友没有读过普希金和屠格涅夫的作品。

他和她在逍遥公园散过步。他看着她，觉得很愉快；他很喜欢她能很快地明白他的话，一听就懂，从来不会理解错；她听他说话时那种孩子般的倾注神情，使他很感动。后来，他们分手，他就不想她了。后来他走在大街上，又想起她来，后来又忘了。

现在他感觉到，她本来一直和他在一起的，只是他觉得好像她不在罢了。在他没有想着她的时候，她也和他在一起。他看不

见她，他没有想起她，可是她依然和他在一起。他无意去想她，就感觉她不在；却不知，即使在不想她的时候，也总是因为她不在而心神不宁。可是这一天，当他对自己、对和他一起生活而又各有各的生活的人了解得特别深刻的时候，他凝视着她的脸，明白了自己对她的感情。他看着她，感到高兴的是，那种经常使人惆怅的她不在的感觉一下子消失了。他因为有她和他在一起，感到轻松起来，他不再下意识地感觉她不在了。他近来总是感到自己孤单。他在和女儿、和朋友、和契贝任、和妻子说话的时候，都觉得自己孤单。可是他只要一看见玛丽亚，孤单感就消失了。

而且这一发现并没有使他吃惊，这是很自然的、无可争辩的。可是在一个月前，两个月前，在喀山的时候，他怎么不明白这又简单又无可争辩的事呢？

而且很自然，在他特别强烈地感觉到她不在的时候，他的感情就要从深处冲到表面上来，成为他的思想所有物。

因为无论如何对她是无法隐瞒的，所以就在外室里，他带着一副愁容望着她说：

"我一直以为，我像狼一样饿了吧，就一个劲儿地朝门口看，是不是马上来叫我吃饭，谁知我是在等待，玛丽亚是不是来了！"

她什么也没有说，就好像没有听见，便走了进来。

她和已经认识的任尼娅一起坐在沙发上，维克托把目光从任尼娅脸上移到玛丽亚脸上，又移到柳德米拉脸上。

两姊妹有多么美呀！这一天柳德米拉的脸特别好看。有损她的美的阴沉表情不见了。她的一双明亮的大眼睛露出温柔而惆怅的神气。

任尼娅撩了撩头发，显然是感觉出玛丽亚在看她。玛丽亚说：

“对不起，不过我没想到一个女子有您这样美。我从来没看到像您这样的容貌。”

她说过这话，脸红了一下。

“玛丽亚，你再看看她的手、手指头，”柳德米拉说，“还有脖子，还有头发。”

“还有鼻子眼儿，鼻子眼儿。”维克托说。

“怎么，你们拿我当一匹卡巴尔达马呀？”任尼娅说，“我才用不着这一切呢。”

“马和马料不一样。”维克托说。虽然这话的意思不太明确，还是引起了笑声。

“维克托，你是想吃饭了吧？”柳德米拉说。

“是的，是的，不，不。”维克托说。他看到玛丽亚的脸又红了红。就是说，她听见他在外室里说的话了。

她坐在那里，像只麻雀，灰灰的，瘦瘦的，那鼓鼓的、不高的额头上面是梳得整整齐齐的、像人民教师一样的头发，穿着肘部补过的针织上衣，维克托却觉得她说的每一句话都充满智慧、善意和文雅意味，每一个动作都显得很优雅、很温柔。

她没有说起学术委员会的会议。她问到娜佳的事，她向柳德米拉借托马斯·曼的《魔山》，向任尼娅问到维拉和她的小孩子，还问符拉季米罗芙娜从喀山的来信说些什么。

维克托没有一下子就明白玛丽亚找到的是唯一正确的谈话方法。她似乎在强调，没有什么力量能够使人不能继续做人，最

强大的国家也不能闯进父子、兄弟姊妹的圈子，在这不愉快的日子里，她就这样来赞美和她坐在一起的人，因为国家未能闯进他们的圈子，他们就有权不谈外部强加给他们的一切，而是谈内部实有的情形。

她的估计是对的。在她们谈论娜佳和维拉的小孩子的时候，他一声不响地坐着，感觉他心中点燃起来的火光又平和又温暖，既不摇晃，又不会熄灭。

他感觉到，玛丽亚的魅力征服了任尼娅。柳德米拉上厨房里去了，玛丽亚也去帮她忙活。

“多么可爱的人呀。”维克托若有所思地说。

任尼娅用讥笑的口气唤他道：

“维季卡，听见没有，维季卡？”

他听到这意外的称呼，呆了。已经有二十多年没有人唤他的小名了。

“这位太太像猫一样爱上你了。”任尼娅说。

“简直是胡扯，”他说，“而且为什么说是太太，她最不像太太了。柳德米拉在女子中没有一个朋友，可是她和玛丽亚实在要好。”

“你和她怎么样？”任尼娅用讥笑的口气问。

“我是说规矩话。”维克托说。

她看到他生气了，就微微笑着，看着他。

“任尼娅，你懂吗？你别胡扯。”他说。

这时候娜佳来了。她站在外室里，急急忙忙地问道：

“爸爸去做检讨了吗？”

她走进房里。维克托把她抱住，亲了亲。

任尼娅眼里闪着泪花，打量着外甥女。

“呀，她身上连一滴我们斯拉夫人的血都没有，”她说，“纯粹是个犹太姑娘。”

“是爸爸的基因呀。”娜佳说。

“娜佳，你是我的宝贝儿，”任尼娅说，“奶奶就喜欢谢廖沙，我就喜欢你。”

“没关系，爸爸，我们能养活你。”娜佳说。

“这我们是谁？”维克托问道，“是你和你的那位中尉吗？你放学回来，洗洗手去吧。”

“妈妈和谁在那儿说话？”

“和玛丽亚阿姨。”

“你喜欢玛丽亚阿姨吗？”任尼娅问道。

“依我看，她是世界上最好的人，”娜佳说，“我假如是个男人，一定会娶她。”

“她很善良，是天使吗？”任尼娅用讥笑的口吻问道。

“怎么，小姨，您不喜欢她吗？”

“我不喜欢圣女，在她们的圣洁中往往隐藏着歇斯底里，”任尼娅说，“我认为她们还不如明目张胆的坏蛋。”

“歇斯底里？”维克托问。

“维克托，我发誓，这是一般说说，我不是说她。”

娜佳上厨房里去了，任尼娅又对维克托说：

“我在斯大林格勒的时候，维拉有一位中尉。现在娜佳也来了一位中尉。来了，又会消失的。他们多么容易牺牲呀。维克

托，这有多么悲惨呀。”

“任尼娅，好妹妹，”维克托问道，“当真不喜欢玛丽亚吗？”

“我不知道，不知道，”任尼娅急忙说，“有的女人有这样的性格，好像是一种顺从的性格、善于自我牺牲的性格。这种女人不会说：‘我和男人睡觉，因为我喜欢这样。’而是说：‘这是我的义务，我可怜他，所以牺牲自己。’这些女人睡觉、和好、分手，都是因为她们愿意，但是她们说的完全是另一样：‘这是需要的，是义务，出自良心，我离开了，我做了牺牲。’可是她什么都没有牺牲，她所做的，是她愿意的，而且最可恶的是，这些女士还当真相信自己有牺牲精神。我顶讨厌这样的女人！你可知道这是为什么？我常常觉得，我自己就好像属于这一类。”

吃过午饭之后，玛丽亚对任尼娅说：

“如果您愿意，我可以和您一块儿去。在这方面我有很痛苦的经验。再说，两个人在一起总要轻松些。”

任尼娅有些发窘，就回答说：

“不，不，多谢了，这种事就需要单独去做。在这方面的痛苦无法和任何人分担。”

柳德米拉侧眼看了看妹妹，好像是要向她说明她和玛丽亚之间的私房话，说道：“玛丽亚觉得你不喜欢她，心里很不是滋味。”

任尼娅什么话也没有说。

“是的，是的，”玛丽亚说，“我感觉出来了，不过请您原谅我说出这话，这都是傻话，您哪有心思想到我。柳德米拉不应该说。现在这么一来，就好像我一定要您改变印象，我不过随便说说，没有什么用意。”

任尼娅连自己也意想不到地十分真诚地说："您怎么啦，您很可爱，您说到哪儿去啦。我是心情很乱，请您原谅吧。您真的很好。"然后，她很快地站起来，说："哦，就像妈妈常说的，我的孩子们：'我该走了！'"

二十七

大街上行人很多。

"您不着急回家吧？"维克托问，"是不是咱们再上逍遥公园去？"

"您怎么啦，现在已经到了下班时间啦，我要在丈夫回家前赶回去。"

他以为她会请他上家里去听索科洛夫说说学术委员会会议情形的。可是她没有作声，他便感到怀疑，是不是索科洛夫怕和他见面。

她急着回家，使他很不高兴，不过这完全是自然的嘛。

他们路过一个街心公园，离这里不远便是通向顿斯科伊修道院的大街了。

她忽然站住，说：

"咱们坐一小会儿，然后我上电车。"

他们一声不响地坐着，但是他感觉出她的激动。她微微偏着头，看着维克托的眼睛。

他们还是没有作声。她的嘴紧紧闭着，但是他似乎听到了她的声音。一切都很清楚，都很明白了，就好像他们彼此都说过

了。而且说话又能说什么呢?

他明白,现在出现了非同一般的严重局面,他的生活会出现新的烙印,他会有痛苦的内心慌乱。他不希望给别人造成痛苦,最好永远没有谁知道他们的爱情,也许他们彼此也不会说起。可是也许……不过,现在发生的事,他们的痛苦和愉快,他们是无法互相隐瞒的,这就会带来不可避免的重大变化。现在发生的一切取决于他们,同时好像这已经发生的事是命中注定了的,他们已经无法违抗了。他们之间发生的一切都是事实,自然而然的事实,并非取决于他们,就像白天的亮光不取决于人一样,同时这一事实却不可避免地产生虚假、伪装,产生对待最亲近的人的残酷心肠。要避免这种虚伪和残酷,就取决于他们,只要躲开自然而明亮的光就行。

有一点他是十分清楚的:在这样的时刻他心里永远不能平静。他将来不论怎样,心里是永远不会平静。不论他把对坐在他旁边的女子的感情隐藏起来,还是让感情冲出来成为他的新的命运,他都不会平静。不论把对她的爱化为长期的思念,还是和她亲近而引起良心上的痛苦,他都不能平静。

可是她还在一个劲儿地看着他,流露着无比幸福而又无比绝望的神情。

瞧,他在冲突中没有弯腰,靠很大的狠劲儿坚持住了,可是在这儿,在这长椅子上,他多么软弱,多么无用呀。

“维克托·巴甫洛维奇,”她说,“我该走了。我丈夫等着我呢。”

她握住他的手,说:

“咱们今后别再会面了。我已经向丈夫保证不再和您见面。”

他感到心里十分慌乱，就像心脏病人要死的时候那样，由不得人的心跳就要停止了，整个世界开始摇晃，开始翻倒，大地和天空就要消失了。

“玛丽亚，这为什么？”他问道。

“我丈夫要我保证今后不再和您见面。我就向他做了保证。这当然很不好，可是他现在心情是这样，他有病，我很担心他的生命。”

“玛丽亚。”他说。

在她的声音中，在她的脸上，有一股不可动摇的力量，就像最近和他发生冲突的那股力量。

“玛丽亚。”他又说。

“我的天，您也明白，您也看出来，我不隐瞒，为什么要全说出来。我不能，不能呀。我丈夫够苦了。您一切都知道嘛。您要记住，柳德米拉也够苦的了。这是不可能的呀。”

“是的，是的，我们没有这样的权利。”他一再地说。

他的帽子掉到地上，大概有些人在看着他们。

“是的，是的，我们没有这样的权利。”他又说了一遍。

他吻了吻她的手。当他把她那冰凉的纤细的手指握在手里的时候，他觉得，使她决定不和他见面的不可动摇的力量是和软弱、顺从、老实无用联系着的……

她站起来，走了，连头也不回。他却坐着，在想，他这是第一次正视自己的幸福、自己的生活的光明，可是这一切离开他，远去了。他觉得，刚才他吻过她的手的这个女子，本来可以代替他的

一切的，代替他一生所想的、所希望的一切，——不论是科学，不论是荣誉、世界名望。

二十八

学术委员会会议之后，第二天，萨沃斯季扬诺夫给维克托打来电话，问他身体怎么样，柳德米拉身体好不好。

维克托问起会议情形，萨沃斯季扬诺夫回答说：

“维克托·巴甫洛维奇，不想使您不痛快，事实上，比我原来预料的更卑劣。”

维克托想：“难道索科洛夫发言了吗？”他又问道：

“做出什么决议了吗？”

“很厉害的决议：认为根本不必请院部研究今后的问题……”

“懂了。”维克托说。虽然他早就相信会做出这样的决议，但还是因为意外有些慌乱。

“我什么罪也没有，”他想道，“不过还是会叫我坐牢的。那里面知道克雷莫夫没有罪，可是把他关起来了。”

“有人表示反对吗？”维克托问。电话线送来了萨沃斯季扬诺夫没有说出口的难为情。

“没有，维克托·巴甫洛维奇，似乎是一致通过，”萨沃斯季扬诺夫说，“您没有来，对您是很不利的。”

萨沃斯季扬诺夫的声音不太清楚，显然他是在公用电话亭子里打电话。

这一天，安娜·斯捷潘诺芙娜也给他打来电话，她已经被解除

职务,不上研究所去了,所以不知道学术委员会会议的事。她说,她要上穆罗姆的姐姐家去住两个月,并且请维克托去做客,那股亲切情谊很使维克托感动。

“谢谢,谢谢,”维克托说,“如果上穆罗姆的话,那就不是去玩儿,而是到师范学校去教物理了。”

“天啊,维克托·巴甫洛维奇,”她说,“您怎么会这样呀,我真难受,这都是因为我呀。我哪儿值得呀。”

看样子,她把他说的关于师范学校的话当作对自己的责备。她的声音也不太清楚,显然她也不是在家里打电话,也是用公用电话。

“难道索科洛夫发言了吗?”维克托自言自语地一遍又一遍问。

很晚的时候,契贝任打来电话。这一天,维克托就像害重病的病人一样,只是在别人谈起他的病的时候,他才有劲头儿。显然,契贝任感觉出这一点。

“难道索科洛夫发言了吗? 他发言了吗?”维克托问过柳德米拉。但是她当然也和他一样,不知道索科洛夫是否在会上发过言。

在他和与他接近的一些人之间出现了一层迷雾。

萨沃斯季扬诺夫显然是怕说维克托想知道的事,不愿意成为他的情报员。他大概在想:“维克托遇到研究所的人,会说:‘我已经全知道了,萨沃斯季扬诺夫已经详详细细地把一切都向我报告了。’”

安娜·斯捷潘诺芙娜是很亲热的,不过在这种情形下她应该

上维克托家里来,不应该只是打个电话。

维克托以为,契贝任也应该提出和他一起到天体物理研究所工作,哪怕谈谈这个问题也好。

“他们使我不痛快,我也使他们不痛快,还不如不打电话呢。”他想道。

但更使他不痛快的,是那些根本不给他打电话的人。

一整天他都在等古列维奇、马尔科夫、皮敏诺夫的电话。

后来他又生起安装设备的技师和电工们的气。

“这些狗崽子,”他想道,“他们是工人,有什么可怕的?”

想到索科洛夫,实在无法容忍。是他不准玛丽亚给他维克托打电话!谁都可以原谅,不论老熟人、老同事,甚至亲戚,都可以原谅。就是不能原谅这个朋友!一想到索科洛夫,他就十分恼怒,气得不得了,气得连气也喘不上来。同时,他想到自己对朋友不忠,便不知不觉为自己对朋友不忠寻找起辩护的理由。

他由于冲动,给希沙科夫写了一封完全不必要的信,要求把研究所领导的决定告诉他,并且说,因为有病,近日内不能上研究所去工作。

第二天一整天都没有听到电话机铃声。

“好吧,反正是要坐牢的。”维克托想道。

他想到这一点并不觉得痛苦,似乎倒是可以得到安慰。就好比生病的人,一想到:“好吧,生病就生病吧,反正人总是要死的。”就能得到安慰。

他对柳德米拉说:

“唯一能给咱们带来消息的人,就是任尼娅了。虽然消息都

是来自内部监狱接待室。”

“现在我相信，”柳德米拉说，“索科洛夫一定在会上发过言。要不然无法解释，为什么玛丽亚不来电话。她知道他发了言，不好意思打电话。不过，到白天等他去上班了，我可以给她打电话。”

“无论如何不要打！”维克托大声说，“你听着，柳德米拉，无论如何不要打！”

“我干吗要管你和索科洛夫关系如何？”柳德米拉说，“我和玛丽亚有我们的关系。”

他无法给柳德米拉解释，为什么她不能给玛丽亚打电话。他一想到柳德米拉不了解底细，无意中成为他和玛丽亚联系的桥梁，便觉得惭愧。

“柳德米拉，现在咱们和人们的联系只能是单方面的。如果一个人坐了牢，他的妻子只有在人家叫她去的时候，才能去。她自己没有权利说：我想上你们家去。丈夫低下了，妻子也就低下了。咱们进入了新的一个时期。咱们再也不能给任何人写信，只能回信。咱们现在也不能给任何人打电话，只能在人家给咱们来电话的时候，拿起话筒。咱们见了熟人，也不能首先打招呼，也许，人家不愿意和咱们打招呼。如果人家和我打招呼，我也不能首先开口说话。也许人家认为可以和我点点头，但是不愿意和我说话。让人家先说，我就回答人家的话。咱们进入了一张碰也不能碰的大网。”

他沉默了一会儿，又说道：

“不过，我们这些不能碰的人也算幸运，常规之中也有例外。

也有一两个人,——我说的不是自家人,如你妈妈、任尼娅,——不能碰的人对他们是可以充分信任的。不必等待他们发出允许的信号,就可以给他们打电话、写信。比如契贝任!"

"你说得很对,维克托,完全正确。"柳德米拉说。她的话使他吃了一惊。不论在哪一方面,她已经很久没有承认他正确了。"我也有这样的朋友,就是玛丽亚!"

"柳德米拉!"他说,"柳德米拉!你可知道,玛丽亚已经向索科洛夫做出保证,不再和咱们见面了?这么着,你就去吧,给她打电话吧!喂,打呀,打呀!"

他摘下话筒,递给柳德米拉。

这时候他的感情的小小的一角浮起希望,希望柳德米拉真的打打电话……哪怕是柳德米拉能听到玛丽亚的声音也好呀。

但是柳德米拉说道:

"啊呀,原来是这样呀。"就把话筒放下了。

"怎么任尼娅还不回来呀?"维克托说,"患难使我们更加亲密。我觉得她从来没有像现在这样可爱。"

等到娜佳回来,维克托对她说:

"娜佳,有些话我和你妈妈说过了,妈妈会对你详细说说的。在我已经变成可怕的东西的时候,你不能上波斯托耶夫家、古列维奇家和其他一些人家去。所有这些人首先会想到你是我的女儿,我的女儿,我的女儿。你是什么人,明白吗?是我家的一员。我坚决要求你……"

他事先料定她会说什么,料定她会反驳,会生气的。

娜佳举起一只手,打断他的话。

“是的，我看到你没有去参加那些造孽的人的会，就全明白了。”

他一时不知如何是好，看着女儿，后来用好笑的口吻说：

“我希望这些事不影响你的中尉。”

“当然不会影响。”

“怎么？”

“不影响就是不影响，你会明白的。”

维克托看了看妻子，看了看女儿，朝她们伸过手去，握了握手，便走出了房间。

在他的这一动作中，包含着那样多的慌乱、歉疚、软弱、感谢、挚爱，以至于母女俩挨在一起站了很久，没有说一句话，也没有互相看一眼。

二十九

自从战争开始以来，达林斯基第一次走进攻的道路，他在追赶向西挺进的坦克部队。

在雪地里，田野上，道路两旁，到处是烧毁和打坏的德军坦克、大炮、圆头的意大利载重汽车，到处是德国人和罗马尼亚人的尸体。

死亡与严寒为观看者保留着敌军覆灭的场面。混乱、惊慌、痛苦——这一切都印在雪上，凝冻在雪里，就因为冻得一动也不动，所以把机器和人在大路上仓皇奔逃的最后挣扎情景和绝望情景保留下来。

甚至炮弹爆炸的火与烟、烟气腾腾的篝火也印在雪上，成为一个个乌黄色斑点、一片片黄色和褐色冰凌。

苏联部队向西挺进，一群群俘虏向东移动。

罗马尼亚人穿的是绿色军大衣，戴的是高高的羊皮帽。他们显然不像德国人那样怕冷，达林斯基看到他们，

不觉得这是打垮的军队的士兵，觉得这是一大群一大群疲惫无力的、饥饿的农民，戴着演戏用的皮帽。大家都在嘲笑罗马尼亚人，但是对他们没有仇恨，而是用一种怜悯和鄙视的目光看待他们。后来他看到，大家对意大利人更没有什么仇恨。

使人仇恨的是匈牙利人、芬兰人，尤其是德国人。

德国俘虏的样子是最糟的。

他们的头和肩膀都裹了破棉被。他们的腿从靴子以上都裹了破布片和麻袋片，用铁丝和绳子捆着。

不少人的耳朵、鼻子、脸上都有冻成疮的黑斑。腰上挂的饭盒叮当响着，很像是戴镣铐的犯人。

达林斯基看着一具具顾不得羞臊露出瘪下去的肚子和生殖器的尸体，看着一张张被草原冷风吹得红红的押队战士的脸。

达林斯基看着雪野上被打得歪七扭八的德军坦克和汽车，看着冻僵的死人，看着被押着向东走去的人，产生了一种复杂而奇怪的感情。

这是报应。

他想起一些故事，说德国人怎样讥笑俄罗斯农舍的寒碜，带着厌恶而惊讶的表情打量小孩子的摇篮、炉灶、瓦盆、木桶、墙上的画、黏土捏的花公鸡，打量躲避德国坦克而逃走的孩子们出生

和成长的可亲可爱的天地。

汽车司机用好奇的口吻说：

“您瞧，中校同志！”

四个德国士兵用军大衣抬着一个士兵。从他们的脸和绷紧的脖子可以看出来，他们不要多久也会倒下去的。

他们摇来晃去地走着。他们裹的破布脱落到脚上，雪粒子击打着他们那失神的眼睛，冻僵的手指头死死抓住军大衣的边儿。

“德国佬完蛋啦。”司机说。

“这可不是我们请他们来的。”达林斯基阴沉地说。

可是过了一会儿，他一下子就沉浸到幸福中：在茫茫的雪雾中，在没有开垦的草原上，一队队苏军坦克向西开去，是T-34型坦克，又凶猛，又快，又坚固……

一个个坦克手头戴黑色盔形帽，身穿黑色小皮袄，从舱口里探出身子，一直探到胸口，朝外张望着。他们在辽阔无垠的草原上，在茫茫雪雾中奔驰着，身后留下一团团模模糊糊的雪的浪花，幸福感和自豪感使他们激动得连气都喘不上来……

炼成了钢铁的又威风又沉痛的俄罗斯向西奔去。

在进一个村子的时候出现了阻塞现象。达林斯基下了汽车，从排成两排的汽车旁边和盖了帆布的火箭炮旁边走过去……正在赶着一群俘虏跨过这条道路朝大路上去。从小汽车上走下来一位上校，头戴银灰色羊羔皮帽，能戴这种帽子的，要么是一位军团司令，要么和前方军需官十分要好。上校在看着俘虏。押队士兵朝俘虏们吆喝着，挥舞着自动步枪。

“快点儿，快点儿，快跑！”

有一道无形的墙把俘虏和汽车司机、红军战士们隔开，有一种比草原酷寒更厉害的酷冷使眼睛不能对着眼睛。

“长尾巴的，小心点儿，小心点儿。”有一个笑着的声音说。

有一个德国兵爬着过大路，露出一团团棉花的破棉被拖在他身后。他急急忙忙地爬着，不停地倒动着胳膊和腿，连头也不抬，好像在闻脚印子。他朝着上校爬来，站在旁边的司机说：

“上校同志，他会咬您的，真的，他专门瞄着您。”

上校朝旁边跨了两步，等德国兵爬到他跟前，他用靴子一踢。这不太用劲儿的一踢，足可压倒俘虏兵那麻雀一般的力气。俘虏兵的胳膊和腿都伸开了。

他从下面朝踢他的人看了看：在他的眼睛里，就像要死的羊的眼睛里那样，没有责难的神情，甚至也没有痛苦的神情，只有温顺的神情。

“还爬呢，哼，还想侵略哩。”上校一面说，一面在雪上擦着靴底。

在观看的人群里掠过一阵轻轻的笑声。

达林斯基感觉他的头脑一阵迷糊，感觉到已经不是他自己，而是他又认识又不认识的另外一个人、一个什么也不含糊的人在支配着自己的行动。

“上校同志，俄罗斯人不打倒下的人。”他说。

“依您看，我是什么人，不是俄罗斯人吗？”上校问。

“您是恶棍。”达林斯基说。他看到上校朝他走来，就抢在上校的火气爆发和威吓之前，高声说：“我姓达林斯基！达林斯基中校，斯大林格勒方面军司令部作战科监察员。我对您说的话，我

愿意在方面军司令面前和面对军事法庭再说一说。”

上校恨恨地对他说：

“好吧，达林斯基中校，您等着瞧吧。”便朝一旁走去。

几名俘虏把躺在地上的俘虏拖到一边。很奇怪，不论达林斯基把脸转向哪一边，他的眼睛总是和挤成一堆的俘虏们的眼睛碰到一起。好像他有什么东西吸引着他们。

他慢慢朝汽车走去，听到有一个讥笑的声音说：

“德国佬有了卫士啦。”

不久达林斯基又上了车往前走，迎面又有一群群穿灰衣的德国俘虏和穿绿衣的罗马尼亚俘虏走来，常常影响汽车开动。

司机侧眼看着达林斯基的抽烟的手指头在抖动，说：

“我一点也不可怜他们。我可以把他们一个一个都枪毙。”

“好啦，好啦，”达林斯基说，“你要枪毙他们，最好是在1941年，在你像我一样，被他们打得头也不回地逃跑的时候。”

一路上他再也没有说话。

不过那个俘虏的事并没有使他一心向善。他该有的善心好像已经消耗完了。

当初他上亚什库时走过的加尔梅克草原和今天他走的道路多么不同呀。

难道那是他站在沙漠的雾中，在老大的月亮底下，望着溃逃的红军，望着一匹匹骆驼那弯弯的脖子，思虑着俄罗斯土地那最后的边沿上所有软弱、可怜的他的同胞亲人们？

三十

坦克军军部驻扎在村子边上。达林斯基的汽车来到军部的房子门前。天色已经黑下来。显然，军部来到村里才不久：有的地方有些红军士兵正在从汽车上往下卸箱子、褥垫，电话兵在架电话线。

一名站岗的士兵很不情愿地走进过道，唤了一声副官。

一名副官很不情愿地走出门来，和所有的副官一样，不是看着来人的脸，而是看着肩章，说：

“中校同志，军长刚刚从旅里回来，在休息呢。您等会儿再来吧。”

“您去报告军长：达林斯基中校来了。懂吗？”来人很傲慢地说。

副官叹了一口气，朝房里走去。

过了一分钟，他走出来，高声说：

“中校同志，请进！”

达林斯基上了台阶，诺维科夫出来迎接他。他们高兴地笑着，互相打量了一小会儿。

“终于见面了。”诺维科夫说。

这是一次十分愉快的会见。

两个聪明的脑袋又像过去一样，垂在地图上面了。

“我现在前进的速度，就跟当初逃跑时一样，”诺维科夫说，“不过在这一地段，超过了逃跑时的速度。”

“这是冬天，冬天，”达林斯基说，“到夏天又会怎样呢？”

“我看没有问题。”

“我也这样看。”

让达林斯基看地图，诺维科夫觉得是一种愉快的享受。他能很快地明白，十分关注似乎只有诺维科夫能够察觉的一些细节，他提出的问题都是诺维科夫觉得应该考虑的……

诺维科夫放低声音，就像吐露隐秘的私情似的，说：

“对于进攻中坦克运动地带的侦察、各种目标指示手段的协同运用、基准点示图、相互关系的神圣性——这一切都是不错的，这一切都是必要的。但是在坦克进攻地带，各兵种的战斗行动还是要听命于一个上帝，那就是坦克，我们的乖孩子T-34型坦克！”

达林斯基见过的不仅是在斯大林格勒方面军南翼活动的地图。诺维科夫从他嘴里了解到高加索战役的一些详情细节，了解到截听到的希特勒和保卢斯交谈的内容，了解到自己还不知道的弗列捷尔皮科将军的炮兵军群的运动详情。

“这已经是乌克兰了，窗外就可以看到。”诺维科夫说。

他指着地图说：

“不过我好像比别人离得近些。祖国就支持我这个军。”

后来，他推开地图，说：

“好啦，咱们别再谈战略战术了。”

“您个人的事还是没有什么进展吗？”达林斯基问道。

“大有进展！”

“怎么，结婚了吗？”

“我现在就天天在等着，她就要来啦。”

“哎呀,你这自由的哥萨克完啦,”达林斯基说,“我衷心恭喜您。可是我还没有头绪呢。”

“哦,贝科夫怎么样?”诺维科夫忽然问道。

“贝科夫没什么。瓦图京出了点儿事情,也是那一类性质的。”

“真够刚强,像狗一样,什么都不在乎。”

“应该说,像砥柱一样。”

诺维科夫说:

“好啦,见他的鬼去吧。”他朝着旁边的屋子喊道:“喂,维尔什科夫,看样子,你是下定了决心叫我们饿死啦。你把政委叫来,我们一块儿吃饭。”

但是用不着去叫政委了,他自己来了,站在门口,用很不痛快的声调说:

“诺维科夫同志,不知怎么搞的,好像罗金冲到前面去了。瞧着吧,他会赶在咱们前头踏上乌克兰土地。”又对达林斯基说:“中校同志,现在就是这种时候。现在我们害怕友邻部队,胜过害怕敌军。您大概不是友邻部队的吧?不是,显然不是,您是老战友。”

“我看出来,你是真操心乌克兰问题。”诺维科夫说。

盖特曼诺夫把罐头朝自己面前拉了拉,故意用吓唬的口吻说。

“好哇,诺维科夫同志,不过你要注意,你的任尼娅就要来了,我只能让你们在乌克兰土地上登记。就让中校同志做证婚人。”

他举起酒杯，用酒杯指点着诺维科夫，说：

“中校同志，咱们来为他的俄罗斯的心干杯。”

达林斯基动情地说：

“您说的话好极了。”

诺维科夫记得达林斯基一向对政工人员是十分反感的，就说：

“是啊，中校同志，咱们很久没见面了。”

盖特曼诺夫打量了一下桌上的吃食儿，说：

“真是没东西招待客人，只有罐头。炊事员往往还没有生起炉子，可是指挥所又得换地方了。日日夜夜在运动。您要是在发动进攻之前上我们这儿就好了。现在停一个钟头，跑一个昼夜，拼命往前跑。”

“哪怕再弄一把叉子来也好呀。”诺维科夫对副官说。

“是您不叫人把汽车上的家什卸下来呀。”副官回答说。

盖特曼诺夫说起他在收复的领土上经过时见到的情形。

“俄罗斯人和加尔梅克人截然不同，”他说，“有很多加尔梅克人在为德国人唱赞歌。要知道，苏维埃政权什么好处没有给他们呀！要知道，本来是一块到处是破破烂烂的流浪汉、梅毒到处流行、到处是文盲的地方呀。可是你瞧，不论把狼喂得多么饱，狼还是贪恋草原。”

他对诺维科夫说：

“你该记得，关于巴桑果夫的事，我曾经提醒过的。党性感觉果然没有错。不过你不要介意，我这不是责备你。你以为，我这一生犯的错误少吗？你要知道，民族特征是一个很大的问题。这

会有决定性的意义，战争的实践已经把这一点显示出来。你可知道，布尔什维克的主要老师是谁？是实践。”

“我赞成您对加尔梅克人的看法，”达林斯基说，“我不久前就在加尔梅克草原上住过，许多地方我都到过。”

他为什么说这话？他在加尔梅克走过不少地方，对加尔梅克人从来没有不好的感觉，倒是对他们的生活和习惯十分感兴趣。

但是，这位军政委似乎有一股磁石般的吸引力。达林斯基随时都想赞同他的意见。

诺维科夫微微笑着看了看他，他倒是很了解政委的精神吸引力，很了解这种力量怎样吸引人对他唯唯称是。

盖特曼诺夫忽然很坦诚地对达林斯基说：

“我知道，您过去也曾经受到不公正的待遇。不过您不要怪布尔什维克党。党也是希望为人民做好事。”

达林斯基一向认为部队中的政工人员和政委都是一团糟的，这时急忙说：

“您怎么啦，这一点难道我还不了解！”

“是啊，是啊，”盖特曼诺夫说，“我们有些地方做得很不对头，但是人民会原谅我们的。会原谅的！我们的同志都是好同志，本质是不坏的。不是吗？”

诺维科夫亲切地打量了一下坐在一起的人，说：

“我们的军政委好吗？”

“很好。”达林斯基肯定说。

“就是，就是。”盖特曼诺夫说。三个人一齐笑起来。

盖特曼诺夫似乎猜到诺维科夫和达林斯基的心思，看了看

表,说:

“我要去休息了,要不然白天黑夜都在运动,哪怕今天睡上一夜也好。十个昼夜没脱靴子了,就像茨冈人一样。参谋长恐怕还在睡着吧?”

“他哪儿是睡觉,”诺维科夫说,“一来到就去察看新的情况了,因为明天早晨咱们又要转移基地。”

等到只剩下诺维科夫和达林斯基,达林斯基说:

“有些事情我总是理解不透。比如,不久前我在里海附近的沙漠上,心情就特别沉重,好像眼看着就要完了。可是结果怎么样?我们能够组织起这样大的力量!非常强大的力量呀!一切都不在话下。”

诺维科夫说:

“可是我却越来越清楚、越来越多地懂得了,什么叫俄罗斯人!俄罗斯人是勇猛的,好比强悍的狼!”

“是强大的力量!”达林斯基说,“主要的是:俄罗斯人在布尔什维克领导下走在了人类最前面,其余的事都是微不足道的。”

“您听我说,”诺维科夫说,“要不要我再谈谈您的工作调动问题?您能不能到我们军里担任副参谋长?咱们一块儿打打仗,行吗?”

“怎么不行。谢谢。那我给谁当副手?”

“给涅乌道布诺夫将军。这是规矩嘛:中校给将军当副手。”

“涅乌道布诺夫?战前他是在国外的吧?是在意大利吧?”

“不错。就是他。他不是苏沃洛夫,不过,总的说,还是可以共事的。”

达林斯基没有作声。诺维科夫朝他看了看。

“怎么样,事情就这样办吧?”诺维科夫问道。

达林斯基用手指头掀起嘴唇,又多少撑了撑腮帮子。

“您看见了吗,有两个坑?”他问道,“这是1937年涅乌道布诺夫审问我的时候打掉我的两颗牙。”

他们互相看了看,沉默了一会儿,又互相看了看。

达林斯基说:

“他这个人当然还是精明能干的。”

“当然,当然,他总不是加尔梅克人,是俄罗斯人嘛,”诺维科夫冷笑说。忽然他高声说:“咱们来干杯,不过喝酒可要真的像俄罗斯男子汉!”

达林斯基生平第一次喝这样多的酒。不过,如果不是桌上的两个空酒瓶,旁边的人谁也不会发觉,两个人喝得很猛,很带劲儿。除非注意到他们已经互相称呼起“你”。

诺维科夫不知已经是第几次斟满两杯,说:

“来,不要歇气。”

不会喝酒的达林斯基这一次连气也没有歇。

他们谈起撤退,谈起战争一开始的那些日子。他们回忆到布柳赫尔和图哈切夫斯基。他们谈到朱可夫。达林斯基还说了说侦讯官在审讯中想从他嘴里得到什么。

诺维科夫说了说他怎样在进攻开始之前推迟几分钟出动坦克。但是他没有说在判断几位旅长的行动方面犯了错误。

他们谈起德国人,诺维科夫说,1941年的夏天好像锤炼了他,使他的心肠永远变硬了,可是等到押送第一批俘虏,他却下令

让俘虏吃好一点儿，吩咐用汽车把冻坏的和受伤的俘虏送往后方。

达林斯基说：

“刚才我和你们的政委一起骂加尔梅克人。骂得对！可惜你们的涅乌道布诺夫不在这儿。我该和他谈谈，真该和他谈谈。”

“哼，不是有很多奥廖尔人和库尔斯克人和德国人勾结吗？”诺维科夫说，“比如做了叛徒的弗拉索夫将军，也不是加尔梅克人。我说的那个巴桑果夫，是一位很好的军人。涅乌道布诺夫是肃反工作人员，政委对我说过他的情况。他不是军人。我们俄罗斯人会打赢的，会打到柏林，我知道，德国人再也挡不住我们了。”

达林斯基说：

“像涅乌道布诺夫、叶若夫，确实是很大的问题，不过俄罗斯现在只有一个，那就是苏维埃俄罗斯。我知道，哪怕把我所有的牙都打掉，我对俄罗斯的爱不会动摇。我至死都要爱俄罗斯。但是要我做这家伙的副手，我不干，你怎么，同志，不是开玩笑吧？”

诺维科夫又一次把两个杯子斟满，说：

“来，不要歇气。”

然后他说：

“我知道，还会有各种各样的事。我也会变得更糟。”

他忽然换了话题，说：

“唉，我们的事真是可怕呀。有时一名坦克手被打掉了脑袋，人已经死了，可是还踩着油门，坦克还在前进。一个劲儿地前进，前进！”

达林斯基说：

“我刚才和你们的政委一起骂加尔梅克人，可是我现在却一个劲儿地想着一个加尔梅克老汉。涅乌道布诺夫有多大岁数啦？上他那儿去看你们的新位置，就要跟他见面吗？”

诺维科夫慢慢地用不大听使唤的舌头说：

“我很有福气。再没有更福气的啦。”

于是他从口袋里掏出相片，递给达林斯基。达林斯基一声不响地看了很久，说：

“太美了，真没有说的。”

“美吗？”诺维科夫说，“美倒是算不了什么，像我这样爱她，倒不是因为美。”

维尔什科夫来到门口，站下来，用询问的目光看着军长。

“走开。”诺维科夫慢慢地说。

“喂，你干吗对他这样，他是想问问咱们要不要什么。”达林斯基说。

“算啦，算啦，我还会更糟，会成为下贱的人，我行，用不着教训我。你是中校，和我说话为什么称‘你’？按照军事条令应该这样吗？”

“啊，原来是这样！”达林斯基说。

“算啦，开玩笑你都不懂。”诺维科夫说。心想，幸亏任尼娅看不见他的醉态。

“愚蠢的玩笑我是不懂。”达林斯基说。

他们表白自己的态度表白了很久，直到诺维科夫提议到新位置去用通条把涅乌道布诺夫打一顿，才算了事。当然他们哪儿也

没有去,而是又喝了不少。

三十一

符拉季米罗芙娜在一天里收到三封信:两封是两个女儿写来的,一封是外孙女维拉写来的。

她还没有把信打开,只是从笔迹认出是谁的来信之后,就知道信里没有令人愉快的消息。多年的经验告诉她,孩子们大都不喜欢给做妈妈的写信报告高兴的事。

三方面来信都请她去:柳德米拉请她上莫斯科,任尼娅请她上古比雪夫,维拉请她上列宁斯克。这些邀请向符拉季米罗芙娜证实了,两个女儿和外孙女的日子都不好过。

维拉在信里写到父亲,说党内和工作中的一些不愉快的事把他折腾得筋疲力尽。他曾经奉人民委员部的命令赴古比雪夫,几天前才从古比雪夫回到列宁斯克。维拉在信中说,父亲从古比雪夫回来,憔悴不堪,他在发电站坚持战时工作期间都不像这样憔悴。他的问题在古比雪夫一直没有解决,命令他回来,参加恢复发电站的工作,但是告诉他,还不知是否能让他留在发电站人民委员部系统。

维拉准备和父亲一起从列宁斯克上斯大林格勒去,现在德国人已经不打炮了。市中心还没有收复。去过市内的人说,原来符拉季米罗芙娜住的房子,只剩了骨架,房顶已经塌了。父亲在发电站住的房子还是完好的,只是石灰剥落了,窗玻璃没有了。父亲和维拉带小孩子还可以住这所房子。

维拉写到儿子。符拉季米罗芙娜看着信都觉得奇怪，小丫头、小外孙女维拉竟像个大人一样，用一个女人、甚至是婆婆妈妈的口气写起自己的小孩子的胃病、皮疹、睡觉不安宁、新陈代谢失调。这一切维拉应该说给丈夫、妈妈听，可是现在她却写信告诉姥姥。她没有丈夫，也没有妈妈了。

维拉提到安德列耶夫，提到他的儿媳妇娜塔莉亚，提到小姨任尼娅，说父亲在古比雪夫曾经见到她。她没有说自己的事，好像姥姥对她的事不感兴趣。

她在最后一页的空白处写道："姥姥，发电站的房子很大，够咱们住的。我恳求你：来吧。"维拉在信里没有写出的，竟用这种突然呼叫的方式表现出来。

柳德米拉的信很短。她写道："我看不出我活着有什么意思。托里亚不在了，维克托和娜佳不需要我，他们没有我也能活下去。"

柳德米拉从来没有给妈妈写过这样的信。符拉季米罗芙娜明白，女儿和丈夫的关系真的出现了裂痕。柳德米拉请妈妈上莫斯科，这样写道："维克托一直很不愉快，可是他一向对你比对我更乐意说心里话。"

再往下是这样的话："娜佳现在心思深了，有什么事都不和我说了。现在这成了我们家的风气……"

任尼娅的信却使人一点也摸不清头脑，信里都是一些含糊话，暗示有很大的麻烦和不幸。她请妈妈上古比雪夫去，同时又写着，她有急事要上莫斯科去一趟。任尼娅还在信里对妈妈说起里蒙诺夫，说他说了不少称赞妈妈的话。她说，妈妈如果见到他，

会感到高兴的,他是一个很聪明、很风趣的人,但是在信里又说,里蒙诺夫上撒马尔罕去了。简直叫人不懂:符拉季米罗芙娜上古比雪夫,怎么会见到他?

只有一点是明白的,所以符拉季米罗芙娜一看完这封信,就在心里说:“我的孩子是很不幸的。”

三封信使符拉季米罗芙娜十分激动。三封信都问到她的健康,问她的房间里是不是暖和。

这种关怀使她很感动,虽然她明白,年轻人没有考虑她是不是需要她们。

她们是需要她的。

不过,也许不是这样。为什么她不向女儿求助,为什么女儿向她求助呢?

要知道,她现在孤孤单单,又老,又无家可归,儿子和一个女儿死了,谢廖沙又没有音信。

她干工作越来越吃力了,心口经常作疼,头经常发晕。

她甚至向厂里的技术领导人要求过,要求从车间调到试验室,她一天到晚在机器中间走来走去取检验样品,实在吃不消。

下了班她要站队买东西,回到家里还要生炉子,做饭。

而生活又是这样艰难,这样困苦!站队还算不了什么。更糟的是空空的店铺门前没有人站队。更糟的是,她回到家里,不做饭,也不生炉子,就饿着肚子睡到又潮湿又冷的被窝里。

周围的人日子过得都很艰难。从列宁格勒疏散出来的一位女医生,对她说过怎样带着两个小孩子在离乌法一百公里的一个村子里度过了一个冬天。她住在原来被划为富农的人的空房子

里,窗玻璃没有了,房顶拆掉了。她天天要到6公里之外去上班,要经过树林,有时在黎明时候在树丛里会看到绿莹莹的狼眼睛。村子里的人都很穷,庄员都不愿意干活儿,说,不论怎么干,反正粮食都要被弄走,因为农庄里欠的公粮总是缴不清。邻居的男子上了前线,老婆带着六个孩子在家里过吃不饱的日子,六个孩子只有一双破毡靴。女医生还对符拉季米罗芙娜说,她买了一只母山羊,夜里有时趟着很深的雪到很远的田野里去偷荞麦,从雪底下往外扒没有收净的发霉的干草。她说,她的两个孩子因为在乡下听了不少粗野的骂人的话,也学会了骂娘,所以喀山小学的一位女教师对她说:"我第一次见到一年级学生像个醉汉一样骂娘,还是列宁格勒来的孩子呢。"

现在符拉季米罗芙娜住在维克托原来住的小小房间里。宽敞的堂屋里住的是二房东夫妇,也就是本来的租户,他们在维克托一家离开之前原住在偏房里的。二房东夫妇是很不安生的人,常常因为家庭琐事争吵。

符拉季米罗芙娜很生他们的气,不是因为他们吵闹得不安宁,而是因为他们向她这个遭难的苦老婆子要的房租太高,这么一个小小的房间,每月房租200卢布,占她的工资的三分之一还多些。她觉得,这些人的心肠是用胶合板和白铁做成的。他们想的只是吃的和用的东西。从早到晚谈的都是素油、腌肉、土豆、在旧货市场上买的和卖的东西。夜里他们叽叽喳喳地说话。二房东太太对丈夫说,住在一座房子里的一名工厂的工长从农村里弄来一口袋白白的瓜子和半口袋玉米,又说今天集市上卖的蜜很便宜。

二房东太太尼娜很漂亮，高高的个子，苗条的身段，灰色的眼睛。结婚之前她在工厂工作，参加过业余文艺活动，演过歌剧，也演过话剧。二房东谢苗在军事工厂工作，是一名煅工。过去在年轻时候他在驱逐舰上工作过，是太平洋舰队中量级拳击冠军。现在这对夫妇当年的英姿似乎成了不可思议的了，——谢苗早晨在上班之前就喂鹅，给小猪煮食儿，下班回来就在厨房里忙活，淘米、修鞋子、磨刀、洗瓶子，说说工厂里的司机怎样从远地的农庄里弄来面粉、鸡蛋、羊肉……尼娜就和他抢着说自己的无数病症，还说她怎样经常去找名医，说她怎样拿毛巾换四季豆，说邻居一个妇女向一个疏散出来的女子买了一件马皮上衣和五个小碟子，说怎样炼猪油和混合油。

他们是不坏的人，但是他们从来没有和符拉季米罗芙娜谈起过战争，没有谈过斯大林格勒，没有谈过苏联情报局的战报。

他们又怜悯又瞧不起符拉季米罗芙娜，因为女儿走后，没有了科学院的定量供应，她就经常处于半饥饿状态。她没有糖，没有油，喝的是白开水，喝的菜汤是公共食堂的，有一回连小猪都不肯喝这种汤。她没有钱买木柴。她也没有东西卖。她的穷困使二房东夫妇感到不快。有一天晚上，符拉季米罗芙娜听到尼娜对丈夫说："昨天我只好给老婆子一张烙饼，当着她的面吃东西，她饿着肚子坐在那儿看着，实在叫人不舒服。"

夜里符拉季米罗芙娜睡不好。为什么谢廖沙没有音信？她睡的是柳德米拉原来睡的铁床，似乎女儿夜间的预感和思绪都传给了她。

人多么容易死呀。活下来的人多么难受呀。她想着维拉。

维拉的丈夫也许死了，也许把她忘了，维拉的父亲很苦恼，件件事情都不顺心……柳德米拉和维克托没有因为家里死了人，受苦受难，而亲密起来。

晚上，她给任尼娅写了一封信："我的好孩子……"可是到了夜里，她为任尼娅难过起来：真是一个可怜的丫头呀，她现在日子过得多么不安宁呀，今后会怎么样呀。

维克托的妈妈、索菲亚·列文顿、谢廖沙……正如契诃夫的小说中说的："米修斯，你在哪儿呀？"

二房东夫妇还在旁边小声说着话儿。

"到十月革命节要把鹅杀了。"谢苗说。

"我拿土豆喂鹅，为的是把鹅杀了吗？"尼娜说，"你听我说，等老婆子走了，我想把地板漆一漆，要不然地板要烂了。"

他们总是谈这样那样东西，他们生活的天地里充满了东西。在这个天地里没有人的感情，只有木板、铅丹、米、钞票。他们是勤劳而诚实的人，所有的邻居都说，尼娜和谢苗从来没有拿过别人的一文钱。但是他们既不关心1921年伏尔加地区的饥饿，也不关心医院里的伤兵、瞎眼的残废人、大街上无家可归的孩子。

他们和符拉季米罗芙娜截然不同。他们对人、对共同事业，对别人的痛苦的冷漠是极其自然的。可是她却常常想着别人，为别人操心，常常因为一些跟自己、跟家里人无关的事情十分愤怒，或者非常高兴……普遍集体化时期的事、1937年的事、因为丈夫而进集中营的一些妇女的遭遇、进入收容所和保育院的失去父母的孩子们的遭遇、德国人杀害俘虏、军事上的挫折和失利，这一切都使她十分痛苦，使她不得安宁，就像她自己家里遭遇了不幸。

她这一点，不是她读过的好书教她的，也不是生活、朋友、丈夫教她的，也不是来自她出生的民意主义家庭的传统。她就是这样，不可能是另一种样子。她没有钱，到发工资还有六天。她没有东西吃。她的全部财产可以用一块手帕包起来。但是她在喀山，一次也没有想过在斯大林格勒的住宅里被烧掉的东西，没有想过家具、钢琴、茶具、丢掉的羹匙和叉子。她甚至也没有心疼被烧掉的书。

而且，她竟远离思念着她的亲人，跟志趣迥异的人住在一座房子里，这也有点儿奇怪。

在收到亲人来信之后的第三天，卡里莫夫来找符拉季米罗芙娜。

她见他来了，十分高兴，请他一块儿喝用野蔷薇煮的开水。

“您收到莫斯科来信很久了吗？”卡里莫夫问道。

“才三天。”

“是这样，”卡里莫夫说，并且笑了笑。“我是想问问，从莫斯科来一封信走多久？”

“您看看信封上的邮戳。”符拉季米罗芙娜说。

卡里莫夫仔细看了看信封，忧虑地说：

“走了九天哩。”

他沉思起来，似乎信走得慢对他有一种特别的意义。

“据说，这是因为检查，”符拉季米罗芙娜说，“天天信很多，无法及时检查。”

他用好看的黑眼睛朝她的脸上看了看。

“这么说，他们在那儿一切顺利，没有什么不愉快的事吗？”

“您的气色很不好，”符拉季米罗芙娜说，“您一副病容。”

他就像否认别人的责难似的，急忙说：

“您说的不对！恰恰相反！”

他们谈起前方的战事。

“连孩子们都明白，现在战争出现了决定性的转折。”卡里莫夫说。

“是呀，是呀，”符拉季米罗芙娜笑了笑，“现在连小伢子都明白了，可是去年夏天所有的圣人都认为，德国人一定会胜利。”

卡里莫夫忽然问道：

“您一个人过日子，大概很困难吧？我看到，您是自己生炉子。”

她沉思起来，皱起眉头，就好像卡里莫夫问的问题很复杂，一下子回答不上来。

“您是来问我生炉子是不是困难的吗？”

他摇了几下头，后来沉默了很久，一面看着放在桌上的两只手。

“最近把我传了去，询问我们在这儿聚会和谈话的情形。”

她说：“您怎么不说呢？干吗要说什么炉子？”

卡里莫夫注视着她的眼神，说：

“当然，我不能否认，我们谈过战争，谈过政治。如果说四个成年人仅仅谈电影，那是可笑的。当然，我说，我们不论谈什么，我们说的都是苏联爱国主义者该说的话。我们都认为，人民在党和斯大林同志领导下一定会取得胜利。总的可以说，所问的问题还不是带有敌意的。但是过了几天，我担心起来，简直睡不着

觉。我仿佛觉得,维克托出了什么事情。而且,马季亚罗夫又出了一件奇怪的事。他上古比雪夫的师范学院去,有十天了。这儿的学生等着他上课,可是不见他回来,系主任往古比雪夫发了电报,可是没有回音。我夜里躺在床上,脑子里直翻腾。”

符拉季米罗芙娜没有作声。

他小声说:“真不得了,几个人在茶后酒余说说话儿,就要怀疑,就要传讯。”

她没有作声。他用询问的目光看了看她,要求她说话,因为他已经把一切都对她说了。

可是她没有说话,于是卡里莫夫觉得,她没有说话是要让他明白:他没有把话全说出来。

“事情就是这样。”他说。

符拉季米罗芙娜没有作声。

“哦,我忘啦,还有呢,”他说,“他,也就是那个同志,还问:‘你们谈过言论自由的问题吗?’是的,谈过这方面的问题。哦,还有,后来忽然问我,是不是认识柳德米拉的妹妹和她的丈夫,好像是姓克雷莫夫的。我从来没有见过他们,维克托也从来没有对我说起过她。我就是这样回答的。后来又问:维克托是否和我个人谈过犹太人地位问题?我问:为什么偏偏和我谈?他们回答说:‘您要知道,您是鞑靼人,他是犹太人。’”

等到卡里莫夫已经告过别,穿着大衣、戴着帽子站在门口,用手指头敲着当初柳德米拉从里面抽出报告儿子受重伤的那封信的信箱,符拉季米罗芙娜说:

“不过,很奇怪,这跟任尼娅有什么关系?”

可是，不用说，不论卡里莫夫，不论她，都无法回答：为什么喀山的内务人民委员部工作人员要问住在古比雪夫的任尼娅以及在前方的她原来的丈夫？

很多人都相信符拉季米罗芙娜，她经常听到一些类似的事情和自我表白，很容易觉察到说话的人有话没有说完。她也不想给维克托发出警告，她知道，这没有任何用处，只能使他更加提心吊胆。她也不想猜测，是哪一个参与闲谈的人把话说出去的或者告密的；想猜出这样的人是很难的，有时到末了这种事恰恰是最不受怀疑的人干的。内务部门的案子有时是在无意中酿成的，比如，因为信里一句含含糊糊的话，一句笑话，因为不小心在厨房里当着邻居的面说的一句话，这样形成的案件不算稀罕。可是，为什么侦讯员忽然向卡里莫夫问起任尼娅和克雷莫夫？

她又是很久不能睡着。她很想吃东西。从厨房里飘来油饼香味，好像是用素油在烙土豆饼，还有洋铁盘子的叮当声、谢苗的平静的声音。天啊，她多么想吃呀！今天中午食堂里的菜汤多么糟呀。她没有喝完，现在觉得十分可惜。吃的念头截断别的念头，把别的念头搅乱了。

第二天早晨她来到工厂，在门口岗棚里遇到厂长的秘书，是一个上了年纪、长着一张不和善的男子的脸的女人。

“沙波什尼科娃同志，中午休息时候，请到我这儿来一下。”女秘书说。

符拉季米罗芙娜很惊奇：难道厂长这样快就答应了她的请求？

她在工厂院子里走着，忽然心中出现了一个想法，随即把这

个想法说出口来：

“在喀山住够了，我回家去，上斯大林格勒去。”

三十二

战地宪兵队队长哈尔布传唤连长列纳尔德到德军第6军团司令部来。

列纳尔德迟迟未到。保卢斯新发了一道命令，严禁小汽车使用汽油。所有的汽油都归军团参谋长施密特将军掌握。这样一来，宁可死十次，都别想得到将军批的5公升汽油。现在不仅没有汽油供应士兵的打火机，也没有汽油供应军官的小汽车了。

列纳尔德只好等待司令部往城里送机要信件的汽车，一直等到晚上。

小汽车在结了冰的柏油路上奔驰着。在前沿阵地的掩蔽所和掩体之上，在无风而寒冷的空气中，飘荡着淡淡的、半透明的烟气。在大路上，一群群伤兵头上裹着手帕和毛巾，朝城里走着，还有司令部从城里调往工厂去的士兵，头上也裹着毛巾，腿上还裹着破布。

司机在路边躺着的一匹死马跟前把车停住，在马达里面翻寻起来。列纳尔德看着几个胡子拉碴、面带忧虑之色的人用斧子在砍冻肉。有一个士兵爬到露出来的马的肋骨上，就像一个木匠在没有盖好的屋顶的椽子上干木匠活儿。旁边的瓦砾堆里生着一堆火，用三脚架支着一口黑锅，周围站着的士兵有的戴钢盔，有的戴军帽，有的裹着棉被，有的裹着围巾，背着冲锋枪，腰上挂着手

榴弹。炊事兵用刺刀不停地把从水里往上冒的一块块马肉往下按。掩蔽所顶上有一名士兵不慌不忙地在啃一块马骨头上的肉，那块马骨头很像一张特级大型号的口琴。

忽然夕阳把大路和一座空荡荡的楼房照得通亮。楼房的一个个被烧空了的眼眶充满了冰冷的血，被战争的硝烟弄脏又被炮弹炸翻起来的积雪泛出金黄色，死马的黑红色腹腔也亮堂了，大路上的卷地风雪像铜蒺藜似的盘旋起来。

晚霞具有一种特性，可以揭示事物的本质，可以使视觉变为画面——变为历史，变为感情，变为命运。一片片泥污和烟熏的痕迹在即将离去的夕阳中像成百上千的人在说话，人会看到逝去的幸福、无法挽回的损失、痛心的失误，也会看到希望的永恒的美。

这是穴居时代的场面。威风一时的勇士们，民族的精英，大日耳曼的建造者们，被抛出了胜利的道路。

列纳尔德看着裹了破布的人们，凭自己的锐敏感觉理解了：理想正如这西下的夕阳，就要消失了。

如果精力极其旺盛的希特勒、掌握着最先进理论的强盛而有作为的民族能够使这些望着煮马肉的锅上的灰烟的人们来到冰封的伏尔加河的静静的岸边，来到这瓦砾场上，来到这肮脏的雪地上，来到这夕阳染红了的窗子前面，能够使他们这样乖乖地顺从，可见生命的深处有一股多么愚蠢、多么迟钝的力量呀……

三十三

保卢斯的司令部设在被烧毁的百货公司大楼的地下室里。长官们按照既定的次序一个个来到自己的办公室,值班参谋向他们报告有关文件的内容,报告战局变化、敌军的行动。

电话机不停地发出丁零声,打字机嗒嗒响着,司令部第二科科长申诺克那粗喉咙的笑声从胶合板的门里面传出来。来去匆匆的副官们的皮鞋依然在石板地上咯吱咯吱响着,装甲部队司令戴着单眼镜来到自己的办公室之后,走廊里依然留下法国香水气味,似乎与潮气、香烟气味、皮鞋油气味混合,又似乎没有混合。在身穿皮领军大衣的军团司令从地下办公室的狭窄通道上走过的时候,说话声和打字机声音依然会一下子停下来,几十双眼睛依然会注视着他那沉思的鹰钩鼻子的脸。保卢斯的日程依然像原来那样安排,依然将原来那样多的时间用于饭后抽烟和同军团参谋长施密特将军交谈。无线电话务士官依然常常带着粗俗的傲慢神情,不顾正常的日程安排,不理睬亚当斯上校那垂下的眼睛,带着希特勒的标明“亲手交接”的电报,径直走向保卢斯。

但是,当然这是外表上一切都没有变化,实际上自从被包围的那一天起,司令部里的人的生活中发生了许多变化。

他们喝的咖啡的颜色有了变化,变化还表现在电话线向西面新的战斗地段伸去,还表现在制定了新的弹药消耗标准,表现在每天都有企图冲破空中封锁的“容克”运输机着火和坠毁的可怕场面。还出现了一个新的名字——曼施泰因,这个名字压倒了在

官兵们耳朵里响着的其他一些名字。

列举这些变化是没有必要的，毋需本书描述，这些变化也是显而易见的。很明显，以前吃得饱饱的人，现在常常感到饿了；很明显，以前挨饿和吃不饱的人的脸色变了，变成了土色。当然，德军司令部里的人也发生了内在的变化：高傲的、目空一切的人不那么神气活现了，好吹牛的不再吹牛了，原来十分乐观的人骂起了元首，并且开始怀疑他的政策的正确性。

但是，在迷恋和被束缚于民族、国家的无人性精神的德国人的头脑和心灵中，还开始了特别的变化。这些变化不仅触及人类生活的土壤，而且触及土壤的下层，正因为这样，人们还没有明白，没有觉察到。

这种变化过程很难感觉出来，就像很难感觉出时间在移动一样。在饥饿的痛苦中，在夜晚的恐怖中，在大难临头的感觉中，慢慢地、渐渐地开始了人性自由的解放过程，也就是人变为人、生命战胜非生命的过程。

十二月的白天越来越短，十七小时的寒冷的夜晚越来越长。包围圈越来越紧，苏军大炮和机枪的火力越来越猛……啊，俄罗斯草原上的寒冷是多么无情呀，就连习惯了寒冷、穿着皮袄和毡靴的俄罗斯人都感到受不了。

头顶上是寒冷而严酷的天空，天空流露着一股无情的肃杀气氛，一串串冷冰冰的星星像锡制的树挂似的，出现在冻得一动不动的天上。

死去的和注定要死的人怎么会懂得，这是几千万德国人过了几十年惨无人道的生活之后，开始过人的生活的最初时刻！

三十四

列纳尔德来到第6军团司令部门前，在苍茫的暮霭中看到一名灰脸的岗哨孤单单地站在傍晚时候的灰墙边，他的心就剧烈地跳动起来。等他来到司令部的地下室走廊里，他看到的一切，使他又留恋，又悲伤。

他看到一个个门上用哥特字体写的牌子："第二科""副官处""科赫将军""德拉乌里克少校"。他听到打字机的嗒嗒声，他听到说话声，他像个儿子、像个小弟弟一样体验到一种感觉，感觉到和他熟悉、亲近的作战伙伴、党的同志、党卫军战友们的联系，——他看到他们在夕照中——他们的命要完了。

他来到哈尔布的办公室门口，还不知道要谈的是什么，不知道这位党卫军少校是不是想和他谈自己的感受。

正如在和平时期在十分熟悉的党内工作的同事中常见的，他们并不看重军衔的高低，在彼此相处中保持着同志间的随便态度。他们见了面，一般都要随便聊聊，同时谈谈工作。

列纳尔德善于用几句话说明复杂的事情的实质，他的话有时会在一级级报告文稿中作长途旅行，一直到达柏林的最高层办公室。

列纳尔德走进哈尔布的办公室，简直认不得他了。列纳尔德凝视着他那胖胖的、并没有消瘦的脸，一下子弄不清楚：是不是仅仅哈尔布那聪明的黑眼睛的眼神发生了变化？

墙上挂着斯大林格勒地区的地图，一个炽热的、无情的红圈

子围住了第6军团。

“列纳尔德，咱们在岛上了，”哈尔布说，“围绕咱们这个岛的不是水，而是下等人的仇恨。”

他们说起俄罗斯的寒冷、俄罗斯的毡靴、俄罗斯的油脂，说俄罗斯的酒害人，本是取暖的，结果越喝越冷。

哈尔布问，在前沿阵地上官兵关系有什么变化。

“如果想一想的话，”列纳尔德说，“我看不出一个上校的想法和士兵们的议论有什么不同。总的说，都是一种调调儿，没有什么乐观的。”

“各个营里在唱这种调调儿，司令部里也在唱这种调调儿，”哈尔布说。为了加强效果，又慢慢地说：“而这一合唱的领唱人便是我们的上将。”

“唱是唱，但是和以往一样，还没有人倒戈。”

哈尔布说：“我有一点疑问，这和根本问题有关系。希特勒要第6军团坚持，保卢斯、魏克斯、蔡茨列尔却表示要拯救官兵的性命，提出要投降。我得到命令，要我秘密地征求意见，斯大林格勒被包围的部队是不是有可能在一定程度上脱离指挥。俄罗斯人把这叫作自由行动。”他把“自由行动”这个词儿说得很准确、很清楚、很随便。

列纳尔德懂得问题的严重性，沉默了一阵子。然后他说：

“我想先说说个别情况。”于是他说起巴赫：“在巴赫的连里，有一个面貌不清的士兵。这个士兵原来是年轻人取笑的对象，可是现在，从被包围的时候起，大家都跟他亲近起来，一齐看着他……我考虑着他们这个连，考虑着这个连的连长。在胜利的时

候,这个巴赫是全心全意拥护党的政策的。可是现在我猜想,他的头脑里在发生变化,他在看风向了。所以我就问自己为什么他连里的士兵和不久前他们天天取笑、又像疯子、又像小丑的一个人亲近起来?这个人在这危难时期会干出什么呢?他会把士兵们带到哪儿去呢?他们的连长又会怎样呢?”

他接着说:“回答这一切是很难的。但是有一个问题我可以回答:士兵们不会造反。”

哈尔布说:

“现在可以特别清楚地看出党的英明了。我们不仅毫不动摇地清除了人民身体上受传染的部分,也清除了表面上健康、但在困难环境中有可能腐烂的部分。各城市、部队、农村、教堂里的自由主义分子和思想敌人都已清除干净。牢骚、怪话、匿名信不管有多少,都没什么事。哪怕敌人不是在伏尔加河上包围我们,而是在柏林把我们包围,也不会有人造反!这一切我们都要感谢希特勒。还应感谢上帝,是上帝在这样的时期给我们派了这个人来。”

他听了听头顶上滚动着的低沉而缓慢的隆隆声。在很深的地下室里,无法听清,是德军的大炮在发射,还是苏联空军的炸弹在爆炸。

哈尔布等到轰隆声渐渐平息下来之后,说:

“您享受普通军官待遇,实在不应该。我把您列入一份名单,在这份名单中都是最受看重的党内朋友和保安工作人员,师部里会按时把机要通信文件送给您。”

“谢谢,”列纳尔德说,“不过我不希望这样,我希望享受别人

也享受到的待遇。”

哈尔布把两手一摊。

“曼施泰因怎么样？听说，给他供应了新的装备。”

“我不相信曼施泰因，”哈尔布说，“在这方面我赞同军团司令的看法。”

因为多少年来他说的一切都属于高度机密范围，所以很习惯地用小声说：

“我有一份名单，都是一些重要的党内朋友和保安工作人员，在必要撤离时保证在飞机上有他们的位子。这份名单上也有您。假如我不在，由奥斯津上校代理。”

他看出列纳尔德眼睛里有疑问神情，就解释说：

“可能，我要飞往德国。事情高度机密，所以既不能靠文件，也不能靠电报。”

他睒了睒眼睛，说：

“在起飞之前我要好好地喝一顿，不是因为高兴，而是因为害怕，苏联人打掉很多飞机了。”

列纳尔德说：

“哈尔布同志，我不坐飞机。我劝大家战斗到底，如果我把大家抛下，感到有愧。”

哈尔布微微欠了欠身子，说：

“我没有权利劝您不要这样。”

列纳尔德有意冲淡过分严肃的气氛，就说：

“如果可能的话，请帮助我从司令部回到团里去。因为我没有汽车。”

哈尔布说：

“无能为力！我是第一次完全无能为力！汽油在老狗施密特手里。我一点也弄不到。懂吗？我是第一次！”

在他的脸上出现了朴实的表情，不是本来的，也许正是本来的，正是这种表情使列纳尔德见面没有认出他来。

三十五

傍晚时候，天气稍微暖和了一些，下了一场雪，把战争的硝烟痕迹和泥污掩盖起来。巴赫在黑暗中巡视着前沿工事。枪响处闪烁着微弱的白光，像圣诞节火花一样，白雪被信号弹映照得时而发红，时而泛出闪烁不定的柔和的绿光。

在这一阵阵的闪光中，一条条石头山岭，一个个洞穴，像冻住的波浪似的一道道断墙，新走出的许许多多羊肠小道，有去吃饭走出的、上厕所走出的、搬运弹药走出的、往后方送伤员走出的、掩埋死者走出的，——这一切都显得很异常、很特别。同时一切又显得十分熟悉、十分平常。

巴赫来到一处地方，这地方受到苏军火力控制，一部分苏军就隐藏在一座三层楼的断墙内，现在那里面却响起手风琴声和悠扬的歌声。

墙上的豁口便是苏军前沿的观察点，可以看到一座座工厂的厂房、冰封的伏尔加河。

巴赫唤了一声哨兵，但是没听清岗哨的答话，因为这时有一颗炸弹突然爆炸，冻土块像打鼓似的纷纷撞击着楼房的断墙；这

是关了马达低空滑翔的苏军小飞机投下的小型炸弹。

“一只瘸腿的俄罗斯老鸹。”一名哨兵说着，指了指黑沉沉的冬日天空。

巴赫蹲下来，胳膊肘撑在一块熟悉的凸出的石头上，四下里打量了一阵子。高高的墙上晃动着淡淡的、红红的影子，这说明苏军士兵在生炉子，烟囱红了，射出暗淡的亮光。看样子，在苏军的掩蔽所里，士兵们在大吃大嚼，在热热闹闹地喝热咖啡。

在右面，在苏军战壕与德军战壕接近的地方，可以听到钢铁撞击冻土地的缓慢而低沉的声音。

苏军不爬上地面，却缓慢而又不停地把自己的战壕向德军推移。像这样在石头般的冻土中推进，其中就有一股笨拙而强大的劲头儿。似乎是土地本身在移动。

下午，一名中士向巴赫报告说，从苏军战壕里扔过来一颗手榴弹。手榴弹炸坏了连队锅灶的烟囱，把很多脏东西撒进战壕里。

快到黄昏时候，一名身穿白色小皮袄、头戴新皮帽的苏军士兵从战壕里探出身子，骂起娘来，并且拿拳头在吓唬。

德国人没有开枪，他们本能地明白，这事儿是士兵们自己组织的。

那名苏军士兵叫喊起来：

“喂，狗崽子们，想喝俄国酒吗？”

这时从战壕里爬出一名蓝灰色眼睛的德国兵，为了不让军官们听见，用不很大的声音喊道：

“喂，俄国人，不要照头上开枪。还要回家看妈妈呢。你把枪

拿去,把皮帽子给我。”

苏军战壕里回答了一句话,而且是很简短的一句。虽然是一句俄语,可是德国人懂了,而且很生气。

一颗手榴弹飞来,飞过了战壕,在交通壕里爆炸了。但是已经没有人对这感兴趣了。

中士艾捷纳乌克也把这一情况向巴赫报告了,巴赫说:

“喊就让他们喊吧。没有人跑过去嘛。”

可是这时候这名中士就朝巴赫呼着生甜菜气息,报告说,士兵别津科费尔不知用什么方式和敌军交换了物品,他的口袋里有方块糖和苏军士兵的面包。他还拿了一名弟兄的刮脸刀代为交换,答应给他交换一块炼油和两盒压缩饼干,说定要150克炼油作为代替交换的佣金。

“还有什么好说的,”巴赫说。“马上把他给我叫来。”

可是,原来上午别津科费尔在执行上级的任务时就英勇牺牲了。

“那您想叫我怎么样?”巴赫说,“反正德国人和俄国人早就在做生意了。”

可是中士艾捷纳乌克无意开玩笑。两个月前,他在1940年5月在法国受的伤没有完全愈合,就被用飞机送到斯大林格勒来,离开了德国南部他所服务的督察营。他天天挨饿挨冻,又是虱子咬,又是担惊害怕,一点幽默感都没有了。

那边,一座座隐隐约约、在黑暗中很难看清的城市像白色石头花边,那是巴赫初到斯大林格勒生活过的地方。那满天繁星的九月的天空,那浑浊的伏尔加河水,那大火之后通红的墙壁,再过

去便是俄罗斯东南部的草原,那是亚洲沙漠的边界。

城市西郊的房屋沉没在黑暗中,大雪覆盖的瓦砾呈现在眼前,——那就是他的生活……

他为什么在医院里给妈妈写那封信?大概,妈妈把那封信给古别尔特看了!他为什么要和列纳尔德交谈?

人为什么要有记忆?为什么真想一死了事,什么都不再想起?他在被包围之前不应当对人生那样认真,应当采取疯狂的醉态,应当干他在长期的困难年月里没有干过的事情。

他没有杀害过孩子,一生没有逮捕过什么人。但是他拆毁了很不牢实的保护心灵纯洁、拦阻四周围黑暗的堤坝。集中营和犹太人的血朝他涌来,把他漂起,把他冲走,他与黑暗之间的界限已经没有了,他已经成为这黑暗的一部分。

他这是怎么一回事儿,是不足道的事,是偶然的事,还是他的心灵必然的发展?

三十六

连队的掩蔽所里很暖和。有的坐着,有的躺着,把腿翘到矮矮的顶上,有几个人睡着,用军大衣蒙着头,露着黄黄的光脚板。

一名特别瘦的士兵扯着领口,用世界上所有的士兵观察自己的衬衣缝和衬裤缝都会用的仔细而又凶狠的目光观察着衣缝,说:

"你们可记得去年九月咱们住过的那个地下室?"

另一个躺着的士兵说:

"我见到你们,已经是在这儿了。"

有几个人回答说：

“可以说，那个地下室真好……那儿还有床，就像是很讲究的房间……”

“也有人在莫斯科郊外就灰心丧气了，我们却一直打到伏尔加河边。”

有一名士兵在用刺刀劈一块木板，这时他打开炉门，往火里添小木片儿。炉火照亮了他那胡子拉碴的大脸，那张脸由灰灰的石头颜色变成红红的古铜色。他说：

“哼，你要知道，用不着得意，咱们是从莫斯科郊外的泥坑里来到更臭的泥坑里。”

放背包的黑暗的角落里响起一个快活的声音：

“现在倒是很清楚，没有更好的办法过圣诞节啦：吃马肉！”

一谈起吃，大家都活跃起来。大家争论起，煮马肉怎样去掉马肉的汗臭味儿。有的说，要撇掉滚汤上面的黑沫。有的说，不能用大火煮。有的说，要把屁股上的肉去掉，还不能把冻肉放到冷水里，要一下子放进滚水里。

“侦察兵日子过得顶快活，”一名年轻士兵说，“他们可以搞到俄罗斯人的东西，又拿这些东西在地下室里养活自己的俄罗斯娘儿们。可是有的傻瓜还觉得奇怪，不知道为什么有些年轻漂亮的娘儿们就喜欢侦察兵。”

“我现在已经不想那种事儿了，”在生炉子的士兵说，“不知道是情绪问题，还是伙食问题。倒是希望在临死前看看孩子们。哪怕看一眼也好……”

“军官们可是在想！我在住着老百姓的一个地下室里见到过

连长。他在那儿就像自家人,一家人。”

“你到那个地下室里去干什么的?”

“我吗?我是送衣服去洗。”

“我曾经在集中营里当过看守。常常看到俘虏们捡土豆皮吃,还为烂白菜叶子打架。我那时候想,哼,这简直不是人。谁知我们现在也成了猪。”

堆放背包的黑暗处有一个声音像唱歌一样地说:

“开头像母鸡!”

门突然开了,随着一团团潮湿的热气,出现了浑厚而响亮的声音:

“起立!立正!”

在雾气中闪过巴赫的脸,接着响起陌生而不习惯的皮靴声,于是掩蔽所里的人看到了师长那浅蓝色的军大衣,那眯着的近视眼,那戴着金戒指、用绒布擦着眼镜的苍老的白手。

他用他那不太用劲就能在练兵场上既让团长们听见又让站在左翼的普通士兵们听见的声音说:

“你们好。稍息。”

士兵们很不整齐地向他问好。

将军坐到一个木箱子上,炉火的黄黄的光在他胸前的黑色铁十字上掠过。

“圣诞前夜到了,我向你们祝贺。”老将军说。

陪他来的几名士兵把一个箱子抬到炉子旁边,用刺刀把箱盖撬开,从里面拿出一株株用玻璃纸包着的巴掌大小的圣诞枞树。每一株枞树上都装饰着金线、珠子、小小的水果糖。

将军看着士兵们把玻璃纸包解开，招手把上尉叫到跟前，对他小声说了几句话，于是巴赫大声说：

“中将要我告诉你们，这圣诞礼物是用飞机从德国送来的，飞行员在斯大林格勒上空受了致命伤。他在皮托姆尼卡降落。等到把他从驾驶舱里抬出来，他已经死了。”

三十七

大家用手掌托着小小的枞树。小枞树到了暖和的空气里，挂起许多小小的露珠儿，顿时使地下室里充满枞针气味，驱走了那种难闻的停尸间和铁匠铺的气味，即前沿阵地的气味。

似乎，坐在炉前的老将军的白头上散发出圣诞节的气味。

巴赫的敏感的心感觉出此时此刻的可悲与美妙。这些曾经瞧不起苏军重炮火力的人，这些凶狠、粗暴、挨够了饥饿和虱子咬、苦于弹药不足的人，不用说话一下子就明白了：他们需要的不是绷带、不是面包、不是弹药，而是这些装饰着无用的玩意儿的枞树枝儿，这些孤儿院的小小糖果。

士兵们把坐在箱子上的老将军围住。是他在夏天带领先头的摩托化师来到伏尔加河边。他一生时时处处都在做演员。他不仅在队列前演戏，在和司令谈话时演戏。就是在家里，和妻子在一起，在公园里散步的时候，和儿媳妇、和孙子在一起的时候，他都在演戏。夜里他一个人睡在被窝里，他的将军裤放在旁边安乐椅上的时候，他也在演戏。当然，他在士兵们面前也要演戏，当他问起他们的母亲，当他皱起眉头，当他听到士兵们的风流事儿

说起粗俗的笑话，当他问到士兵们的伙食而且故作关心地舀起汤尝尝的时候，当他在尚未埋上的士兵坟前垂下严肃的头的时候，当他在新兵队列前发表格外语重心长的、慈父般的讲话的时候，他都是演戏。这种表演不仅在外部，而且发自内心，溶化在思想中、在心中。他不知道他在表演，要把他和他的表演分开是不可能的，就好比无法把盐从盐水中滤出来。他带着他的表演来到连队掩蔽所，他敞开大衣，坐在炉旁的箱子上，都是表演；他镇定而忧伤地看了看士兵们，并且向他们祝贺，也是表演。老将军从来不觉得自己在表演，一旦明白了自己在表演，表演就表演不成了，就从他身上脱落了，就好比冻结的盐从冷冻的水中分离了出来。

剩下了淡水，剩下了老年人对挨饿、受罪的人的怜悯心。坐在束手无策的不幸者中间的是一个束手无策、软弱无力的老人。

一名士兵轻轻地唱起一支歌儿：

枞树呀，枞树，
你的针叶多么嫩绿……

有几个人跟着唱起来。针叶的气味使人心醉，儿歌的声音好像圣者的喇叭声：

枞树呀，枞树……

一股股被忘却、被抛弃的感情从海底、从冷冻的深处漂浮出来，早已不再想起的一些思想挣脱出来……

这些思想既不使人愉快，又不使人轻松。但是这些思想的力量是人的力量，也就是世界上最大的力量。

大口径的苏军炮弹一个接一个沉雷般的爆炸着。俄国佬有些生气，显然是猜到被包围的人在过圣诞节。谁也没有注意顶上掉下来的碎土，没有注意炉子里冒出一阵红红的火星。

急促的铁鼓声撞击着大地，大地吼叫着，——是俄国佬打起了他们心爱的火箭炮。接着重机枪又嗒嗒响了起来。

老将军坐着，垂着头，——这是长期生活劳累了的人常有的姿势。舞台上的灯光熄了，卸了妆的人来到灰色的白日亮光下。现在各种不同的人都一样了。不论是率领摩托化部队进行过闪电式突击的传奇式的将军，不论是微不足道的士官，不论是被怀疑有反对国家的不良思想的士兵施密特，全都一样了。巴赫心想，列纳尔德此时此刻是不会受什么影响的，他已经不可能有什么变化，他的德国的、国家的观念不可能变为人的观念了。

他转过头朝门口看了看，却看到列纳尔德来了。

三十八

连里最出色的士兵什通普弗，常常使新兵又怕又敬佩的，现在变了。他那长着一双明亮的眼睛的大脸消瘦了。那军服和大衣变成保护身体、抵挡俄罗斯寒风的皱皱巴巴的旧衣服。他不再说俏皮话，他说的笑话也不使人觉得好笑。

他比别人饿得更难受，因为他的块头大，需要量也大。因为他天天饿得难受，所以早晨一起来就出去找东西吃。他在瓦砾堆中翻来翻去地寻找，向人讨东西吃，捡面包渣子吃，上厨房里值班。巴赫总是看到他那留神而紧张的脸色。他不仅在空闲时间，

而且在作战时间也在想吃的东西,找吃的东西。

巴赫有一次在朝居民的地下室走去的时候,看到一名饥饿的士兵的宽宽的脊背和宽宽的肩膀。这名士兵在一块空地上翻来翻去地寻找着,这地方在被包围之前是厨房和本团供应科的仓库。他在地上捡白菜叶子,寻找和橡子一样大的冻土豆,当时就因为太小没有下锅的。从石头墙后面走出一个高高的老婆子,穿着破烂的男军大衣,腰里扎着绳子,脚上穿的是穿坏了的男式足球鞋。她迎着士兵走来,凝神注视着地面,用一个粗铁丝做成的钩子在雪地上扒拉着。

他们都没有抬头,从雪地上碰到一起的影子互相看到了。

大块头德国兵抬起眼睛看着高大的老婆子,带着信赖的神气在她面前拿着一片烂了不少窟窿的云母色的白菜叶子,慢慢地、因此显得很庄重地说:

"您好,老太太。"

老婆子慢慢撩开溜到额头上的头发,用善良而聪明的黑眼睛看了一眼,很庄重地慢慢回答说:

"你好,先生。"

这是两个伟大民族的代表最高水平的会见。除了巴赫,谁也没看到这次会见,士兵和老婆子也很快忘记了这次会见。

天气暖和一些了,大片大片的雪花落到地上,落到红红的碎砖上,落到坟前十字架的横木上,落到被打坏的坦克上面,落进未掩埋的死者的耳朵眼儿里。

暖和的雪雾呈现出青灰色。大雪把空中填塞得满满的,把风挡住,把枪炮声淹没,把大地与天空联结与混合成一个模模糊糊、

轻轻颤动的、柔和的、灰色的整体。

雪花一片一片地落在巴赫的肩膀上，似乎是一片一片的寂静落在安静的伏尔加河上，落向死寂的城市，落向一匹匹马的骨架；到处都在下雪，不仅是在大地上，而且在星星上，整个寰宇到处都是雪。死者的尸体、武器、带脓血的破布、碎砖碎石、炸得弯弯扭扭的钢铁，全都被埋到雪底下。

这不是雪，这是时间，柔软而洁白的时间，落向人类争夺城市的战场，一层一层地往上铺，于是今天渐渐变成过去，而且在慢慢闪动的毛茸茸的雪中没有未来。

三十九

巴赫躺在印花布幔后面的一张床上，在地下室的一个很小的隔间里。一个睡着了的女人的头枕在他的肩上。她的脸因为太瘦，很像一张孩子脸，同时又像一张衰老的脸。巴赫看着她那细细的脖子和肮脏的灰色衬衣里露出来的白白的胸脯。他为了不把女子弄醒，轻轻地、慢慢地把她的松开的辫子拉到嘴唇上。头发有一股香气，有一股生气，带有弹性，而且热热乎乎的，好像有血在头发里流着。

女子睁开了眼睛。

这个讲求实际的女人有时无忧无虑，又可爱，又滑头，又能忍耐，又有心计，又驯顺，又爱发脾气。有时她似乎很傻，很消沉，常常愁眉苦脸；有时她唱唱歌儿，她唱的俄语歌儿有时带有德国歌曲的调儿。

他没有问过她在战前是干什么的。他想来找她，就来找她；他不想和她睡觉的时候，就想不起她来，不操心她是不是能吃饱，苏联狙击手是不是把她打死了。有一次他从口袋里掏出他偶然得到的一块干饼，给了她，她十分高兴，可是后来她把这块干饼给了和她住在一起的一个老婆子。这使他非常感动。不过，他每次来找她，差不多总是忘记带点儿什么吃的东西。

她的名字很奇怪，叫季娜，不像欧洲人的名字。

季娜显然在战前并不认识那个和她住在一起的老婆子。是一个令人讨厌的老婆子，又爱说奉承话，心眼儿又坏，虚伪得不得了，酒瘾也大得不得了。这会儿她正在很有节奏地拿一根原始的木杵在木臼里捣着，在舂烧糊而且洒上煤油的黑黑的小麦。

在被包围以后，士兵们就开始常常到一些地下室里去找老百姓。以前士兵们从来不理会老百姓，现在有很多事情要到那些地下室里去办：不用肥皂而用草木灰洗衣服，把一些废渣做成吃的东西，缝补衣服。地下室里的人主要是一些老婆子。但是士兵们不光是去找老婆子。

巴赫以为，谁也不知道他上这个地下室里来。但是有一次，他正坐在季娜的床上，握着她的手，却听见布幔外面有人说德语，有一个似乎很熟悉的声音说：

"别上这布幔里面去，上尉先生在里面。"

这会儿他们在一块儿躺着，没有说话。他的一生——朋友、书籍、他和玛丽娅的恋爱、他的童年、他出生的城市里的一切、他上的中学和大学、轰轰隆隆地远征俄罗斯，这一切都已失去意义……这一切成为一条道路，通向这张用烧煳的木板拼成的板

床……他一想到他可能失去这个女子，就觉得十分害怕。他找到了她，他上她这儿来了，在德国、在欧洲发生的一切，都是为了他能遇到她……以前他不懂得这一点，他常常把她忘了，他觉得她可爱，正因为他和她的关系丝毫没有什么认真的成分。现在除了她，在这世界上什么都没有了，一切都沉没在雪里……只有这张很美的脸、这微微向上翻的鼻孔、奇怪的眼睛和这使人着魔的、孩子般的可怜而又慵懒的神情。她在十月间在战地医院里找到了他，步行去看他，可是他不愿意见她，没有出来和她见面。

她看到他没有喝醉。他跪下来，吻起她的手，又吻起她的脚，然后抬起头来，把额头和腮贴到她的膝盖上，他很快、很急切地说起话来，可是她不懂他的话，他也知道她不懂他的话，因为她只懂保卫斯大林格勒的士兵说的那种可怕的话。

他知道，这场战争使他遇到这个女子，现在这场战争就要使她和他分手，使他们永远分开。他跪着，搂住她的腿，看着她的眼睛，她听着他说得很快的话，很想明白、很想猜出他说的是什么，他是怎么一回事儿。

她从来没见过德国人的脸上有这样的表情，她原来以为，只有俄罗斯人才会有这样痛苦、这样恳求、这样可爱、这样失魂丧魄的眼神。

他在对她说，他在这地下室里，吻着她的脚，第一次不是从别人的话里，而是凭自己的心灵懂得了爱情。他觉得她比他过去的一切都可贵，比母亲、比德国、比他今后将和玛丽娅过的生活更可贵……他爱上了她。国家筑起的高墙、民族仇恨、重炮的弹幕射击都算不了什么，都抵不过爱情的力量……他感谢命运，是命运

让他在死亡的前夕懂得了这一点。

她不懂他的话,只懂得德国人常说的一些要东西和骂人的话。

但是她猜到他是怎么一回事儿,她看出他的慌乱神情。这个德国军官的饥饿而轻浮的恋人带着宽容而爱怜的心情看出他的软弱。她明白,命运就要使他们分手了,她比他要平静些。这会儿她看着他的绝望神情,感觉到她和这个人的关系正在变为感情,这感情的强烈与深厚使她十分吃惊。这是她在他的声音中听出来,在他的狂吻中感觉出来,在他的眼睛里看出来的。

她带着沉思的神情抚摩着巴赫的头发。在她的机灵的头脑里却出现了一种担心的想法:这股模模糊糊的力量可别把她抓住,把她捆起来,把她害死……她的心紧张地跳着,跳着,她不想听那狡猾的、使她觉得有危险、使她害怕的声音了。

四十

任尼娅认识了一些新朋友,都是在监狱接待室排队的人。他们常常问她:“您怎么样,有什么消息吗?”她已经有了经验,所以不光是听别人劝告,自己也说说:“您不要担心。也许,他在医院里呢。在医院里挺好,都想离开牢房上医院里去呢。”

她已经打听到克雷莫夫就在内部监狱里。他们不肯收她送的东西,不过她没有灰心丧气,因为在库兹涅茨桥常常是这样,一次不收,两次不收,到后来他们突然会自己提出来:“把东西交给我吧。”

她上克雷莫夫原来的房子里去过，女邻居对她说，两个多月前有两名军人和房屋管理员来过，把房门打开，拿走了很多文件和书，把门封起来，就走了。任尼娅看着带有绳子状小尾巴的火漆印，站在旁边的女邻居说：

“不过，您行行好，千万不要说是我说的。”等她把任尼娅送到门口，又鼓了鼓勇气，小声说：“他可真是一个好人呀，他是自愿上前方的。”

她在莫斯科没有给诺维科夫写信。

她的心里多么乱呀！又是怜惜，又是爱，又是后悔，又为前方的胜利高兴，又为诺维科夫担心，又觉得对不起他，又怕永远失掉他，又因为无可奈何感到痛苦……

不久之前她还在古比雪夫，准备到前方去找诺维科夫，她觉得她和他的关系是理所当然的，是无法拆散的，就像命中注定了的。任尼娅怕的是，永远和诺维科夫联系在一起，永远和克雷莫夫分开。诺维科夫的一切有时使她觉得很陌生。她觉得他所操心的事、指望的事、他的朋友圈子全是陌生的。她觉得为他招待客人，接待朋友，和将军夫人、上校夫人们交往，是不可思议的。

她想起诺维科夫对契诃夫的《高级僧侣》和《没意思的故事》都不感兴趣。他倒是更喜欢德莱塞和福伊希特万格那些有倾向性的小说。可是现在，当她明白她和诺维科夫的分手已成定局，她再也不会回到他身边的时候，她却觉得她在爱着他，常常想起他是怎样百依百顺，不论她说什么，他都连忙表示赞同。任尼娅感到很痛苦：难道他的手永远不再抚摩她的肩膀，她再也看不到他的脸了吗？

她从来没遇到过刚强、决绝和人性、胆怯这样奇怪地结合到一起。她是那样爱他，他一点也没有那种残酷的狂热性，他有一种特别的、通情达理的和朴素的男子汉的善良。她一想到她和亲近的一些人的关系中出现了阴暗的、不纯洁的成分，马上就觉得惶惶不安。保安机关怎么知道克雷莫夫对她说的话呢？……她和克雷莫夫的关系多么不可轻视呀，她和他过的一段生活真无法一笔勾销。

她要跟克雷莫夫一起走。就算他不原谅她，她该当永远受他责备，但是他是需要她的，他在监狱里一直想着她。

诺维科夫和她分离会感到痛苦，但是他能撑得住。可是她却不明白，究竟怎样她才能心里平静。要是知道他已经不再爱她，已经安下心来，已经原谅了她，她心里就平静了吗？还是相反，知道他还爱她，还十分苦恼，还不原谅她，她心里就平静吗？而且对她自己来说，究竟怎样更好呢，是知道他们已永远分手，还是在内心深处相信他们还会在一起？

她给亲人造成多大的痛苦呀。难道这一切她不是为了别人幸福，而是因为自己古怪，是为了自己吗？真是一个精神变态者！

晚上，当维克托、柳德米拉、娜佳坐下来吃饭的时候，任尼娅看着姐姐，忽然问道：

“你可知道，我是什么人？”

“你吗？”柳德米拉惊讶地问。

“是的，是的，我。”任尼娅说。并且自己声明说：“我是一条小狗，女性的。”

“是小母狗吗？”娜佳快活地说。

“是的，是的，就是的。”任尼娅回答说。

忽然大家一齐哈哈大笑起来，虽然知道任尼娅没有心思笑。

“你们听我说，”任尼娅说，“在古比雪夫有一回里蒙诺夫到我那儿来，对我说过，不是初恋的爱情是怎么一回事儿。他说，这是一种精神上的维生素缺乏症。比如说，丈夫和妻子在一起过长久了，他就会发生精神饥饿，就像老牛缺乏盐，或者像极地工作人员几年见不到蔬菜。妻子成了一个为所欲为的、专横的强硬的人，于是丈夫就开始盼望有一个亲切、温柔、百依百顺、羞涩的女子。”

“你那个里蒙诺夫是浑蛋。”柳德米拉说。

“要是一个人缺乏A、B、C、D这几种维生素，又会怎样呢？”娜佳问道。

后来，等大家都已经准备睡觉的时候，维克托说：

“任尼娅，我们常常讥笑知识分子像哈姆雷特一样充满矛盾，讥笑知识分子多疑，不坚定。我在年轻时也很鄙视这些特点。可是现在我的看法不同了：有些人所以能有伟大的发明，所以能写出伟大的作品，就因为他们不坚定和怀疑，他们做的事情不比那些宁折不弯的人少。如果有必要，他们也会赴汤蹈火，也会到枪林弹雨之下，一点也不比那些刚强的人、宁折不弯的人差。”

任尼娅说：

“谢谢，维克托，你这是说的小母狗吗？”

“就是。”维克托说。

他很想对任尼娅说一些开心的话。

“任尼娅，我又看了看你的画，”他说，“我喜欢的是，画里有

感情，要不然就会像那些很左的画家一样，画里只有勇敢和革新，而没有灵魂了。”

“哦，还感情哩，”柳德米拉说，“绿色的男子，蓝色的房子。完全脱离了实际。”

“你可知道，”任尼娅说，“马蒂斯说：‘我用绿颜色的时候，并不意味着我要画青草；我用蓝颜色的时候，并不意味着我要画天空。’颜色表现的是画家的内心感情。”

尽管维克托一心想对任尼娅说说开心的话，可是他还是忍不住用取笑的口吻插话说：

“可是埃克尔曼却说：‘如果歌德像上帝一样创造世界，他还是把草创造成绿的，把天空创造成蓝的。’这话我听说过很多遍了，可是我对我用来创造世界的物质另有一种态度……是的，所以我知道，既没有颜色，又没有颜料，只有原子和原子之间的空间。”

但是这一类的谈话是不多的，大部分谈的是战争、检察机关……

这是很难过的日子。任尼娅准备回古比雪夫去。她的假期快完了。

她很怕向领导解释。因为她是擅自上莫斯科来的，接连好几天她天天上监狱去，而且向检察机关和内务人民委员部写了申诉书。

她一生害怕官场，害怕写呈文，每次在换身份证之前她都睡不好觉，提心吊胆。可是近来似乎命运强迫她只能和公安局、检察机关打交道，只能和户口簿、身份证、传票、申诉书打交道。

姐姐家里有一种很不自然的安静气氛。

维克托不去上班了，经常一个人坐在自己的房间里。柳德米拉从配给商店回来，总是心情很坏，很难过，说一些熟人的家属不和她打招呼了。

任尼娅看出来，维克托的神经十分紧张。他一听到电话铃声就打哆嗦，急忙抓起话筒。在吃午饭或吃晚饭的时候常常突然打断别人的话，说："别作声，别作声，我好像听到有人按门铃。"他便去开门，回来时很不自然地笑着。姐妹俩心里明白，为什么他总是紧张地等待着门铃响，——他是怕逮捕。

"迫害恐惧症就是这样害起来的，"柳德米拉说，"在1937年精神病医院里住满了这样的人。"

任尼娅看到维克托天天这样提心吊胆，所以他对她的态度就特别使她感动。有一次他说："任尼娅，你记住，你住在我家，为被捕的人操心，不管人家怎么想，我一点也不在乎。你明白吗？这就是你的家！"

晚上，任尼娅很喜欢和娜佳谈谈。

"你太聪明了，"任尼娅对娜佳说，"你不像一个小姑娘，倒是像以前的苦役政治犯秘密团体的一名成员。"

"不是以前，而是未来的，"维克托说，"你大概常常和你那位中尉谈政治了。"

"谈又怎样？"娜佳说。

"顶好还是光接接吻。"任尼娅说。

"我也是这样说，"维克托说，"这样总要安全些。"

娜佳确实老是想谈谈一些尖锐的问题。有时她忽然问起布

哈林,有时间,列宁是不是真的很看重托洛茨基,列宁在生前最后几个月是不是很不愿意见斯大林,是不是列宁有一份遗嘱被斯大林隐藏起来,不让人民知道。当任尼娅单独和她在一起的时候,并没有向她问起中尉洛莫夫的事。

但是,从娜佳谈政治、谈战争、谈曼德尔施塔姆和阿赫玛托娃的诗、谈自己和同伴们的聚会和谈话中,了解了洛莫夫以及娜佳和他的关系,比柳德米拉了解的还多。

洛莫夫显然是一个很尖刻的小伙子,性格孤僻,对一切公认的、有定论的事抱嘲笑态度。他显然自己在写诗,所以娜佳受他的影响,对别德内依、特瓦尔多夫斯基抱嘲笑和瞧不起的态度,对肖洛霍夫和奥斯特洛夫斯基抱冷漠态度。显然,有时娜佳耸着肩膀说的就是他的话:“革命者要么是愚蠢,要么是欺骗人。不能为虚构的未来的幸福,牺牲整个一代人的生命嘛……”

有一次娜佳对任尼娅说:

“小姨,你可知道,老一代的人一定需要信仰一点儿什么:克雷莫夫信仰列宁和共产主义,爸爸信仰自由,姥姥相信人民和干活儿的人,可是我们新一代认为这都是愚蠢的。总的说,信仰就是愚蠢。应当过没有信仰的生活。”

任尼娅突然问道:

“这是你的中尉的哲学吗?”

娜佳的回答使她吃了一惊:

“再过三个星期,他就要上前线了。从生到死——这就是全部哲学。”

任尼娅和娜佳谈着谈着,不觉想起了斯大林格勒。维拉就是

这样和她谈心，维拉就是这样谈起恋爱。可是维拉那种单纯而分明的感情和娜佳的怅惘多么不同啊。任尼娅那时候的生活和她今天的情形多么不同啊。那时候关于战争的一些想法和今天在胜利的日子里的一些想法多么不同啊。可是，战局变化了，娜佳说的“从生到死”并没有变化。至于一个人以前是不是喜欢弹着吉他唱歌，是不是志愿参加过伟大的建设，相信共产主义的远景，是不是读过阿年斯基的诗，不相信虚构的后代的幸福，对于战争都无关紧要。

有一天，娜佳拿出一首手抄的集中营歌曲给任尼娅看。

在歌子里说到寒冷的船舱，说到大洋上怒吼的风涛，说到“犯人们被颠得受不住，紧紧搂抱在一起，好像亲兄弟”，说到从雾中出现了马加丹——“科雷马地区的首府”。

刚来莫斯科的时候，娜佳一谈起这一类的话题，维克托就很生气，不叫她说下去。

可是在这些日子里，他有很多变化。现在他常常按捺不住，就当着娜佳的面说，看到那些歌功颂德的祝贺信，简直恶心，什么“伟大的导师，体育工作者的好朋友，英明的父亲，雄才巨擘，光辉的天才”；而且，又是谦虚的，又是关心群众的，又是慈祥的，又是体察民情的。造成一种印象，似乎斯大林又耕地，又炼钢，又在托儿所用羹匙喂小孩子，又拿机枪作战，而工人、士兵、学生和学者们只要向他祈祷就行了，并且，如果没有斯大林，整个伟大的民族就会像可怜的牲口一样死掉。

有一天维克托数了数，斯大林的名字在这一天的《真理报》上被提到八十六次，第二天他看到一篇社论中就有18次提到斯大

林的名字。

他抱怨非法的逮捕，抱怨没有自由，抱怨任何一个没有什么文化而有党证的领导人都认为自己有权指挥科学家和作家们，有权评价他们的高低，教导他们。

他产生了一种新的心情。他对于国家发怒的歼灭性力量越来越害怕，越来越感到孤独、可怜、像小鸡一样软弱无力，感到大祸临头，因而有时产生一种绝望感，产生一种生死由命、听之任之的心情。

早晨，维克托跑到柳德米拉的房间里，柳德米拉看到他脸上那种兴奋和欢喜的表情，简直不知如何是好，因为在他脸上出现这种表情太不平常了。

"柳德米拉，任尼娅，咱们又踏上乌克兰的土地了，刚才广播的！"

下午，任尼娅从库兹涅茨桥回来，维克托看了看她的脸，就像早晨柳德米拉问他那样向她问道：

"怎么啦？"

"把东西收下了，把东西收下了！"任尼娅连说了两遍。

就连柳德米拉也明白，转交东西和任尼娅附上的信对于克雷莫夫将意味着什么。

"死者要复活了。"她说。接着又说："恐怕，你还是爱他的，我没见过你这样的眼神。"

"你要知道，我大概是疯了，"任尼娅小声对姐姐说，"要知道我这样高兴，一方面是因为克雷莫夫能够收到我的东西，另一方面因为今天我明白了：诺维科夫不可能，绝对不可能干卑鄙的事

情。你懂吗?”

柳德米拉十分生气,说:

“你不是疯了,你比疯了还坏。”

“维克托,我求求你,给我们弹一支曲子吧。”任尼娅恳求说。

在这一段时间里,他从来没有弹过钢琴。但是现在他不推却,拿来乐谱,给任尼娅看了看,问:“就这一支,好吗?”柳德米拉和娜佳一向不喜欢听音乐,便上厨房里去了,维克托就弹起来。任尼娅听着。他弹了很久。弹完一曲,他没有说话,也没有看任尼娅,后来又弹起另一支乐曲。有时候她觉得,维克托在哭泣,可是她看不到他的脸。门忽然一下子开了,娜佳叫道:

“快打开收音机,有命令!”

钢琴声停了,响起钢铁般洪亮的声音,此刻正是播音员列维坦在播音:“我军发动强攻,收复了这座城市和重要的铁路枢纽站……”然后列举了在战斗中表现特别出色的一些将军和部队,列举的第一个名字是军团司令托尔布欣;列维坦那兴奋的声音忽然说:“还有诺维科夫上校统率的坦克军……”

任尼娅轻轻地“啊嘿”了一声,后来,等到播音员用深沉而动情的声音说:“为祖国的独立和自由而牺牲的英雄们永垂不朽。”她已经哭了起来。

四十一

任尼娅走了,维克托家里只剩下一片忧伤气氛。

维克托常常一连几个钟头坐在书桌旁,一连几天不出家门。

他很害怕，似乎到街上他就会遇到特别使人不快的、敌视他的人，会看到他们那杀气腾腾的眼睛。

电话铃完全哑了，如果两三天中有一次电话铃响，柳德米拉就说：

“这是找娜佳的。”确实不错，是打给娜佳的。

维克托不是一下子就明白他的事情的严重性的。最初几天他甚至感到很轻松，因为他可以安安静静地坐在家里，置身于他心爱的书中，看不到那些不怀好意的、阴沉的眼睛。

但是家里的安静很快就使他难受起来，这种安静不仅使他苦恼，而且使他惶惶不安。试验室里怎么样啦？研究进行得怎样？马尔科夫在干什么？他一想到试验室里正需要他，他却坐在家里，就觉得十分着急。但是，反过来想，想到试验室里没有他照样很好地在干着，他也十分难受。

柳德米拉在街上遇到疏散中的女友斯托伊尼科娃，她是在科学院机关工作的。她对柳德米拉详细地说了说学术委员会会议的情形，因为她自始至终担任会议记录。

最主要的是，索科洛夫没有发言！虽然希沙科夫对他说：“索科洛夫同志，我们想听听您的意见。您和什特鲁姆在一起工作多年。”他还是没有发言。他回答说，夜里他的心脏病发作过，说话很困难。

但是很奇怪，维克托听到这个消息并没有感到高兴。

代表试验室发言的是马尔科夫。他说话比别人有分寸，不说是政治问题，主要是说维克托的脾气不好，甚至还提到他的才气。

“他不能不发言，他是党员嘛，不发言不行，”维克托说，“不

能怪他。”

但是大多数发言都是很可怕的。科甫琴科似乎把维克托说成是骗子和坏蛋。他说：“这个什特鲁姆不来开会，太不像话了，我们要换一种方式和他说话，看样子，他就希望这样。”

曾经把维克托的著作与列别杰夫的著作相提并论的白发苍苍的普拉索洛夫说：“某些人围绕着什特鲁姆的可疑的空论发动了无耻的叫嚣。”

物理学博士古列维奇的发言很不好。他说，他曾经过高估计维克托的著作，是犯了很大的错误，并且暗示说维克托有民族偏执性，说，在政治上糊涂的人在科学上必然也糊涂。

斯维琴把维克托称作“可敬的”，并且援引了维克托说过的话，即：物理学是统一的，不分美国物理学、德国物理学、苏联物理学。

“是有这么一回事儿，”维克托说，“不过在会上引用私人之间说的话，就等于告密。”

使维克托吃惊的是，皮敏诺夫也在会上发了言，虽然他已经和研究所没有关系，没有人迫使他发言。他检讨说，他过高地估计了维克托的著作，而没有看到著作的缺陷。这实在是令人吃惊的。因为皮敏诺夫说过，维克托的著作挑起他祈祷的心情，说他能够有助于这一著作的出现，感到无限幸福。

希沙科夫说的不多。研究所党委书记拉姆斯科夫提出决议方案。决议是很严厉的，要求院部清除腐烂部分，保护健康的集体。特别令人气愤的是，决议中只字不提维克托的科学成就。

“总归索科洛夫的表现还是十分正派的。可是究竟为什么玛

丽亚不和咱们来往了呢,难道他这样害怕吗?”柳德米拉说。

维克托什么也没有说。

真奇怪!他没有生任何人的气,虽然他没有耶稣那样宽恕一切的度量。他没有生希沙科夫的气,也没有生皮敏诺夫的气。他也不恼恨斯维琴、古列维奇、科甫琴科。只有一个人使他十分生气,使他气得难受,气得发胀,他一想到他,就浑身发热,连气也喘不过来。似乎一切反对维克托的残酷无情、不公正的事都是来自索科洛夫。索科洛夫怎么能不准玛丽亚上维克托家里来!多么胆怯,多么无情,多么卑鄙,多么下贱呀!

但是他却不敢对自己承认,他所以这样懊恼,不仅是认为索科洛夫对不起他,也因为他暗暗感觉到自己也对不起索科洛夫。

现在柳德米拉常常谈起生活方面的事。

多余的住房面积、房管所要的工资证明、食品供应卡、划定供应的新食品店、新的季度的限额供应卡、过期的身份证和换身份证时必须交出的机关证明——这一切都是柳德米拉日日夜夜操心的事。还有,到哪儿去弄钱来过日子呀?

以前维克托常常很带劲儿地开玩笑:“我要研究研究家里的理论问题,我要成立一个家庭试验室。”

但是现在没有什么好笑的了。他这个科学院通讯院士拿到的钱勉强可以偿付住房、别墅用费和公共用费。况且,他充满了孤独感。

可是,还是要过日子呀!

到高等学校去教书,他也不行了。一个在政治上有污点的人不能再接触青年人了。

上哪儿去呢?

他因为在科学界有相当的地位,也无法去做小的工作。任何一个干部见到一个科学博士要干技术编辑或中学物理教员,都会“啊嘿”一声,不给办手续。

当他一想到自己的研究完了,想到自己的穷困,想到受人支配、受人欺凌,觉得特别难受的时候,就在心里想:“还不如快点儿坐监狱呢。”

可是那样柳德米拉和娜佳就没有人管了。她们还是要过日子呀。

还说什么上别墅采草莓来卖呀!人家就要把别墅收回了。因为到五月里就要办理继续租用手续了。别墅不是科学院的,而是政府部门的。他因为马虎没有及时交租金,本想把欠的租金和上半年预付租金一把交齐。在一个月之前这点儿钱在他算不了什么的,现在这数目就使他觉得可怕了。

上哪儿去弄钱呀?娜佳还需要一件大衣呢。

去借债?可是,没有还债的指望,不能借债。

卖东西?可是,在战争时期谁又买瓷器,买钢琴?而且也舍不得,柳德米拉很喜欢她收藏的瓷器之类,就连现在,托里亚牺牲之后,她有时还欣赏欣赏这些东西。

他常常想,还不如上兵役局去,放弃科学院的免征权,去要求当一名士兵,上前线去。

他一想到这里,心里就平静下来。

可是接着又出现了焦虑和痛苦的想法。柳德米拉和娜佳怎么过呢?去教书?把房子交出去?可是马上就想到房管所和民

警。夜间搜捕,罚款,记录。

房屋管理员、地段民警督察、区房产科监察、人事处女秘书对于一个人来说,有多么厉害,多么威风,多么了不起呀。

一个失去依靠的人,会感到坐在票证科的小姑娘是一种强大的、不可动摇的力量。

维克托在整个一天里都觉得非常害怕,觉得毫无办法,毫无希望。但是他的心情不是始终一样的,不是毫无变化的。一天中不同的时间有不同的恐惧,不同的苦恼。早晨起来,刚刚出了暖和的被窝,当窗外还是寒冷而朦胧的晨曦的时候,他就像一个孩子遇到巨大的力量袭来时,感到有一种无可奈何的心情,很想钻进被窝里,蜷起身子,皱紧眉头,一动不动。

上午,他思念他的研究工作,特别想上研究所去。这时他觉得自己成了没有人要的人,成了无用的人、无能的人。

似乎国家一发怒,不仅能够剥夺他的自由、他的安宁,而且能够剥夺他的智慧、他的才华、他的自信心,把他变成一个又呆、又笨、又灰沉的人。

快到吃午饭的时候,他有了精神,高兴起来。可是一吃过午饭就苦恼起来,呆呆的,木木的,什么也不想。

等到暮色渐浓,他的恐怖感就渐渐强烈起来。他现在很怕黑暗,就像石器时代的野人进入了黑沉沉的密林。恐怖越来越强烈,越来越厉害……维克托思前想后,往事、今事一齐涌来。残酷无情、不肯饶人的死神在窗外黑暗中等待着。外面就会响起汽车声,马上就会响起门铃声,房子里马上就会响起皮靴声。无处躲藏。马上又来了一种发狠而又痛快的不在乎心情!

维克托对柳德米拉说：

“在沙皇时代那些骚乱的贵族倒是快活。失宠之后，就坐上马车，离开京城，上奔萨的领地上去！在那儿可以打猎，可以在农村里寻欢作乐，有邻居，有花园，写写回忆录。可是，你们这些自由主义的知识分子试试看：两个星期的审查和鉴定往密封的档案袋里一装，想打扫院子都没有人要你。”

“维克托，”柳德米拉说，“咱们能过得去！我可以缝衣服，在家里给人家做活儿，可以绣手帕，还可以去做试验员。可以养活你。”

他吻了吻她的手。她不明白，为什么他的脸上出现了负疚和痛苦的表情，他的眼睛里出现了诉苦和祈求的神情……

维克托在房间里踱着，小声唱着古老的情歌：

……他孤单单，无人相伴……

娜佳听说爸爸想当志愿兵上前线，说：

“我有一个女同学叫托尼娅·科干，她爸爸当了志愿兵。他是古希腊学科的专家，进了奔萨的一个预备团，分派他在那儿打扫厕所。有一天连长来上厕所，他因为近视把脏东西扫到连长身上，连长照他的耳朵打了一拳，把耳膜都打破了。”

“那有什么，”维克托说，“我不把脏东西扫到连长身上就是了。”

现在维克托跟娜佳说话，就和跟大人说话一样了。似乎他对女儿从来没有像现在这样好过。近来她一放了学就马上回家，这使他很感动，他认为这是她不希望让他担心。在她和爸爸说话的

时候，在她那一向带有讥笑神气的眼睛里出现了新的神气——严肃而亲热的神气。

有一天晚上，他穿起大衣，朝研究所走去。他很想朝自己的试验室的窗户里看看：里面的电灯是不是亮着，是不是有人在上夜班，也许，马尔科夫已经完成设备安装了吧？但是他没有走到研究所，怕碰见熟人，便拐进一条胡同，拐弯朝家里走。胡同里很黑，空荡荡的。他忽然感到十分幸福。雪花，夜晚的天空，寒冷的新鲜空气，脚步声，黑郁郁的枝丛，木头小房窗户里透过伪装窗帘射出来的细细的一缕灯光，——这一切都十分美好。他呼吸着夜晚的空气，他在安静的胡同里走着，谁也看不到他。他还活着，他还是自由的。他还要什么，幻想什么呢？他来到家门口，幸福感就消失了。

起初几天，他紧张地等着玛丽亚到来。一天天过去，玛丽亚没有给他来过电话。他的研究，他的名声，他的安宁，他的自信心，一切都被剥夺了。难道也把他最后的庇护所——爱情夺走了吗？

有时他灰心绝望，用手抓住自己的头发，好像他看不见她就没法活下去。有时他嘟哝说："这有什么，这有什么，这有什么。"有时他自己对自己说："现在谁还喜欢我呀？"

可是在他绝望的深处还有一个小小的光明点——就是他和玛丽亚保持着的心灵纯洁感。他们很痛苦，但是没有给别人造成痛苦。但是他明白，他的一切想法，哲学上的想法，平静的想法，恼恨的想法，都不能回答他心中出现的问题。他生玛丽亚的气，他嘲笑自己，他的悲伤的听天由命心情，他想着对柳德米拉的责

任,想着如何对得起良心——这一切都只不过是为了战胜他的绝望。每当他想起她的眼睛、她的声音,他就苦恼得不得了。难道他再也看不到她了?

当他感到分手不可避免,感到失落,感情上特别受不了的时候,他就不顾内心的羞愧,对柳德米拉说:

"你知道,我一直在担心马季亚罗夫,不知道他会不会出什么事儿,不知道是不是有他的消息。你打电话问问玛丽亚,好吗?"

最奇怪的也许是他还在继续进行研究。他研究是在研究,可是苦恼、不安、痛苦并没有停息。

研究不能帮助他战胜苦恼和恐惧,研究没有成为他的精神良药,他不是希望通过研究忘却难受的念头,忘却心灵的绝望。研究比药的力量更大。

他还在研究,因为他不能不研究。

四十二

柳德米拉对维克托说,她遇到房管员,房管员请维克托上房管所去一趟。

他们就猜,因为什么要叫他去。因为多余的住房面积?换身份证?兵役局要检查?也许,有人报告了任尼娅没有登记就在这里住过?

"你当时就该问一下,"维克托说,"那样咱们就用不着绞尽脑汁了。"

"是的,当时应该问,"柳德米拉也说,"可是我慌了,因为他

说，叫你丈夫上午来吧，反正他现在不上班了。”

“啊，天呀，他们已经全知道了。”

“管院子的，开电梯的，邻居家的保姆，都在注视着嘛。有什么奇怪的？”

“是的，是的。你可记得，战前来过一个年轻人，带着红红的小本子，要你向他报告，有谁上邻居家来过？”

“我怎么不记得，”柳德米拉说，“我不客气地大声骂了他一句，他只在门口说了一句‘我以为你很有觉悟呢’，就走了。”

这件事柳德米拉说过很多遍。他平时听她说的时候，总要插话，为的是让她说简单些，可是现在他一再要求她说说详细情形，再不催她。

“你听我说，”柳德米拉说，“也许，这是因为我在市场上卖了两块桌布？”

“我认为不是。如果是那样，就不会单单叫我去，也应该叫你去。”

“也许，是要你签什么字？”柳德米拉犹犹豫豫地说。

他的心绪异常阴沉。他一直想着他和希沙科夫、科甫琴科谈的话，他说的话太危险了。他想起他在大学里的时候，那时候他说话太随便了。他和米佳争论过，和克雷莫夫争论过，虽然有时他也赞成克雷莫夫的观点。可是他这一生从来没有敌视过党，敌视过苏维埃政权。忽然他想起他在某地、某时说过的一些特别尖锐的话，不觉浑身都凉了。可是克雷莫夫这个坚定的、坚持思想原则的共产党员，这个狂热的信徒，从来不怀疑什么的，却被逮捕了。他和马季亚罗夫、卡里莫夫说过那么多离经叛道的话，又会

怎样呢？

多么奇怪呀！

一般在傍晚时候，在黑暗渐渐来临时，他就战战兢兢地想到可能要逮捕他，而且恐惧感越来越强，越来越厉害，越来越使他受不了。但是等到他觉得完蛋已成了定局，他就一下子快活起来，轻松起来！哼，去他妈的吧！

一想到他的研究成果得到的不公正待遇，似乎他就要发疯了。但是当他一想到他又笨又蠢，想到他的研究不过是对现实世界的粗野、无味的嘲弄，思想不再是思想，而成为一种活着的感觉时，他就愉快起来。

现在他甚至根本不再考虑检讨自己的错误。他是渺小可怜的，是无知的，检讨也不会有什么改变。谁也不要他。不论检讨不检讨，愤怒的国家都把他看得一文不值。

在这段时间里，柳德米拉变化多厉害呀。她已经不在电话里对房管员说："请您马上给我派一个修理工来。"不再到楼梯上去检查："这是谁又把垃圾倒在洞口外面？"她穿衣服有点儿不正常，摸到什么穿什么。有时到配给商店去买素油，毫无必要地穿起名贵的猴皮大衣；有时扎起灰色的旧头巾，穿起战前就想送给电梯女司机的大衣。

维克托看着柳德拉，心里想着，他们两个再过10年、15年，会是什么样子。

"你可记得，在契诃夫的《高级僧侣》里：母亲放牛，对一些妇女说，她的儿子当年做过高级僧侣，可是很少有人信她的话？"

"我读过已经很久了，那还是在小时候，不记得了。"柳德米

拉说。

"那你要再读一读。"维克托很生气地说。

他一直因为柳德米拉不喜欢契诃夫而生她的气,他怀疑,契诃夫有很多小说她没有读过。

可是很奇怪,很奇怪!他越是不行,越是没有办法,越是接近于精神上的全熵状态,他在房管员眼里,在票证科小姑娘、户籍员、办事员、试验员、科学家、朋友们的眼里,甚至在亲人们的眼里,甚至也许在契贝任的眼里,也许在妻子的眼里,越是不值钱,可是在玛丽亚眼里却越是可贵,越是可亲。他们没有见面,他却知道,却感觉出这一点。他每遇到新的打击,新的凌辱,他都要在心里问她:"玛丽亚,你看见我了吗?"

就这样他和妻子坐在一起,和她说着话儿,想的却是她不知道的心思。

电话铃响起来。现在电话铃声只能引起他们的惊慌,就好比在夜里收到报告祸事的电报。

"哦,我知道,他们说过要给我打电话,谈谈做临时工的事。"柳德米拉说。

她拿起话筒,眉毛扬了起来,她说:

"他就来。"

"找你。"她对维克托说。

维克托用眼睛问:"是谁?"

柳德米拉用手捂住话筒,说:

"是一个不熟悉的声音,我想不起来啦。"

维克托接过话筒。

“请吧，我听着哩。”他说。一面看着柳德米拉那问询的眼睛，在小桌上摸到铅笔，在一小片纸上写了几个歪歪斜斜的字母。

柳德米拉没有注意他在做什么，慢慢画了一个十字，然后又给维克托画了一个十字。他们没有说话。

他仿佛听到：“……现在苏联各广播电台联播……”

这声音极像1941年7月3日向人民、军队和全世界说“同志们，兄弟们，朋友们……”的声音，现在这声音只对这握着电话筒的一个人说：

“您好，什特鲁姆同志。”

此时此刻，得意、软弱、害怕被什么流氓捉弄的心情、写好的检讨书、履历表、卢比扬卡广场的楼房……这一切一切念头，念头的片断、感情的片断全都混合到一起，搅成了一团。

出现了一种极其明朗的命运已定的感觉，同时又夹杂着一种失去分外可亲、分外动人的极好的东西的悲伤心情。

“您好，斯大林同志。”维克托说。他感到吃惊，不大相信这是他在电话里说这种不可思议的话。“您好，斯大林同志。”

总共在电话里谈了两三分钟。

“我认为，您的研究方向是很有意义的。”斯大林说。

他的声音很缓慢，带有喉音，带有用声音强调的表现力，似乎是有意这样，这声音非常像维克托在收音机里听到的那种声音。维克托有时候为了好玩儿，在自己家里模仿这种声音。在代表大会上听过斯大林的讲话或者被召见过的人也常常这样模仿他的声音。

难道是有人作弄他？

“我对自己的研究是有信心的。”维克托说。

斯大林沉默了一会儿，大概是他在考虑维克托的话。

“在这战争时期，您是不是感到缺乏外文资料，仪器设备是否齐全？”斯大林问道。

维克托用自己也意想不到的真挚口吻说：

“非常感谢，斯大林同志，研究工作条件完全正常，很好。”

柳德米拉在旁边站着，好像斯大林能看见她，她在听说话。

维克托朝她摆了摆手，意思是：“坐下，怎么不害臊……”可是斯大林又沉默了，在考虑维克托的话，后来说：

“再见，什特鲁姆同志，祝您研究顺利。”

“再见，斯大林同志。”

维克托放下话筒。

他们面对面坐着，还像几分钟之前说起柳德米拉在市场上卖掉两块桌布时那样。

“祝您研究顺利。”维克托忽然用很重的格鲁吉亚口音说。

屋里的餐柜、钢琴、椅子依然没有变化，两只没有洗的碟子依然像刚才谈房管员时那样，摆在桌子上，这样没有变化，真不可思议，使人无法理解。因为一切都变了，一切都翻了个儿，他们的命运完全不同了呀。

“他对你说的是什么？”

“没什么特别的，他是问，是不是因为缺乏外文资料影响我的研究。”维克托尽量装出平静和无动于衷的神气说。

有时他因为自己竟有这样强烈的幸福感，觉得很难为情。

“柳德米拉，柳德米拉，”他说，“你想想看，我没有检讨，没有

低头,也没有给他写过信。他是自己,自己打电话的呀!”

“不可思议的事就出现了!这件事的威力是很大的。难道是他曾经日夜焦灼不安,睡不着觉,填履历表时发呆发愣,抓住自己的头发,思索在学术会议上对他的批判,回想自己的过错,在心里检讨、求饶,等待逮捕,想着自己的穷困,提心吊胆地想着如何跟身份证管理员和票证科的小姑娘打交道?

“我的天啊,天啊,”柳德米拉说,“托里亚再也不会知道这种事儿了。”

她走到托里亚的房间门口,把门开了。

维克托拿起话筒,又把话筒放下。

“万一是有人开玩笑呢?”他说着,走到窗前。

从窗子里可以看到空荡荡的大街,有一个穿棉袄的女人走过去。

他又走到电话机跟前,弯起手指头在话筒上敲了敲。

“刚才我的声音怎么样?”他问。

“你说得很慢。你要知道,我自己也不明白,为什么我一下就站了起来。”

“是斯大林嘛!”

“也许,真是开玩笑呢?”

“瞧你说的,谁敢开玩笑?开这种玩笑起码要判十年徒刑。”

不过一个钟头之前,他还在房间里踱来踱去,哼唱戈列你尼夫-库图佐夫的情歌“……他孤单单,无人陪伴……”呢。

斯大林打的电话呀!在莫斯科一年当中也只有一次或两次传说着:斯大林给电影导演多夫任科打电话了,斯大林给作家爱

伦堡打电话了。

不需要他下命令：给某人奖金，给某人住房，给某人造研究所。他太伟大了，用不着说这些小事。这一切自会有他底下的人操办。他们可以从他的眼神，他的声调中猜测他的心意。他只要亲切地对一个人笑一笑，这个人的命运就变了——这个人就会从黑暗中、从默默无闻的状态中一下子来到荣华富贵的倾盆大雨之下，就会有许多有权有势的人向这个幸运儿顶礼膜拜，就因为斯大林对他笑过，或者在打电话里对他说过笑话。

人们会到处传说这些交谈的详情细节，斯大林说的每一句话都使人们吃惊。似乎斯大林不可能说家常话。

很多人在传说，他有一次打电话给一位有名的雕塑家，开玩笑说：

“你好，老酒鬼。”

还有一次他向另外一个有名的和很好的人问被逮捕的朋友，那个名人慌了，回答的含糊不清，斯大林说：

“您有没有把自己的朋友保护好。”

还在传说，他有一次往青年报的编辑部打电话，副主编接电话，说：

“我是布别金。”

斯大林问：

“布别金是什么人？”

布别金回答说：

“要查一查。”他说着，就把话筒扔下。

斯大林又叫接通电话，说：

“布别金同志，我是斯大林，请您说说，您是什么人？”

据说，布别金在这之后，在医院住了两个星期，害的是神经震荡。

他一句话可以使成千上万的人头落地。元帅、人民委员、党中央委员、州委书记——这些人昨天还指挥着千军万马驰骋战场，还领导着边区、共和国、巨大的工厂，今天由于斯大林一句发怒的话就会变得不值一文，变成集中营的尘土，就会手拿饭盒，在集中营的厨房外等候领取一勺稀稀的菜汤。

还在传说，有一天夜里，斯大林和贝利亚去看不久前从卢比扬卡监狱放出来的一位格鲁吉亚的老布尔什维克，在他那儿一直坐到天亮。住在这座院子里的人夜里不敢出来上厕所，早晨也不去上班。据说，给来客开门的是担任居民小组长的一位产科女医生，她穿着睡衣出来，手上还抱着小哈巴狗，她很生气：夜已经深了，还有人来按门铃。后来她说：“我把门打开，看见一张相片，相片活动起来，冲着我来了。”据说，斯大林来到走廊里，对着电话机旁边贴的一张纸看来很久，那是居民们画道道儿记录打电话的次数，为的是按次数付钱。

这些事情使人感到惊异和好笑，正因为一些话和一些情形很平常，至于斯大林竟会在几家合住的房子的走廊里走，更是不可思议的！

要知道，凭他一句话就可以出现大规模的建筑，一队队的伐木工人就会开进原始森林，成千上万的人群就去开凿运河，建造城市，在极夜地区和永久冻土地带开辟道路。他本身就代表着伟大的国家。阳光是斯大林宪法的阳光。斯大林的党……斯大林

的五年计划……斯大林的建设……斯大林的战略……斯大林的空军……伟大的国家就表现在他的性格、他的气派中。

维克托一遍又一遍地重说着，

“祝您研究顺利……您的研究方向很有意义……”

现在很清楚：斯大林知道，国外已经开始关注深入研究核现象的物理学。

维克托感觉到，围绕着这方面的一些问题出现了一种奇怪的紧张状态，他在英美一些物理学家的文章的字里行间，在一些不大合乎思维逻辑的半吞半吐的话里，感觉出这种紧张状态。他发现，有些经常在物理学杂志上发表论文的研究者名字现在不见了，有些研究重核分裂的人好像失踪了，也没有人引用他们的著作。他觉得，问题范围一接近铀原子核的衰变问题，就格外紧张，不再说了。

契贝任、索科洛夫、马尔科夫不止一次谈起这方面的问题。不久之前契贝任还说到一些人眼光短浅，看不到和中子作用于重核有关的实用远景。契贝任本人倒是不想在这一领域进行研究……

在充满士兵的皮靴声、炮火与硝烟、轧轧的坦克声的空气中，出现了新的、无声的紧张状态，所以这个世界上最有力的手拿起电话筒，这位理论物理学家便听到了他那缓慢的声音：“祝您研究顺利。”

于是一道新的无声无息、隐隐约约的、淡淡的阴影落到燃遍战火的大地上，落到白发苍苍的老人和孩子们的头上。人们还没有感觉到、还不知道这一道阴影，还没有觉察出注定要出现的力

量已经诞生。

从几十位物理学家的书桌,从写满希腊字母的一张张纸,从书橱和试验室,到成为巨大而强烈的力量,成为将来国家强盛的标志,还有很长的一段道路。

道路已经开头,无声的阴影也越来越浓,渐渐变成黑暗,准备把偌大的莫斯科和纽约笼罩住。

维克托本来以为他的研究成果已经永远锁进他家里的书桌的抽屉里了,可是现在有了出头之日。他的研究成果即将离开监狱,进入试验室,成为教授们讲课和做报告的话题。他没有想到科学真会取得可喜的胜利,自己会取得胜利,现在他又可以推动科学,可以培养学生,可以在杂志和书本上存在了,又可以操心他的想法是否和计算、摄影实际结果相符了。可是在这一天他却不是为这一切感到高兴。

使他兴奋的是另一种原因,那就是他的虚荣心对迫害他的人取得了胜利。不久前他似乎还不恼恨他们。就是现在他也不想报复他们,使他们倒霉,但是他一想起他们干的一切坏事、欺人的事、残忍的事、怯懦的事,心里和理智上就感到幸运。他们对待他越是粗暴,越是卑鄙,他现在想起来越是感到痛快。

娜佳放学回来,柳德米拉喊道:

"娜佳,斯大林给你的爸爸打电话了!"

维克托看到女儿穿着脱掉一半的大衣、拖着围巾跑进屋里的那种激动的样子,就更加明显地想象到有些人在今天或明天听说这件事时的那种惊慌的神情。

他们坐下来吃午饭。维克托突然把羹匙放下,说:

“我简直一点儿也不想吃。”

柳德米拉说：

“恨你的人、害你的人这一下子完啦。我可以想象出来，在研究所里，甚至在整个科学院里，将会出现什么样的情景。”

“是啊，是啊，是啊。”维克托说。

“妈妈，在限额商店里，那些太太们又要跟你打招呼，又要对你笑了。”娜佳说。

维克托一向瞧不起阿谀奉承的人，可是现在一想到希沙科夫会做一副奉承的笑容，就非常高兴。

很奇怪，不可理解！他感到高兴和得意的同时，总有一股忧伤感从心的深处往外冒，总有一种怜惜感，怜惜此时此刻似乎正在离他而去的一种最珍贵的东西。似乎他有错，对不起什么人，但是究竟有什么过错，对不起谁，他却不清楚。

他喝着他很喜欢的土豆荞麦粥，想起了小时候在基辅在春天的夜里出来，透过开花的栗树枝丛看着星星时流泪的情景。那时候他觉得世界是美好的，前途是广阔的，充满美妙的光和善意。今天，在他的命运已经定了的时候，他似乎在和自己对于美好的科学的纯洁的爱、孩子般的爱、几乎是宗教式的爱告别，在和几个星期之前当他克制住巨大的恐惧、自己不对自己扯谎时的那种心情告别。

他只能对一个人说说这一点，但是那人现在不在他身边。

还有奇怪的。他有一种很急切的心情，希望所有的人快点儿都知道发送的事情。希望研究所里、大学课堂里、党中央委员会、科学院院部、房管所、别墅区管理处、各大学教研室、各个科学协

会都知道这件事。可是，索科洛夫是不是知道，维克托觉得无所谓。不是在理智上，而是在心深处暗暗不希望玛丽亚知道这个消息。他猜想，当他被排挤、他倒霉的时候，她更爱他。他觉得是这样。

他对女儿和妻子说起战前她们就知道的一件事：斯大林一天夜里来到地铁车站，他微微有些酒意，挨着一个年轻女子坐下来，问她：

"我能帮您什么忙吗？"

那女子说：

"我想去看看克里姆林宫。"

斯大林在回答之前，想了想，说：

"这一点也许我能办得到。"

娜佳说：

"你瞧，爸爸，你今天真了不起，妈妈居然让你把这个故事说完，没有打断你，要知道，这故事她已经听过一百一十次了。"

于是他们又一次，也就是第一百一十一次讥笑起那个天真的女子。

柳德米拉问：

"维克托，遇到这种情形，是不是应该喝点酒？"

她拿来一盒水果糖，原是为娜佳过生日准备的。

"吃吧，"柳德米拉说，"不过，娜佳，不要一吃起来就和狼一样。"

"爸爸，吃吧，"娜佳说，"咱们为什么要笑地铁里那个女人？你怎么不向斯大林问问米佳舅舅和克雷莫夫的事？

“瞧你说的，这怎么可能呢？”他说。

“依我看，可能。要是姥姥，马上就会说的，我相信她会说。”

“可能，”维克托说，“可能。”

“哎，别瞎扯了。”柳德米拉说。

“怎么瞎扯，这是问舅舅的事。”娜佳说。

“维克托，”柳德米拉说，“应该给希沙科夫打个电话。”

“你显然对这件事没有足够的估计。用不着给任何人打电话。”

“你还是给希沙科夫打个电话吧。”柳德米拉执拗地说。

“等斯大林对你说‘祝你成功’，你给希沙科夫打电话好啦。”

这一天维克托产生了一种很奇怪的新的感觉。大家把斯大林神化，他过去一直感到很气愤。报纸从第一版到最后一版到处都是他的名字。又是肖像，又是半身雕像，又是全身塑像，又是歌剧，又是长诗，又是颂歌……

又管他叫父亲，又称他天才……

使维克托气愤的是，他的名字遮没了列宁的名字，竟把他的军事才能说得比列宁的治国才能还高。在阿列克赛·托尔斯泰的一个剧本里，列宁很勤快地划着了火柴，让斯大林点着烟斗抽烟。一位画家在画里画着，斯大林在斯莫尔尼宫的台阶上昂首阔步地走着，列宁急急匆匆地、毕恭毕敬地跟在他后面。如果在画上画着列宁和斯大林跟人民在一起，那么，只有一些老头子、老娘们儿和小孩子亲切地看着列宁，而倾注着斯大林的却是一些武装巨人——腰缠机枪子弹带的工人、水兵。历史学家们写到苏维埃国家的危难时期，不论是喀琅施塔得叛乱时期，保卫察里津时期，

不论是波兰入侵时期，都要歪曲事实，说列宁经常向斯大林请教。党的历史学家们给予斯大林参加过的巴库罢工和他曾经主编过的《斗争报》的地位，超过了俄国的全部革命运动。

“《斗争报》《斗争报》，”维克托常常很生气地说，“当年有热里雅鲍夫，有普列汉诺夫，有克鲁泡特金，有十二月党人，可是现在只剩了《斗争报》《斗争报》……”

千余年来俄罗斯一直是君主专制和专制独裁国家，是沙皇和宠臣们的国家。但是在千余年的俄罗斯历史中谁也不曾有过像斯大林这样大的权力。

可是今天维克托不气愤，不害怕了。斯大林的权力越大，颂歌和定音鼓越响，这尊活神像脚下的神香烟云越浓，维克托的幸福感越强烈。

天色渐渐黑下来，可是他不害怕了。

斯大林和他说话了呀！是斯大林对他说：“祝您研究顺利。”

等到天色完全黑下来，他来到大街上。

在这黑沉沉的晚上，他没有绝望感和大祸临头感了。他心里是宁静的。他知道，在签发逮捕证的地方已经知道了一切。想到克雷莫夫、米佳、阿巴尔丘克、马季亚罗夫、契特维里科夫，就感到奇怪。他们的命运没有成为他的命运。他怀着感伤和不可理解的心情想着他们。

维克托因为胜利了，因为他的精神力量、他的头脑取得了胜利，十分高兴。他也不管，为什么今天的幸福和他在被批判的那一天似乎有妈妈跟他在一起时所感到的幸福是多么不同。现在马季亚罗夫是不是会被捕，克雷莫夫是不是会供出他来，对他都

无所谓了。他生平第一次不为自己说的一些离经叛道的笑话和不小心的话担惊害怕。

到很晚的时候,柳德米拉已经睡了,电话铃响了起来。

"您好。"一个很轻的声音说。维克托一听就激动起来,这激动似乎超过了白天的激动。

"您好。"他说。

"我不能听不到您的声音,您对我说点儿什么吧。"她说。

"玛丽亚,我的好玛丽亚。"他说过这话,就不作声了。

"维克托,我的亲爱的,"她说,"我不能对我丈夫撒谎。我对他说了,我爱您。我向他发誓永远不再见您。"

早晨,柳德米拉走进他的房里,抚摩了抚摩他的头发,吻了吻他的额头。

"我在梦里仿佛听到,昨天夜里你跟什么人通电话来着。"

"没有,你是做梦了。"他镇静地看着她的眼睛,回答说。

"你记住,今天你要上房管所去一趟。"

四十三

看惯了军装的人,一看到侦讯员的西装上衣,觉得很奇怪,侦讯员的脸倒是一张很平常的脸,像这种黄白色的脸,在办公室里的少校和政工人员中是很多的。

回答开头几个问题很容易,甚至很轻松愉快,似乎其他一切也会十分清楚的,就像姓、名和父称一样简单明了。

从被捕人的回答中似乎可以感觉出有一种迫切地想帮助侦

讯员的心情。侦讯员好像对他一点也不了解嘛。在他们之间的办公桌并没有把他们分开。他们都交过党费，看过《恰巴耶夫》，听过党中央的指示，在五一节前都被派到工厂企业去做过报告。

预备性的问题提了很多，被捕人渐渐镇静下来。很快就会问起实质性问题的，他就要说说他是怎样带着人突围的。

终于弄清了，坐在桌前这个敞着军服上衣领口、被剪掉了纽扣、胡子拉碴的人有名字、父称、姓，出生于秋天，俄罗斯族，参加过两次世界大战和一次国内战争，没有参加过匪帮，没有犯罪前科，参加联共(布)二十五年，曾被选为共产国际代表大会代表，还当过世界工会太平洋地区会议的代表，没有得过勋章和荣誉武器……

克雷莫夫心中紧张，是因为想到被包围，想到跟他一起转战在白俄罗斯沼地上和乌克兰土地上的许多人。

他们之中是谁被捕了呢，是谁在审讯中经受不住，丧失了良心？可是一个突如其来的涉及另一段很早时期的问题使克雷莫夫大吃一惊：

“您说说，您什么时候和弗里茨·加肯认识的？”

他沉默了半天，然后说：

“如果我没有记错的话，那是在全苏工会中央理事会，在托姆斯基的办公室里，如果我没记错的话，那是在1927年春天。”

侦讯员点了点头，好像他很清楚早年这些情况。

然后他深深吸了一口气，打开标有“档案”字样的公文夹，不慌不忙地把白色小绦带解了开来，翻起一页页写满了字的纸。克雷莫夫模模糊糊看到用各种颜色的墨水写的字，看到打字机打的

字，行距有稀的，有密的，还有用红铅笔、蓝铅笔和普通铅笔写的标注，有的笔道很粗，有的是仔细贴上去的。

侦讯员慢慢翻着材料，就像一个好学生蛮有把握地翻着书本，早就知道，他已经把课程学透了。

他偶尔看看克雷莫夫。这时候他像一位画家，看看他的画是否与模特儿相像：外貌，性格，心灵的窗户——眼睛……

他的目光变得多么阴沉了呀。他那很平常的脸——这样的脸1937年以后克雷莫夫在区党委、州党委、在区公安周、在图书馆和出版社常常见到——忽然变得很不平常了。克雷莫夫觉得，他整个的人是由一些拼图方块组成的，但这些拼图方块没有合成一个整体，没有成为一个人。一块方块是眼睛，另一块是慢腾腾的手，还有一块是问问题的嘴巴。方块乱了位置，失去比例，嘴巴大得出了格，眼睛移到嘴巴底下，长到皱紧的额头上，额头则移到应该长下巴的地方。

“嗯，嗯，是这样。”侦讯员说。他脸上的一切又像人的样子了。他把公文夹合上，公文夹上的小带子他没有系上。

“就像没有系上的鞋带儿。”裤子和衬裤上的扣子都被剪掉了的被捕人心中想道。

“共产国际。”侦讯员又慢又庄重地说。又用平常的语调说：“尼古拉·克雷莫夫，共产国际工作人员。”又慢慢地、庄重地说：“第三共产国际。”

然后他一声不响地沉思了很久。

“啊呀，好厉害的小娘儿们穆丝卡·格林贝格。”侦讯员忽然带着很起劲、很调皮的神气说，就像男子之间说玩笑话儿，于是克

雷莫夫感到很难为情,不知如何是好,脸一下子红了。

有过这事儿!但是这已经很久了,可是一想起来就难为情。那时候他好像已经在爱着任尼娅了。好像那是他下了班去找老朋友,想把钱还他,好像是借了钱买车票的。底下的事他就记得很清楚了,不是“好像”了。老朋友康斯坦丁不在家,他本来也不喜欢她。她不住地抽烟,抽得嗓子都哑了,谈起什么,都自以为有两下子,她是哲学研究所的党委副书记,不错,她很美,如大家说的,是一个标致娘儿们。唉,所以他就和康斯坦丁的老婆在沙发上干了那号事儿,而且后来又和她会过两次……

在一个钟头之前,他还以为,这是从乡下区里提拔上来的一名侦讯员,对他一点儿也不了解。可是过了一阵子,侦讯员却一个劲儿地问起和克雷莫夫一起工作过的外国共产党员,他知道他们的小名和外号,知道他们的妻子和情妇的名字。他的档案材料这样丰富,不是一种好兆头。就算克雷莫夫是一位伟人,每一句话对于历史都有举足轻重的意义,也未必值得把这么多鸡毛蒜皮、乱七八糟的小事收进档案里。

可是小事不是小事。

不论他到过哪儿,都留下他的脚印儿,有人跟着他的脚跟走,记下他的生活。

他取笑同志的话、读过一本书的感想、在庆贺生日时开玩笑的祝酒词、在电话里说的三分钟的话、开大会时给主席团递的不太客气的条子——这一切都收进了系小带子的公文夹。

他的言语、行动被搜集起来,晒干了,做成了大型标本。这是多么不怀好意的手指头如此勤劳地在搜集野草、荨麻、飞廉、滨

藜……

伟大的国家竟在研究他和穆丝卡·格林贝格的艳史。一些闲话和琐事与他的信仰编结在一起,他对任尼娅的爱没有什么意义,有意义的倒是一些不足道的偶然的艳遇,他简直分不清大节和小节了。他说过的一句对斯大林的哲学常识不太客气的话,似乎比他十年日日夜夜为党工作更值得注意。是不是真的他在1932年在洛佐夫斯基的办公室里和一位德国同志谈话的时候说过,在苏联的工会运动中国家的成分太多,无产阶级的成分太少?是那位同志告密的。

“您要明白,侦讯员同志。”

“应该称呼公民。”

“是,是,公民。这是捏造,是有成见。我在党内有四分之一世纪。我在1917年发动过士兵起义。我在中国工作过四年。我日日夜夜为党工作。许多人都了解我……在卫国战争期间我志愿上前线,在最危难的时刻大家都相信我,跟着我走……我……”

侦讯员问道:

“您怎么,是来这儿领立功奖状的吗?要不要填写嘉奖证书?”

确实,他不是来领立功奖状的。

侦讯员摇了摇头,说:

“您还怪妻子不给您送东西呢。瞧您这个丈夫!”

这话是他在牢房里对鲍戈列耶夫说的。我的天啊!卡茨涅林鲍肯用开玩笑的口气对他说:“一位希腊人预言:一切都会过去;我们则可以断言:一切都会密告上去。”

他的一生进入系小带子的公文夹之后，便失去体积、长度、比例……一切一切都成为黏糊糊的、乱糟糟的、灰灰的一团，连他自己也不知道，什么更值得注意：是在潮湿、闷热的上海的四年超强度工作，斯大林格勒的抢渡，对革命的忠诚，还是因为苏联报纸内容贫乏在"松树"疗养院对一位不太熟悉的文学家说的几句气话？

侦讯员又和蔼、又亲切地小声问道：

"现在请您对我说说，法西斯分子加肯是怎样吸收您参加谍报和破坏工作的。"

"您不是开玩笑吧？"

"克雷莫夫，您别装蒜。您该看到，您这一生走的每一步我们都是很清楚的。"

"正因为这样，所以……"

"克雷莫夫，您老实点儿。您骗不了保安机关。"

"不过，这是捏造！"

"是这样的，克雷莫夫。我们有加肯的供词。他在交代自己的罪行中，谈到他和您的罪恶关系。"

"您哪怕拿出十份加肯的供状，这都是假的！是捏造！如果你们有加肯这样的供状的话，为什么还相信我这个间谍和破坏者，让我做军事政委，带领人作战？你们干什么去啦，你们是干什么的？"

"您怎么，是叫您到这儿来教训我们的吗？是请您来领导保安机关工作，是不是？"

"说什么领导，说什么教训！要摆事实，讲道理嘛。我了解加肯。他不可能说他吸收我干什么。不可能！"

“为什么不可能?”

“他是共产党人,是革命战士。”

侦讯员问:

“您一直相信这一点吗?”

“是的,”克雷莫夫回答说,“我一直相信!”

侦讯员一面点头,一面翻档案材料,一面似乎无可奈何地说:

“既然一直相信,那就是另一回事儿了……那就是另一回事儿了……”

“您就看看吧。”他用手掌捂住一张纸的一部分,说道。

克雷莫夫粗粗地看着上面写的字,耸了耸肩膀。

“太没有出息了。”他很厌恶地说。

“为什么?”

“这人没有勇气挺直身子说,加肯是一名忠诚的共产党人,又不肯昧着良心诬陷他,所以就躲躲闪闪。”

侦讯员把手移了移,让克雷莫夫看了看签名和日期:克雷莫夫,1938年2月。

他们都沉默了一会儿。然后侦讯员厉声问道:

“也许,是他们打您,所以您写了这样的证明材料吧?”

“不是,没有打我。”

侦讯员的脸又分裂成好几块拼图方块,那气愤的眼睛流露着厌恶的神情,嘴巴在说:

“还有。您在被包围的时候,有两天离开自己的队伍。敌人用军用飞机把您接到德军集团军群司令部,您交出了重要情报,又接受了新的指示。”

“痴人说梦。”被剪掉了衣服扣子的人嘟哝说。

可是侦讯员继续把事情进行下去。现在克雷莫夫已经不觉得自己是具有崇高明确的思想、随时准备为革命上断头台的强者了。

他感到自己是一个软弱、不坚定的人，他说过不该说的话，传播过荒唐的谣言，他竟敢嘲笑苏联人民对待斯大林同志的感情。他不善于识别朋友，在他的朋友当中有很多人被镇压了。他的理论见解十分混乱。他和朋友的妻子私通。他用可耻的两面派态度写了有关加肯的证明材料。

难道坐在这儿的是我吗？难道这一切都是我的事吗？这是一个梦，是夏夜的一个梦。

“在战前您为国外的托洛茨基分子的中央提供过有关国际革命运动主要人物思想状况的情报。”

怀疑一个可鄙、肮脏的人叛变的，不必是疯子，也不必是坏蛋。克雷莫夫如果在侦讯员的位子上，也不会相信这样一个人。这个人十分了解在1937年接替被镇压或被解职、降职的党内工作者的一批新的党的工作者，这是一些气质和他不同的人。他们读的书不同，读法也不同，他们不是读，而是“仔细研究”。他们喜欢和看重舒服的物质生活，革命的牺牲精神与他们格格不入，或者不是他们性格的基础。他们不懂外语，喜欢自己的俄罗斯本性，说俄语也不按标准音。他们之中有聪明人，但是他们的主要长处和主要本领似乎不在于思想和理智，而在于办事能力和机警，善于见风使舵。

克雷莫夫明白，党内的新干部、老干部都有很大的共同性，分

歧不要紧，在一致与共同中得到统一。但是他觉得自己比这批新人优越，觉得他这个列宁主义的布尔什维克比他们好。

他没有注意到，现在他和侦讯员的关系已经不在于他是否愿意和这位新干部亲近，承认这位新干部是党的同志。现在和侦讯员认同的愿望表现为可怜的希望，希望对方和他亲近，哪怕承认他一生所作所为不光是坏的、低下的、不忠诚的。

现在克雷莫夫也没有注意到，出了这样的事：一个充满自信心的侦讯员成了一名充满自信心的共产党员。

“如果您真正能够诚心悔改的话，哪怕您还对党多少有一点爱护之心的话，那就该承认自己的罪行，帮助帮助党。”

克雷莫夫一下子打掉侵蚀着他的大脑皮层的软弱，叫了起来：

“您别想从我身上得到什么！我决不写假口供。您听见了吗？就是用刑，我也不写！”

侦讯员对他说：

“您考虑考虑吧。”

他又翻起档案材料，没有看克雷莫夫。时间一点一点过去。他把克雷莫夫的档案材料推到一边，从桌子抽屉里拿出一张纸。似乎他忘记了克雷莫夫，他不慌不忙地写着，皱起眉头思索着。后来他把写好的念了念，又想了想，从抽屉里拿出一个信封，就在上面写地址。也许，这不是一封公函。后来他把地址念了念，在姓氏下面画了两道着重线。后来他往自来水笔里灌了墨水，又把笔头上滴的墨水擦了半天。然后他削起烟灰缸上的铅笔，其中有一支铅笔的铅芯一削就断，但是侦讯员没有生铅笔的气，很耐心

地削了又削。后来他在指头上试了试铅笔尖儿。

被捕人在想。要想的事情太多了。

哪儿来的这么多告密者呀！必须想一想，弄清楚是谁告的。这还用说？是穆丝卡·格林贝格……侦讯员还要问到任尼娅的……确实很奇怪，为什么还没有问到她，一点也没有提到她……难道有关我的材料是瓦西亚提供的？但是我究竟有什么，有什么好承认的呢？我现在在这儿，不明白的还是不明白，党啊，你这一切为的是什么呀？斯大林呀，斯大林，因为什么样的罪过，打击这么多善良、刚强的人？可怕的不是侦讯员提出的问题，而是不说的、没有说的事。卡茨涅林鲍肯说得不错。当然，他会问起任尼娅的，显然她已经被捕了。这一切是怎么来的，怎么开头的呢？我怎么会蹲起监狱呀？我这一生多么苦恼，有多少窝囊事儿呀。斯大林同志，饶恕我吧！只要有您一句话就行，斯大林同志！我有错误，我糊涂，我乱说过，我怀疑过，党全知道，全看见了。我为什么，为什么要和那个文学家闲扯呀？不过，还不是一样。可是，突围又有什么问题？这简直荒唐，简直是诬陷、捏造、诽谤。为什么，为什么我当时没有说加肯是我的朋友，我的好兄弟，我不怀疑他是纯洁的。这样加肯那不幸的眼睛就不愿再看到他了……

侦讯员忽然问道：

“喂，怎么样，回想起来了吗？”

克雷莫夫把两手一摊，说：

“我没有什么好回想的。”

电话铃响起来。

“我听着哩。”侦讯员说。他瞥了克雷莫夫一眼，说：“是的，你准备吧，快要到时候啦。”克雷莫夫觉得似乎说的是他。

后来侦讯员放下话筒，又拿起话筒。这次电话对话很奇怪，好像旁边坐的不是一个人，而是一只两条腿的兽。看样子，侦讯员是在和他老婆聊天。

开头谈的是生活上的问题：

“上配给商店去过吗？鹅吗，这很好……为什么凭一号券不卖？谢廖沙的老婆往科里打过电话，说凭一号券买了一条羊腿，请咱们去吃呢。告诉你，我在小卖部买了一些奶渣，不，不是酸的，有八十公分……今天煤气怎么样？你不要把西装忘了。”

后来他又说起来：

“喂，怎么样，别太烦恼，要多加注意。做梦啦？穿什么？还穿短裤？可惜……喂，要多加注意，等我回去，你已经要上学校去了……收拾房间吗？很好，不过要小心，不要拿重东西，你无论如何不能拿重东西。”

在这儿这样随便地叙家常，有点儿不可思议：谈话越是像家常谈话，像平常人的谈话，谈话的人越是不像人。猴子模仿人的行动，样子就有点儿可怕……同时克雷莫夫感到自己也不是人，因为当着一个外人的面是不会说这一类的话的……“我吻你……你不愿意……好，算啦，算啦……”

当然，如果按照鲍戈列耶夫的理论，克雷莫夫只是安卡拉猫，是青蛙，是金翅雀，或者不过是树枝上的一只小虫儿，这样谈话就一点没有什么奇怪的了。

到末了侦讯员问：

“要烤煳了吧？好，快去，快去，再见。”

然后他拿出一本书和一个笔记本，看起书来，还不时地做笔记，也许他是准备小组讨论，也许是准备作报告……

他带着很大的火气说：

“您怎么一个劲儿地跺脚，就好像在做体操运动？”

“公民，我的两脚发麻。”

但是侦讯员又埋头看起书来。

过了十来分钟，他心不在焉地问：

“喂，怎么样，回想起来了吗？”

“公民，我要上厕所。”

侦讯员叹了一口气，走到门口，轻轻唤了一声。当一只狗在不适宜的时候要求出去游逛的时候，狗的主人的脸色往往就是这样。进来一名穿野战军服的士兵。克雷莫夫用老练的目光把他打量了一眼：腰里扎着皮带，白衬领干干净净，军帽戴得端端正正——一切都很像个样子。只是这名士兵干的不是士兵该干的事情。

克雷莫夫站起来，因为在椅子上坐的时间太久，两条腿都麻木了，一开始迈步直打战。在士兵注视着他的时候，他在厕所里急急忙忙地想着，回来的路上也急急忙忙地想着。有很多事情要想。

等克雷莫夫从厕所里回来，侦讯员不见了，在他的位子上坐的是一个穿军服的年轻人，佩戴着镶了红绦的蓝色大尉肩章。大尉用阴沉的目光看了看被捕人，就好像有不共戴天的仇恨。

“干吗站着？”大尉说，“喂，坐下！把身子坐直，老家伙，干吗

弓着背？等我给你两下子，你身子就直起来了。”

“一见面就这样。”克雷莫夫心里想道。他害怕起来，在战场上他都没有这样害怕。

“这一下子要来劲儿了。”他想。

大尉吐了一个烟团儿，在灰色的烟团中响着他的声音：

“这是纸、笔。怎么，要我替你写吗？”

大尉很喜欢侮辱克雷莫夫。也许，这是他的职责？要知道，在前方有时要炮兵对敌军进行扰乱性射击，炮兵就日日夜夜打炮。

“你是怎么坐的？你是上这儿睡觉的吗？”

过了几分钟，他又呼唤被捕人：

“喂，你听着，怎么，我不是对你说话吗，跟你无关吗？”

他走到窗前，拉起厚厚的窗帘，把电灯熄了，一道阴沉的晨曦射进克雷莫夫的眼睛。克雷莫夫自从来到卢比扬卡，这是第一次看见白天的光。

“一夜过去了。”克雷莫夫想道。

他一生是否有过更坏的早晨？难道在几个星期之前是他无思无虑地躺在炸弹坑里，对他厚待的钢铁在头顶上呼啸着，他感到那样幸福和自由？

可是时间错乱了：他进入这个房间已经无比长久，他在斯大林格勒是刚才的事。

面对着监狱内部天井的窗子外面的光多么灰沉，多么无生气呀。不像亮光，倒像脏水。一切东西在这晨光下似乎比在电灯光下更阴沉，更带有官气和敌意。

呀，不是靴子变小了，而是两脚麻木了。

在这儿怎么把他过去的生活和工作与1941年被包围联系起来？是谁的手指头把不能连接的东西连接到了一起？这是为了什么？谁要这样？为什么呀？

他想到这些，心里十分难过，以至于有时他忘记了脊背和腰的酸痛，感觉不到他的肿胀的两腿已把靴筒塞满了。

加肯、弗里茨……我怎么忘了，1938年我也是坐在这样一个房间里，也是这样坐着，不过，不是这样：那时候口袋里有通行证。现在倒是想起了那最卑鄙的心思：一心想讨好所有的人，不论是开发通行证的办事人员，还是值班守卫、穿军服的电梯司机。那一位侦讯员说："克雷莫夫同志，请您帮帮我们的忙吧。"不，最卑鄙的还不是一心想讨好。最卑鄙的是一心想表示忠诚！啊，这一下他倒是回想起来了！在这方面只要忠诚就行了！于是他表示了忠诚，他说出加肯在评价斯巴达克运动方面的错误，说他对台尔曼没有好感，说他想要稿费，说他在艾丽萨怀孕的时候和她离了婚……当然，他也想起了好的……侦讯员记下了他的话："我和他多年相交，认为他不大可能参与直接反党的破坏活动，不过不能完全排除他有进行两面派活动的可能性……"

啊，是他报告的……在这儿的档案夹里所搜集到的有关他的一切，都是也想表示忠诚的他的同志们说的。为什么他要表示忠诚？是党员的义务吗？胡说！真正的忠诚只能这样：拿拳头在桌子上狠狠一擂，高声说："加肯是我的朋友和兄弟，他没有罪！"可是他却拼命搜索枯肠，拼命找毛病，拼命迎合那个侦讯员，因为没有侦讯员的签名，他有通行证也出不了灰色大楼的大门。他还回

想起来，当侦讯员说“请等一下，克雷莫夫同志，我在您的通行证上签个字”的时候，他感到多么急切、多么幸福。他帮助他们把加肯打进了监狱。他这个忠诚的人带着签了字的通行证上哪儿去了呢？不是去找朋友的妻子穆丝卡·格林贝格了吗？不过他说的有关加肯的一切，都是事实。不过，那里面说的有关他的一切，也都是事实呀。他确实对菲佳·叶甫谢耶夫说过，斯大林各方面的缺陷，都和哲学上的无知有关系。要说出他遇到过的人，实在可怕，比如：尼古拉·伊凡诺维奇、格里高力·叶甫谢耶维奇、洛莫夫、沙茨金、比亚特尼茨基、洛米纳泽、留津、红头发的什里亚普尼科夫，还到列夫·鲍里索维奇的“科学院”去过，还有拉舍维奇、扬·加马尔尼克、卢波尔，还到里亚萨诺夫老头子的研究所去过，在西伯利亚有两次住在老朋友艾海家里，还有基辅的斯克雷普尼克、哈尔科夫的斯坦尼斯拉夫·科西奥尔，噢，还有卢特·菲舍尔，哦……幸亏侦讯员没有想起主要的一个，要知道当初列夫·达维多维奇和他的关系是不坏的……

我算是烂透了，还有什么说的。不过，为什么？他们的罪过不比我的大呀！不过我可是没有签字。别急，克雷莫夫呀，克雷莫夫，你会签字的。他们都签字了，你怎么能不签字！大概，最卑鄙的手段留在最后。就这样三天三夜不让人睡觉，然后就开始殴打。是的，反正这一切不大像社会主义。我的党有什么必要把我消灭？要知道，当年搞革命的是我们，而不是马林科夫，不是日丹诺夫，不是谢尔巴科夫。我们对革命的敌人都是毫不留情的。为什么革命对我们毫不留情？也许，革命就是毫不留情。也许，这不是革命，这个大尉算什么革命，这是黑帮，是一伙流氓。

他呆呆地坐在椅子上,时间一点一点过去。

背也疼,腿也疼,疲惫无力,身子想挺直也挺不起来。顶好能躺到床上,动一动光光的脚趾头,跷一跷腿,挠挠小腿肚子。

“别睡觉!”大尉喝道。就像在发布战斗命令。

就好像,如果克雷莫夫闭一会儿眼睛,苏维埃国家就会垮了,前线就会崩溃。

克雷莫夫一辈子也没有听到过这么多骂娘的话。

朋友们、亲近的助手、秘书、推心置腹的交谈者都在搜集他的言语和行动。他回想着,害怕起来:“这是我对伊凡说的,只是对伊凡说过。”“我跟格里沙谈过,我和格里沙从1920年就相识呀。”“这话我和玛什卡·海尔别尔说过,哎呀,玛什卡呀,玛什卡。”

他忽然想起侦讯员说的,他别想等任尼娅送东西……这是他不久前在囚室里和鲍戈列耶夫说的。直到现在还有人在填充克雷莫夫标本哩。

下午,给他端来一钵子汤。他的手抖得厉害,只好弯下头去,就着钵子的边儿喝汤,汤匙像敲鼓一样碰得叮当响。

“你喝起来就像猪一样。”大尉阴沉地说。

后来又是一件大事:克雷莫夫要上厕所。他走在走廊里的时候,已经什么也不想了,可是,他站在便池前的时候又想了,想的是:幸亏把扣子剪掉了,要不然,手这样发抖,裤裆还解不开,也扣不上呢。

时间又是一点一点地过去。戴着大尉肩章的国家胜利了。他的头脑里出现一团浓浓的灰雾。大概,猴子的头脑里就有这样的雾。不再有过去和未来,不再有系着小带子的档案夹。只有一

个愿望：把靴子脱下来，挠挠痒，睡一觉。

那个侦讯员又来了。

“您睡好了吗？”大尉问道。

“领导不是睡觉，是休息。”侦讯员故意用教导的口吻说。他说的是很久以前军队里的一句俏皮话。

“是的，”大尉说，“不过部下眼皮有些肿了。”

就像一个工人来接班，总要看看自己的车床，认真地和上一班工人交换一下意见，侦讯员就是这样看了看克雷莫夫，看了看办公桌，说：

“好啦，大尉同志。”

他看了看表，从抽屉里拿出档案夹，解开小带子，翻了翻档案材料，很有兴致、很带劲儿地说：

“好吧，克雷莫夫，咱们继续进行。”

于是他们又进行下去。

侦讯员今天问的是战争。他在这方面也知道很多很多。他知道克雷莫夫担负的任务，知道一些团和军团的番号，能说出和克雷莫夫一起作战的一些人的名字，知道克雷莫夫在政治部说过的一些话，知道他对将军写的文理不通的便条所提的意见。

克雷莫夫在前方所做的工作、在德军炮火下做的一些报告、在撤退和艰难困苦的日子里他对士兵们的鼓舞——所有这一切一下子全不存在了。

他成了胡说八道的可怜虫，成了两面派，瓦解同志们的斗志，把不信任和失望情绪传染给他们。还有什么疑问吗，是德国侦察队帮他越过前线以便继续进行间谍和破坏活动？

在重新开始审问的头几分钟里，睡足了觉的侦讯员那股精神劲头儿也传给了克雷莫夫。

“随您怎样，”他说，“我永远不会承认自己是间谍！”

侦讯员朝窗外看了看：天已经开始黑了，他看不清桌上的材料了，他开了台灯，把蓝色的窗帘放下来。

凄厉的、野兽般的叫声从门外传来，并且忽然断了，没有声音了。

“好吧，克雷莫夫。”侦讯员说着，又在桌旁坐下来。

他问克雷莫夫，是否明白，为什么从来没有提升过他的军衔，听到的是不太明确的回答。

“所以嘛，克雷莫夫，您在前方一直是一名营级政委，可是您应该是一位军团甚至方面军的军委委员呀。”

他盯着克雷莫夫，沉默了一会儿，也许，第一次用一个侦讯员的目光看了看，得意地说：

“托洛茨基亲口说过您的文章‘十分精彩’。如果这个坏蛋夺取了政权，您会升上很高的位子，‘十分精彩’——是开玩笑的吗！”

“这就是王牌了，”克雷莫夫心想，“他把王牌打出来了。”

他以为，克雷莫夫会把一切都说出来了，什么时候，在什么地方，不过也可以拿这样的问题问问斯大林同志，克雷莫夫同志和托洛茨基主义没有任何关系，他一直反对托洛茨基的意见，一次也没有赞成过。

最要紧的是脱脱靴子，躺下去，跷一跷肿胀的腿，睡一会儿，同时在睡梦中挠挠痒。

可是侦讯员很亲切地小声说起来：

“为什么您不愿意帮我们的忙呀？难道问题在于，您在战前没有什么罪行，在被包围时没有恢复关系，没有秘密进行联系？……问题更要严重，更要深刻。问题在于党的新的方针。您要在新的斗争阶段帮助党，为此必须抛弃过去的一些见解，这样的任务只有布尔什维克能够担当，所以我要和您谈谈。”

“那就好吧，好吧，”克雷莫夫慢慢地、昏昏沉沉地说，“可以设想，我不自觉地成了敌视党的观点的代表。就算我的国际主义和独立自主的社会主义国家观念相矛盾。就算我因为本性，在1937年以后和新的方针、新的人物格格不入。我愿意承认，可以承认。不过，至于间谍，破坏……”

“还要这‘不过’干什么？您瞧，您已经走上正路，承认自己敌视党的事业。难道形式有什么意义？如果您承认了最根本的，还要您这个‘不过’干什么？”

“不，我不承认我是间谍。”

“就是说，您根本不想帮助党。一谈到问题，您就溜进树棵子里，是这样吗？您是狗屎，真不识抬举！”

克雷莫夫一下子跳起来，扯了一下侦讯员的领带，然后用拳头在桌上一擂，电话机里有什么东西叮当响了一声，又咕咕了两声。他用响亮的嗥叫声叫了起来：

“你这狗崽子，坏蛋，当我领着人在乌克兰、在布良斯克森林里作战的时候，你在哪儿呀？冬天我在沃罗涅日作战的时候，你又在哪儿？你这坏蛋，到过斯大林格勒吗？难道我对党一点事情没有做过吗？你这副宪兵嘴脸，你就在这儿，在卢比扬卡保卫苏

维埃国家吗？我在斯大林格勒不是保卫我们的事业吗？你在上海的白色恐怖下待过吗？你这败类，高尔察克匪帮打穿了我的左肩，还是打穿了你的左肩？”

然后把他打了一顿，但不是像在方面军特别科那样干脆利落地打在脸上，而是打得很讲究，很科学，很有生理学和解剖学素养。打他的是两个穿着新军装的年轻人，他对他们喊着：

“你们这两个坏蛋，应该把你们送到惩戒连去，把你们编进反坦克枪小组……两个逃兵……”

他们既不生气，又不起劲地打着。似乎他们打得不狠、不猛，但是这种打法很有些可怕，就像很平静地说出的卑鄙话，往往格外可怕。

克雷莫夫的嘴里流出血来，虽然一次也没有打到他的牙齿，这血也不是从鼻子里，不是从牙花子，不是从咬破的舌头里流出来的，不像在阿赫图巴那样……这是从肺里出来的内部的血。他已经不记得他在哪儿，不记得他是在做什么……他上面又出现了侦讯员的脸。侦讯员指着挂在桌子上方的高尔基画像，问：

“伟大的无产阶级作家马克西姆·高尔基说什么来着？”

接着又像个教师似的用教导的口吻回答说：

“如果敌人不投降，就消灭他！”

然后他看到天花板上的电灯，看到一个佩戴窄小肩章的人。

“好吧，既然医生认为没事儿，”侦讯员说，“那就用不着休息了。”

一会儿，克雷莫夫又坐在桌前，听着明白易懂的教导：

“咱们就这样坐上一个星期，一个月，一年……“咱们就来干

脆的：就算您没有任何罪行，但我对您说什么，您就全写下来。这样就不会再打您了。明白吗？也许，特别会议会审判您，但是不会打您了——这是很重要的事。您以为，您挨打，我就舒服吗？我们还会让您睡觉。明白吗？”

一个小时一个小时过去，谈话还在进行着。似乎再没有什么能够使克雷莫夫震惊，使他脱离昏昏沉沉的迷糊状态。

但是，他听着侦讯员的一番新的话，还是惊愕得半张开嘴巴，抬起头来。

“所有这些事都是老早的事了，可能已经忘记，”侦讯员指着克雷莫夫的档案材料说，“可是您在斯大林格勒战役期间对祖国的可耻背叛行为，是不会忘记的。有见证人，也有材料可以证实！您在被德军围困的‘6-1’号楼里进行活动，瓦解战士们的政治觉悟。您鼓动热爱祖国的格列科夫背叛祖国，企图动员他投向敌方，司令部和党派您到这座楼房里去担任作战政委，您辜负了司令部的信任，辜负了党的信任。您进入这座楼房之后，担当了什么角色？竟做了敌人的间谍！”

快到天亮的时候，又把克雷莫夫打了一顿。他觉得自己仿佛沉进暖暖和和的、黑黑的牛奶中。又是那个佩戴窄小肩章的人一面擦着注射器的针头，点了点头。又听见侦讯员说：

“既然医生认为没关系，就没什么。”

他们面对面坐着。克雷莫夫看着对方疲惫的脸，觉得奇怪的是，痛恨的心情消失了：难道是他曾经抓住这个人的领带，想把这个人勒死？现在克雷莫夫心中又出现了同这个人的亲近感。桌子已经不能把他们分开，坐在一起的是两个同志，两个苦命人。

克雷莫夫忽然想起那个枪毙未死、穿着血糊糊的衬衣从夜晚的秋日原野回到方面军特别科的人。

“这也是我的命运，”他想道，“我也无处可去。已经晚啦。”

后来他又要求上厕所，后来昨天的那个大尉又来到，把窗帘拉起，把灯熄了，抽起烟来。

于是克雷莫夫又看到白天的亮光，阴森森的，好像不是来自太阳，来自天上，而是来自内部监狱的灰色砖墙。

四十四

几张床全空着，另外三个人也许搬到别的囚室去了，也许他们都在受审。

他被打得皮开肉绽，失去自制力，带着厌倦人生的心情躺在床上，腰部疼得非常厉害，好像他的肾被打坏了。

在人生的伤心痛苦时刻，克雷莫夫懂得女人爱情的力量。妻子呀！只有她珍爱这个被无情的铁脚践踏得血肉模糊的人。他浑身是血，她会给他洗脚，给他梳理蓬乱的头发，她看着他的失神的眼睛。他的心灵被伤害得越厉害，世上的人越是厌恶他、瞧不起他，她就越觉得他可亲可爱。她跟在汽车后面跑，她在库兹涅茨桥站队，在集中营铁丝网外面等候，她一心想着给他送几块水果糖、几头大蒜，她在煤油炉上给他烙糖饼，她愿意花费几年的时间，为的是哪怕跟他见半个小时的面……

不是所有睡过觉的女子，都能跟妻子一样。

他因为绝望得像挨刀割一样，就想也唤起另一个人的绝望。

他想好了一封信的开头几句:“你听到这事会十分高兴的,不是因为我被抓了起来,而是因为你已经离开我了,你可以感谢你那耗子般的本能,使你离开了下沉的船……我是一个人……”

眼前闪过侦讯员桌子上的电话机……一头健壮的公牛打他的腰,打他的腋下……大尉拉起窗帘,把灯熄了……档案材料沙沙响着,他在沙沙声中渐渐入睡……

忽然有一根烧得红红的、弯弯的锥子扎进他的头盖骨,似乎他的脑子发出焦煳味:是任尼娅告他的密呀!

十分精彩!十分精彩!这是有一天早晨在兹纳缅卡,在共和国革命军事委员会主席办公室里对他说的话呀……那个尖下巴胡、戴着光闪闪的夹鼻眼镜的人看过克雷莫夫的文章,就很亲切地小声说了这话。他记得:那天夜里他对任尼娅说,党中央把他从共产国际召回,让他在政治书籍出版社主编一本书。“当年也算一个人物呀。”他想道……就是那天夜里他对任尼娅说,托洛茨基看了他的文章《革命与改良——中国与印度》,说:“十分精彩。”

说这话的时候没有旁人在场,他也没有对任何人转述过,只是对任尼娅说了说,这就是说,侦讯员是从她嘴里听说的。是她告密的。

他再不觉得已经有七十个小时没有睡觉,他似乎已经睡足了。是强迫她的?反正还不是一样。同志们,米哈伊尔·西多罗维奇,我完了!把我弄死了。不是手枪子弹、不是拳头把我打死的,不是死于不能睡觉。是任尼娅把我弄死的。我来写供状,什么都承认。有一个条件:你们要说明,是她告密的。

他从床上爬下来,用拳头擂起门来,值班守卫马上就朝小孔

里窥视，他朝守卫喊道：

“带我去见侦讯员，我什么都招认。”

值班班长走来，说：

“别吵闹，等什么时候提审，您招认好啦。”

他不能一个人待在这儿。还不如挨打，昏迷过去。既然医生认为没事儿……

他一瘸一拐地走到床边，当他觉得再也经受不住精神上的痛楚，当他觉得头脑就要碎裂，觉得好像有成千上万的碎片往心里、喉咙里、眼睛里直钻的时候，他明白了：任尼娅不可能告密！于是他咳嗽起来，哆嗦起来：

“原谅我，原谅我吧。我没有福气跟你在一起，这怪我，不怪你。”

于是他充满一股美妙的感情，自从捷尔任斯基的铁靴踩到他身上那时候起，这样的感情也许是第一次来到他心中。

他醒了过来。一头贝多芬式乱发的、大块头的卡茨涅林鲍肯坐在他的对面。

克雷莫夫对他笑了笑，他那肉嘟嘟的、矮矮的额头皱了起来。克雷莫夫明白，卡茨涅林鲍肯认为他的笑是精神失常的表现。

“我看见了，他们打得您很厉害。”卡茨涅林鲍肯指着克雷莫夫的血糊糊的衣服说。

“是的，打得挺厉害，”克雷莫夫歪着嘴回答说，“你们怎么样？”

“我上医院去逛了逛。他们两个都走了：特别会议又判了德

列林格10年,就是说,一共是30年了;鲍戈列耶夫转到别的囚室去了。”

“啊……”克雷莫夫说。

“您说说吧。”

“我在想,”克雷莫夫说,“到了共产主义社会,新的克格勃会秘密搜集人的一切好的行为,搜集每一句好话。那时的谍报人员会在电话里窃听一切和忠诚、正直、善良有关的言论,并且在书信里寻找,从公开的谈话里提炼,把一切好的汇集到卢比扬卡来,归入档案。光搜集好的!这儿将增强人的信心,而不是像现在这样摧毁人的信心,第一块基石是我砌的……我相信,我胜利了,告密、谎言没有把我制服,我相信,我相信……”

卡茨涅林鲍肯漫不经心地听他说着,插话说:

“这话都很对,将来会这样的。不过应该补充的是,编成这种美好的档案之后,会把您弄到这大楼里来,还是要枪毙。”

他用问询的目光看了看克雷莫夫,怎么也无法理解,克雷莫夫那土黄色的脸,那凹下去又肿起来的眼睛,那带着黑色血印子的下巴,为什么在幸福而安详地笑着。

四十五

保卢斯的副官亚当斯上校站在打开的手提箱前面。

保卢斯的勤务兵里特尔蹲着,在地上铺了报纸,把一切内衣放在报纸上,在挑拣着。

夜里,亚当斯和里特尔在元帅的办公室里烧文件,烧掉了保

卢斯亲自用的大地图，本来亚当斯认为那是神圣的战争遗物。

保卢斯一夜没有睡。他早晨也没有喝咖啡，很冷漠地看着亚当斯在忙活。他不时地站起来，跨过放在地上等待焚烧的一摞摞文件，在房子里走一走。用麻布裱过的一些地图烧得很不痛快，把炉条堵塞起来，里特尔不得不用炉钩一再地清理炉膛。

每一次里特尔打开炉门，元帅都要把手伸到炉口。亚当斯把军大衣披到元帅的肩上。但是元帅不耐烦地动了动肩膀，于是亚当斯又把大衣挂到衣架上。

也许，元帅此时已经看到自己在西伯利亚的俘虏营里：他和士兵们一起站在火堆前烘手，前前后后都是空旷的荒野。

亚当斯对元帅说：

“我叫里特尔往您的提箱里多装一些厚实的内衣。我们小时候想象的最后审判与事实不符：既不会有火，也不会有火炭。”

这天夜里施密特将军来过两次。电话线被切断了，电话机不响了。

自从被包围的那一刻起，保卢斯就明白，他率领的军队不能在伏尔加河上继续作战了。

他看出来，当初保证他夏季攻势胜利的一切条件，如战术条件、心理条件、气象条件、技术条件，都在向不利的方向变化，正数已变为负数。他向希特勒要求：第6军团应当协同曼施泰因在西南方冲破包围圈，开辟一条通道，把部队带出去，并且做好思想准备，大部分重武器部队丢下只好丢下。

当12月24日叶廖缅科的部队在麦绍夫卡河地区给予曼施泰因部队以重创之后，任何一个步兵营营长都清楚了，在斯大林格

勒进行抵抗是不行的。不清楚这一点的只有一个人。他把第6军团改名为方面军前哨,即从白海到捷列克河的方面军。他宣布第6军团是斯大林格勒的堡垒。可是第6军团司令部里的人却说,斯大林格勒已经变成战俘集中营。保卢斯又通过电报密码报告说,有一些有利于突围的条件。他等待着可怕的怒火爆发,因为还没有人敢于两次反对最高统帅的意图。他听说过,希特勒曾经扯掉龙德施泰特元帅胸前的骑士十字勋章,在场的布劳希奇吓得心脏病都发作了。和元首是开不得玩笑的。

1月31日,保卢斯终于收到了回电:授予他元帅军衔。他又做了一次尝试,想说明自己的正确,得到的是帝国的最高勋章——带有橡树叶的骑士十字勋章。

他渐渐意识到,希特勒已经开始拿他当死人对待了,——这等于死后追授元帅军衔,死后追授带橡树叶的骑士十字勋章。他现在只有一样用处:创造英勇抵抗的领导者的悲剧形象。国家宣传机构已经把他率领的几十万人宣扬为圣徒和受难者。这些人还活着,在煮马肉,在捕杀斯大林格勒最后的一些狗,在野地里逮乌鸦,捉虱子,把烂纸卷在纸里当烟抽,可是这时候国家的广播电台却为这些未死的英雄播放雄壮的哀乐。

他们还活着,在呵冻红了的手指头,他们的鼻孔里还流着鼻涕,他们的头脑里还闪着一个一个的念头,想吃,想偷,想装成病人,想投降做俘虏,想上地下室里和苏联娘儿们亲热亲热,可是这时候国家的儿童合唱队和少女合唱队已经在广播里唱:“他们死了,为的是德国的生存。”似乎他们的罪恶而美好的生命能够复活,国家就一定灭亡。

一切正如保卢斯预言的。

他有一种很难过的感觉，感觉自己断言军队会毫无例外地全部完蛋是说对了。他从自己的军队的完蛋中也不由自主地产生一种奇怪的得意感，感到自己高明。

在胜利高潮时被压下去、被驱赶出去的一些念头又进入脑际。

凯特尔和约德尔把希特勒称为"神圣的元首"。戈培尔说，希特勒的悲剧就在于，他在战争中不可能遇到与之匹敌的天才统帅。蔡茨列尔则说，希特勒曾要求他把战线拉直，因为战线有损他的美感。那么，就像神经错乱、神经衰弱似的不肯进攻莫斯科，又算什么呢？那么，那一次突然变得优柔寡断，下令停止进攻列宁格勒，又算什么呢？他的坚决抵抗的狂热战略的基点是：害怕失去威望。

现在一切都完全明朗了。

但是正是完全明朗才可怕。他可以不服从命令！当然，元首会处死他的。但是他可以救活许多人。他在很多人的眼里看到了责难神气。

他可以，可以挽救军队！

他怕希特勒，怕丢掉性命！

保安总部驻军团司令部的最高代表哈尔布前几天在飞往柏林的时候，用含含糊糊的语言对他说，即使在德国这样的民族中，元首是太伟大了。是的，是的，噢，当然。

全是矫揉造作的腔调，全是虚夸腔调。

亚当斯打开收音机。从放电声音中出现了音乐声：德国在为

斯大林格勒的死者举行安魂祈祷。音乐声中隐藏着一股特别的力量。也许,对于民族,对于未来的许多战役来说,元首创作的神话比起拯救挨冻挨饿挨虱子咬的许多人更为重要。也许,你在阅读条令、安排战斗时间表、观看作战地图的时候,并不了解元首的逻辑。

可是也许,在希特勒为第6军团设计的受难光环中,会出现保卢斯及其军队的新生、他们在未来德国的新命运。

在这方面起作用的不是铅笔、计算尺和计算机。起作用的是一位奇怪的军需将军,他有另外的计算标准,有另外的储备。

亚当斯呀,亲爱的亚当斯,忠实的亚当斯,要知道,一个具有很高的精神气质的人总是必然有所怀疑的。只有那些目光短浅、永远觉得自己正确的人才会凌驾于世界之上。高气质的人不会凌驾于国家之上,不会做出什么伟大的决定。

“他们来了!”亚当斯叫起来。他吩咐里特尔:“拿开!”于是把打开的提箱推到一边,又抻了抻自己的军服。

胡乱放进提箱里的元帅的袜子后跟上有窟窿,里特尔紧张焦急起来,不是怕性子焦躁的保卢斯穿到破袜子,而是怕不怀好意的苏联人的眼睛看见这袜子上的窟窿。

亚当斯站着,把两手放在椅背上,背着马上就要打开的门,用镇静、关切、爱护的目光看着保卢斯,他觉得,元帅的副官就应该这样。

保卢斯多少挺了挺身子,不靠在桌子上,把嘴唇紧紧闭起。就是在此刻元首也希望他演戏,于是他准备演戏。

门就要开了,黑暗的地下室的这个房间就会对大地上活着的

人起重要作用。痛苦和焦虑过去了，只剩下惧怕，怕的是，推门的不是也准备演出盛大的话剧的苏军指挥部的代表，而是习惯了轻轻扣自动枪扳机的勇猛的苏军士兵。还有一种担心未来的念头：等演戏一收场，人的生活就要开始了，是什么样的生活呢，上哪儿呢，是上西伯利亚，进莫斯科的监狱，还是进集中营的棚屋？……

四十六

夜里，伏尔加东岸的人看到，斯大林格勒的天空被五彩缤纷的信号弹映照得通明。德军投降了。

就在这天夜里，不少人从伏尔加东岸朝斯大林格勒涌去。因为到处都在传说，留在斯大林格勒的居民最近一个时期饿坏了，所以士兵和军官们以及伏尔加舰队的水兵们纷纷带着面包和罐头来了。有些人还带着酒和手风琴。

但是很奇怪，这些不带武器在夜里最先来到斯大林格勒的士兵，在把面包交给城市保卫者、又拥抱又接吻的时候，却好像很伤心，既没有笑，又没有唱歌。

1943年2月2日早晨，雾气沉沉。伏尔加河面溶化处和冰窟窿冒着腾腾水气。在炎热的夏日和寒冷的北风天里一样阴沉的荒凉的草原上升起太阳。干干的雪在又平又广阔的原野上奔驰，时而卷成圆柱，像牛奶轮子似的旋转，有时会突然没有了劲儿，落了下来。东风的脚掌留下一处处脚印儿：刺草吱吱咯咯的茎上围了雪领子，沟坡上留下一道道雪的波纹，露出一片片光秃的地面，一个个小土包露出秃顶……

站在斯大林格勒的河岸上看去，跨过伏尔加河的人们好像是从草原的雾中冒出来的，好像他们都是严寒和冷风塑成的。

他们上斯大林格勒来无事可干，领导没有派他们来，这儿的战事结束了。是他们自己要来。有红军士兵、修路工人、面包师傅、参谋人员、驭手、炮兵、前方被服厂的裁缝、修理车间的电工和机械工。和他们一起过伏尔加河、爬岸坡的有裹着围巾的老头子，有穿军装棉裤的老奶奶，有些小男孩和小姑娘还拖着小小的雪橇，上面装着包袱和枕头。

这座城市发生了很奇怪的事情。汽车喇叭声响了起来，拖拉机的发动机轰隆起来；带手风琴的人闹腾起来，跳舞的人的毡靴踩得积雪到处飞舞，士兵们又欢叫又大笑。可是城市没有因此活过来，城市好像死了。

几个月之前斯大林格勒就不再过自己的正常生活了：市里的学校、工厂、女装商店、业余剧团、市公安局、托儿所、电影院一个一个地关闭了。

在烧遍各街区的大火中诞生了一座新的城市——战时的斯大林格勒。战时城市有自己的街道和广场布局，有自己的地下建筑、自己的街道交通规则、自己的商业网、自己的工厂车间、自己的手工业、自己的坟地、酒吧间、音乐厅。

每一个时代都有自己的世界名城。它是时代的灵魂，时代的意志。

第二次世界大战是全人类的重要时代，在这一时代的一定时期内斯大林格勒成为世界性城市。它成为人类的思想和激情。许多工厂为它加工产品，许多报刊为它报道，许多议会领袖为它

发表演说。但是，当成千上万的人从草原上来到斯大林格勒，空旷的街道上到处是人，第一批汽车的马达声响起来的时候，这座战时的世界名城就不再存在了。

这一天的报纸报道了德军投降的详细情形。欧洲、美洲、印度的人都知道了，保卢斯元帅是怎样从地下室里走出来，在舒米洛夫将军的第64军团司令部里怎样对德国的将军们进行了初审，保卢斯的参谋长施密特将军穿的是什么样的衣服。

这时候，世界大城的首城已经不存在了。希特勒、罗斯福、丘吉尔的眼睛已经在寻找世界大战的新的集中点。斯大林用手指头敲着桌子，问总参谋长，要把斯大林格勒的部队从现在已成为后方的地区调往新的集结地区，交通工具是否够用。战时的世界名城，尽管还到处是能征惯战的将军和巷战的高手，还到处是武器、作战地图、交通壕，可是已经不再存在了，开始踏上新的生活轨道，这生活轨道靠今日的雅典娜和罗马开辟。历史学家、陈列馆解说员、教师和总是感到寂寞的中学生已经不知不觉渐渐成为城市的主人。

一座新的城市渐渐诞生。这是一座劳动和日常生活的城市，有工厂、学校、托儿所、公安局、戏院、监狱。

薄薄的雪掩盖了往火线上送弹药和面包、拖机枪和抬饭桶的小路，也掩盖了狙击手、观测员、截听员进入自己秘密的石头小屋的弯弯曲曲的隐蔽小道。

薄薄的雪掩盖了联络员从连里跑向营里的道路，掩盖了巴秋克师前往班内伊山沟、肉类联合加工厂和水塔的道路……

薄薄的雪掩盖了这座伟大城市的房民去向邻居要黄烟、喝几

杯生日酒、上地下澡堂里洗澡、打牌、上邻居家去尝酸白菜的道路;掩盖了他们走亲访友、去找钟表匠、打火机修理人、裁缝、手风琴手、仓库管理员的道路。

人们在铺新的道路。人们走路不再贴着断垣残壁走,不再绕来绕去躲着走。

像网一般的战时的大路、小道都盖上了薄薄的雪,在这盖了雪的总长有百万公里的道路上,没有一个新鲜脚印儿。

一层薄雪上面,很快又盖上一层,雪下的小路模糊不清了,看不出来了……

这座世界名城的老居民有一种说不出的幸福感和空虚感。保卫斯大林格勒的人却产生了一种奇怪的苦恼感。

城市空了。军团司令、各步兵师师长、民兵波里亚科夫老头子、士兵格鲁什科夫都感觉到这种空虚。这种感觉是不应该有的,难道可以因为大战胜利、再没有死亡而产生苦闷?

不过事实就是这样。司令员桌子上装在黄黄的皮套子里的电话机不响了;机枪套子上添了雪领子,炮队镜和射击孔都落满了雪;磨破和起了毛的平面图与地图从图囊转入军用包,又从军用包转入一些排长、连长、营长的手提箱和行李包……一群一群的人在炮火摧毁的房屋中间走来走去,拥抱,呼喊“乌啦”……人们互相看着。“小伙子们多么好啊,又勇猛,又单纯,又善良,我们都穿的是棉袄,戴的是棉帽,你们穿戴都跟我们一样。我们都干了不少事,想想我们干的是什么事,都觉得可怕。我们把世界上最有分量的东西抬高了,把真理抬到了歪理之上,你倒是试试看……以前那是在童话里说的,现在可不是童话。”

都是乡亲:有的是库波罗斯沟来的,有的是班内伊沟来的,有的是从水塔附近来的,有的是“红十月”工厂的,有的是马马耶夫冈来的,和他们在一起的还有市中心的居民,有原来住在察里津河边的,住在码头区的,住在油库附近的坡下的……他们又是主人,又是客人,他们自己向自己祝贺,冷风吹得旧铁皮叮当作响。有时他们向空中放几枪,有时拉响一颗手榴弹。他们见了面就拍肩膀,有时还拥抱,用冰冷的嘴唇接吻,过后又不好意思地、快活地骂两声……他们一齐从地下冒出来,有钳工、旋工、农民、木匠、挖土工人,他们打退了敌人,他们重犁了石头、钢铁、泥土。

世界名城与其他城市的不同,不仅在于人们都感觉到它与全世界的工厂与土地都有联系。

世界名城与众不同,就在于它有灵魂。

战时的斯大林格勒就有灵魂。它的灵魂就是自由。

反法西斯战争的首城变成了无声无息、冰冷的瓦砾场,战前苏联这个工业与港口州城不存在了。

过十年之后,这儿将有成千上万的犯人筑起雄伟的大坝,建起世界上一流的国家级大水电站。

四十七

一名德国士官在掩蔽所里醒来,不知道已经投降,因此出了一件事情。他开了一枪,打伤了中士萨德涅普卢克。这事引起苏联人的愤怒。他们正在注视着一个个德国兵从仓库里走出来,把枪支丢进叮叮当当响着、越来越大的枪支堆里。

俘虏们走着，尽量不朝两边看，表示他们的眼睛也做了俘虏。只有满脸黑白胡茬子的士兵施密特在走出来的时候，微微笑着打量着苏军士兵们，似乎相信会看到一张熟悉的脸。

昨天刚从莫斯科来到斯大林格勒方面军司令部的微微有些酒意的菲里莫诺夫上校，和他手下的一名翻译站在一起，他们在这个受降点负责接受维格列尔将军的师投降。

菲里莫诺夫的军大衣上佩戴着新的金色肩章，带有红色镶边和黑色绦带，在斯大林格勒的营长、连长们那肮脏、烟熏火燎的军装棉袄和皱皱巴巴的暖帽当中，在德国俘虏那同样肮脏、同样经受了烟熏火燎、同样皱皱巴巴的衣帽当中，显得格外突出。

昨天他在军委的食堂里说，在莫斯科的军需总库里保存着很多金线，本来是为旧俄国的军队做肩章用的，他的朋友们都认为，弄到用这种优质的旧材料做的肩章是很大的幸运。

在响起枪声，受了轻伤的萨德涅普卢克叫起来的时候，上校大声问道：

“是谁开枪，怎么一回事儿？”

有好几个声音回答说：

“是一个糊涂虫，一个德国人。已经把他结果了……他好像还不知道……”

“怎么不知道？”上校叫道，“这个坏蛋，他觉得我们流的血还少吧？”他对担任翻译的高个子犹太裔政治指导员说：“把他们的长官给我找出来。他这个坏蛋头儿，应该为这一枪负责任。”

这时候上校发现了士兵施密特那微微笑着的大脸，便叫起来：

“这坏蛋，又打伤了一个，你高兴，是不是？”

施密特不明白，为什么他非常想表示好意的笑竟引起这位苏联首长的喝叫，等到似乎和这声喝叫毫无联系的手枪声响过，他已经什么也不明白，踉跄一下，便倒在后面跟上来的士兵脚下。他的尸体被拖到一旁，他侧身躺着，认识他的人和不认识他的人一个一个从他身旁走过。后来，等俘虏们走光了，孩子们也不怕死人，爬进空了的仓库和掩蔽所，在木板床上起劲儿蹦跳起来。

菲里莫诺夫上校这时候在观看一名营长的地下室，他赞叹这里面的一切都搞得很牢固、很舒服。一名士兵把一名目光镇静而明亮的年轻德国军官带到他面前，翻译说：

“上校同志，这是中尉列纳尔德，是您吩咐带来的。”

“是哪一个？”上校惊讶地问。因为他觉得这名德国军官的脸很讨人喜欢，又因为他生平第一次干了杀人的事心里很不是滋味，就说：

“您把他带到集中点，不要出什么事儿，您要亲自负责，让他活着走到那儿。”

最后审判日快完了，被枪杀的德国兵脸上的笑容已经不见了。

四十八

方面军政治部第七科军事翻译组长米海洛夫中校，负责押送被俘的元帅前往第64方面军司令部。

保卢斯走出地下室，没有理会苏联的官兵们，苏联官兵们都

用十分好奇的目光打量着他，估计他那从肩到腰镶有绿色皮条的元帅军大衣和灰色兔皮帽的质量。他昂首阔步地走过去，也不看斯大林格勒的一片瓦砾，径直走向等待着他的司令部的吉普车。

米海洛夫在战前常常参加外交方面的接待，所以他和保卢斯在一起应付自如，很容易分得清冷淡的恭敬与不必要的殷勤。

米海洛夫和保卢斯并肩坐着，注视着他的面部表情，等待着元帅先开口说话。这位元帅的表现和他参与预审的其他将军的表现很不一样。

德军第6军团参谋长用慢条斯理的懒洋洋的声音说，灾难是罗马尼亚人和意大利人造成的。带鹰钩鼻子的济克斯特·冯·阿尔尼姆中将阴沉地晃荡着奖章，补充说：

“不仅是加里波第和他的第8军团，还有俄罗斯的寒冷，再加上粮食和弹药不足。”

佩戴着骑士铁十字勋章和五次负伤奖章的白发苍苍的坦克军军长施列麦尔打断这场谈话，要求保留他的提箱。于是大家都开口了，不论是温和地笑着的医务部长里纳尔多将军，还是脸上带有刀伤疤的阴沉的坦克师师长柳德维克上校。丢掉了化妆品的保卢斯的副官亚当斯上校特别激动，他挓挲着两只手，摇晃着脑袋，他那豹皮帽的两个耳朵也摇晃着，就像刚从水里出来的一条良种狗。

他们又成了人，但还是没有怎么变好。

身穿整洁的白色小皮袄的汽车司机小声回答米海洛夫吩咐开慢一些的话，说：

“是，中校同志。”

他想等到战后回家之后，对司机弟兄们说说保卢斯的情形，夸耀一番："当年我开着汽车押送保卢斯元帅的时候……"此外，他还想把汽车开得有点儿与众不同，好让保卢斯想："瞧，苏联司机，技术真是一流的。"

在战场上待久了的人，看到苏联人和德国人一个挨一个地混杂在一起，觉得有点儿不可思议。一组组快活的士兵在搜索地下室，爬进自来水管道，把德国人赶到寒冷的地面上。

苏军士兵在空场上、街道上用推拉和吆喝对德军重新进行整编：把不同兵种的士兵排成一列列行军纵队。

德国人看着一只只紧握武器的手，乖乖地走着，尽可能不打趔趄。他们这样乖，不仅是因为他们害怕苏联人的手指头可以轻轻地扣一下扳机。胜利者有一股威风，有一股令人昏迷、令人难受的劲头儿迫使人服从他们。

送元帅的汽车向南开去，俘虏队迎着汽车走来。洪亮的扬声器大声叫着：

> 昨日里我出发远程，
>
> 姑娘在门口挥头巾相送……

两个人抬着一个人。被抬的人用苍白的脏手搂着他们的脖子。于是两个抬人的人的头几乎挨在一起，在他们之间的是一张毫无生气的脸和火辣辣的眼睛。

四名士兵用被子从地下室里抬出一名伤员。

一堆堆青黑色的钢铁武器堆在雪地里。就像是一个个去了穗的钢铁麦秸垛。

战士们鸣枪致敬——将一名牺牲的红军战士葬入坟墓。旁边横七竖八地躺着德国人的尸体，是从医疗队的地下室里拖出来的。罗马尼亚士兵戴着贵重的黑白两色皮帽，哈哈笑着，挥着手，嘲笑活着的和死去的德国人。

一队队俘虏从苗圃方向，从察里津、从专家之家走来。他们走的是一种很特别的步子，那正是失去自由的人和动物走的步子。受轻伤和冻伤的人拄着棍子和烧煳的木板条子。他们走着，走着。似乎所有的人只有一张青灰色的脸，所有的人只有一双眼睛，所有的人只有一副痛苦与烦恼的表情。

真奇怪！在他们当中竟有那么多小个子、大鼻子、矮额头、可笑的兔子嘴、麻雀般小头的人。竟有那么多黑皮肤的阿利安人，那么多满脸粉刺、脓疱、雀斑的人。

这是一些不漂亮的弱者，这都是妈妈生的、妈妈疼爱的人。那些大下巴、翘嘴唇、浅色头发、白净脸皮、挺胸凹肚的恶徒和民族似乎消失了。

多么奇怪，这一群群由妈妈生养的不漂亮的人和1941年秋天德国人用树条子和棍子赶往西方集中营的那些俄罗斯妈妈生养的苦难的不幸人群，如同兄弟般的相像。在仓库和地下室那边，不时地响起手枪的声音，向冰封的伏尔加河移动的人群就像一个人一样，全都懂得这枪声的意义。

米海洛夫中校看着坐在一起的元帅。司机也在反光镜里看着。米海洛夫看到的是保卢斯的瘦长的脸颊，司机看到的是他的额头、眼睛和闭得紧紧的嘴巴。

他们的汽车擦过炮架尾朝天的一门门大炮，擦过正面带有十

字标的一辆辆坦克，擦过在风中拍打着帆布篷的一部部载重汽车，擦过一部部装甲运输车和自行炮。

第6军团的钢铁躯体、它的肌肉都冻进了土里。人群在旁边慢慢移动着。似乎人群也会停住，也会冻住，冻进土里。

米海洛夫、司机和一名押解士兵都在等待着保卢斯，等着他呼唤、转头。但是他却不作声。真不明白他的眼睛在看什么，不明白他的眼睛给他的心灵带来什么。

保卢斯是不是怕他手下的士兵看见他，还是希望他们看见他？忽然保卢斯向米海洛夫问道：

“请您告诉我，什么叫马哈烟？”

米海洛夫听到这个突如其来的问题，还是不明白保卢斯在想些什么。元帅操心的是，希望每天有汤喝，有烟抽，睡得暖和。

四十九

一座二层楼的地下室，原是德国秘密警察战地派出机构的驻地。有一些德军俘虏在从里面往外抬苏联人的尸体。

有些妇女、老头子、小孩子不顾寒冷，站在哨兵旁边，注视着德国人把尸体放到冻实的土地上。

大部分德国人带着木然的神情，他们慢腾腾地走着，无可奈何地呼吸着死尸的气味。

其中只有一个穿军官大衣的年轻人，用肮脏的手帕裹着鼻子和嘴巴，像马在抽搐似的不住地摇晃着头，就好像有马蝇在咬。他的眼睛流露着痛苦得快要发疯的神情。

俘虏们把担架放在地上，先不忙着把尸体抬下来，而是要站在旁边思索一会儿。因为一些尸体的胳膊和腿被砍下来了，所以要看看哪一条胳膊或腿是哪一具尸体上的，好把胳膊、腿与身子摆放在一起。大部分死者半裸着身子，穿着内衣，有的穿着军裤。有一具尸体完全光着身子，嘴大张着，好像在叫喊，肚皮贴到脊梁上，阴部有红红的毛，两条腿细细的。

很难设想，这些嘴巴和眼窝都成了大窟窿的尸体不久前还是有名有姓、有家的活人，不久前还在说："亲爱的，好姑娘，吻吻我吧，你看看我，不要把我忘了。"还盼望能喝到一杯酒，还在抽烟。

显然，只有裹着嘴巴的军官能感觉到这一点。

但偏偏是他使站在地下室门口的妇女们特别气愤，她们都很留心地注视着他，而漫不经心地看着其余的战俘，其中还有两个人穿的大衣上还带着撕掉了党卫军标志留下的新鲜印子。

"哼，你还厌恶呢。"一个领着小孩子的矮个子娘儿们注视着那名军官，嘟哝说。

穿军官大衣的德国人感觉到一位苏联妇女注视着他的那种缓慢而沉重的目光在他身上的压力。仇恨的感情一旦产生，就要寻找而且一定要找到着力点，就好比凝聚在森林上空大雷雨云层里的电力，盲目地寻找轰劈的树木，是不会找不到的。

和穿军官大衣的德国人抬一副担架的是一名小个子士兵，脖子上缠着方格毛巾，腿上裹着麻袋片，用电话线扎着。

一声不响地站在地下室门口的人的目光是很不和善的，所以德国人一进入黑沉沉的地下室就觉得轻松，而且都不急着走出来，宁愿在黑暗处闻臭气，不愿到新鲜空气里去见阳光。

每次德国人带着空担架朝地下室里走去，都能听到他们已经熟悉的俄罗斯人的骂娘声。

俘虏们在向地下室走的时候，并不加快脚步，因为他们本能地感觉到，他们只要一有什么急促的动作，人群就会扑向他们。

穿军官大衣的德国人叫了起来，哨兵生气地说：

“你这小子，有什么意见，你怎么，要是那个德国佬倒下去，你替他抬吗？”

德国兵在地下室里议论起来：

“挨骂的暂时还只有这位中尉。”

“你可注意那个娘儿们，一个劲儿地看着他呢。”

在地下室的黑暗处有一个声音说：

“中尉，哪怕这一次您就留在地下室里。要不然他们一收拾您，我们也要遭殃。”

中尉用含含糊糊的声音嘟哝说：

“不，不，不能躲，这是最后的审判。”他又对自己的搭档说：“走吧，走吧，走吧。”

这一次从地下室里往外走，中尉和他的搭档走得比一般多少快一点儿，因为抬的尸体轻些。他们抬的是一个未成年的姑娘。尸体已经蜷缩，干瘪，只有那散乱的亮闪闪的头发保持着青春的小麦色的美，披在死掉的鸟儿一般的可怕的黑褐色小脸周围。人群轻轻地啊呀了一声。

那个矮矮的娘儿们尖声叫起来，叫声就像一把寒光闪闪的刀子，插进寒冷的空中。

“孩子呀！孩子呀！我的好孩子呀！”

这一声声对别人的孩子的呼叫震动了人群。这个妇女梳理起死人头上那尚带有烫发痕迹的头发。她注视着那张脸和僵了的歪嘴唇,她同时看到的又是这可怕的容貌,又是活泼、可爱、曾经在襁褓里对着她笑的那张脸儿,只有当妈妈的才会这样。

这个妇女站起身来。她朝那个德国人走去。大家都看到了这一点。她的眼睛看着他,同时在地上寻找没有跟其他砖头冻在一起的砖头,寻找她那有毛病的、因为干重活儿和被冷水、开水、碱水弄伤了的手拿得起来的砖头。

哨兵感觉到不可避免要出事情,但也无法制止这个妇女的行动,因为她比他和他的自动步枪更刚强有力。德国俘虏们的眼睛也都不能离开她,孩子们也都聚精会神地、急切地看着她。

可是这个妇女什么也看不见了,只看到那个裹着嘴巴的德国人的脸。她自己也不明白她是怎么一回事儿,她带着一股力量,这股力量支配着四周围的一切,她自己也受这股力量支配着,在自己的棉袄口袋里摸到昨天一名红军战士给她的一块面包,把面包递给那个德国人,说:

“给你,你拿着,吃吧。”

后来她自己也不明白,怎么会有这种事儿,为什么她要这样。她一生中有过许多受气、绝望、懊恼的事,邻居诬赖她偷油,她和邻居吵过,她曾经被区苏维埃主席从办公室里赶出来,不愿听她家长里短地告状,儿子结婚后把她从正屋里赶出来,怀孕的儿媳妇骂她老娼妇,她又难受又生气,——在这种种难过的时刻,她都伤心得不得了,连觉也睡不着。后来有一天夜里她躺在床上,想起了这个冬天的早晨,也是又伤心又懊恼,心想:“我过去

傻，现在还是傻。”

五十

诺维科夫的坦克军军部开始收到各旅旅长报来的令人不安的情报。侦察队发现了德方的新的、没有参加过战斗的坦克部队和炮兵部队，显然敌人是从大后方调来了后备兵力。

这些情报使诺维科夫担心起来：先头部队在推进，不能保障两翼，如果敌人切断了有数的几条冬季道路，坦克就得不到步兵的支援，得不到燃料。

诺维科夫和盖特曼诺夫讨论了这一情况。他认为，必须立即督促落在后面的后勤部队赶上来，并且暂时停止坦克前进。盖特曼诺夫很希望坦克军为解放整个乌克兰奠定基础。他们决定：诺维科夫下部队去，就地检查情况，盖特曼诺夫负责督促落在后面的后勤部队赶上来。

诺维科夫在去各旅之前，给方面军副司令打了一个电话，把情况报告了一下。他事先就知道司令会怎样回答，司令当然不会担负责任：既不会叫坦克军停下来，也不会叫诺维科夫继续前进。

果然，副司令吩咐火速向方面军侦察科询问敌军情况，同时答应把他和诺维科夫的通话内容报告司令。

在这之后，诺维科夫和友邻部队步兵军军长莫洛科夫进行了联系。莫洛科夫是一个粗暴的、爱发火的人，总是怀疑友邻部队向方面军司令提供对他不利的情报。他们吵过嘴，甚至还骂过娘，虽然不是直接骂个人，骂的是坦克与步兵之间的脱节越来越

厉害。

诺维科夫又打电话给左面的友邻部队炮兵师师长。

炮兵师师长说,没有方面军的命令,他不能再向前推进。

诺维科夫明白他的意图:这位炮兵师长不愿意只起辅助作用,只是保证坦克“射门”,他自己也想“射门”。

诺维科夫和炮兵师长通话刚刚结束,参谋长便走了进来。诺维科夫从来没见过涅乌道布诺夫这样性急,这样慌乱。

“上校同志,”他说,“空军军团参谋长给我打来电话,说他们准备把支援我们的飞机转移到方面军的左翼。”

“这是怎么啦,他们害了神经病,还是怎的?”诺维科夫叫道。

“这事儿很简单嘛,”涅乌道布诺夫说,“有人不希望我们首先进入乌克兰。希望因为这件事得到苏沃洛夫勋章和赫梅利尼茨基勋章的人多得很。没有空军掩护我军就只能停止前进了。”

“我马上给司令打电话。”诺维科夫说。

但是给司令的电话没有打成,因为叶廖缅柯上托尔布欣的军团里去了。诺维科夫又给副司令打电话,副司令不愿意做出任何决定。他只是对诺维科夫为什么没有下部队去表示惊异。

诺维科夫对副司令说:

“中将同志,我军是方面军各部中西进最远的,不经过协商,就这样撤除对我军的空中掩护,这算怎么一回事儿?”

副司令很恼火地对他说:

“司令部更知道怎样利用空军,参加进攻战的不是你们一个军。”

诺维科夫不客气地说:

"要是坦克受到空中轰击,我怎么对坦克手们说呢? 我拿什么掩护他们呢,拿方面军的指示吗?"

副司令这一次没有发火,倒是用和解的口吻说:

"您下部队去吧,我把情况报告给司令。"

诺维科夫刚刚放下话筒,盖特曼诺夫走了进来。他已经穿起大衣,戴起皮帽。一看到诺维科夫,就带着无可奈何的神气把两手一摊。

"诺维科夫同志,我以为你已经走了呢。"

他温和而亲切地说:

"后勤部队落后了。可是后勤部队副司令对我说,不能让坦克去和受伤、生病的德国人追着玩儿,浪费紧缺的汽油。"

他带着幽默的神气看了看诺维科夫:

"真的,我们又不是共产国际的分部,我们是坦克军。"

"这和共产国际有什么关系?"诺维科夫问道。

"您走吧,走吧,上校同志,"涅乌道布诺夫用恳求的口气说,"时间很宝贵。我保证尽一切可能和方面军司令部谈谈。"

自从那天夜里达林斯基说过那番话之后,诺维科夫就一直在注视这位参谋长的脸,注意他的动作、声音。每当涅乌道布诺夫拿羹匙、拿叉子叉腌黄瓜的时候,拿电话筒的时候,拿红铅笔、拿火柴的时候,他心里都在想:"难道打掉达林斯基的牙的就是这只手吗?"

但是现在诺维科夫没有看涅乌道布诺夫。

诺维科夫从来不曾看到涅乌道布诺夫这样亲热、这样惶惶不安,甚至这样可爱。

涅乌道布诺夫和盖特曼诺夫愿意把命赔上，也要让坦克军第一个跨进乌克兰的边界，让各旅一停不停地继续向西推进。

他们为此可以进行任何冒险，但是只有一点他们不愿意冒险：如果失败，他们不愿意担负责任。

诺维科夫心中不由得出现一股狂热：他想用无线电向方面军报告，坦克军先头几个排已经率先跨越乌克兰边境。这件事没有什么军事意义，没有给敌军造成特别损失。但是诺维科夫希望这样报告，为了取得军事上的荣誉，为了得到方面军司令的感谢，得到勋章和华西列夫斯基的称赞，为了将在广播中宣布的斯大林的通令，为了得到将军头衔，为了让友邻部队羡慕，他希望这样。类似的感情和思想从来没有支配过他的行动，但是也许正因为这样，这种感情和想法现在一旦出现，就特别强烈。

这种愿望没有任何不好的因素……还是像在斯大林格勒，还是像在1941年，寒冷仍是无情的，士兵们依然劳累得筋疲力尽，依然有死亡的威胁。但是战争的气氛已经不同了。

诺维科夫因为不了解这一点，所以很惊异，他第一次这样容易、这样一听就明白盖特曼诺夫和涅乌道布诺夫的话，没有生气，没有懊恼，这样自然地和他们的想法一致。

他的坦克如果加速推进，确实有可能早几个钟头把几十个乌克兰村庄的侵略者赶出去，他看到老年人和孩子们兴奋的脸，会非常高兴，会有乡下老奶奶拿他当亲儿子一样，把他抱住，吻他，他的眼里会涌出泪水。同时酝酿着新的激情，在精神上的战争运动中渐渐确定新的主攻方向，而在1941年和斯大林格勒河岸边战斗中曾经为主的方向仍然保留和存在，但不知不觉已渐渐成为

次要方向。

第一个明白超额完成战争任务的，是1941年7月3日在广播中呼唤“兄弟姊妹们，我的朋友们……”的那个人。

很奇怪，诺维科夫虽然和催他动身的盖特曼诺夫、涅乌道布诺夫一样着急，却迟迟不肯动身。直到他已经坐上汽车，他才明白了原因：他是在等待任尼娅。

他已经有三个多星期没有收到任尼娅的信。他每次下部队回来，都要看看，任尼娅是不是站在军部的台阶上迎接他。她成为他的生活的参与者。在他和旅长们说话的时候，在方面军司令部给他打电话的时候，在他开着坦克冲向前沿阵地、坦克被德军炮弹炸得像一匹小马似的浑身打哆嗦的时候，她都和他在一起。他对盖特曼诺夫说起童年的事情，似乎他是说给她听。他想：“啊，我可不能喝酒，要是喝了，任尼娅一下子就闻出酒气。”有时他想，她会注意到的。他有时很担心地想：她要是知道我把少校送交法庭，她会说什么呢？

他有时进入前沿观察所的地下室，在一片烟气、电话员的声音、枪炮声和炸弹爆炸声中，会忽然殷切地想起她来……

有时他想起她以前的生活，萌生妒意，便惆怅起来。有时他梦见她，等他醒过来，就再也睡不着了。

有时他觉得，他们的爱情会至死不渝，有时却担心起来，怕今后又是他一个人。

他上汽车的时候，仔细看了看通往伏尔加河的大路。大路上空空荡荡。后来他生起气来：她早就应该来到了。也许，她病了？他又想起来，在1939年听说她嫁了人，他怎样准备自杀。他

为什么偏偏爱她？要知道，有一些爱过他的女子并不差。也许这是幸福，也许是一种病——对一个人非想不可的毛病。好在他没有跟军部里任何一个姑娘发生关系。等她来了，他没有任何顾虑。不错，在三个星期以前他干过一件罪过的事。要是任尼娅在路上过夜，住在那座罪过的房子里，那一家的年轻女子和她说起话儿，会把他描述一番，说："那位上校真是一个可爱的男子。"怎么脑子里想起这些乱七八糟的东西，想起来就没有完……

五十一

第二天快到中午时候，诺维科夫从下面部队乘车往回走。道路被坦克履带碾得坑洼不平，再加上到处是冻土块，一路上汽车不住地颠簸，他被颠得腰、背、后脑勺都疼，似乎坦克手们的疲惫和许多夜不能睡招致的昏沉都传染给了他。

汽车快到军部了，他仔细看了看站在台阶上的两个人。他看到：是任尼娅和盖特曼诺夫站在一起，望着渐渐开近的汽车。顿时像火烧一样，头脑里来了一股狂热的劲儿，他高兴得几乎到了难以承受的程度，连气都喘不上来了，他猛地往前一冲，好等车一停就跳下车去。

可是坐在后座上的维尔什科夫却说：

"政委和他的女医生在呼吸新鲜空气哩。真应该往他家里寄一张照片，他家夫人才高兴哩。"

诺维科夫走进军部，接下盖特曼诺夫递给他的一封信，转过来一看，认出是任尼娅的笔迹，把信装进口袋里。

“好吧，你听着，我说说情况。”他对盖特曼诺夫说。

“你怎么不看信，不爱她了吗？”

“没关系，等一会儿再看。”

涅乌道布诺夫走了进来。诺维科夫就说：

“问题在于人。在打仗的时候人在坦克里睡觉。全累倒了。几位旅长也是这样。卡尔波夫还勉强能撑得住，别洛夫跟我正说着话就睡着了，他一连五个昼夜没睡了。坦克手们走路都睡觉，疲乏得连饭也不想吃了。”

“诺维科夫同志，你怎么样，摸了摸情况吗？”盖特曼诺夫问道。

“德国佬没有什么行动。在我们这地段不会有什么反突击。他们这儿没有什么兵力，不值一提。是弗列捷尔·皮科和菲克的部队。”

他说着，手指头在摸着信封。有一小会儿他把信封放开，可是马上又抓住，就好像信会从口袋里跑掉似的。

“好，明白了，清楚了，”盖特曼诺夫说，“现在该我对你说说了：我和涅乌道布诺夫同志走了通天的路。我和赫鲁晓夫同志说了，他答应不把我们地段的空军撤走。”

“他不管军事呀。”诺维科夫说着，就开始在口袋里拆信封。

“噢，这要看怎么说，”盖特曼诺夫说，“刚才涅乌道布诺夫同志得到空军司令部的答复：空军继续留在我们这儿。”

“后勤部队也要跟上来了，”涅乌道布诺夫急忙说，“条件算是可以了。主要就看您了，中校同志。”

“把我降为中校了，他是太兴奋了。”诺维科夫心里想道。

“是啊，哥儿们，”盖特曼诺夫说，“看来，是我们要第一个来解放乌克兰了。我对赫鲁晓夫同志说：坦克手们一个劲儿地缠着军部，希望把坦克军命名为乌克兰军。”

诺维科夫听到盖特曼诺夫这种假话，十分恼火，就说：

“他们只希望一点：好好睡一觉。要知道，已经有五天五夜没睡了。”

“这么说，诺维科夫同志，就这样定了，咱们继续推进，向前冲吧！”盖特曼诺夫说。

诺维科夫把信封打开一半，把两个指头伸进去，摸到了信纸，心里一阵紧缩，急切地想看到那熟悉的字迹。

“我想做这样一个决定，”他说，“让大家休息十个小时，哪怕多少恢复一下体力。”

“啊呀，”涅乌道布诺夫说，“咱们这一睡，在这十个小时里把世界上的一切都要错过了。”

“等一等，等一等，咱们来研究研究。”盖特曼诺夫说。他的脸、耳朵、脖子都有些红了。

“就这样啦，我已经研究过了。”诺维科夫微微笑着说。

盖特曼诺夫忽然发作起来。

“哼，这些家伙真见鬼……没睡够呢，这是什么时候！”他叫道。“以后再找时间睡觉吧！到那时候再睡觉就他妈的没事了。就为了睡觉让全军停留十个钟头？诺维科夫同志，我反对这种不争气的想法！你不是推迟冲进突破口的时间，就是叫大家睡觉！这已经变成体系性毛病！我要向方面军军委汇报。你领导的不是托儿所！”

“等一等，等一等，”诺维科夫说，“那一次直到把敌人的炮火压下去，我才带领坦克冲进突破口，你因为这事吻过我呀。你最好把这一点也写进报告里。”

“我因为这事吻过你？”盖特曼诺夫流露出惊愕的神情，说，“你简直是说梦话！”

他突然说：

“我可以直截了当地告诉你，我作为一名共产党员，担心的是，你这个纯正的无产阶级出身的人，一直在受着异己分子的影响。”

“啊，是这样，”诺维科夫用响亮的声音说，“好吧，明白了。”

他站起来，把肩膀挺直了，发狠地说：

“我是军长。我说了算数。盖特曼诺夫同志，要写我的报告，写中篇，长篇，您就写吧，写给斯大林，我也不含糊。”

他走到旁边的一个房间里。

诺维科夫把看过的信放在一旁，吹起了口哨，就像过去小时候那样吹，就像那时候站在邻家的窗前，呼唤小伙伴出来玩耍……也许，他有三十年没吹过口哨了，现在忽然吹了起来……

后来他带着好奇的神情看了看窗外：啊，还亮着呢，夜晚还没有来临。然后他神经质地、高兴地说：“谢谢，谢谢，一切都应该谢谢。”

后来他仿佛觉得，他就要死了，要倒下去了，但是他没有倒下，而是在房里踱了一会儿。后来他看了看放在桌上的白白的信，觉得这好像是空壳子，是皮壳，毒蛇已经从皮壳里爬了出来，于是他用手在腰上和胸膛上摸了摸。没有摸到毒蛇，已经爬进

去,钻进去了,正在像火一样撕咬着心呢。

然后他站到窗口。司机们在朝着去上厕所的电话员姑娘玛露霞笑。军部坦克的一名机修员从井边提来一桶水。一群麻雀在房东家牛棚门口的一堆麦秸里刨来刨去找食儿。任尼娅对他说过,麻雀是她喜欢的鸟儿……可是他浑身就像火烧一样,就像房子着了火:梁断,顶塌,橱子倒下,家什掉落,书籍、枕头像鸽子一般在烟火中翻筋斗……"我将终于感谢你的纯洁与高尚,但是我有什么办法呀,过去的生活比我强大,无法把它消灭,无法忘记……不要责备我吧,不是因为我没有错,而是因为,不论我,还是你,都不知道我的错误在哪儿……原谅我吧,原谅我吧,我在哭,为咱们两个痛哭。"这算什么呀?……

她还哭哩!他可是满腔愤怒。真是害人虫!毒蛇!要打她的嘴巴,打她的眼睛,拿手枪把子打断这母狗的鼻梁……

可是转瞬间又异常突然地出现了一种无能为力的感觉,任何人、任何力量都不能帮助他,只有任尼娅能,可是正是她,正是她害了他呀。

于是他转脸朝着她应该从那边来看他的方向,说:

"好任尼娅,你怎么对我这样呀?好任尼娅,你听着,好任尼娅,你看看我,看看我成了什么样子啦。"

他向她伸过手去。

后来他想:为什么要这样呀,他已经毫无希望地等了这么多年了,不过她既然已经决定了,要知道她已经不是小姑娘,如果过了这么多年,后来决定了的话,就应该懂得,已经决定了呀。

过了几秒钟,他又在痛恨中寻求自我解救:"当然,当然,当

我是一个代理少校，在荒山野岭上、在尼科利斯克-乌苏里斯克流浪的时候，她是不愿意的，等我做了军长，她愿意了，她是想做将军夫人，女人呀，女人，你们都是一样。”他马上就看出这种想法的荒谬，——不对，不对，要是这样倒好呢。因为她这一去，是回到那个人那儿去，那个人就要进集中营，就要上科雷马去，哪有什么富贵可言呢？……俄罗斯妇女呀，真是涅克拉索夫的诗；她不爱我，倒去爱他……不，不是爱祂，是怜悯他，就是怜悯。为什么就不怜悯我？我现在比谁都不如，所有在卢比扬卡监狱里的、在所有集中营里的、在所有军医院里的缺胳膊少腿的，都比我福气，要是现在叫我进监狱，我连眉头都不皱一下，要是这样，你选谁呢？选他！他和你是一种气质的，我是另一种气质的，所以她管我叫“陌生人，陌生人”。当然，就算我做了元帅，总归还是粗汉子、矿工、没有文化的人，不懂她的见鬼的画儿……他带着愤恨的心情大声问：

“究竟为什么，为什么呀？”

他从后面的口袋里掏出手枪，在手里掂量了几下。

“我要自杀，不是因为我活不下去，是叫你痛苦一辈子，叫你一辈子……一辈子良心不得安宁。”

后来他把手枪收起来。

“过一个星期她就把我忘了。”

他也应该忘掉，想也不想，连头也不回！

他走到桌前，又看起信来。“我的可怜的，亲爱的，我的好人呀！！！”这些并非无情，而是亲热的、心疼人、可怜人的话是非常可怕的。这些话简直使人难受，甚至使人连气都不能喘。

他仿佛看到了她的胸脯、肩膀、膝盖。她要去找那个可怜的克雷莫夫。“我自己对自己没有办法呀。”她在又挤又闷的车厢里,有人问她上哪儿去,她说:“去找丈夫。”她的眼神是亲切、温顺的,像狗眼一样,带有惆怅神气。

他在窗口望着,她是不是来找他了。两个肩膀哆嗦起来,鼻子哼哧起来,他叫起来,一面拼命憋着,压制着直往外冲的号哭。他想起来,他还叫人从方面军军需处给她弄来了巧克力糖、牛轧糖,还对维尔什科夫说过:“你要是动一动,我把你的头揪掉。”

他又自言自语地说:

“你看,我的亲爱的,我的好任尼娅,我有什么办法呀,你哪怕多少怜悯怜悯我也好哇。”

他很快地从床底下拖出手提箱,把任尼娅的来信和照片拿出来,这里面有他多年来一直随身带着的照片,有最近一封信里寄的照片,有第一次给他的一张比身份证照片还小的包在玻璃纸里的照片。他用强劲有力的大手指头撕起来。他又把她写的信撕成碎片,他从闪过的字里行间,从纸片上的残句,辨认着他读过几十遍的使他销魂的话,他看着她的脸、嘴巴、眼睛、脖子消失在撕碎的照片堆里。他撕得很急,很快。他越撕越感到轻松,就好像他一下子从身上把她揪了下来,把她踩得死死的,他摆脱了这个魔鬼。

他没有她也活了这么多年嘛。今后还是能活!一年后他从她身旁走过,心连跳都不会跳一下。“我才不稀罕你哩!”他一想到这一点,就感到自己想得很荒谬。心里的东西是揪不掉的,心不是纸做的,人生的一切不是用墨水记在心上的,不能把心撕成

碎片，不能把印在脑子里和心中的多年的印象抹掉。

他已经使她成为他的工作、思想、灾难的参与者，成为他的刚强和软弱的见证人……

撕碎的信并没有消失，读过几十遍的话依然留在脑海里，她的眼睛依然从撕碎的照片上望着他。

他打开橱子，倒了满满一杯酒，喝干了，抽了一支烟，又抽起一支，虽然呛得厉害。头嗡嗡响起来，心里燥得难受。

他又大声问道：

"好任尼娅，亲爱的，心肝儿，你做的什么事呀，你做的什么事呀，你怎么能这样呀？"

然后他把碎纸片装进提箱，把酒瓶放进橱子里，心里说："喝了酒，多少轻松些了。"

……坦克很快就要进入顿巴斯，他就要回到家乡，他要到父母的坟地上，让父亲看看有出息的小别佳，让母亲可怜可怜苦命的儿子。等战争结束，他就上哥哥家去，住在哥哥家里，侄女会说："别佳叔叔，你怎么不说话呀？"

他忽然想起童年时候：他家有一条卷毛狗出去找狗交尾，回到家时被咬得浑身是伤，毛被撕掉许多，被咬掉了一只耳朵，头都肿了，眼睛肿成了一条缝儿，嘴也歪了，站在台阶前，丧气地耷拉着尾巴，爸爸朝狗看了看，很亲切地问：

"怎么，你做伴郎了吧？"

是的，他也做伴郎了……

维尔什科夫走了进来。

"上校同志，您在休息吗？"

"是的,多少休息一下。"

他看了看表,心想:"明天七点以前暂不推进。要用无线电密码通知下去。"

"我再到各旅去一趟。"他对维尔什科夫说。

汽车开得很快,多少分散了一些他的心思。吉普车现在的速度是每小时80公里。路又很坏,所以汽车不住地颠簸、摇晃、蹦跳。

司机一再地感到害怕,用诉苦的眼神要求诺维科夫允许减低速度。

他走进马卡罗夫的旅部。短短的几个小时里一切变化有多大呀!马卡罗夫的变化又多大呀,就好像几年没有见面了。

马卡罗夫忘记了行军礼,困惑不解地把两手一摊,说:

"上校同志,刚才盖特曼诺夫转发了方面军司令的命令:撤销休息一夜的命令,继续前进。"

五十二

三个星期之后,诺维科夫的坦克军调为方面军的后备军。这个军需要补充人员,修理机械。在战斗中前进了四百公里,人和机械都疲劳了。

接到调为后备军命令的同时,还接到一道命令,要诺维科夫上校去莫斯科,到总参谋部和高级指挥干部总部去,至于他以后是不是还回到坦克军,不十分清楚。

在他离开期间,暂时由涅乌道布诺夫少将代理军长职务。在

这之前好几天，旅级政委盖特曼诺夫就得到消息，说党中央已决定在近期内把他从部队中调回去，要派他担任顿巴斯已经解放的一个州的州党委书记，党中央认为这一工作具有特别重要的意义。

召唤诺维科夫去莫斯科的命令，在方面军司令部和装甲部队总部引起不少议论。

有些人说，这次召他去，没有任何特别的用意，诺维科夫在莫斯科待几天，就会回去继续当他的军长。

有些人说，这事和诺维科夫在进军最紧张的时候发出休息十个小时的命令有关系，还和推迟几分钟率军进入突破口有关系。还有些人则认为，他和功劳很大的军政委与参谋长的工作关系没有搞好。

消息灵通的方面军军委秘书说，有人责备诺维科夫有不正当的男女关系。这位军委秘书有一段时间曾经认为，诺维科夫的问题就在于他和军政委的关系不协调。但是事实显然不是这样。这位军委秘书亲眼见过盖特曼诺夫写给最高层领导的信。盖特曼诺夫在信中表示反对撤销诺维科夫的军长职务，说诺维科夫是一名出色的指挥员，具有非同一般的军事才能，在政治方面和道德方面也是一个无可指责的人。

不过特别使人惊异的是，诺维科夫在接到召他去莫斯科的命令的那天夜里，在许多个痛苦不堪的不眠之夜之后，第一次安安稳稳地一觉睡到天亮。

五十三

似乎有一列轰轰隆隆的火车载着维克托在奔驰，一个人在火车里是难以想象家里的宁静的。时间变得紧密了，时间里填满了各种各样的事情、各种各样的人、电话铃声。有一天希沙科夫来到维克托家里，恭恭敬敬，盛情殷殷，一再问起身体健康，一再用开玩笑的亲热口吻解释，希望把过去的一切忘记，那一天似乎已经过去有十年之久了。

维克托原以为，那些拼命整他的人见到他会不好意思的，但是在他来研究所的那一天，他们却高高兴兴地和他打招呼，对直地看着他的眼睛，那目光充满了诚意和友情。特别使人惊异的是，这些人的确很真诚，他们现在的确对维克托一片好意。

他现在又听到评价他的著作的许多好话。马林科夫召见了他，带着关切的神气用聪明的黑眼睛注视着他，和他谈了40分钟。维克托感到吃惊的是，马林科夫很了解他的研究情况，专业词汇运用得相当自如。

在告别时马林科夫说的话也使维克托感到惊异："如果我们在某种程度上干扰了您在理论物理方面的研究，我们会感到很难过。我们十分懂得：没有理论，就没有实践。"

他完全没有料到会听到这样的话。

在见过马林科夫的第二天，他看到希沙科夫那种不安的、请求的目光，想起那一次希沙科夫在家里召开会议、不请他什特鲁姆时那种懊恼和受辱的心情，都觉得奇怪。

马尔科夫又是那样和蔼可亲了，萨沃斯季扬诺夫又说起俏皮话和讥笑人了。古列维奇来到试验室里，把维克托抱住，说："我多么高兴呀，我多么高兴呀，您真是福星温雅明。"

火车还在载着他奔驰。

领导人征求维克托的意见，他是否认为有必要在原有试验室的基础上建立独立的研究机构。他还乘专机去过乌拉尔，陪他前去的是一位副人民委员。为他配备了专用小汽车，柳德米拉上配给商店可以坐小汽车，有时还带着几个星期之前尽量装作不认识她的那些妇女。

以前有些似乎很复杂、很麻烦的事，现在办起来非常容易、非常顺手了。

年轻的兰杰斯曼十分感动：科甫琴科往家里给他打电话，杜宾科夫一个钟头的工夫就给他办妥了调入维克托的试验室的手续。

安娜·纳乌莫芙娜从喀山回来，对维克托说，她的调离手续两天的工夫就办妥了，来到莫斯科，科甫琴科还派小汽车到车站去接她。杜宾科夫书面通知安娜·斯捷潘诺芙娜，说决定恢复她的工作，并且说，已经和副所长谈妥，缺勤期间的工资全部补发。

不停地为新的工作人员加餐。他们开玩笑说，我们的全部工作可以归结为：从早到晚在内部食堂里转悠和吃。可是，他们的工作当然不是在这方面。

维克托觉得他的试验室里安装起来的新设备已经很不完善了。他想，再过一年，这些设备就会使人感到好笑，就像史蒂芬孙的火车头了。

维克托生活中发生的一切变化，似乎十分自然，同时又似乎完全反常。事实上，维克托的研究确实是很重要、很有意义的，为什么不可以褒扬呢？兰杰斯曼也是一名有才能的科学家，他为什么不能在研究所工作呢？安娜·纳乌莫芙娜也是一名不可多得的人员，为什么让她在喀山闲待着呢？

同时维克托也明白，如果不是斯大林的电话，研究所里的人谁也不会称赞他的出色的研究成果，兰杰斯曼尽管有很高的才能，仍然会没有事干。

不过要知道，斯大林的电话也不是出自偶然，不是随心所欲、异想天开。要知道，斯大林就是国家，国家是不会随心所欲、异想天开的。

维克托觉得，许多组织方面的事情，如招收新工作人员，做计划，定购仪器，召集会议，都能及时安排了。而且小汽车跑得很快，会议都开得时间很短，开会也没有人迟到，他的愿望很容易成为事实，上午最宝贵的时间他都可以用在试验室里。在这最重要的几个小时的工作时间里，他是完全自由的。没有任何人限制他，他可以想他感兴趣的事情。他的科学依然是他的科学。这完全不像果戈理的小说《肖像》中那位画家的情形。

谁也不敢侵犯他在科学方面的兴趣。以前他可是最害怕这一点。“我真正自由了。”他惊讶地想。

维克托不知为什么想起阿尔捷列夫工程师在喀山的议论，说军事工厂的原料、电力、机械都能及时得到供应，不存在拖沓问题。

维克托在心里说：“很明显，这种神话般的作风，这种没有官

僚主义的作风，恰恰是官僚作风。为国家主要目的服务的事情，干起来就像开特别快车一样。官僚主义的力量有两个相反的方面：它既能阻止任何运动，又能加给运动非同寻常的速度，甚至可以飞出地球引力范围之外。"

但是他现在不再常常想起在喀山的小屋里晚间的闲谈了，就是想起来心里也泰然了，他觉得马季亚罗夫也不是多么出众、多么聪明的人了。现在他不再老是担心马季亚罗夫的命运，不再老是想到卡里莫夫害怕马季亚罗夫，马季亚罗夫害怕卡里莫夫了。

一切事情不知不觉似乎变成很自然的，合情合理的。维克托过的日子成为常规。维克托渐渐习惯了这种日子。以前过的日子似乎成了例外。维克托对以前那种日子渐渐生疏了。阿尔捷列夫的看法未必对吧？

以前他一走进人事处，看到杜宾科夫看他的目光，就要生气，就要发急。可是杜宾科夫现在却成了一个又热心又和善的人。

他打电话给维克托，常说：

"我是杜宾科夫，想麻烦您。维克托·巴甫洛维奇，我打扰您了吧？"

他本来觉得科甫琴科是一个两面三刀、心狠手辣、见到谁害谁的阴谋家，是奉行秘密的不成文规则、丝毫不顾工作真正实质的官僚。谁知，科甫琴科也有一些完全不同的特点。他每天都要上维克托的试验室里走一走，十分平易近人，很有一副民主作风，常常和安娜·纳乌莫芙娜开开玩笑，见了人都要握手问好，有时和钳工、机械师们聊一聊，说他年轻时候就在车间里做过旋工。

维克托多年来一直不喜欢希沙科夫。有一次他应邀上希沙

科夫家吃饭,希沙科夫却原来是一个十分热情好客的人,还是一个美食家,又会说俏皮话和笑话,又有上等白兰地,还是一位版画收藏家。更主要的,他原来还是维克托的理论的崇拜者。

"我胜利了。"维克托在心里说。但是他当然也明白,他取得的不是最高的胜利,跟他有关系的人改变了对他的态度,不再阻碍他,而是帮助起他来,这绝不是因为他的聪明、天才或者别的什么本领征服了他们。

不过他总归是高兴的。他胜利了!

几乎每天晚上广播电台都要播送"最新消息"。苏军攻势不断扩展。维克托现在觉得,把自己生活的必然变化同战争的必然进程,同人民、军队、国家的胜利联系在一起,是很简单、很容易的了。

但是他明白,不是那么简单的,不能简单地嘲笑自己一心只想看到"这儿是斯大林,那儿也是斯大林,斯大林万岁"这种简单明了的情形。

本来他认为,行政领导人和党的活动家们就是在自己家里天天谈的也是干部的纯洁问题,天天用红笔批文件,对自己的老婆朗读《联共党史简明教程》,连做梦也要梦到暂行条例和必守法令。

维克托却一下子又看到这些人带有人情味的另一面。

党委书记拉姆斯科夫原来是一个喜欢钓鱼的人,战前他常常和妻子、儿子一起坐小船在乌拉尔的一些河上游玩。

"嘿,维克托·巴甫洛维奇,"他说,"黎明时候上河边去,露水亮晶晶的,河边的沙子凉丝丝的,把钓丝抖搂开来,河水还黑郁郁

的，毫无声息，等着你垂钓……真是人生莫大的乐事。等战争结束了，我吸收你参加钓鱼协会。”

科甫琴科有一次和维克托谈起儿科疾病。使维克托吃惊的是，他知道许多治疗佝偻病和咽峡炎的方法。原来，他除了有两个亲生的儿子以外，还收养了一个西班牙孩子。西班牙孩子常常生病，他常常自己给孩子治病。

甚至没有什么人情味的斯维琴也对维克托说起他搜集的一些仙人掌，甚至在寒冷的1941年冬天都没有冻死。

维克托心想：“啊，这些人实在不是多么坏。每个人都有人情味儿。”

当然维克托在内心深处也明白这一些变化是怎么一回事儿，知道实际上什么也没有变化。他不是糊涂虫，他不是犬儒主义者，他会思考。

在这些日子里他想起克雷莫夫说的他的老同志巴格良诺夫的事。巴格良诺夫原是军事检察院的侦讯长，在1937年被捕，在1939年短短的别里耶夫自由化时期被从集中营里放出来，回到莫斯科。

克雷莫夫说了说巴格良诺夫那天夜里怎样从车站径直来到他家，穿着破衬衣、破裤子，口袋里装着集中营的释放证。

那天夜里他说了不少热爱自由的话，同情所有集中营里的人，准备今后做一个养蜂人和园林工作者。

但是，他的生活渐渐恢复了原来的样子，他的腔调也渐渐变了。

克雷莫夫笑着说了说巴格良诺夫的思想怎样渐渐地、一步一

步地变化。不久把他的军装发还给他，这个时期他的想法还是符合自由主义观点的。不过他已经不像丹东那样义正词严地揭露残酷的事了。

可是终于他的集中营释放证换成了莫斯科的居民身份证。马上就可以感觉出他想踏上黑格尔的立场："一切现实的都是合理的。"后来发还了他的住房，他说起话来就不同了，他说，在集中营里有不少判刑的人是犯了叛国罪。后来发还了他的勋章。后来恢复了他的党籍和党龄。

恰好在这时候，克雷莫夫在党内遇到不快的事。巴格良诺夫就再也不给他打电话了。有一天克雷莫夫在外面碰到他。他从停在苏联检察院门前的一辆小汽车里走出来，军装领子上添了两个菱形的领章。那天夜里他穿着破烂衣衫、装着释放证坐在克雷莫夫家里，说许多人无辜被判刑，说使用暴力十分荒唐，这时候才过了八个月。

"那天夜里我听了他的话，还以为他永远不再进检察院的大门了呢。"克雷莫夫冷笑着说。

当然，维克托想起这件事，并且对娜佳和柳德米拉说了说，不是无缘无故的。

他对死于1937年的人的态度丝毫没有变。他依然害怕斯大林的残酷。

一个维克托成为成功的弃儿还是幸运儿，人们的生活不会变化；死于集体化时期的人、1937年被枪毙的人，不会因为某一个维克托得不得勋章和奖章，不会因为马林科夫召见他或者没有把他列入希沙科夫的邀请名单而复活。

这一切维克托十分理解，也牢牢记着。不过在这种理解和记忆中也出现了新东西……

他常常对妻子说："有多少没出息的人呀！许多人多么怕挺起腰来做正直的人，多么容易屈服，多么容易妥协，多么卑鄙可怜呀。"

他有一次甚至带着责备的心情想到契贝任："他过分热衷于旅游和爬山运动，正是他下意识地害怕生活的复杂性；他离开研究所，则是他有意识地害怕面对我们生活中的主要问题。"

当然，他还是有所变化的，他感觉出这一点，但却不明白，究竟变化的是什么。

五十四

维克托恢复上班之后，没有在试验室里碰到过索科洛夫。在维克托来上班之前两天，索科洛夫害了肺炎。

维克托听说，索科洛夫在害病之前和希沙科夫谈妥了自己的工作问题。索科洛夫被任命为新组建的一个试验室的主任。总之，索科洛夫还是一帆风顺的。

至于索科洛夫为什么要求所领导把他调出维克托的试验室，就连无所不知的马尔科夫也不知道真正的原因。

维克托听说索科洛夫要离开，也不觉得难过和惋惜。倒是一想到和他见面，和他一起工作，就觉得沉重。

如果见了面，他有什么眼神，索科洛夫看不到呀。当然，他无权像以前那样老是想着朋友的妻子。他无权思恋她。他无权和

她秘密约会。

如果有人向他说起类似的事,他会感到十分愤慨。因为这是欺骗妻子!欺骗朋友!可是他还在思念她,盼望和她会面。

柳德米拉已经和玛丽亚恢复了来往。她们先在电话里表白了很长时间,后来见了面,又哭又各自检讨,说自己太糊涂,不应该怀疑和不信任朋友。

天啊,生活多么复杂,多么难以理解呀!玛丽亚,真诚而纯洁的玛丽亚却没有以真情对待柳德米拉,昧了良心!不过她这样做是为了她对他的爱情呀!

现在维克托很少见到玛丽亚了。他所知道的有关她的事,差不多都是柳德米拉对他说的。

他听说,索科洛夫因为在战前发表的著作,被推荐为斯大林奖金备选人。他听说,索科洛夫收到英国年轻的物理学家一封热情洋溢的信。他听说,索科洛夫在不久就要举行的科学院的选举中将被选为通讯院士。这一点是玛丽亚对柳德米拉说的。他自己有时和玛丽亚短时间见面,现在不谈索科洛夫了。

工作上的操心、会议、出差都不能消除他经常的苦闷,他时时盼望和她见面。

柳德米拉对他说过好几次:“我真不懂,索科洛夫为什么对你这样反感。就连玛丽亚也对我解释不清楚。”

要解释是很简单的,不过玛丽亚当然不能认真地向柳德米拉解释。她对丈夫说了自己对维克托的感情,已经够受的了。

这种表白永远破坏了维克托与索科洛夫的关系。她已经向丈夫保证不再跟维克托相会。玛丽亚哪怕对柳德米拉露出一句,

他将会很长时间对她的什么情况都不知道,不知道她在哪儿,她怎么样了。要知道,他们过去会面太少了!而且每次会面又是那样短暂!每次会面他们又很少说话,只是手挽着手在街上走走,或者一声不响地在街心公园的凳子上坐坐。

在他遭遇挫折和倒霉的时候,她以特别敏锐的感情理解他所遭遇的一切。她能猜出他的思想,能猜出他的行动,甚至好像她事先能够知道他将遇到的一切。他心里越是痛苦,想见到她的愿望就越是强烈,越是迫切。他觉得,他今天的幸福就在于这种完全与充分的理解。似乎,有玛丽亚和他在一起,他就很容易战胜自己的一切痛苦。他和她在一起就是幸福的。

有一天夜里他们在喀山说过话儿,在莫斯科他们在逍遥公园溜达过一次,有一次还在卡卢加大街的街心公园的凳子上坐了几分钟——说实在的,不过就是这些。而且这都是在过去。就算加上现在的事:他们通过几次电话,有几次他们在街上遇见,再加上这几次短时间的见面,他都没有对柳德米拉说。

但是他明白,他的过错和她的过错不能用他们暗地里在长凳子上坐的时间来衡量。他的过错不小:他爱她。为什么她在他的生活中占了这样大的地盘?

他对妻子说的每一句话,都只有一半真实。每一行动,每一瞥目光,都不由地带上了虚假成分。

他有时装作漫不经心地问柳德米拉:“喂,怎么样,你的好朋友给你来电话了吗?她怎么样?索科洛夫身体好吗?”

他听说索科洛夫一帆风顺,十分高兴。但他高兴不是因为他对索科洛夫一片好心。而是不知为什么他觉得,只要索科洛夫一

切顺利，玛丽亚就可以不受良心责备了。

从柳德米拉口里打听索科洛夫和玛丽亚的情形，是一件很不痛快的事。这对于柳德米拉，对于玛丽亚，对于他，都是一种污辱。

但是，他在和柳德米拉谈到托里亚，谈到娜佳，谈到符拉季米罗芙娜的时候，也是真话中夹杂着假话，到处有虚假。为什么，是什么原因？他对玛丽亚的感情，的的确确是他心灵、思想、心意的真实情形。为什么这种真实却产生了这么多的虚假？他知道，他一旦抛开这种感情，就会使柳德米拉、玛丽亚、自己摆脱虚假。但是，就在他觉得应该抛开他无权享受的爱情的时刻，有一股调皮的感情，又怕痛苦，又搅乱思想，一个劲儿地劝他："这种虚假并不是那么可怕，对谁都没有什么害处。痛苦比虚假可怕得多呢。"

有时他觉得，他会有力量、有狠心和柳德米拉离婚，拆散索科洛夫的家庭，这时他的感情就推动着他，用完全相反的方式欺骗他的思想：

"要知道，虚假是顶要不得的，还不如和柳德米拉离婚，只要不再对她说假话，也可以不再使玛丽亚说假话。虚假比痛苦更可怕！"

他没有觉察，他的思想已经成为他的感情的驯顺的奴仆，感情在牵着思想走，要想走出这转来转去的圈子只有一条出路：忍痛斩断情丝，牺牲自己，而不是牺牲别人。

他对这一切想得越多，越是理不出头绪。他对玛丽亚的爱情竟不是他生活中的真情，而造成他生活中的虚假，这怎么能理解，怎么能弄清楚呀！去年夏天他和标致的尼娜有一段浪漫史，那不

是中学生的浪漫史。他和尼娜不仅是在街心公园里散散步。但是，背叛的感觉、家庭不幸的感觉、对不起柳德米拉的感觉，他却是现在才有。

他在这些事情上花费了很多心思、精力和激情，看起来，普朗克创立量子论花费的力气也不会少。

有一段时间他认为，他只是因为受挫折和倒霉，才产生了这种爱情……如果不是受挫折和倒霉，他不会有这样的感情……

但是他现在功成名就了，希望看到玛丽亚的心情却没有减弱。

她是一种特殊气质的女子，不爱金钱、荣华和权势。她一直希望和他共度灾难、痛苦和穷困……于是他担心起来：现在他一切好转了，她会不会不再理睬他呢？

他明白，玛丽亚把索科洛夫奉若神明。就这一点也使他十分难受。

也许，任尼娅说的话是对的。像这种第二次爱情，是婚后生活多年之后产生的，它确实是精神维生素缺乏的结果。就比如老牛很喜欢舔盐，因为牛一年到头在青草、干草和树叶中找不到盐。这种精神饥饿渐渐增长，就会产生很大的力量。过去是这样，现在也是这样。啊，他可是知道自己的精神饥饿是什么滋味……玛丽亚和柳德米拉太不一样了。

他的一些想法是真实的，还是虚假的？维克托没有注意到，一些想法不是出自理智，决定他的行动的不是这些想法的正确与否。他已经不受理智的支配。他看不到玛丽亚，就觉得痛苦；一想到可以见到她，就觉得幸福。有时他想象他们会在一起永不分

离，就觉得无限幸福。

为什么他想到索科洛夫，不觉得良心有愧？他为什么不觉得羞惭？

是的，有什么羞惭的？不过只是在逍遥公园里走了走，在长凳上坐了坐。

啊，为什么要在长凳上坐呀！他还想和柳德米拉离婚，他还想对自己的朋友说，他爱他的妻子，他想把她夺过来。

他想起他和柳德米拉的生活中一切不好的事情。他想起柳德米拉对他的妈妈怎样不好。他想起柳德米拉不让他的从集中营回来的堂兄在家里过夜。他想起她的冷酷、粗暴、执拗、无情。

他一想起这些不好的地方，就心狠起来。要干冷酷的事，只要心狠就行。不过柳德米拉和他过了一辈子，一直和他同甘苦，共患难。柳德米拉已经白了头发。她受过多少苦呀。难道她光是不好的吗？要知道，多少年来他一直因为有她而感到自豪，喜欢她的正直和诚实。是的，是的，他是曾经打算干冷酷的事。

早晨，维克托正准备上班的时候，想起不久前任尼娅来过，就想道：

“任尼娅走了，上古比雪夫去了，这样倒是好。”

他想到这里，觉得不好意思起来，就在这时候柳德米拉说：

“在我们家坐牢的人当中，又增加了一个克雷莫夫。好在任尼娅现在不在莫斯科。”。

他本想责备她说这种话，但是忽然想起刚才自己所想的，就没有作声，因为他觉得，如果责备她，他就太虚伪了。

“契贝任给你来过电话。”柳德米拉说。

他看了看表。

“晚上我早点儿回来，再给他打电话吧。另外，可能我又要乘飞机上乌拉尔去。”

“要去很久吗？”

“不，只待两三天。”

他急着要走，今天是很重要的一天。

他的研究很重要，许多事情很重要，都是国家的事情，可是，他的脑子似乎被反比例定律支配着，他的许多想法却是很细小，很可怜，微不足道的。

任尼娅在走的时候，请求姐姐常到库兹涅茨桥去看看，送给克雷莫夫二百卢布。

“柳德米拉，”他说，“你应该把任尼娅叫你转交的钱送去了，可能你已经错过了接待日期。”

他说这话，并不是因为他在为克雷莫夫和任尼娅操心。他说这话，是因为他想到，柳德米拉这样不重视所托，可能会促使任尼娅很快地再上莫斯科来。任尼娅再来莫斯科，就要开始写申诉书，写信，打电话，把维克托的家变成在监狱、检察院活动的基地。

维克托明白，这些想法不仅是渺小、可怜的，也是卑鄙的。他想到这里，感到不好意思，就连忙说：

“你给任尼娅写封信，就说你和我都请她上莫斯科来。也许，她现在很需要上莫斯科来，可是没有邀请，她不好意思来。你听见了吗，柳德米拉？马上就给她写！”

他说过这话之后，感到轻松了，但是他又知道，他说这番话为

的是自我安慰……说来实在奇怪。当他坐在自己的房间里，没人理睬，又怕房管员又怕票证处的姑娘的时候，他的头脑里想的是人生、真理、自由、上帝……那时候谁也不需要他，电话铃一连几个星期都不响，熟人在街上碰见他都不和他打招呼。可是现在，当几十个人在等着他，又给他写信，又给他打电话，小汽车的喇叭在窗外轻轻响着的时候，他却再也摆脱不了一些空泛无聊的想法、卑微的烦恼、庸人的担心。不是担心说错了话，就是担心笑得不是地方，总是有一些微乎其微、庸俗无聊的想法伴随着他。

在斯大林打过电话之后，有一段时间他觉得他今后可以完全不必害怕了。可是结果他还是在害怕，只是这害怕不同了，不再是平民的害怕，而是贵族的了，——可以坐汽车，可以往克里姆林宫打电话，但害怕还是害怕。

对别人的学术成就抱嫉妒的、运动员式的态度——原来似乎是不可能的，现在变成很自然的事了。他在担心：别人会不会超过他，会不会纠正他的错误？

他不太愿意和契贝任交谈，似乎没有力量进行长久的、花费力气的谈话。他还是把科学对国家的依赖关系想象得太简单。因为他确实是自由的嘛：现在谁也不认为他的理论体系是学究式的毫无意义的东西了。现在谁也不敢扼杀他的理论体系了。国家需要物理学理论。现在这一点希沙科夫明白了，巴季因也明白了。为了让马尔科夫在试验方面，让科契库罗夫在实践方面表现出他们的本事，就需要有理论家做后台。在斯大林打过电话之后，所有的人都一下子明白了这一点。怎么向契贝任解释，是斯大林的电话使他在研究中得到了自由呢？可是他为什么对于柳

德米拉的缺点不能容忍了呢？可是他为什么对待希沙科夫这样和善呢？

他现在很喜欢马尔科夫。领导人的私事，一些秘密的和半秘密的情况，一些无伤大雅的手腕和非同儿戏的阴谋诡计，是否被邀参加主席团而引起的喜悦或懊恼，有谁进入某些特别名单或者在名单中没有名字，——他对这一切都有了兴趣，他的的确确关心起这些事。

也许，他现在宁愿花一个晚上和马尔科夫闲扯，也不愿像在喀山那样和马季亚罗夫认真探讨。

马尔科夫极善于发现一些人的可笑之处，毫无恶意地同时又十分辛辣地嘲笑一些人的弱点。他具有文学才能，同时又是一流的科学家，也许，他是国内最有才华的物理试验工作者。

维克托已经穿好大衣，柳德米拉说：

“玛丽亚昨天来过电话。”

他很快地问：

“什么事？”

显然，他的脸色都变了。

“你怎么啦？”柳德米拉问道。

“没什么，没什么。”他说着，从走廊里回到房间里。

“说实在的，我也不明白，究竟有什么不愉快的事。大概是科甫琴科往他们家里打过电话。总而言之，她还和以往一样替你担心，怕你又惹出什么事儿。”

“究竟怎么一回事儿？”他焦急地问道。“我真不明白。”

“我不是说嘛，我也不明白。看样子，她是觉得在电话里说起

来不方便。”

“好吧，那你就再说一遍。”他说着，解开大衣，坐到门口的一张椅子上。

柳德米拉看着他，摇了摇头。他觉得，她的眼睛带着责难和伤心的神情看着他。

她好像证实了他的这种感觉，说：

“瞧，维克托，你说早晨给契贝任打个电话都没有时间，可是一听说玛丽亚，就有时间听了……甚至还走了回来。已经不早啦。”

他侧着眼睛朝上看了看她，说：

“是的，我要迟到了。”

他走到妻子跟前，握住她的手亲了亲。

她抚摩了几下他的后脑勺，轻轻地理了理他的头发。

“瞧，现在玛丽亚多么重要，多么叫人感兴趣，”柳德米拉小声说，又凄然地笑了笑，说：“还说她分不清巴尔扎克和福楼拜呢。”

他看了看：她的眼睛湿润了，他觉得她的嘴唇好像也在哆嗦。

他无可奈何地把两手一摊，走到门口又回头看了看。

她脸上的表情使他吃了一惊。他一面下楼一面想，如果他和柳德米拉离了婚，今后再也不见面了，那么，她脸上这种表情，这种无可奈何、痛苦、感人、为他也为自己羞臊的表情，将永远不会从他的脑海里消失，直到生命的最后一天。他明白，这几分钟里发生了十分重要的事，妻子让他知道，她看出了他对玛丽亚的爱情，他也证实了这一点……

他还知道一点。他看到玛丽亚，就觉得幸福，如果他觉得他再也看不到她了，他就连气也不能喘了。

等维克托的汽车渐渐来到研究所，希沙科夫的小汽车也跟了上来，两部小汽车几乎同时在大门口停下来。

他们并肩在走廊里走着，就像刚才并排开的他们的汽车。希沙科夫挽住维克托的胳膊，问道：

“就是说，您要乘飞机外出吗？”

维克托回答说：

“看样子，要出去一趟。”

“很快咱们就要永远分手了。您现在相当于一位国家元首了。”希沙科夫开玩笑说。

维克托忽然想：“如果我问他，您爱过别人的妻子吗，他会说什么？”

“维克托·巴甫洛维奇，”希沙科夫说，“您是否得便，在两点左右上我这儿来一下？”

“到两点钟我就没有事了。遵命。”

这一天他工作很不顺利。

在试验厅里，马尔科夫不穿外衣，挽着衬衣袖子，走到维克托跟前，很起劲地说：

“维克托·巴甫洛维奇，如果您有时间，等会儿我上您的办公室去。有一件很有意思的事和你说说。”

“我在两点钟要到希沙科夫那儿去，”维克托说，“您迟一点儿来吧。我也有一点儿事要和您说说。”

“您在两点钟要上希沙科夫那儿去吗？”马尔科夫反问一句，

又沉思了一会儿，说："可能我猜到了，他要找您干什么。"

五十五

希沙科夫一看到维克托，就说：

"我已经想打电话给您，提醒您呢。"

维克托看了看表。

"我觉得，我没有迟到呀。"

希沙科夫站在他面前，又肥又大，穿着讲究的灰色西服，满头银发的大脑袋。但是维克托觉得希沙科夫的眼睛里已经没有冷淡和倨傲的神气了，这是一个读了大仲马和里德的不少小说的小孩子的眼睛。

"亲爱的维克托·巴甫洛维奇，今天我请您来，有一件特别的事，"希沙科夫笑着说，并且拉住维克托的手，把他拉到椅子跟前。"是一件很重大的、不太愉快的事。"

"站着谈吧，天天坐得太多了，"维克托说着，用烦闷的目光打量了一下这位肥大院士的办公室。"咱们就来谈谈不愉快的事吧。"

"是这样的，"希沙科夫说，"在国外，主要是在英国，发动了一场卑鄙的运动。我们担负着战争的主要重担，可是英国的科学家们并不要求尽快开辟第二战场，却展开了一场极其奇怪的运动，煽动敌视我们国家的情绪。"

他看了看维克托的眼睛，维克托知道那是一种毫无掩饰的、直露的目光，那是有些人要做坏事时的目光。

“是的，是的，是的，”维克托说，“可是，究竟是一场什么样的运动呀？”

“一场诽谤运动，”希沙科夫说，“他们公布了一份据说是我国被杀害的科学家和作家的名单，报道了因为政治问题被镇压者的离奇数字。他们怀着不可理解的，也可以说是不可告人的用心，想推翻经过侦查和判定的普列特尼奥夫和列夫医生害死马克西姆·高尔基的罪行。这一切都发表在接近政府人士的一家报纸上。”

“是的，是的，是的，”维克托一连说了三遍，“还有什么吗？”

“基本上就是这些。还提到遗传学家切特韦里科夫，组织了一个保护他的委员会。”

“希沙科夫同志，”维克托说，“可是，切特韦里科夫确实被捕了呀。”

希沙科夫耸了耸肩膀。

“维克托·巴甫洛维奇，您知道，我没有过问过保安机关的工作。不过，如果他确实被捕了，那显然是因为他犯了罪。你和我总是没有被捕呀。”

这时候巴季因和科甫琴科走进办公室。维克托明白，希沙科夫是在等他们，显然事先他已经和他们商量过了。他甚至没有对刚进来的两个人解释正在谈的是什么，只是说：

“请吧，请吧，两位同志，请坐，”就又接着对维克托说：“维克托·巴甫洛维奇，这些无稽之谈又传到了美国，刊登到《纽约时报》上，这自然引起苏联知识界的愤慨。”

“当然啦，不可能不愤慨。”科甫琴科用十分亲切的目光看着

维克托的眼睛，说。

他那栗色眼睛的眼神是那样亲热，以至于维克托很自然地产生的一种想法“苏联知识分子根本就看不到《纽约时报》，怎么会愤慨呢？”也说不出口了。

维克托耸了耸肩膀，嗯了两声，这些动作可以被理解为他赞同希沙科夫和科甫琴科的说法。

“很自然，”希沙科夫说，“在我们知识界出现了一种愿望，对这种卑鄙的诽谤给予应有的回击。我们起草了一份文件。”

“哼，你什么也没有起草，是别人起草的。”维克托在心里说。

希沙科夫又说：

“这份文件是用书信的形式。”

这时巴季因小声说：

“我看过这份文件，写得很好，写的都是应该说的话。签名的人不要多，应该是我国最大的一些科学家，具有全欧洲和全世界名望的。”

维克托一听到希沙科夫开头的几句话，就明白了谈话的目的。他只是不知道希沙科夫究竟要他干什么：在学术委员会会议上发言，写文章，还是参与发表声明？现在他明白了：要他在公开信上签名。

他心里出现一种恶心感。他像在那一次要他检讨的会议之前那样，又感觉到自己的可怜而卑贱的实质。

又好像有几百万吨岩石就要朝他的头上压下来……普列特尼奥夫教授呀！维克托立即想起《真理报》上报道一个女人歇斯底里地控诉这位老医生进行肮脏活动的文章。

如往常一样，报纸刊登的事就成了事实。显然，因为读了不少托尔斯泰、契诃夫和柯罗连科的书，养成了对俄罗斯文字几乎奉若神明的态度。但是终于有一天，维克托清清楚楚看出来，报纸在说谎，普列特尼奥夫教授受到了诽谤。

过了不久，普列特尼奥夫和克里姆林医院的著名内科医生列文大夫就被捕，并且供认害死了马克西姆·高尔基。

三个人都望着维克托。他们的目光是亲切、和蔼、充满信心的。他是自己人嘛。希沙科夫已经像兄弟般地承认了他的著作的伟大意义。科甫琴科也把他看得很高。巴季因的眼睛好像在说："是的，我对您做的事情原来是很反感的。但是我错了。我不懂。党已经纠正了我的错误。"

科甫琴科打开红色公文夹，把打字机打好的公开信递给维克托。

"维克托·巴甫洛维奇，"他说，"应该告诉您，英国人和美国人发动的这场运动，是直接为法西斯效劳的。可能这是第五纵队的间谍策动的。"

巴季因插话说：

"干吗还要向维克托·巴甫洛维奇进行宣传？他和咱们都一样，有一颗苏联爱国者的心。"

"当然，"希沙科夫说，"正是这样。"

"谁又能怀疑这一点呢？"科甫琴科说。

"是的，是的，是的。"维克托说。

最奇怪的是，这几个人不久前对他又鄙视又不放心，现在却对他又信任又亲热，这种信任和亲热显然极其自然，而且他虽然

一直记着他们对他的残酷，却很自然地接受了他们的友好感情。

就是这种友情和信任束缚着他，剥夺了他的力量。

假如大声呵斥他，用脚踢他，打他，也许他会大吼起来，会刚强些的……

斯大林和他通过电话。现在和他坐在一起的几个人都记得这一点。

可是，天啊，他们要他签名的这封信多么可怕呀。这封信关系到多么可怕的事呀。

他实在无法相信普列特尼奥夫教授和列文大夫会杀害伟大的高尔基。他妈妈来莫斯科的时候找列文看过病，柳德米拉更是常常在他那儿治病，他是一个很聪明、很细心、很和善的人。诬陷这样两位医生的人，有多么残忍呀？

这种诬陷是中世纪黑暗的再现。医生竟成了杀人犯！医生竟害死伟大的作家，害死最后一位俄罗斯文学大师。谁需要这种血腥的诬陷？这是迫害异己，是宗教审判的火堆，就像杀害异教徒，又是烟，又是恶臭，像烧开的焦油。这一切怎么能和列宁、和社会主义建设、和伟大的反法西斯战争相联系呢？

他拿起公开信的第一页。

希沙科夫问他，站着是不是舒服，光线行不行。是不是坐到椅子上？不用，不用，很舒服，谢谢。

他看得很慢。把一个一个的字塞进脑子，脑子却不能吸收，就像把沙子塞进苹果里。

他看到："你们袒护人类的败类和不肖之徒、玷辱了崇高的医生称号的普列特尼奥夫和列文，是在助长法西斯仇恨人类的思

想。”

他又看到:“苏联人民英勇地在同法西斯进行战斗,是法西斯在用新的形式推行中世纪的迫害异己、民族大洗劫、宗教审判的火刑、刑讯和拷打。”

我的天啊,怎么能不叫人发疯呀。

他又往下看:“我们的子弟在斯大林格勒流的血,取得了反法西斯战争的转折,你们却有意无意地在袒护第五纵队的间谍……”

“是的,是的,是的。我们的科学工作者受到人民和政府的无比爱护和关怀,这是世界上任何一个国家都没有的。”

“维克托·巴甫洛维奇,我们在这儿说话,不妨碍您吧?”

“不,不,没关系。”维克托说。他心里想:“有些人很幸运,或者能够开开玩笑把事情敷衍过去,或者这会儿正在别墅里度假,或者在生病,或者……”

科甫琴科说:

“我听说,斯大林同志知道这封信,很赞成我们科学家的这一行动。”

“所以才要维克托·巴甫洛维奇签名呢……”巴季因说。

维克托感到苦恼,感到厌恶,感到自己就要屈服。他感触到伟大国家的亲切气息,他没有力量投身寒冷的黑渊……今天他没有,实在没有力量。使他就范的不是恐惧,而是另外一种消磨力量的温顺感情。

人是多么奇怪、多么令人吃惊的构成物呀!他有力量去死,却没有足够的力量拒绝甜饼和冰糖。

如果有一只手抚摩你的头，拍你的肩膀，那手就成了无敌的手，你再也无力把它推开。

胡说，为什么要诬蔑自己？他要甜饼和冰糖干什么？他对生活条件和物质享受一直很平淡。他的见解、他的著作、他一生最珍贵的东西在反法西斯战争时期成为有用的、可贵的。这确实就是幸福！

而且，说实在的，这究竟是怎么一回事儿呢？他们都在预审中承认了呀。他们在法庭上也供认了。他们已经承认害死了伟大的作家，怎么能相信他们无罪呀？

拒绝在公开信上签名吗？那就是同情杀害高尔基的凶手！不，不可能。怀疑他们招供的真实性吗？就是说，那是强迫的！可是强迫一个正直而善良的知识分子承认自己是雇佣的杀人凶手并因而换得死刑和可耻的名声，只有用拷打的办法。然而，即使有一丝一毫这样的怀疑，那也除非是神经错乱。

不过，在这种卑劣的信上签名，那是令人厌恶，令人作呕的。在他的头脑中出现了一些话和对这些话的回答……“同志们，我有病，我的冠状血管抽搐。”“胡说，想借口生病来逃避哩，您脸上的气色挺好嘛。”“同志们，干吗要我签名，我只是在很小的专家的圈子里有些名气，国外很少有人知道我。”“胡说！（听到这个“胡说”十分快活）都知道您，还不光是知道哩！而且没有您的签名，这信就没有意义，也无法让斯大林同志看，他会问：为什么没有什特鲁姆的签名？”

“同志们，我直截了当对你们说吧，我觉得某些说法不够妥当，会给我们整个科学界造成不好的影响。”

“维克托·巴甫洛维奇，请，请，请您提出具体意见，我们很高兴修改您认为不妥当的说法。”

“同志们，要理解我的意思，比如，你们在这儿写的：人民的敌人巴别尔，人民的敌人、作家皮利尼亚克，人民的敌人瓦维洛夫院士，人民的敌人、演员梅耶霍德……不过我是一个物理学家、数学家，是从事理论研究的，有些人认为我精神失常，我研究的领域是十分抽象的。说实在的，我是不够格的，最好还是不提这些人吧，因为这些事我一点儿也不明白。”

“维克托·巴甫洛维奇，您不要客气吧。您十分善于分析政治问题，您的逻辑性很强，您该记得，有多少次您说到政治方面的问题，说得何等深刻呀。”

“啊，天呀！你们要知道，我还有良心呀，我很痛心，我很难过，再说，也不是非我不可，为什么非要我签名不行，我太痛苦了，让我的良心享受一点儿安宁吧。”

可是马上又出现了软弱无力感、被磁化感、喂饱了和受宠的牲畜那种驯顺感情，怕生活又受到新的摧残，怕又一次担惊害怕。

这是怎么回事儿？又要把自己放到大家的对立面？又要冷清孤单？应该认真对待生活了。他已经得到连想也不敢想的东西。他现在能自由地从事自己的研究，受到无比的关怀与照顾。而且他也没有祈求，没有检讨。他是胜利者！他还要什么呢？斯大林都亲自给他打了电话呀！

“同志们，这事关系重大，我希望多少想一想，最好等明天再决定。”他又在心中说。

他马上又想象到：这样他会一夜不眠，痛苦，焦虑，犹豫不

决，突然下决心，又因为下了决心而害怕，又犹豫不决，又下决心。这一切折腾起人来，就像凶恶、无情的疟疾。是他自己要把这种折磨延长若干小时。他已经没有力气了。快点儿，快点儿，快点儿吧。

他掏出自来水笔。

他马上看出来，希沙科夫看到他这个顶不随和的人今天这样随和，都惊愕得发了呆。

整整一天维克托没有进行研究。谁也没打搅他，谁也没给他打电话。是他自己不能进行研究。他不能进行研究，是因为这一天他觉得研究工作枯燥、空洞、毫无意思。

有哪些人在公开信上签了名？契贝任签名吗？约费签过名吗？克雷洛夫是否签过名？曼德尔施塔姆呢？他真想躲到什么人背后去。不过，拒绝签名是不可能的呀。那就等于自杀。啊，根本不是这么回事儿。也可以拒绝嘛。不，不，都有道理。因为谁也没有威胁他。如果他是因为像畜生一样害怕而签了名，那倒是轻松些。可是他签名不是因为害怕呀。是因为有一种愚昧、令人恶心的驯顺感情。

维克托把安娜·斯捷潘诺夫娜叫到自己的办公室里来，请她明天把检查新设备进行的试验的一组胶片洗出来。

她把一切记下来之后，依然坐着没有走。

他用询问的目光看了看她。

“维克托·巴甫洛维奇，”她说，“我以前认为，言语是表达不出心情的，可是现在我想说说：您可明白，您的所作所为对于我和其他一些人有什么样的意义？这对于人们来说，比一切伟大的发

明都重要。就因为您活在世界上,一想到这一点,心里就觉得幸福。您可知道,钳工们、清洁工和门卫人员是怎么说您的?都说您是一个正派人。我多次想上您家里去,可是我怕。您要知道,我在最困难的日子里一想到您,心里就觉得轻松,觉得安宁。谢谢您,就因为有您。您是人!"

他什么也没有来得及说,她就很快地走出了办公室。

他想跑到街上去,狂跑,狂叫……因为他太痛心,太羞愧。不过,痛心和羞愧还不止这些,这只是开头。

快到下班的时候,电话铃响起来。

"您听出来了吗?"

天啊,还问他是不是听出来呢。不仅是耳朵,就连握着话筒、顿时紧张起来的手指头也听出这声音了。这是玛丽亚又在他最难受的时刻出现了。

"我是在公用电话亭子里打电话,声音很不清楚,"玛丽亚说,"我丈夫身体好些了,我现在时间多一些了。如果可以的话,明天八点钟还上那个街心公园来。"她忽然说:"我的亲爱的,我的好人儿,我的心上人!我真替您担心呀。有人带着一封公开信上我家来,噢,您明白我说的是什么吧?我相信,这是您,是您的刚强帮助我丈夫顶住了,我们一切都还平平安安。可是我马上想到,您这一下子要惹出麻烦来了。您性格那样倔强,有时候别人会碰一个疙瘩,您就会碰得粉身碎骨。"

他挂起话筒,用两手把脸捂住。

他已经明白自己处境之可怕:今天不是敌人在残酷地折磨他。是亲近的一些人在折磨他,用的刑具是他们对他的无比

信任。

他回到家里，连大衣也没有脱，就给契贝任打电话。柳德米拉站在他面前，他在拨契贝任家的电话号码，他相信，断然相信，他的朋友和老师也会因为喜欢他，使他受到无情的创伤。他急急匆匆，甚至来不及对柳德米拉说说在公开信上签名的事。天啊，柳德米拉的头白得多么快呀。是呀，是呀，真不应该呀，不能再让她伤心了！

"好消息不少，都看到战报了，"契贝任说，"不过我没有什么了不起的事。噢，今天我和几位可敬的人士吵了一场。您可听说一封什么公开信了吗？"。

维克托舔了舔发燥的嘴唇，说：

"是的，听说一点点儿。"

"好啦，好啦，我明白，这种事儿不好在电话里说，等您回来之后，咱们见了面再说说吧。"契贝任说。

嗯，好吧，好吧，不过，还有娜佳也是要回来的呀。天啊，天啊，他干的是什么事呀……

五十六

夜里，维克托睡不着，他心里太痛苦了。这种可怕的苦恼是从哪儿来的呀？真是沉重的负担，沉重的负担。胜利者呀！

他在害怕房管所的普通办事员的时候，比现在要刚强些，自由些。今天他甚至都不敢进行争论，不敢表示怀疑。他成为胜利者之后，便失去了心意的自由。他怎么好意思见契贝任呀？也

许,他见了契贝任会泰然自若,就像他回到研究所那一天许多快快活活、亲亲热热迎接他的一些人那样?

这一夜他想到的一切,都使他伤心,使他难过,使他不得安宁。他的笑、他的动作表情、他的行动都和他自己格格不入,都和他作对。今天晚上娜佳的眼睛里有一种怜悯和憎恶的神情。

只有经常使他气愤、经常顶撞他的柳德米拉听他说过以后,马上就说:“维克托,不应该难过。我觉得你最聪明,最实在。既然你已经这样做了,就是说,应该这样。”

为什么他现在愿意承认一切、肯定一切呢?为什么不久前他不能容忍的事现在可以容忍了呢?不论和他谈什么,他都用乐观的态度看待。

军事上的胜利与他个人命运的转折是一致的。他看到军队的强大、国家的强盛、前途的光明。为什么他今天觉得马季亚罗夫的一些说法如此平淡无味?

在他被抛出研究所,他拒绝检讨的那一天,他心里有多么坦然,多么轻松。在那些日子里,亲人就是他的莫大幸福:柳德米拉、娜佳、契贝任、任尼娅……啊,见了玛丽亚,他对她怎么说呢?他一向是那样瞧不起胆小的索科洛夫的顺从和听话。可是今天呢?他怕去想妈妈,他在她面前有愧。他很怕再拿起她最后一封信。他又害怕又苦恼地理解到,他已经无力保卫自己的灵魂,无法使灵魂不受侵蚀。他本身正在滋长一种力量,这种力量渐渐使他成为奴隶。

他干了很卑鄙的事!他看着许多不幸的、血肉模糊的人软弱无力地倒下去,他还要朝他们投石头。

因为揪心的痛苦，因为感情上十分难受，他的额头上都渗出了汗珠儿。

他有什么理由感到自负？他有什么权利在别人面前夸耀自己的纯洁和勇气？他有什么权利评论别人，不原谅别人的弱点？

渺小的人和高尚的人都有不足之处。他们的区别在于：渺小的人做了好事，就要夸耀一辈子；高尚的人做了好事，一点也不注意，而长期记在心里的是他所做的坏事。

可是他却常常夸耀自己的勇敢和正直，讥笑别人的软弱和怯懦。可是现在他把很多人出卖了。他鄙视自己，他为自己感到羞臊。他的家，他的光明和温暖，都化为灰烬，化为齑粉。

他和契贝任的友谊、对女儿的疼爱、对妻子的感情、对玛丽亚的无希望的爱情、他个人的幸福与不幸、他的著作、他的心爱的科学、他对妈妈的爱和对她的悼念——一齐从他的心中消失了。

他为什么要犯这样可怕的罪过？世界上的一切与他所失去的东西相比，是微不足道的，不论是从太平洋岸直到黑海岸的辽阔大国，还是科学，与一个小小人物的正直与纯洁相比，都是微不足道的。

他清楚地看到，现在还不晚，他还有力量抬起头来，做自己母亲的好儿子。

他不想寻求安慰，不想为自己辩护。就让他所做的这件卑鄙下贱的坏事永远成为对他的责难吧。让他终生时时刻刻记着吧。一个人应该不是一心想着去干什么大事，不是要以这样的大事作为骄傲和夸耀的资本。不是，不是，不是！

年复一年，每天，每时每刻都需要进行斗争，保卫自己做人的

权利，保持纯洁与善良的权利。在这种斗争中既不需要骄傲，也不需要虚荣，需要的只有搏斗。如果在可怕的时期出现了毫无希望的时刻，一个人就不应该怕死，如果还想做一个人的话，就不应该怕。

“好吧，咱们就试试瞧吧，”他说，“也许，我还有足够的力量。妈妈，妈妈，这是你的力量。”

五十七

卢比扬卡附近村庄里的一个又一个夜晚……

克雷莫夫被审讯之后，躺在床上，呻吟着，想着，和卡茨涅林鲍肯说着话儿。

原来克雷莫夫觉得布哈林和雷科夫的招供、加米涅夫和季诺维耶夫的招供、托洛茨基派、右倾或“左倾”中央的案件过程、布勃诺夫和穆拉洛夫以及什里亚普尼科夫的遭遇都是不可思议的，现在他觉得都是可以想象的了。从革命的活的机体上把皮撕下来，新时期想用革命的皮来打扮自己，而把无产阶级革命的带血的肌肉和热腾腾的心肝抛进垃圾堆里，因为新时期不需要这些。需要的只是革命的皮，所以把这张皮从活人身上剥下来。披上革命的皮的人便说起革命的话，做起革命的动作，但是脑子、肺、肝、眼睛却是另外一种人的。

斯大林！伟大的斯大林！也许，最有权势的一些人正是最没有主见的人。是时代和环境的奴隶，是当今的驯服而恭顺的奴仆，见到新时期来了，就恭恭敬敬地打开大门。

是的,是的,是的……见了新时期不低头的人,就要进垃圾堆。

现在他知道是怎样摧毁一个人了。搜身,剪掉纽扣,拿走眼镜,这样使一个人产生身体不值钱的感觉。到了侦讯室里,一个人会感到自己参加革命、参加国内战争根本不算什么,自己的知识和自己的工作更是不值一提。就是说,这是第二步:叫你知道不仅是身体不值钱。

而对于那些坚持继续做人的人,就进行百般折磨,一直要把人的体力和精力都弄垮,使人服服帖帖,毫无反抗之力,直到使人既不盼望正义,又不盼望自由,也不盼望安宁,只是盼望早日了结已经使人十分痛恨的人生。

审讯工作的几乎总是取胜的过程,就在于肉体的人和精神的人是一致的。精神和肉体是互相沟通的,进攻的一方只要击溃和突破人的肉体防线,就能使机动兵力进入突破口,控制精神,迫使人无条件投降。

他没有力量想这一切,也没有力量不想这一切。

究竟是谁出卖他?谁密告他?谁诬陷他?他觉得他现在对这个问题没有多大兴趣了。

他一向自以为得意的是,他能使自己的生活服从理性。可是现在不是这样了。理性说,他和托洛茨基的谈话情形是任尼娅告密的。可是他现在整个的生活、他和侦讯员周旋、他还能够呼吸、他依然是克雷莫夫同志,其支撑点就是相信任尼娅不可能干这种事。有一小会儿他竟会对此失去信心,他都感到奇怪。没有什么力量能够使他不相信任尼娅。尽管他知道,除了任尼娅,谁也不

知道他和托洛茨基的谈话，尽管他知道女人容易变心，女人是软弱的，尽管他知道任尼娅已经扔掉他，在他一生最艰难的时候离开了他，他还是相信。

他把审讯的经过对卡茨涅林鲍肯说了说，但是只字也没有提这件事。

卡茨涅林鲍肯现在不开玩笑，也不扮鬼脸了。

确实克雷莫夫没有把他看错。他是很聪明的。但是他说的一切都很可怕、很奇怪。有时候克雷莫夫觉得，把这个老肃反工作人员关进内部监狱，没有什么不应该的。不可能不这样。有时克雷莫夫觉得他是一个疯子。

这是国家保安机关的一位诗人和歌手。

他有一次用赞赏的口气对克雷莫夫说，在最近的一次党代会上，在休息的时候斯大林问叶若夫，为什么他在执行肃反政策上犯了过火的错误，张皇失措的叶若夫回答说，他是执行斯大林的直接指示的，斯大林就对着围住他的代表们很忧郁地说："这也是一名党员应该说的。"

他还说了说亚戈达遇到的可怕的事……

他还说起肃反部门的一些大人物，他们懂得伏尔泰，知道拉伯雷，敬仰魏尔兰，当年都在这座日夜不眠的大房子里做过领导工作。

他还说过一个在莫斯科干了多年刽子手的一个很可爱、很老实的拉脱维亚老头子，这个老头子在行刑的时候，常常要求把就刑的人的衣服脱下来，交给保育院。他又说了另一个行刑者的事。那个人日日夜夜地喝酒，没有活儿干就十分苦闷，在没有派

到他杀人的时候，他就到莫斯科附近的国营农场去杀猪，把猪血装在瓶子里带回来，说是医生叫他喝猪血治贫血病。

他向他描述，在1937年天天夜里怎样对判定所谓剥夺通信自由的人执行死刑，夜里莫斯科焚尸炉的烟囱怎样冒浓烟，被动员参加行刑和抬运尸体的共青团员们怎样发疯。

他说了说怎样审讯布哈林，加米涅夫多么倔强。有一天夜里他和克雷莫夫一直谈到天亮。

这一天夜里，这名肃反工作人员发展和丰富了理论。

卡茨涅林鲍肯对克雷莫夫描述了新经济政策时期的新资产阶级分子弗伦克尔的不寻常遭遇。弗伦克尔在实行新经济政策初期在奥德萨建立了发动机工厂。在二十年代中期他被逮捕并被押送到索洛韦茨基群岛上。他在索洛韦茨基集中营里的时候，向斯大林提供了一份天才的方案。这个老肃反工作人员在这里用的字眼儿就是“天才的”。

他在这份方案中用大量经济学的和技术方面的数据论证了如何利用成千上万的犯人修建道路、堤坝、水电站，开凿运河。

这位被囚禁的新资产阶级分子便成了克格勃的中将，因为当家的十分看重他的想法。

二十世纪忽然闯入简单劳动时期，这种被神圣化的劳动实际是囚犯连队的劳动和旧式的苦役劳动，是锹、镐、斧头和锯子的劳动。

集中营世界也开始吸收现代文明，也使用电力机车、自动升降机、推土机、电锯、涡轮机、割矿机、大量的汽车和拖拉机。集中营世界装备了运输和联络飞机、无线电联络和通讯系统、自动

车床、现代化的选矿系统;集中营世界设计、规划、建造矿井、工厂、新的海洋、宏伟的水电站。

集中营世界发展十分迅速,并存的旧的苦役式劳动显得很可笑,很好玩儿,就像孩子们的拼图方块。

但是,卡茨涅林鲍肯说,集中营还是跟不上现实的发展,因为现实不断地向集中营提供人力。有许多学者和专家还是派不上用场,他们和技术与医务没有任何关系……

有一些全世界知名的历史学家、数学家、天文学家、文学评论家、地理学家、世界美术研究专家、研究梵文和古凯尔特语的学者,在劳改集中营系统都派不上什么用场。集中营的发展还不够,还不能利用这些人的特长。他们干的是粗活儿,或者在事务工作方面和文教科做一些所谓笨活儿,或者在残废营里闲待着,根本无法运用他们的知识,他们的知识往往是极其渊博的,不仅在苏联,而且在全世界都得到极高的评价。

克雷莫夫听着卡茨涅林鲍肯在说,就好像一位学者在说自己一生的主要事业。他不仅是歌颂和赞美。他还是个研究者。他进行比较,揭示缺点和矛盾,联系,对照。

在集中营外面也存在着缺陷,当然,其形式是不那样明显的。在现实生活中有不少人做的不是他们能做的工作,不是发挥其所长,在各个大学、各个编辑部、科学院各研究所都有这类现象。

卡茨涅林鲍肯说,在集中营里,刑事犯统治着政治犯。刑事犯又霸道,又野蛮,又懒惰,又贪财,动不动就不要命地打架、抢夺,阻碍着集中营劳动生活和文化生活的发展。

他接着说，就是在集中营铁丝网里面，科学家和著名的文化界人士的工作也要由不学无术、无能和见识短浅的人领导。

集中营好像是外面社会的扩大而加强的映象。不过铁丝网内外的现实不是相反的，而是符合对称定律的。

他接着又说起来，不过不是像一位歌手，也不像一位思想家，而是像一位预言家了。

如果勇敢而连续不断地推进集中营制度的发展，排除阻力和缺陷，这种发展必将导致界线的消灭。集中营就会同外面的社会融为一体。这种融合，这样消灭了集中营与外面社会的对立，就是伟大的原则的成熟和胜利。集中营制度虽然有种种缺陷，但也有一个起决定作用的优点。只有在集中营里，最高原则，也就是理性，能够毫不掩饰地反对个人自由原则。理性可以使集中营高度发展，高度发展就可以创造条件使其自我消灭，与乡村和城市的生活融为一体。

卡茨涅林鲍肯担任过集中营设计院的领导。他认为，科学家和工程师们能够在集中营的条件下解决最复杂的问题。他们能够解决世界科学技术思想方面的任何问题。只要能很好地领导他们，为他们创造较好的物质条件就行。有一种古老的说法，说是没有自由就没有科学，是完全不可信的。

“等到两方面水平接近了，”他说，“我们就可以宣布铁丝网里面和外面的生活相等了，就用不着关押人了，我们就不必再开发逮捕证了。我们只建立监狱和政治隔离所，文教处就可以对付任何不合常规的人。到那时候就会出现意想不到的太平局面。”

取消集中营将是人道主义的胜利。同时所谓个人自由这种

乱七八糟的、原始的、穴居时代的原则在这之后也不会占上风，不会猖獗起来。相反，这种原则倒是可以完全消除。

在沉默了很久之后，他又说，也许，几百年之后，这种制度会自行消灭，在这种制度自行消灭过程中，渐渐产生民主和个人自由。

“世界上没有什么东西是永远存在的，”他说，“但是我不希望生活在那样的时代。”

克雷莫夫对他说：

“您的一些想法是极不正常的。据说，一些精神病医生在精神病医院里工作时间久了，自己的精神也会不正常。请原谅我这样说。不过，您在这里面待得太久，不是没有影响的。卡茨涅林鲍肯同志，您把保安机关看成了上帝。确实应该把您撤换下来。”

卡茨涅林鲍肯很和善地点了点头，说：

“是的，我相信上帝。我是一个信神的愚昧的老头子。每一个时代都要依照自己的面貌创造一个上帝。保安机关是明智的和强有力的，保安机关统治着20世纪的人类。过去这样的力量，人类曾经奉若神明的力量，就是地震、雷电、森林大火。现在不光是把我关起来，而且把您也关起来了。也应该把您撤换了。总有一天会弄清楚，究竟是您说得对，还是我说得对。”

“可是德列林克老头子现在回去了，回集中营去了。”克雷莫夫说。他知道这话会引起反应的。

果然，卡茨涅林鲍肯说：

“就是这个可恶的老头子搅乱了我的信仰。”

五十八

克雷莫夫听到声音不高的说话声：

“刚才广播说，我军击溃了斯大林格勒的德国集团军群，好像把保卢斯抓住了，说实话，我没有听清楚。”

克雷莫夫叫喊起来，挣扎起来，两脚在地上乱动，想进入穿棉军装和毡靴的人群……人群的那种亲切的嚷嚷声淹没了旁边正在进行的不高的谈话声；格列科夫从斯大林格勒的瓦砾堆里摇摇晃晃地朝着克雷莫夫走来。

医生抓住克雷莫夫的手，说：

“应该休息一下……再注射一针樟脑剂，脉搏每跳四下都要停一下。”

克雷莫夫把咸咸的一团东西吞下去，说：

“没什么，继续进行吧，医生认为没有关系嘛，我反正不招认。”

“你会招认的，你会招认的，”侦讯员用工厂老技师那种和善而自信的口吻说，“有许多比您更硬的人都招认了。”

这第二次审讯过了三个昼夜之后结束了。克雷莫夫又回到囚室里。

值班守卫把一个白布包着的小包放到他身边。

“喂，犯人，请在转交单据上签个名。”他说。

克雷莫夫看了看转交物品的清单，清单上的字迹十分熟悉：葱、蒜、糖、白面包干。清单下面写着：“你的任尼娅。”

天啊，天啊，他哭了……

五十九

1943年4月1日，斯皮里多诺夫接到苏联电力委员部的撤换工作的通知；要他交出斯大林格勒发电站的工作，前往乌拉尔，到一座不大的、用泥炭发电的发电站去担任站长。这处分不算重，因为本来也可以送交法庭的。斯皮里多诺夫在家里没有说起电力委员部这道命令，决定再等州党委的决定。4月14日，州党委因为他在艰难的日子里擅离职守，给予他严重警告处分。这项决定也算很宽容的，因为本来也可以把他开除出党。但是斯皮里多诺夫觉得州党委做出这样的决定是很不应该的，因为州委的同志们都知道，他一直坚持到斯大林格勒保卫战的最后一天，他是在苏军已经开始进攻的那一天上左岸去的，他是为了去看看在船舱里分娩的女儿。在州党委的会议上他本想分辨一下，可是普里亚欣非常严肃，说：

"您可以向中央监察委员会上诉，我估计，什基里亚托夫同志会认为州党委的决定太宽容，太姑息。"

斯皮里多诺夫说：

"我相信，中央监察委员会会取消这种决定。"但是，因为他听到不少有关什基里亚托夫的事情，他还是有点儿怕提出上诉。

他担心和怀疑的是，普里亚欣的面孔那样严肃，不仅是和斯大林格勒发电站的事有关系。普里亚欣当然记得，斯皮里多诺夫和任尼娅与克雷莫夫有亲戚关系，他自然不喜欢一个知道他和坐

牢的克雷莫夫有多年关系的人。

在这种情况下，即使普里亚欣想帮助斯皮里多诺夫，也不能帮助了。假如他这样做了，对他不友好的人(有权势的人周围总会有不友好的人)马上就会向有关部门反映，说普里亚欣因为同情人民敌人克雷莫夫，竟帮助克雷莫夫的亲戚、怕死的斯皮里多诺夫。

但是，很明显，普里亚欣不帮助斯皮里多诺夫不仅是因为他不能，而是因为他不愿意帮助。显然，普里亚欣知道，克雷莫夫的岳母已经来到斯大林格勒发电站，正住在斯皮里多诺夫家里。大概普里亚欣也知道，任尼娅常和妈妈通信，不久前还寄来自己给斯大林的申诉书的底稿。

在州党委会议散会之后，斯皮里多诺夫到小卖部去买乳酪和香肠，在这里碰见州保安局局长沃罗宁。沃罗宁带着好笑的神气看了看他，并且用好笑的口吻说：

“斯皮里多诺夫真是一个天生的好当家人，刚刚受过严重警告处分，就做起家务事来啦。”

“一家人要吃饭呀，有什么办法，我现在做爷爷啦。”斯皮里多诺夫说着，笑了笑，是一种苦笑，无可奈何的笑。

沃罗宁也对他笑了笑，说：

“我以为你准备办移交呢。”

斯皮里多诺夫听了这话，心里想：“幸亏把我赶到乌拉尔去，要不然在这儿就完了。维拉和小孩子怎么办呀？”

他搭吨半载重汽车回斯大林格勒发电站，透过驾驶室的模模糊糊的玻璃望着他就要离开的被战争摧毁的城市。他想着，在战

前他的妻子就是走这条如今已是堆满瓦砾的人行道去上班;他想着供电网,想着,等到从斯维尔德洛夫斯克运来新电缆,他已经不在斯大林格勒发电站了;想着,小外孙因为营养不足,胳膊上和胸前出了很多小疙瘩。他想道:"严重警告就严重警告好啦,有什么了不起的?"他想,不会发给他"保卫斯大林格勒"奖章的,不知为什么一想到奖章他就非常伤心,其伤心的程度竟超过离别这座和他的生活、工作、思念玛露霞的眼泪联系着的城市的伤感心情。他甚至因为得不到奖章懊恼得大声骂起娘来,所以司机问他:

"斯皮里多诺夫同志,您这是骂谁?是不是有什么东西忘在州党委啦?"

"是的,我忘记了,"斯皮里多诺夫说,"可是它没有忘记我。"

斯皮里多诺夫家几个房间里又冷又潮湿。代替炸掉的窗玻璃的是胶合板和木板。墙上的石灰有很多地方脱落了。饮用水要用桶提上三层楼。房间里生的是用铁皮做的小炉子。有一个房间暂时关闭不用,也没有使用厨房,厨房暂时做仓房,放的是木柴和土豆。

斯皮里多诺夫、维拉和小孩子、在他们回来之后便从喀山赶来的符拉季米罗芙娜,住在原来做餐室的大房间里。原来维拉住的紧靠厨房的小房间里住着安德列耶夫老头子。

本来斯皮里多诺夫可以修修天花板,粉粉墙壁,砌两座砖炉,发电站里还有干这种事的一些工人师傅,材料也是有的。

但是不知为什么一向操心家事的、果断的斯皮里多诺夫不愿意请人做这些事情。

显然,维拉和符拉季米罗芙娜也觉得住在战后的残破家屋里

更舒服些，因为战前的生活已经毁灭，为什么要使家屋恢复原来的样子，又使人想起一去不再返的生活？

符拉季米罗芙娜来了之后，又过了几天，安德列耶夫的儿媳妇娜塔莉亚也从列宁斯克来了。她在列宁斯克和已故的婆婆的妹妹吵了一架，又把儿子暂时丢给她，就上斯大林格勒发电站来找公公。

安德列耶夫一看到儿媳妇，就生起气来，对她说：

"你以前和婆婆吵，现在又继承下来，和她的妹妹吵。你怎么能把孩子丢在那儿呀？"

看样子，娜塔莉亚在列宁斯克过的日子十分艰难。她一走进安德列耶夫住的房间，打量了一下天花板、墙壁，就说："这儿太好了！"虽然这儿一点儿也没有什么好的：天花板上的灰条子已经露了出来，角落里还堆着一堆石灰，烟囱已经不成样子。

窗户上堵了一块胶合板，上面嵌了一小块玻璃片，房间里的光线就是透过玻璃片进来的。

从这自制的小窗户望出去，一片凄惨景象：到处是断垣残壁，有红颜色的，也有蓝颜色的，还有破烂的屋顶铁皮。

符拉季米罗芙娜一来到斯大林格勒，就生起病来。她因为生病，暂时没有上城里去。她很想去看看她那烧毁的房子。

最初几天，她克制着病痛，帮维拉做事情：生炉子，洗尿片，在炉子的铁皮烟囱上烘尿片，把脱落的石灰送到楼梯平台上，甚至还尝试过从下面往上提水。

但是她的病情越来越重，在烧得很暖和的房间里她会觉得冷，在很冷的厨房里她的额头会冒出汗来。

她想硬撑过去，不说自己有病。但是有一天早晨，她上厨房里去抱木柴，却一下子昏迷过去，倒在地板上，把头都跌破了。斯皮里多诺夫和维拉把她搀到床上躺下来。

符拉季米罗芙娜苏醒过来以后，把维拉叫到床前，说：

“你要知道，我在喀山在柳德米拉家里过的日子不如在你们家里。我上这儿来，不光是为了你，也为了我自己。我只是怕，我躺在这儿不能动，会把你累坏。”

“姥姥，我有你在这儿就很好。”维拉说。

可是维拉确实感到十分艰难。水、木柴、牛奶，一切东西都要花很大力气才能弄来。外面的阳光已经有了暖意，可是房间里又冷又潮湿，不得不把炉子烧旺些。

小米佳的胃有毛病，夜里常常哭，妈妈的奶也不够他吃。维拉一天到晚在房间里和厨房里忙活，要不然就是出去买牛奶和面包，洗锅洗碗，从下面往上提水。她的两手泡得红红的，脸也被风吹得红红的，而且出现了冻斑。因为劳累，因为天天活儿干不完，她心中无时无刻不感到郁闷和沉重。她不梳头，很少洗脸，也不照镜子，生活的重担把她压坏了。她时时刻刻非常想睡觉。到晚上，胳膊、腿、肩膀都酸疼，很想休息。她一躺下，米佳就哭。她就爬起来，走过去喂奶，把尿片换一换，抱起来在房间里走一走。过一个钟头，他又哭起来，她就又爬起来。天麻麻亮，他就醒来，再也不睡了，于是她就在朦胧的晨曦中又开始了新的一天，——不等睡够，便带着昏昏沉沉的脑袋上厨房里去抱柴，生炉子，烧开水，准备给爸爸和姥姥泡茶，开始洗衣服。但奇怪的是，她现在一点也不发脾气了，变得又和善又有耐性。

娜塔莉亚来了以后,维拉的日子轻松些了。

娜塔莉亚来了以后,安德列耶夫便上斯大林格勒北部的拖拉机工厂工人村去住几天。也许是他想看看自己的房子和发电站,也许是因为儿媳妇把孩子丢在列宁斯克生儿媳妇的气,也许是他不愿意让她吃斯皮里多诺夫家的粮食,所以他走的时候把他的供应卡给她留下了。

娜塔莉亚不等休息过来,在来到的那一天就动手帮维拉的忙。

啊,她干起活儿多么轻快、多么带劲儿呀,她那年轻而有力的手一干起来,那沉甸甸的水桶、那盛满了水的煮衣锅、那满口袋的煤炭变得多么轻了呀。

现在维拉可以抱着孩子上外面去玩一会儿了,可以在石头上坐坐,看看那闪闪发光的春水,看看草原上冒起的蜃气。

四周围静悄悄的。战场已经移到几百公里之外了。似乎当德军飞机在空中嗡嗡直叫,炮弹不停地爆炸,生活中充满了火、恐惧和希望的时候,心里倒是轻松些。

维拉看着小孩子那满脸的脓疙瘩,心疼起来。她同时也怜惜起维克托罗夫。天啊,天啊,苦命的瓦尼亚呀,生一个儿子竟是这样瘦,这样虚弱,这样爱哭。

然后她踏上到处是垃圾和碎砖的楼梯,上了三楼,干起活儿,她的苦恼便沉没在忙碌中,沉没在浑浊的肥皂水中,沉没在炉子的灰烟里,沉没在墙壁散发的潮气中。

姥姥把她叫到床前,抚摩着她的头发,姥姥平时那又安详又明亮的眼睛里出现了异常悲痛和温柔的神情。

维拉没有跟任何人谈起过维克托罗夫，没有跟爸爸谈，没有跟姥姥谈，甚至也没有对五个月的米佳说过。

娜塔莉亚来到以后，房间里的一切都变了样子。她刮掉墙上的霉斑，把黑暗的墙角都粉刷了，地板上有些脏东西就像长在上面似的，她都擦洗干净了。她还进行了一次大规模的清扫，本来维拉准备等天暖和了再干的，——她把一层一层楼梯上的垃圾全部清除了。

下午，她又把长长的、像黑色蟒蛇似的烟囱收拾好了。烟囱本来歪歪扭扭，接缝处不住地往下滴松脂色的脏水，滴得地板上一个一个的小水洼儿。娜塔莉亚在烟囱上涂了石灰，又把烟囱抻直了，用铁丝捆上，在接缝处挂了几个空罐头筒，脏水就往里面滴。

她来到的第一天，就和符拉季米罗芙娜很要好了，虽然她好像是一个爱吵爱闹的泼辣女子，还喜欢说男女之间的粗野话，应该不是符拉季米罗芙娜所喜欢的人。娜塔莉亚很快就认识了许多人，有线路工人，有涡轮房里的工人，有载重汽车的司机。

有一次，娜塔莉亚去站队买东西刚刚回来，符拉季米罗芙娜对她说：

“娜塔莉亚，有一位同志问你来着，是一位军人。”

“是一个格鲁吉亚人吧？”娜塔莉亚问道，“他要是再来，您把他撵走。大鼻子鬼，想向我求婚呢。”

“这么着急？”符拉季米罗芙娜惊讶地问。

“您以为他们能沉得住气吗？他要我在战后上格鲁吉亚去呢。我把楼梯擦洗得干干净净，难道是为了跟着他走？”

晚上她对维拉说：

“咱们上城里去，今天有电影。司机米沙用汽车送咱们去。你带小孩子坐在驾驶室里，我可以在车厢里。”

维拉摇了摇头。

“你去吧，”符拉季米罗芙娜说，“我身体要是好一些，我也跟你们去了。”

“不去，不去，我怎么也不能去。”

娜塔莉亚说：

“还是要好好地过下去呀，要不然咱们都成了鳏夫和寡妇了。”

然后她又带着责备的口气说：

“你天天待在家里，哪儿也不想去，你对爸爸也没有照应好。我昨天洗衣服，他的衬衣和袜子都很破了。”

维拉抱起孩子，走到厨房里。

“米佳，你说说，你的妈妈不是寡妇吧？……”她问道。

斯皮里多诺夫这些天十分关心岳母，两次从城里请来医生给她看病，帮助维拉给她拔火罐子，有时把水果糖塞到她手里，说：

“您不要给维拉，我已经给她吃过了，这是留在橱子里专门给您的。”

符拉季米罗芙娜明白，女婿有很不愉快的事，心里很苦闷。但是每次她问他州党委方面是不是有什么消息，他总是摇摇头，说起别的事情。

只有那一天晚上，当他接到通知，说即将处理他的问题的时候，他回到家里，挨着岳母在床上坐下来，说：

“我这是怎么搞的呀，假如玛露霞知道我的事情，会发疯的。”

“他们究竟说你有什么错儿？”岳母问。

“全是错儿。”他说。

这时候娜塔莉亚和维拉走了进来，谈话就中断了。

符拉季米罗芙娜望着娜塔莉亚，心想，是有这样一种刚健而顽强的美，任何艰难的生活对这种美都无可奈何。娜塔莉亚的一切都很美，不论是脖子，青春的胸脯，还是腿，几乎露到肩膀的匀称的手臂。符拉季米罗芙娜心想：“真是一位没学过哲学的哲学家。”她常常发现，有一些没有过惯贫苦日子的女子，一遇到艰难的环境就憔悴下来，不再注意自己的容貌，像维拉就是这样。她很喜欢那些做季节工的姑娘们，那些干重活儿的女工，军事调度员姑娘们，她们住在棚子里，在灰土和泥水中干活儿，却还要烫发，照镜子，往脱了皮的鼻子上搽粉。有些顽强的鸟儿就是在刮风下雨的天气，也要不顾一切地唱自己的歌儿。

斯皮里多诺夫也望着娜塔莉亚，后来突然抓住维拉的手，把她拉到怀里，搂住她，好像请求原谅似的，吻了吻她。

符拉季米罗芙娜也好像没头没脑地说：

“有什么了不起的，斯捷潘，咱们离死还早着哩！就连我这个老婆子还想把身体养好，在世上多活几年哩。”

他很快地看了看她，笑了。这时娜塔莉亚往脚盆里倒了不少热水，端到床前，跪下来，说：

“符拉季米罗芙娜，我给你洗洗脚，现在屋里很暖和。”

“你疯啦！傻瓜！快起来！”符拉季米罗芙娜叫道。

六十

有一天下午，安德列耶夫从拖拉机厂工人村回来了。

他走进屋里，一看到符拉季米罗芙娜，他那忧郁的脸笑了，——这一天她第一次起了床，脸色还很苍白，还很消瘦，坐在桌旁，戴起了眼镜，正在看书。

他说，他很久都找不到他的房子原来所在的地方，到处是战壕，炸弹坑一个连着一个，到处是碎瓦片和坑洼。

工厂里已经有很多人，每时每刻都有人回来，甚至民警也有了。参加民兵队的人还没有什么消息。大家都在掩埋士兵，埋好了，又不断地发现还有死人，有的是在地下室里，有的是在战壕里。到处是碎钢片、废铁……

符拉季米罗芙娜问他，他上那儿去是不是很难走，他在哪儿睡的，怎么弄到吃的，炼钢炉破坏得是不是很厉害，工人们有没有东西吃，他是不是见过厂长。

上午，在安德列耶夫回来之前，符拉季米罗芙娜对维拉说：

“我平时常常讥笑预感和迷信，可是今天我平生第一次肯定无疑地预感到，安德列耶夫会带来谢廖沙的消息。”

可是，她错了。

安德列耶夫说的事情是很重要的，不管听他说的人是幸福的还是不幸的。工人们对安德列耶夫说：没有东西吃，也不发工资，地下室和土室里又冷又潮湿。厂长变成了另外一个人，当初德国佬向斯大林格勒进攻的时候，他在车间里跟工人们亲热得不得

了，现在连话也不愿意说了，他的房子已经修好了，还从萨拉托夫弄来了小汽车。

“现在在发电站情况也很差，不过没有什么人恼恨站长，很明显，大家不好过，他也不好过。”

“他是很不痛快呀。”符拉季米罗芙娜说，“老人家，你打算怎么办？”

“我是来告别的，我想回家，虽然家也没有了。我在公共宿舍里找了个地方，在一个地下室里。”

“很对，很对，”符拉季米罗芙娜说，“不论怎么样，总算是在家里。”

“这是我挖出来的。”他说着，从口袋里掏出一个生了锈的顶针。

“不久我也要进城，上果戈理大街去，看看自己的家，翻翻碎瓦断砖，”符拉季米罗芙娜说，“真想回家呀。”

“你现在起床是不是早了一点儿，你的脸色还很苍白呀。”

“我听到你说的一些事，十分难受。真希望在这块神圣的土地上的一切是另一种样子。”

他咳嗽了几声。

“您该记得，斯大林在前年说：兄弟姊妹们……可是现在，打败了德国人，就连厂长的小院子不通报也别想进去，兄弟姊妹们却住在土室里。”

“是啊，是啊，这种状况是不大好，”符拉季米罗芙娜说，“唉，谢廖沙还是一点音信也没有。”

晚上，斯皮里多诺夫从城里回来。早上他上城里去的时候，

没有对任何人说州党委要处理他的问题。

“安德列耶夫回来了吗?”他盛气凌人地、生硬地问道,“谢廖沙没有什么消息吗?”

符拉季米罗芙娜摇了摇头。

维拉一下子就看出来,爸爸醉得很厉害。从他开门的猛劲儿,从他那拼命忽闪的难过的眼睛,从他把带回来的东西往桌子上放的那股神气,脱大衣的样子,问问题的口气,都可以看出这一点。

他走到睡在盛衣服篮子里的米佳跟前,俯下身来。

“你不要朝着他呼酒气。”维拉说。

“没关系,让他受点儿训练。”斯皮里多诺夫快活地说。

“你快坐下吃饭吧,恐怕你光是喝酒,没有吃东西。姥姥今天是第一次起床。”

“噢,这太好啦。”斯皮里多诺夫说着,把羹匙掉在碟子里,往衣服上溅了不少菜汤。

“噢呀,斯捷潘,你今天醉得真厉害,”符拉季米罗芙娜说,“这是因为什么喜事儿呀?”

他把碟子推开。

“你吃呀。”维拉说。

“你们听我说,是这样的,”他低声说,“我有一个消息。我的问题已经定了,在党内受到严重警告,部里来的命令是:要我上斯维尔德洛夫斯克州,到一个很小的发电站去,是烧泥炭发电的,农村型的,总而言之,一降到底了,住房可以保证。搬迁费相当于两个月的工资。明天就开始办移交。可以弄到车票。”

符拉季米罗芙娜和维拉对看了一眼，然后符拉季米罗芙娜说：

“可见，喝酒是有充分理由的，没说的。”

“妈妈，你也跟我们去吧，给您单独一个房间，好些的。”斯皮里多诺夫说。

“恐怕到那儿也只能给你们一个房间。”符拉季米罗芙娜说。

“妈妈，反正有一个房间也要给您住。”

他还是生平第一次唤她妈妈。也许是因为醉了，他眼里还噙着泪水。

娜塔莉亚走进来，斯皮里多诺夫换了话题，问道：

“工厂的情形怎样，我们的老头子是怎么说的？”

娜塔莉亚说：

“刚才他等您的，现在他睡着了。”

她坐到桌旁，用拳头支着腮，说：

“他刚才说，在工厂里工人炒瓜子吃，这就是他们的主要食品。”

她忽然问道：

“斯捷潘·菲多罗维奇，听说您要走，是吗？”

“是这样啊！我也听说了。”他快活地说。

她说：

“工人们都舍不得让您走。”

“有什么舍不得的，新的站长季什卡·巴特罗夫是一个很好的人。我和他在大学里是同学。”

符拉季米罗芙娜说：

“你们到了那里，谁能给你补袜子补得这样好呀？维拉又不会。”

“这倒的确是一个问题。”斯皮里多诺夫说。

“这么看，娜塔莉亚还得跟你们一块儿去哩。”符拉季米罗芙娜说。

“好吧，”娜塔莉亚说，“我去！”

大家都笑起来，但是说过笑话之后，沉默中却出现了难为情和紧张气氛。

六十一

符拉季米罗芙娜决定和女婿、维拉一道走，她到古比雪夫就停下来，准备在任尼娅那儿住一些时候。

在走之前的一天，符拉季米罗芙娜向新站长借了一部汽车，要上城里去看看自己那毁掉的家屋。

在路上，她问司机：

“这儿是什么？以前这儿是什么？”

“以前什么时候？”司机生气地问道。

在城市废墟中显露出生活的三个层次：战前的生活，战时的生活，今天正在重新寻找自己的和平轨道的生活。有一座房子原来是一家化学干洗店和织补店，几个窗子全用砖堵塞起来，每个窗子上都留了小洞，在作战时期德国一个近卫师的机枪手从小洞里往外打机枪，现在就在小洞里卖面包，有不少妇女在洞口排着队。

在瓦砾丛里到处是掩蔽所和土室，在里面住过士兵、指挥所、无线电通讯兵，在里面写过报告，装填过机枪弹带，上过自动步枪子弹。

可是现在烟囱里冒着和平的炊烟，掩蔽所旁边晒着衣服，孩子们在玩耍。

和平生活从战争中生长出来，虽然这生活还是很贫困、很穷苦的，几乎还是像战时那样艰难。

有一些战俘在清除主要街道上的碎石断砖。在暂作食品商店的一些地下室外面有不少人带着小桶在排队。罗马尼亚战俘们懒洋洋地在砖石堆中翻来翻去，在清理尸体。看不见红军士兵，只是偶尔见到几个水兵，司机对符拉季米罗芙娜解释说，伏尔加区舰队留在斯大林格勒为的是扫除地雷。在许多地方堆着新运到的木板、木条和一袋袋的水泥。这都是刚运到的建筑材料。有些地方已经把瓦砾堆到一旁，重新开始浇灌柏油马路。

在一处空旷的场地上，有一个妇女拉着一辆两轮的大车，大车上装着很多包袱，两个孩子拉着拴在车杠上的绳子在帮她拉车。

大家都一心一意要回家，回斯大林格勒来，可是符拉季米罗芙娜来了却又要走。

符拉季米罗芙娜问司机：

“斯皮里多诺夫要离开斯大林格勒发电站，您也舍不得吧？”

“我有什么舍不得的？”司机说，“斯皮里多诺夫叫我开车，新站长也叫我开车。都是一个样。要是准我走，我也走。”

“这儿是什么？”她指着一堵带有老大的窗洞的厚厚的墙壁，

问道。

“是各种各样的机关。本来就不如交给人居住。”

“以前这儿是干什么的?”

“以前保卢斯就住在这儿,就是从这儿把他带走的。”

“在那以前呢?”

“您认不出来吗? 这是百货大楼。”

似乎战争把以前的斯大林格勒挤走了。可以清楚地想象到,德国军官怎样从地下室里走出来,德军元帅怎样从熏黑的墙壁旁边走过,哨兵怎样向他敬礼。可是,难道符拉季米罗芙娜就是在这儿买过大衣料,买过手表,送给玛露霞做生日礼物,还带着谢廖沙上这儿来,在二楼体育用品部给他买过冰鞋?

那些巡礼马拉霍夫岗、凡尔登、鲍罗金诺战场的人,看到小孩子们,看到洗衣服的妇女们,看到拉干草的大车,看到拿草耙的老头子,大概也像这样感到奇怪……这儿,现在是葡萄园的地方,曾经有一队一队的法国大军开过,一辆辆蒙着帆布的货车经过;那儿,有一座农舍,还有集体农庄的一群瘦弱的牲口,还有许多苹果树的地方,曾经有缪拉特元帅的骑兵经过,库图佐夫曾经在这儿坐在椅子上挥动他那苍老的手发动俄军反攻。在那座冈上,在鸡群和羊群在乱石丛中吃草的地方,纳希莫夫曾经在那儿站过,托尔斯泰所描写的光闪闪的炸弹曾经从那儿飞过,曾经有伤兵在那儿呻吟,英国的子弹曾经在那儿呼啸。

符拉季米罗芙娜也觉得这些排队的妇女、这破烂房舍、这些卸木板的汉子、这晒在绳子上的衣服、带补丁的褥子、像蛇一样的长筒袜子、贴在断墙上的布告都十分奇怪。

她感觉出来，斯皮里多诺夫说到在区委会争论如何分配劳动力、木材、水泥的时候，他觉得今天的生活多么乏味，他觉得《斯大林格勒真理报》一味地报道清理废钢铁、打扫街道、修建澡堂和工人食堂，有多么枯燥。他一说起轰炸，说起大火，说起军团司令舒米洛夫上斯大林格勒发电站来，说起德国坦克从山冈上开来，说起苏联炮兵用炮火迎击这些坦克，就十分带劲儿。

战争的命运就是在这些街道上决定的。这一战役的结局决定着战后世界的版图，决定着斯大林伟大的程度或者希特勒政权恐怖的程度。在整整九十天里，克里姆林宫和贝希特斯加登都在想着、说着、梦魂萦绕着一个词儿——斯大林格勒。

斯大林格勒势必左右历史哲学，左右未来的社会制度。

世界命运的阴影把当初这座充满普通生活的城市遮住，使人不再看到。斯大林格勒成为未来的象征。

符拉季米罗芙娜渐渐来到自己的家时，不自觉地受到渐渐在斯大林格勒显示出来的力量的影响，她当初是在这儿生活，教育子孙，给女儿们写信，害病，买东西的呀。

她请司机把车停住，她走下汽车。她很吃力地在遍地瓦砾的空荡荡的街道上走着，注视着断垣残壁，似相识似不相识地辨认着和她的房子在一起的一座座房屋的残骸。

她的房子的朝街的一面墙还保留着，她的老花眼从空空的窗洞里看到了自己的住房的墙壁，认出了褪了色的蓝绿两色涂料。但是几个房间里已经没有地板，没有天花板，没有楼梯，她也无法上楼看看了。砖墙上还留着大火的痕迹，许多地方的砖已成为碎块。

她十分真切、十分痛心地回忆起自己的一生，回忆起几个女儿、不幸的儿子、孙子谢廖沙，回忆起无法挽回的损失，想到自己的孤单单的白头。她望着毁掉的家屋，人已是一个穿着旧大衣、破鞋的病弱老婆子。

什么在等待着她呢？她这个七十岁的人是不知道的。“人是要活下去的。”她想道。什么在等待着她所爱的一些人呢？她不知道。春日的天空透过她的房子的空空的窗洞朝她望着。

她的亲人们的生活都不算好，既不安宁，又使人难以理解，充满了担心、痛苦、失误。柳德米拉怎么样呢？家庭不和睦会造成什么结果呢？谢廖沙怎样呢？他还活着吗？维克托的日子多么难过呀。维拉和女婿斯捷潘会怎样呢？斯捷潘能不能重新建立家庭，得到安宁？又聪明、又善良又不善良的娜佳今后又会怎样？维拉呢？会不会被独身生活、穷困、生活重担压垮？任尼娅会怎么样，她是不是跟着克雷莫夫上西伯利亚？她自己会不会进集中营？会不会像米佳那样死掉？国家会不会饶恕谢廖沙有一双无辜死在集中营里的父母？

他们的命运为什么这样不安宁，这样令人难以理解？

那些病死的、牺牲的、被处死的人依然和生者保持着联系。她还记着他们的微笑、他们的大笑、他们说的笑话、他们的忧郁和怅惘的眼睛、他们的希望和失望。

米佳曾经抱着她，说：“没什么，妈妈，顶要紧的是，你不要为我担心，在这集中营里也有一些好人。”索菲亚·列文顿，一头黑发，上嘴唇上面还有细细的毛儿，又年轻，又快活，又有气性，还常常朗诵诗。可怜的安娜·什特鲁姆总是很忧郁，又聪明，又喜欢

嘲笑人。托里亚吃起碎乳渣通心粉狼吞虎咽,很不斯文;使她生气的是,托里亚光知道张嘴吃,一点也不愿意帮妈妈的忙。要是对他说:"你连一杯水也不给妈妈倒……"他就说:"好的,好的,我来倒,可是为什么娜佳不倒?"还有玛露霞!任尼娅总是讥笑你那种老师式的说教,你常常教训人,用正统思想教训斯捷潘……你和别廖兹金家的小孩子斯拉瓦、和老奶奶瓦尔瓦拉一起沉到了伏尔加河里。米哈伊尔·西多罗维奇,您给我解释解释吧。天啊,他还能解释什么呀……

一切生活得不好的人,总是怀着苦楚、隐隐的悲痛、怀疑的心情盼望着幸福。有些上她这儿来,有些给她写信,她常常有一种很奇怪的心情:她有一个和睦的大家庭,可是在心里却有一种孤独感。

现在她这个老婆子还活着,还一直盼望着好日子,又有信心,又怕有灾祸,又为一些活着的人担心,为死了的难受,也为活着的难受。现在她站在这儿,望着毁掉的家屋,欣赏着春日的天空,甚至不觉得自己在欣赏天空。她站着,自己问自己,为什么她所爱的一些人的未来吉凶难卜,为什么他们一生有这么多的失误,她不知道;在这种令人不解中,在这种迷惘中,在痛苦和混乱中就有答案,就有理解,就有希望,她也不知道;她已经发自内心地理解了他和他的亲人们生活的意义,虽然不论是她,还是任何一个亲人,都不会说自己是等待亲人们,虽然都知道,在可怖的时期一个人是否幸福完全由不得自己,世界的命运可以为人造福或招祸,可以使人获得荣誉或者使人沦落,把人变为集中营里的尘土,但是无论世界的命运,无论历史厄运、国家发怒的厄运,无论荣誉,

无论在搏斗中遭殃，都不能改变那些可以称为人的人，不论等待着他们的是劳动的光荣，还是冷落、失望和穷困、集中营和死亡，他们都会像人一样生活，像人一样死去，那些牺牲的人便是能够像人一样死去的人，——这就是他们的可歌可泣的做人的胜利，战胜了世界上过去和今后不断反复出现的气焰万丈的、非人性的一切。

在这最后的一天，不仅从早晨就喝酒的斯皮里多诺夫醉得晕晕乎乎的。符拉季米罗芙娜和维拉在即将离开的时候，头脑里也晕晕乎乎的。来过几批工人，问到斯皮里多诺夫。斯皮里多诺夫交代了最后几件事，又上区委去办离开的手续，给几个朋友打了电话，又上兵役局去交还了免役证，在各个车间里转了一会儿，和工人们说说话儿，说说笑话，等到在涡轮房里暂时剩下他一个人的时候，他把腮贴到凉丝丝的、不动的飞轮上，疲惫地合上了眼睛。

维拉在收拾东西，在炉子上烘尿片，把牛奶煮熟，装到瓶子里，准备在路上给米佳喝，往布袋子里塞面包。这一天她要和维克托罗夫、和妈妈永远分别了。他们就要留在这儿，这儿再没有谁想他们，问他们了。

她一想到她现在是家里的内当家的，是最镇定的，是安于艰难生活的，心里就得到一点儿安慰。

符拉季米罗芙娜望着外孙女那因为一直睡不足觉而发了红的眼睛，说：

“维拉，往往就是这样。离开经受了许多苦楚的家，比什么都难受。”

娜塔莉亚去烙饼子，给斯皮里多诺夫一家人带着在路上吃。她一大早就背着木柴和面粉等上工人村到一个熟识的妇女家里去，那一家有一座俄式炉子，她就在那儿做馅，和面。她在厨房里忙活得满脸通红，显得分外年轻，分外标致。她不住地照着小镜子，笑着，自己的鼻子上和腮上沾了不少面粉，可是等那个熟识的妇女一走出厨房，她就哭了起来，泪珠子扑簌簌往面团上直落。

可是，那个熟识的妇女还是发现了她的眼泪，就问道：

"娜塔莉亚，你怎么哭呀？"

娜塔莉亚回答说：

"我跟他们处惯了。老奶奶挺好，我也舍不得那个维拉，也舍不得她那没有父亲的小孩子。"

那个熟识的女人细心听完了她的解释，说：

"娜塔莉亚，你不说老实话，你不是因为老奶奶哭。"

"不，我是因为老奶奶。"娜塔莉亚说。

新站长答应让安德列耶夫走，但是要他再在斯大林格勒发电站停留五天。娜塔莉亚说，这五天她要陪公公一起过，然后她就上列宁斯克到儿子那儿去。

"以后会知道，咱们下一步上哪儿去。"她说。

"以后你怎么就会知道？"公公问道。但是她没有回答。

大概就是因为什么也不知道，她才哭。安德列耶夫老头子不喜欢儿媳妇对他表示关怀。她觉得，他可能还记着她和婆婆争吵，对她还有意见，不肯原谅她。

到吃午饭的时候，斯皮里多诺夫回家来了。他说了说在机械车间和工人们告别的情形。

“就是在家里，整个上午来看你的人就像朝圣一样，”符拉季米罗芙娜说，“五个一批，六个一群，不断地来找你。”

“这么说，都收拾好啦？载重汽车准时在五点钟开到。”他笑了笑，“感谢巴特罗夫，他还是给了汽车。”

事情都交代了，东西都收拾好了，可是斯皮里多诺夫的酒醉感和神经质的紧张感依然没有消失。他开始重新收拾皮箱，重新整理包裹，似乎他急不可待地要走。不一会儿，安德列耶夫从邮局回来了，斯皮里多诺夫问他：

“怎么样，有没有从莫斯科发来的关于电缆的电报？”

“没有，什么电报也没有。”

“哎呀，这些狗东西们在捣蛋哩，要不然到五月就可以开始送电了。”

安德列耶夫对符拉季米罗芙娜说：

“您的身体还不行，怎么能走呀？”

“没什么，我能行。再说，有什么办法，这又不是在果戈理大街自己家里。这儿已经有油漆工来过，看过了，要把房子修一修给新站长住哩。”

“真是太不讲情理了，他就是等一两天也好哇。”维拉说。

“他怎么算是不讲情理？”符拉季米罗芙娜说，“总要过日子呀。”

斯皮里多诺夫问：

“饭做好了吗，还等什么？”

“等娜塔莉亚烙的饼。”

“啊，要是等烙饼，咱们就耽误上火车了。”斯皮里多诺夫说。

他不想吃饭，但是他还留了酒准备在告别席上喝，他非常想喝酒。

他一直想到自己的办公室去看看，哪怕在那儿待几分钟也好，但是不大合适，因为巴特罗夫正在召开各车间主任会议。他因为感到苦恼，越来越想喝酒。他不住地摇头：咱们要耽误上车了，要耽误了。

这种怕耽误的心情，焦急等待娜塔莉亚的心情，不知为什么使他感到愉快，但是他怎么也不明白，究竟为什么感到愉快；他也没有想起来：战前他准备和妻子上戏院的时候，就是这样不住地看表，焦急地说："咱们要耽误了。"

他今天很想听到有关自己的好话，因此他的心情更坏了。于是他一遍又一遍地说：

"为什么要舍不得我这个逃兵和胆小鬼？还有，恐怕我是毫不要脸，才希望得到参加保卫战奖章。"

"真的，咱们不等了，吃饭吧。"符拉季米罗芙娜看到斯皮里多诺夫很不自在，就说。

维拉把一锅菜汤端了来。斯皮里多诺夫拿来一瓶酒。符拉季米罗芙娜和维拉都不想喝酒。

"没关系，咱们都像男子汉一样，痛痛快快喝两杯吧。"斯皮里多诺夫说过这话，接着又说："也许，咱们还是等一等娜塔莉亚？"

恰好在这时候，娜塔莉亚提着篮子走了进来，把一摞一摞的烙饼放到桌子上。

斯皮里多诺夫给安德列耶夫和自己各斟了满满的一杯酒，给

娜塔莉亚斟了半杯。

安德列耶夫说：

“去年夏天咱们就是这样在果戈理大街符拉季米罗芙娜家里吃烙饼。”

“看样子，这些饼子一点也不比去年的饼子差。”符拉季米罗芙娜说。

“那一次吃饭的有多少人呀，可是现在只有姥姥、你们两位，再加上我和爸爸了。”维拉说。

“咱们已经把斯大林格勒的德国佬打垮了。”安德列耶夫说。

“伟大的胜利！可是人付出了多么高的代价呀。”符拉季米罗芙娜说。接着又说：“多喝点儿汤，到路上咱们就只能吃干的，接连几天吃不到热和东西了。”

“是啊，路上是很艰难的，”安德列耶夫说，“上车也很难，连车站都没有，火车都是从高加索开往巴拉绍夫的，在咱们这儿是过路车，车上人非常多，除了军人，还是军人，不过，白面包也是从高加索运来的。”

斯皮里多诺夫说：

“像云彩一样朝咱们涌来了，这云彩是怎么来的？是苏联胜利了。”

他心里想，不久前在斯大林格勒发电站还能听见德军坦克的轰隆声呢，可是现在已经把他们赶到几百公里之外，现在战场已经是在别尔哥罗德、在丘古耶夫附近，已经是在库班了。

于是他又说起在心里憋得难受的话：

“好吧，就算我是逃兵，但是，该是谁来处分我？就让斯大林

格勒的战士们来处分我吧。我在他们面前有愧。”

维拉说：

“老人家,那一次在您旁边坐的是莫斯托夫斯科伊。”

可是斯皮里多诺夫打断她的话。今天他心里难受得实在憋不住了。他对女儿说：

“我给州委第一书记打了一个电话,想和他道道别,不管怎么说,在整个保卫战时期,在所有的企业领导人中,我是唯一留在右岸的,可是他的副手巴鲁林不给我接电话,说：‘普里亚欣同志没时间和您说话。正忙着呢。’好吧,他忙着就忙着吧。”

维拉就好像没听到爸爸的话,又说：

“那一天谢廖沙旁边坐的是中尉托林同志,现在那位中尉哪儿去啦？……”

她非常希望能有谁说：“他能上哪儿去,他可能还活得好好儿的,正在打仗呢。”

假如能听到这样的话,她今天的苦恼的心也许会多少得到宽慰。

但是爸爸又打断她的话,说：

“我对他说,你也知道,我今天要走啦。他却对我说：好吧,那您就写信吧,有什么话就在信里说吧。好吧,去他妈的吧。来,再喝一杯。咱们在这儿喝酒是最后一次了。”

他端起酒杯,朝着安德列耶夫：

“老人家,过去有什么不周到之处,请多多担待。”

安德列耶夫说：

“瞧你说的,斯皮里多诺夫同志。这儿的工人阶级都舍不得

你。”

斯皮里多诺夫干了一杯，沉默了一会儿，就好像沉进了水里。后来就喝起汤来。

饭桌上静下来，只能听到吃烙饼的声音，再就是斯皮里多诺夫用汤匙喝汤的声音。

这时候小米佳哭了起来。维拉连忙站起来，走到孩子跟前，把他抱起来。

“符拉季米罗芙娜，您吃饼呀。”娜塔莉亚像祈求活命一样，恳切地小声说。

“我一定吃。”符拉季米罗芙娜说。

斯皮里多诺夫带着得意、醉意和幸福的果断神气说：

“娜塔莉亚，我当着大家的面对您说说。您在这儿没什么事可干，还是上列宁斯克去，把孩子带上，上乌拉尔我们那儿去。咱们在一块儿，在一块儿要好过些。”

他想看看她的眼睛，可是她把头垂得低低的，他只能看到她的额头和好看的黑眉毛。

“老人家，您也上我们那儿去吧。在一块儿要好过些。”

“我还上哪儿去？”安德列耶夫说，“我没有多少劲头儿活了。”

斯皮里多诺夫很快地打量了一下维拉。维拉抱着小米佳站在桌旁，在哭。

这一天他第一次看见他就要离开的房屋的墙壁，这时他的揪心的痛苦，关于被撤职、失去荣誉和心爱的工作的一些想法，使他快要发疯、使他不能为胜利而高兴的懊恼和羞惭——这一切顿时

全都消失，全都失去意义。

这时和他坐在一起的岳母、他一直热爱又永远失去了的妻子的母亲，吻了吻他的头，说：

“没什么，没什么，我的好孩子，活还是要活下去的。”

* * *

在一座乡村房屋里，因为从傍晚就生起炉子，整个一夜都很闷热。

一位寄居的女子和昨天刚刚从军医院来她这儿度假的受伤的军人丈夫几乎一夜没有睡。他们说话的声音很小，为的是不吵醒房东老大娘和睡在大柜子上的一个小姑娘。

老大娘很想睡着，可是睡不着。她生气的是，女房客和丈夫说话的声音很小，——这倒是影响了她，她不由地用心听起来，尽可能地把她听到的一些个别的词儿联系起来。

也许，如果他们说话声音大一些，老大娘多少听一会儿，也就睡了。她甚至想敲敲板墙，说：“你们的声音为什么那样小，怎么，有什么好听的事儿吗？”

老大娘有好几次听出完整的句子，后来声音小得又听不清了。

那名军人说：

“我从军医院里来，就连一块水果糖也没办法带来。更不用说在前方了。”

“我呀，”女房客说，“也只能拿素油炒土豆招待你。”

后来他们说话的声音就很小了，一点也听不清了，后来好像

女房客哭了。

老大娘听到她说：

“这是我的爱情把你保住了。”

“哼，这坏小子！”老大娘在心里把军人骂了一句。

老大娘迷迷糊糊睡了几分钟，显然是打起鼾来，所以说话的声音大些了。

她醒了过来，仔细听起来，听清楚了：

“皮沃瓦罗夫给我往军医院里来信说，不久前才给了我中校军衔，马上又把我提为上校。是军团司令亲自提名的。要知道，也是他把我提为师长的。还有列宁勋章呢。这一切都是因为那一次战斗，那一次我被埋住，和在车间里的各营失去联系，还像鹦鹉一样唱歌儿。我有一种感觉，就好像我是骗子。我觉得真不自在，这种情形你都想象不到。”

后来他们显然发觉老大娘不打鼾了，于是他们说话的声音又小了。

老大娘是独身一人，她的老头子在战前就死了，独生女儿在斯维尔德洛夫斯克工作，不和她住在一起。在战争期间老大娘这儿没有住过什么人，她不明白，为什么昨天来了一名军人，她心里就这样七上八下的。

她不喜欢女房客。她觉得女房客是一个没有头脑、不能独立生活的女人。女房客每天起身很晚，她的小女孩穿得很破烂，弄到什么就吃什么。她大部分时间沉默不语，坐在桌边，朝窗外望着。可是有时候她来了兴头儿，就干起活儿来。原来她什么事都会做：又会缝衣服，又能擦地板，还做得一手好菜汤，虽然是城里

人，却还会挤牛奶。显然，她是心里有些不自在。她的小女孩也有点儿任性，非常喜欢和小甲虫、蟋蟀、蟑螂玩儿，而且不像所有的孩子一样，她还傻里傻气地吻小甲虫，说故事给小甲虫听，然后把小甲虫放掉，自己就哭起来，又呼喊，又叫唤小甲虫的名字。秋天里老大娘从树林里给她带回一个小刺猬，小女孩就时刻不离地跟着小刺猬跑，小刺猬上哪儿，她上哪儿。小刺猬一发出哼哼声，她就快活得发了疯。小刺猬要是跑到五斗橱底下，她就挨着五斗橱坐在地板上等着，并且对妈妈说："轻点儿，小刺猬睡觉啦。"等到小刺猬跑回树林里，她有两天都不想吃饭。

老大娘总觉得，她的女房客会上吊的，所以她很担心：拿小姑娘怎么办呀？她已经这么大年纪了，可是不愿意增添麻烦。

"我用不着照应什么人。"她说。确实，她一想到，早晨她一起来，女房客上吊了，她就提心吊胆。拿小姑娘怎么办呀？

她认为，女房客是被丈夫扔了，丈夫在前方另找了一个年轻些的女子，所以她天天在愁思苦想。丈夫很少给她来信，就是来了信，她也不显得愉快。想叫她说说心里话是不可能的，她什么也不说。邻居一些妇女也发现，老大娘的女房客是一个很古怪的女人。

老大娘跟着丈夫吃够了苦。丈夫又喜欢喝酒，又喜欢吵闹。他打起人来也不像一般人一样，常常用火叉或者棍子打她。他也打女儿。在他不喝酒的时候，也不会使人快活：又小气，又喜欢找茬儿挑毛病，像个老娘们儿一样，盆儿碗儿的事都要管管：这又不对，那又不对。说她做饭做得不好吃，买东西也不会买，挤牛奶也挤不好，床铺也铺得不整齐。而且每说一句话都要骂娘。他把她

也教会了，她现在稍有不开心，就骂起娘来。她连心爱的母牛也要骂。在丈夫死的时候，她连一滴眼泪也没有掉过。他一直把她折腾到老。拿他有什么办法呀，他是一个酒鬼。他在女儿面前也不怕丑，叫人想起来都觉得难为情。打起鼾来像打雷一样，特别是在喝醉的时候。她的母牛也那样喜欢跑，简直太喜欢跑了。一有机会，就离开牛群到处跑，一个老年人要是天天跟着它跑，只有累死。

老大娘时而倾听隔壁的悄声低语，时而想想自己和丈夫过的不和睦的日子，在恼恨的同时，也怜惜起丈夫。不管怎么说，他干活儿还是很劳累的，工资也很低。如果没有奶牛，他们的日子就很不好过。而且他死也是因为他在矿井里吸的煤灰太多了。这不是，她还没有死，还活着呢。当年他还从叶卡捷林堡给她买了一串项链，现在女儿还带着呢……

一清早，小姑娘还没有醒，女房客便和丈夫到邻村去买面包，到那儿可以凭军人乘车证买到白面包。

他们手挽着手，一声不响地走着。要在树林中走一公里半，走到湖边，再顺着岸边往前走。

积雪还没有化尽，变成了淡蓝色。雪成为大块的、毛边的结晶体，便呈现出湖水般的淡蓝色。在小丘的阳坡上，积雪在融化，化雪水在路边水沟里哗哗响着。雪的亮光、水的亮光、覆盖着薄冰的水洼的亮光照得人眼花缭乱。亮光是那样强烈，从亮光中穿过，就好像从密密的树丛中穿过。亮光又扰人，又碍事，当他们走到一个冻住的水洼上的时候，被踩疼的冰突然在阳光中闪烁起来，就好像亮光在脚下发出碎裂声，碎裂成许多尖尖的、带刺的碎

光片。亮光在路边水沟里流着，在有石头拦路的地方，亮光膨胀起来，飞溅起来，发出叮叮淙淙声。春天的太阳离大地非常近了。空气又清凉又温暖。

他觉得，他的嗓子本来冻坏了，喝酒烧坏了，被烟气和硝烟、灰尘呛坏了，骂娘骂脏了的，现在被亮光和天空的蓝色洗干净了，涮干净了。他们走进树林里，来到林边几棵松树的树荫下。这儿仍然有薄薄的一层雪没有融化。在松树上面，在车轮似的绿枝上，有几只松鼠在忙活着，下面，在结了一层冰壳子的雪地上，落了老大的一片吃过的松球，还有尖牙齿咬的许多碎木屑。

树林里十分宁静，是因为亮光被一层一层的松针挡住，所以不吵不闹，也不叮叮响，而是小心翼翼地把地面裹住。

他们依然一声不响地走着，他们又在一起了，就因为这样，四周围的一切都变得美好了，春天来了。

他们不约而同地站了下来。两只吃得肥肥的红腹灰雀儿停在枞树枝上。那红红的肥胖的胸脯就像是在带有魔法的雪中绽开的两朵花儿。此时此刻的宁静是奇异的，美妙的。

在这种宁静中，会想起去年的树叶，想起过去的一场又一场风雨、筑起又抛弃的窠巢，想起童年，想起蚂蚁辛辛苦苦的劳动，想起狐狸的狡诈和鹰的强横，想起世间万物的互相残杀，想起产生于同一心中又跟着这颗心死去的善与恶，想起曾经使兔子的心和树干都发抖的暴风雨和雷电。在幽暗的凉荫里，在雪下，沉睡着逝去的生命——因为爱情而聚会时的欢乐，四月里鸟儿的悄声低语，初见觉得奇怪、后来逐渐习惯了的邻居，都已成为过去。强者和弱者、勇敢的和怯弱的、幸福的和不幸的都已沉睡。就好比

在一座不再有人住的空了的房子里，在和死去的、永远离开这座房子的人诀别。

但是在寒冷的树林中比在阳光明丽的平原上春意更浓。在这宁静的树林里的悲伤，也比宁静的秋日里的悲伤更沉重。在这无言的静默中，可以听到哀悼死者的号哭和迎接新生的狂欢……

还是黑沉和寒冷的，但是不要多久，大门和栅栏门就要打开，空荡荡的房子里又要热闹起来，又会充满孩子的笑声和哭声，又会响起女人的匆忙而好听的脚步声，满怀信心的男主人就要走进房子里来了。

他们站着，挎着面包篮子，没有说话。